법무사 5개년 기출문제집

오상훈·하영태·이혁준·김지후·김경중·김기찬·이천교 공편저

1차 | 진도별 전과목 수록 1권 제1판

제1과목　헌법, 상법
제2과목　민법, 가족관계의 등록 등에 관한 법률

12년간 11회
전체 수석
합격자 배출

박문각 법무사

브랜드만족
1위
박문각

응시자격

제2차 시험일(시험을 수일간 실시하는 경우 최종일)을 기준으로 법무사법 제6조의 결격사유가 없어야 하며, 법무사규칙 제15조의 규정에 의하여 응시자격을 정지당한 자는 응시할 수 없다.

시험방법

가. 제1차 시험 : 객관식 필기시험
나. 제2차 시험 : 주관식 필기시험

시험과목

구분	제1차 시험	제2차 시험
제1과목	헌법(40), 상법(60)	민법(100)
제2과목	민법(80), 가족관계의 등록 등에 관한 법률(20)	형법(50), 형사소송법(50)
제3과목	민사집행법(70), 상업등기법 및 비송사건절차법(30)	민사소송법(70), 민사사건관련서류의 작성(30)
제4과목	부동산등기법(60), 공탁법(40)	부동산등기법(70), 등기신청서류의 작성(30)

※ 괄호 안의 숫자는 각 과목별 배점비율임.

응시원서 접수

1 접수방법 등

가. 「대한민국 법원 시험정보」 인터넷 홈페이지(http://exam.scourt.go.kr)에 접속하여 접수할 수 있음.
나. 구체적인 방법은 접수기간 중에 시험정보 인터넷 홈페이지에서 처리단계별로 안내함.
다. 원서접수 시에는 미리 3.5㎝×4.5㎝ 크기의 모자를 쓰지 않은 상반신 사진(디지털 사진 또는 스캐닝 사진)을 jpg(jpeg) 형식의 파일(해상도 100, 3.5㎝×4.5㎝)로 준비하여야 하고, 응시수수료 10,000원 외에 별도의 처리비용(카드결제, 실시간 계좌이체, 휴대폰결제)이 소요됨.

2 원서접수 시 유의사항

(1) 응시자는 응시원서에 표기한 제1차 시험의 응시지역(서울, 대전, 대구, 부산, 광주)에서만 응시할 수 있음.

(2) 응시지역은 주소지에 관계없이 선택할 수 있음.

(3) 응시원서 접수기간 내에는 기재사항(응시지역 등)을 수정할 수 있으나, 접수기간이 종료한 후에는 기재사항을 변경할 수 없음.

(4) 응시원서를 접수한 후 취소마감일까지 원서접수를 취소한 경우와 시험 당일 불가피한 사유로 시험에 응시하지 못한 경우로써 「법무사법 및 법무사규칙의 시행에 관한 예규」 제3조 제1항에 해당하는 경우에는 응시수수료를 환불해 줌.

시험의 일부면제

가. 법무사법 제5조의2 제1항에 의한 경력이 있는 자는 제1차 시험을 면제함.

나. 법무사법 제5조의2 제2항에 의한 경력이 있는 자는 제1차 시험의 전과목과 제2차 시험과목 중 제1과목 및 제2과목을 면제함.

다. 제1차 시험에 합격한 자에 대하여는 다음 회의 시험에 한하여 제1차 시험을 면제함.

라. 시험의 일부('가항 내지 다항'에 해당하는 자)를 면제받고자 하는 자는 당해 시험의 응시자격 요건을 갖추어야 하며, 응시원서 접수기간 내에 면제사항을 기재한 응시원서를 반드시 접수하여야 함.

마. '가 및 나'항의 경력산정은 당해 시험의 제2차 시험일(시험을 수일간 실시하는 경우 첫 일자)을 기준으로 함.

바. '가 및 나'항에 의하여 시험의 일부 면제를 받고자 하는 자는 해당 근무경력사항이 포함된 경력증명서를 응시원서 접수기간 내에 법원행정처 인사운영심의담당실로 제출하여야 함.

합격자 결정

법무사규칙 제13조에 의함.

※ 기타사항은 법무사시험 공고문 참조

차례

CONTENTS | PREFACE | GUIDE

차례

CONTENTS | PREFACE | GUIDE

★ 차례 ★

CONTENTS | PREFACE | GUIDE

헌법

PART 01

헌법총론

헌법과 헌법학

 **제1절 헌법의 의의와 헌법의 분류**

 **제2절 헌법의 해석**

 **제3절 헌법의 제정 · 개정 · 변천**

01 **헌법개정 절차에 관한 설명으로 가장 옳지 않은 것은?**　▸ 2022 법무사

① 헌법개정은 국회재적의원 과반수 또는 대통령의 발의로 제안된다.

② 제안된 헌법개정안은 대통령이 20일 이상의 기간 이를 공고하여야 하고, 국회는 헌법개정안이 공고된 날로부터 60일 이내에 의결하여야 한다.

③ 헌법개정안에 대한 국회의 의결은 재적의원 3분의 2 이상의 찬성을 얻어 확정되고, 대통령은 국회의 의결을 거친 즉시 이를 공포하여야 한다.

④ 대통령의 임기를 연장하거나 중임변경을 위한 헌법개정은 그 헌법개정 제안 당시의 대통령에 대하여는 효력이 없다.

⑤ 대통령이 발의하는 헌법개정안에 대하여는 국무회의의 심의를 거쳐야 한다.

해설　① ○ : 제128조 제1항

② ○ : 제129조, 제130조 제1항

③ × : 헌법개정안은 국회가 의결한 후 30일 이내에 국민투표에 붙여 **국회의원선거권자 과반수의 투표와 투표자 과반수의 찬성을 얻어야** 한다(제130조 제2항). 헌법개정안이 **제130조 제2항의 찬성을 얻은 때에는** 헌법개정은 **확정**되며, 대통령은 **즉시** 이를 **공포하여야** 한다(제130조 제3항).

④ ○ : 제128조 제2항

⑤ ○ : 제89조 제3호

제4절 헌법의 수호

대한민국헌법 총설

01 대한민국 국민에 관한 다음 설명 중 가장 옳지 않은 것은? ▶ 2022 법무사

① 현행 헌법은 입법자에게 대한민국의 국민이 되는 요건을 법률로 정할 것을 위임하고 있다.

② 북한주민 역시 일반적으로 대한민국 국민에 포함된다.

③ 우리나라의 국적법은 종래 부계혈통주의를 채택한 적이 있다.

④ 외국인이 대한민국 국민과 혼인하면 자동으로 대한민국 국적을 취득한다.

⑤ 대한민국 국민이었던 외국인은 법무부장관의 국적회복허가를 받아 대한민국 국적을 취득할 수 있는데, 병역을 기피할 목적으로 대한민국 국적을 상실하였거나 이탈하였던 사람은 제외된다.

해설 ① ○ : 대한민국의 국민이 되는 요건은 법률로 정한다(제2조 제1항).

② ○ : 대법원은 북한주민의 한국국적을 인정하고 있다.

조선인을 부친으로 하여 출생한 자는 남조선과도정부법률 제11호 국적에 관한 임시조례의 규정에 따라 조선국적을 취득하였다가 제헌헌법의 공포와 동시에 대한민국의 국적을 취득하였다 할 것이고, 설사 그가 **북한법의 규정에 따라 북한국적을 취득하여 중국주재 북한대사관으로부터 북한의 해외공민증을 발급받은 자**라 하더라도 북한지역 역시 대한민국의 영토에 속하는 한반도의 일부를 이루는 것이어서 대한민국의 주권이 미칠 뿐이고, 대한민국의 주권과 부딪치는 어떠한 국가단체나 주권을 법리상 인정할 수 없는 점에 비추어 볼 때 그러한 사정은 그가 대한민국국적을 취득하고 이를 유지함에 있어 아무런 영향을 끼칠 수 없다(대판 1996.11.12, 96누1221).

③ ○ : 구 국적법은 부계혈통주의를 취하였으나, 현행 국적법은 부모양계혈통주의에 기초한 속인주의를 원칙으로 하고 예외적으로 출생지주의(속지주의)를 채택하고 있다.

[참조판례] [국적법 제2조 제1항 제1호 위헌제청사건] 출생에 의한 국적취득에 있어 부계혈통주의를 규정한 구 국적법 제2조 제1항 제1호는 헌법상 평등의 원칙에 위배된다(헌재 2000.8.31, 97헌가12).

④ × : 외국인이 대한민국 국민과 혼인하면 자동으로 대한민국 국적을 취득하는 것이 아니라 **간이귀화**의 절차를 거쳐야 대한민국 국적을 취득한다(국적법 제6조 제2항 참조). ★

정답 01 ③ / 01 ④

🎯**참고**

국적법 제6조(간이귀화 요건)
② 배우자가 대한민국의 국민인 외국인으로서 다음 각 호의 어느 하나에 해당하는 사람은 제5조 제1호 및 제1호의2의 요건을 갖추지 아니하여도 귀화허가를 받을 수 있다.
1. 그 배우자와 혼인한 상태로 대한민국에 <u>2년 이상</u> 계속하여 주소가 있는 사람
2. 그 배우자와 **혼인한 후 3년**이 지나고 혼인한 상태로 대한민국에 <u>1년 이상</u> 계속하여 주소가 있는 사람
3. 제1호나 제2호의 기간을 채우지 못하였으나, 그 배우자와 혼인한 상태로 대한민국에 주소를 두고 있던 중 그 배우자의 사망이나 실종 또는 그 밖에 자신에게 책임이 없는 사유로 정상적인 혼인 생활을 할 수 없었던 사람으로서 제1호나 제2호의 잔여기간을 채웠고 법무부장관이 상당하다고 인정하는 사람
4. 제1호나 제2호의 요건을 충족하지 못하였으나, 그 배우자와의 혼인에 따라 출생한 미성년의 자(子)를 양육하고 있거나 양육하여야 할 사람으로서 제1호나 제2호의 기간을 채웠고 법무부장관이 상당하다고 인정하는 사람

⑤ ○ : 대한민국의 국민이었던 외국인은 법무부장관의 국적회복허가(國籍回復許可)를 받아 대한민국 국적을 취득할 수 있다(국적법 제9조 제1항). 법무부장관은 국적회복허가 신청을 받으면 심사한 후 병역을 기피할 목적으로 대한민국 국적을 상실하였거나 이탈하였던 사람에게는 국적회복을 <u>**허가하지 아니한다**</u>(국적법 제9조 제2항 제3호).

제3절 **헌법의 기본원리**

01 **현행 대한민국헌법의 전문(前文)에 관한 다음 설명 중 가장 옳지 않은 것은?** ▶ 2022 법무사
① 국회의 의결을 거쳐 국민투표에 의하여 개정함을 명백히 밝히고 있다.
② 헌법 전문에서 말하는 전통이란 역사성과 시대성을 띤 개념이므로 오늘날의 의미로 포착하여야 한다.
③ 3·1정신은 우리나라 헌법의 연혁적·이념적 기초로서 헌법이나 법률해석에서의 해석기준으로 작용할 수 있지만, 그에 기초하여 곧바로 국민의 개별적 기본권성을 도출해낼 수는 없다.
④ 3·1운동으로 건립된 대한민국임시정부의 법통을 계승한다고 선언한 헌법 전문으로부터 국가의 독립유공자와 그 유족에 대한 예우를 하여야 할 헌법적 의무가 도출될 수 있다.
⑤ 3·1운동의 정신과 4·19민주이념이 헌법 전문에 함께 규정되어 있는 점을 감안하여 보면, 4·19혁명공로자에 대한 보훈 수준은 애국지사와 동일하게 설정되어야 한다.

[해설] ① ○ : 1948년 7월 12일에 제정되고 8차에 걸쳐 개정된 헌법을 이제 국회의 의결을 거쳐 국민투표에 의하여 개정한다(헌법 전문).

② ○ : [민법 제781조 제1항 본문 후단부분 위헌제청사건] **[헌법불합치]** 〈호주제가 계승·발전시켜야 할 전통문화인지 여부(소극)〉 우리 헌법은 제정 당시부터 특별히 **혼인의 남녀동권**을 헌법적 혼인질서의 기초로 선언함으로써 우리 사회 전래의 가부장적인 봉건적 혼인질서를 더 이상 용인하지 않겠다는 헌법적 결단을 표현하였으며, 현행 헌법에 이르러 **양성평등**과 **개인의 존엄**은 혼인과 가족제도에 관한 최고의 가치규범으로 확고히 자리잡았다. 한편, 헌법 전문과 헌법 제9조에서 말하는 '**전통**', '**전통문화**'란 역사성과 시대성을 띤 개념으로서 헌법의 가치질서, 인류의 보편가치, 정의와 인도정신 등을 고려하여 오늘날의 의미로 포착하여야 하며, 가족제도에 관한 전통·전통문화란 적어도 그것이 가족제도에 관한 헌법이념인 개인의 존엄과 양성의 평등에 반하는 것이어서는 안 된다는 한계가 도출되므로, 전래의 어떤 가족제도가 헌법 제36조 제1항이 요구하는 개인의 존엄과 양성평등에 반한다면 헌법 제9조를 근거로 그 헌법적 정당성을 주장할 수는 없다(헌재 2005.2.3. 2001헌가9).

③ ○ : [대한민국과 일본국 간의 어업에 관한 협정비준 위헌확인사건] 〈**헌법전문이 헌법상 기본권인지 여부(소극)**〉 "**헌법전문에 기재된 3.1정신**"은 우리나라 헌법의 연혁적·이념적 기초로서 헌법이나 법률해석에서의 해석기준으로 작용한다고 할 수 있지만, 그에 기하여 곧바로 국민의 개별적 기본권성을 도출해낼 수는 없다고 할 것이므로, 헌법소원의 대상인 "헌법상 보장된 기본권"에 해당하지 아니한다(헌재 2001.3.21. 99헌마139).

④ ○ : [서훈추천부작위등 위헌확인사건] **[각하]** 〈**국가에게 독립유공자와 그 유족에 대한 예우를 해줄 헌법상 의무가 있는지 여부(적극)**〉 헌법은 전문(前文)에서 "3.1운동으로 건립된 대한민국 임시정부의 법통을 계승"한다고 선언하고 있다. 이는 대한민국이 일제에 항거한 독립운동가의 공헌과 희생을 바탕으로 이룩된 것임을 선언한 것이고, 그렇다면 국가는 일제로부터 조국의 자주독립을 위하여 공헌한 독립유공자와 그 유족에 대하여는 응분의 예우를 하여야 할 헌법적 의무를 지닌다고 보아야 할 것이다. / 다만 그러한 의무는 국가가 독립유공자의 인정절차를 합리적으로 마련하고 독립유공자에 대한 기본적 예우를 해주어야 한다는 것을 뜻할 뿐이며, 당사자가 주장하는 특정인을 반드시 독립유공자로 인정하여야 하는 것을 뜻할 수는 없다(헌재 2005.6.30. 2004헌마859).

▶ ① 국가보훈처장이 독립유공자(순국선열 및 애국지사)로 인정받기 위한 전제로서 요구되는 서훈추천을 거부한 것에 대하여 행정부작위 헌법소원이 가능한지 여부(소극) ∵ 독립유공자의 구체적 인정절차는 입법재량이고, 국가보훈처장이 서훈추천 신청자에 대한 서훈추천을 하여 주어야 할 헌법적 작위의무가 있다고 할 수는 없다. ★ ▸ 2016 법원행시

② 대통령의 영전 미수여 행위에 대해 행정부작위 헌법소원으로 다툴 수 있는지 여부(소극) ∵ 그 전제가 되는 법적 절차의 미개시이지 방치가 아니다.

⑤ × : [국가유공자 등 예우 및 지원에 관한 법률 제16조의4 등 위헌확인사건] 국가유공자나 그 가족에 대한 보상은 국가유공자의 희생과 공헌의 정도에 따른다. 4·19혁명공로자와 건국포장을 받은 애국지사는 활동기간의 장단(長短), 활동 당시의 시대적 상황, 국권이 침탈되었는지 여부, 인신의 자유 제약 정도, 입은 피해의 정도, 기회비용 면에서 차이가 있다. 이와 같은 점을 고려하면, 입법자가 4·19혁명공로자의 희생과 공헌의 정도를 **건국포장을 받은 애국지사와 달리 평가**하여 이 사건 법률조항에서 4·19혁명공로자에 대한 보훈급여의 종류를 수당으로 정하고, 이 사건 시행령조항에서 보훈급여의 지급금액을 애국지사보다 적게 규정한 것이 합리적인 이유 없는 차별이라 할 수 없다(헌재 2022.2.24. 2019헌마883). ★

[정답] 01 ⑤

02 법률유보원칙에 관한 다음 설명 중 가장 옳은 것은?

▶ 2021 법무사

① 대통령령은 법률의 위임이 없어도 법률에 위반되지 않는 범위 내에서 국민의 권리·의무에 관한 사항을 규율할 수 있다.

② 법률이 국민의 기본권 실현과 관련된 영역에 있어서 본질적인 사항에 대하여 스스로 결정하지 않고 행정입법에 위임하였다고 하더라도, 법률유보원칙에 위반되는 것은 아니다.

③ 법률유보원칙과 의회유보원칙은 서로 다른 별개의 원리로서 법률유보원칙이 의회유보원칙을 포함하는 것은 아니다.

④ 조례에 대한 법률의 위임은 법규명령에 대한 법률의 위임과 같이 반드시 구체적으로 범위를 정하여 할 필요가 없으며 포괄적인 것으로 족하다.

⑤ 입법자가 형식적 법률로 스스로 규율하여야 하는 사항이 어떤 것인지는 일률적으로 획정되어야 한다.

> **해설** ① × : 대통령은 법률에서 구체적으로 범위를 정하여 위임받은 사항(위임명령)과 법률을 집행하기 위하여 필요한 사항(집행명령)에 관하여 대통령령을 발할 수 있다(제75조). **위임명령**은 헌법에 근거하고 **법률의 위임에 따라** 발하는 명령으로서 국민의 권리·의무에 관한 사항을 규율할 수 있지만, / **집행명령**은 헌법에 근거하여 **법률의 위임이 없어도** 법률에 위반되지 않는 범위 내에서 법률을 집행하기 위하여 필요한 사항을 규율하는 명령이나, 국민의 새로운 권리·의무를 규정할 수 없다.
>
> ② × ③ × ⑤ × : 헌법은 법치주의를 그 기본원리의 하나로 하고 있고, 법치주의는 법률유보원칙, 즉 행정작용에는 국회가 제정한 형식적 법률의 근거가 요청된다는 원칙을 그 핵심적 내용으로 하고 있다. 나아가 오늘날의 법률유보원칙은 단순히 행정작용이 법률에 근거를 두기만 하면 충분한 것이 아니라, 국가공동체와 그 구성원에게 기본적이고도 중요한 의미를 갖는 영역, 특히 **국민의 기본권 실현에 관련된 영역**에 있어서는 행정에 맡길 것이 아니라 국민의 대표자인 **입법자 스스로 그 본질적 사항에 대하여 결정하여야 한다**는 요구, 즉 **의회유보원칙까지 내포**하는 것으로 이해되고 있다. 이때 입법자가 형식적 법률로 스스로 규율하여야 하는 사항이 어떤 것인지는 **일률적으로 획정할 수 없**고 구체적인 사례에서 관련된 이익 내지 가치의 중요성 등을 고려하여 개별적으로 정할 수 있다고 할 것이다(헌재 2009.12.29. 2008헌바48; 헌재 2015.5.28. 2013헌가6; 헌재 2016.7.28. 2014헌바158).
>
> ④ ○ : [부천시 담배자동판매기 설치 금지 조례 제4조 등 위헌확인사건] 〈조례에 대한 법률의 위임 시 포괄위임 허용여부(적극)〉 조례의 제정권자인 지방의회는 선거를 통해서 그 지역적인 민주적 정당성을 지니고 있는 주민의 대표기관이고, 헌법이 지방자치단체에 대해 **포괄적인 자치권**을 보장하고 있는 취지로 볼 때, 조례제정권에 대한 법률의 위임은 법규명령에 대한 법률의 위임과 같이 반드시 구체적으로 범위를 정하여 할 필요가 없으며 포괄적인 것으로 족하다(헌재 1995.4.20. 92헌마264).

03 헌법의 기본원리에 관한 다음 설명 중 가장 옳지 않은 것은?

▶ 2021 법무사

① 자유민주적 기본질서란 모든 폭력적 지배와 자의적 지배, 즉 반국가단체의 일인독재 내지 일당독재를 배제하고 다수의 의사에 의한 국민의 자치, 자유·평등의 기본원칙에 의한 법치주의적 통치질서를 말한다. 구체적으로는 기본적 인권의 존중, 권력분립, 의회제도, 복수정당제도, 선거제도, 사유재산과 시장경제를 골간으로 한 경제질서 및 사법권의 독립 등을 의미한다.

② 우리 헌법상의 경제질서는 사유재산제를 바탕으로 하고 자유경쟁을 존중하는 자유시장 경제질서를 기본으로 하면서도 이에 수반되는 갖가지 모순을 제거하고 사회복지·사회정의를 실현하기 위하여 국가적 규제와 조정을 용인하는 사회적 시장경제질서로서의 성격을 띠고 있다.

③ 우리 헌법은 사회국가원리를 명문으로 규정하고 있지는 않지만, 구체화된 여러 표현을 통하여 사회국가원리를 수용한 것으로 평가할 수 있다.

④ 사회국가란 사회정의의 이념을 헌법에 수용한 국가, 사회현상에 대하여 방관적인 국가가 아니라 경제·사회·문화의 모든 영역에서 정의로운 사회질서의 형성을 위하여 사회현상에 관여하고 간섭하고 분배하고 조정하는 국가이며, 궁극적으로는 국민 각자가 실제로 자유를 행사할 수 있는 그 실질적 조건을 마련해 줄 의무가 있는 국가이다.

⑤ 복수정당제가 우리 헌법상 반드시 보장되는 것은 아니다.

해설
① ○ : [국가보안법 제7조에 관한 위헌심판사건] 헌재 1990.4.2, 89헌가113
② ○ : [구 축산업협동조합법 제99조 제2항 위헌소원] 헌재 1996.4.25, 92헌바47; 헌재 2001.2.22, 99헌마365; 헌재 2001.6.28, 2001헌마132
③ ○ : 우리 헌법은 사회국가원리를 명문으로 규정하고 있지는 않지만, 헌법의 전문, 사회적 기본권의 보장(헌법 제31조 내지 제36조), 경제영역에서 적극적으로 계획하고 유도하고 재분배하여야 할 국가의 의무를 규정하는 경제에 관한 조항(헌법 제119조 제2항 이하) 등과 같이 사회국가원리의 구체화된 여러 표현을 통하여 사회국가원리를 수용하였다(헌재 2002.12.18, 2002헌마52).
④ ○ : 사회국가란 한마디로, 사회정의의 이념을 헌법에 수용한 국가, 사회현상에 대하여 방관적인 국가가 아니라 경제·사회·문화의 모든 영역에서 정의로운 사회질서의 형성을 위하여 사회현상에 관여하고 간섭하고 분배하고 조정하는 국가이며, 궁극적으로는 국민 각자가 실제로 자유를 행사할 수 있는 그 실질적 조건을 마련해 줄 의무가 있는 국가이다(헌재 2002.12.18, 2002헌마52).
⑤ × : 복수정당제는 우리 헌법상 반드시 보장되는 것이다. 정당의 설립은 자유이며, 복수정당제는 보장된다(제8조 제1항).

정답 02 ④ 03 ⑤

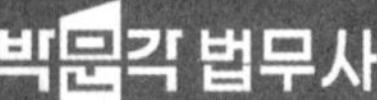
박문각 법무사

기본권론

 제1절 기본권보장의 역사

 제2절 기본권의 성격

 제3절 기본권의 주체

01 기본권의 주체에 관한 다음 설명 중 가장 옳지 않은 것은?

▶ 2024 법무사

① 불법체류 중인 외국인의 경우에도 원칙적으로 기본권의 주체가 된다.

② 의료인의 면허된 의료행위 이외의 의료행위를 금지하고 처벌하는 의료법 규정에 대하여 외국인의 직업의 자유 및 평등권에 관한 기본권 주체성은 인정되지 않는다.

③ 국회의 일부조직인 국회노동위원회는 기본권의 주체가 될 수 없다.

④ 직장의료보험조합은 공법인으로서 기본권의 주체가 될 수 없다.

⑤ 국가균형발전특별법에 의한 도지사의 혁신도시 입지선정과 관련하여 그 입지선정에서 제외된 지방자치단체로서는 입지선정 기준이 합리성과 타당성을 결여하였다고 다투는 등 평등권의 주체가 될 수 있다.

해설 ① ○ : [긴급보호 및 보호명령 집행행위 등 위헌확인(불법체류 외국인 강제출국사건)] 헌법재판소법 제68조 제1항 소정의 헌법소원은 기본권의 주체이어야만 청구할 수 있는데, 단순히 '국민의 권리'가 아니라 '인간의 권리'로 볼 수 있는 기본권에 대해서는 외국인도 기본권의 주체가 될 수 있다. 나아가 청구인들이 **불법체류 중인 외국인**들이라 하더라도, 불법체류라는 것은 관련 법령에 의하여 체류자격이 인정되지 않는다는 것일 뿐이므로, '인간의 권리'로서 외국인에게도 주체성이 인정되는 일정한 기본권에 관하여 불법체류 여부에 따라 그 인정 여부가 달라지는 것은 아니다(헌재 2012.8.23. 2008헌마430).

② ○ : [의료법 제27조 등 위헌확인(비의료인의 의료행위를 규제한 의료법사건)] **[각하]** 심판대상 조항(의료인의 면허된 의료행위 이외의 의료행위를 금지하고 처벌하는 의료법 규정)이 제한하고 있는 **직업의 자유**는 국가자격제도정책과 국가의 경제상황에 따라 법률에 의하여 제한할 수 있는 **국민의 권리**에 해당한다. 국가정책에 따라 정부의 허가를 받은 외국인은 정부가 허가한 범위 내에서 소득활동을 할 수 있는 것이므로, 외국인이 국내에서 누리는 직업의 자유는 법률에 따른 정부의 허가에 의해 비로소 발생하는 권리이다. 따라서 외국인인 청구인에게는 그 기본권주체성이 인정되지 아니하며, 자격제도 자체를 다툴 수 있는 기본권주체성이 인정되지 아니하는 이상 국가자격제도에 관련된 평등권에 관하여 따로 기본권주체성을 인정할 수 없다(헌재 2014.9.28. 2013헌마359).

③ ○ : **국가**나 **국가기관** 또는 **국가조직의 일부**나 **공법인**은 기본권의 '수범자'이지 기본권의 주체로서 그 '소지자'가 아니고 오히려 국민의 기본권을 보호 내지 실현해야 할 '책임'과 '의무'를 지니고 있는 지위에 있을 뿐이므로, 국가기관인 국회의 일부조직인 **국회의 노동위원회**는 기본권의 주체가 될 수 없고 따라서 헌법소원을 제기할 수 있는 적격이 없다(헌재 1994.12.29. 93헌마120).

④ ○ : [국민건강보험법 제33조 제2항 등 위헌확인] 국민건강보험법 부칙 제6조 및 제7조의 직접적인 수규자는 법인이나, **직장의료보험조합**은 공법인으로서 기본권의 주체가 될 수 없을 뿐만 아니라, 법규정의 실질적인 규율대상이 수규자인 법인의 지위와 아울러 **제3자인 청구인들(직장의료보험조합의 조합원들)**의 법적 지위라고 볼 수 있으며, 법규정이 내포하는 불이익이 수규자의 범위를 넘어 제3자인 청구인들에게도 유사한 정도의 불이익을 가져온다는 의미에서 거의 동일한 효과를 가지고 있으므로, 법의 목적 및 실질적인 규율대상, 법규정에서의 제한이나 금지가 제3자에게 미치는 효과나 진지성의 정도, 규범의 수규자에 의한 헌법소원의 제기가능성 등을 종합적으로 고려하여 판단할 때, 청구인들의 자기관련성을 인정할 수 있다(헌재 2000.6.29. 99헌마289).
▶ 국고지원에 있어서 지역가입자와 직장가입자의 차별취급이 평등의 원칙에 위배되는지 여부
: 소극

⑤ × : [혁신도시 최종입지 공표행위 위헌확인] [각하] 지방자치단체는 기본권의 주체가 될 수 없다는 것이 헌법재판소의 입장이며, 이를 변경해야 할만한 사정이나 필요성이 없으므로 **지방자치단체**인 **춘천시**의 헌법소원 청구는 부적법하다(헌재 2006.12.28. 2006헌마312).
[참조판례] 기본권의 보장에 관한 각 헌법규정의 해석상 국민(또는 국민과 유사한 지위에 있는 외국인과 사법인)만이 기본권의 주체라 할 것이고, 국가나 국가기관 또는 국가조직의 일부나 공법인은 기본권의 '수범자(受範者)'이지 기본권의 주체로서 그 '소지자'가 아니고 오히려 국민의 기본권을 보호 내지 실현해야 할 책임과 의무를 지니고 있는 지위에 있을 뿐이므로, 공법인인 지방자치단체의 의결기관인 청구인 **(서울시)의회**는 기본권의 주체가 될 수 없고 따라서 헌법소원을 제기할 수 있는 적격이 없다(헌재 1998.3.26. 96헌마345).
[참조판례] 기본권 보장규정인 헌법 제2장의 제목이 "국민의 권리와 의무"이고 그 제10조 내지 제39조에서 "모든 국민은 …… 권리를 가진다"고 규정하고 있으므로 이러한 기본권의 보장에 관한 각 헌법규정의 해석상 국민만이 기본권의 주체라 할 것이고, 공권력의 행사자인 국가, 지방자치단체나 그 기관 또는 국가조직의 일부나 공법인은 기본권의 "수범자"이지 기본권의 주체가 아니고 오히려 국민의 기본권을 보호 내지 실현해야 할 '책임'과 '의무'를 지니고 있을 뿐이다. 그렇다면 이 사건에서 **지방자치단체(광주광역시)**인 청구인은 기본권의 주체가 될 수 없고 따라서 청구인의 재산권 침해 여부는 더 나아가 살펴볼 필요가 없다(헌재 2006.2.23. 2004헌바50).

 기본권의 효력

 국가의 기본권보호의무

정답 ▶ 01 ⑤

제6절   기본권의 경합과 충돌

01   기본권의 효력에 관한 다음 설명 중 가장 옳지 않은 것은?   ▶ 2024 법무사

① 흡연권은 사생활의 자유를 실질적 핵으로 하는 것이고, 혐연권은 사생활의 자유뿐만 아니라 생명권에까지 연결되는 것이므로 혐연권이 흡연권보다 상위의 기본권이다.

② 근로자의 단결하지 아니할 자유와 노동조합의 적극적 단결권이 충돌하는 경우 노동조합의 적극적 단결권이 근로자의 단결하지 아니할 자유보다 중시된다.

③ 교사의 수업권과 학생의 수학권이 충돌하는 경우 두 기본권 모두 효력을 나타내는 규범조화적 해석에 따라 기본권 충돌은 해결되어야 한다.

④ 기본권 제한에 관한 법률유보원칙은 기본권 제한에 법률의 근거를 요청하나, 기본권 제한의 형식이 반드시 형식적 의미의 법률일 필요는 없다.

⑤ 하나의 규제로 인해 여러 기본권이 동시에 제약을 받는 기본권경합의 경우에는, 기본권 침해를 주장하는 제청신청인과 제청법원의 의도 및 기본권을 제한하는 입법자의 객관적 동기 등을 참작하여 사안과 가장 밀접한 관계에 있고 또 침해의 정도가 큰 주된 기본권을 중심으로 해서 그 제한의 한계를 따져 보아야 한다.

> **해설** ① ○ : [국민건강증진법 시행규칙 제7조 위헌확인](금연·흡연구역지정사건) [기각] **혐연권**은 흡연권과 마찬가지로 헌법 제17조, 헌법 제10조에서 그 헌법적 근거를 찾을 수 있다. 나아가 흡연이 흡연자는 물론 간접흡연에 노출되는 비흡연자들의 건강과 생명도 위협한다는 면에서 **혐연권**은 헌법이 보장하는 건강권과 생명권에 기하여서도 인정된다. 흡연자가 비흡연자에게 아무런 영향을 미치지 않는 방법으로 흡연을 하는 경우에는 기본권의 충돌이 일어나지 않는다. 그러나 흡연자와 비흡연자가 함께 생활하는 공간에서의 흡연행위는 필연적으로 흡연자의 기본권과 비흡연자의 기본권이 충돌하는 상황이 초래된다.
>
> 그런데 흡연권은 사생활의 자유를 실질적 핵으로 하는 것이고 혐연권은 사생활의 자유뿐만 아니라 생명권에까지 연결되는 것이므로 혐연권이 흡연권보다 상위의 기본권이다. 상하의 위계질서가 있는 기본권끼리 충돌하는 경우에는 상위기본권우선의 원칙에 따라 하위기본권이 제한될 수 있으므로, 흡연권은 혐연권을 침해하지 않는 한에서 인정되어야 한다(헌재 2004.8.25. 2003헌마457).
>
> ② ○ : [노동조합 및 노동관계조정법 제81조 제2호 단서 위헌소원] [합헌] [1] 이 사건 법률조항은 노동조합의 조직유지·강화를 위하여 당해 사업장에 종사하는 근로자의 3분의 2 이상을 대표하는 노동조합(이하 '지배적 노동조합'이라 한다)의 경우 단체협약을 매개로 한 조직강제[**이른바 유니언 샵(Union Shop) 협정의 체결**]를 용인하고 있다. 이 경우 **근로자의 단결하지 아니할 자유와 노동조합의 적극적 단결권(조직강제권)**이 **충돌**하게 되나, 근로자에게 보장되는 적극적 단결권이 단결하지 아니할 자유보다 특별한 의미를 갖고 있고, 노동조합의 조직강제권도 이른바 자유권을 수정하는 의미의 생존권(사회권)적 성격을 함께 가지는 만큼 근로자 개인의 자유권에 비하여 보다 특별한 가치로 보장되는 점 등을 고려하면, 노동조합의 적극적 단결권은 근로자 개인의 단결하지 않을 자유보다 중시된다고 할 것이고, 또 노동조합에게 위와 같은 조직강제권을 부여한다고 하여 이를 근로자의 단결하지 아니할 자유의 본질적인 내용을 침해하는 것으로 단정할 수는 없다

(헌재 2005.11.24, 2002헌바95). ▶ 이익형량

[2] 이 사건 법률조항은 단체협약을 매개로 하여 특정 노동조합에의 가입을 강제함으로써 **근로자의 단결선택권**과 **노동조합의 집단적 단결권(조직강제권)**이 **충돌**하는 측면이 있으나, 이러한 조직강제를 적법·유효하게 할 수 있는 노동조합의 범위를 엄격하게 제한하고 지배적 노동조합의 권한 남용으로부터 개별근로자를 보호하기 위한 규정을 두고 있는 등 전체적으로 상충되는 두 기본권 사이에 합리적인 조화를 이루고 있고 그 제한에 있어서도 적정한 비례관계를 유지하고 있으며, 또 근로자의 단결선택권의 본질적인 내용을 침해하는 것으로도 볼 수 없으므로, 근로자의 단결권을 보장한 헌법 제33조 제1항에 위반되지 않는다(헌재 2005.11.24, 2002헌바95). ▶ 규범조화적 해석

③ ✕ : 규범조화적 해석이 아니라 이익형량에 의한 방법을 따르고 있다.

[교육법 제157조에 관한 헌법소원](국정교과서제도사건) 국민의 수학권(헌법 제31조 제1항의 교육을 받을 권리)과 교사의 수업의 자유는 다 같이 보호되어야 하겠지만 그 중에서도 국민의 수학권이 더 우선적으로 보호되어야 한다. …… 중학교의 국어교과서에 관한 한, **교과용도서의 국정제**는 학문의 자유나 언론·출판의 자유를 침해하는 제도가 아님은 물론 교육의 자주성·전문성·정치적 중립성과도 무조건 양립되지 않는 것이라 하기 어려우므로 청구인의 심판청구를 **기각**하기로하여 주문과 같이 결정한다(헌재 1992.11.12, 89헌마88).

〈전교조 수업거부 사건〉 학교교육에 있어서 교원의 가르치는 권리를 수업권이라고 한다면, 이것은 교원의 지위에서 생기는 학생에 대한 일차적인 교육상의 직무권한이지만 어디까지나 학생의 학습권 실현을 위하여 인정되는 것이므로, 학생의 학습권은 교원의 수업권에 대하여 우월한 지위에 있다. 따라서 학생의 학습권이 왜곡되지 않고 올바로 행사될 수 있도록 하기 위해서라면 교원의 수업권은 일정한 범위 내에서 제약을 받을 수밖에 없고, 학생의 학습권은 개개 교원들의 정상을 벗어난 행동으로부터 보호되어야 한다. 특히, 교원의 수업거부행위는 학생의 학습권과 정면으로 상충하는 것인바, 교육의 계속성 유지의 중요성과 교육의 공공성에 비추어 보거나 학생·학부모 등 다른 교육당사자들의 **이익**과 **교량**해 볼 때 교원이 고의로 수업을 거부할 자유는 어떠한 경우에도 인정되지 아니하며, 교원은 계획된 수업을 지속적으로 성실히 이행할 의무가 있다(대판 2007.9.20, 2005다25298).

④ ○ : 법률유보의 원칙은 '법률에 의한' 규율만을 뜻하는 것이 아니라 '법률에 근거한' 규율을 요청하는 것이므로 기본권 제한의 형식이 반드시 법률의 형식일 필요는 없고 법률에 근거를 두면서 헌법 제75조가 요구하는 위임의 구체성과 명확성을 구비하기만 하면 위임입법에 의하여도 기본권을 제한할 수 있다(헌재 2016.4.8, 2012헌마549).

⑤ ○ : [출판사 및 인쇄소의 등록에 관한 법률 제5조의2 제5호 등 위헌제청](음란물출판사 등록취소사건) 이 사건 법률조항은 언론·출판의 자유, 직업선택의 자유 및 재산권을 경합적으로 제약하고 있다. 이처럼 **하나의 규제로 인해 여러 기본권이 동시에 제약을 받는 기본권경합의 경우**에는 기본권침해를 주장하는 제청신청인과 제청법원의 의도 및 기본권을 제한하는 입법자의 객관적 동기 등을 참작하여 사안과 가장 밀접한 관계에 있고 또 침해의 정도가 큰 주된 기본권을 중심으로 해서 그 제한의 한계를 따져 보아야 할 것이다. 이 사건에서는 제청신청인과 제청법원이 언론·출판의 자유의 침해를 주장하고 있고, 입법의 일차적 의도도 출판내용을 규율하고자 하는 데 있으며, 규제수단도 언론·출판의 자유를 더 제약하는 것으로 보이므로 언론·출판의 자유를 중심으로 해서 이 사건 법률조항이 그 헌법적 한계를 지키고 있는지를 판단하기로 한다(헌재 1998.4.30, 95헌가16).

정답 ▶ 01 ③

02 기본권의 경합에 관한 다음 설명 중 가장 옳지 않은 것은? ▸ 2025 법무사

① 헌법재판소는 등록된 출판사가 음란 또는 저속한 간행물을 출판하여 공중도덕이나 사회 윤리를 침해하였다고 인정되는 경우 등록청이 그 출판사의 등록을 취소할 수 있도록 하는 법률의 규정에 대하여 언론·출판의 자유를 중심으로 위헌 여부를 판단하였다.

② 헌법재판소는 의료인이 아닌 자의 문신시술업을 금지·처벌하는 법률의 규정에 대하여 예술의 자유를 중심으로 위헌 여부를 판단하였다.

③ 헌법재판소는 법무법인 구성원의 지분을 압류한 채권자가 영업년도말에 그 구성원을 퇴사시킬 수 있도록 한 법률의 규정에 대하여 재산권을 중심으로 위헌 여부를 판단하였다.

④ 헌법재판소는 2019학년도 대학 보건·의료계열 학생정원 조정계획 중 2019학년도 여자대학 약학대학의 정원을 동결한 부분에 대하여 직업선택의 자유를 중심으로 위헌 여부를 판단하였다.

⑤ 헌법재판소는 변호사에 대한 징계결정정보를 인터넷 홈페이지에 공개하도록 한 법령의 규정에 대하여 일반적 인격권을 중심으로 위헌 여부를 판단하였다.

해설 ① ○ : [출판사및인쇄소의등록에관한법률 제5조의2 제5호 등 위헌제청] **(음란물출판사 등록취소사건)** 헌재 1998.4.30. 95헌가16

② × : 예술의 자유가 아니라 **직업선택의 자유**를 중심으로 위헌여부를 판단하였다.
[의료법 제27조 제1항 본문 전단 위헌확인(비의료인 문신시술 금지 사건)] **[기각]** [1] 의료인이 아닌 사람도 문신시술을 업으로 행할 수 있도록 그 자격 및 요건을 법률로 제정하도록 하는 내용의 명시적인 입법위임은 헌법에 존재하지 않으며, 문신시술을 위한 별도의 자격제도를 마련할지 여부는 여러 가지 사회적·경제적 사정을 참작하여 입법부가 결정할 사항으로, 그에 관한 입법의무가 헌법해석상 도출된다고 보기는 어렵다.
[2] 문신시술 자격제도와 같은 대안의 도입 여부는 입법재량의 영역에 해당하고, 입법부가 위와 같은 대안을 선택하지 않고 국민건강과 보건위생을 위하여 의료인만이 문신시술을 하도록 허용하였다고 하여 헌법에 위반된다고 볼 수 없다. 그러므로 심판대상조항은 명확성원칙이나 과잉금지원칙을 위반하여 청구인들의 **직업선택의 자유를 침해하지 않는다**(헌재 2022.3.31. 2017헌마1343).

③ ○ : [변호사법 제58조 제1항 등 위헌소원] **[합헌]** 헌재 2025.3.27. 2021헌바4 ▶ 법무법인 구성원의 지분을 압류한 채권자가 영업년도말에 그 구성원을 퇴사시킬 수 있도록 규정한 변호사법 제58조 제1항 중 상법 제224조 제1항 본문을 준용하는 부분이 과잉금지원칙에 위반되어 **재산권**을 침해하는지 여부(소극)

④ ○ : [2019학년도 약학대학 입학정원 배정행위 위헌확인] **[기각]** 헌재 2020.7.16. 2018헌마566
▶ '2019학년도 대학 보건·의료계열 학생정원 조정계획' 중 2019학년도 여자대학 약학대학의 정원을 동결한 부분이 청구인의 **직업선택의 자유**를 침해하는지 여부(소극)

⑤ ○ : **징계결정 공개조항**은 과잉금지원칙에 위배되지 아니하므로 청구인의 **인격권**을 침해하지 아니한다(헌재 2018.7.26. 2016헌마1029).

03 기본권의 충돌에 관한 다음 설명 중 가장 옳지 않은 것은? ▶ 2025 법무사

① 상하의 위계질서가 있는 기본권끼리 충돌하는 경우에는 상위기본권우선의 원칙에 따라 하위 기본권이 제한될 수 있으므로, 흡연권은 혐연권을 침해하지 않는 한에서 인정되어야 한다.

② 노동조합의 적극적 단결권은 근로자 개인의 단결하지 않을 자유보다 중시된다고 할 것이어서 노동조합에 적극적 단결권(조직강제권)을 부여한다고 하여 이를 두고 곧바로 근로자의 단결하지 아니할 자유의 본질적인 내용을 침해하는 것으로 단정할 수는 없다.

③ 학생이 가지는 소극적 종교행위의 자유 및 소극적 신앙고백의 자유는 부작위에 의하여 자신의 종교적 신념을 외부로 표현하고 실현하는 기본권으로서, 학교법인이 가지는 종교교육의 자유보다 상위기본권에 해당한다.

④ 학교교육에 있어서 교원의 가르치는 권리를 수업권이라고 한다면, 이것은 교원의 지위에서 생기는 학생에 대한 일차적인 교육상의 직무권한이지만 어디까지나 학생의 학습권 실현을 위하여 인정되는 것이므로, 학생의 학습권은 교원의 수업권에 대하여 우월한 지위에 있다.

⑤ 인격권으로서의 개인의 명예의 보호와 표현의 자유의 보장이라는 두 법익이 충돌하였을 때 그 조정을 어떻게 할 것인지는 구체적인 경우에 사회적인 여러 가지 이익을 비교하여 표현의 자유로 얻어지는 이익, 가치와 인격권의 보호에 의하여 달성되는 가치를 형량하여 그 규제의 폭과 방법을 정하여야 한다.

> **해설** ① ○ : [금연·흡연구역지정사건] **[기각]** 헌재 2004.8.25, 2003헌마457
> ② ○ : [노동조합및노동관계조정법 제81조 제2호 단서 위헌소원] 헌재 2005.11.24, 2002헌바95
> ③ × : 고등학교 평준화정책에 따른 학교 강제배정제도가 위헌이 아니라고 하더라도 여전히 종립학교(종교단체가 설립한 사립학교)가 가지는 종교교육의 자유 및 운영의 자유와 학생들이 가지는 소극적 종교행위의 자유 및 소극적 신앙고백의 자유 사이에 충돌이 생기게 되는데, 이와 같이 하나의 법률관계를 둘러싸고 두 기본권이 충돌하는 경우에는 구체적인 사안에서의 사정을 종합적으로 고려한 이익형량과 함께 양 기본권 사이의 실제적인 조화를 꾀하는 해석 등을 통하여 이를 해결하여야 하고, 그 결과에 따라 정해지는 양 기본권 행사의 한계 등을 감안하여 그 행위의 최종적인 위법성 여부를 판단하여야 한다(대판 2010.4.22, 2008다38288 전원합의체).
> ▶ 이익형량에 의한 방법 ×, 규범조화적 해석 ○
> ▶ 종교단체가 설립한 사립학교에서 특정종교의 교리를 전파하는 종교행사와 종교과목 수업을 실시하면서 참가 거부가 사실상 불가능한 분위기를 조성하고 대체과목을 개설하지 않는 등 다른 신앙을 가진 학생의 기본권을 고려하지 않는 것은 학생의 종교에 관한 인격적 법익을 침해하는 위법행위이다.
> ④ ○ : [전교조 수업거부 사건] 대판 2007.9.20, 2005다25298
> ⑤ ○ : 대판 1998.7.14, 96다17257

제7절 기본권의 제한과 그 한계

01 **다음 설명 중 가장 옳지 않은 것은?** ▸ 2021 법무사

① 공익사업을 위한 토지 등의 취득 및 보상에 관한 법률 제91조 제1항이 환매권의 발생기간을 '취득일로부터 10년 이내'로 제한한 것은 환매권의 구체적 행사를 위한 내용을 정한 것이라기보다는 환매권의 발생 여부 자체를 정하는 것이어서 사실상 원소유자의 환매권을 배제하는 결과를 초래할 수 있으므로, 침해의 최소성 및 법익의 균형성 등 기본권 제한입법의 한계를 준수하지 못하고 있어 헌법에 위반된다.

② 노동조합 및 노동관계조정법 제94조는 양벌규정으로서 "법인 또는 단체의 대표자, 법인·단체 또는 개인의 대리인·사용인 기타의 종업원이 그 법인·단체 또는 개인의 업무에 관하여 제88조 내지 제93조의 위반행위를 한 때에는 행위자를 벌하는 외에 그 법인·단체 또는 개인에 대하여도 각 해당 조의 벌금형을 과한다."라고 규정하고 있는데, 위 규정 중 '법인의 대리인·사용인 기타의 종업원' 관련 부분은 책임주의 원칙에 위배되지만, '법인의 대표자' 관련 부분은 책임주의 원칙에 위배되지 않는다.

③ 건강보험수급권은 가입자가 납부한 보험료에 대한 반대급부의 성격을 가지며, 보험사고로 초래되는 재산상 부담을 전보하여 주는 경제적 유용성을 가지므로, 헌법상 재산권의 보호범위에 속한다.

④ 초·중등학교 교원에 대해서는 정당가입의 자유를 금지하면서 대학의 교원에게 이를 허용한다 하더라도, 이는 양자 간 직무의 본질과 내용, 근무 태양이 다른 점을 고려한 합리적인 차별이므로 평등원칙에 위배되지 않는다.

⑤ 국가공무원법 제66조 제1항 본문은 "공무원은 노동운동이나 그 밖에 공무 외의 일을 위한 집단행위를 하여서는 아니 된다."라고 규정하고 있는데, 위 규정 중 '그 밖에 공무 외의 일을 위한 집단행위' 부분은 명확성 원칙에 위반될 뿐 아니라 공무에 속하지 아니하는 어떤 일을 위하여 공무원들이 하는 모든 집단적 행위를 금지함으로써 표현의 자유에 대한 과도한 제한에 해당하므로, 헌법에 위반된다.

해설 ① ○ : [공익사업을 위한 토지 등의 취득 및 보상에 관한 법률 제91조 제1항 위헌소원(환매권 발생기간 제한사건)] **[헌법불합치]** 헌재 2020.11.26, 2019헌바131

② ○ : [노동조합 및 노동관계조정법 제94조 위헌제청('노동조합 및 노동관계조정법'상 양벌규정사건)] [1] **[위헌]** 심판대상조항 중 **법인의 종업원 관련 부분**은 종업원 등의 범죄행위에 관하여 비난할 근거가 되는 법인의 의사결정 및 행위구조, 즉 종업원 등이 저지른 행위의 결과에 대한 법인의 독자적인 책임에 관하여 전혀 규정하지 않은 채, 단순히 법인이 고용한 종업원 등이 업무에 관하여 범죄행위를 하였다는 이유만으로 법인에 대하여 형벌을 부과하도록 정하고 있는바, 이는 다른 사람의 범죄에 대하여 그 책임 유무를 묻지 않고 형사처벌하는 것이므로 헌법상 법치국가원리로부터 도출되는 책임주의원칙에 위배된다.

[2] **[합헌]** 법인은 기관을 통하여 행위하므로 법인이 대표자를 선임한 이상 그의 행위로 인한 법

률효과는 법인에게 귀속되어야 하고, 법인 대표자의 범죄행위에 대하여는 법인이 자신의 행위에 대한 책임을 부담하는 것이다. 법인 대표자의 법규위반행위에 대한 법인의 책임은 법인 자신의 법규위반행위로 평가될 수 있는 행위에 대한 법인의 직접책임이므로, 대표자의 고의에 의한 위반행위에 대하여는 법인이 고의 책임을, 대표자의 과실에 의한 위반행위에 대하여는 법인이 과실 책임을 부담한다. 따라서 심판대상조항 중 **법인의 대표자 관련 부분**은 법인의 직접책임을 근거로 하여 법인을 처벌하므로 책임주의원칙에 위배되지 않는다(헌재 2020.4.23, 2019헌가25).

③ ○ : [국민건강보험법 제53조 제3항 제1호 위헌소원(소득월액보험료 체납자에 대한 건강보험급여제한사건)] [합헌] 헌재 2020.4.23, 2017헌바244

④ ○ : [정당법 제22조 제1항 제1호 위헌소원(공무원의 정당가입등 금지사건)] 헌재 2014.3.27, 2011헌바42

⑤ × : [국가공무원법 제66조 제1항 위헌확인(국가공무원법상 공무원의 집단행위금지사건)] [기각]
[1] 법원은 '**공무 외의 일을 위한 집단행위**'란 공무에 속하지 아니하는 어떤 일을 위하여 공무원들이 하는 모든 집단적 행위를 의미하는 것이 아니라 언론의 자유를 보장하고 있는 헌법 제21조 제1항과 국가공무원법의 입법취지, 국가공무원법상의 성실의무와 직무전념의무 등을 종합적으로 고려하여 '공익에 반하는 목적을 위하여 직무전념의무를 해태하는 등의 영향을 가져오는 집단적 행위'라고 한정하여 해석하고 있다. …… 따라서 심판대상조항은 명확성원칙에 위반된다고 볼 수 없다.
[2] 심판대상조항이 '공무원의 공무 외의 일을 위한 집단행위'를 금지하고 있는 것은 공무원의 집단행동이 공무원 집단의 이익을 대변함으로써 국민 전체의 이익추구에 장애가 될 소지가 있기 때문이고, 그것은 공무원이라는 특수한 신분에서 나오는 의무의 하나를 규정한 것으로 이해되는 바, '공무 외의 일을 위한 집단행위'라고 함은 '공익에 반하는 목적을 위하여 직무전념의무를 해태하는 등의 영향을 가져오는 집단적 행위'라고 한정하여 해석할 수 있으므로 이것이 표현의 자유에 대한 과도한 제한이라고 보기는 어렵다(헌재 2020.4.23, 2018헌마550).

정답 ▶ 01 ⑤

제8절 기본권의 침해와 구제

01 국가인권위원회에 관한 다음 설명 중 가장 옳지 않은 것은? ▸ 2024 법무사

① 국가인권위원회는 위원장 1명과 상임위원 4명을 포함한 11명의 인권위원으로 구성한다.

② 국가인권위원회는 법률에 설치근거를 둔 국가기관이고 헌법에 의하여 설치된 국가기관이 아니므로, 권한쟁의심판을 청구할 당사자능력이 인정되지 아니한다.

③ 국가인권위원회는 재적위원 과반수의 찬성으로 의결하고, 의사는 공개한다.

④ 사인(私人)으로부터 차별행위를 당한 경우에도 국가인권위원회에 그 내용을 진정할 수 있다.

⑤ 국가인권위원회는 진정에 관한 위원회의 조사, 증거의 확보 또는 피해자의 권리 구제를 위하여 필요하다고 인정하면 피해자를 위하여 대한법률구조공단 등에게 법률구조를 요청할 수 있으나, 피해자의 명시한 의사에 반하여 법률구조를 요청할 수는 없다.

해설 ① × : 위원회는 위원장 1명과 **상임위원 3명**을 포함한 11명의 인권위원으로 구성한다(국가인권위원회법 제5조 제1항).

② ○ : [국가인권위원회와 대통령 간의 권한쟁의] [각하] 〈**법률에 의하여 설치된 국가기관인 청구인에게 권한쟁의심판의 당사자능력이 인정되는지 여부 : 소극**〉 권한쟁의심판은 국회의 입법행위 등을 포함하여 권한쟁의 상대방의 처분 또는 부작위가 헌법 또는 법률에 의하여 부여받은 청구인의 권한을 침해하였거나 침해할 현저한 위험이 있을 때 제기할 수 있는 것인데, 헌법상 국가에게 부여된 임무 또는 의무를 수행하고 그 독립성이 보장된 국가기관이라고 하더라도, 오로지 법률에 설치근거를 둔 국가기관이라면 국회의 입법행위에 의하여 존폐 및 권한범위가 결정될 수 있으므로, 이러한 국가기관은 '헌법에 의하여 설치되고 헌법과 법률에 의하여 독자적인 권한을 부여받은 국가기관'이라고 할 수 없다. 즉 청구인이 수행하는 업무의 헌법적 중요성, 기관의 독립성 등을 고려한다고 하더라도, 국회가 제정한 국가인권위원회법에 의하여 비로소 설립된 청구인은 국회의 위 법률 개정행위에 의하여 존폐 및 권한범위 등이 좌우되므로, 헌법 제111조 제1항 제4호 소정의 헌법에 의하여 설치된 국가기관에 해당한다고 할 수 없다. 결국, 권한쟁의심판의 당사자능력은 헌법에 의하여 설치된 국가기관에 한정하여 인정하는 것이 타당하므로, 법률에 의하여 설치된 청구인(국가인권위원회)에게는 권한쟁의심판의 당사자능력이 인정되지 아니한다(헌재 2010.10.28. 2009헌라6).

③ ○ : 국가인권위원회법 제13조 제1항, 제14조

④ ○ : 국가인권위원회법 제30조 제1항 제2호

⑤ ○ : 국가인권위원회법 제47조 제1항·제2항

정답 01 ①

인간의 존엄과 가치 · 행복추구권 · 평등권

 인간의 존엄과 가치 · 행복추구권

01 **출생등록에 관한 다음 설명 중 가장 옳지 않은 것은?** ▶ 2024 법무사

① 태어난 즉시 '출생등록될 권리'는 헌법에 명시되지 아니한 독자적 기본권으로서, 자유로운 인격실현을 보장하는 자유권적 성격과 아동의 건강한 성장과 발달을 보장하는 사회적 기본권의 성격을 함께 지닌다.

② 혼인 중인 여자와 남편 아닌 남자 사이에서 출생한 자녀의 경우에 혼인 외 출생자의 신고의무를 모에게만 부과하고, 남편 아닌 남자인 생부에게 자신의 혼인 외 자녀에 대해서 출생신고를 할 수 있도록 규정하지 아니한 것은 생부의 평등권을 침해한다.

③ '혼인 중 여자와 남편 아닌 남자 사이에서 출생한 자녀에 대한 생부의 출생신고'를 허용하도록 규정하지 아니한 가족관계의 등록 등에 관한 법률 조항은 혼인 외 출생자의 태어난 즉시 '출생등록될 권리'를 침해한다.

④ 태어난 즉시 '출생등록될 권리'는 입법자가 출생등록제도를 통하여 형성하고 구체화하여야 할 권리이다. 입법자는 출생등록제도를 형성함에 있어 단지 출생등록의 이론적 가능성을 허용하는 것에 그쳐서는 아니 되며, 실효적으로 출생등록될 권리가 보장되도록 하여야 한다.

⑤ 평등권은 입법자에게 본질적으로 같은 것을 자의적으로 다르게, 본질적으로 다른 것을 자의적으로 같게 취급하는 것을 금하고 있고 본질적으로 동일한가의 판단은 일반적으로 당해 법률조항의 의미와 목적에 달려 있으므로, 당해 법률조항의 의미와 목적에 비추어 차별취급을 정당화할 수 있을 정도의 차이가 없음에도 차별한다면, 입법자는 이로써 평등권을 침해하게 된다.

> **해설** ※ [가족관계의 등록 등에 관한 법률 제46조 제2항 등 위헌확인('혼인 중 여자와 남편 아닌 남자 사이에서 출생한 자녀'에 대한 출생신고 사건)] 헌재 2023.3.23, 2021헌마975
> ① ○ : ▶ 태어난 즉시 '출생등록될 권리'가 기본권인지 여부(적극)
> ⑤ ○ : ▶ 심판대상조항들이 생부인 청구인들의 평등권을 침해하는지 여부(소극)
> ② × : [기각] 〈심판대상조항들이 생부인 청구인들의 평등권을 침해하는지 여부 : 소극〉 심판대상조항들이 혼인 중인 여자와 남편 아닌 남자 사이에서 출생한 자녀의 경우에 혼인 외 출생자의 신고의무를 모에게만 부과하고, 남편 아닌 남자인 생부에게 자신의 혼인 외 자녀에 대해서 출생신고를 할 수 있도록 규정하지 아니한 것은 모는 출산으로 인하여 그 출생자와 혈연관계가 형성되는 반면에, 생부는 그 출생자와의 혈연관계에 대한 확인이 필요할 수도 있고, 그 출생자의 출생사실을 모를 수도 있다는 점에 있으며, 이에 따라 가족관계등록법은 모를 중심으로 출생신고를 규정하고, 모가 혼인 중일 경우에 그 출생자는 모의 남편의 자녀로 추정하도록 한 민법의 체계에

정답 **01 ②**

따르도록 규정하고 있는 점에 비추어 합리적인 이유가 있다. 그렇다면, 심판대상조항들은 생부인 청구인들의 평등권을 침해하지 않는다(헌재 2023.3.23, 2021헌마975).

③ ○ : **[헌법불합치]** 〈심판대상조항들이 혼인 외 출생자인 청구인들의 태어난 즉시 '출생등록될 권리'를 침해하는지 여부 : 적극〉 현행 출생신고제도는 혼인 중 여자와 남편 아닌 남자 사이에서 출생한 자녀인 청구인들과 같은 경우 출생신고가 실효적으로 이루어질 수 있도록 보장하지 못하고 있다. 신고기간 내에 모나 그 남편이 출생신고를 하지 않는 경우 생부가 생래적 혈연관계를 소명하여 인지의 효력이 없는 출생신고를 할 수 있도록 하거나, 출산을 담당한 의료기관 등이 의무적으로 모와 자녀에 관한 정보 등을 포함한 출생신고의 기재사항을 미리 수집하고, 그 정보를 출생신고를 담당하는 기관에 송부하여 출생신고가 이루어지도록 한다면, 민법상 신분관계와 모순되는 내용이 가족관계등록부에 기재되는 것을 방지하면서도 출생신고가 이루어질 수 있다. 따라서 심판대상조항들('혼인 중 여자와 남편 아닌 남자 사이에서 출생한 자녀에 대한 생부의 출생신고'를 허용하도록 규정하지 아니한 가족관계의 등록 등에 관한 법률 조항)은 입법형성권의 한계를 넘어서서 실효적으로 출생등록될 권리를 보장하고 있다고 볼 수 없으므로, 혼인 중 여자와 남편 아닌 남자 사이에서 출생한 자녀에 해당하는 혼인 외 출생자인 청구인들의 태어난 즉시 '출생등록될 권리'를 침해한다(헌재 2023.3.23, 2021헌마975).

④ ○ : ▶ 태어난 즉시 '출생등록될 권리'와 입법형성권의 한계

02 헌법 제10조에 관한 다음 설명 중 가장 옳지 않은 것은?

▶ 2023 법무사

① 부모가 자녀의 이름을 지어주는 것은 자녀의 양육과 가족생활을 위하여 필수적인 것이고, 가족생활의 핵심적 요소라 할 수 있으므로, '부모가 자녀의 이름을 지을 자유'는 혼인과 가족생활을 보장하는 헌법 제36조 제1항과 행복추구권을 보장하는 헌법 제10조에 의하여 보호받는다.

② 초등학교 정규교과에서 영어를 배제하거나 영어교육 시수를 제한하는 것은 학생들의 인격의 자유로운 발현권을 제한하나, 이는 균형적인 교육을 통해 초등학생의 전인적 성장을 도모하고 영어과목에 대한 지나친 사교육의 폐단을 막기 위한 것으로 초등학생들의 인격의 자유로운 발현권을 침해하지 않는다.

③ 거짓이나 그 밖의 부정한 수단으로 운전면허를 받은 경우 모든 범위의 운전면허를 필요적으로 취소하도록 규정하여 부정 취득하지 않은 운전면허까지 필요적으로 취소하도록 한 것은 운전면허 소유자의 일반적 행동의 자유를 침해한다.

④ 친일반민족행위반민규명위원회의 조사대상자 선정 및 친일반민족행위결정이 이루어지면 조사대상자의 사회적 평가에 영향을 미치므로 헌법 제10조에서 유래하는 일반적 인격권이 제한받는다고 할 수 있겠으나, 조사대상자가 사자(死者)인 경우 이들의 청구인능력은 인정되지 않으며, 이로 인하여 그 후손의 법적 지위에 아무런 영향을 미치지 않는 만큼 후손의 인격권이 제한된다고도 볼 수 없다.

⑤ 헌법 제10조는 개인의 인격권과 행복추구권을 보장하고 있고, 개인의 인격권과 행복추구권은 개인의 자기운명결정권을 전제로 하는데, 이 자기운명결정권에는 성행위 여부 및 그 상대방을 결정할 수 있는 성적자기결정권이 포함되어 있다.

해설 ① ○ : **[호적법 제49조 제3항 등 위헌확인(자녀의 이름에 사용할 수 있는 한자 제한 규정)] [기각]**
[1] 부모가 자녀의 이름을 지어주는 것은 자녀의 양육과 가족생활을 위하여 필수적인 것이고, 가족
생활의 핵심적 요소라 할 수 있으므로, '**부모가 자녀의 이름을 지을 자유**'는 혼인과 가족생활을 보
장하는 헌법 제36조 제1항과 행복추구권을 보장하는 헌법 제10조에 의하여 보호받는다.
[2] 한자는 그 숫자가 방대하고 범위가 불분명한데다가, 우리나라는 한글 전용 정책을 주축으로 하
여 한자에 익숙하지 못한 사람이 증가하고 있는바, 이름에 통상 사용되지 아니하는 한자를 사용하
는 경우에는 그와 사회적·법률적 관계를 맺는 사람들이 그 이름을 인식하고 사용하는 데 상당한
불편을 겪게 될 뿐만 아니라, 그 범위조차 불분명한 한자를 가족관계등록 전산시스템에 모두 구현
하는 것도 현실적으로 어려우므로, 자녀의 이름에 사용할 수 있는 한자의 범위를 제한하는 것은
불가피한 측면이 있다. 심판대상조항은 자녀의 이름에 사용할 수 있는 한자를 정함에 있어 총
8,142자를 '인명용 한자'로 지정하고 있는데 이는 결코 적지 아니하고, '인명용 한자'의 범위를 일정
한 절차를 거쳐 계속 확대함으로써 이름에 한자를 사용함에 있어 불편함이 없도록 하는 보완장치를
강구하고 있다. 또한 '인명용 한자'가 아닌 한자를 사용하였다고 하더라도, 출생신고나 출생자 이름
자체가 불수리되는 것은 아니고, 가족관계등록부에 해당 이름이 한글로만 기재되어 종국적으로 해
당 한자가 함께 기재되지 않는 제한을 받을 뿐이며, 가족관계등록부나 그와 연계된 공적 장부 이외
에 사적 생활의 영역에서 해당 한자 이름을 사용하는 것을 금지하는 것도 아니다. 따라서 심판대상
조항은 자녀의 이름을 지을 자유를 침해하지 않는다(헌재 2016.7.28, 2015헌마964).
② ○ : **[교육과학기술부 고시 제2012-31호 II 위헌확인(초등학교 영어교육 사건)] [기각]** 이 사건
고시 부분은 초등학교 1, 2학년의 영어교육을 금지하고, 3-6학년의 영어교육을 일정한 시수로
제한하고 있다. 따라서 초등학교에서 영어 과목을 아예 배정하지 않거나 그 시수를 일정 기준
이하로 제한하여 영어교육을 받는 것을 금지하거나 제한하는 것은 충분히 영어교육을 받음으로
써 교육적 성장과 발전을 통해 자아를 실현하고자 하는 **학생들의 '인격의 자유로운 발현권'**을 제
한하게 된다. 또한, 학부모는 자녀의 개성과 능력을 고려하여 자녀의 학교교육에 관한 전반적인
계획을 세우고, 자신의 인생관·사회관·교육관에 따라 자녀를 교육시킬 수 있으므로, 영어교육
을 금지하거나 제한하는 것은 **학부모의 자녀교육권**도 제한한다.
이 사건 고시가 다양한 교과목을 편성하면서 영어과목의 학습을 초등학교 저학년인 1, 2학년에
게는 금지하고, 3-6학년에 대해서는 시수를 제한한 것은 전인적 교육과 정체성 형성이라는 공적
교육의 최소한을 담보하기 위한 것으로서, 이를 두고 지나친 제한이라고 보기 어렵고, 초등학교
1, 2학년의 영어교육을 금지하고, 3 6학년의 영어교육을 다른 과목과 균질한 수준으로 제한하는
것은 기초 영역에 대한 균형적인 교육을 통해 초등학생의 전인적 성장을 도모하고 영어과목에
대한 지나친 사교육의 폐단을 막기 위한 것으로, 이로 인해 초등학생이나 학부모가 입게 되는
기본권 제한이 중대하다고 보기 어렵다. 이상의 점들을 종합할 때, 이 사건 고시 부분이 과잉금지
원칙을 위반하였다고 볼 수 없다(헌재 2016.2.25, 2013헌마83).
③ ○ : **[구 도로교통법 제93조 제1항 제8호 위헌제청(운전면허 부정 취득 시 모든 운전면허 필요
적 취소 사건)] [위헌]** 심판대상조항이 '**부정 취득하지 않은 운전면허**'까지 필요적으로 **취소**하도록
한 것은, 임의적 취소·정지 사유로 함으로써 구체적 사안의 개별성과 특수성을 고려하여 불법의
정도에 상응하는 제재수단을 선택하도록 하는 등 완화된 수단에 의해서도 입법목적을 같은 정도
로 달성하기에 충분하므로, 피해의 최소성 원칙에 위배된다. 나아가, 위법이나 비난의 정도가 미
약한 사안을 포함한 모든 경우에 부정 취득하지 않은 운전면허까지 필요적으로 취소하고 이로
인해 2년 동안 해당 운전면허 역시 받을 수 없게 하는 것은, 공익의 중대성을 감안하더라도 지나

정답 02 ④

    치게 기본권을 제한하는 것이므로, 법익의 균형성 원칙에도 위배된다. 따라서 심판대상조항 중 각 '거짓이나 그 밖의 부정한 수단으로 받은 운전면허를 제외한 운전면허'를 필요적으로 취소하도록 한 부분은, 과잉금지원칙에 반하여 일반적 행동의 자유 또는 직업의 자유를 침해한다(헌재 2020.6.25. 2019헌가9).

④ × : [일제강점하 반민족행위 진상규명에 관한 특별법 제2조 제9호 위헌제청] [합헌] 친일반민족행위결정이 이루어지면, 조사대상자의 사회적 평가에 영향을 미치므로 헌법 제10조에서 유래하는 일반적 인격권이 제한받는다. 다만 이러한 결정에 있어서 대부분의 조사대상자는 이미 사망하였을 것이 분명하나, 조사대상자가 사자의 경우에도 인격적 가치에 대한 중대한 왜곡으로부터 보호되어야 한다. 사자에 대한 사회적 명예와 평가의 훼손은 사자와의 관계를 통하여 스스로의 인격상을 형성하고 명예를 지켜온 그들의 후손의 인격권, 즉 유족의 명예 또는 유족의 사자에 대한 경애추모의 정을 제한하는 것이다. 따라서 이 사건 법률조항은 조사대상자의 사회적 평가와 아울러 그 유족의 헌법상 보장된 인격권을 제한하는 것이라고 할 것이다(헌재 2010.10.28. 2007헌가23).

⑤ ○ : [형법 제241조 위헌소원(간통 사건)] [위헌] 헌법 제10조는 개인의 인격권과 행복추구권을 보장하고 있고, 인격권과 행복추구권은 개인의 자기운명결정권을 전제로 한다. 이 자기운명결정권에는 성행위 여부 및 그 상대방을 결정할 수 있는 성적 자기결정권이 포함되어 있으므로, 심판대상조항은 개인의 성적 자기결정권을 제한한다. 또한, 심판대상조항은 개인의 성생활이라는 내밀한 사적 생활영역에서의 행위를 제한하므로 헌법 제17조가 보장하는 사생활의 비밀과 자유 역시 제한한다(헌재 2015.2.26. 2009헌바17).

03 헌법 제10조에 관한 다음 설명 중 가장 옳지 않은 것은?

▸ 2024 법무사

① 임신 32주 이전에 태아의 성별 고지를 금지하는 의료법 조항은 과잉금지원칙을 위반하여 헌법 제10조로부터 도출되는 일반적 인격권에서 나오는 부모가 태아의 성별 정보에 대한 접근을 방해받지 않을 권리를 침해한다.

② 누구든지 금융회사 등에 종사하는 자에게 타인의 금융거래의 내용에 관한 정보 또는 자료를 요구하는 것을 금지하고, 이를 위반 시 형사처벌하는 금융실명거래 및 비밀보장에 관한 법률 조항은 과잉금지원칙에 반하여 일반적 행동자유권을 침해하지 아니한다.

③ 유족은 일정 기간 내에 매장·화장·봉안된 가족 또는 친지의 묘지에서 망인에게 경배와 추모 등 적절한 예우를 취하거나 시체·유골 등을 인수하여 분묘 등을 가꾸고 봉제사를 하고자 하는 권리를 보유하고, 이는 헌법 제10조의 행복추구권에 의하여 보장된다. 이러한 기본권이 실질적으로 보장되기 위해서는 국가권력으로부터 개인의 자유영역을 보호하는 것이 필요할 뿐 아니라 기본권 행사의 실질적인 조건을 형성하고 유지하는 국가의 적극적인 활동을 필요로 한다.

④ 헌법 제10조 제1문이 보호하는 인간의 존엄성으로부터 개인의 일반적 인격권이 보장된다. 일반적 인격권은 인간의 존엄성과 밀접한 연관관계를 보이는 자유로운 인격발현의 기본조건을 포괄적으로 보호하는데, 개인의 자기결정권은 일반적 인격권에서 파생된다.

⑤ 이미 의식의 회복가능성을 상실하여 더 이상 인격체로서의 활동을 기대할 수 없고 자연적으로는 이미 죽음의 과정이 시작되었다고 볼 수 있는 회복불가능한 사망의 단계에 이른 후에는, 의학적으로 무의미한 신체 침해 행위에 해당하는 연명치료를 환자에게 강요하는 것이 오히려 인간의 존엄과 가치를 해하게 되므로, 이와 같은 예외적인 상황에서 죽음을 맞이하려는 환자의 의사결정을 존중하여 환자의 인간으로서의 존엄과 가치 및 행복추구권을 보호하는 것이 사회상규에 부합되고 헌법정신에도 어긋나지 아니한다.

해설 ① ○ : [의료법 제20조 제2항 위헌확인(태아의 성별 고지제한사건)] **[위헌]** 심판대상조항은 성별을 이유로 한 낙태를 방지함으로써 성비의 불균형을 해소하고 태아의 생명을 보호하기 위해 입법된 것으로 목적의 정당성이 인정된다. 그러나 남아선호사상이 확연히 쇠퇴하고 있고, 심판대상조항이 사문화되었음에도 불구하고 출생성비가 자연성비의 정상범위 내이므로, 심판대상조항은 더 이상 태아의 성별을 이유로 한 낙태를 방지하기 위한 목적을 달성하는 데에 적합하고 실효성 있는 수단이라고 보기 어렵고, 입법수단으로서도 현저하게 불합리하고 불공정하다. 태아의 생명 보호를 위해 국가가 개입하여 규제해야 할 단계는 성별고지가 아니라 낙태행위인데, 심판대상조항은 낙태로 나아갈 의도가 없는 부모까지 규제하여 기본권을 제한하는 과도한 입법으로 침해의 최소성에 반하고, 법익의 균형성도 상실하였다. 따라서 심판대상조항은 과잉금지원칙을 위반하여 부모가 태아의 성별 정보에 대한 접근을 방해받지 않을 권리를 침해한다(헌재 2024.2.28, 2022헌마356).

② × : [금융실명거래 및 비밀보장에 관한 법률 제6조 제1항 등 위헌제청(누구든지 금융회사등에 종사하는 자에게 거래정보등의 제공을 요구하는 것을 금지하고, 위반 시 형사처벌하는 금융실명법 조항에 관한 위헌제청사건)] **[위헌]** 금융거래의 역할이나 중요성에 비추어 볼 때 그 비밀을 보장할 필요성은 인정되나, 금융거래는 금융기관을 매개로 하여서만 가능하므로 금융기관 및 그 종사자에 대하여 정보의 제공 또는 누설에 대하여 형사적 제재를 가하는 것만으로도 금융거래의 비밀은 보장될 수 있다. 심판대상조항은 금융거래정보의 제공요구행위 자체만으로 형사처벌의 대상으로 삼고 있으나, 제공요구행위에 사회적으로 비난받을 행위가 수반되지 않거나, 금융거래의 비밀 보장에 실질적인 위협이 되지 않는 행위도 충분히 있을 수 있고, 명의인의 동의를 받을 수 없는 상황에서 타인의 금융거래정보가 필요하여 금융기관 종사자에게 그 제공을 요구하는 경우가 있을 수 있는 등 금융거래정보 제공요구행위는 구체적인 사안에 따라 죄질과 책임을 달리한다고 할 것임에도, 심판대상조항은 정보제공요구의 사유나 경위, 행위 태양, 요구한 거래정보의 내용 등을 전혀 고려하지 아니하고 일률적으로 금지하고, 그 위반 시 형사처벌을 하도록 하고 있다. 나아가, 금융거래의 비밀보장이 중요한 공익이라는 점은 인정할 수 있으나, 심판대상조항(누구든지 금융회사등에 종사하는 자에게 거래정보등의 제공을 요구하는 것을 금지하고, 위반 시 형사처벌하는 금융실명법 조항)이 정보제공요구를 하게 된 사유나 행위의 태양, 요구한 거래정보의 내용을 고려하지 아니하고 일률적으로 일반 국민들이 거래정보의 제공을 요구하는 것을 금지하고 그 위반 시 형사처벌을 하는 것은 그 공익에 비하여 지나치게 일반 국민의 일반적 행동자유권을 제한하는 것이다. 따라서 심판대상조항은 과잉금지원칙에 반하여 일반적 행동자유권을 침해한다(헌재 2022.2.24, 2020헌가5).

③ ○ : 대판 2023.6.29, 2021다286000

▶ 구 장사 등에 관한 법률 제12조 제1항에서 정한 특별자치도지사・시장・군수・구청장의 법령상 의무가 무연고자의 시체 등을 일정 기간 동안 매장・화장하여 봉안하는 것뿐만 아니라 봉안된 무연고자의 시체를 합리적으로 관리할 의무까지 포함하는지 여부(적극)

정답 **03 ②**

④ ○ : [형법 제269조 제1항 등 위헌소원(낙태죄 사건)] **[헌법불합치]** 헌재 2019.4.11, 2017헌바127
⑤ ○ : [무의미한 연명치료장치 제거 등] 대판 2009.5.21, 2009다17417 전원합의체

04 계약의 자유에 관한 다음 설명 중 가장 옳지 않은 것은?

▸ 2024 법무사

① 임대차존속기간을 20년으로 제한한 민법 조항은 과잉금지원칙을 위반하여 계약의 자유를 침해하지 않는다.

② 헌법 제10조에 의하여 보장되는 행복추구권 속에는 일반적 행동자유권이 포함되고, 이 일반적 행동자유권으로부터 계약 체결의 여부, 계약의 상대방, 계약의 방식과 내용 등을 당사자의 자유로운 의사로 결정할 수 있는 계약의 자유가 파생된다.

③ 임대인이 실제 거주를 이유로 갱신을 거절한 후 정당한 사유 없이 제3자에게 임대한 경우의 손해배상책임 및 손해액을 규정한 주택임대차보호법 조항은 과잉금지원칙에 반하여 임대인의 계약의 자유와 재산권을 침해한다고 볼 수 없다.

④ 주 52시간 상한제조항을 두어 1주간 최대 근로시간을 52시간으로 한정한 근로기준법 조항이 과잉금지원칙에 반하여 상시 5명 이상 근로자를 사용하는 사업주의 계약의 자유와 직업의 자유, 근로자의 계약의 자유를 침해하지 않는다.

⑤ 금융위원회위원장이 2019.12.16. 시중 은행을 상대로 투기지역·투기과열지구 내 초고가 아파트(시가 15억 원 초과)에 대한 주택구입용 주택담보대출을 2019.12.17.부터 금지한 조치는 과잉금지원칙에 반하여 해당 주택담보대출을 받고자 하는 사람의 재산권 및 계약의 자유를 침해하지 아니한다.

해설

① × : [민법 제651조 제1항 위헌소원(임대차존속기간 제한사건)] **[위헌]** 이 사건 법률조항은 제정 당시에 비해 현저히 변화된 현재의 사회경제적 현상을 제대로 반영하지 못하는 데 그치는 것이 아니라, 당사자가 20년이 넘는 임대차를 원할 경우 우회적인 방법을 취할 수밖에 없게 함으로써 사적 자치에 의한 자율적 거래관계 형성을 왜곡하고 있다. …… 또한, 지하매설물 설치를 위한 토지임대차나 목조건물과 같은 소위 비견고건물의 소유를 위한 토지임대차의 경우 이 사건 법률조항으로 인해 임대차기간이 갱신되지 않는 한 20년이 경과한 후에는 이를 제거 또는 철거해야 하는데, 이는 사회경제적으로도 손실이 아닐 수 없다. 이 사건 법률조항(**임대차존속기간을 20년으로 제한한 민법 조항**)은 입법취지가 불명확하고, 사회경제적 효율성 측면에서 일정한 목적의 정당성이 인정된다 하더라도 과잉금지원칙을 위반하여 계약의 자유를 침해한다(헌재 2013.12.26, 2011헌바234).

② ○ : [민법 제651조 제1항 위헌소원(임대차존속기간 제한사건)] **[위헌]** 헌법 제10조에 의하여 보장되는 행복추구권 속에는 일반적 행동자유권이 포함되고, 이 일반적 행동자유권으로부터 계약 체결의 여부, 계약의 상대방, 계약의 방식과 내용 등을 당사자의 자유로운 의사로 결정할 수 있는 계약의 자유가 파생되는바(헌재 1998.10.29, 97헌마345; 헌재 2006.3.30, 2005헌마349), 이 사건 법률조항으로 인하여 임대차계약의 당사자는 임대차기간에 관한 계약의 내용을 당사자 간의 합의에 의하여 자유롭게 결정할 수 없으므로 계약의 자유가 제한된다(헌재 2013.12.26, 2011헌바234).

③ ○ : [주택임대차보호법 제6조의3 위헌확인 등(주택임대차보호법상 임차인의 계약갱신요구권 및 차임증액 제한사건)] **계약갱신요구 조항, 차임증액한도 조항, 손해배상 조항**은 임차인 주거안정 보장을 위한 것으로 임차인의 주거이동률을 낮추고 차임 상승을 제한해 임차인의 주거안정을 도

모할 수 있으므로 입법목적의 정당성 및 수단의 적합성이 인정된다. 또한 갱신요구권의 행사기간 및 횟수가 제한되고 갱신되는 임대차의 법정 존속기간이 2년인 점, 일정한 경우 임대인이 갱신요구를 거절할 수 있는 점, 차임증액 한도를 정한 것은 갱신요구권 제도의 실효성 확보를 위한 것으로 그 액수를 직접 통제하거나 인상 자체를 금지하지 않는 점, 임대인에게 손해배상책임을 묻는 것은 갱신거절 남용을 방지하고 갱신요구 제도의 실효성을 확보하기 위한 것이고, 정당한 사유가 인정되는 임대인은 손해배상책임을 면할 수 있는 점, 손해액의 입증책임을 완화하여 분쟁을 조기에 해결할 수 있는 점 등에 비추어 피해최소성에도 어긋나지 아니한다. 임차인의 주거안정이라는 공익에 비해 임대인의 계약의 자유와 재산권 제한 정도가 크다고 볼 수 없어 법익 균형성도 인정된다. 따라서 <u>이들 조항은 과잉금지원칙에 반하여 청구인들의 계약의 자유와 재산권을 침해한다고 볼 수 없다</u>(헌재 2024.2.28, 2020헌마1343).

[참조판례] [주택임대차보호법 제6조의3 제5항 등 위헌소원] 사회적 연관관계에 있는 경제적 활동을 규제하는 입법사항에 대하여는 보다 완화된 심사기준이 적용된다(헌재 2020.3.26, 2018헌바205등 참조). 주택은 인간의 생존을 위한 기본요소이자 주거생활의 터전이 되고, 인간의 삶의 기본적인 물질적 조건이라는 특수성을 가지며, 주택 임차인의 보호가 주거안정의 보장과 관련하여 중요한 공익적 목적이 되는 점을 고려할 때, 주택 재산권에 대하여는 상당한 정도의 사회적 구속성이 인정된다 할 것이다. 나아가 주택 임대차계약의 갱신 여부, 계약내용 및 상대방 결정 등과 같은 계약의 자유로 보호되는 내용은 임대인 소유의 주택에 대한 사용·수익행위로서 일반적인 경제활동 영역에 속하는 것이고, 임차인 보호와 주거안정 보장의 측면에서 중요한 사회적 관련성을 갖는다. 따라서 주택임대차법상 임차인 보호 규정들이 임대인의 계약의 자유와 재산권을 침해하는지 여부에 대하여는 보다 완화된 심사기준을 적용하여야 할 것이다(헌재 2024.7.18, 2024헌바16).

▶ 선례(2024.2.28, 2020헌마1343등 결정)의 결정이유는 이 사건에서도 그대로 타당하고, 이와 달리 판단해야 할 사정변경이나 필요성이 있다고 보이지 아니한다.

④ ○ : [최저임금법 제8조 제1항 등 위헌확인(주 52시간 상한제사건)] 입법자는 주 52시간 상한제로 인해 근로자에게도 임금 감소 등의 피해가 발생할 수 있지만, 근로자의 휴식을 보장하는 것이 무엇보다 중요하다는 인식을 정착시켜 장시간 노동이 이루어졌던 왜곡된 노동 관행을 개선해야 한다고 판단했다. 따라서 이러한 입법자의 판단이 합리성을 결여했다고 볼 수 없으므로 **주 52시간 상한제조항**은 과잉금지원칙에 반하여 상시 5명 이상 근로자를 사용하는 사업주인 청구인의 계약의 자유와 직업의 자유, 근로자인 청구인들의 계약의 자유를 침해하지 않는다(헌재 2024.2.28, 2019헌마500).

⑤ ○ : [기획재정부 주택시장 안정화 방안 중 일부 위헌확인(초고가 아파트 구입용 주택담보대출 금지사건)] 이 사건 조치는 전반적인 주택시장 안정화를 도모함과 동시에 금융기관의 대출 건전성 관리 차원에서 부동산 부문으로의 과도한 자금흐름을 개선하기 위한 것으로 목적이 정당하다. 또한 초고가 주택에 대한 주택담보대출 금지는 수요 억제를 통해 주택 가격 상승 완화에 기여할 것이므로 수단도 적합하다. 이 사건 조치 당시 주택시장의 과열로 주택담보대출이 급격히 증가함에 따라, 장래 주택가격이 하락하거나 금리가 상승할 경우 금융안정성과 국가경제 전반에 미치는 부정적 파급효과가 클 수밖에 없었다. 이에 2018년 이후 계속되어 온 고가주택에 대한 주택담보대출 규제의 일환에서, 기존 규제에도 불구하고 주택가격이 급등하는 등 주택시장 안정화 및 금융시장의 건전성 관리라는 목표 달성이 어려워지자, 피청구인이 이 사건 조치를 통해 일시적으로 이를 한 단계 강화한 것에 불과하다. 또한 이 사건 조치는 투기지역·투기과열지구로 그 적용 '장소'를 한정하고, 시가 15억 원 초과 아파트로 '대상'을 한정하였으며, 초고가 아파트를 담보로 한 주택구입목적의 주택담보대출로 '목적'을 구체적으로 한정하였음을 고려할 때, 침해의 최소성과 법익의 균형성도 인정된다. 따라서 <u>이 사건 조치(금융위원회위원장이</u>

정답   **04** ①

2019.12.16. 시중 은행을 상대로 투기지역·투기과열지구 내 초고가 아파트(시가 15억 원 초과)에 대한 주택구입용 주택담보대출을 2019.12.17.부터 금지한 조치)는 과잉금지원칙에 반하여 청구인의 재산권 및 계약의 자유를 침해하지 아니한다(헌재 2023.3.23. 2019헌마1399).

 **제2절 평등권**

01 평등의 원칙에 관한 다음 설명 중 옳지 않은 것을 모두 고른 것은? ▶ 2022 법무사

> ㉠ 국가를 상대로 하는 당사자소송의 경우에는 가집행선고를 할 수 없다고 규정한 행정소송법 조항은 평등의 원칙에 반한다.
>
> ㉡ 민사집행법상 경매절차에서의 매수신청보증금이 매수인의 대금미납으로 그에게 반환되지 아니하는 경우 국고에 귀속하지 않고 배당재원에 포함시키는 것과 달리 국세징수법상 공매절차에서 매각결정을 받은 매수인이 기한 내에 대금납부의무를 이행하지 아니하여 매각결정이 취소되는 경우 그가 납부한 계약보증금을 국고에 귀속하도록 규정한 국세징수법 조항은 국세징수절차와 민사집행절차의 성질이 다르므로 합리적 이유 있는 차별에 해당한다.
>
> ㉢ 소년범 중 형의 집행이 종료되거나 면제된 자에 한하여 자격에 관한 법령의 적용에 있어 장래에 향하여 형의 선고를 받지 아니한 것으로 본다고 규정한 구 소년법(2018. 9.18. 법률 제15757호로 개정되기 전의 것) 제67조는 평등의 원칙에 위반된다.
>
> ㉣ 고소인·고발인만을 검찰청법상 항고권자로 규정하고 있는 검찰청법 조항은 기소유예처분을 받은 피의자의 평등권을 침해하는 것이다.
>
> ㉤ 친고죄에 있어서 고소 취소가 가능한 시기를 제1심 판결선고전까지로 제한한 형사소송법 조항은 항소심 단계에서 고소 취소된 사람을 자의적으로 차별하는 것이 아니다.

① ㉠, ㉡ 　② ㉡, ㉣ 　③ ㉢, ㉣, ㉤
④ ㉡, ㉢, ㉣ 　⑤ ㉠, ㉢, ㉤

해설 ㉠ ○ : [행정소송법 제43조 위헌제청(국가를 상대로 한 당사자소송에서의 가집행선고 제한 사건)] **[위헌]** 〈국가를 상대로 하는 당사자소송의 경우에는 가집행선고를 할 수 없다고 규정한 행정소송법 제43조(이하 '심판대상조항'이라 한다)가 평등원칙에 위배되는지 여부(적극)〉 심판대상조항은 **국가**가 당사자소송의 피고인 경우 가집행의 선고를 제한하여, 국가가 아닌 **공공단체 그 밖의 권리주체**가 피고인 경우에 비하여 합리적인 이유 없이 차별하고 있으므로 평등원칙에 반한다(헌재 2022.2.24. 2020헌가12). ∵ 동일한 성격인 공법상 금전지급 청구소송임에도 피고가 누구인지에 따라 가집행선고를 할 수 있는지 여부가 달라진다면 상대방 소송 당사자인 원고로 하여금 불합리한 차별을 받도록 하는 결과가 된다.

ⓛ × : [국세징수법 제78조 제2항 후문 위헌제청] **[헌법불합치]** 〈국세징수법상 공매절차에서 매각 결정을 받은 매수인이 기한 내에 대금납부의무를 이행하지 아니하여 매각결정이 취소되는 경우 그가 납부한 계약보증금을 국고에 귀속하도록 규정한 국세징수법 제78조 제2항 후문이 민사집행 법상 경매절차에서의 매수신청보증금을 국고에 귀속하지 않고 배당재원에 포함시키는 것과 비교 하여 국세징수절차상 체납자 및 담보권자를 민사집행절차상 집행채무자 및 담보권자에 대하여 합리적 이유 없이 차별함으로써 평등원칙에 위반되는지 여부(적극)〉 이 사건 법률조항은 위약금 약정의 성격을 가지는 매각의 법정조건으로서 민사집행법상 매수신청보증금과 본질적으로 동일 한 성격을 가지는 국세징수법상 계약보증금을 절차상 달리 취급함으로써, 국세징수법상 공매절차 에서의 체납자 및 담보권자를 민사집행법상 경매절차에서의 집행채무자 및 담보권자에 비하여 그 재산적 이익의 영역에서 합리적 이유 없이 자의적으로 차별하고 있으므로 헌법상 평등원칙에 위반된다(헌재 2009.4.30, 2007헌가8).

  ▶ 이 사건 법률조항은 계약보증금의 최종적인 귀속이 국고로 정해진다는 점에서 평등원칙에 위 반된다는 것이지, 위약금약정의 성격에 따라 대금납부의무 불이행 시 이를 매수인에게 반환하 지 아니하는 법정조건을 정하는 점이 위헌이라는 것은 아니다.

ⓒ ○ : [구 소년법 제67조 위헌제청(집행유예를 선고받은 소년범을 자격에 관한 특례조항의 적용 대상에서 제외한 사건)] **[헌법불합치]** 소년범 중 '형의 집행이 종료되거나 면제된 자'에 한하여 자격에 관한 법령의 적용에 있어 장래에 향하여 형의 선고를 받지 아니한 것으로 본다고 하여 공무원 임용 등에 자격제한을 두지 않으면서, / 집행유예를 선고받은 경우에 대해서는 이와 같은 특례조항을 두지 아니한 것은 '집행유예를 선고받은 소년범'을 합리적 이유 없이 차별하여 평등원 칙에 위반된다(헌재 2018.1.25, 2017헌가7). ∵ 집행유예는 실형보다 죄질이나 범정이 더 가벼 운 범죄에 관하여 선고하는 것이 보통인데, 이 사건 구법 조항은 집행유예보다 중한 실형을 선고 받고 집행이 종료되거나 면제된 경우에는 자격에 관한 법령의 적용에 있어 형의 선고를 받지 아 니한 것으로 본다고 하여 공무원 임용 등에 자격제한을 두지 않으면서 집행유예를 선고받은 경우 에 대해서는 이와 같은 특례조항을 두지 아니하여 불합리한 차별을 야기하고 있다.

ⓔ × : 〈고소인·고발인만을 검찰청법상 항고권자로 규정하고 있는 검찰청법 제10조 제1항 제1문이 '피의자'를 합리적 이유 없이 차별하고 있는지 여부(소극)〉 검찰청법상 항고제도의 인정 여부는 기본 적으로 입법정책에 속하는 문제로서 그 주체, 대상의 범위 등의 제한도 그것이 현저히 불합리하지 아니한 이상 헌법에 위반되는 것이라 할 수 없고, 고소인·고발인과 피의자는 기본적으로 대립적 이 해관계에서 기소유예처분에 불복할 이익을 지니며, 검찰청법상 항고제도의 성격과 취지 및 한정된 인적·물적 사법자원의 측면, 그리고 이 사건 법률조항이 헌법소원심판청구 등 피의자의 다른 불복 수단까지 원천적으로 봉쇄하는 것은 아닌 점 등을 종합하면, 이 사건 법률조항이 피의자를 고소인· 고발인에 비하여 합리적 이유 없이 차별하는 것이라 할 수 없다(헌재 2012.7.26, 2010헌마642).

ⓜ ○ : [형사소송법 제232조 제1항 위헌소원(친고죄의 고소취소를 제1심판결선고전으로 제한한 사건)] [1] 친고죄의 고소 취소를 인정할 것인지의 문제 및 이를 인정한다고 하더라도 형사소송절차 중 어느 시점까지 이를 허용할 것인지의 문제는 국가형벌권과 국가소추주의에 대한 국민 일반의 가 치관과 법감정, 범죄피해자의 이익보호 등을 종합적으로 고려하여 정할 수 있는 **입법정책의 문제**이다. [2] 이 사건 법률조항은 고소인과 피고소인 사이에 자율적인 화해가 이루어질 수 있도록 어느 정도의 시간을 보장함으로써 국가형벌권의 남용을 방지하는 동시에 국가형벌권의 행사가 전적으 로 고소인의 의사에 의해 좌우되는 것 또한 방지하는 한편, 가급적 고소 취소가 제1심 판결선고 전에 이루어지도록 유도함으로써 남상소를 막고, 사법자원이 효율적으로 분배될 수 있도록 하는 역할을 한다. 또한, 경찰·검찰의 수사단계에서부터 제1심 판결선고 전까지의 기간이 고소인과

정답   01 ②

피고소인 상호 간에 숙고된 합의를 이루어낼 수 없을 만큼 부당하게 짧은 기간이라고 하기 어렵고, 현행 형사소송법상 제1, 2심이 모두 사실심이기는 하나 제2심은 제1심에 대한 항소심인 이상 두 심급이 근본적으로 동일하다고 볼 수는 없다. 따라서 이 사건 법률조항이 항소심 단계에서 고소 취소된 사람을 자의적으로 차별하는 것이라고 할 수는 없다(헌재 2011.2.24. 2008헌바40).

02 평등 원칙에 관한 다음 설명 중 가장 옳지 않은 것은?

▶ 2023 법무사

① 공무원이 지위를 이용하여 범한 공직선거법위반죄에 대하여 일반인이 범한 공직선거법 위반죄와 달리 해당 선거일 후 10년으로 공소시효를 정한 공직선거법 규정은 합리적인 이유 있는 차별로서 평등원칙에 위반되지 않는다.

② 반복적으로 범행을 저지르는 절도 사범에 관한 가중처벌 규정인 특정범죄 가중처벌 등에 관한 법률(2016.1.6. 법률 제13717호로 개정된 것) 제5조의4 제5항 제1호는 불법성의 정도가 같다고 보기 어려운 형법상 절도죄, 야간주거침입절도죄, 특수절도죄를 동등하게 취급하는 것으로 평등원칙에 위반된다.

③ 선거와 무관하게 후원회를 설치 및 운영할 수 있는 자를 중앙당과 국회의원으로 한정하여 국회의원과 지방의회의원을 달리 취급하는 것은, 불합리한 차별에 해당한다.

④ 군형법이 형법상 강제추행죄나 준강제추행죄 등과 달리 강제추행죄 및 항거불능 상태를 이용한 준강제추행죄에 대하여 벌금형을 선택형으로 규정하지 아니하였다 하더라도 형벌체계의 균형성을 상실하여 평등원칙에 위배된다고 볼 수는 없다.

⑤ 동일한 밀수입 예비행위에 대하여 수입하려던 물품의 원가가 2억 원 미만인 때에는 관세법이 적용되어 본죄의 2분의 1을 감경한 범위에서 처벌하는 반면, 물품원가가 2억 원 이상인 경우에는 특정범죄 가중처벌 등에 관한 법률이 적용되어 가중처벌 하는 것은 합리적 이유가 있다고 보기 어렵다.

해설 ① ○ : [공직선거법 제268조 제3항 등 위헌소원(공직선거법상 장기공소시효사건)] 공무원이 지위를 이용하여 범한 공직선거법위반죄의 경우 선거의 공정성을 중대하게 저해하고 공권력에 의하여 조직적으로 은폐되어 단기간에 밝혀지기 어려울 수도 있어 단기 공소시효에 의할 경우 처벌규정의 실효성을 확보하지 못할 수 있다. 이러한 취지에서 공무원이 지위를 이용하여 범한 공직선거법위반죄의 경우 해당 선거일 후 10년으로 공소시효를 정한 입법자의 판단은 합리적인 이유가 인정되므로 평등원칙에 위반되지 않는다(헌재 2022.8.31. 2018헌바440).

▶ '**공무원이 지위를 이용하여**'에 관한 부분이 죄형법정주의의 명확성원칙에 위배되는지 여부(소극)

② × : [특정범죄 가중처벌 등에 관한 법률 제5조의4 제5항 제1호 등 위헌소원] **[합헌]** 이 사건 특정범죄가중법 조항은 형법 제329조부터 제331조까지의 죄 또는 그 미수죄로 3회 이상 징역형을 받은 자가 다시 형법 제329조부터 제331조까지의 죄 또는 그 미수죄를 범하여 누범으로 처벌할 경우 법정형을 구분하지 아니하고 모두 2년 이상 20년 이하의 징역형에 처하도록 하고 있다. 그러나 이 사건 특정범죄가중법 조항은 형법 제329조 내지 제331조에 규정된 죄로 3차례의 징역형을 선고받은 전력이 있음에도 전범에 대한 형벌의 경고적 기능을 무시하고 다시 동종의 죄를 범한 자를 가중처벌하는 데에 그 의의가 있다. 따라서 이 사건 특정범죄가중법 조항이 형법 제

329조부터 제331조까지의 죄 또는 그 미수죄로 3회 이상 징역형을 받은 후 다시 형법 제329조 내지 제331조의 죄 또는 그 미수죄를 범한 경우를 동일한 법정형으로 처벌한다고 하여 형벌체계상 정당성이나 균형성을 현저히 상실하였다고 볼 수 없고, 평등원칙에 위반되지 아니한다(헌재 2019.7.25. 2018헌바209).

③ ○ : [정치자금법 제6조 등 위헌확인(지방의회의원의 후원회지정금지사건)] **[헌법불합치]** 〈**국회의원을 후원회지정권자로 정하면서 지방자치법 제2조 제1항 제1호의 '도'의회의원과 같은 항 제2호의 '시'의회의원을 후원회지정권자에서 제외하고 있는 정치자금법 제6조 제2호가 청구인들의 평등권을 침해하는지 여부(적극)**〉 그동안 정치자금법이 여러 차례 개정되어 후원회지정권자의 범위가 지속적으로 확대되어 왔음에도 불구하고, 선거와 무관하게 후원회를 설치 및 운영할 수 있는 자를 중앙당과 국회의원으로 한정하여 국회의원과 지방의회의원을 달리 취급하는 것은, 불합리한 차별에 해당하고 입법재량을 현저히 남용하거나 한계를 일탈한 것이다. 따라서 지방의회의원을 후원회지정권자에서 제외하고 있는 심판대상조항은 청구인들의 평등권을 침해한다(헌재 2022.11.24. 2019헌마528).

④ ○ : [군형법 제92조의4 등 위헌소원] 심판대상조항은 형법상 강제추행·준강제추행죄, 아동·청소년의 성보호에 관한 법률위반(강제추행·준강제추행)죄, 성폭력범죄의 처벌 등에 관한 특례법 위반(13세 미만 미성년자강제추행·준강제추행)죄와 비교할 때, 행위주체와 객체의 법적 지위 등 구체적 구성요건이 다르고, 그 성립범위와 행위 태양도 제한적이며, 군의 존립목적과 군 조직의 특수성 등에 비추어 보호법익과 범죄의 죄질도 유사하다고 볼 수 없다. 따라서 심판대상조항은 형벌체계의 균형성을 상실하여 평등원칙에 위배된다고 볼 수 없다(헌재 2018.12.27. 2017헌바195).
[동지판례] [군형법 제92조의3 위헌소원] 헌재 2020.12.23. 2019헌바52

⑤ ○ : [특정범죄 가중처벌 등에 관한 법률 제6조 제7항 위헌제청('특정범죄 가중처벌 등에 관한 법률' 상 밀수입 예비행위를 본죄에 준하여 처벌하는 조항에 관한 위헌제청 사건)] **[위헌]** [1] 예비행위란 아직 실행의 착수조차 이르지 아니한 준비단계로서, 실질적인 법익에 대한 침해 또는 위험한 상태의 초래라는 결과가 발생한 기수와는 그 행위태양이 다르고, 법익침해가능성과 위험성도 다르므로, 이에 따른 불법성과 책임의 정도 역시 다르게 평가되어야 한다. 그럼에도 예비행위를 본죄에 준하여 처벌하도록 하고 있는 심판대상조항은 그 불법성과 책임의 정도에 비추어 지나치게 과중한 형벌을 규정하고 있는 것이다. 따라서 심판대상조항은 구체적 행위의 개별성과 고유성을 고려한 양형판단의 가능성을 배제하는 가혹한 형벌로서 책임과 형벌 사이의 비례성의 원칙에 위배된다.
[2] 동일한 밀수입 예비행위에 대하여 수입하려던 물품의 원가가 2억 원 미만인 때에는 관세법이 적용되어 본죄의 2분의 1을 감경한 범위에서 처벌하는 반면, 물품원가가 2억 원 이상인 경우에는 심판대상조항에 따라 본죄에 준하여 가중처벌을 하는 것은 합리적인 이유가 있다고 보기 어렵다. 특히 마약범의 경우에는 특가법의 개정으로 예비에 대한 가중처벌규정이 삭제되었고, 조세포탈범의 경우에는 특가법에서 예비죄에 대한 별도의 처벌규정을 두고 있지 아니한 점에 비추어 밀수입의 예비죄에 대해서만 과중한 처벌을 해야 할 필요가 있는지 의문이다. 이에 더하여 심판대상조항이 적용되는 밀수입 예비죄보다 불법성과 책임이 결코 가볍다고 볼 수 없는 내란, 내란목적살인, 외환유치, 여적 예비죄나 살인 예비죄의 법정형이 심판대상조항이 적용되는 밀수입 예비죄보다 도리어 가볍다는 점에 비추어 보면, 심판대상조항이 예정하는 법정형은 형평성을 상실하여 지나치게 가혹하다고 할 것이다. 그러므로 심판대상조항은 형벌체계의 균형성에 반하여 헌법상 평등원칙에 어긋난다(헌재 2019.2.28. 2016헌가13).

정답 02 ②

03 평등의 원칙에 관한 다음 설명 중 가장 옳지 않은 것은? ▸ 2024 법무사

① 보훈보상대상자의 부모에 대한 유족보상금 지급 시 수급권자를 1인에 한정하고 나이가 많은 자를 우선하도록 규정한 보훈보상대상자 지원에 관한 법률의 규정은 나이가 적은 부모 일방을 합리적 이유 없이 차별하는 것에 해당하므로 헌법에 위반된다.

② 교사의 신규채용에 있어 국·공립대학교졸업생을 우선시키는 교육공무원법은 사립사범대학 졸업자가 교육공무원으로 채용될 수 있는 기회를 제한 또는 박탈하게 되므로 평등의 원칙에 위반된다.

③ 공익근무요원의 경우와 달리 산업기능요원의 군 복무기간을 공무원 재직기간으로 산입하지 않도록 규정한 제대군인지원에 관한 법률의 규정은 헌법에 위반된다.

④ 형법 제159조 '시체 등의 오욕죄'의 법정형에 벌금형이 있는데 반하여, 형법 제160조 '분묘의 발굴죄'의 법정형에 벌금형을 선택적으로 규정함이 없이 5년 이하의 징역으로 규정하고 있더라도 평등의 원칙에 위배되지 않는다.

⑤ 보상금의 지급을 신청할 수 있는 자의 범위를 '내부 공익신고자'로 한정함으로써 '외부 공익신고자'를 보상금 지급대상에서 배제하도록 정한 공익신고자 보호법의 규정은 평등의 원칙에 위배되지 않는다.

> **해설** ① ○ : [보훈보상대상자 지원에 관한 법률 제11조 제1항 제2호 등 위헌제청(보상금 수급권자 1인 한정 및 연장자 우선사건)] **[헌법불합치]** 심판대상조항이 국가의 재정부담능력의 한계를 이유로 하여 부모 1명에 한정하여 보상금을 지급하도록 하면서 어떠한 예외도 두지 않은 것에는 합리적 이유가 있다고 보기 어렵다. 심판대상조항 중 나이가 많은 자를 우선하도록 한 것 역시 문제된다. 나이에 따른 차별은 연장자를 연소자에 비해 우대하는 전통적인 유교사상에 기초한 것으로 보이나, 부모 중 나이가 많은 자가 나이가 적은 자를 부양한다고 일반화할 합리적인 이유가 없고, 부모 상호 간에 노동능력 감소 및 부양능력에 현저히 차이가 있을 정도의 나이 차이를 인정하기 어려운 경우도 많다. 오히려 직업이나 보유재산에 따라 연장자가 경제적으로 형편이 더 나은 경우에도 그보다 생활이 어려운 유족을 배제하면서까지 연장자라는 이유로 보상금을 지급하는 것은 보상금 수급권이 갖는 사회보장적 성격에 부합하지 아니한다(헌재 2018.6.28, 2016헌가14).
>
> ② ○ : [교육공무원법 제11조 제1항에 대한 헌법소원] **[위헌]** 〈국·공립사범대학 등 출신자에 대한 교사우선채용이 위헌인지 여부 : 적극〉 국·공립사범대학 등 출신자를 교육공무원인 국·공립학교 교사로 우선하여 채용하도록 규정한 교육공무원법 제11조 제1항은 사립사범대학졸업자와 일반대학의 교직과정이수자가 교육공무원으로 채용될 수 있는 기회를 제한 또는 박탈하게 되어 결국 교육공무원이 되고자 하는 자를 그 출신학교의 설립주체나 학과에 따라 차별하는 결과가 되는 바, 이러한 차별은 이를 정당화할 합리적인 근거가 없으므로 헌법상 평등의 원칙에 어긋난다(헌재 1990.10.8, 89헌마89).
>
> ③ × : [제대군인지원에 관한 법률 제16조 제1항 등 위헌확인(산업기능요원 복무기간의 공무원 재직기간 산입 제외사건)] **[기각]** 산업기능요원과 공익근무요원은 그 제도의 취지, 직무의 성격과 내용 등에 있어 상당한 차이가 있는바, 산업기능요원은 공익근무요원과 달리 자신의 자율적 의사에 따라 그 복무를 선택하고, 그 복무관계는 공무수행관계로 보지 아니하며, 사기업체에서 자유로운 근무환경에서 근무하면서 자신의 전공과 기술을 활용할 수 있고 상당한 보수를 지급받는다. 이 사건 법령조항들이 군 복무기간의 유형과 내용에 따라 공무원 재직기간 산입 여부를 달리 보

아 산업기능요원의 복무기간을 공무원 재직기간에 산입하지 않는 것은 합리적 차별이라고 할 것
이므로, 산업기능요원의 평등권을 침해하지 않는다(헌재 2012.8.23, 2010헌마328).

④ ○ : [형법 제160조 위헌제청(분묘발굴죄 사건)] [합헌] 사체 등의 오욕죄는 '사자에 대한 추도
및 존경의 감정'을 주된 보호법익으로 하고 행위태양도 손괴에 이르지 않는 정도의 유형력 행사에
불과한 반면, 분묘의 발굴죄는 '사자에 대한 추도 및 존경의 감정'과 함께 '분묘의 평온의 유지'도
그 주된 보호법익으로 하고, 행위태양도 복토의 전부 또는 일부를 제거하거나 묘석 등을 파괴하여
분묘를 손괴하는 것으로, 분묘의 발굴죄는 사체 등의 오욕죄보다 보호법익의 침해 정도가 크고
피해의 정도 또한 중하며 일반적으로 행위자의 책임에 대한 비난가능성도 크다고 할 수 있다. 위와
같은 보호법익과 죄질의 차이를 고려하여 법정형에 차이를 둔 것에는 합리적인 이유가 있으므로
형벌체계의 균형성을 상실하여 평등원칙에 위배된다고 볼 수 없다(헌재 2019.2.28, 2017헌가33).

⑤ ○ : [공익신고자보호법 제26조 위헌소원('공익신고자 보호법'상 보상금제한사건)] [합헌] 공익침
해행위의 효율적인 발각과 규명을 위해서는 내부 공익신고가 필수적인데, 내부 공익신고자는 조
직 내에서 배신자라는 오명을 쓰기 쉬우며, 공익신고로 인하여 신분상, 경제상 불이익을 받을 개
연성이 높다. 이 때문에 보상금이라는 경제적 지원조치를 통해 내부 공익신고를 적극적으로 유도
할 필요성이 인정된다. 반면, '내부 공익신고자가 아닌 공익신고자'(이하 '외부 공익신고자'라 한다)
는 공익신고로 인해 불이익을 입을 개연성이 높지 않기 때문에 공익신고 유도를 위한 보상금 지
급이 필수적이라 보기 어렵다. '공익신고자 보호법'상 보상금의 의의와 목적을 고려하면, 이와 같
이 공익신고 유도 필요성에 있어 차이가 있는 내부 공익신고자와 외부 공익신고자를 달리 취급하
는 것에 합리성을 인정할 수 있다. 또한, 무차별적 신고로 인한 행정력 낭비 등 보상금이 초래한
전문신고자의 부작용 문제를 근본적으로 해소하고 공익신고의 건전성을 제고하고자 보상금 지급
대상을 내부 공익신고자로 한정한 입법자의 판단이 충분히 납득할만한 점, 외부 공익신고자도 일
정한 요건을 갖추는 경우 포상금, 구조금 등을 지급 받을 수 있는 점 등을 아울러 고려할 때, 이
사건 법률조항(보상금의 지급을 신청할 수 있는 자의 범위를 '내부 공익신고자'로 한정함으로써
'외부 공익신고자'를 보상금 지급대상에서 배제하도록 정한 공익신고자 보호법의 규정)이 평등원
칙에 위배된다고 볼 수 없다(헌재 2021.5.27, 2018헌바127).

04 평등원칙에 관한 다음 설명 중 가장 옳지 않은 것은? ▸ 2025 법무사

① 도시개발법의 도시개발사업, 도시 및 주거환경정비법의 재개발사업 및 재건축사업 등에
대해서는 사업시행 결과 사업구역 내 가구 수가 증가하지 아니하는 경우에는 학교용지부
담금을 부과할 수 없도록 하면서, 주택법에 따른 주택건설사업에 대해서는 가구 수 증가
와 상관없이 개발사업의 결과로 지어지는 전체 가구 수에 대하여 학교용지부담금을 부과
하는 구 학교용지 확보 등에 관한 특례법 규정은 학교시설 확보의 필요성을 유발하는 정
도와 무관한 불합리한 차별로서 헌법상 평등원칙에 위반된다.

② 국가유공자의 유족 중 보상을 받을 자녀의 순위를 정함에 있어 협의로 지정되거나 주
로 부양한 자녀가 없는 경우, 나이가 많은 자녀를 선순위 유족으로 정하는 국가유공자
법 규정은 국가유공자의 자녀 중 나이가 많은 자와 그렇지 않은 자를 합리적인 이유
없이 차별하므로, 평등원칙에 위반된다.

정답 **03** ③ **04** ①

③ 성폭력범죄 피해자가 국민참여재판을 원하지 아니하는 경우 법원이 국민참여재판 배제결정을 할 수 있도록 규정한 국민의 형사재판 참여에 관한 법률 규정은 성폭력범죄 및 그에 관한 재판의 특수성을 고려한 것으로 합리적인 근거가 있는바, 평등원칙에 위반되지 않는다.

④ 일정한 법무법인으로 하여금 변리사 업무를 수행할 수 있도록 한 변호사법 규정은 평등원칙에 위반되지 않는다.

⑤ 직계혈족, 배우자, 동거친족, 동거가족 또는 그 배우자 이외의 친족 간에 권리행사방해죄를 범한 때는 고소가 있어야 공소를 제기할 수 있도록 한 형법 제328조 제2항은 합리적 이유가 있으므로 평등원칙에 위배된다고 보기 어렵다.

> **해설** ① × : [학교용지부담금 부과제외대상사건] **[합헌]** 도시개발법상 도시개발사업이나 도시정비법상 재개발사업 및 재건축사업, 소규모주택정비법상 가로주택정비사업 및 소규모재건축사업 등은 그 실질이 모두 기존 주택의 재건축에 해당하는데, 이들 개발사업을 시행하는 조합의 조합원은 사업구역 내에 위치한 토지 또는 건물의 소유자 등으로 기존 세대가 사업을 주도하고 기존 세대 대부분이 조합원의 지위에서 분양을 받아 사업시행 이후 그대로 거주한다. / 반면 주택법의 적용을 받는 주택건설사업은 사업주체가 택지를 매입하여 신규 주택을 건설하고 공급하는 사업으로, 기존 세대와 무관하게 신규 주택을 건설·공급하게 되므로 사업시행 이후 기존 세대가 이전하고 인구가 새로 유입되는 상황을 예정하고 있다. 이와 같이 기존 세대가 잔류하지 아니하고 인구가 새로 유입되면서 세대가 교체되어 그 구성원에 변동이 생기는 상황이라면 **가구 수 자체의 변동이 없더라도** 취학 수요가 증가하여 학교시설을 확보할 필요성이 유발된다고 볼 수 있는데, 입법자가 이러한 주택법상 주택건설사업의 실질을 고려하여 주택법상 주택건설사업의 경우 신축된 전체 가구 수를 기준으로 학교용지부담금을 부과할 수 있도록 정한 것은 합리적인 이유가 있다(헌재 2025.4.10, 2020헌바363등).
>
> ② ○ : [국가유공자의 유족인 자녀 중 연장자 우선 사건] **[헌법불합치]** 헌재 2025.4.10, 2024헌가12등
>
> ③ ○ : [국민의 형사재판 참여에 관한 법률 제9조 제1항 제3호 위헌소원] **[합헌]** 다수의 배심원이 참여하는 국민참여재판으로 성폭력범죄에 대한 재판이 진행되는 경우, 재판 진행 과정에서 피해자의 신상이 공개될 가능성이 높고 피해자의 인격이나 명예가 손상되거나 사생활에 관한 비밀이 침해되며, 성적 수치심이나 공포감이 유발되는 등 추가적인 피해가 발생할 우려가 존재한다. 심판대상조항이 피해자 등의 의사를 고려하여 국민참여재판 배제결정을 할 수 있도록 규정한 것은 위와 같은 성폭력범죄 및 그에 관한 재판의 특수성을 고려한 것으로 합리적인 근거가 있다(헌재 2025.2.27, 2023헌바155).
>
> ④ ○ : [변호사법 제49조 제2항 위헌소원] **[합헌]** 변리사법 및 변호사법 규정 등에 비추어보면 변호사는 변리사의 업무에 관하여 변리사와 동등한 수준의 전문성을 갖추었다고 볼 수 있고, 심판대상조항은 법무법인이 변리사의 자격을 가진 변호사를 통해 변리사 업무를 수행할 수 있는 경우에 한하여 변리사 업무 수행을 허용하고 있는 것이므로, 이러한 법무법인에 대하여 특허법인과 마찬가지로 변리사 업무를 수행할 수 있도록 한 것에는 합리적 이유가 인정된다. 따라서 심판대상조항은 평등원칙에 위반되지 않는다(헌재 2025.1.23, 2022헌바61).
>
> ⑤ ○ : [형법 제328조 제2항 위헌소원] **[합헌]** 헌재 2024.6.27, 2023헌바449 ★ 최신판례

자유권적 기본권

01   **소급입법에 관한 다음 설명 중 가장 옳지 않은 것은?**   ▶ 2022 법무사

① '소급입법'은 신법이 이미 종료된 사실관계나 법률관계에 적용되는지, 아니면 현재 진행 중인 사실관계나 법률관계에 적용되는지에 따라 '진정소급입법'과 '부진정소급입법'으로 구분되고, 전자는 헌법상 원칙적으로 허용되지 않고 특단의 사정이 있는 경우에만 예외적으로 허용되는 반면, 후자는 원칙적으로 허용되지만 소급효를 요구하는 공익상의 사유와 신뢰보호 요청 사이의 비교형량 과정에서 신뢰보호의 관점이 입법자의 입법형성권에 일정한 제한을 가하게 된다.

② 신법이 피적용자에게 유리한 경우에는 이른바 시혜적인 소급입법이 가능하지만, 그러한 소급입법을 할 것인지 여부는 그 일차적인 판단이 입법기관에 맡겨져 있으므로 입법자는 입법목적, 사회실정, 법률의 개정 이유나 경위 등을 참작하여 결정할 수 있고, 그 판단이 합리적 재량의 범위를 벗어나 현저하게 불합리하고 불공정한 것이 아닌 한 헌법에 위반된다고 할 수는 없다.

③ 공소시효제도는 행위의 가벌성이 아닌 소추가능성에만 연관된 것이기는 하나, 소추가능성은 행위의 가벌성을 전제로 하므로, 원칙적으로 형벌불소급의 원칙이 적용된다.

④ 형벌불소급원칙에서 의미하는 '처벌'은 형법에 규정되어 있는 형식적 의미의 형벌 유형에 국한되지 않으며, 범죄행위에 따른 제재의 내용이나 실제적 효과가 형벌적 성격이 강하여 신체의 자유를 박탈하기나 이에 준하는 정도로 신체의 자유를 제한하는 경우에는 형벌불소급원칙이 적용되어야 한다.

⑤ 특정 범죄자에 대한 위치추적 전자장치 부착 등에 관한 법률에 의한 전자장치 부착명령은 형벌과 구별되는 비형벌적 보안처분으로서 소급효금지원칙이 적용되지 아니한다.

> **해설** ① ○ : '소급입법'은 신법이 이미 종료된 사실관계나 법률관계에 적용되는지, 아니면 현재 진행 중인 사실관계나 법률관계에 적용되는지에 따라 '진정소급입법'과 '부진정소급입법'으로 구분되는데, 전자는 헌법상 원칙적으로 허용되지 않고 특단의 사정이 있는 경우에만 예외적으로 허용되는 반면, / 후자는 원칙적으로 허용되지만 소급효를 요구하는 공익상의 사유와 신뢰보호 요청 사이의 교량 과정에서 신뢰보호의 관점이 입법자의 입법형성권에 일정한 제한을 가하게 된다는 데에 차이가 있다(헌재 2015.12.23. 2013헌바259).
>
> ② ○ : 우리 헌법은 "모든 국민은 행위 시의 법률에 의하여 범죄를 구성하지 아니하는 행위로 소추되지 아니하며"(헌법 제13조 제1항 전단), "모든 국민은 소급입법에 의하여 참정권의 제한을 받거나

정답   01 ③

재산권을 박탈당하지 아니한다"(헌법 제13조 제2항)라고 규정하고 있을 뿐, 법률이 변경된 경우 피적용자에 대하여 유리한 신법을 적용할 것인가에 관하여 일반적인 규정은 두고 있지 않고, 헌법상의 기본원칙인 법치주의로부터 도출되는 법적 안정성 측면에서 볼 때도 법규범은 현재와 장래에 효력을 가지는 것이기 때문에 **소급입법은 금지** 내지 제한된다. / 다만, **신법이 피적용자에게 유리한 경우**에는 이른바 **시혜적인 소급입법**이 가능하지만, 그러한 소급입법을 할 것인가의 여부는 그 일차적인 판단이 입법기관에 맡겨져 있으므로 입법자는 입법목적, 사회실정이나 국민의 법감정, 법률의 개정 이유나 경위 등을 참작하여 시혜적 소급입법을 할 것인가 여부를 결정할 수 있고, 그 판단은 존중되어야 하며, 그 결정이 합리적 재량의 범위를 벗어나 현저하게 불합리하고 불공정한 것이 아닌 한 헌법에 위반된다고 할 수는 없다(헌재 1995.12.28, 95헌마196; 헌재 1998.11.26, 97헌바65).

③ × : 죄형법정주의와 형벌불소급의 원칙을 규정한 헌법 제12조 제1항과 제13조 제1항의 근본 뜻은 형벌법규는 허용된 행위와 금지된 행위의 경계를 명확히 설정하여 어떠한 행위가 금지되어 있고, 그에 위반한 경우 어떠한 형벌이 정해져 있는가를 미리 개인에 알려 자신의 행위를 그에 맞출 수 있도록 하자는 데 있다. 이처럼 우리 헌법이 규정한 **형벌불소급의 원칙**은 '행위의 가벌성'에 관한 것이기 때문에 소추가능성에만 연관될 뿐이고 가벌성에는 영향을 미치지 않는 공소시효에 관한 규정은 원칙적으로 그 효력범위에 포함되지 않는다. 따라서 **공소시효의 정지규정을 과거에 이미 행한 범죄에 대하여 적용하도록 하는 법률**이라 하더라도 그 사유만으로 헌법 제12조 제1항 및 제13조 제1항에 규정한 죄형법정주의의 파생원칙인 형벌불소급의 원칙에 언제나 위배되는 것으로 단정할 수는 없다(헌재 2021.6.24, 2018헌바457).

④ ○ : [형법 부칙 제2조 제1항 위헌소원(소위 '황제노역'과 관련하여 노역장유치기간의 하한을 정하면서 개정 전 범죄행위에 대하여도 소급적용하도록 한 형법 조항 사건)] 형벌불소급원칙에서 의미하는 '처벌'은 형법에 규정되어 있는 형식적 의미의 형벌 유형에 국한되지 않으며, 범죄행위에 따른 제재의 내용이나 실제적 효과가 형벌적 성격이 강하여 신체의 자유를 박탈하거나 이에 준하는 정도로 신체의 자유를 제한하는 경우에는 형벌불소급원칙이 적용되어야 한다. **노역장유치**는 그 실질이 신체의 자유를 박탈하는 것으로서 징역형과 유사한 형벌적 성격을 가지고 있으므로 형벌불소급원칙의 적용대상이 된다(헌재 2017.10.26, 2015헌바239).

⑤ ○ : ["전자발찌"소급적용 사건] 헌재 2012.12.27, 2010헌가82, 2011헌바393(병합)

02 이중처벌금지 원칙에 관한 다음 설명 중 가장 옳지 않은 것은? [다툼이 있는 경우 대법원 판례(전원합의체 판결의 경우 다수의견에 의함) 및 헌법재판소 결정에 의함] ▸ 2025 법무사

① 헌법 제13조 제1항에서 금지하는 이중처벌은 거듭된 국가의 형벌권 행사를 금지하는 일 뿐, 형벌권 행사에 덧붙여 일체의 제재나 불이익처분을 부가할 수 없는 것은 아니다.

② 형벌과 보호감호를 병과한다고 하여 이중처벌금지 원칙에 위반되는 것은 아니다.

③ 행정법상의 질서벌인 과태료와 형사처벌은 그 성질이나 목적을 달리하는 별개의 것이므로 행정법상의 질서벌인 과태료를 납부한 후에 형사처벌을 한다고 하여 이를 일사부재리의 원칙에 반하는 것이라고 할 수는 없다.

④ 어떤 행정처분에 제재와 억지의 성격·기능만 있다면 이는 실질적으로 '국가형벌권의 행사'와 다를 바 없으므로, 헌법 제13조 제1항에서 말하는 '처벌'에 해당한다고 보아야 한다.

⑤ 부당 또는 불법의 이득을 환수 내지 박탈한다는 측면과 위반행위자에 대한 제재로서의 측면을 함께 가지고 있는 부동산 실권리자명의 등기에 관한 법률상의 과징금을 형사처벌과 동시에 병과하는 것은 이중처벌금지 원칙의 문제라기보다 과잉금지원칙의 문제로 그 위헌여부를 판단하여야 한다.

해설 ① ○ ② ○ ③ ○ ⑤ ○ : [구 독점규제및공정거래에관한법률 제24조의2 위헌제청] [1] 이중처벌금지원칙의 의미에 관하여, 헌법 제13조 제1항에서 금지하는 이중처벌은 거듭된 국가의 형벌권 행사를 금지하는 것일 뿐, 형벌권 행사에 덧붙여 일체의 제재나 불이익처분을 부가할 수 없는 것이 아님을 거듭 밝힌 바 있고(헌재 1994.6.30, 92헌바38; 헌재 2001.5.31, 99헌가18등), [2] 이에 따라 형벌과 보호감호를 병과한다고 하여 이 원칙에 위반되지 않는다고 하였으며(헌재 1991.4.1, 89헌마17등; 헌재 2001.3.21, 99헌바7), [5] 특히 부당 또는 불법의 이득을 환수 내지 박탈한다는 측면과 위반행위자에 대한 제재로서의 측면을 함께 가지고 있다고 본 부동산실권리자명의등기에관한법률상의 과징금을 형사처벌과 동시에 병과하는 것이 이중처벌에 해당하는지가 문제된 사건에서, 이는 이중처벌금지원칙의 문제라기보다 과잉금지원칙의 문제로 그 위헌여부를 판단하여야 함을 분명히 밝힌바 있다(헌재 2001.5.31, 99헌가18등). [3] 한편, 대법원 또한 행정법상의 질서벌인 과태료와 형사처벌은 그 성질이나 목적을 달리하는 별개의 것이므로 행정법상의 질서벌인 과태료를 납부한 후에 형사처벌을 한다고 하여 이를 일사부재리의 원칙에 반하는 것이라고 할 수는 없다고 보고 있다(대판 1996.4.12, 96도158)(헌재 2003.7.24, 2001헌가25).

④ × : [구 독점규제및공정거래에관한법률 제24조의2 위헌제청] 행정권에는 행정목적 실현을 위하여 행정법규 위반자에 대한 제재의 권한도 포함되어 있으므로, '제재를 통한 억지'는 행정규제의 본원적 기능이라 볼 수 있는 것이고, 따라서 어떤 행정제재의 기능이 오로지 제재(및 이에 결부된 억지)에 있다고 하여 이를 **헌법 제13조 제1항에서 말하는 국가형벌권의 행사로서의 '처벌'**에 해당한다고 할 수 없다.

구 독점규제및공정거래에관한법률 제24조의2에 의한 부당내부거래에 대한 과징금은 그 취지와 기능, 부과의 주체와 절차 등을 종합할 때 부당내부거래 억지라는 행정목적을 실현하기 위하여 그 위반행위에 대하여 제재를 가하는 행정상의 제재금으로서의 기본적 성격에 부당이득환수적 요소도 부가되어 있는 것이라 할 것이고, 이를 두고 헌법 제13조 제1항에서 금지하는 국가형벌권 행사로서의 '처벌'에 해당한다고는 할 수 없으므로, 공정거래법에서 형사처벌과 아울러 과징금의 병과를 예정하고 있더라도 **이중처벌금지원칙**에 위반된다고 볼 수 없으며, 이 과징금 부과처분에 대하여 공정력과 집행력을 인정한다고 하여 이를 확정판결 전의 형벌집행과 같은 것으로 보아 **무죄추정의 원칙**에 위반된다고도 할 수 없다(헌재 2003.7.24, 2001헌가25).

▶ 공정거래위원회로 하여금 부당내부거래를 한 사업자에 대하여 그 매출액의 2% 범위 내에서 과징금을 부과할 수 있도록 한 것이 이중처벌금지원칙, 적법절차원칙, 비례성원칙 등에 위반되는지 여부(소극)

정답 02 ④

03 다음 설명 중 가장 옳지 않은 것은?

▶ 2023 법무사

① 헌법 제12조 제1항 후문과 제3항에 규정된 적법절차의 원칙은 형사절차상의 제한된 범위에만 적용되고, 행정작용 등에는 적용되지 않는다.

② 개인정보자기결정권은 자신에 관한 정보가 언제 누구에게 어느 범위까지 알려지고 또 이용되도록 할 것인지를 그 정보주체가 스스로 결정할 수 있는 권리로서, 헌법 제10조 제1문에서 도출되는 일반적 인격권 및 헌법 제17조의 사생활의 비밀과 자유에 의하여 보장된다.

③ 헌법 제12조 제3항은 "체포·구속·압수 또는 수색을 할 때에는 적법한 절차에 따라 검사의 신청에 의하여 법관이 발부한 영장을 제시하여야 한다."라고 규정하고, 헌법 제16조는 "주거에 대한 압수나 수색을 할 때에는 검사의 신청에 의하여 법관이 발부한 영장을 제시하여야 한다."라고 규정함으로써 영장주의를 헌법적 차원에서 보장하고 있다. 우리 헌법이 채택하여 온 영장주의는 형사절차와 관련하여 체포·구속·압수·수색의 강제처분을 함에 있어서는 사법권 독립에 의하여 신분이 보장되는 법관이 발부한 영장에 의하지 않으면 아니 된다는 원칙이다.

④ 헌법재판소는 법무부장관의 일방적 명령에 의하여 변호사 업무를 정지시키는 것은 당해 변호사가 자기에게 유리한 사실을 진술하거나 필요한 증거를 제출할 수 있는 청문의 기회가 보장되지 아니하여 적법절차를 존중하지 아니한 것이 된다고 보았다.

⑤ 피고인 스스로 치료감호를 청구할 수 있는 권리나, 법원으로부터 직권으로 치료감호를 선고받을 수 있는 권리는 헌법상 재판청구권의 보호범위에 포함되지 않는다. 공익의 대표자로서 준사법기관적 성격을 가지고 있는 검사에게만 치료감호 청구권한을 부여한 것은, 본질적으로 자유박탈적이고 침익적 처분인 치료감호와 관련하여 재판의 적정성 및 합리성을 기하기 위한 것이므로 적법절차원칙에 반하지 않는다.

해설 ① × : [형사소송법 제331조 단서규정에 대한 위헌심판] 적법절차의 원칙은 헌법조항에 규정된 형사절차상의 제한된 범위 내에서만 적용되는 것이 아니라 국가작용으로서 기본권제한과 관련되든 관련되지 않든 모든 입법작용 및 행정작용에도 광범위하게 적용된다고 해석하여야 할 것이다 (헌재 1992.12.24. 92헌가8).

② ○ : [교육정보시스템(NEIS)사건] 인간의 존엄과 가치, 행복추구권을 규정한 헌법 제10조 제1문에서 도출되는 일반적 인격권 및 헌법 제17조의 사생활의 비밀과 자유에 의하여 보장되는 개인정보자기결정권은 자신에 관한 정보가 언제 누구에게 어느 범위까지 알려지고 또 이용되도록 할 것인지를 그 정보주체가 스스로 결정할 수 있는 권리이다(헌재 2005.7.21. 2003헌마282). ; [주민등록법 제17조의8 등 위헌확인사건](지문날인제도사건) 헌재 2005.5.26. 99헌마513; [가족관계의 등록 등에 관한 법률 제14조 제1항 본문 위헌확인] 헌재 2022.11.24. 2021헌마130

③ ○ : [공직선거법 제256조 제5항 제12호 위헌소원(선거범죄 조사에 있어서 자료제출의무 부과 사건)] [합헌] 헌법 **제12조 제3항**은 "체포·구속·압수 또는 수색을 할 때에는 적법한 절차에 따라 검사의 신청에 의하여 법관이 발부한 영장을 제시하여야 한다."라고 규정하고, 헌법 **제16조**는 "주거에 대한 압수나 수색을 할 때에는 검사의 신청에 의하여 법관이 발부한 영장을 제시하여야 한다."라고 규정함으로써 **영장주의**를 헌법적 차원에서 보장하고 있다. 우리 헌법이 채택하여

온 영장주의는 형사절차와 관련하여 체포·구속·압수·수색 등의 강제처분을 함에 있어서는 사법권 독립에 의하여 신분이 보장되는 법관이 발부한 영장에 의하지 않으면 아니 된다는 원칙이다. 따라서 헌법상 **영장주의의 본질**은 체포·구속·압수·수색 등 기본권을 제한하는 강제처분을 함에 있어서는 중립적인 법관의 구체적 판단을 거쳐야 한다는 데에 있다(헌재 2019.9.26, 2016헌바381).

④ ○ : [변호사법 제15조에 대한 위헌심판] **[위헌]** 헌재 1990.11.19, 90헌가48

⑤ ○ : [치료감호 등에 관한 법률 제4조 제7항 위헌제청(치료감호 청구 제한 사건)] **[합헌]** 피고인 스스로 치료감호를 청구할 수 있는 권리나, 법원으로부터 직권으로 치료감호를 선고받을 수 있는 권리는 헌법상 **재판청구권**의 보호범위에 포함되지 않는다. 공익의 대표자로서 준사법기관적 성격을 가지고 있는 **검사에게만 치료감호 청구권한을 부여한 것**은, 본질적으로 자유박탈적이고 침익적 처분인 치료감호와 관련하여 재판의 적정성 및 합리성을 기하기 위한 것이므로 **적법절차원칙**에 반하지 않는다. 그렇다면 이 사건 법률조항들은 재판청구권을 침해하거나 적법절차원칙에 반한다고 보기 어렵다(헌재 2021.1.28, 2019헌가24).

▶ '정신건강증진 및 정신질환자 복지서비스 지원에 관한 법률', '형의 집행 및 수용자의 처우에 관한 법률'에 있는 다른 제도들을 통하여 국민의 정신건강을 유지하는 데에 필요한 국가적 급부와 배려가 이루어지고 있으므로, 이 사건 법률조항들에서 치료감호대상자의 치료감호 청구권이나 법원의 직권에 의한 치료감호를 인정하지 않는다 하더라도 국민의 보건에 관한 **국가의 보호의무**에 반한다고 보기 어렵다.

04 변호인의 조력을 받을 권리에 관한 다음 설명 중 가장 옳지 않은 것은? ▶ 2025 법무사

① 헌법 제12조 제4항 및 제12조 제5항 제1문은 형사절차에서 체포·구속된 사람이 가지는 변호인의 조력을 받을 권리를 헌법상 기본권으로 명시하고 있고, 체포·구속된 사람뿐만 아니라 불구속 피의자 및 피고인의 경우에도 헌법상 법치국가원리, 적법절차원칙에 의하여 변호인의 조력을 받을 권리가 당연히 인정된다.

② 피의자 및 피고인이 가지는 변호인의 조력을 받을 권리가 실질적으로 확보되기 위해서는, 피의자 및 피고인에 대한 변호인의 조력할 권리의 핵심적인 부분이 헌법상 기본권으로서 보호되어야 한다.

③ 변호인의 조력을 받을 권리의 출발점은 변호인선임권에 있고, 이는 변호인의 조력을 받을 권리의 가장 기초적인 구성부분으로서 법률로써도 제한할 수 없다.

④ 헌법 제12조 제4항 본문은 "누구든지 체포 또는 구속을 당한 때에는 즉시 변호인의 조력을 받을 권리를 가진다."라고 규정하고 있는바, 이와 같은 변호인의 조력을 받을 권리는 형사절차에서 피의자 또는 피고인의 방어권 보장을 위한 것으로서 출입국관리법상 보호 또는 강제퇴거의 절차에 적용된다고 보기는 어렵다.

⑤ 변호인과의 자유로운 접견은 신체구속을 당한 사람에게 보장된 변호인의 조력을 받을 권리의 가장 중요한 내용이어서 국가안전보장, 질서유지, 공공복리 등 어떠한 명분으로도 제한될 수 있는 성질의 것이 아니다.

정답 ▶ **03** ① **04** ④

해설 ① ○ : 우리 헌법은 변호인의 조력을 받을 권리가 불구속 피의자·피고인 모두에게 포괄적으로 인정되는지 여부에 관하여 명시적으로 규율하고 있지는 않지만, **불구속 피의자의** 경우에도 변호인의 조력을 받을 권리는 우리 헌법에 나타난 <u>법치국가원리, 적법절차원칙에서 인정되는 당연한 내용이다</u>(헌재 2004.9.23, 2000헌마138).

② ○ : [정보비공개결정 위헌확인] **[인용(위헌확인!)]** 헌재 2003.3.27, 2000헌마474
[동지판례] [변호인 접견불허 위헌확인 등(변호인이 되려는 자의 피의자 접견신청을 불허한 사건)] **[인용(위헌확인)]** 피의자 등이 가지는 '변호인이 되려는 자'의 조력을 받을 권리가 실질적으로 <u>확보되기 위해서는 '**변호인이 되려는 자**'의 접견교통권 역시 **헌법상 기본권**으로서 보장되어야 한다</u>(헌재 2019.2.28, 2015헌마1204).

③ ○ : 헌재 2004.9.23, 2000헌마138

④ × : [변호인 접견 불허처분 등 위헌확인(인천국제공항 송환대기실에 수용된 난민에 대한 변호인 접견거부 위헌확인사건)] **[인용(위헌확인)]** [1] 헌법 제12조 제4항 본문에 규정된 "구속"은 사법절차에서 이루어진 구속뿐 아니라, 행정절차에서 이루어진 구속까지 포함하는 개념이다. 따라서 헌법 제12조 제4항 본문에 규정된 <u>변호인의 조력을 받을 권리는 행정절차에서 구속을 당한 사람에게도 즉시 보장된다</u>. 종래 이와 견해를 달리하여 헌법 제12조 제4항 본문에 규정된 **변호인의 조력을 받을 권리는 형사절차에서 피의자 또는 피고인의 방어권을 보장하기 위한 것으로서 출입국관리법상 보호 또는 강제퇴거의 절차에도 적용된다고 보기 어렵다고 판시한 우리 재판소 결정(헌재 2012.8.23, 2008헌마430)은, 이 결정 취지와 저촉되는 범위 안에서 변경한다.**
[2] 인천국제공항에서 난민인정신청을 하였으나 난민인정심사불회부결정을 받은 청구인을 인천국제공항 송환대기실에 약 5개월째 수용하고 환승구역으로의 출입을 막은 것이 <u>헌법 제12조 제4항 본문에 규정된 "구속"에 해당되므로, 피청구인이 청구인의 변호인의 접견신청을 거부한 것은 헌법 제12조 제4항 본문에 의한 변호인의 조력을 받을 권리를 침해한 것이다</u>(헌재 2018.5.31, 2014헌마346).

⑤ ○ : 변호인과의 자유로운 접견은 신체구속을 당한 사람에게 보장된 변호인의 조력을 받을 권리의 가장 중요한 내용이어서 국가안전보장, 질서유지, 공공복리 등 어떠한 명분으로도 제한될 수 있는 성질의 것이 아니다(헌재 1992.1.28, 91헌마111).
[비교판례] [미결수용자변호인접견불허처분위헌확인] 헌법재판소가 **91헌마111 결정**에서 <u>미결수용자와 변호인과의 접견에 대해 어떠한 명분으로도 제한할 수 없다고 한 것은 구속된 자와 변호인 간의 접견이 실제로 이루어지는 경우에 있어서의 '자유로운 접견', 즉 '대화내용에 대하여 비밀이 완전히 보장되고 어떠한 제한, 영향, 압력 또는 부당한 간섭 없이 자유롭게 대화할 수 있는 접견'을 제한할 수 없다는 것이지, 변호인과의 접견 자체에 대해 아무런 제한도 가할 수 없다는 것을 의미하는 것이 아니므로 미결수용자의 변호인 접견권 역시 국가안전보장·질서유지 또는 공공복리를 위해 필요한 경우에는 법률로써 제한될 수 있음은 당연하다</u>(헌재 2011.5.26, 2009헌마341).

05 신체의 자유에 관한 다음 설명 중 가장 옳지 않은 것은?

▶ 2024 법무사

① 수형자가 민사재판에 출정하여 법정 대기실 내 쇠창살 격리시설 안에 유치되어 있는 동안 교도소장이 출정계호교도관을 통해 수형자에게 양손수갑 1개를 앞으로 사용한 행위는 수형자의 신체의 자유를 침해하지 않는다.

② 과태료 등의 행정질서벌은 죄형법정주의의 규율대상에 해당하지 않는다.

③ 각급선거관리위원회 위원·직원의 선거범죄 조사에 있어서 피조사자에게 자료제출의무를 부과한 공직선거법의 규정에 의한 자료제출요구는 영장주의의 적용대상이 아니다.

④ 선거관리위원회에 허위보고한 정당의 회계책임자를 형사처벌함으로써 '보고'의무를 부과하는 것은 진술거부권이 금지하는 진술강요에 해당한다.

⑤ 헌법상의 변호인과의 접견교통권은 체포 또는 구속당한 피의자·피고인에게 인정되는 신체적 자유에 관한 기본권인데, '변호인이 되려는 자'의 접견교통권은 헌법상 기본권에 해당하지 않는다.

해설 ① ○ : [공권력 행사 위헌확인] [기각] 이 사건 **보호장비 사용행위**(수형자가 민사재판에 출정하여 법정 대기실 내 쇠창살 격리시설 안에 유치되어 있는 동안 교도소장이 출정계호교도관을 통해 수형자에게 양손수갑 1개를 앞으로 사용한 행위)는 수형자의 도주를 예방하고 법정 내 질서 유지에 협력하고자 하는 공익은 매우 중요한 반면, 이 사건 보호장비 사용행위로 인해 영향을 받은 신체의 자유와 인격권은 그 목적 달성을 위한 범위 내에서 제한적이므로 과잉금지원칙을 위반하여 청구인의 신체의 자유 및 인격권을 침해하지 않는다(헌재 2023.6.29, 2018헌마1215).

② ○ : [부동산등기특별조치법 제11조 위헌소원] 죄형법정주의는 무엇이 범죄이며 그에 대한 형벌이 어떠한 것인가는 국민의 대표로 구성된 입법부가 제정한 법률로써 정하여야 한다는 원칙인데, 부동산등기특별조치법 제11조 제1항 본문 중 제2조 제1항에 관한 부분이 정하고 있는 **과태료**는 행정상의 질서유지를 위한 행정질서벌에 해당할 뿐 형벌이라고 할 수 없어 죄형법정주의의 규율대상에 해당하지 아니한다(헌재 1998.5.28, 96헌바83).

③ ○ : [공직선거법 제256조 제5항 제12호 위헌소원(선거범죄 조사에 있어서 자료제출의무 부과 사건)] 심판대상조항(각급선거관리위원회 위원·직원의 선거범죄 조사에 있어서 피조사자에게 자료제출의무를 부과한 공직선거법의 규정)에 의한 자료제출요구는 행정조사의 성격을 가지는 것으로 수사기관의 수사와 근본적으로 그 성격을 달리하며, 청구인에 대하여 직접적으로 어떠한 물리적 강제력을 행사하는 강제처분을 수반하는 것이 아니므로 영장주의의 적용대상이 아니다(헌재 2019.9.26, 2016헌바381).

④ ○ : [정치자금에 관한 법률 제31조 제1호 등 위헌소원] [합헌] [1] 선거관리위원회에 허위보고한 자를 처벌함으로써 '보고'의무를 부과하는 것이 진술거부권이 금지하는 진술강요에 해당한다는 것은 별 의문의 여지가 없으나, / 개인에게 정치자금의 수입과 지출에 관한 내역을 '기재'하게 하는 것이 진술을 강요하는 것인지는 논란이 있을 수 있다. [2] 살피건대, 헌법상 진술거부권의 보호대상이 되는 **"진술"**이라 함은 언어적 표출, 즉 개인의 생각이나 지식, 경험사실을 정신작용의 일환인 언어를 통하여 표출하는 것을 의미하는바, 정치자금을 받고 지출하는 행위는 당사자가 직접 경험한 사실로서 이를 문자로 기재하도록 하는 것은 당사자가 자신의 경험을 말로 표출한 것의 등가물(等價物)로 평가할 수 있으므로, 위 조항들(정치자금의 수입·지출에 관한 내역을 회계

정답 ▶ 05 ⑤

장부에 **허위 기재**하거나 관할 선거관리위원회에 **허위 보고**한 정당의 회계책임자를 형사처벌하는 조항들)이 정하고 있는 **기재행위** 역시 "진술"의 범위에 포함된다고 할 것이다. …… 위 조항들을 통하여 달성하고자 하는 정치자금의 투명한 공개라는 공익은 불법 정치자금을 수수한 사실을 회계장부에 기재하고 신고해야 할 의무를 지키지 않은 채 진술거부권을 주장하는 사익보다 우월하다. 결국, 정당의 회계책임자가 불법 정치자금이라도 그 수수 내역을 회계장부에 기재하고 이를 신고할 의무가 있다고 규정하고 있는 위 조항들은 헌법 제12조 제2항이 보장하는 진술거부권을 침해한다고 할 수 없다. [3] 정치자금법 제31조 제6호에 의하면, 정당의 회계책임자는 정치자금의 수입·지출에 관한 명세서 및 영수증을 정치자금법이 정하는 회계보고를 마친 후 3년간 보존하여야 하는데, 이 조항이 규정하고 있는 **회계장부·명세서·영수증을 보존하는 행위**는 진술거부권의 보호대상이 되는 "진술" 즉 언어적 표출의 등가물로 볼 수 없으므로, 위 조항은 헌법 제12조 제2항의 진술거부권을 침해하지 않는다(헌재 2005.12.22. 2004헌바25).

⑤ × : [변호인 접견불허 위헌확인 등(변호인이 되려는 자의 피의자 접견신청을 불허한 사건)] **[인용(위헌확인)]** 변호인 선임을 위하여 피의자·피고인이 가지는 '변호인이 되려는 자'와의 접견교통권은 헌법상 기본권으로 보호되어야 하고, '변호인이 되려는 자'의 접견교통권은 피의자 등이 변호인을 선임하여 그로부터 조력을 받을 권리를 공고히 하기 위한 것으로서, 그것이 보장되지 않으면 피의자 등이 변호인 선임을 통하여 변호인으로부터 충분한 조력을 받는다는 것이 유명무실하게 될 수밖에 없다. 이와 같이 '변호인이 되려는 자'의 접견교통권은 피의자 등을 조력하기 위한 핵심적인 부분으로서, 피의자 등이 가지는 헌법상의 기본권인 '변호인이 되려는 자'와의 접견교통권과 표리의 관계에 있다. 따라서 피의자 등이 가지는 '변호인이 되려는 자'의 조력을 받을 권리가 실질적으로 확보되기 위해서는 **'변호인이 되려는 자'의 접견교통권** 역시 **헌법상 기본권으**로서 보장되어야 한다(헌재 2019.2.28. 2015헌마1204).

▶ 청구인이 '변호인이 되려는 자'의 자격으로 피의자 접견 신청을 하였음에도 이를 허용하기 위한 조치를 취하지 않은 검사의 행위('이 사건 **검사의 접견불허행위**')가 헌법상 기본권인 청구인의 접견교통권을 침해하였다고 보아 청구인의 헌법소원심판청구를 인용한 사례

제2절　사생활 자유권

01　개인정보자기결정권에 관한 다음 설명 중 가장 옳지 않은 것은?　▶ 2021 법무사

① 개인정보자기결정권은 자신에 관한 정보가 언제 누구에게 어느 범위까지 알려지고 또 이용되도록 할 것인지를 그 정보주체가 스스로 결정할 수 있는 권리로서, 헌법 제10조 제1문에서 도출되는 일반적 인격권 및 헌법 제17조의 사생활의 비밀과 자유에 의하여 보장된다.

② 개인정보를 대상으로 한 조사·수집·보관·처리·이용 등의 행위는 모두 원칙적으로 개인정보자기결정권에 대한 제한에 해당한다.

③ 직계혈족이기만 하면 아무런 제한 없이 자녀의 가족관계증명서 및 기본증명서의 교부를 청구하여 발급받을 수 있도록 규정한 가족관계의 등록 등에 관한 법률 제15조 제1항은 과잉금지원칙을 위반하여 자녀의 개인정보자기결정권을 침해한다.

④ 정보주체가 직접 또는 제3자를 통하여 이미 공개한 개인정보라고 하더라도 공개 당시 정보주체가 자신의 개인정보에 대한 수집이나 제3자 제공 등의 처리에 대하여 동의를 하였다고 단정할 수 없으므로, 그 정보를 수집·이용·제공 등 처리하고자 하는 자는 정보주체로부터 별도의 동의를 받아야 한다.

⑤ 법률정보 제공 사이트를 운영하는 회사가 공립대학교 법학과 교수의 사진, 성명, 성별, 출생연도, 직업, 직장, 학력, 경력 등 개인정보를 위 법학과 홈페이지 등을 통해 수집하여 위 사이트 내 '법조인' 항목에서 유료로 제공한 경우, 위 회사가 영리 목적으로 개인정보를 수집하여 제3자에게 제공하였더라도 그에 의하여 얻을 수 있는 법적 이익이 정보처리를 막음으로써 얻을 수 있는 정보주체의 인격적 법익에 비하여 우월하므로, 개인정보자기결정권을 침해하는 위법한 행위로 평가할 수 없다.

> **해설**　① ○ : [주민등록법 제17조의8 등 위헌확인사건](지문날인제도사건) 헌재 2005.5.26, 99헌마513
> ② ○ : [교육정보시스템(NEIS)사건] 헌재 2005.7.21, 2003헌마282
> ③ ○ : [입법부작위 위헌확인(가족관계의 등록 등에 관한 법률 제14조 제1항 본문 부진정입법부작위 사건)] **[헌법불합치]** 이 사건 법률조항은 가정폭력 가해자에 대한 별도의 제한 없이 직계혈족이기만 하면 사실상 자유롭게 그 자녀의 가족관계증명서와 기본증명서의 교부를 청구하여 발급받을 수 있도록 함으로써, 그로 인하여 가정폭력 피해자인 청구인의 개인정보가 가정폭력 가해자인 전 배우자에게 무단으로 유출될 수 있는 가능성을 열어놓고 있다. 따라서 과잉금지원칙에 위배되어 청구인의 개인정보자기결정권을 침해한다(헌재 2020.8.28, 2018헌마927).
> ④ × ⑤ ○ : 〈공개된 개인정보를 수집하여 제3자에게 제공한 행위에 대하여 개인정보자기결정권의 침해를 이유로 위자료를 구하는 사건〉 정보주체가 직접 또는 제3자를 통하여 이미 공개한 개인정보는 공개 당시 정보주체가 자신의 개인정보에 대한 수집이나 제3자 제공 등의 처리에 대하여 일정한 범위 내에서 동의를 하였다고 할 것이다. …… 따라서 **이미 공개된 개인정보**를 정보주체의 동의가 있었다고 객관적으로 인정되는 범위 내에서 수집·이용·제공 등 처리를 할 때는 정보주

정답　　**01** ④

체의 **별도의 동의는 불필요하다**고 보아야 하고, 별도의 동의를 받지 아니하였다고 하여 개인정보 보호법 제15조나 제17조를 위반한 것으로 볼 수 없다(대판 2016.8.17, 2014다235080).
[사실관계] **법률정보 제공 사이트**를 운영하는 갑 주식회사가 공립대학교인을 대학교 법과대학 법학과 교수로 재직 중인 병의 사진, 성명, 성별, 출생연도, 직업, 직장, 학력, 경력 등의 개인정보를 위 법학과 홈페이지 등을 통해 수집하여 위 사이트 내 '법조인' 항목에서 유료로 제공한 사안에서, 갑 회사가 영리 목적으로 병의 개인정보를 수집하여 제3자에게 제공하였더라도 그에 의하여 얻을 수 있는 법적 이익이 정보처리를 막음으로써 얻을 수 있는 정보주체의 인격적 법익에 비하여 우월하므로, 갑 회사의 행위를 병의 개인정보자기결정권을 침해하는 위법한 행위로 평가할 수 없고, / 갑 회사가 병의 개인정보를 수집하여 제3자에게 제공한 행위는 병의 동의가 있었다고 객관적으로 인정되는 범위 내이고, 갑 회사에 영리 목적이 있었다고 하여 달리 볼 수 없으므로, 갑 회사가 병의 별도의 동의를 받지 아니하였다고 하여 개인정보 보호법 제15조나 제17조를 위반하였다고 볼 수 없다고 한 사례

02 개인정보자기결정권에 관한 다음 설명 중 가장 옳지 않은 것은?

▶ 2023 법무사

① 형제자매는 언제나 본인과 이해관계를 같이 하는 것은 아닌데도 형제자매가 본인에 대한 친족·상속 등과 관련된 증명서를 편리하게 발급받을 수 있도록 규정한 법률조항은 개인정보 자기결정권을 제한하고, 그 제한은 입법목적 달성을 위해 필요한 범위를 넘어선 것으로 개인정보자기결정권을 침해한다.

② 형법상 강제추행죄로 유죄판결이 확정된 자는 신상정보 등록대상자가 되도록 규정한 법률조항은 등록대상자 선정에 있어 재범의 위험성을 전혀 요구하지 않고 행위 태양의 특성이나 불법성의 경중을 고려하여 등록대상자의 범위를 축소하고 있지도 않으므로, 과잉금지원칙에 반하여 개인정보자기결정권을 침해한다.

③ 법무부장관은 변호사시험 합격자가 결정되면 즉시 명단을 공고하여야 한다고 규정한 법률조항은 공공성을 지닌 전문직인 변호사에 관한 정보를 널리 공개하여 법률서비스 수요자가 필요한 정보를 얻는 데 도움을 주기 위한 것으로 응시자들의 개인정보자기결정권을 침해한다고 볼 수 없다.

④ 인터넷언론사는 선거운동기간 중 당해 홈페이지 게시판 등에 정당·후보자 등에 대한 지지·반대 등의 정보를 게시하는 경우 실명을 확인받는 기술적 조치를 하도록 규정한 법률조항은 익명표현이 허용될 경우 발생할 수 있는 부정적 효과를 막기 위한 것이라 하더라도 모든 익명표현을 규제함으로써 대다수 국민의 개인정보자기결정권도 광범위하게 제한하므로 인터넷언론사 홈페이지 게시판 등 이용자의 개인정보자기결정권을 침해한다.

⑤ 성적목적공공장소침입죄로 유죄판결이 확정된 자는 신상정보 등록대상자가 되도록 규정한 법률조항은 등록대상자 선정에 있어 재범의 위험성을 전혀 요구하지 않고 있다 하더라도 위 범죄가 공공화장실 등 일정한 장소를 침입하는 경우에 한하여 성립하고 위 조항에 따른 등록대상자의 범위는 이에 따라 제한되므로, 개인정보자기결정권을 침해한다고 볼 수 없다.

해설 ① ○ : [가족관계의 등록 등에 관한 법률 제14조 제1항 위헌확인(형제자매의 증명서 교부청구사건)]
[위헌] [1] 개인의 출생, 인지, 입양, 파양, 혼인, 이혼, 사망 등의 신고를 통해 작성되고 보관·관리되는 개인정보가 수록된 각종 증명서를 본인의 동의 없이도 형제자매가 발급받을 수 있도록 하는 것은 **개인정보자기결정권을 제한**하는 것이다.

[2] 가족관계등록법상 각종 증명서에 기재된 개인정보가 유출되거나 오남용될 경우 정보의 주체에게 가해지는 타격은 크므로 증명서 교부청구권자의 범위는 가능한 한 축소하여야 하는데, 형제자매는 언제나 이해관계를 같이 하는 것은 아니므로 형제자매가 본인에 대한 개인정보를 오남용 또는 유출할 가능성은 얼마든지 있다. 그런데 이 사건 법률조항은 증명서 발급에 있어 형제자매에게 정보주체인 본인과 거의 같은 지위를 부여하고 있으므로, 이는 증명서 교부청구권자의 범위를 필요한 최소한도로 한정한 것이라고 볼 수 없다. 본인은 인터넷을 이용하거나 위임을 통해 각종 증명서를 발급받을 수 있으며, 가족관계등록법 제14조 제1항 단서 각 호에서 일정한 경우에는 제3자도 각종 증명서의 교부를 청구할 수 있으므로 형제자매는 이를 통해 각종 증명서를 발급받을 수 있다. 따라서 이 사건 법률조항에 의한 개인정보자기결정권의 제한은 입법목적을 달성하기 위하여 필요한 범위를 넘어선 것이므로 침해의 최소성에 위배된다. 또한, 이 사건 법률조항을 통해 달성하려는 공익에 비해 초래되는 기본권 제한의 정도가 중대하므로 법익의 균형성도 인정하기 어려워, 이 사건 법률조항은 청구인의 **개인정보자기결정권을 침해**한다(헌재 2016.6.30, 2015헌마924).

▶ 종래 형제자매이기만 하면 본인에 대한 가족관계등록법상 각종 증명서를 발급받을 수 있었으나, 본 위헌결정으로 가족관계등록법 제14조 제1항 단서 각호에 해당하는 경우(소송·비송·민사집행의 각 절차에서 필요한 경우, 다른 법령에서 본인 등에 관한 증명서를 제출하도록 요구하는 경우, 민법상의 법정대리인인 경우, 채권·채무의 상속과 관련하여 상속인의 범위를 확인하기 위해서 증명서 교부가 필요한 경우 등)에만 본인에 대한 증명서 발급을 신청할 수 있게 되었다.

② × : 지문은 반대의견의 내용이다.

[성폭력범죄의 처벌 등에 관한 특례법 제32조 제1항 위헌확인(성폭력범죄자의 신상정보 등록사건)] **[기각]** 형법상 강제추행죄로 유죄판결이 확정된 자는 신상정보 등록대상자가 되도록 규정한 심판대상조항은 성폭력 범죄자의 재범을 억제하여 사회를 방위하고, 효율적 수사를 통한 사회혼란을 방지하기 위한 것으로서 정당한 목적달성을 위한 적합한 수단에 해당한다. 전과기록이나 수사경력자료는 보다 좁은 범위의 신상정보를 담고 있고, 정보의 변동이 반영되지 않는다는 점에서 심판대상조항에 의한 정보 수집과 동일한 효과를 거둘 수 있다고 보기 어렵고, 심판대상조항이 강제추행죄의 행위태양이나 불법성의 경중을 고려하지 않고 있더라도 이는 본질적으로 성폭력범죄에 해당하는 강제추행죄의 특성을 고려한 것이라고 할 것이므로, 심판대상조항은 침해최소성이 인정된다. 또 신상정보 등록으로 인한 사익의 제한은 비교적 경미한 반면 달성되는 공익은 매우 중대하다고 할 것이어서 법익균형성도 인정된다. 따라서 심판대상조항은 과잉금지원칙에 반하여 **개인정보 자기결정권을** 침해한다고 할 수 없다(헌재 2014.7.24, 2013헌마423). ★

▶ 이 사건 법률조항은 신상정보 등록에 관한 실체법적 근거규정으로서 권리보호절차 내지 소송절차를 규정하는 절차법적 성격을 갖고 있지 아니하기 때문에, 이 사건 법률조항에 의하여 **재판청구권**이 침해될 여지가 없다. 즉 이 사건 법률조항으로 인하여 일정한 성폭력범죄의 유죄판결이 확정되면 곧 신상정보 등록대상자가 된다고 하더라도 이로 인하여 앞에서 살핀 것처럼 개인정보 자기결정권의 침해 여부가 문제될지언정, 재판청구권이 침해된다고 할 수 없다. 나아가 신상정보 등록제도는 범죄에 대한 국가의 형벌권 실행으로서의 처벌에 해당하지 아니하므로, 법관이 신상정보 등록 여부를 별도로 정하도록 하지 아니하였다고 하더라도 법관에 의한 **재판받을 권리**를 침해하는 것이라 할 수 없다.

정답 02 ②

③ ○ : [변호사시험법 제11조 위헌확인(변호사시험 합격자 명단공고사건)] **[기각]** 심판대상조항(법무부장관은 변호사시험 합격자가 결정되면 즉시 명단을 공고하여야 한다고 규정한 법률조항)의 입법목적은 공공성을 지닌 전문직인 변호사에 관한 정보를 널리 공개하여 법률서비스 수요자가 필요한 정보를 얻는 데 도움을 주고, 변호사시험 관리 업무의 공정성과 투명성을 간접적으로 담보하는 데 있다. 심판대상조항은 법무부장관이 시험 관리 업무를 위하여 수집한 응시자의 개인정보 중 합격자의 성명을 공개하도록 하는 데 그치므로, 청구인들의 개인정보자기결정권이 제한되는 범위와 정도는 매우 제한적이다. 합격자 명단이 공고되면 누구나, 언제든지 이를 검색할 수 있으므로, 심판대상조항은 공공성을 지닌 전문직인 변호사의 자격 소지에 대한 일반 국민의 신뢰를 형성하는 데 기여하며, 변호사에 대한 정보를 얻는 수단이 확보되어 법률서비스 수요자의 편의가 증진된다. 합격자 명단을 공고하는 경우, 시험 관리 당국이 더 엄정한 기준과 절차를 통해 합격자를 선정할 것이 기대되므로 시험 관리 업무의 공정성과 투명성이 강화될 수 있다. 따라서 심판대상조항이 과잉금지원칙에 위배되어 청구인들의 개인정보자기결정권을 침해한다고 볼 수 없다(헌재 2020.3.26, 2018헌마77).
[위헌의견(5인)] 변호사시험은 법학전문대학원 졸업자 또는 졸업예정자라는 한정된 집단에 속한 사람이 응시하는 시험이므로, 심판대상조항에 따라 변호사시험 합격자 명단이 공고되면, 특정인의 재학 사실을 아는 사람은 그의 성명과 합격자 명단을 대조하는 방법으로 그의 불합격 사실을 확인할 수 있는바, 이처럼 변호사시험 응시 및 합격 여부에 관한 사실이 널리 공개되는 것은 청구인들의 개인정보자기결정권에 대한 중대한 제한이라 할 수 있다.
실무상 합격자 공고는 법무부 홈페이지에 응시번호 등이 기재된 합격자 명단 파일을 기한 없이 게시하는 방법으로 하고 있는데, 공고 후에는 누구나, 언제든지 이를 검색, 확인할 수 있고, 합격자 명단이 언론기사나 인터넷 게시물 등에 인용되어 널리 전파될 수도 있는바, 이러한 사익 침해 상황은 시간이 흘러도 해소되지 않는다. 따라서 심판대상조항은 과잉금지원칙에 위배되어 청구인들의 개인정보자기결정권을 침해한다.

④ ○ : [공직선거법 제82조의6 제1항 등 위헌확인(선거운동기간 중 인터넷게시판 실명확인사건)] **[위헌]** 심판대상조항(인터넷언론사는 선거운동기간 중 당해 홈페이지 게시판 등에 정당·후보자 등에 대한 지지·반대 등의 정보를 게시하는 경우 실명을 확인받는 기술적 조치를 하도록 규정한 법률조항)의 입법목적은 정당이나 후보자에 대한 인신공격과 흑색선전으로 인한 사회경제적 손실과 부작용을 방지하고 선거의 공정성을 확보하기 위한 것이고, 익명표현이 허용될 경우 발생할 수 있는 부정적 효과를 막기 위하여 그 규제의 필요성을 인정할 수는 있다.
심판대상조항은 정치적 의사표현이 가장 긴요한 선거운동기간 중에 인터넷언론사 홈페이지 게시판 등 이용자로 하여금 실명확인을 하도록 강제함으로써 익명표현의 자유와 언론의 자유를 제한하고, 모든 익명표현을 규제함으로써 대다수 국민의 개인정보자기결정권도 광범위하게 제한하고 있다는 점에서 이와 같은 불이익은 선거의 공정성 유지라는 공익보다 결코 과소평가될 수 없다. 그러므로 심판대상조항은 과잉금지원칙에 반하여 인터넷언론사 홈페이지 게시판 등 이용자의 **익명표현의 자유**와 **개인정보자기결정권**, 인터넷언론사의 **언론의 자유**를 침해한다(헌재 2021.1.28, 2018헌마456).

⑤ ○ : [성폭력범죄의 처벌 등에 관한 특례법 제42조 제1항 등 위헌확인(성적목적공공장소침입죄 전과자 취업제한 및 신상정보 등록사건)] **[기각]** **등록조항**(성적목적공공장소침입죄로 유죄판결이 확정된 자는 신상정보 등록대상자가 되도록 규정한 법률조항)은 성범죄자의 재범을 억제하고 효율적인 수사를 위한 것으로 정당한 목적을 달성하기 위한 적합한 수단이다. 신상정보 등록제도는 국가기관이 성범죄자의 관리를 목적으로 신상정보를 내부적으로만 보존·관리하는 것으로, 성범죄자의 신상정보를 일반에게 공개하는 신상정보 공개·고지제도와는 달리 법익침해의 정도가 크지 않다. 성적목적공공장소침입죄는 공공화장실 등 일정한 장소를 침입하는 경우에 한하여 성립하므로 등록조항에 따른 등록대상자의 범위는 이에 따라 제한되는바, 등록조항은 침해의 최소성

원칙에 위배되지 않는다. 등록조항으로 인하여 제한되는 사익에 비하여 성범죄의 재범 방지와 사회 방위라는 공익이 크다는 점에서 법익의 균형성도 인정된다. 따라서 등록조항은 청구인의 개인정보자기결정권을 침해하지 않는다(헌재 2016.10.27. 2014헌마709). ★

[위헌] 취업제한조항(성적목적공공장소침입죄로 형을 선고받아 확정된 자로 하여금 그 형의 집행을 종료한 날부터 10년 동안 의료기관을 제외한 아동·청소년 관련기관 등을 개설하거나 그에 취업할 수 없도록 한 법률조항)은 피해자가 존재하지 않거나 피해자의 성적자기결정권을 침해하지 아니하는 경우에도 발생할 수 있는 성적목적공공장소침입행위를 범죄화함과 동시에 취업제한 대상 성범죄로 규정하였다. 취업제한조항이 성적목적공공장소침입죄 전력만으로 그가 장래에 동일한 유형의 범죄를 저지를 것을 당연시하고, 형의 집행이 종료된 때로부터 10년이 경과하기 전에는 결코 재범의 위험성이 소멸하지 않는다고 보아, 각 행위의 죄질에 따른 상이한 제재의 필요성을 간과함으로써, 위 범죄 전력자 중 재범의 위험성이 없는 자, 위 범죄 전력이 있지만 10년의 기간 안에 재범의 위험성이 해소될 수 있는 자, 범행의 정도가 가볍고 재범의 위험성이 상대적으로 크지 않은 자에게까지 10년 동안 일률적인 취업제한을 하고 있는 것은 침해의 최소성 원칙과 법익의 균형성 원칙에 위배된다. 따라서 취업제한조항은 청구인의 직업선택의 자유를 침해한다(헌재 2016.10.27. 2014헌마709).

03 수사기관 등의 통신자료 취득행위에 관한 다음 설명 중 가장 옳지 않은 것은?

▸ 2024 법무사

① 수사기관 등에 의한 통신자료 제공요청은 임의수사에 해당하는 것으로, 전기통신사업자가 이에 응하지 아니한 경우에도 어떠한 법적 불이익을 받는다고 볼 수 없으므로, 헌법소원의 대상이 되는 공권력의 행사에 해당하지 않는다.

② 전기통신사업자가 수사기관 등의 통신자료 제공요청에 따라 수사기관 등에 제공하는 이용자의 성명, 주민등록번호, 주소, 전화번호, 아이디, 가입일 또는 해지일은 청구인들의 동일성을 식별할 수 있게 해주는 개인정보에 해당한다.

③ 헌법상 영장주의는 체포·구속·압수·수색 등 기본권을 제한하는 강제처분에 적용되므로, 강제력이 개입되지 않은 임의수사에 해당하는 수사기관 등의 통신자료 취득에는 영장주의가 적용되지 않는다.

④ 수사기관 등이 전기통신사업자에게 이용자의 성명 등 통신자료의 열람이나 제출을 요청할 수 있도록 한 전기통신사업법 조항은 통신자료를 요청할 수 있는 사유를 지나치게 광범위하고 포괄적으로 규정하고 있으므로 과잉금지원칙을 위반하여 개인정보자기결정권을 침해한다.

⑤ 수사기관 등이 전기통신사업자에게 이용자의 성명 등 통신자료의 열람이나 제출을 요청할 수 있도록 한 전기통신사업법 조항은 통신자료 취득에 대한 사후통지 절차를 두지않아 적법절차원칙에 위배하여 개인정보자기결정권을 침해한다.

 ※ [통신자료 취득행위 위헌확인 등(수사기관 등에 의한 통신자료 제공요청사건)] **[헌법불합치]** 헌재 2022.7.21. 2016헌마388 결정에 대한 문제이다.

① ○ : 수사기관 등에 의한 통신자료 제공요청은 임의수사에 해당하는 것으로, 전기통신사업자가 이에 응하지 아니한 경우에도 어떠한 법적 불이익을 받는다고 볼 수 없다. 따라서 이 사건 **통신자료 취득행위**는 헌법소원의 대상이 되는 공권력의 행사에 해당하지 않는다(헌재 2022.7.21. 2016헌마388).

② ○ : 전기통신사업자가 수사기관 등의 통신자료 제공요청에 따라 수사기관 등에 제공하는 이용자의 성명, 주민등록번호, 주소, 전화번호, 아이디, 가입일 또는 해지일은 청구인들의 동일성을 식별할 수 있게 해주는 **개인정보**에 해당하므로, 이 사건 법률조항은 개인정보자기결정권을 제한한다(헌재 2022.7.21. 2016헌마388).

③ ○ : 헌법상 영장주의는 체포·구속·압수·수색 등 기본권을 제한하는 강제처분에 적용되므로, 강제력이 개입되지 않은 임의수사에 해당하는 수사기관 등의 통신자료 취득에는 **영장주의**가 적용되지 않는다(헌재 2022.7.21. 2016헌마388).

④ × ⑤ ○ : [1] 이 사건 법률조항은 범죄수사나 정보수집의 초기단계에서 수사기관 등이 통신자료를 취득할 수 있도록 함으로써 수사나 형의 집행, 국가안전보장 활동의 신속성과 효율성을 도모하고, 이를 통하여 실체적 진실발견, 국가 형벌권의 적정한 행사 및 국가안전보장에 기여한다. 이 사건 법률조항은 수사기관 등이 통신자료 제공요청을 할 수 있는 정보의 범위를 성명, 주민등록번호, 주소 등 피의자나 피해자를 특정하기 위한 불가피한 최소한의 기초정보로 한정하고, 민감정보를 포함하고 있지 않으며, 그 사유 또한 '수사, 형의 집행 또는 국가안전보장에 대한 위해를 방지하기 위한 정보수집'으로 한정하고 있다. 또한, 전기통신사업법은 통신자료 제공요청 방법이나 통신자료 제공현황 보고에 관한 규정 등을 두어 통신자료가 수사 등 정보수집의 목적달성에 필요한 최소한의 범위 내에서 이루어지도록 하고 있다. 따라서 이 사건 **법률조항**(수사기관 등이 전기통신사업자에게 이용자의 성명 등 통신자료의 열람이나 제출을 요청할 수 있도록 한 전기통신사업법 조항)은 과잉금지원칙을 위반하여 청구인들의 **개인정보자기결정권**을 침해한다고 볼 수 없다.

[2] 이 사건 법률조항에 의한 통신자료 제공요청이 있는 경우 통신자료의 정보주체인 이용자에게는 통신자료 제공요청이 있었다는 점이 사전에 **고지**되지 아니하며, 전기통신사업자가 수사기관 등에게 통신자료를 제공한 경우에도 이러한 사실이 이용자에게 별도로 **통지**되지 않는다. 그런데 당사자에 대한 통지는 당사자가 기본권 제한 사실을 확인하고 그 정당성 여부를 다툴 수 있는 전제조건이 된다는 점에서 매우 중요하다. 효율적인 수사와 정보수집의 신속성, 밀행성 등의 필요성을 고려하여 사전에 정보주체인 이용자에게 그 내역을 통지하도록 하는 것이 적절하지 않다면 수사기관 등이 통신자료를 취득한 이후에 수사 등 정보수집의 목적에 방해가 되지 않는 범위 내에서 통신자료의 취득사실을 이용자에게 통지하는 것이 얼마든지 가능하다. 그럼에도 이 사건 법률조항(수사기관 등이 전기통신사업자에게 이용자의 성명 등 통신자료의 열람이나 제출을 요청할 수 있도록 한 전기통신사업법 조항)은 **통신자료 취득에 대한 사후통지절차를 두지 않아 적법절차원칙**에 **위배**된다(헌재 2022.7.21. 2016헌마388).

04 통신의 비밀과 통신의 자유에 관한 다음 설명 중 가장 옳지 않은 것은? ▸ 2022 법무사

① 인터넷회선 감청은 타인과의 관계를 전제로 하는 개인의 사적 영역을 보호하려는 헌법 제18조의 통신의 비밀과 자유 외에 헌법 제17조의 사생활의 비밀과 자유도 제한하므로, 인터넷회선 감청을 범죄수사를 위한 통신제한조치 허가 대상으로 정함에 있어서는 과잉금지원칙을 준수하여야 한다.

② 교도소장이 법원, 검찰청 등이 수용자에게 보낸 문서를 열람한 행위는 문서 전달 업무에 정확성을 기하고 수용자의 편의를 도모하여 법령상 기간준수 여부 확인을 위한 공적 자료를 마련하기 위한 것이고, 다른 법령에 따라 열람이 금지된 문서는 열람할 수 없으므로 수용자의 통신의 자유를 침해하지 아니한다.

③ 통신제한조치기간의 연장을 허가함에 있어 총연장기간 또는 총연장횟수의 제한을 두지 아니한 통신비밀보호법 조항은 통신의 비밀을 침해한다.

④ 수용자가 밖으로 내보내는 모든 서신을 봉함하지 않은 상태로 교정시설에 제출하도록 하는 것은 수용자의 통신비밀의 자유를 침해한다.

⑤ 전기통신역무제공에 관한 계약을 체결하는 경우 전기통신사업자로 하여금 가입자의 인적사항을 확인할 수 있는 증서를 제시하도록 요구하고 부정가입방지시스템을 이용해 본인인지 여부를 확인하도록 한 규정은 익명 가입을 원하는 자의 통신의 자유를 침해한다.

해설 ① ○ : [통신제한조치 허가 위헌확인 등(인터넷회선 감청사건)] **[헌법불합치]** [1] 오늘날 이메일, 메신저, 전화 등 통신뿐 아니라, 각종 구매, 게시물 등록, 금융서비스 이용 등 생활의 전 영역이 인터넷을 기반으로 이루어지기 때문에, 인터넷회선 감청은 타인과의 관계를 전제로 하는 개인의 사적 영역을 보호하려는 헌법 제18조의 통신의 비밀과 자유 외에 헌법 제17조의 사생활의 비밀과 자유도 제한하게 된다.
[2] 오늘날 인터넷 사용이 일상화됨에 따라 국가 및 공공의 안전, 국민의 재산이나 생명·신체의 안전을 위협하는 범행의 저지나 이미 저질러진 범죄수사에 필요한 경우 인터넷 통신망을 이용하는 전기통신에 대한 감청을 허용할 필요가 있으므로 이 사건 법률조항은 입법목적의 정당성과 수단의 적합성이 인정된다. 인터넷회선 감청은 집행 및 그 이후에 제3자의 정보나 범죄수사와 무관한 정보까지 수사기관에 의해 수집·보관되고 있지는 않는지, 수사기관이 원래 허가받은 목적, 범위 내에서 자료를 이용·처리하고 있는지 등을 감독 내지 통제할 법적 장치가 강하게 요구된다. 그런데 현행법은 관련 공무원 등에게 비밀준수의무를 부과하고(통신비밀보호법 제11조), 통신제한조치로 취득한 자료의 사용제한(통신비밀보호법 제12조)을 규정하고 있는 것 외에 수사기관이 감청 집행으로 취득하는 막대한 양의 자료의 처리 절차에 대해서 아무런 규정을 두고 있지 않다. 이 사건 법률조항은 인터넷회선 감청의 특성을 고려하여 그 집행 단계나 집행 이후에 수사기관의 권한 남용을 통제하고 관련 기본권의 침해를 최소화하기 위한 제도적 조치가 제대로 마련되어 있지 않은 상태에서, 범죄수사 목적을 이유로 인터넷회선 감청을 통신제한조치 허가 대상 중 하나로 정하고 있으므로 **침해의 최소성** 요건을 충족한다고 할 수 없다. 이러한 여건 하에서 인터넷회선의 감청을 허용하는 것은 개인의 통신 및 사생활의 비밀과 자유에 심각한 위협을 초래하게 되므로 이 사건 법률조항으로 인하여 달성하려는 공익과 제한되는 사익 사이의 **법익 균형성**도 인정되지 아니한다. 그러므로 이 사건 법률조항은 과잉금지원칙에 위반하는 것으로 청구인의 기본권을 침해한다(헌재 2018.8.30. 2016헌마263).

정답 04 ⑤

▶ "인터넷회선감청(패킷감청)"에 관한 헌법불합치 결정에 따라 법적 통제수단인 통신비밀보호법 제12조의2(범죄수사를 위하여 인터넷 회선에 대한 통신제한조치로 취득한 자료의 관리)를 신설하였다. 따라서 현행법상으로도 패킷감청에 의한 통신제한조치는 허용되나, 검사나 사법경찰관이 통신제한조치 집행종료 후 범죄수사나 소추 등에 사용하거나 사용을 위하여 보관하고자 하는 때에는 필요한 전기통신을 선별하여 법원으로부터 보관 등의 승인을 받아야 하고, 승인을 받지 못한 경우 이를 폐기하여야 한다.

② ○ : [수용자 서신 개봉・열람행위사건] **[기각]** 헌재 2021.9.30, 2019헌마919

③ ○ : [통신비밀보호법 제6조 제7항 단서 위헌제청(통신제한조치기간연장 무제한허가제도사건)] **[헌법불합치]** 통신제한조치기간을 연장함에 있어 법운용자의 남용을 막을 수 있는 최소한의 한계를 설정하지 않은 이 사건 법률조항은 침해의 최소성원칙에 위반한다. 나아가 통신제한조치가 내려진 피의자나 피내사자는 자신이 감청을 당하고 있다는 사실을 모르는 기본권제한의 특성상 방어권을 행사하기 어려운 상태에 있으므로 통신제한조치기간의 연장을 허가함에 있어 총연장기간 또는 총연장횟수의 제한이 없을 경우 수사와 전혀 관계없는 개인의 내밀한 사생활의 비밀이 침해당할 우려도 심히 크기 때문에 기본권 제한의 법익균형성 요건도 갖추지 못하였다. 따라서 이 사건 법률조항(통신제한조치기간의 연장을 허가함에 있어 총연장기간 또는 총연장횟수의 제한을 두지 아니한 통신비밀보호법 조항)은 헌법에 위반된다(헌재 2010.12.28, 2009헌가30).

　　▶ 현재 개정법은 검사 또는 사법경찰관이 통신제한조치의 연장을 청구하는 경우에 통신제한조치의 총 연장기간은 **1년**을 초과할 수 없고, 다만 내란죄 등 일부 범죄에 대하여는 통신제한조치의 총 연장기간이 **3년**을 초과할 수 없다고 규정하고 있다(통신비밀보호법 제6조 제8항).

④ ○ : [형의 집행 및 수용자의 처우에 관한 법률 제43조 제3항 등 위헌확인(수용자 발송서신 무봉함 제출사건)] **[위헌]** 수용자가 밖으로 내보내는 모든 서신을 봉함하지 않은 상태로 교정시설에 제출하도록 규정하고 있는 **이 사건 시행령조항**은 교정시설의 안전과 질서유지, 수용자의 교화 및 사회복귀를 원활하게 하기 위해 수용자가 밖으로 내보내는 서신에 대해 봉함하지 않은 상태로 제출하도록 한 것이나, 이와 같은 목적은 교도관이 수용자의 면전에서 서신에 금지물품이 들어 있는지를 확인하고 수용자로 하여금 서신을 봉함하게 하는 방법, 봉함된 상태로 제출된 서신을 X-ray 검색기 등으로 확인한 후 의심이 있는 경우에만 개봉하여 확인하는 방법, 그리고 서신에 대한 검열이 허용되는 경우에만 무봉함 상태로 제출하도록 하는 방법 등으로도 얼마든지 달성될 수 있다고 할 것인바, 침해의 최소성 요건을 위반하는 것이다. 따라서 이 사건 시행령조항은 과잉금지원칙에 위배되어 수용자의 **통신비밀의 자유**를 **침해**한다(헌재 2012.2.23, 2009헌마333).

　　↔ **[각하]** 교도소장으로 하여금 수용자가 주고받는 서신에 금지 물품이 들어 있는지를 확인할 수 있도록 규정하고 있는 **이 사건 법률조항**은 수용자의 서신에 금지물품이 들어 있는지 여부에 대한 확인을 교도소장의 재량에 맡기고 있으므로 교도소장의 금지물품 확인이라는 구체적인 집행행위를 매개로 하여 수용자인 청구인의 권리에 영향을 미치게 되는바, 위 법률조항이 청구인의 기본권을 직접 침해한다고 할 수 없다(헌재 2012.2.23, 2009헌마333).

⑤ ✕ : [전기통신사업법 제32조의4 제2항 등 위헌확인(이동통신서비스가입 본인확인사건)] **[기각]** 심판대상조항(전기통신역무제공에 관한 계약을 체결하는 경우 전기통신사업자로 하여금 가입자의 인적사항을 확인할 수 있는 증서를 제시하도록 요구하고 부정가입방지시스템을 이용해 본인인지 여부를 확인하도록 한 규정)이 이동통신서비스 가입 시 본인확인절차를 거치도록 함으로써 타인 또는 허무인의 이름을 사용한 휴대전화인 이른바 대포폰이 보이스피싱 등 범죄의 범행도구로 이용되는 것을 막고, 개인정보를 도용하여 타인의 명의로 가입한 다음 휴대전화 소액결제나 서비스요금을 그 명의인에게 전가하는 등 명의도용범죄의 피해를 막고자 하는 입법목적은 정당하고, 이를 위하여 본인확인절차를 거치게 한 것은 적합한 수단이다. 개인정보자기결정권, 통신의 자유가 제한되는 불이익과 비교했을 때, 명의도용피해를 막고, 차

명휴대전화의 생성을 억제하여 보이스피싱 등 범죄의 범행도구로 악용될 가능성을 방지함으로써 잠재적 범죄 피해 방지 및 통신망 질서 유지라는 더욱 중대한 공익의 달성효과가 인정된다. 따라서 심판대상조항은 청구인들의 개인정보자기결정권 및 통신의 자유를 침해하지 않는다(헌재 2019.9.26, 2017헌마1209).

 **제3절　정신적 자유권**

01 양심의 자유에 관한 다음 설명 중 옳은 것은 모두 몇 개인가?

▶ 2021 법무사

> ㉠ 양심은 어떤 일의 옳고 그름을 판단할 때 그렇게 행동하지 않고서는 자신의 인격적 존재가치가 파멸되고 말 것이라는 강력하고 진지한 마음의 소리로서 절박하고 구체적인 것이어야 한다.
> ㉡ 양심의 자유는 양심을 형성할 자유와 양심에 따라 결정할 자유 등 내심의 자유일 뿐, 양심을 실현할 수 있는 자유는 포함되지 않는다.
> ㉢ 근로관계의 속성상 사용자가 비위행위를 저지른 근로자에게 자신의 잘못을 반성하고 사죄한다는 내용의 시말서 제출을 명령하는 것은 양심의 자유 침해로 볼 수 없다.
> ㉣ 양심은 내면의 영역이므로 양심적 병역거부 행위는 신념이 확고하고 진실한지 여부와 관계없이 병역법에 따라 처벌할 수 없다.
> ㉤ 국가가 수형자의 가석방 여부를 심사하면서 국법질서나 헌법체제를 준수하겠다는 취지의 준법서약서 제출을 요구한 조치는 양심의 자유와 자유로운 정신세계를 형성할 행복추구권을 침해한다.

① 1개　　　　　　　② 2개　　　　　　　③ 3개
④ 4개　　　　　　　⑤ 5개

해설 ※ 옳은 것은 ㉠ 1개이다.
　㉠ ○ : 헌재 2004.8.26, 2002헌가1
　㉡ × : [구 국가보안법 제10조(불고지죄) 위헌소원] [합헌] 헌법 제19조가 보호하고 있는 **양심의 자유**는 양심형성의 자유와 양심적 결정의 자유를 포함하는 내심적 자유(forum internum) 뿐만 아니라, 양심적 결정을 외부로 표현하고 실현할 수 있는 **양심실현의 자유(forum externum)를 포함**한다고 할 수 있다. 내심적 자유, 즉 양심형성의 자유와 양심적 결정의 자유는 내심에 머무르는 한 절대적 자유라고 할 수 있지만, 양심실현의 자유는 타인의 기본권이나 다른 헌법적 질서와 저촉되는 경우 헌법 제37조 제2항에 따라 국가안전보장·질서유지 또는 공공복리를 위하여 법률에 의하여 제한될 수 있는 상대적 자유라고 할 수 있다(헌재 1998.7.16, 96헌바35).

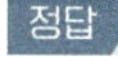 **정답** ▶ 01 ①

ⓒ × : 〈사용자가 근로자에게 자신의 잘못을 반성하고 사죄한다는 내용의 시말서 제출을 명령하는 것이 양심의 자유를 침해하는지 여부(적극)〉 취업규칙에서 사용자가 사고나 비위행위 등을 저지른 근로자에게 시말서를 제출하도록 명령할 수 있다고 규정하는 경우, 그 시말서가 단순히 사건의 경위를 보고하는 데 그치지 않고 더 나아가 근로관계에서 발생한 사고 등에 관하여 자신의 잘못을 반성하고 **사죄한다는 내용**이 포함된 사죄문 또는 반성문을 의미하는 것이라면, 이는 헌법이 보장하는 **내심의 윤리적 판단에 대한 강제**로서 **양심의 자유**를 **침해**하는 것이므로, 그러한 취업규칙 규정은 헌법에 위반되어 근로기준법 제96조 제1항에 따라 효력이 없고, 그에 근거한 사용자의 시말서 제출명령은 업무상 정당한 명령으로 볼 수 없다(대판 2010.1.14, 2009두6605).

ⓔ × : 〈양심적 병역거부와 병역법 제88조 제1항의 정당한 사유〉 정당한 사유로 인정할 수 있는 양심적 병역거부를 심리하여 판단하는 것은 중요한 문제이다. 여기에서 말하는 양심은 그 신념이 깊고, 확고하며, 진실하여야 한다. 신념이 깊다는 것은 그것이 사람의 내면 깊이 자리잡은 것으로서 그의 모든 생각과 행동에 영향을 미친다는 것을 뜻한다. 삶의 일부가 아닌 전부가 그 신념의 영향력 아래 있어야 한다. 신념이 확고하다는 것은 그것이 유동적이거나 가변적이지 않다는 것을 뜻한다. 반드시 고정불변이어야 하는 것은 아니지만, 그 신념은 분명한 실체를 가진 것으로서 좀처럼 쉽게 바뀌지 않는 것이어야 한다. 신념이 진실하다는 것은 거짓이 없고, 상황에 따라 타협적이거나 전략적이지 않다는 것을 뜻한다. 설령 병역거부자가 깊고 확고한 신념을 가지고 있더라도 그 신념과 관련한 문제에서 상황에 따라 다른 행동을 한다면 그러한 신념은 진실하다고 보기 어렵다(대판 2018.11.1, 2016도10912 전원합의체).

ⓜ × : [준법서약제 사건] **[기각]** 내용상 단순히 국법질서나 헌법체제를 준수하겠다는 취지의 서약을 할 것을 요구하는 이 사건 준법서약은 국민이 부담하는 일반적 의무를 장래를 향하여 확인하는 것에 불과하며, 어떠한 가정적 혹은 실제적 상황하에서 특정의 사유(思惟)를 하거나 특별한 행동을 할 것을 새로이 요구하는 것이 아니다. 따라서 이 사건 준법서약은 어떤 구체적이거나 적극적인 내용을 담지 않은 채 **단순한 헌법적 의무의 확인·서약에 불과하다** 할 것이어서 양심의 영역을 건드리는 것이 아니다. … 이 사건의 경우, 가석방심사 등에 관한 규칙 제14조에 의하여 준법서약서의 제출이 반드시 법적으로 강제되어 있는 것이 아니다. 준법서약서의 제출을 거부하는 당해 수형자는 결국 위 규칙조항에 의하여 가석방의 혜택을 받을 수 없게 될 것이지만, 단지 그것뿐이며 더 이상 법적 지위가 불안해지거나 법적 상태가 악화되지 아니한다. 이와 같이 위 규칙조항은 내용상 당해 수형자에게 하등의 법적 의무를 부과하는 것이 아니며 이행강제나 처벌 또는 법적 불이익의 부과 등 방법에 의하여 준법서약을 강제하고 있는 것이 아니므로 당해 수형자의 양심의 자유를 침해하는 것이 아니다(헌재 2002.4.25, 98헌마425).

↳ '준법서약서제도는 사실상 사상의 전향을 요구하거나 국법질서의 준수의지를 외부에 표출하도록 강제하는 것으로 헌법상 양심의 자유 및 자유로운 정신세계를 형성할 행복추구권을 침해하고, 다른 수형자들과는 달리 국가보안법 위반·집회 및 시위에 관한 법률 위반 등의 수형자에 한하여 가석방심사 시 준법서약서 제출을 요구함으로써 평등권도 침해한다'는 것은 **청구인들의 주장**이고, **헌법재판소**는 행복추구권에 대하여는 별도로 판단하지 않았다.

02 양심적 병역거부에 관한 다음 설명 중 가장 옳지 않은 것은?

▸ 2021 법무사

① 국방의 의무는 법률이 정하는 바에 따라 부담하므로, 그 구체적인 이행방법과 내용은 법률로 정할 사항이다.

② 양심적 병역거부의 허용 여부는 헌법 제19조 양심의 자유 등 기본권 규범과 헌법 제39조 국방의 의무 규범 사이의 충돌·조정 문제이다.

③ 양심적 병역거부는 소극적 부작위에 의한 양심실현에 해당하므로, 이에 대한 제한은 양심의 자유에 대한 과도한 제한이 되거나 본질적 내용에 대한 위협이 될 수 있다.

④ 양심적 병역거부자에게 병역의무의 이행을 일률적으로 강제하고 그 불이행에 대하여 형사처벌 등 제재를 하는 것은 소수자에 대한 관용과 포용이라는 자유민주주의 정신에도 위배된다.

⑤ 신념이 확고하다는 것은 그것이 유동적이거나 가변적이지 않다는 것을 뜻하지만, 반드시 고정불변이어야 하는 것은 아니므로, 상황에 따라 타협적이거나 전략적으로 행동하는 것을 금지하지는 아니한다. 병역거부자가 그 신념과 관련한 문제에서 상황에 따라 다른 행동을 하였다고 하더라도, 그러한 신념이 진실하지 않다고 단정할 수는 없다.

해설 ① ○ ② ○ ③ ○ ④ ○ : 〈양심적 병역거부와 병역법 제88조 제1항의 정당한 사유〉 **양심에 따른 병역거부, 이른바 양심적 병역거부**는 종교적·윤리적·도덕적·철학적 또는 이와 유사한 동기에서 형성된 양심상 결정을 이유로 집총이나 군사훈련을 수반하는 병역의무의 이행을 거부하는 행위를 말한다. 양심적 병역거부의 허용 여부는 헌법 제19조 양심의 자유 등 기본권 규범과 헌법 제39조 국방의 의무 규범 사이의 충돌·조정 문제가 된다.
국방의 의무는 법률이 정하는 바에 따라 부담한다(헌법 제39조 제1항). 즉 국방의 의무의 구체적인 이행방법과 내용은 법률로 정할 사항이다. 그에 따라 병역법에서 병역의무를 구체적으로 정하고 있고, 병역법 제88조 제1항에서 입영의무의 불이행을 처벌하면서도 한편으로는 '정당한 사유'라는 문언을 두어 입법자가 미처 구체적으로 열거하기 어려운 충돌 상황을 해결할 수 있도록 하고 있다. 따라서 양심적 병역거부에 관한 규범의 충돌·조정 문제는 병역법 제88조 제1항에서 정한 '정당한 사유'라는 문언의 해석을 통하여 해결하여야 한다. 이는 충돌이 일어나는 직접적인 국면에서 문제를 해결하는 방법일 뿐만 아니라 병역법이 취하고 있는 태도에도 합치하는 해석방법이다.
소극적 부작위에 의한 양심실현의 자유에 대한 제한은 양심의 자유에 대한 과도한 제한이 되거나 본질적 내용에 대한 위협이 될 수 있다. 양심적 병역거부는 이러한 소극적 부작위에 의한 양심실현에 해당한다. 양심적 병역거부자들은 헌법상 국방의 의무 자체를 부정하지 않는다. 단지 국방의 의무를 구체화하는 법률에서 병역의무를 정하고 그 병역의무를 이행하는 방법으로 정한 집총이나 군사훈련을 수반하는 행위를 할 수 없다는 이유로 그 이행을 거부할 뿐이다.
자신의 내면에 형성된 양심을 이유로 집총과 군사훈련을 수반하는 병역의무를 이행하지 않는 사람에게 형사처벌 등 제재를 해서는 안 된다. 양심적 병역거부자에게 병역의무의 이행을 일률적으로 강제하고 그 불이행에 대하여 형사처벌 등 제재를 하는 것은 양심의 자유를 비롯한 헌법상 기본권 보장체계와 전체 법질서에 비추어 타당하지 않을 뿐만 아니라 소수자에 대한 관용과 포용이라는 자유민주주의 정신에도 위배된다. 따라서 진정한 양심에 따른 병역거부라면 이는 병역법 제88조 제1항의 '정당한 사유'에 해당한다(대판 2018.11.1, 2016도10912 전원합의체).
⑤ × : 〈양심적 병역거부와 병역법 제88조 제1항의 정당한 사유〉 정당한 사유로 인정할 수 있는 양심적 병역거부를 심리하여 판단하는 것은 중요한 문제이다. 여기에서 말하는 양심은 그 신념이

정답 02 ⑤

깊고, 확고하며, 진실하여야 한다. 신념이 깊다는 것은 그것이 사람의 내면 깊이 자리 잡은 것으로서 그의 모든 생각과 행동에 영향을 미친다는 것을 뜻한다. 삶의 일부가 아닌 전부가 그 신념의 영향력 아래 있어야 한다. 신념이 확고하다는 것은 그것이 유동적이거나 가변적이지 않다는 것을 뜻한다. 반드시 고정불변이어야 하는 것은 아니지만, 그 신념은 분명한 실체를 가진 것으로서 좀처럼 쉽게 바뀌지 않는 것이어야 한다. 신념이 진실하다는 것은 거짓이 없고, 상황에 따라 타협적이거나 전략적이지 않다는 것을 뜻한다. 설령 병역거부자가 깊고 확고한 신념을 가지고 있더라도 그 신념과 관련한 문제에서 상황에 따라 다른 행동을 한다면 그러한 신념은 진실하다고 보기 어렵다(대판 2018.11.1, 2016도10912 전원합의체).
[참고판례] [병역법 제88조 제1항 등 위헌소원(양심적 병역거부사건)] [1] **[헌법불합치]** 병역의 종류를 현역, 예비역, 보충역, 병역준비역, 전시근로역의 다섯 가지로 한정하여 규정하고 양심적 병역거부자에 대한 대체복무제를 규정하지 아니한 **병역종류조항**이 과잉금지원칙을 위반하여 양심적 병역거부자의 양심의 자유를 침해하는지 여부(적극)
[2] **[합헌]** 현역입영 또는 소집 통지서를 받은 사람이 정당한 사유 없이 입영일이나 소집일부터 3일이 지나도 입영하지 아니하거나 소집에 응하지 아니한 경우를 처벌하는, 병역법 제88조 제1항 본문 제1호, 제2호(**처벌조항**)가 과잉금지원칙을 위반하여 양심적 병역거부자의 양심의 자유를 침해하는지 여부(소극)(헌재 2018.6.28, 2011헌바379).

03 표현의 자유에 관한 다음 설명 중 가장 옳지 않은 것은? ▶ 2025 법무사

① '음란'이란 인간존엄 내지 인간성을 왜곡하는 노골적이고 적나라한 성표현으로서 오로지 성적 흥미에만 호소할 뿐 전체적으로 보아 하등의 문학적, 예술적, 과학적 또는 정치적 가치를 지니지 않은 것으로서, 사회의 건전한 성도덕을 크게 해칠 뿐만 아니라 사상의 경쟁메커니즘에 의해서도 그 해악이 해소되기 어렵다고 하지 않을 수 없다. 따라서 이러한 엄격한 의미의 음란표현은 언론·출판의 자유에 의해서 보호되지 않는다.

② 헌법 제21조 제1항에서 보장하고 있는 표현의 자유는 사상 또는 의견의 자유로운 표명(발표의 자유)과 그것을 전파할 자유(전달의 자유)를 의미하는 것으로서, 그러한 의사의 자유로운 표명과 전파의 자유에는 자신의 신원을 누구에게도 밝히지 아니한 채 익명 또는 가명으로 자신의 사상이나 견해를 표명하고 전파할 익명표현의 자유도 포함된다.

③ 표현의 자유에 있어 의사표현 또는 전파의 매개체는 어떠한 형태이건 가능하며 그 제한이 없는바, 인터넷게시판은 인터넷에서 의사를 형성·전파하는 매체로서의 역할을 담당하고 있으므로 의사의 표현·전파 형식의 하나로서 인정된다.

④ 헌법 제21조 제2항이 금지하는 검열은 사전검열만을 의미하므로 개인이 정보와 사상을 발표하기 이전에 국가기관이 미리 그 내용을 심사·선별하여 일정한 범위 내에서 발표를 저지하는 것만을 의미하고, 헌법상 보호되지 않는 의사표현에 대하여 공개한 뒤에 국가기관이 간섭하는 것을 금지하는 것은 아니다.

⑤ 심의기관에서 허가절차를 통하여 영화의 상영 여부를 종국적으로 결정할 수 있도록 하는 것은 검열에 해당하나, 영화의 상영으로 인한 실정법위반의 가능성을 사전에 막고 청소년 등에 대한 상영이 부적절할 경우 이를 유통단계에서 효과적으로 관리할 수 있도록 미리 등급을 심사하는 것은 사전검열이 아니다.

해설 ① × : [정보통신망이용촉진및정보보호등에관한법률 제65조 제1항 제2호 위헌소원] **[합헌]** 음란표현이 언론·출판의 자유의 보호영역에 해당하지 아니한다고 해석할 경우 음란표현에 대하여는 언론·출판의 자유의 제한에 대한 헌법상의 기본원칙, 예컨대 명확성의 원칙, 검열 금지의 원칙 등에 입각한 합헌성 심사를 하지 못하게 될 뿐만 아니라, 기본권 제한에 대한 헌법상의 기본원칙, 예컨대 법률에 의한 제한, 본질적 내용의 침해금지 원칙 등도 적용하기 어렵게 되는 결과, 모든 음란표현에 대하여 사전 검열을 받도록 하고 이를 받지 않은 경우 형사처벌을 하거나, 유통목적이 없는 음란물의 단순소지를 금지하거나, 법률에 의하지 아니하고 음란물출판에 대한 불이익을 부과하는 행위 등에 대한 합헌성 심사도 하지 못하게 됨으로써, 결국 음란표현에 대한 최소한의 헌법상 보호마저도 부인하게 될 위험성이 농후하게 된다는 점을 간과할 수 없다. 이사건 법률조항의 **음란표현**은 헌법 제21조가 규정하는 언론·출판의 자유의 보호영역 내에 있다고 볼 것인바, 종전에 이와 견해를 달리하여 음란표현은 헌법 제21조가 규정하는 언론·출판의 자유의 보호영역에 해당하지 아니한다는 취지로 판시한 우리 재판소의 의견(헌재 1998.4.30, 95헌가16)은 이를 변경하기로 한다(헌재 2009.5.58, 2006헌바109).

② ○ : [인터넷게시판 본인확인제사건] 헌재 2012.8.23, 2010헌마47

③ ○ : [인터넷게시판 본인확인제사건] 헌재 2012.8.23, 2010헌마47

④ ○ : [영화법 제12조 등 위헌제청] **[위헌]** 헌재 1996.10.4, 93헌가13, 91헌바10(병합)
    ▶ 공연윤리위원회에 의한 **영화사전심의**를 헌법이 금지하는 사전검열에 해당한다고 한 사례

⑤ ○ : [영화법 제12조 등 위헌제청] **[위헌]** 헌재 1996.10.4, 93헌가13, 91헌바10(병합)

04 다음 설명 중 가장 옳지 않은 것은?

▶ 2023 법무사

① 특정한 정당이나 정치인에 대한 정치자금의 기부는 그의 정치활동에 대한 지지·지원인 동시에 정책적 영향력 행사의 의도 또는 가능성을 내포하고 있다는 점에서 일종의 정치활동 내지 정치적인 의사표현이라 할 것인바, 누구든지 단체와 관련된 자금으로 정치자금을 기부할 수 없도록 한 기부금지 조항은 정치활동의 자유 내지 정치적 의사표현의 자유에 대한 제한이 된다고 볼 수 있다.

② 우리 헌법은 세21조 세1항에서 "모든 국민은 언론·출판의 자유 …… 를 가진다."라고 규정하여 현대 자유민주주의의 존립과 발전에 필수불가결한 기본권으로 언론·출판의 자유를 강력하게 보장하고 있으나, 광고물은 상업적 목적으로 제작된 것으로서 언론·출판의 자유에 의한 보호를 받는 대상이 된다고 볼 수 없다.

③ '청소년이용음란물' 역시 의사형성적 작용을 하는 의사의 표현·전파의 형식 중 하나임이 분명하므로 언론·출판의 자유에 의하여 보호되는 의사표현의 매개체에 해당한다.

④ 헌법 제21조에서 보장하고 있는 언론·출판의 자유 즉 표현의 자유는 전통적으로는 사상 또는 의견의 자유로운 표명(발표의 자유)과 그것을 전파할 자유(전달의 자유)를 의미하고, 개인이 인간으로서의 존엄과 가치를 유지하고 행복을 추구하며 국민주권을 실현하는데 필수불가결한 것으로서, 종교의 자유, 양심의 자유, 학문과 예술의 자유 등의 정신적인 자유를 외부적으로 표현하는 자유라고 할 수 있다.

정답 03 ① 04 ②

⑤ 종교활동은 헌법상 종교의 자유와 정교분리의 원칙에 의하여 국가의 간섭으로부터 그 자유가 보장되어 있는 것이므로 국가기관인 법원으로서도 종교단체 내부관계에 관한 사항에 대해서는 그것이 일반 국민으로서 권리의무나 법률관계를 규율하는 것이 아닌 이상 원칙적으로 그 실체적인 심리판단을 하지 아니함으로써 당해 종교단체의 자율권을 최대한 보장하여야 할 것이고, 한편 종교단체가 그 교리를 확립하고 종교단체 및 신앙의 질서를 유지하기 위하여 교인으로서의 비위가 있는 자를 종교적인 방법으로 제재하는 것은 종교단체 내부의 규제로서 헌법이 보장하는 종교의 자유의 영역에 속하는 것임에 비추어, 교인의 구체적인 권리 또는 법률관계에 관한 분쟁이 있어 그에 관한 청구의 당부를 판단하는 전제로서 종교단체의 교인에 대한 징계의 당부를 판단하는 것은 별론으로 하더라도, 법원이 그 징계의 효력 그 자체를 사법심사의 대상으로 삼아 효력 유무를 판단할 수는 없다고 할 것이다.

해설 ① ○ : [구 정치자금에 관한 법률 제12조 제2항 등 위헌소원(단체와 관련된 자금의 정치자금 기부금지 사건)] [합헌] 이 사건 기부금지 조항은 단체의 정치자금 기부금지 규정에 관한 탈법행위를 방지하기 위한 것으로서, …… 과잉금지원칙에 위반하여 정치활동의 자유, 정치적 표현의 자유를 침해하는 것이라 볼 수 없다(헌재 2010.12.28, 2008헌바89).

▶ 헌재는 노동단체에게만 정치자금 기부를 금지하는 구 정치자금법에 대하여 **위헌결정**(헌재 1999.11.25, 95헌마154)하였으나, / 그 후 단체와 관련된 자금의 정치자금 기부를 금지하는 개정된 정치자금법에 대하여는 **합헌결정**하였다.

② × : [옥외광고물등관리법 제3조 위헌소원] 〈옥외광고물설치 사전허가규정이 사전허가금지에 위반되는지 여부: 소극〉 우리 헌법은 제21조 제1항에서 "모든 국민은 언론·출판의 자유 …… 를 가진다"라고 규정하여 현대 자유민주주의의 존립과 발전에 필수불가결한 기본권으로 언론·출판의 자유를 강력하게 보장하고 있는바, **광고물도 사상·지식·정보 등을 불특정다수인에게 전파하는 것으로서 언론·출판의 자유에 의한 보호를 받는 대상이 됨은 물론이다**(헌재 1998.2.27, 96헌바2).

③ ○ ④ ○ : [청소년의 성보호에 관한 법률 제2조 제3호 등 위헌제청] [합헌] 헌법 제21조에서 보장하고 있는 **언론·출판의 자유** 즉 **표현의 자유**는 전통적으로는 사상 또는 의견의 자유로운 표명(발표의 자유)과 그것을 전파할 자유(전달의 자유)를 의미하고, 개인이 인간으로서의 존엄과 가치를 유지하고 행복을 추구하며 국민주권을 실현하는데 필수불가결한 것으로서, 종교의 자유, 양심의 자유, 학문과 예술의 자유 등의 정신적인 자유를 외부적으로 표현하는 자유라고 할 수 있으며(헌재 1989.9.4, 88헌마22; 헌재 1992.11.12, 89헌마88등 참조), 위 **언론·출판의 자유의 내용**으로서는 의사표현·전파의 자유, 정보의 자유, 신문의 자유 및 방송·방영의 자유 등이 있는데, 이러한 언론·출판의 자유의 내용 중 **의사표현·전파의 자유**에 있어서 의사표현 또는 전파의 매개체는 어떠한 형태이건 가능하며 그 제한이 없으므로, 담화·연설·토론·연극·방송·음악·영화·가요 등과 문서·소설·시가·도화·사진·조각·서화 등 모든 형상의 의사표현 또는 의사전파의 매개체를 포함한다(헌재 1993.5.13, 91헌바17; 헌재 1996.10.4, 93헌가13 등; 헌재 2001.8.30, 2000헌가9 등 참조). 본건에 있어서 문제되고 있는 **청소년이용음란물** 역시 의사형성적 작용을 하는 의사의 표현·전파의 형식 중 하나임이 분명하므로 언론·출판의 자유에 의하여 보호되는 의사표현의 매개체라는 점에는 의문의 여지가 없다(헌재 2002.4.25, 2001헌가27).

▶ ① 이 사건 법률 제2조 제3호 및 제8조 제1항의 '청소년이용음란물'은 실제인물인 청소년이 등장하는 음란물을 의미하고 단지 만화로 청소년을 음란하게 묘사한 경우는 포함되지 않는다 해석되므로 죄형법정주의에 있어서의 명확성의 원칙을 위반하였다고 볼 수 없다. ② 청소년의 성을 보호한다는 입법목적과 청소년이용음란물의 성격과 그 제작행위 등 범죄의 죄질과

그 제작 유통에 따른 파급효과, 법정형 등을 감안하면 헌법 제37조 제2항의 과잉금지의 원칙 내지 비례의 원칙에 반하지 아니하여 표현의 자유를 침해한다고 할 수 없다.

⑤ ○ : 종교활동은 헌법상 종교의 자유와 정교분리의 원칙에 의하여 국가의 간섭으로부터 그 자유가 보장되어 있다. 따라서 국가기관인 법원으로서도 종교단체 내부관계에 관한 사항에 대하여는 그것이 일반 국민으로서의 권리의무나 법률관계를 규율하는 것이 아닌 이상 원칙적으로 실체적인 심리·판단을 하지 아니함으로써 당해 종교단체의 자율권을 최대한 보장하여야 한다. 한편 종교단체가 그 교리를 확립하고 종교단체 및 신앙의 질서를 유지하기 위하여 교인으로서의 비위가 있는 사람을 종교적인 방법으로 제재하는 것은 종교단체 내부의 규제로서 헌법이 보장하는 종교의 자유의 영역에 속하는 것임에 비추어, 교인의 구체적인 권리 또는 법률관계에 관한 분쟁이 있어서 그에 관한 청구의 당부를 판단하는 전제로 종교단체의 교인에 대한 징계의 당부를 판단하는 것은 별론으로 하더라도, / 법원이 그 징계의 효력 자체를 사법심사의 대상으로 삼아 효력 유무를 판단할 수는 없다고 할 것이다(대판 2011.10.27, 2009다32386).

05 다음 설명 중 가장 옳지 않은 것은?

▸ 2023 법무사

① 집회의 자유는 개인의 인격발현의 요소이자 민주주의를 구성하는 요소라는 이중적 헌법적 기능을 가지고 있다. 뿐만 아니라, 집회를 통하여 국민들이 자신의 의견과 주장을 집단적으로 표명함으로써 여론의 형성에 영향을 미친다는 점에서, 집회의 자유는 표현의 자유와 더불어 민주적 공동체가 기능하기 위하여 불가결한 근본요소에 속한다.

② 집회의 자유는 민주국가에서 정신적 대립과 논의의 수단으로서 보호되므로, 집회의 자유에 의하여 보호되는 것은 '평화적' 또는 '비폭력적' 집회 뿐 아니라 폭력을 사용한 의견의 강요에 해당할지라도 헌법적으로 보호받을 수 있다.

③ 집회의 목적·내용과 집회의 장소는 일반적으로 밀접한 내적인 연관관계에 있기 때문에, 집회의 장소에 대한 선택이 집회의 성과를 결정짓는 경우가 적지 않다. 집회장소가 바로 집회의 목적과 효과에 대하여 중요한 의미를 가지기 때문에, 누구나 '어떤 장소에서' 자신이 계획한 집회를 할 것인가를 원칙적으로 자유롭게 결정할 수 있어야만 집회의 자유가 비로소 효과적으로 보장되는 것이다. 따라서 집회의 자유는 다른 법익의 보호를 위하여 정당화되지 않는 한, 집회장소를 항의의 대상으로부터 분리시키는 것을 금지한다.

④ 집회의 자유는 집회의 시간, 장소, 방법과 목적을 스스로 결정할 권리를 보장한다. 집회의 자유에 의하여 구체적으로 보호되는 주요행위는 집회의 준비 및 조직, 지휘, 참가, 집회장소·시간의 선택이다. 따라서 집회의 자유는 개인이 집회에 참가하는 것을 방해하거나 또는 집회에 참가할 것을 강요하는 국가행위를 금지할 뿐만 아니라, 예컨대 집회장소로의 여행을 방해하거나, 집회장소로부터 귀가하는 것을 방해하거나, 집회참가자에 대한 검문의 방법으로 시간을 지연시킴으로써 집회장소에 접근하는 것을 방해하는 등 집회의 자유행사에 영향을 미치는 모든 조치를 금지한다.

정답 **05 ②**

⑤ 헌법 제21조가 규정하는 결사의 자유라 함은 다수의 자연인 또는 법인이 공동의 목적을 위하여 단체를 결성할 수 있는 자유를 말하는 것으로, 결사의 자유에서 말하는 결사란 자유의사에 기하여 결합하고 조직화된 의사형성이 가능한 단체를 말하는 것이므로 공법상의 결사는 이에 포함되지 아니한다.

해설 ① ○ ② × ③ ○ : **[집회 및 시위에 관한 법률 제11조 제1호 중 국내주재 외국의 외교기관부분 사건] [위헌]** [1] **집회의 자유의 이중적 헌법적 기능** : 집회의 자유는 개인의 인격발현의 요소이자 민주주의를 구성하는 요소라는 이중적 헌법적 기능을 가지고 있다. 인간의 존엄성과 자유로운 인격발현을 최고의 가치로 삼는 우리 헌법질서 내에서 집회의 자유도 다른 모든 기본권과 마찬가지로 일차적으로는 개인의 자기결정과 인격발현에 기여하는 기본권이다. 뿐만 아니라, 집회를 통하여 국민들이 자신의 의견과 주장을 집단적으로 표명함으로써 여론의 형성에 영향을 미친다는 점에서, 집회의 자유는 표현의 자유와 더불어 민주적 공동체가 기능하기 위하여 불가결한 근본요소에 속한다. [2] **평화적 집회의 보장** : 집회의 자유에 의하여 보호되는 것은 단지 '평화적' 또는 '비폭력적' 집회이다. 집회의 자유는 민주국가에서 정신적 대립과 논의의 수단으로서, 평화적 수단을 이용한 의견의 표명은 헌법적으로 보호되지만, 폭력을 사용한 의견의 강요는 헌법적으로 보호되지 않는다. [3] **집회의 자유의 보장내용** : 집회의 자유는 집회의 시간, 장소, 방법과 목적을 스스로 결정할 권리를 보장한다. 집회의 자유에 의하여 구체적으로 보호되는 주요행위는 집회의 준비 및 조직, 지휘, 참가, 집회장소·시간의 선택이다. … 집회의 자유는 집회에 참가하지 못하게 하는 국가의 강제를 금지할 뿐 아니라, 예컨대 집회장소로의 여행을 방해하거나, 집회장소로부터 귀가하는 것을 방해하거나, 집회참가자에 대한 검문의 방법으로 시간을 지연시킴으로써 집회장소에 접근하는 것을 방해하거나, 국가가 개인의 집회참가행위를 감시하고 그에 관한 정보를 수집함으로써 집회에 참가하고자 하는 자로 하여금 불이익을 두려워하여 미리 집회참가를 포기하도록 집회참가의사를 약화시키는 것 등 집회의 자유행사에 영향을 미치는 모든 조치를 금지한다. [4] **집회장소의 헌법적 의미** : 집회장소는 특별한 상징적 의미를 가진다. … 이와 같이 집회장소가 바로 집회의 목적과 효과에 대하여 중요한 의미를 가지기 때문에, 누구나 '어떤 장소에서' 자신이 계획한 집회를 할 것인가를 원칙적으로 자유롭게 결정할 수 있어야만 집회의 자유가 비로소 효과적으로 보장되는 것이다. 따라서 집회의 자유는 다른 법익의 보호를 위하여 정당화되지 않는 한, 집회장소를 항의의 대상으로부터 분리시키는 것을 금지한다(헌재 2003.10.30, 2000헌바67).

▶ 입법자가 '외교기관 인근에서의 집회의 경우에는 일반적으로 고도의 법익충돌위험이 있다'는 예측판단을 전제로 하여 이 장소에서의 집회를 원칙적으로 금지할 수는 있으나, 일반·추상적인 법규정으로부터 발생하는 과도한 기본권제한의 가능성이 완화될 수 있도록 일반적 금지에 대한 예외조항을 두어야 할 것이다. 그럼에도 불구하고 이 사건 법률조항(**국내주재 외교기관 청사의 경계지점으로부터 1백미터 이내의 장소에서의 옥외집회를 전면적으로 금지하는 조항**)은 전제된 위험상황이 구체적으로 존재하지 않는 경우에도 이를 함께 예외 없이 금지하고 있는데, 이는 입법목적을 달성하기에 필요한 조치의 범위를 넘는 과도한 제한인 것이다. 그러므로 이 사건 법률조항은 최소침해의 원칙에 위반되어 집회의 자유를 과도하게 침해하는 위헌적인 규정이다.

⑤ ○ : **[축산업협동조합법 제99조 제2항 위헌소원] [위헌]** 헌법 제21조가 규정하는 **결사의 자유**라 함은 다수의 자연인 또는 법인이 공동의 목적을 위하여 단체를 결성할 수 있는 자유를 말하는 것으로 적극적으로는 ① 단체결성의 자유, ② 단체존속의 자유, ③ 단체활동의 자유, ④ 결사에의 가입·잔류의 자유를, 소극적으로는 기존의 단체로부터 탈퇴할 자유와 결사에 가입하지 아니할 자유를 내용으로 하는바, 위에서 말하는 결사란 자연인 또는 법인의 다수가 상당한 기간 동안

공동목적을 위하여 자유의사에 기하여 결합하고 조직화된 의사형성이 가능한 단체를 말하는 것으로 공법상의 결사는 이에 포함되지 아니한다(헌재 1996.4.25, 92헌바47).

▶ **축협의 복수조합 설립금지**가 결사의 자유, 직업의 자유, 평등권을 침해하는지 여부 : 적극
∵ 축협법상 축협과 중앙회는 그 목적이나 설립·관리면에서 자주적인 단체로서 공법인이라고 하기보다는 **사법인**이라고 할 것이므로

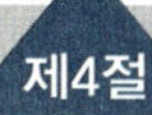

제4절 경제적 기본권

01 재산권에 관한 다음 설명 중 가장 옳지 않은 것은?

▶ 2025 법무사

① 헌법이 보장하고 있는 재산권은 재산가치 있는 모든 사법 및 공법상의 권리를 포함한다.

② 기초생활보장수급권은 공공부조의 일종으로서 순수하게 사회정책적 목적에서 주어지는 권리로서, 개인의 노력과 금전적 기여를 통하여 취득되는 재산권의 보호대상에 포함된다고 보기 어렵다.

③ 재산권에 대한 제한의 허용정도는 재산권 객체의 사회적 기능, 즉 재산권의 행사가 기본권의 주체와 사회전반에 대하여 가지는 의미에 달려 있다고 할 것인데, 재산권의 행사가 사회적 연관성과 사회적 기능을 가지면 가질수록 입법자에 의한 보다 광범위한 제한이 허용된다.

④ 토지는 국민경제의 관점에서나 그 사회적 기능에 있어서 다른 재산권과 같게 다루어야 할 성질의 것이 아니므로 다른 재산권에 비하여 보다 강하게 공동체의 이익을 관철할 것이 요구된다.

⑤ 헌법 제13조 제2항은 "모든 국민은 소급입법에 의하여 재산권을 박탈당하지 아니한다."고 규정하고 있으므로, 진정소급입법에 의한 재산권의 제한은 국민이 소급입법을 예상할 수 있었던 경우에도 허용되지 않는다.

해설 ① ○ : [예비군훈련비용지급처분취소] 헌재 2003.6.26, 2002헌마484

② ○ : [국민기초생활 보장법상 수급자격에 관한 사건] [합헌] 헌재 2012.2.23, 2009헌바47

③ ○ : 재산권에 대한 제한의 허용정도는 재산권 객체의 사회적 기능, 즉 재산권의 행사가 기본권의 주체와 사회전반에 대하여 가지는 의미에 달려 있다고 할 것인데, 재산권의 행사가 사회적 연관성과 사회적 기능을 가지면 가질수록 입법자에 의한 보다 광범위한 제한이 허용된다. 즉, 재산권의 이용과 처분이 소유자의 개인적 영역에 머무르지 아니하고 국민일반의 자유행사에 큰 영향을 미치거나 국민일반이 자신의 자유를 행사하기 위하여 문제되는 재산권에 의존하는 경우에는 입법자가 공동체의 이익을 위하여 개인의 재산권을 제한하는 규율권한은 더욱 넓어진다(헌재 2006.1.26, 2005헌바18).

④ ○ : 헌재 2005.9.29, 2002헌바84

정답 ▶ **01** ⑤

⑤ × : 헌법 제13조 제2항은 "모든 국민은 소급입법에 의하여 참정권의 제한을 받거나 재산권을 박탈당하지 아니한다."라고 규정하여 소급입법에 의한 재산권 박탈을 금지하고 있다. **진정소급입법**은 헌법상 허용되지 아니하는 것이 원칙이나, / 예외적으로 국민이 소급입법을 예상할 수 있었거나, 법적 상태가 불확실하고 혼란스러워 보호할 만한 신뢰의 이익이 적은 경우와 소급입법에 의한 당사자의 손실이 없거나 아주 경미한 경우, 그리고 신뢰보호의 요청에 우선하는 심히 중대한 공익상의 사유가 소급입법을 정당화하는 경우에는 허용될 수 있다(대판 2024.12.19, 2019다255416 전원합의체).
[동지판례] [일제강점하 반민족행위 진상규명에 관한 특별법 제2조 제7호 등 위헌소원] 진정소급입법이라 할지라도 예외적으로 국민이 소급입법을 예상할 수 있었던 경우와 같이 소급입법이 정당화되는 경우에는 허용될 수 있다(헌재 2011.11.24, 2009헌바292). [5·18특별법사건] 헌재 1996.2.16, 96헌가2등

02 재산권에 관한 다음 설명 중 가장 옳지 않은 것은?

▶ 2021 법무사

① 시혜적 입법의 시혜대상에서 제외되었다는 이유만으로 재산권의 침해가 발생하는 것은 아니고 시혜대상에 포함될 경우 얻을 수 있었던 재산상 이익의 기대가 성취되지 않았다고 하여도 이와 같은 단순한 재산상 이익에 대한 기대는 헌법이 보호하는 재산권의 영역에 포함되지 아니한다.

② 연금수급권의 내용은 사회·경제적 상황을 고려한 입법자의 정책적 판단에 의하여 변경될 수 있어 조기노령연금의 수급개시연령에 대한 신뢰는 보호가치가 크지 않으므로, 조기노령연금을 수급할 수 있는 연령이 59세에서 60세로 인상하는 법률은 재산권을 침해하지 않는다.

③ 유류분 반환청구는 피상속인이 생전에 한 유효한 증여라도 그 효력을 잃게 하는 것이므로, 민법 제1117조에서 '반환하여야 할 증여를 한 사실을 안 때로부터 1년'이라는 단기소멸시효를 정한 것은 재산권을 침해하지 않는다.

④ 헌법이 규정한 '정당한 보상'이란 손실보상의 원인이 되는 재산권의 침해가 기존의 법질서 안에서 개인의 재산권에 대한 개별적인 침해인 경우에는 그 손실 보상은 원칙적으로 피수용재산의 객관적인 재산가치를 완전하게 보상하는 것이어야 한다는 완전보상을 뜻하는 것이다.

⑤ 재산권의 객체가 갖는 객관적 가치란 그 물건의 성질에 정통한 사람들의 자유로운 거래에 의하여 도달할 수 있는 합리적인 매매가능가격 즉 시가에 의하여 산정되는 것이 보통이므로, 수용으로 인한 보상가액은 피수용토지의 수용시점 시가에 의하여야 하고, 공익사업의 시행으로 지가가 상승하여 발생하는 개발이익 역시 해당 토지의 객관적 가치에 포함되므로, 손실보상액에서 그와 같은 개발이익을 배제하는 것은 헌법이 정한 정당보상의 원리에 위배된다.

해설 ① ○ : 헌재 2003.11.27, 2003헌바2; 헌재 2007.7.26, 2004헌마914; 헌재 2008.9.25, 2007헌가9

② ○ : [국민연금법 부칙 제8조 위헌확인(조기노령연금 수급개시연령상향조정사건)] **[기각] 조기노령연금의 수급개시연령을 59세에서 60세로 상향조정**한 심판대상조항은 국민연금재정의 고갈에 대처하여 국민연금재정의 장기적인 안정을 위한 것으로서 공익적 가치가 중대하고, 종전 제도가 노령연금 수급연령과 조기노령연금 수급연령을 동일하게 상향시키지 못하는 미비점이 있어 이를 개선한 것으로 그 필요성이 인정된다. 반면 연금수급권의 내용은 사회·경제적 상황을 고려한 입법자의 정책적 판단에 의하여 변경될 수 있어 조기노령연금의 수급개시연령에 대한 청구인의 신뢰는 보호가치가 크지 않고, 심판대상조항으로 인하여 청구인이 조기노령연금을 수급할 수 있는 연령이 59세에서 60세로 인상된 것에 불과하여 그 신뢰의 손상 정도가 중하다고 보기 어렵다. 그러므로 심판대상조항은 신뢰보호원칙을 위반하여 청구인의 재산권을 침해하지 않는다(헌재 2013.10.24, 2012헌마906).

③ ○ : [민법 제1117조 중 일부 위헌소원(유류분반환청구권의 단기소멸시효 사건)] **[합헌]** 유류분 반환청구는 피상속인이 생전에 한 유효한 증여라도 그 효력을 잃게 하는 것이어서 권리관계의 조속한 안정과 거래안전을 도모할 필요가 있고 이 사건 법률조항이 1년의 단기소멸시효를 정한 것은 이러한 필요에 따른 것으로 그 목적의 정당성이 인정되며 유류분 권리자가 상속이 개시되었다는 사실과 증여가 있었다는 사실 및 그것이 반환하여야 할 것임을 안 때로부터 위 기간이 기산되므로 그 기산점이 불합리하게 책정되었다고 할 수 없는 점, 유류분 반환청구는 반드시 재판상 행사해야 하는 것이 아니고 그 목적물을 구체적으로 특정해야 하는 것도 아니어서 행사의 방법도 용이한 점 등에 비추어 보면 수단의 적정성, 피해의 최소성 및 법익의 균형성을 모두 갖추고 있으므로 위 법률조항(**유류분 반환청구권의 소멸시효기간을 '반환하여야 할 증여를 한 사실을 안 때로부터 1년'으로 정한 조항**)은 유류분 권리자의 재산권을 침해하지 않는다(헌재 2010.12.28, 2009헌바20).

④ ○ ⑤ × : [**토지수용법 제46조 제2항의 위헌여부에 관한 헌법소원**] **[합헌]** [1] 정당보상의 원칙 : 헌법이 규정한 **"정당한 보상"**이란 손실보상의 원인이 되는 재산권의 침해가 기존의 법질서 안에서 개인의 재산권에 대한 개별적인 침해인 경우에는 그 손실 보상은 원칙적으로 피수용재산의 객관적인 재산가치를 완전하게 보상하는 것이어야 한다는 **완전보상**을 뜻하는 것으로서 보상금액 뿐만 아니라 보상의 시기나 방법 등에 있어서도 어떠한 제한을 두어서는 아니 된다는 것을 의미한다고 할 것이다. 재산권의 객체가 갖는 **객관적 가치**란 그 물건의 성질에 정통한 사람들의 자유로운 거래에 의하여 도달할 수 있는 합리적인 매매가능가격 즉 **시가**에 의하여 산정되는 것이 보통이다.
[2] 공익사업의 시행으로 지가가 상승하여 발생하는 **개발이익**은 기업자의 투자에 의하여 발생하는 것으로서 피수용자인 토지소유자의 노력이나 자본에 의하여 발생한 것이 아니다. 따라서 이러한 개발이익은 형평의 관념에 비추어 볼 때, 토지소유자에게 당연히 귀속되어야 할 성질의 것은 아니고, 오히려 투자자인 기업자 또는 궁극적으로는 국민 모두에게 귀속되어야 할 성질의 것이다. 또한 개발이익은 공공사업의 시행에 의하여 비로소 발생하는 것이므로 그것이 피수용토지가 수용당시 갖는 객관적 가치에 포함된다고 볼 수도 없다. 따라서 개발이익은 그 성질상 완전보상의 범위에 포함되는 피수용자의 손실이라고는 볼 수 없으므로, 개발이익을 배제하고 손실보상액을 산정한다 하여 헌법이 규정한 정당보상의 원리에 어긋나는 것이라고는 판단되지 않는다(헌재 1990.6.25, 89헌마107). ; [구 공익사업을 위한 토지 등의 취득 및 보상에 관한 법률 제70조 제5항 위헌소원(개발제한구역 토지 수용보상금 사건)] **[합헌]** 헌재 2011.12.29, 2010헌바205

정답 ▶ 02 ⑤

03 재산권에 관한 다음 설명 중 가장 옳지 않은 것은? ▸ 2022 법무사

① 관리처분계획인가의 고시가 있으면 별도의 영업손실보상 없이 재건축사업구역 내 임차권자의 사용·수익을 중지시키는 것은 임차권자의 재산권을 침해한다.

② 공무원연금법상 퇴직연금수급자가 지방의회의원으로 선출되어 받게 되는 보수가 기존의 연금에 미치지 못하는 경우에도 연금 전액의 지급을 정지하도록 한 규정은 그에 해당하는 지방의회의원의 재산권을 침해한다.

③ 지역구국회의원선거 예비후보자가 정당의 공천심사에서 탈락하여 후보자등록을 하지 않은 경우를 지역구국회의원선거 예비후보자의 기탁금 반환 사유로 규정하지 않은 것은 예비후보자의 재산권을 침해한다.

④ 보안거리에 저촉되는 화약류저장소에 대한 시설이전명령 때문에 화약류저장소를 이용한 영업을 하지 못하게 된다 하더라도 그로 인해 상실되는 영리획득의 기회를 헌법에 의해 보장되는 재산권으로 보기는 어렵다.

⑤ 공무원연금법상의 각종 급여는 기본적으로 모두 사회보장적 급여로서의 성격을 가짐과 동시에 공로보상 내지 후불임금으로서의 성격도 함께 가지며, 특히 공무원연금법상 퇴직연금수급권은 경제적 가치 있는 권리로서 헌법 제23조에 의하여 보장되는 재산권으로서의 성격을 가진다.

해설 ① × : [도시 및 주거환경정비법 제81조 제1항 위헌제청] **[합헌]** 임대인과 임차인은 재건축사업이 진행되고 있는 건축물에 대해서는 특약사항이 포함된 임대차계약을 체결하는 등의 방식으로 충분히 이해관계를 조정할 수 있고, 실제 많은 임차인들이 임차료가 낮게 형성된 재건축지역에서 낮은 차임이라는 경제적 이익을 누리고 있는 것으로 보이므로, 사적 자치에 의한 이익 조정이 불가능하다거나 현실적이지 않다고 단정하기는 어렵다. …… <u>임차권자에 대한 보상을 임대인과 임차인 사이의 임대차계약 등에 따라 사적 자치에 의해 해결하도록 한 입법자의 판단이 잘못되었다고 보기 어려우므로, 심판대상조항(**관리처분계획인가의 고시가 있으면 별도의 영업손실보상 없이 재건축사업구역 내 임차권자의 사용·수익을 중지시키는 조항**)은 과잉금지원칙을 위반하여 임차권자의 재산권을 침해하지 아니한다</u>(헌재 2020.4.23. 2018헌가17).

※ 관리처분계획: 정비사업 시행구역에 있는 종전 토지 또는 건축물의 소유권과 지상권, 전세권, 임차권, 저당권 등 소유권 이외의 권리를 사업시행계획에 따른 정비사업으로 조성한 토지와 축조한 건축시설에 관한 권리로 변환하여 배분하는 일련의 계획 즉 재개발과 재건축 이후에 분양되는 토지와 건축물에 대해 조합원들의 합리적인 분배를 위해 미리 사전에 정하는 계획

② ○ : [구 공무원연금법 제47조 제1항 제2호 등 위헌소원(지방의회의원에 대한 퇴직연금의 지급을 정지하는 공무원연금법 조항에 관한 사건)] **[헌법불합치]** 지방의회의원이 받는 의정비 중 의정활동비는 의정활동 경비 보전을 위한 것이므로, 연금을 대체할 만한 소득이 있는지 여부는 월정수당을 기준으로 판단하여야 하는데, 월정수당은 지방자치단체에 따라 편차가 크고 안정성이 낮음에도 불구하고 심판대상조항은 연금을 대체할 만한 적정한 소득이 있다고 할 수 없는 경우에도 일률적으로 연금전액의 지급을 정지하여 지급정지제도의 본질 및 취지와 어긋나는 결과를 초래한다. 심판대상조항과 같이 재취업소득액에 대한 고려 없이 퇴직연금 전액의 지급을 정지할 경우 재취업 유인을 제공하지 못하여 정책목적 달성에 실패할 가능성이 크다. 연금과 보수 중 일부를 감액하는 방식으로 선출직에 취임하여 보수를 받는 것이 생활보장에 더 유리하도록 하는 등 기본권을 덜 제한하면서 입법목적을 달성할 수 있는 다양한 방법이 있다. 따라서 <u>심판대상조항(공무원</u>

연금법상 퇴직연금수급자가 지방의회의원으로 선출되어 받게 되는 보수(**선출직 공무원으로서 받게 되는 보수**)가 기존의 연금에 미치지 못하는 경우에도 **연금 전액의 지급을 정지하도록 한 규정**)은 과잉금지원칙에 위배되어 재산권을 침해한다(헌재 2022.1.27, 2019헌바161).

③ ○ : [**공직선거법 제57조 위헌확인(예비후보자 기탁금 반환조항 사건)**] [**헌법불합치**] 심판대상조항은 예비후보자가 후보자로 등록하지 않는 경우 납부한 기탁금을 국가 또는 지방자치단체에 귀속도록 하여, 예비후보자의 무분별한 난립으로 인한 폐단을 방지하고 그 성실성을 담보하기 위한 것으로서, 그 입법목적이 정당하고, 방법의 적정성 또한 인정된다. …… 예비후보자가 본선거에서 정당후보자로 등록하려 하였으나 자신의 의사와 관계없이 정당 공천관리위원회의 심사에서 탈락하여 본선거의 후보자로 등록하지 아니한 것은 후보자 등록을 하지 못할 정도에 이르는 객관적이고 예외적인 사유에 해당한다. 따라서 이러한 사정이 있는 예비후보자가 납부한 기탁금은 반환되어야 함에도 불구하고, 심판대상조항이 이에 관한 규정을 두지 아니한 것은 입법형성권의 범위를 벗어난 과도한 제한이라고 할 수 있다. 그러므로 심판대상조항은 과잉금지원칙에 반하여 청구인의 재산권을 침해한다(헌재 2018.1.25, 2016헌마541).

④ ○ : [**총포·도검·화약류 등의 안전관리에 관한 법률 제25조 제2항 등 위헌소원**] [**합헌, 각하**] 헌법상 보장된 재산권은 원래 사적 유용성 및 그에 대한 원칙적인 처분권을 내포하는 재산가치 있는 구체적인 권리이므로 구체적 권리가 아닌 영리획득의 단순한 기회나 기업활동의 사실적·법적 여건은 기업에게는 중요한 의미를 갖는다고 하더라도 재산권 보장의 대상이 되지 않는다(헌재 2005.11.24, 2004헌마536; 헌재 2019.12.27, 2017헌마1366등 참조). 따라서 청구인이 시설이전명령에 의해 영업을 하지 못하게 된다 하더라도, 그 상실되는 **영리획득의 기회**를 헌법에 의해 보장되는 재산권으로 보기는 어렵다(헌재 2021.9.30, 2018헌바456).

⑤ ○ : [**공무원연금법 제43조의 2 위헌소원**] [**합헌**] **공무원연금법상의 각종 급여**는 기본적으로 모두 사회보장적 급여로서의 성격을 가짐과 동시에 공로보상 내지 후불임금으로서의 성격도 함께 가진다고 할 것이다. 특히 **공무원연금법상 퇴직연금수급권**은 경제적 가치 있는 권리로서 헌법 제23조에 의하여 보장되는 재산권으로서의 성격을 가진다고 할 수 있는데 / 다만, 그 구체적인 급여의 내용, 기여금의 액수 등을 형성하는 데에 있어서는 직업공무원제도나 사회보험원리에 입각한 사회보장적 급여로서의 성격으로 인하여 일반적인 재산권에 비하여 입법자에게 상대적으로 보다 폭넓은 재량이 헌법상 허용된다고 볼 수 있다(헌재 2005.6.30, 2004헌바42).

04 재산권에 관한 다음 설명 중 가장 옳지 않은 것은? ▸ 2023 법무사

① 헌법이 규정한 '정당한 보상'이란 손실보상의 원인이 되는 재산권의 침해가 기존의 법질서 안에서 개인의 재산권에 대한 개별적인 침해인 경우에 원칙적으로 피수용재산의 객관적인 재산가치를 완전하게 보상하는 것을 의미하는 것이고, 개발이익은 그 성질상 완전보상의 범위에 포함되지 아니한다.

② 헌법 제23조 제3항은 재산권 수용의 주체를 한정하지 않고 있으므로, 수용의 주체를 국가 등 공적 기관에 한정하여 해석할 이유가 없다.

③ 사회부조와 같이 국가의 일방적인 급부에 대한 권리라 하더라도 그것이 금전의 급부로서 주어지는 경우 원칙적으로 재산권의 보호대상에 포함된다.

정답 ▸ **03** ① **04** ③

④ 일반적으로 소급입법의 태양에는 이미 과거에 완성된 사실 또는 법률관계를 규율의 대상으로 하는 진정소급입법과 이미 과거에 시작되었으나 아직 완성되지 아니하고 진행과정에 있는 사실 또는 법률관계를 규율대상으로 하는 부진정소급입법이 있고, 헌법 제13조 제2항에 의하여 소급입법에 의한 재산권의 박탈이 금지되는 것은 진정소급입법이다.

⑤ 공용수용에 관하여 규정하고 있는 헌법 제23조 제3항의 '공공필요'의 의미에 비추어 볼 때, 행정기관이 개발촉진지구 지역개발사업으로 실시계획을 승인하고 이를 고시하기만 하면 고급골프장 사업과 같이 공익성이 낮은 사업에 대해서까지도 시행자인 민간개발자에게 수용권한을 부여하는 법률조항은 헌법 제23조 제3항에 위반된다.

해설 ① ○ : [구 토지수용법 제46조 제2항 등 위헌소원] **[합헌]** 토지수용에 따른 손실보상액의 산정방법에 관하여 우리 헌법재판소는 헌법 제23조 제2항이 규정하는 '**정당한 보상**'이란 원칙적으로 피수용재판의 객관적인 재산가치를 완전하게 보상하는 것이어야 한다는 완전보상을 의미하며 토지의 경우에는 그 특성상 인근유사토지의 거래가격을 기준으로 하여 토지의 가격형성에 미치는 제 요소를 종합적으로 고려한 합리적 조정을 거쳐서 객관적인 가치를 평가할 수밖에 없는데 이 때, 소유자가 갖는 주관적인 가치, 투기적 성격을 띠고 우연히 결정된 거래가격 또는 흔히 불리우는 호가, 객관적 가치의 증가에 기여하지 못한 투자비용이나 그 토지 등을 특별한 용도에 사용할 것을 전제로 한 가격 등에 좌우되어서는 **안 되며**, **개발이익**은 그 성질상 완전보상의 범위에 포함되지 아니한다는 것을 밝힌 바 있다(헌재 1995.4.20. 93헌바20). ; [토지수용법 제46조 제2항의 위헌여부에 관한 헌법소원] 헌재 1990.6.25. 89헌마107; [구 공익사업을 위한 토지 등의 취득 및 보상에 관한 법률 제70조 제5항 위헌소원(개발제한구역 토지 수용보상금 사건)] 헌재 2011.12.29. 2010헌바205

② ○ : [산업입지 및 개발에 관한 법률 제11조 제1항 등 위헌소원] **[합헌]** 〈민간기업이 헌법 제23조 제3항의 재산권 수용의 주체가 될 수 있는지 여부: 적극〉 헌법 제23조 제3항은 정당한 보상을 전제로 하여 재산권의 수용 등에 관한 가능성을 규정하고 있지만, 재산권 수용의 주체를 한정하지 않고 있다. 위 헌법조항의 핵심은 당해 수용이 공공필요에 부합하는가, 정당한 보상이 지급되고 있는가 여부 등에 있는 것이지, 그 수용의 주체가 국가인지 민간기업인지 여부에 달려 있다고 볼 수 없다. 또한 국가 등의 공적 기관이 직접 수용의 주체가 되는 것이든 그러한 공적 기관의 최종적인 허부판단과 승인결정하에 민간기업이 수용의 주체가 되는 것이든, 양자 사이에 공공필요에 대한 판단과 수용의 범위에 있어서 본질적인 차이를 가져올 것으로 보이지 않는다. 따라서 위 수용 등의 주체를 국가 등의 공적 기관에 한정하여 해석할 이유가 없다(헌재 2009.9.24. 2007헌바114).

③ × : [국민건강보험법 제33조 제2항 등 위헌확인] 공법상의 권리가 헌법상의 재산권보장의 보호를 받기 위해서는 다음과 같은 요건을 갖추어야 한다. 첫째, 공법상의 권리가 권리주체에게 귀속되어 개인의 이익을 위하여 이용가능해야 하며(**사적 유용성**), 둘째, 국가의 일방적인 급부에 의한 것이 아니라 권리주체의 노동이나 투자, 특별한 희생에 의하여 획득되어 자신이 행한 급부의 등가물에 해당하는 것이어야 하며(**수급자의 상당한 자기기여**), 셋째, 수급자의 생존의 확보에 기여해야 한다. 이러한 요건을 통하여 **사회부조**와 같이 국가의 일방적인 급부에 대한 권리는 재산권의 보호 대상에서 제외되고, 단지 사회법상의 지위가 자신의 급부에 대한 등가물에 해당하는 경우에 한하여 사법상의 재산권과 유사한 정도로 보호받아야 할 공법상의 권리가 인정된다(헌재 2000.6.29. 99헌마289).

④ ○ : [토지수용법 제71조 제7항 위헌소원] **[합헌]** 일반적으로 과거의 사실 또는 법률관계를 규율하기 위한 소급입법의 태양에는 이미 과거에 완성된 사실 또는 법률관계를 규율의 대상으로 하는

이른바 **'진정소급효의 입법'**과 이미 과거에 시작하였으나 아직 완성되지 아니하고 진행과정에 있는 사실 또는 법률관계를 규율의 대상으로 하는 이른바 **'부진정소급효의 입법'**이 있으며, 소급입법에 의한 재산권의 박탈이 금지되는 것은 전자인 진정소급효의 입법이고 / 소위 부진정소급효의 입법의 경우에는 원칙적으로 허용되는 것이다(헌재 1997.6.26, 96헌바94).

⑤ ○ : [지역균형개발법 민간개발자 고급골프장 수용 사건] [헌법불합치] 이 사건 법률조항(행정기관이 개발촉진지구 지역개발사업으로 실시계획을 승인하고 이를 고시하기만 하면 고급골프장 사업과 같이 공익성이 낮은 사업에 대해서까지도 시행자인 민간개발자에게 수용권한을 부여하는 법률조항)은 공익적 필요성이 인정되기 어려운 민간개발자의 지구개발사업을 위해서까지 공공수용이 허용될 수 있는 가능성을 열어두고 있어 헌법 제23조 제3항에 위반된다(헌재 2014.10.30, 2011헌바129 등).

05 다음 설명 중 가장 옳은 것은?

▶ 2025 법무사

① 강도상해죄 또는 강도치상죄의 법정형의 하한을 징역 7년으로 정하고 있는 형법 규정은 법관이 작량감경을 하더라도 별도로 법률상 감경사유가 없는 한 집행유예를 선고할 수 없게 되어 범행의 개별성에 맞추어 그 책임에 상응하는 형벌을 선고할 수 없는 결과가 발생하는바, 책임과 형벌 간의 비례원칙에 위반된다.

② 야간주거침입절도죄의 미수범이 준강제추행죄를 범한 경우 무기징역 또는 7년 이상의 징역에 처하도록 한 성폭력범죄의 처벌 등에 관한 특례법 규정은 지나치게 높은 형벌을 규정하기 때문에, 법관은 범행별로 책임에 상응하는 형벌을 선고할 수 없으므로, 책임과 형벌 사이의 비례원칙에 위반된다.

③ 보안관찰처분대상자가 교도소 등에서 출소한 후 기존에 신고한 거주예정지 등 정보에 변동이 생길 때마다 7일 이내에 이를 신고하도록 하고 이를 위반할 경우 처벌하도록 정한 보안관찰법 규정은 과잉금지원칙을 위반하여 사생활의 비밀과 자유 및 개인정보자기결정권을 침해하지 아니한다.

④ 대형트롤어업의 허가를 할 때 동경 128도 이동수역에서 조업하여서는 아니 된다는 조건을 붙이도록 한 구 어업의 허가 및 신고 등에 관한 규칙의 규정은 과잉금지원칙에 위반하여 직업수행의 자유를 침해한다.

⑤ 상속개시 후 인지 또는 재판확정에 의하여 공동상속인이 된 자가 다른 공동상속인에 대해 그 상속분에 상당한 가액의 지급에 관한 청구권(상속분가액지급청구권)을 행사하는 경우에도 상속회복청구권에 관한 10년의 제척기간을 적용하도록 한 민법의 규정은 입법형성의 한계를 일탈하여 재산권과 재판청구권을 침해한다.

해설 ① × : [형법 제337조 위헌소원] [합헌] 강도상해죄 또는 강도치상죄는 행위태양이나 동기가 비교적 단순하여 죄질과 정상의 폭이 넓지 않고 일반적으로 행위자의 책임에 대한 비난가능성도 크므로, 강도상해죄 또는 강도치상죄의 법정형의 하한이 살인죄의 그것보다 높다고 해서 합리성과 비례성의 원칙을 위반하였다고 볼 수 없다. 그리고 어떤 범죄에 대한 법정형의 종류와 범위를 정하는 것은 기본적으로 입법자의 형성의 자유에 속하는 사항으로서, 강도상해 또는 강도치상의 범행

정답 ▶ **05 ⑤**

을 저지른 자에 대하여 법률상 다른 형의 감경사유가 있다는 등 특단의 사정이 없는 한 작량감경
만으로는 집행유예의 판결을 선고할 수 없도록 함으로써 장기간 사회에서 격리시키도록 한 입법
자의 입법정책적 결단은 기본적으로 존중되어야 한다. 심판대상조항은 책임과 형벌 간의 비례원
칙에 위반된다고 할 수 없다(헌재 2021.6.24, 2020헌바527).

② × : 지문은 반대의견의 내용이다.

[성폭력범죄의 처벌 등에 관한 특례법 제3조 제1항 위헌제청] **[합헌]** 자신이 가장 평온하다고 느
끼는 사적 공간에서 그러한 사적 공간의 평온과 안전이 강하게 요청되는 야간에 성범죄를 당한
피해자의 충격과 공포는 성범죄행위의 유형에 따라 크게 달라진다고 보기 어렵다. 입법자가 이
사건 범죄의 법정형을 야간주거침입절도미수범이 강간·준강간, 유사강간·준유사강간의 죄를
범한 경우와 동일하게 정한 것은 야간주거침입절도의 미수범이 그 기회에 성범죄에 이르게 된
사실에 강한 불법성과 일반예방의 필요성을 인정한 것으로 형벌체계상 정당성이나 균형성을 현
저히 상실한 자의적인 입법이라고 할 수 없다. 따라서 심판대상조항은 형벌체계상 균형을 상실하
여 평등원칙에 위배되지 않는다(헌재 2023.2.23, 2022헌가2).

③ × : [보안관찰법 제2조 등 위헌소원(보안관찰처분대상자에 대한 신고의무부과사건)] **[헌법불합치]**
보안관찰처분대상자가 교도소 등에서 출소한 후 기존에 보안관찰법 제6조 제1항에 따라 신고한
거주예정지 등 정보에 변동이 생길 때마다 7일 이내에 이를 신고하도록 정한 보안관찰법 제6조
제2항 전문(이하 '변동신고조항'이라 한다) 및 이를 위반할 경우 처벌하도록 정한 보안관찰법 제27
조 제2항 중 제6조 제2항 전문에 관한 부분(이하 변동신고조항과 합하여 **변동신고조항 및 위반
시 처벌조항**'이라 한다)은 과잉금지원칙을 위반하여 청구인의 사생활의 비밀과 자유 및 개인정보자
기결정권을 침해한다(헌재 2021.6.24, 2017헌바479). ▶ 변동신고조항은 출소 후 기존에 신고한
거주예정지 등 정보에 변동이 생기기만 하면 신고의무를 부과하는바, 의무기간의 상한이 정해져
있지 아니하여, 대상자로서는 보안관찰처분을 받은 자가 아님에도 무기한의 신고의무를 부담한다.
…… 변동신고조항 및 위반 시 처벌조항은 대상자에게 보안관찰처분의 개시 여부를 결정하기 위함
이라는 공익을 위하여 지나치게 장기간 형사처벌의 부담이 있는 신고의무를 지도록 하므로, 이는
과잉금지원칙을 위반하여 청구인의 사생활의 비밀과 자유 및 개인정보자기결정권을 침해한다.

④ × : [대형트롤어업 동경 128도 이동수역 조업금지 사건] **[기각]** 심판대상조항은 동해안에서 어
업을 영위하고 있는 어업인과의 갈등을 방지하는 한편, 살오징어 생산량 감소의 원인 중 하나로
지목되는 남획의 가능성을 감소시키는 데 기여할 수 있다. 대형트롤어업의 채산성 하락은 인건비
상승 및 연료비 상승을 비롯한 복합적 요인이 작용하였으므로 단순히 조업구역에 관한 규율이
절대적 원인이라고 단언하기 어렵다. 경상북도 연안복합어업 경우 어업생산량 중 살오징어가 차
지하는 비중이 상당히 높고, 대형트롤어업의 어획강도는 살오징어를 주 어획어종으로 삼는 근해
채낚기어업에 비해 상대적으로 매우 높다. 다른 어업과의 상생 문제에 대한 사회적 합의가 부족
한 상황에서 동경 128도 이동수역에서의 조업금지를 유지하기로 하는 행정청의 판단이 현저히
불합리하다고 보기 어렵다. 따라서 심판대상조항은 과잉금지원칙에 반하여 청구인들의 직업수행
의 자유를 침해하지 않는다(헌재 2024.7.18, 2021헌마533).

⑤ ○ : [민법 제1014조 등 위헌확인(상속분가액지급청구권에 대한 10년 제척기간 사건)] **[위헌]**
'침해행위가 있은 날'부터 10년 후에 인지 또는 재판의 확정이 이루어진 경우에도 추가된 공동상
속인이 상속분가액지급청구권을 원천적으로 행사할 수 없도록 하는 것은, '가액반환의 방식'이라
는 우회적·절충적 형태를 통해서라도 인지된 자의 상속권을 뒤늦게나마 보상해 주겠다는 상속
분가액지급청구권의 입법취지에 반하며, 추가된 공동상속인의 권리구제 실효성을 완전히 박탈하
는 결과를 초래한다. 심판대상조항은 입법형성의 한계를 일탈하여 청구인의 재산권과 재판청구권
을 침해한다(헌재 2024.6.27, 2021헌마1588).

06 직업의 자유에 관한 다음 설명 중 가장 옳지 않은 것은?

▸ 2021 법무사

① 직업의 자유에 의한 보호의 대상이 되는 '직업'은 '생활의 기본적 수요를 충족시키기 위한 계속적 소득활동'을 의미하며 그러한 내용의 활동인 한 그 종류나 성질을 묻지 아니하므로, 대학생이 방학기간을 이용하여 학비 등을 벌기 위하여 학원강사로서 일하는 행위도 직업의 자유의 보호영역에 속한다.

② 성인대상 성범죄로 형을 선고받아 확정된 자로 하여금 그 형의 집행을 종료한 날로부터 10년 동안 의료기관을 개설하거나 의료기관에 취업할 수 없도록 한 구 아동·청소년의 성보호에 관한 법률은 직업선택의 자유를 침해한다.

③ 직업수행의 자유에 대한 제한은 인격발현에 대한 침해의 효과가 일반적으로 직업선택의 자유에 대한 제한에 비하여 작기 때문에, 그에 대한 제한은 보다 폭넓게 허용된다.

④ 직업의 자유에는 해당 직업에 합당한 보수를 받을 권리도 포함되어 있다.

⑤ 자격제도를 시행함에 있어서 설정하는 자격요건에 대한 판단은 원칙적으로 입법자의 입법형성권의 영역에 있으므로, 그것이 입법재량의 범위를 일탈하여 현저히 불합리한 경우에 한하여 헌법에 위반된다고 할 수 있다.

해설 ① ○ : [학원의 설립·운영 및 과외교습에 관한 법률 제13조 제1항 등 위헌확인](학원강사의 자격제사건) [기각] 직업의 자유에 의한 보호의 대상이 되는 '직업'은 '생활의 기본적 수요를 충족시키기 위한 계속적 소득활동'을 의미하며 그러한 내용의 활동인 한 그 종류나 성질을 묻지 아니한다. 이러한 직업의 개념표지들은 개방적 성질을 지녀 엄격하게 해석할 필요는 없는바, '계속성'과 관련하여서는 주관적으로 활동의 주체가 어느 정도 계속적으로 해당 소득활동을 영위할 의사가 있고, 객관적으로도 그러한 활동이 계속성을 띨 수 있으면 족하다고 해석되므로 휴가기간 중에 하는 일, 수습직으로서의 활동 따위도 이에 포함된다고 볼 것이고, 또 '생활수단성'과 관련하여서는 단순한 여가활동이나 취미활동은 직업의 개념에 포함되지 않으나 겸업이나 부업은 삶의 수요를 충족하기에 적합하므로 직업에 해당한다고 말할 수 있다. …… 비록 학업 수행이 청구인과 같은 **대학생의 본업이라 하더라도 방학기간을 이용하여 또는 휴학 중에 학비 등을 벌기 위해 학원강사로서 일하는 행위**는 어느 정도 계속성을 띤 소득활동으로서 직업의 자유의 보호영역에 속한다고 봄이 상당하다(헌재 2003.9.25, 2002헌마519).

② ○ : [구 아동·청소년의 성보호에 관한 법률 제44조 제1항 등 위헌확인(성범죄 의료인 취업제한사건)] **[위헌]** 이 사건 법률조항(성인대상 성범죄로 형을 선고받아 확정된 자로 하여금 그 형의 집행을 종료한 날부터 10년 동안 의료기관을 개설하거나 의료기관에 취업할 수 없도록 한 조항)이 이 성범죄 전력만으로 그가 장래에 동일한 유형의 범죄를 다시 저지를 것을 당연시하고, 형의 집행이 종료된 때부터 10년이 경과하기 전에는 결코 재범의 위험성이 소멸하지 않는다고 보며, 각 행위의 죄질에 따른 상이한 제재의 필요성을 간과함으로써, 성범죄 전력자 중 재범의 위험성이 없는 자, 성범죄 전력이 있지만 10년의 기간 안에 재범의 위험성이 해소될 수 있는 자, 범행의 정도가 가볍고 재범의 위험성이 상대적으로 크지 않은 자에게까지 10년 동안 일률적인 취업제한을 부과하고 있는 것은 침해의 최소성 원칙과 법익의 균형성 원칙에 위배된다. 따라서 이 사건 법률조항은 청구인들의 직업선택의 자유를 침해한다(헌재 2016.3.31, 2013헌마585).

↪ [기각] **"성인대상 성범죄"** 부분은 불명확하다고 볼 수 없어 헌법상 명확성원칙에 위배되지 않는다(헌재 2016.3.31, 2013헌마585).

정답 06 ④

③ ○ : [변호사법 제102조 위헌소원(공소제기된 변호사에 대한 업무정지명령 사건)] **[합헌]** 직업의 자유도 다른 기본권과 마찬가지로 절대적으로 보호되는 것이 아니라 공익상의 이유로 제한될 수 있음은 물론이다. 그런데 직업선택의 자유와 직업수행의 자유는 기본권 주체에 대한 그 제한의 효과가 다르기 때문에 제한에 있어서 적용되는 기준도 다르며, 특히 직업수행의 자유에 대한 제한의 경우 인격발현에 대한 침해의 효과가 일반적으로 직업선택 그 자체에 대한 제한에 비하여 작기 때문에 그에 대한 제한은 폭넓게 허용된다(헌재 2014.4.24, 2012헌바45).

④ × : [공무원보수규정 제5조에 의한 별표10 위헌확인] **[기각]** 직업의 자유에 **'해당 직업에 합당한 보수를 받을 권리'**까지 포함되어 있다고 보기 어려우므로 이 사건 법령조항이 청구인이 원하는 수준보다 적은 봉급월액을 규정하고 있다고 하여 이로 인해 청구인의 직업선택이나 직업수행의 자유가 침해되었다고 할 수 없고(헌재 2004.2.26, 2001헌마718 참조), 위 조항은 경찰공무원인 경장의 봉급표를 규정한 것으로서 개성 신장을 위한 행복추구권의 제한과는 직접적인 관련이 없으므로, 청구인의 위 주장들은 모두 이유 없다(헌재 2008.12.26, 2007헌마444).

⑤ ○ : [건축사법 제15조 제1항 위헌소원] **[합헌]** 자격제도에서 입법자에게는 그 자격요건을 정함에 있어 광범위한 입법재량이 인정되는 만큼, **자격요건에 관한 법률조항**은 합리적인 근거 없이 현저히 자의적인 경우에만 헌법에 위반된다고 할 수 있다(헌재 2000.4.27, 97헌바88). 그렇다면 자격제도를 시행함에 있어서 설정하는 자격요건에 대한 판단은 원칙적으로 입법자의 입법형성권의 영역에 있다고 할 것이므로, 헌법재판소는 그것이 입법재량의 범위를 일탈하여 현저히 불합리한 경우에 한하여 그 위헌성을 선언할 수 있다. 따라서 건축사예비시험을 위한 응시자격을 규정함에 있어서 어떠한 요건으로 이를 구성하는지에 관해서는 광범위한 입법재량이 인정되므로, 이러한 점에서 이 사건 법률조항(건축사예비시험의 응시자격으로 대학에서의 건축에 관한 소정의 과정을 이수할 것을 요구하는 조항)이 직업의 자유를 침해하는지에 대한 심사의 기준은 완화될 수밖에 없다(헌재 2008.11.27, 2007헌바51).

07 직업의 자유에 관한 다음 설명 중 가장 옳지 않은 것은?

▸ 2022 법무사

① 법 규정이 직업의 자유를 직접 규율하고자 하는 것은 아니지만 간접적으로 직업의 행사를 저해하거나 불가능하게 하는 경우에도 직업의 자유에 대한 제한이 인정될 수 있다.

② 어린이통학버스를 운영함에 있어서 반드시 보호자를 동승하도록 하는 조항은 동승보호자의 추가 고용에 따른 비용 지출을 유발할 뿐 학원의 영업방식을 직접 제한하는 것은 아니므로 그로 인해 직업수행의 자유는 제한되지 아니한다.

③ 헌법 제15조에서 보장하는 직업의 자유에는 기업의 설립과 경영의 자유를 의미하는 기업의 자유도 포함된다.

④ 최저임금의 적용을 위하여 주(週) 단위로 정해진 비교대상 임금을 시간에 대한 임금으로 환산할 때, 1주 동안의 소정근로시간 수와 법정 주휴시간 수를 합산한 시간 수로 해당 임금을 나누도록 하는 규정은 근로자를 고용하여 재화나 용역을 제공하는 사용자의 활동을 제한한다는 측면에서 직업의 자유를 제한한다.

⑤ 외국인근로자의 사업장 변경 사유를 제한하는 규정은, 그로 인해 외국인근로자가 일단 형성된 근로관계를 포기하고 직장을 이탈하는 데 있어 제한을 받게 되므로 직업선택의 자유 중 직장선택의 자유를 제한한다.

해설 ① ○ : [옥외광고물등관리법 제3조 제1항 제6호 등 위헌확인] [기각] 〈상업광고가 표현의 자유의 보호대상인지 여부: 적극〉 이 사건 시행령조항은 차량소유자에게 타인에 관한 광고를 금지함으로써, 비영업용 차량을 광고매체로 활용하는 신종 광고대행업을 운영하려는 청구인들의 직업의 자유를 제한하는 효과를 부수적으로 가져온다. 법규정이 비록 직업의 자유를 직접 규율하고자 하는 것은 아니지만 간접적으로 직업의 행사를 저해하거나 또는 불가능하게 하는 경우에도, 직업의 자유에 대한 제한이 인정될 수 있다(헌재 2002.12.18, 2000헌마764).

② × : [여객자동차 운수사업법 제83조 제1항 제2호 등 위헌확인(어린이통학버스 동승보호자사건)] [기각] 이 사건 보호자동승조항은 어린이통학버스를 운영함에 있어서 반드시 보호자를 동승하도록 함으로써 학원 등의 영업방식에 제한을 가하고 있으므로 청구인들의 직업수행의 자유를 제한한다(헌재 2020.4.23, 2017헌마479).

▶ 어린이통학버스의 동승보호자는 운전자와 함께 탑승함으로써 승·하차 시 뿐만 아니라 운전자만으로 담보하기 어려운 '차량 운전 중' 또는 '교통사고 발생 등의 비상상황 발생 시' 어린이 등의 안전을 효과적으로 담보하는 중요한 역할을 하는 점 등에 비추어 보면, 이 사건 보호자동승조항이 과잉금지원칙에 반하여 청구인들의 직업수행의 자유를 침해한다고 볼 수 없다.

③ ○ : [자동차운수사업법 제24조 등 위헌확인] [기각] 헌법은 제15조에서 직업선택의 자유를 보장하고 있는바, 이는 기업의 설립과 경영의 자유를 의미하는 **기업의 자유**를 포함한다. …… 이 사건 법률조항들은 **사업자의 운송수입금 전액 수납의무**와 **운수종사자의 운송수입금 전액 납부의무**를 규정함으로써, 일반택시운송사업자인 청구인들이 운송수입의 관리형태를 자유롭게 결정할 수 있는 자유, 즉 기업의 자유를 제한하고 있다(헌재 1998.10.29, 97헌마345).

④ ○ : [최저임금법 제5조의2 등 위헌확인(최저임금 적용을 위한 임금의 시간급환산방법사건)] [기각] 이 사건 시행령조항(최저임금의 적용을 위해 주(週) 단위로 정해진 근로자의 임금을 시간에 대한 임금으로 환산할 때, 해당 임금을 1주 동안의 소정근로시간 수와 법정 주휴시간 수를 합산한 시간 수로 나누도록 한 조항)은 임금의 수준에 관한 사용자와 근로자 간의 계약 내용을 제한한다는 측면에서는 헌법 제10조 행복추구권의 일반적 행동자유권에서 파생되는 사용자의 계약의 자유를 제한하고, 근로자를 고용하여 재화나 용역을 제공하는 사용자의 활동을 제한한다는 측면에서는 헌법 제15조의 직업의 자유를 제한한다(헌재 2020.6.25, 2019헌마15).

⑤ ○ : [외국인근로자의 고용 등에 관한 법률 제25조 제1항 등 위헌확인(외국인근로자 사업장 변경 제한사건)] [기각] 이 사건 사유제한조항 및 이 사건 고시조항(**외국인근로자의 사업장 변경 사유를 제한하는 규정**)은 외국인근로자의 사업장 변경 사유를 제한하고 있는바, 이로 인하여 외국인근로자는 일단 형성된 근로관계를 포기하고 직장을 이탈하는 데 있어 제한을 받게 되므로 이는 직업선택의 자유 중 **직장선택의 자유**를 제한하고 있다(헌재 2021.12.23, 2020헌마395).

정답 **07** ②

08 직업의 자유에 관한 다음 설명 중 가장 옳은 것은? ▶ 2022 법무사

① 헌법재판소는 법무사보수기준제가 법무사라는 직업의 선택 그 자체를 제한하는 것이 아니라 직업행사의 자유를 제한하는 제도에 해당한다고 보아 그것이 직업의 자유를 침해하는지 여부를 심사하기 위한 기준으로 비례성원칙이 아닌 자의금지원칙을 적용하였다.

② 출석주의를 완화하여 최초의 전자등기신청 전에 한 차례 사용자등록을 하도록 한 부동산등기규칙 조항은 무자격 등기 브로커에 의한 무차별적 등기를 가능하게 하여 법무사인 청구인들의 직업에 대한 신뢰가 훼손됨으로써 직업선택의 자유를 침해한다.

③ 법무사 아닌 자가 등기신청대행 등의 법무행위를 업으로 하는 것을 금지하고 이를 위반하는 경우 형사처벌하는 법무사법 조항은 법무사 자격이 없는 일반 국민의 직업 선택의 자유를 과도하게 제한하여 헌법에 위반된다.

④ 고소고발장을 법무사만이 그 작성사무를 업으로 할 수 있는 법원과 검찰청의 업무에 관련된 서류로 규정한 것은 일반행정사의 직업 선택의 자유 등의 기본권을 침해한다.

⑤ 헌법재판소는 일정한 경력을 가진 공무원이 법무사시험을 보지 않고도 법무사 자격을 취득할 수 있도록 하는 경력공무원에 대한 자격부여제도를 규정하고 있던 법무사법 조항에 대하여 경력공무원이 아닌 일반인들도 법무사시험을 보아 합격하면 법무사가 될 수 있는 길을 열어 놓고 있고, 경력공무원에 대한 자격부여제도가 합리성을 갖고 있어서 법무사시험제도를 유명무실하게 하는 요소를 찾기 어렵다고 보아 법무사라는 직업을 선택하는 자유를 침해하지 않는다고 결정한 적이 있다.

해설 ① × : [법무사법 제19조 위헌소원] [합헌] '**법무사보수기준제**'는 법무사라는 직업의 선택을 금지하거나 직업에의 접근자체를 봉쇄하는 규정이 아니고 법무사라는 직업을 구체적으로 행사하는 방법을 제한하는 규정이다. 즉, 법무사법에 의하여 법무사라는 자격을 부여받은 법무사가 자신이 수임한 업무에 대하여 회칙에 규정된 보수기준을 초과하여 위임인과 자유롭게 보수를 정할 수 없으므로 법무사보수기준제는 직업의 자유 중에서 '직업행사의 자유'를 제한하는 제도이다. …… 직업행사의 자유를 제한하는 것은 개성신장의 길을 처음부터 막는 직업의 선택 그 자체를 제한하는 것보다 기본권주체에 대한 침해의 진지성이 적다고 할 것이므로 그에 대한 제한은 보다 넓게 허용된다(헌재 2002.10.31, 99헌바76 등 참조). / 그러나 이 경우에도 법무사에게 직업활동에 대한 과도한 제한을 부과함으로써 직업활동을 형해화할 정도로 희생을 강요하는 것은 비례원칙(헌법 제37조 제2항)에 반하여 허용되지 않는다. 따라서 이 사건 법률조항이 헌법 제37조 제2항에서 정한 한계인 **비례의 원칙을 지킨 것인지 여부**를 살펴본다(헌재 2003.6.26, 2002헌바3).

▶ 법무사의 보수를 일정한도로 제한하도록 한 법무사법 제19조는 정당한 공익상의 이유가 있다 할 것이고, 현행 보수기준은 최고한도액을 규정하고 있으면서도 사건의 난이도 등에 따라 증액될 수 있도록 하고 있어 지나친 규제라고 볼 수도 없는바, 이 사건 법률조항이 헌법상의 평등원칙 및 비례의 원칙을 위반한 것이어서 위헌이라고 볼 수 없다.

② × : [부동산등기법 제24조 제1항 제2호 등 위헌확인] [각하] 이 사건 규칙조항(**출석주의를 완화하여 최초의 전자등기신청 전에 한 차례 사용자등록을 하도록 한 조항**), 사용자등록 지침조항 및 전자신청 지침조항은 법무사인 청구인들의 절차적 부담을 경감시켜 주는 규정일 뿐이고, 등기신청 업무를 취급할 수 있는 자격자대리인들 사이의 차별적 내용을 규정하고 있는 것도 아니다. 위 조항들로 인한 간접적 효과로서 청구인들의 등기신청 업무 관련 영업이익이 감소하더라도 이

는 사실상의 기대이익이 실현되지 않게 된 것에 불과한 것이지 헌법상 기본권 제한이나 침해 문
제가 생기는 것이 아니다. 따라서 위 조항들이 청구인들의 기본권을 침해할 가능성은 인정되지
아니한다(헌재 2021.12.23, 2018헌마49).

③ × : [법무사법 제74조 제1항 제1호등 위헌확인] [기각] 청구인이 이 사건 법률조항(**법무사 아닌
자가 등기신청대행 등의 법무행위를 업으로 하는 것을 금지하고 이를 위반하는 경우 형사처벌하
는 법무사법 조항**)으로 인하여 등기신청대리 등을 업으로 할 수 없는 불이익이 있다 하더라도
청구인에게는 위와 같이 어느 때고 법무사 자격을 취득할 수 있는 기회가 열려있을 뿐만 아니라
이 사건 법률조항의 입법목적인 공익에 비하여 청구인이 입는 불이익이 결코 크다고 할 수 없으
므로 법익의 균형도 유지되어 있다. 그렇다면, 이 사건 법률조항은 청구인의 직업선택의 자유를
침해할 정도로 비례의 원칙에 위배한 것으로 볼 수 없고, 나아가 입법자가 등기신청대행만을 전
담하는 자격제도를 따로 두고 있지 않다거나 현재보다 더 완화된 법무사 자격요건을 두고 있지
않다고 하더라도 그것이 곧 청구인의 직업선택의 자유를 침해할 정도로 입법형성의 재량을 일탈
한 것이라고 볼 수도 없다(헌재 2003.9.25, 2001헌마156).

④ × : [법무사법 제2조 제1항 제2호 위헌확인] [기각] 법무사법이 정하는 요건을 갖추어 법무사가
된 자의 경우에는 법원과 검찰청의 업무에 관련된 서류로 고소고발장의 작성업무에 종사할 만한 법률
소양을 구비한 것으로 볼 수 있는 반면, 행정사법이 정하는 요건을 갖추어 일반행정사가 된 자의 경우
에는 이러한 법률소양을 갖추었다는 보장을 할 수 없다. 따라서 **고소고발장의 작성을 법무사에게만
허용하고 일반행정사에 대하여 이를 하지 못하게 한 것**은, 국민의 법률생활의 편익과 사법제도의
건전한 발전이라는 공익의 실현에 필요·적정한 수단으로서 그 이유에 합리성이 있으므로, 일반행정
사의 직업 선택의 자유나 평등권 등을 침해하는 것이라고 볼 수 없다(헌재 2000.7.20, 98헌마52).

⑤ ○ : [법무사법 제4조 제1항 제1호 등 위헌확인] [기각] 법무사법 제4조 제1항 제2호에서 경력
공무원에 해당하지 않는 청구인들과 같은 일반인들도 법무사시험을 보아 합격하면 법무사가 될
수 있게 길을 열어 놓고 있으며, 경력공무원에 대한 자격부여제도가 합리성을 갖고 있어서 법무
사법의 어느 곳에도 법무사시험제도를 유명무실하게 하는 요소는 찾아 볼 수 없다. 따라서 이
사건 법률조항(일정한 경력을 가진 공무원이 법무사시험을 보지 않고도 법무사 자격을 취득할
수 있도록 하는 **경력공무원에 대한 자격부여제도**를 규정하고 있던 법무사법 조항)은 청구인들이
법무사라는 직업을 선택하는 자유를 침해하지 않는다(헌재 2001.11.29, 2000헌마84).

09 **직업선택의 자유에 관한 다음 설명 중 가장 옳지 않은 것은?**　　▶ 2024 법무사

① 학원설립·운영자가 학원의 설립·운영 및 과외교습에 관한 법률을 위반하여 벌금형을
　선고받은 경우 등록의 효력을 잃도록 정하고 있는 위 법률의 규정은 직업선택의 자유를
　침해하지 않는다.

② 직업선택의 자유에 직업 내지 직종에 종사하는 데 필요한 전문지식을 습득하기 위한 직
　업교육장을 임의로 선택할 수 있는 직업교육장 선택의 자유도 포함된다.

③ 읍·면의 이장은 직업의 자유에서 말하는 직업에 해당한다고 볼 수 없다.

④ 새마을금고법위반죄로 벌금형을 선고받을 경우 그 선고받은 벌금액수에 상관없이 해당
　임원이 당연퇴임 되도록 규정한 새마을금고법의 규정은 직업선택의 자유를 침해하지 않
　는다.

정답　**08** ⑤　**09** ①

⑤ 제1종 운전면허의 취득요건으로 양쪽 눈의 시력이 각각 0.5(교정시력 포함) 이상일 것을 요구하는 도로교통법 시행령의 규정은 직업선택의 자유를 침해하지 아니한다.

해설 ① × : [학원의 설립·운영 및 과외교습에 관한 법률 제9조 제2항 등 위헌소원(학원의 설립·운영 및 과외교습에 관한 법률' 위반죄 벌금형 확정을 이유로 한 등록의 실효는 위헌)] **[위헌]** 사회통념상 벌금형이 중한 형벌이라거나, 벌금형을 선고받은 피고인의 불법 및 책임의 정도가 중하고 그에 대한 사회적 비난가능성이 높다고 보기 어려우므로 등록의 효력상실사유로서 벌금형 판결을 받은 학원법 위반범죄를 규정할 경우, 범죄의 유형, 내용 등으로 그 범위를 가급적 한정하여 규정해야 함에도 이 사건 효력상실조항은 학원법 위반으로 벌금형이 확정되기만 하면 일률적으로 등록을 상실하도록 규정하고 있어 지나친 제재라 하지 않을 수 없다. …… 이 사건 효력상실조항으로 인하여 등록이 실효된 학원운영자, 학원 소속 근로자는 모두 생계의 위협을 받을 수 있으며, 학습자 역시 불측의 피해를 입을 수밖에 없는 반면 이 사건 효력상실조항을 통하여 실제 달성되는 공익은 학원법 위반자의 학원운영을 조금 일찍 금지할 수 있다는 정도에 불과하여 이 사건 **효력상실조항(학원설립·운영자**가 학원의 설립·운영 및 과외교습에 관한 법률을 위반하여 벌금형을 선고받은 경우 등록의 효력을 잃도록 정하고 있는 위 법률의 규정)은 법익균형성원칙에도 위배된다(헌재 2014.1.28, 2011헌바252).
[동지판례] [학원의 설립·운영 및 과외교습에 관한 법률 제9조 제1항 제4호 등 위헌확인] **[위헌]** 법인의 등록이 실효되면 해당 임원이 더 이상 임원직을 수행할 수 없게 될 뿐 아니라, 학원법인 소속 근로자는 모두 생계의 위협을 받을 수 있으며, 갑작스러운 수업의 중단으로 학습자 역시 불측의 피해를 입을 수밖에 없으므로 이 사건 **등록실효조항(법인의 임원**이 학원법을 위반하여 벌금형을 선고받은 경우 등록의 효력을 잃도록 정하고 있는 규정)은 학원법인의 직업수행의 자유를 침해한다(헌재 2015.5.28, 2012헌마653).
↔ **[기각]** 사교육 비용이 점차 고액화함에 따라 학원법을 준수하지 아니하고 학원을 운영함으로써 높은 수익을 올릴 수 있는 데 반하여, 학원법을 위반하여 벌금형으로 처벌받은 후에도 즉시 다른 학원을 다시 설립·운영할 수 있다고 한다면, 학원법의 각종 규율은 형해화될 수밖에 없으며, 학습자를 보호하고 학원의 공적 기능을 유지하고자 하는 목적을 달성할 수 없으므로, 이 사건 **등록결격조항(**'학원의 설립·운영 및 과외교습에 관한 법률'을 위반하여 벌금형을 선고받은 후 1년이 지나지 아니한 자는 학원설립·운영의 등록을 할 수 없도록 한 규정)은 과잉금지원칙에 위배되어 직업선택의 자유를 침해한다고 보기 어렵다.

② ○ : 헌법 제15조에 의한 직업선택의 자유라 함은 자신이 원하는 직업 내지 직종을 자유롭게 선택하는 직업선택의 자유뿐만 아니라 그가 선택한 직업을 자기가 결정한 방식으로 자유롭게 수행할 수 있는 직업수행의 자유를 포함한다. 그리고 직업선택의 자유에는 자신이 원하는 직업 내지 직종에 종사하는데 필요한 전문지식을 습득하기 위한 직업교육장을 임의로 선택할 수 있는 '직업교육장 선택의 자유'도 포함된다(헌재 2009.2.26, 2007헌마1262).

③ ○ : **이장이라는 지위**는 "생활의 기본적 수요를 충족시키기 위한 계속적인 소득활동"으로 정의되는 직업의 자유에서 말하는 직업에 해당한다고 할 수 없으므로 이 사건 규칙조항(면장이 이장을 임명하도록 규정한 '경주시 리·통장 및 반장 임명 등에 관한 규칙')은 청구인의 직업의 자유 침해와 관련되는 것은 아니다(헌재 2009.10.29, 2009헌마127).
▶ 이장의 업무와 기능, 신분관계, 보수체계 등을 종합해 보면 이장은 헌법상 보호되는 공무담임권 대상으로서의 공무원이라고 보기 어렵다고 할 것이다. 따라서 이 사건 규칙조항은 청구인의 공무담임권 침해와 관련되는 것은 아니다.

④ ○ : 이 사건 법률조항(새마을금고법위반죄로 벌금형을 선고받을 경우 그 선고받은 벌금액수에 상관없이 해당 임원이 당연퇴임되도록 규정한 새마을금고법의 규정)에 의하여 임원직 자체를 박탈당하는 사익이 적지 않다고 할 것이지만, 새마을금고 임원선거과정의 공정성을 확보하고 금융

기관 임원으로서의 직무의 윤리성과 준법의식을 제고하려는 공익이 사익보다 월등하게 중요한 공익이라 할 것이므로, 법익의 균형성 요건도 충족하였다(헌재 2010.10.28. 2008헌마612).

⑤ ○ : [도로교통법 시행령 제45조 위헌확인] 이 사건 조문에서 정한 시력기준에 미달하는 자는 제1종 운전면허 대상 차량을 자신이 직접 운전하는 방법으로는 자신의 영업에 제공할 수 없게 되어 직업수행의 자유에도 일정한 제한을 받게 된다. 그러나, 이러한 경우에는 제1종 운전면허를 가진 사람을 고용하여 자동차를 운전하게 하는 등의 방법으로 소기의 목적을 달성할 수 있으므로 비록 운전자의 고용 등에 추가적인 경제적 부담이 수반된다 하더라도 이로써 제한되는 직업수행의 자유의 정도는 그리 크지 않은 반면, 이 사건 조문이 추구하는 질서유지 및 공공복리의 증진이라는 공익은 그보다 훨씬 더 크다고 할 것이어서 기본권 제한의 입법한계인 비례의 원칙을 준수하였으므로 이 사건 조문(제1종 운전면허의 취득요건으로 양쪽 눈의 시력이 각각 0.5(교정시력 포함) 이상일 것을 요구하는 도로교통법 시행령의 규정)은 직업수행의 자유를 침해하지 아니한다(헌재 2003.6.26. 2002헌마677).

10 직업의 자유에 관한 다음 설명 중 가장 옳지 않은 것은? ▸ 2025 법무사

① 안경사가 전자상거래 등의 방법으로 콘택트렌즈를 판매하는 것을 금지하고 있는 의료기사 등에 관한 법률 규정은 과잉금지원칙에 위반하여 안경사의 직업수행의 자유를 침해한다.

② 의료인의 의료기관 중복 개설을 금지·처벌하는 의료법 규정은 의료인의 직업수행의 자유를 침해한다고 볼 수 없다.

③ 직업의 선택 혹은 수행의 자유는 각자의 생활의 기본적 수요를 충족시키는 방편이 되고, 또한 개성신장의 바탕이 된다는 점에서 주관적 공권의 성격이 두드러진 것이기는 하나, 다른 한편으로는 국민 개개인이 선택한 직업의 수행에 의하여 국가의 사회질서와 경제질서가 형성된다는 점에서 사회적 시장경제질서라고 하는 객관적 법질서의 구성요소이기도 하다.

④ 학원의 설립·운영 및 과외교습에 관한 법률(이하 '학원법'이라 한다)을 위반하여 벌금형을 선고받은 후 1년이 지나지 아니한 자는 학원설립·운영의 등록을 할 수 없도록 한 학원법 규정은 과잉금지원칙에 위배되어 직업선택의 자유를 침해한다고 보기 어렵다.

⑤ 법인의 임원이 학원법을 위반하여 벌금형을 선고받은 경우, 법인의 학원설립·운영 등록이 효력을 잃도록 한 학원법 규정은 과잉금지원칙을 위반하여 학원법인의 직업수행의 자유를 침해한다.

해설 ① × : [의료기사등에 관한 법률 제12조 제5항 위헌제청(전자상거래등을 통한 콘택트렌즈 판매금지 사건)] [합헌] 전자상거래 등을 통한 콘택트렌즈 거래가 허용된다면, 착용자의 시력 및 눈 건강상태를 고려하지 않은 무분별한 콘택트렌즈 착용이 이뤄질 수 있고, 배송 과정에서 콘택트렌즈가 변질·오염될 가능성을 배제할 수 없으므로, 국민보건의 향상·증진이라는 심판대상조항의 입법목적이 달성되기 어려울 수 있다. 또한 안경사 아닌 자에 의한 콘택트렌즈 판매행위를 규제하기가 사실상 어려워지게 되고, 안경사로 하여금 소비자에게 콘택트렌즈의 사용방법, 유통기한 및 부작용에 관한 정보를 제공하도록 한 '의료기사 등에 관한 법률' 제12조 제7항의 취지가 관철되기도 어려워진다. 우리나라는 소비자의 안경업소 및 안경사에 대한 접근권이 상당히 보장되어 있어, 심판대상조항으

정답 10 ①

로 인한 소비자의 불편이 과도하다고 보기도 어렵다. 따라서 심판대상조항이 과잉금지원칙에 위반하여 안경사의 직업수행의 자유를 침해한다고 볼 수 없다(헌재 2024.3.28, 2020헌가10).

② ○ : [구 의료법 제87조 제1항 제2호 등 위헌소원] [합헌] 헌재 2021.6.24, 2019헌바342

③ ○ : 헌재 1997.4.24, 95헌마273

④ ○ : [기각] 이 사건 **등록결격조항**('학원의 설립·운영 및 과외교습에 관한 법률'을 위반하여 벌금형을 선고받은 후 1년이 지나지 아니한 자는 학원설립·운영의 등록을 할 수 없도록 한 규정)은 과잉금지원칙에 위배되어 직업선택의 자유를 침해한다고 보기 어렵다(헌재 2014.1.28, 2011헌바252).

⑤ ○ : [학원의 설립·운영 및 과외교습에 관한 법률' 위반죄 벌금형 확정을 이유로 한 등록의 실효] **[위헌]** 효력상실조항(**학원설립·운영자**가 학원의 설립·운영 및 과외교습에 관한 법률을 위반하여 벌금형을 선고받은 경우 등록의 효력을 잃도록 정하고 있는 위 법률의 규정)은 법익균형성원칙에도 위배된다(헌재 2014.1.28, 2011헌바252).

11 변호사 광고 금지에 관한 다음 설명 중 가장 옳지 않은 것은?

▶ 2023 법무사

① 변호사 또는 소비자로부터 금전·기타 경제적 대가를 받고 법률상담 또는 사건 등을 소개·알선·유인하기 위하여 변호사 등을 광고·홍보·소개하는 행위를 금지하는 대한변호사협회의 변호사 광고에 관한 규정은 헌법소원의 대상이 되는 공권력의 행사에 해당한다.

② 대한변호사협회의 유권해석에 반하는 내용의 광고를 금지하고, 대한변호사협회의 유권해석에 위반되는 행위를 목적 또는 수단으로 하여 행하는 법률상담과 관련한 광고를 하거나 그러한 사업구조를 갖는 타인에게 하도록 하는 것을 금지하는 변호사 광고에 관한 규정은 법률유보원칙을 위반하여 변호사들의 표현의 자유, 직업의 자유를 침해한다.

③ 변호사에 대하여 공정한 수임질서를 저해할 우려가 있는 무료 또는 부당한 염가의 수임료를 표방하거나 무료 또는 부당한 염가의 법률상담 방식을 내세운 광고를 금지하는 것은, 무고한 법률 소비자들의 피해를 막고 정당한 수임료나 법률상담료를 제시하는 변호사들을 보호함으로써 공정한 수임질서를 확립하기 위한 것으로 과잉금지원칙에 위배되지 아니한다.

④ 변호사 등이 아님에도 변호사 등의 직무와 관련한 서비스의 취급·제공 등을 표시하거나 소비자들이 변호사 등으로 오인하게 만들 수 있는 자에게 광고를 의뢰하거나 참여·협조하는 행위를 금지하는 변호사 광고에 관한 규정은 변호사 자격제도를 유지하고 소비자의 피해를 방지하기 위한 적합한 수단이다.

⑤ 변호사 또는 소비자로부터 금전·기타 경제적 대가를 받고 법률상담 또는 사건 등을 소개·알선·유인하기 위하여 변호사 등을 광고·홍보·소개하는 행위를 금지하는 변호사 광고에 관한 규정은 변호사법이 금지하는 특정 변호사에 대한 소개·알선·유인행위의 실질을 갖춘 광고행위를 금지하는 것으로 과잉금지원칙에 위배되지 아니한다.

해설 ① ○ ② ○ ③ ○ ④ ○ ⑤ × : [변호사 광고에 관한 규정 제3조 제2항 등 위헌확인(변호사 광고의 내용, 방법 등을 규제하는 대한변호사협회의 변호사 광고사건)] [1] **변협**은 변호사법 제23조 제2항 제7호에서 명시적으로 위임받은 변호사 광고에 관한 규제를 설정함에 있어 공법인으로서 공권력 행사의 주체가 된다. 나아가, 변협의 구성원인 변호사등은 위 규정을 준수하여야 할 의무가 있고, 이를 위반하게 되면 변호사법 등 관련 규정에 따라 징계를 받게 되는바, 이 사건 규정이 단순히 변협 내부 기준이라거나 사법적인 성질을 지니는 것이라 보기 어렵고, 수권법률인 변호사법과 결합하여 대외적 구속력을 가진다. 따라서 변협이 변호사 광고에 관한 규제와 관련하여 정립한 규범인 이 사건 규정(**대한변호사협회의 변호사 광고에 관한 규정**)은 헌법소원의 대상이 되는 공권력의 행사에 해당한다.

[2] **[위헌] 유권해석위반 광고금지규정**은 변호사가 변협의 유권해석에 위반되는 광고를 할 수 없도록 금지하고 있다. 위 규정은 '협회의 유권해석에 위반되는'이라는 표지만을 두고 그에 따라 금지되는 광고의 내용 또는 방법 등을 한정하지 않고 있고, 이에 해당하는 내용이 무엇인지 변호사법이나 관련 회규를 살펴보더라도 알기 어렵다. 유권해석위반 광고금지규정 위반이 징계사유가 될 수 있음을 고려하면 적어도 수범자인 변호사는 유권해석을 통해 금지될 수 있는 내용들의 대강을 알 수 있어야 함에도, 규율의 예측가능성이 현저히 떨어지고 법집행기관의 자의적인 해석을 배제할 수 없는 문제가 있다. 따라서 위 규정은 수권법률로부터 위임된 범위 내에서 명확하게 규율 범위를 정하고 있다고 보기 어려우므로, 법률유보원칙에 위반되어 청구인들의 표현의 자유, 직업의 자유를 침해한다.

[3] **[기각] 무료 또는 부당한 염가의 수임료를 표방하거나 무료 또는 부당한 염가의 법률상담 방식을 내세운 광고를 금지**하는 것은, 무고한 법률 소비자들의 피해를 막고 정당한 수임료나 법률상담료를 제시하는 변호사들을 보호함으로써 공정한 수임질서를 확립하기 위한 것으로 그 공익은 매우 중대하다. 따라서 위 규정들은 과잉금지원칙에 위배되지 아니한다.

[4] **[기각] '변호사등이 아님에도 변호사등의 직무와 관련한 서비스의 취급 · 제공 등을 표시하거나 소비자들이 변호사등으로 오인하게 만들 수 있는 자에게 광고를 의뢰하거나 참여 · 협조하는 행위를 금지**'하고 있다. 이는 비변호사의 법률사무 취급행위를 미연에 방지함으로써 법률 전문가로서 변호사 자격제도를 유지하고 소비자의 피해를 방지하기 위한 적합한 수단이다. 따라서 위 규정은 과잉금지원칙에 위배되지 아니한다.

[5] **[위헌] 대가수수 광고금지규정**(변호사 또는 소비자로부터 금전 · 기타 경제적 대가를 받고 법률상담 또는 사건 등을 소개 · 알선 · 유인하기 위하여 변호사 등을 광고 · 홍보 · 소개하는 행위를 금지하는 변호사 광고에 관한 규정)이 규제하는 행위는 광고 · 홍보 · 소개행위이고, 이러한 행위의 목적으로 '소개 · 알선 · 유인'을 정하면서도 그 대상을 특정 변호사로 제한하고 있지 아니한 점과 광고 · 홍보 · 소개행위의 목적이 소비자를 설득하여 구매를 유도하는 데 있는 점을 고려하면, 이 사건 대가수수 광고금지규정에서 말하는 '소개 · 알선 · 유인'이 반드시 특정 변호사를 대상으로 한 개념이라고 단정하기 어렵다. …… 이 사건 대가수수 광고금지규정으로 인하여 청구인 변호사들은 광고업자에게 유상으로 광고를 의뢰하는 것이 사실상 금지되어 표현의 자유, 직업의 자유에 중대한 제한을 받게 되고, 청구인 회사로서도 변호사들로부터 광고를 수주하지 못하게 되어 영업에 중대한 제한을 받게 된다. 따라서 위 규정은 법익의 균형성도 갖추지 못하였다. 그러므로 따라서 이 사건 대가수수 광고금지규정은 과잉금지원칙에 위반되어 청구인들의 표현의 자유와 직업의 자유를 침해한다(헌재 2022.5.26. 2021헌마619).

정답 11 ⑤

12 다음 설명 중 가장 옳지 않은 것은?

▸ 2024 법무사

① 개성공단 전면중단 조치가 고도의 정치적 결단을 요하는 문제이기는 하나, 조치 결과 개성공단 투자기업인에게 기본권 제한이 발생하였고, 국민의 기본권 제한과 직접 관련된 공권력의 행사는 고도의 정치적 고려가 필요한 행위라도 헌법과 법률에 따라 결정하고 집행하도록 견제하는 것이 헌법재판소 본연의 임무이므로, 그 한도에서 헌법소원심판의 대상이 될 수 있다.

② 개성공단 전면중단 조치는 국제평화를 위협하는 북한의 핵무기 개발을 경제적 제재조치를 통해 저지하려는 국제적 합의에 이바지하기 위한 조치로서, 통일부장관의 조정명령에 관한 남북교류협력에 관한 법률 제18조 제1항 제2호, 대통령의 국가의 계속성 보장 책무, 행정에 대한 지휘·감독권 등을 규정한 헌법 제66조, 정부조직법 제11조 등이 근거가 될 수 있으므로, 헌법과 법률에 근거한 조치로 보아야 한다.

③ 국무회의 심의, 이해관계자에 대한 의견청취절차 등을 거치지 아니한 이상 개성공단 전면중단 조치는 적법절차원칙을 위반하여 개성공단 투자기업인의 영업의 자유와 재산권을 침해한다.

④ '개성공단의 정상화를 위한 합의서'에는 국내법과 동일한 법적 구속력을 인정하기 어렵고, 과거 사례 등에 비추어 개성공단의 중단 가능성은 충분히 예상할 수 있었으므로, 개성공단 전면중단 조치는 신뢰보호원칙을 위반하여 개성공단 투자기업인의 영업의 자유와 재산권을 침해하지 아니한다.

⑤ 개성공단 전면중단 조치는 공익 목적을 위하여 개별적, 구체적으로 형성된 구체적인 재산권의 이용을 제한하는 공용 제한이 아니므로, 이에 대한 정당한 보상이 지급되지 않았다고 하더라도 그 조치가 헌법 제23조 제3항을 위반하여 개성공단 투자기업인의 재산권을 침해한 것으로 볼 수 없다.

해설 ※ [개성공단 전면중단조치 사건] [기각] 헌재 2022.1.27. 2016헌마364

① ○ : 피청구인 대통령이 2016.2.10.경 개성공단의 운영을 즉시 전면 중단하기로 결정하고, 피청구인 통일부장관은 피청구인 대통령의 지시에 따라 철수계획을 마련하여 관련 기업인들에게 통보한 다음 개성공단 전면중단 성명을 발표하고, 이에 대응한 북한의 조치에 따라 개성공단에 체류 중인 국민들 전원을 대한민국 영토 내로 귀환하도록 한 일련의 행위로 이루어진 개성공단 전면중단조치가 **헌법소원심판의 대상이 되는지 여부(적극)**

② ○ : 개성공단 전면중단조치가 **헌법과 법률에 근거한 조치인지 여부(적극)**

③ × : 개성공단 전면중단조치가 **적법절차원칙**을 위반하여 개성공단 투자기업인 청구인들의 영업의 자유와 재산권을 침해하는지 여부(소극): 구체적으로 어떤 정책을 필수적으로 국무회의 심의를 거쳐야 하는 중요한 정책으로 보아야 하는지는 국무회의에 의안을 상정할 수 있는 권한자인 대통령이나 국무위원에게 일정 정도의 **판단재량**이 인정되는 것으로 보아야 하고, 그에 관한 대통령이나 국무위원의 일차적 판단이 명백히 비합리적이거나 자의적인 것이 아닌 한 존중되어야 한다. …… 개성공단 전면중단 조치는 국가안보와 관련된 조치로서, 현지 체류 국민들의 신변안전을 위해 최대한 기밀로 유지하면서 신속하게 처리할 필요가 있었다. 위 조치과정에서 국가안보에 관한 필수 기관이 참여하는 국가안전보장회의 상임위원회의 협의를 거쳤고, '남북교류협력에 관

한 법률'이 규정하는 조정명령이 국무회의를 사전 절차로 요구하지 않으며, 관련 기업인들과의 간담회가 개최되기도 하였으므로, 조치의 특성, 절차 이행으로 제고될 가치, 국가작용의 효율성 등의 형량에 따른 필수적 절차는 거친 것으로 보아야 한다. 따라서 국무회의 심의, 이해관계자에 대한 의견청취절차 등을 거치지 않았더라도 개성공단 전면중단 조치가 적법절차원칙을 위반하여 개성공단 투자기업인 청구인들의 영업의 자유와 재산권을 침해한다고 볼 수 없다(헌재 2022.1.27. 2016헌마364).

④ ○ : 개성공단 전면중단조치가 **신뢰보호원칙**을 위반하여 청구인들의 영업의 자유와 재산권을 침해하는지 여부(소극)

⑤ ○ : 개성공단 전면중단조치가 헌법 **제23조 제3항**을 위반하여 청구인들의 재산권을 침해하는지 여부(소극)

정치적 기본권

01 공무담임권에 관한 다음 설명 중 가장 옳지 않은 것은?

▶ 2023 법무사

① 공무담임권의 보장은 모든 국민이 현실적으로 국가나 공공단체의 직무를 담당할 수 있다고 하는 의미가 아니라, 국민이 공무담임에 관한 자의적이지 않고 평등한 기회를 보장받는 것, 즉 공직취임의 기회를 자의적으로 배제당하지 않음을 의미하며, 공무담임권의 보호영역에는 공직취임 기회의 자의적인 배제와 공무원 신분의 부당한 박탈 등이 포함된다.

② 선출직 공무원과 달리 직업공무원에게는 정치적 중립성과 더불어 효율적으로 업무를 수행할 수 있는 능력이 요구되므로, 직업공무원의 공직진출에 관한 규율은 임용희망자의 능력·전문성 등 능력주의를 바탕으로 이루어져야 한다. 헌법은 이를 명시적으로 밝히고 있지 않지만 헌법 제7조에서 보장하는 직업공무원제도의 기본적 요소에 능력주의가 포함되는 점에 비추어 공무담임권은 모든 국민이 그 능력과 적성에 따라 공직에 취임할 수 있는 균등한 기회를 보장함을 내용으로 한다.

③ 교육의원후보자가 되려는 사람으로 하여금 5년 이상의 교육경력 또는 교육행정경력을 갖추도록 규정한 법률조항은 전문성이 담보된 교육의원이 교육위원회의 구성원이 되도록 하여 헌법 제31조 제4항이 보장하고 있는 교육의 자주성·전문성·정치적 중립성을 보장하면서도 지방자치의 이념을 구현하기 위한 것으로서 공무담임권을 침해하는 것이라 볼 수 없다.

④ 금고 이상의 형의 선고유예를 받은 경우에는 군무원직에서 당연퇴직하도록 규정한 법률조항은, 임용결격 사유에 해당하는 사람을 공무원의 직무로부터 배제함으로써 그 직무수행에 대한 국민의 신뢰, 공무원직에 대한 신용 등을 유지하고 그 직무의 정상적인 운영을 확보하기 위한 것으로서 헌법 제25조에 규정된 공무담임권을 침해하지 아니한다.

⑤ 후보자가 되고자 하는 자가 당해 선거구 안에 있는 단체 등에 기부행위를 하는 경우 처벌하도록 규정한 공직선거법 조항은, 이로 인하여 벌금 100만 원 이상의 형을 선고받으면 공직선거법에 의하여 당선자는 그 당선이 무효로 되고 일정기간 동안 일부 공직에 취임하거나 임용될 수 없으며, 피선거권이 제한되지만, 이러한 기본권 제한은 위 조항의 직접적 효과라기보다는 벌금 100만 원 이상의 형을 선고받은 경우 공직선거법이 적용되어 나타난 결과이므로, 위 조항에 의하여 공무담임권이 제한된다고 볼 수 없다.

[해설] ① ○ : [공무원임용령 제3조의3 제3항 등 위헌확인] **[각하]** 헌법 제25조의 공무담임권이란 입법부, 집행부, 사법부는 물론 지방자치단체 등 국가, 공공단체의 구성원으로서 그 직무를 담당할 수 있는 권리를 말한다. 여기서 직무를 담당한다는 것은 모든 국민이 현실적으로 그 직무를 담당할 수 있다고 하는 의미가 아니라, 국민이 공무담임에 관한 자의적이지 않고 평등한 기회를 보장받음을 의미한다. 공무담임권의 보호영역에는 공직취임 기회의 자의적인 배제뿐 아니라 공무원 신분의 부당한

박탈이나 권한 또는 직무의 부당한 정지도 포함된다(헌재 2019.12.17, 2019헌마1301).

▶ 시간선택제채용공무원을 통상적인 근무시간 동안 근무하는 공무원('전일제 공무원')으로 임용하는 경우에는 어떠한 우선권도 인정하지 아니한다고 규정한 공무원임용령은 청구인들에게 일반적인 방법에 의해 전일제 공무원으로 임용될 기회를 배제하는 것이 아니라, 특별한 우선임용기회를 부여하지 않고 있을 뿐인바, 시간선택제채용공무원이 전일제 공무원으로 우선 임용될 수 있는 기회의 보장은 공무담임권에서 당연히 파생되는 것으로 볼 수 없다. 따라서 청구인들이 주장하는 **전일제 공무원으로 우선 임용될 권리 내지 기회보장**은 공무담임권의 보호영역에 속하지 아니하고, 이 사건 심판대상조항으로 인하여 청구인들의 헌법상 공무담임권 침해 문제가 생길 여지가 없다.

② ○ : [7급 세무직 공무원 공개경쟁채용시험에서 특정 자격증 소지자(변호사 · 공인회계사 · 세무사)에게 가산점 부여사건] **[기각]** 헌재 2020.6.25, 2017헌마1178

③ ○ : [제주특별자치도 설치 및 국제자유도시 조성을 위한 특별법 제66조 제2항 위헌확인] **[기각]** 헌재 2020.9.24, 2018헌마444

④ × : [구 군무원인사법 제27조 위헌제청] **[위헌]** 이 사건 법률조항(**금고 이상의 형의 선고유예를 받은 경우**에는 군무원직에서 **당연**히 **퇴직**하는 것으로 규정한 구 군무원인사법 제27조 중 같은 법 제10조에 의한 국가공무원법 제33조 제1항 제5호 부분)은 범죄의 종류와 내용을 가리지 않고 금고 이상의 형의 선고유예 판결을 받은 경우를 모두 당연퇴직 사유로 규정함으로써 입법목적을 달성하기 위하여 필요한 최소한의 정도를 넘어 청구인들의 기본권을 과도하게 제한하였고, 공직제도의 신뢰성이라는 공익과 공무원의 기본권이라는 사익을 적절하게 조화시키지 못하고 공무담임권을 침해하였다(헌재 2007.6.28, 2007헌가3).

▶ 이 사건 법률조항은 금고 이상의 형의 선고유예 판결을 받은 모든 범죄를 포괄하여 규정하고 있을 뿐 아니라, 심지어 오늘날 누구에게나 위험이 상존하는 교통사고 관련 범죄 등 과실범의 경우마저 당연퇴직 사유에서 제외하지 않고 있으므로 최소침해성의 원칙에 반한다.

▶ 헌법재판소는 구 지방공무원법 및 구 국가공무원법의 **당연퇴직 사유** 중 **금고 이상의 형의 선고유예**를 받은 경우 부분에 대하여 이미 위헌결정을 선고한 바 있다.

⑤ ○ : [공직선거법 제113조 제1항 등 위헌소원(공직선거법상 기부행위금지 및 허위사실공표금지 사건)] **[합헌]** 헌재 2021.2.25, 2018헌바223 ▶ 기부행위금지 조항에 의하여 공무담임권이 제한된다고 볼 수 없다는 취지

정답　　**01 ④**

청구권적 기본권

 **청구권적 기본권총론**

 **청원권**

 **재판청구권**

01 재판청구권에 관한 다음 설명 중 가장 옳지 않은 것은?　　　▸ 2022 법무사

① 법관에 의한 재판을 받을 권리를 보장한다고 함은 법관이 사실을 확정하고 법률을 해석·적용하는 재판을 받을 권리를 보장한다는 뜻이고, 그와 같은 법관에 의한 사실확정과 법률의 해석적용의 기회에 접근하기 어렵도록 제약이나 장벽을 쌓아서는 아니 된다.

② 재판청구권은 재판이라는 국가적 행위를 청구할 수 있는 적극적 측면과 헌법과 법률이 정한 법관이 아닌 자에 의한 재판이나 법률에 의하지 아니한 재판을 받지 아니하는 소극적 측면을 아울러 가지고 있다.

③ 법원이 직권으로 치료감호를 선고할 수 있는지 여부는 재판청구권의 적극적 측면은 물론 소극적 측면에도 해당하지 않는다. 따라서 '피고인 스스로 치료감호를 청구할 수 있는 권리' 뿐만 아니라 '법원으로부터 직권으로 치료감호를 선고받을 수 있는 권리'는 헌법상 재판청구권의 보호범위에 포함된다고 보기 어렵다.

④ 헌법에 '공정한 재판'에 관한 명문의 규정은 없지만, 재판청구권이 국민에게 효율적인 권리보호를 제공하기 위해서는 법원에 의한 재판이 공정하여야 할 것임은 당연하므로 '공정한 재판을 받을 권리'는 헌법 제27조의 재판청구권에 의하여 함께 보장된다고 보아야 한다.

⑤ 재판에 대한 불복기간의 제한은 입법자가 상소심의 구조와 성격 등을 고려하여 결정할 입법재량의 문제이므로, 즉시항고 제기기간에 관하여 민사소송법은 1주로 규정하고 있음에도 형사소송법이 그 절반 가량인 3일로 규정한 것은 상대적으로 신속한 확정이 필요한 형사재판의 특성을 반영한 것으로서 그 차별취급에 합리적 이유가 있다.

해설 ① ○ ② ○ ③ ○ : [치료감호 등에 관한 법률 제4조 제7항 위헌제청(치료감호 청구제한사건)] [합헌] [1] **법관에 의한 재판을 받을 권리**를 보장한다고 함은 법관이 사실을 확정하고 법률을 해석·적용하는 재판을 받을 권리를 보장한다는 뜻이고, 그와 같은 법관에 의한 사실확정과 법률의 해석적용의 기회에 접근하기 어렵도록 제약이나 장벽을 쌓아서는 아니 된다. [2] 한편, **재판청구권**은

재판이라는 국가적 행위를 청구할 수 있는 적극적 측면과 헌법과 법률이 정한 법관이 아닌 자에 의한 재판이나 법률에 의하지 아니한 재판을 받지 아니하는 소극적 측면을 아울러 가지고 있다. [3] 이 사건 요구조항(**검사만 치료감호를 청구**할 수 있고 법원은 검사에게 치료감호청구를 요구할 수 있다고만 규정한 '치료감호 등에 관한 법률' 제4조 제1항 및 제4조 제7항)의 경우 검사의 청구가 없는 한 법원이 직권으로 치료감호를 선고할 수 없도록 하고 있는데, 법원이 직권으로 치료감호를 선고할 수 있는지 여부는 재판청구권의 적극적 측면은 물론 소극적 측면에도 해당하지 않는다. 따라서 청구인이나 제청법원이 주장하는 '피고인 스스로 치료감호를 청구할 수 있는 권리'뿐만 아니라 '법원으로부터 직권으로 치료감호를 선고받을 수 있는 권리'는 헌법상 재판청구권의 보호범위에 포함된다고 보기 어렵다(헌재 2021.1.28, 2019헌가24; 헌재 2010.4.29, 2008헌마622).

④ ○ : [민사소송법 제46조 제1항 위헌소원(법관 기피신청에 대한 재판의 관할사건)] **[합헌]** 헌법에 '공정한 재판'에 관한 명문의 규정은 없지만 재판청구권이 국민에게 효율적인 권리보호를 제공하기 위해서는, 법원에 의한 재판이 공정하여야만 할 것은 당연한 전제이므로 '공정한 재판을 받을 권리'는 헌법 제27조의 재판청구권에 의하여 함께 보장된다(헌재 2013.3.21, 2011헌바219).

▶ 기피신청에 대한 재판을 그 신청을 받은 법관의 소속 법원 합의부에서 하도록 한 민사소송법 제46조 제1항 중 '기피신청에 대한 재판의 관할'에 관한 부분이 공정한 재판을 받을 권리를 침해하는지 여부(소극)

⑤ × : 지문은 **변경 전 헌재결**(헌재 2011.5.26, 2010헌마499)의 내용이다.

[형사소송법 제405조 위헌소원(형사소송법상 즉시항고 제기기간 3일 제한 사건)] **[헌법불합치]** 민사소송, 민사집행, 행정소송, 형사보상절차 등의 즉시항고기간 1주나, 외국의 입법례와 비교하더라도 3일이라는 제기기간은 지나치게 짧다. 즉시항고 자체가 형사소송법상 명문의 규정이 있는 경우에만 허용되므로 기간 연장으로 인한 폐해가 크다고 볼 수도 없는 점 등을 고려하면, 심판대상조항은 즉시항고 제도를 단지 형식적이고 이론적인 권리로서만 기능하게 함으로써 헌법상 재판청구권을 공허하게 하므로 입법재량의 한계를 일탈하여 재판청구권을 침해하는 규정이다(헌재 2018.12.27, 2015헌바77).

▶ 헌법재판소의 헌법불합치결정에 따라 현재는 즉시항고의 제기기간은 7일로 한다고 개정되었다.

02 민사소송법상 재심제도에 관한 다음 설명 중 가장 옳지 않은 것은? ▸ 2023 법무사

① 민사소송법상 재심사유를 어떻게 정하여 재심을 허용할 것인가는 입법자가 확정판결에 대한 법적 안정성, 재판의 신속·적정성, 법원의 업무부담 등을 고려하여 결정하여야 할 입법정책의 문제이다.

② 판결주문에 영향이 없는 당사자의 공격방어방법에 대한 판단이 누락된 경우에는, 판결주문에 간접적으로만 연관되는 판단이유가 누락된 경우와 달리 재심의 소를 통하여 기판력 등 확정된 판결의 효력을 배제하는 것을 허용해야 할 만큼 정의의 요청이 절박하다고 할 수 없다.

③ 재심사유의 위헌성은 입법자가 분쟁의 신속한 해결을 통한 법적 안정성의 확보에만 매몰되어 재판의 적정성이라는 법치주의의 또 다른 이념을 현저히 희생함으로써, 제반 기본권의 실현을 위한 기본권으로서의 재판청구권의 본질을 심각하게 훼손하는 등 입법형성권의 한계를 일탈하여 그 내용이 현저히 자의적인 것이 아닌 한 인정되기 어렵다.

④ 재심은 판결에 대한 불복방법의 하나인 점에서는 상소와 마찬가지라고 할 수 있지만, 확정판결에 대한 불복방법인 점에서 상소와 다르고, 확정판결에 대한 법적 안정성의 요청은 미확정판결에 대한 그것보다 훨씬 크기 때문에, 상소보다 더 예외적으로 인정되어야 한다는 점에서 본질적인 차이가 있다.

⑤ 건전한 상식을 가진 일반인이면 재심사유인 '판결에 영향을 미칠 중요한 사항에 관하여 판단을 누락한 때'의 의미내용을 예측할 수 있고, 이미 확립된 판례에 기초하여 그 해석 및 적용에 대한 신뢰성이 있는 원칙을 도출할 수 있으므로 해석자 개인의 주관적인 판단에 따라 그 해석이 좌우될 가능성이 없다.

> **해설** ① ○ ③ ○ : [민사소송법 제451조 제1항 위헌소원(민사소송법상 재심의 보충성 사건)] **[합헌]** 헌법재판소는 재심사유를 어떻게 정하여 재심을 허용할 것인가는 입법자가 확정판결에 대한 법적 안정성, 재판의 신속·적정성, 법원의 업무부담 등을 고려하여 결정하여야 할 입법정책의 문제라고 판시하여 왔다. 따라서 재심제도와 관련하여 인정되는 입법적 재량을 감안한다면, 민사소송법상 재심사유의 소극적 요건에 대하여 규정하고 있는 이 사건 법률조항(상소에 의하여 주장하였던 사유를 재심사유로 하여 재심의 소를 제기할 수 없도록 규정한 민사소송법 제451조 제1항 제9호 중 "상소에 의하여 그 사유를 주장하였거나" 부분)의 위헌성에 대한 판단은, 입법자가 분쟁의 신속한 해결을 통한 법적 안정성의 확보에만 매몰되어 재판의 적정성이라는 법치주의의 또 다른 이념을 현저히 희생함으로써, 제반 기본권의 실현을 위한 기본권으로서의 재판청구권의 본질을 심각하게 훼손하는 등 입법형성권의 한계를 일탈하여 그 내용이 현저히 자의적인지 여부에 의하여 결정되어야 할 것이다(헌재 2012.12.27, 2011헌바5).
> **[동지판례]** [민사소송법 제451조 제1항 단서 위헌소원(재심사유를 알고도 주장하지 아니한 때에 재심의 소를 제기할 수 없도록 규정한 조항 사건)] **[합헌]** 헌법재판소는 재심사유를 어떻게 정하여 재심을 허용할 것인가는 입법자가 확정판결에 대한 법적 안정성, 재판의 신속·적정성, 법원의 업무부담 등을 고려하여 결정하여야 할 입법정책의 문제라고 판시하여 왔다. 따라서 재심제도와 관련하여 인정되는 광범위한 입법적 재량을 감안한다면, 민사소송법상 재심사유의 소극적 요건에 대하여 규정하고 있는 이 사건 법률조항의 위헌성에 대한 판단은 입법자가 재판청구권의

본질을 심각하게 훼손하는 등 입법형성권의 한계를 일탈하여 그 내용이 현저히 자의적인지 여부에 의하여 결정되어야 한다(헌재 2009.4.30, 2007헌바121; 헌재 2009.10.29, 2008헌바101 참조)(헌재 2015.12.23, 2015헌바273).

[통지판례] [상고심절차에 관한 특례법 제5조 등 위헌소원(민사소송법 제451조)] [합헌] **재심청구권** 역시 헌법 제27조에서 규정한 재판을 받을 권리에 당연히 포함된다고 할 수 없으며, 어떤 사유를 재심사유로 정하여 재심을 허용할 것인가는 입법자가 확정판결에 대한 법적 안정성, 재판의 신속·적정성, 법원의 업무부담 등을 고려하여 결정하여야 할 입법정책의 문제이다(헌재 2004.12.16, 2003헌바105).

② × ④ ○ ⑤ ○ : "판결주문에 간접적으로만 연관되는 판단이유가 누락된 경우와 달리" 부분이 옳지 않다.

[민사소송법 제451조 제1항 제9호 위헌소원(민사소송법상 재심사유인 '판단누락'의 의미 사건)]

[합헌] [1] **재심제도의 취지**: 재심은 확정된 종국판결에 재심사유에 해당하는 중대한 하자가 있는 경우 그 판결의 취소와 이미 종결되었던 사건의 재심판을 구하는 비상의 불복신청방법으로서, 그와 같은 중대한 하자가 있는 예외적인 경우에 한하여 법적 안정성을 후퇴시키고 구체적 정의를 실현하기 위하여 마련된 것이다. 따라서 재심은 판결에 대한 불복방법의 하나인 점에서는 상소와 마찬가지라고 할 수 있지만, 확정판결에 대한 불복방법인 점에서 상소와 다르고, 확정판결에 대한 법적 안정성의 요청은 미확정판결에 대한 그것보다 훨씬 크기 때문에, 상소보다 더 예외적으로 인정되어야 한다는 점에서 본질적인 차이가 있다.

[2] **명확성원칙 위배 여부**: 건전한 상식을 가진 일반인이면 위와 같은 '판결에 영향을 미칠 중요한 사항에 관하여 판단을 누락한 때'의 의미내용을 예측할 수 있다 할 것이고, 이미 확립된 판례에 기초하여 그 해석 및 적용에 대한 신뢰성이 있는 원칙을 도출할 수 있어 해석자 개인의 주관적인 판단에 따라 그 해석이 좌우될 가능성이 없으므로, 심판대상조항은 명확성원칙에 위배되지 아니한다.

[3] **재판청구권 침해 여부**: **판결주문에 영향이 없는 당사자의 공격방어방법에 대한 판단이 누락된 경우나, 판결주문과 간접적으로만 연관되는 판단이유가 누락된 경우**에 재심의 소를 통하여 확정된 판결의 효력을 배제하는 것을 허용해야 할 만큼 정의의 요청이 절박하다고 할 수 없다. 오히려 판결의 결론에 영향을 미칠 수 없는 불필요한 재심이 제기되어 재심제도의 취지에 어긋날 수 있다. 판결서의 이유에 판단이유를 빠짐없이 설시해야 하는 것은 아니고, 심급제도 내에서 사건의 특성을 고려하여 판결 등의 이유 기재 자체가 생략될 수 있다. 재심은 확정판결에 대한 불복방법이기 때문에 상소보다 더 예외적으로 인정되어야 하는데, 판결의 이유를 밝히지 아니한 경우는 절대적 상고이유가 되므로 민사소송의 당사자는 심급구조 내에서 판단이유를 제시받을 기회를 보장받고 있다. 이상을 종합하면, '판단이유의 누락'이 아니라 '판단누락'을 재심사유로 규정하였다 하여도 재판의 적정성을 현저히 희생하였다고 보기는 어렵다. 따라서 심판대상조항은 재판청구권을 침해하지 아니한다(헌재 2016.12.29, 2016헌바43).

정답 **02** ②

국가배상청구권

형사보상청구권

01 형사보상청구권에 관한 설명으로 가장 옳지 않은 것은? ▸ 2022 법무사

① 헌법상 형사보상청구권은 구금되었던 형사피고인뿐만 아니라 구금되었던 형사피의자에게도 인정된다.

② 입법자는 형사보상청구권의 구체적인 내용과 절차를 정함에 있어 광범위한 입법형성의 자유를 가진다. 따라서 형사보상청구권의 구체적인 내용과 절차를 정한 법률의 위헌 심사에서는 그 심사기준으로 자의금지원칙이 적용된다.

③ 형사보상청구권에 관한 헌법 제28조에서 규정하는 '정당한 보상'은 헌법 제23조 제3항에서 재산권의 침해에 대하여 규정하는 '정당한 보상'과는 차이가 있다.

④ 형사피고인으로서 구금되었던 자의 형사보상청구 사건은 무죄재판을 한 법원이 관할한다.

⑤ 형사피고인으로서 구금되었던 자의 형사보상청구는 무죄재판이 확정된 사실을 안 날부터 3년, 무죄재판이 확정된 때부터 5년 이내에 하여야 한다.

해설 ① ○ : 형사피의자 또는 형사피고인으로서 구금되었던 자가 법률이 정하는 불기소처분을 받거나 무죄판결을 받은 때에는 법률이 정하는 바에 의하여 국가에 정당한 보상을 청구할 수 있다(제28조).

② × ③ ○ : **[형사보상법 제19조 제1항 등 위헌확인]** [기각] [1] **형사보상청구권과 입법재량의 한계**: 형사보상청구권이라 하여도 '법률이 정하는 바에 의하여' 행사되므로(헌법 제28조) 그 내용은 법률에 의하여 정해지는바, 이 과정에서 입법자에게 일정한 입법재량이 부여될 수 있고, 따라서 형사보상의 구체적 내용과 금액 및 절차에 관한 사항은 입법자가 정하여야 할 사항이라 할 것이다. / 그러나 이러한 입법을 함에 있어서는 비록 **완화된 의미**일지언정 헌법 제37조 제2항의 **비례의 원칙**이 준수되어야 한다. 형사보상청구권은 국가가 형사사법절차를 운영함에 있어 결과적으로 무고한 사람을 구금한 것으로 밝혀진 경우 구금당한 개인에게 인정되는 권리이고, 헌법 제28조는 이에 대하여 '정당한 보상'을 명문으로 보장하고 있으므로, 따라서 법률에 의하여 제한되는 경우에도 이러한 본질적인 내용은 침해되어서는 아니되기 때문이다.

[2] **과잉금지원칙 위배여부**: 형사보상은 형사피고인 등의 신체의 자유를 제한한 것에 대하여 사후적으로 그 손해를 보상하는 것인바, 구금으로 인하여 침해되는 가치는 객관적으로 평가하기 어려운 것이므로, 그에 대한 보상을 어떻게 할 것인지는 국가의 경제적, 사회적, 정책적 사정들을 참작하여 입법재량으로 결정할 수 있는 사항이라 할 것이다. 이러한 점에서 헌법 제28조에서 규정하는 '정당한 보상'은 헌법 제23조 제3항에서 재산권의 침해에 대하여 규정하는 '정당한 보상'과는 차이가 있다 할 것이다(헌재 2010.10.28. 2008헌마514).

④ ○ : 형사보상법 제7조(관할법원) 보상청구는 무죄재판을 한 법원에 대하여 하여야 한다.

⑤ ○ : 형사보상법 제8조(보상청구기간)

02 다음 설명 중 가장 옳지 않은 것은?

▸ 2023 법무사

① 국가배상법 제2조 소정의 "공무원"이라 함은 국가공무원법이나 지방공무원법에 의하여 공무원으로서의 신분을 가진 자에 국한하지 않고, 널리 공무를 위탁받아 실질적으로 공무에 종사하고 있는 일체의 자를 가리키는 것이라고 봄이 상당하다.

② 헌법재판소는 헌법 제28조는 형사보상청구권의 내용을 법률에 의해 구체화하도록 규정하고 있으므로 형사보상법에서 형사보상청구의 제척기간을 1년의 단기로 규정하거나, 형사보상의 청구에 대하여 한 보상의 결정에 대하여 불복을 할 수 없도록 하여 단심재판으로 규정한 것은 형사보상청구권을 침해하는 것이 아니라고 보았다.

③ 대법원은 국회의원의 입법행위는 그 입법 내용이 헌법의 문언에 명백히 위반됨에도 불구하고 국회가 굳이 당해 입법을 한 것과 같은 특수한 경우가 아닌 한 국가배상법 제2조 제1항 소정의 위법행위에 해당된다고 볼 수 없다고 보았다.

④ 대법원은 국가 또는 지방자치단체라 할지라도 공권력의 행사가 아니고 단순한 사경제의 주체로 활동하였을 경우에는 그 손해배상책임에 국가배상법이 적용될 수 없고 민법상의 사용자책임 등이 인정된다고 보고 있다.

⑤ 청구인이 검사의 "무혐의" 불기소처분으로 말미암아 헌법상 보장된 재판절차진술권을 침해받았다고 주장하여 그 취소를 구하는 헌법소원심판을 청구할 수 있기 위하여는 헌법 제27조 제5항에 의하여 재판절차진술권이 보장되는 형사피해자이어야 한다.

해설 ① ○ : 대판 2001.1.5, 98다39060

② × : **형사보상청구기간**에 대하여는 종래 구법에서는 무죄재판이 확정된 때로부터 1년 이내에 하도록 되어 있었으나, 헌재는 이에 대해 헌법불합치결정을 하였고, 이에 따라 무죄재판이 확정된 사실을 안 날부터 3년, 무죄재판이 확정된 때부터 5년 이내에 하도록 개정되었다(형사보상법 제8조). **보상결정에 대한 불복금지**에 대하여는 헌재가 위헌결정을 하여 이제는 기각결정 뿐만 아니라 보상결정에 대하여도 불복이 가능하도록 개정되었다(형사보상법 제20조 제2항, 제1항).

[형사보상법 제7조 위헌제청] [헌법불합치] 〈형사보상청구권 행사기간을 '무죄재판이 확정된 때'로부터 1년 이내로 제한하는 것이 위헌인지 여부: 적극〉 권리의 행사가 용이하고 일상 빈번히 발생하는 것이거나 권리의 행사로 인하여 상대방의 지위가 불안정해지는 경우 또는 법률관계를 보다 신속히 확정하여 분쟁을 방지할 필요가 있는 경우에는 특별히 짧은 소멸시효나 제척기간을 인정할 필요가 있으나, 이 사건 법률조항은 위의 어떠한 사유에도 해당하지 아니하는 등 달리 합리적인 이유를 찾기 어렵고, 일반적인 사법상의 권리보다 더 확실하게 보호되어야 할 권리인 형사보상청구권의 보호를 저해하고 있다.

또한, 이 사건 법률조항은 형사소송법상 형사피고인이 재정하지 아니한 가운데 재판할 수 있는 예외적인 경우를 상정하고 있는 등 형사피고인은 당사자가 책임질 수 없는 사유에 의하여 무죄재판의 확정사실을 모를 수 있는 가능성이 있으므로, 형사피고인이 책임질 수 없는 사유에 의하여 제척기간을 도과할 가능성이 있는바, 이는 국가의 잘못된 형사사법작용에 의하여 신체의 자유라는 중대한 법익을 침해받은 국민의 기본권을 사법상의 권리보다도 가볍게 보호하는 것으로서 부당하다(헌재 2010.7.29, 2008헌가4).

정답 01 ② 02 ②

[형사보상법 제19조 제1항 등 위헌확인] **[위헌]** 〈형사보상의 청구에 대하여 한 보상의 결정에 대하여는 불복을 신청할 수 없도록 하여 형사보상의 결정을 단심재판으로 규정한 형사보상법 제19조 제1항이 청구인들의 형사보상청구권 및 재판청구권을 침해하는지 여부: 적극〉 보상액의 산정에 기초되는 사실인정이나 보상액에 관한 판단에서 오류나 불합리성이 발견되는 경우에도 그 시정을 구하는 불복신청을 할 수 없도록 하는 것은 형사보상청구권 및 그 실현을 위한 기본권으로서의 재판청구권의 본질적 내용을 침해하는 것이라 할 것이고, 나아가 법적 안정성만을 지나치게 강조함으로써 재판의 적정성과 정의를 추구하는 사법제도의 본질에 부합하지 아니하는 것이다. 또한, 불복을 허용하더라도 즉시항고는 절차가 신속히 진행될 수 있고 사건수도 과다하지 아니한데다 그 재판내용도 비교적 단순하므로 불복을 허용한다고 하여 상급심에 과도한 부담을 줄 가능성은 별로 없다고 할 것이어서, 이 사건 **불복금지조항**은 형사보상청구권 및 재판청구권을 침해한다(헌재 2010.10.28, 2008헌마514).

③ ○ : 우리 헌법이 채택하고 있는 의회민주주의하에서 국회는 다원적 의견이나 각가지 이익을 반영시킨 토론과정을 거쳐 다수결의 원리에 따라 통일적인 국가의사를 형성하는 역할을 담당하는 국가기관으로서 그 과정에 참여한 국회의원은 입법에 관하여 원칙적으로 국민 전체에 대한 관계에서 정치적 책임을 질 뿐 국민 개개인의 권리에 대응하여 법적 의무를 지는 것은 아니므로, **국회의원의 입법행위**는 그 입법 내용이 헌법의 문언에 명백히 위반됨에도 불구하고 국회가 굳이 당해 입법을 한 것과 같은 특수한 경우가 아닌 한 국가배상법 제2조 제1항 소정의 위법행위에 해당된다고 볼 수 없다(대판 1997.6.13, 96다56115).

④ ○ : 대판 1997.7.22, 95다6991 ; 대판 1999.6.22, 99다7008

⑤ ○ : [불기소처분취소] **[각하]** 헌법소원심판의 청구인이 검사의 불기소처분으로 말미암아 헌법상 보장된 재판절차진술권을 침해받았다고 주장하여 그 취소를 구하는 헌법소원심판을 청구할 수 있기 위하여는 헌법 제27조 제5항에 의하여 재판절차진술권이 보장되는 형사피해자이어야 한다(헌재 1989.12.22, 89헌마145 등 참조)(헌재 2004.11.30, 2004헌마895).

↔ [검사의 공소권행사에 관한 헌법소원] **[각하]** 〈검사 불기소처분에 대하여 고발인이 제기한 헌법소원의 적법여부〉 **범죄피해자가 아닌 고발인**에게는 개인적 주관적인 권리나 재판절차에서의 진술권따위의 기본권이 허용될 수 없으므로 검사가 자의적으로 불기소처분을 하였다고 하여 달리 특별한 사정이 없으면 헌법소원심판청구의 요건인 **자기관련성이 없다**(헌재 1989.12.22, 89헌마145).

제6절   범죄피해자구조청구권

사회적 기본권

제1절 사회적 기본권의 개관

제2절 인간다운 생활을 할 권리

01 다음 설명 중 가장 옳지 않은 것은?

▶ 2025 법무사

① 장애인의 접근권은 헌법상 인간의 존엄과 가치 및 행복을 추구할 권리를 장애인에게도 동등하게 보장하고, 사회적 약자인 장애인이 인간다운 생활을 하는 데 필수적인 전제가 되는 권리로서, 비록 헌법에 명시되지는 않았으나 헌법 규정들로부터 도출되는 기본권으로서의 지위를 가진다.

② 장애인의 접근권은 비장애인과 동등한 수준의 접근을 보장할 수 있는 특정 시설과 설비를 설치할 것을 국가나 사인에게 적극적으로 요구할 수 있는 권리를 포함하므로, 그와 같은 권리의 내용을 구체화하는 법률은 필요하지 아니하다.

③ 국가는 제한된 재정 능력과 사회·경제적 발전 수준 등을 고려하여 장애인에 대한 접근권이 적절히 보장되도록 필요한 조치를 취할 의무가 있다.

④ 국회가 법률로 행정청에 특정한 사항을 위임했음에도 불구하고 행정청이 정당한 이유 없이 이를 이행하지 않는다면 권력분립의 원칙과 법치국가 또는 법치행정의 원칙에 위배되는 것으로서 위법·위헌에 해당한다.

⑤ 행정청이 법률에서 대통령령으로 정하도록 위임받은 사항을 전혀 입법하지 않은 경우는 물론 그 법률이 위임한 사항을 불충분하게 규정함으로써 법률이 위임한 행정입법의무를 제대로 이행하지 않은 경우에도 위법·위헌에 해당한다.

> **해설** ① ○ ② × ③ ○ ④ ○ ⑤ ○ : [차별구제청구등] [1] **장애인의 접근권**은 헌법상 인간의 존엄과 가치 및 행복을 추구할 권리를 장애인에게도 동등하게 보장하고, 사회적 약자인 장애인이 인간다운 생활을 하는 데 필수적인 전제가 되는 권리로서, 비록 헌법에 명시되지는 않았으나 헌법 규정들로부터 도출되는 기본권으로서의 지위를 가진다. [2] 다만 장애인의 접근권이 접근에 대한 방해의 금지를 구하는 소극적·방어적인 수준을 넘어 비장애인과 동등한 수준의 접근을 보장할 수 있는 특정 시설과 설비를 설치할 것을 국가나 사인(私人)에게 적극적으로 요구할 수 있는 권리로 구체화되기 위해서는 이를 위한 법률이 필요하다 할 것이고, [3] 국가는 제한된 재정 능력과 사회·경제적 발전 수준 등을 고려하여 장애인에 대한 접근권이 적절히 보장되도록 필요한 조치를 취할 의무가 있다. [4] 국회가 법률로 행정청에 특정한 사항을 위임했음에도 불구하고 행정청이 정당한 이유 없이 이를

정답 ▶ **01** ②

이행하지 않는다면 권력분립의 원칙과 법치국가 또는 법치행정의 원칙에 위배되는 것으로서 위법함과 동시에 위헌적인 것이 되고, [5] 이는 행정청이 법률에서 대통령령으로 정하도록 위임받은 사항을 전혀 입법하지 않은 경우는 물론 그 법률이 위임한 사항을 불충분하게 규정함으로써 법률이 위임한 행정입법의무를 제대로 이행하지 않은 경우도 마찬가지이다(대판 2024.12.19, 2022다289051 전원합의체).

[사실관계] 소규모 소매점이 장애인 등 편의시설 설치의무(주출입구의 단차제거, 경사로 설치 등)에서 제외되어 장애인의 접근을 보장하지 못한다는 주장에 대하여 대법원은 편의시설 개선의무 불이행이 장기간 지속되어 접근권보장을 위한 적극적 조치가 없었음을 인정하여 장애인등편의증진법과 그 시행령에 따른 행정입법부작위에 대한 국가배상책임을 인정하였다.

▶ 대법원은 ① 지문의 내용처럼 참조조문으로 헌법 제10조, 제11조, 제34조 제1항, 제5항(신체장애자 및 질병·노령 기타의 사유로 생활능력이 없는 국민은 법률이 정하는 바에 의하여 국가의 보호를 받는다)을 들고 있다. ②, ③ 지문은 인간다운 생활을 할 권리(사회적 기본권)의 성격에서 도출되는 법리이고, ④, ⑤는 행정부작위와 행정입법부작위의 법리에 해당한다.

제3절 교육을 받을 권리

제4절 근로의 권리

01 근로의 권리에 관한 다음 설명 중 가장 옳지 않은 것은? ▶ 2021 법무사

① 헌법상 근로의 권리는 '일할 자리에 관한 권리'만이 아니라 '일할 환경에 관한 권리'도 의미하는 것이다.

② 근로자가 퇴직급여를 청구할 수 있는 권리는 헌법 제32조 제1항의 근로의 권리의 본질적인 내용에 해당하므로, 모든 근로자는 헌법상 권리로서 퇴직급여 청구권을 갖는다.

③ 최저임금제는 법률이 정하는 바에 의하여 보장되는 것이므로, 근로자가 최저임금을 청구할 수 있는 권리가 헌법상 근로의 권리로서 바로 보장되는 것은 아니다.

④ 근로의 권리는 개인인 근로자가 그 주체가 되는 것이고, 근로자의 모임인 노동조합은 그 주체가 될 수 없다.

⑤ 우리 헌법은 연소자의 근로는 특별한 보호를 받는다고 명문으로 규정하고 있다.

해설 ① ○ : [산업기술연수생 도입기준완화결정 등 위헌확인] 〈**근로의 권리에 관한 외국인의 기본권 주체성: 한정 적극**〉 근로의 권리가 "일할 자리에 관한 권리"만이 아니라 **일할 환경에 관한 권리**"도 함께 내포하고 있는바, 후자는 인간의 존엄성에 대한 침해를 방어하기 위한 자유권적 기본권의 성격도 갖고 있어 건강한 작업환경, 일에 대한 정당한 보수, 합리적인 근로조건의 보장 등을 요구할 수 있는 권리 등을 포함한다고 할 것이므로 외국인 근로자라고 하여 이 부분에까지 기본권 주체성을 부인할 수는 없다. 즉 근로의 권리의 구체적인 내용에 따라, **국가에 대하여 고용증진을 위한**

사회적 · 경제적 정책을 요구할 수 있는 권리는 사회권적 기본권으로서 국민에 대하여만 인정해야 하지만, / 자본주의 경제질서 하에서 **근로자가 기본적 생활수단을 확보하고 인간의 존엄성을 보장받기 위하여 최소한의 근로조건을 요구할 수 있는 권리**는 자유권적 기본권의 성격도 아울러 가지므로 이러한 경우 외국인 근로자에게도 그 기본권 주체성을 인정함이 타당하다(헌재 2007.8.30, 2004헌마670).

[동지판례] [외국인근로자의 고용 등에 관한 법률 제13조 제3항 등 위헌확인(외국인근로자 출국만기보험금 지급시기 제한사건)] 헌법상 근로의 권리는 '일할 자리에 관한 권리'만이 아니라 '일할 환경에 관한 권리'도 의미하는데, **'일할 환경에 관한 권리'**는 인간의 존엄성에 대한 침해를 방어하기 위한 권리로서 외국인에게도 인정되며, 건강한 작업환경, 일에 대한 정당한 보수, 합리적인 근로조건의 보장 등을 요구할 수 있는 권리 등을 포함한다. 여기서의 근로조건은 임금과 그 지불방법, 취업시간과 휴식시간 등 근로계약에 의하여 근로자가 근로를 제공하고 임금을 수령하는 데 관한 조건들이고, 이 사건 **출국만기보험금**은 퇴직금의 성질을 가지고 있어서 그 지급시기에 관한 것은 근로조건의 문제이므로 외국인인 청구인들에게도 기본권 주체성이 인정된다(헌재 2016.3.31, 2014헌마367).

② × : [근로기준법 제34조 등 위헌확인(계속근로기간 1년 미만 근로자에 대한 퇴직급여 미지급사건)] [기각] 헌법 제32조 제1항이 규정하는 **근로의 권리**는 사회적 기본권으로서 국가에 대하여 직접 일자리를 청구하거나 일자리에 갈음하는 생계비의 지급청구권을 의미하는 것이 아니라 고용증진을 위한 사회적 · 경제적 정책을 요구할 수 있는 권리에 그치며, 근로의 권리로부터 국가에 대한 직접적인 직장존속청구권이 도출되는 것도 아니다. 나아가 **근로자가 퇴직급여를 청구할 수 있는 권리**도 헌법상 바로 도출되는 것이 아니라 퇴직급여법 등 관련 법률이 구체적으로 정하는 바에 따라 비로소 인정될 수 있는 것이므로 계속근로기간 1년 미만인 근로자가 퇴직급여를 청구할 수 있는 권리가 헌법 제32조 제1항에 의하여 보장된다고 보기는 어렵다(헌재 2011.7.28, 2009헌마408).

③ ○ : 헌법 제32조 제1항 후단은 "국가는 사회적 · 경제적 방법으로 근로자의 고용의 증진과 적정임금의 보장에 노력하여야 하며, 법률이 정하는 바에 의하여 최저임금제를 시행하여야 한다."라고 규정하고 있어서 근로자가 최저임금을 청구할 수 있는 권리도 헌법상 바로 도출되는 것이 아니라 최저임금법 등 관련 법률이 구체적으로 정하는 바에 따라 비로소 인정될 수 있다(헌재 2012.10.25, 2011헌마307).

④ ○ : [지방세법 제245조의2 제1항 위헌소원] [합헌] 헌법 제32조 제1항이 규정한 근로의 권리는 근로자를 개인의 차원에서 보호하기 위한 권리로서 개인인 근로자가 그 주체가 되는 것이고 **노동조합**은 그 주체가 될 수 없으므로, 이 사건 법률조항이 노동조합을 비과세 대상으로 규정하지 않았다 하여 헌법 제32조 제1항에 반한다고 볼 여지는 없다(헌재 2009.2.26, 2007헌바27).

⑤ ○ : 제32조 제3항

정답　 **01** ②

제5절 근로3권

제6절 환경권

제7절 혼인과 가족생활의 보장

01 혼인과 가족생활에 관한 다음 설명 중 가장 옳지 않은 것은? ▶ 2024 법무사

① 헌법 제36조 제1항은 혼인과 가족생활에서 양성의 평등대우를 명하고 있으므로 남녀의 성을 근거로 하여 차별하는 것은 원칙적으로 금지되고, 성질상 오로지 남성 또는 여성에게만 특유하게 나타나는 문제의 해결을 위하여 필요한 예외적 경우에만 성차별적 규율이 정당화된다.

② 1990년 개정 민법의 시행일인 1991.1.1.부터 그 이전에 성립된 계모자 사이의 법정혈족관계를 소멸시키도록 한 민법 부칙 조항은 헌법 제36조 제1항에 위반된다.

③ 헌법 제36조 제1항은 혼인과 가족에 관련되는 공법 및 사법의 모든 영역에 영향을 미치는 헌법원리 내지 원칙규범으로서의 성격을 가지는데, 이는 적극적으로는 적절한 조치를 통해서 혼인과 가족을 지원하고 제3자에 의한 침해 앞에서 혼인과 가족을 보호해야 할 국가의 과제를 포함하며, 소극적으로는 불이익을 야기하는 제한조치를 통해서 혼인과 가족을 차별하는 것을 금지해야 할 국가의 의무를 포함한다.

④ 소득세법 제61조 제1항이 자산소득합산과세의 대상이 되는 혼인한 부부를 혼인하지 않은 부부나 독신자에 비하여 차별취급하는 것은 헌법상 정당화되지 아니하기 때문에 헌법 제36조 제1항에 위반된다.

⑤ 헌법 제36조 제1항은 혼인과 가족생활을 스스로 결정하고 형성할 수 있는 자유를 기본권으로서 보장하고, 혼인과 가족에 대한 제도를 보장한다.

> **해설** ① ○ : [호주제사건] **[헌법불합치]** 헌법 제36조 제1항은 혼인과 가족생활에서 양성의 평등대우를 명하고 있으므로 남녀의 성을 근거로 하여 차별하는 것은 원칙적으로 금지되고, 성질상 오로지 남성 또는 여성에게만 특유하게 나타나는 문제의 해결을 위하여 필요한 예외적 경우에만 성차별적 규율이 정당화된다. 과거 전통적으로 남녀의 생활관계가 일정한 형태로 형성되어 왔다는 사실이나 관념에 기인하는 차별, 즉 성역할에 관한 고정관념에 기초한 차별은 허용되지 않는다(헌재 2005.2.3. 2001헌가9). ▶ 호주제가 계승·발전시켜야 할 전통문화인지 여부(소극)
>
> ② × : [구 민법 부칙 제4조 위헌소원(법률에 의한 계모자 관계 소멸사건)] **[합헌]** 이 사건 법률조항(1990년 개정 민법의 시행일인 1991.1.1.부터 그 이전에 성립된 계모자 사이의 법정혈족관계를 소멸시키도록 한 민법 부칙 조항)은 계자의 친부와 계모의 혼인의사를 일률적으로 계자에 대한 입양 또는 그 대리의 의사로 간주하기는 어려우므로, 계자의 친부와 계모의 혼인에 따라 가족생

활을 자유롭게 형성할 권리를 침해하지 아니하고, 또한 개인의 존엄과 양성평등에 반하는 전래의 가족제도를 개선하기 위한 입법이므로 가족제도를 보장하는 헌법 제36조 제1항에 위반된다고 볼 수도 없다(헌재 2011.2.24, 2009헌바89).

③ ○ ④ ○ ⑤ ○ : [부부간 자산소득합산과세사건] **[위헌]** 부부간의 인위적인 자산 명의의 분산과 같은 가장행위 등은 상속세및증여세법상 증여의제규정 등을 통해서 방지할 수 있고, 부부의 공동생활에서 얻어지는 절약가능성을 담세력과 결부시켜 조세의 차이를 두는 것은 타당하지 않으며, 자산소득이 있는 모든 납세의무자 중에서 혼인한 부부가 혼인하였다는 이유만으로 혼인하지 않은 자산소득자보다 더 많은 조세부담을 하여 소득을 재분배하도록 강요받는 것은 부당하며, 부부 자산소득 합산과세를 통해서 혼인한 부부에게 가하는 조세부담의 증가라는 불이익이 자산소득합산과세를 통하여 달성하는 사회적 공익보다 크다고 할 것이므로, 소득세법 제61조 제1항이 자산소득합산과세의 대상이 되는 혼인한 부부를 혼인하지 않은 부부나 독신자에 비하여 차별취급하는 것은 헌법상 정당화되지 아니하기 때문에 헌법 제36조 제1항에 위반된다(헌재 2002.8.29, 2001헌바82).

정답 01 ②

국민의 기본적 의무

01 국방의 의무에 관한 다음 설명 중 가장 옳지 않은 것은? ▶ 2025 법무사

① 헌법 제39조 제1항에 규정된 국방의 의무는 외부 적대세력의 직·간접적인 침략행위로부터 국가의 독립을 유지하고 영토를 보전하기 위한 의무를 말한다.

② 헌법에서 국방의 의무를 국민에게 부과하고 있으므로, 병역법에 따라 군복무를 하는 것은 국민이 마땅히 하여야 할 이른바 신성한 의무를 다 하는 것일 뿐, 국가나 공익목적을 위하여 개인이 특별한 희생을 하는 것이라고 할 수 없다.

③ 군형법 제1조 제3항 제3호에서 소집되어 실역에 복무중인 예비역에 대하여 현역군인에 준하여 군형법을 적용토록 하였다 하더라도 이는 국방의 의무(헌법 제39조 제1항)에 근거한 것으로서 그 병역의무의 이행을 실효성 있게 확보하기 위한 것이라 할 것이므로 헌법에 위반된다고 할 수 없다.

④ 헌법 제39조 제2항이 "누구든지 병역의무의 이행으로 인하여 불이익한 처우를 받지 아니한다."라고 규정하고 있고, 향토예비군설치법 제11조는 "예비군부대의 지휘관 및 동원된 예비군대원에 대하여는 대통령령이 정하는 바에 의하여 급식 기타 실비변상을 할 수 있다."고 규정하여 병력동원을 위한 훈련에 소집된 예비군에게는 급식 및 실비변상이 이루어지고 있으므로, 교육훈련을 위하여 소집된 예비군에게도 그에 준하는 보상이 이루어져야 한다.

⑤ 병역의무 그 자체를 이행하느라 받는 불이익은 병역의무의 이행으로 인한 불이익한 처우의 금지와는 무관하다.

> **해설** ① ○ ② ○ : **[예비군훈련비용지급처분취소]** **[각하]** [1] 헌법 제39조 제1항은 "모든 국민은 법률이 정하는 바에 의하여 국방의 의무를 진다"고 규정하고 있는바, 이러한 국방의 의무는 외부 적대세력의 직·간접적인 침략행위로부터 국가의 독립을 유지하고 영토를 보전하기 위한 의무로서, [2] 헌법에서 이러한 국방의 의무를 국민에게 부과하고 있는 이상 향토예비군설치법에 따라 예비군 훈련소집에 응하여 훈련을 받는 것은 국민이 마땅히 하여야 할 의무를 다하는 것일 뿐, 국가나 공익목적을 위하여 특별한 희생을 하는 것이라고 할 수 없다. [4] 즉, 국민이 헌법에 따라 부과되는 의무를 이행하는 것은 국가의 존속과 활동을 위하여 불가결한 일인데, 그러한 의무를 이행하였다고 하여 이를 특별한 희생으로 보아 일일이 보상하여야 한다고 할 수는 없는 것이다. 결국, 이 사건 헌법소원은 헌법의 명문상으로나 해석상으로도 피청구인의 작위의무가 인정되지 않는 공권력의 불행사에 대한 심판청구이므로 **부적법**하다(헌재 2003.6.26, 2002헌마484).
>
> ③ ○ : 헌재 1999.2.25, 97헌바3
>
> ④ × : **[예비군훈련비용지급처분취소]** **[각하]** 청구인의 경우처럼 일반 교육훈련에 소집된 예비군에 대하여도 병력동원 훈련소집에 따라 입영한 예비군에 준하는 실비변상 등을 해 주는 규정을 마련하여야 할 입법의무가 입법자인 국회에 있는지 여부는 별론으로 하고 집행기관인 피청구인에게는 그와 같은 실비변상 등 일정한 보상을 하여야 할 법적인 의무가 존재하지 않으므로, 헌법상의

평등권조항으로부터도 피청구인의 청구인에 대한 <u>훈련보상의무가 도출된다고 할 수 없다</u>(헌재 2003.6.26, 2002헌마484).

⑤ ○ : 헌재 1999.2.25, 97헌바3

기본권 종합

01 기본권에 관한 다음 설명 중 가장 옳지 않은 것은? ▸ 2021 법무사

① 주민등록번호가 부여된 이후 주민등록번호 변경을 허용하게 되면 범죄은폐, 탈세, 채무면탈 또는 신분세탁 등 불순한 용도로 이를 악용하는 경우가 발생할 수 있으므로 주민등록번호 변경을 허용하지 않은 주민등록법이 개인정보자기결정권을 침해한 것으로 볼 수 없다.

② 인터넷언론사의 공개된 게시판·대화방에서 스스로의 의사에 의하여 정당·후보자에 대한 지지·반대의 글을 게시하는 행위는 양심의 자유나 사생활 비밀의 자유에 의하여 보호되는 영역이라고 할 수 없다.

③ 방송의 자유는 주관적 권리로서의 성격과 함께 자유로운 의견형성이나 여론형성을 위해 필수적인 기능을 행하는 객관적 규범질서로서 제도적 보장의 성격을 함께 가진다.

④ 군대 내에서 군종장교가 성직자의 신분에서 종교활동을 수행함에 있어 소속종단의 종교를 선전하거나 다른 종교를 비판하였다고 할지라도 그것만으로 종교적 중립을 준수할 의무를 위반하였다고 볼 수 없다.

⑤ 헌법 제23조의 재산권은 자기 노력의 대가나 자본의 투자 등 특별한 희생을 통하여 얻은 공법상의 권리도 포함한다.

해설 ① × : 지문은 반대의견의 내용이다

[주민등록법 제7조 제3항 등 위헌소원(주민등록번호 변경사건)] **[헌법불합치]** 주민등록번호는 표준식별번호로 기능함으로써 개인정보를 통합하는 연결자로 사용되고 있어, 불법 유출 또는 오·남용될 경우 개인의 사생활뿐만 아니라 생명·신체·재산까지 침해될 소지가 크므로 이를 관리하는 국가는 이러한 사례가 발생하지 않도록 철저히 관리하여야 하고, 이러한 문제가 발생한 경우 그로 인한 피해가 최소화되도록 제도를 정비하고 보완하여야 할 의무가 있다. 그럼에도 불구하고 <u>주민등록번호 유출 또는 오·남용으로 인하여 발생할 수 있는 피해 등에 대한 아무런 고려 없이</u> <u>주민등록번호 변경을 일체 허용하지 않는 것은 그 자체로 개인정보자기결정권에 대한 과도한 침</u> <u>해가 될 수 있다.</u> …… 따라서 **주민등록번호 변경에 관한 규정을 두고 있지 않은 심판대상조항**은 <u>과잉금지원칙에 위배되어 개인정보자기결정권을 침해한다</u>(헌재 2015.12.23, 2013헌바68).

② ○ : [공직선거법 제82조의6 제1항 등 위헌확인] 인터넷언론사의 공개된 게시판·대화방에서 스스로의 의사에 의하여 정당·후보자에 대한 지지·반대의 글을 게시하는 행위는 정당·후보자에 대한 단순한 의견 등의 표현행위에 불과하여 **양심의 자유**나 **사생활 비밀의 자유**에 의하여 보호되는 영역이라고 할 수 없으므로, 그 과정에서 실명확인 절차의 부담을 진다고 하더라도 이를 두고 양심의 자유나 사생활 비밀의 자유를 제한받는 것이라고 볼 수 없다(헌재 2010.2.25, 2008헌마324).

③ ○ : [방송법 제74조 위헌소원] 헌재 2003.12.18, 2002헌바49

④ ○ : 군대 내에서 군종장교는 국가공무원인 참모장교로서의 신분뿐 아니라 성직자로서의 신분을 함께 가지고 소속 종단으로부터 부여된 권한에 따라 설교·강론 또는 설법을 행하거나 종교의식 및 성례를 할 수 있는 종교의 자유를 가지는 것이므로, 군종장교가 최소한 성직자의 신분에서 주재하는 종교활동을 수행함에 있어 소속종단의 종교를 선전하거나 다른 종교를 비판하였다고 할지라도 그것만으로 종교적 중립을 준수할 의무를 위반한 직무상의 위법이 있다고 할 수 없다(대판 2007.4.26, 2006다87903). ▶ 공군참모총장이 전 공군을 지휘·감독할 지위에서 수하의 장병들을 상대로 단결심의 함양과 조직의 유지·관리를 위하여 계몽적인 차원에서 군종장교로 하여금 교계에 널리 알려진 특정 종교에 대한 비판적 정보를 담은 책자를 발행·배포하게 한 행위가 특별한 사정이 없는 한 정교분리의 원칙에 위반하는 위법한 직무집행에 해당하지 않는다고 한 사례

⑤ ○ : [국민건강보험법 제33조 제2항 등 위헌확인] **헌법 제23조의 재산권**은 민법상의 소유권뿐만 아니라, 재산적 가치 있는 사법상의 물권, 채권 등 모든 권리를 포함하며, 또한 국가로부터의 일방적인 급부가 아닌 자기 노력의 댓가나 자본의 투자 등 특별한 희생을 통하여 얻은 **공법상의 권리도 포함**한다(헌재 2000.6.29, 99헌마289).

PART
03
통치구조론

통치구조의 구성원리

 제1절   **대의제의 원리**

 제2절   **권력분립의 원리**

 제3절   **정부형태**

제4절   **정당제도**

01   **정당에 관한 다음 설명 중 가장 옳은 것은?**   ▶ 2024 법무사

① 정당은 국민의 이익을 위하여 책임 있는 정치적 주장이나 정책을 추진하고 공직선거의 후보자를 추천 또는 지지함으로써 국민의 정치적 의사형성에 참여함을 목적으로 하는 헌법상 기관이므로, 공권력행사의 주체가 된다.

② 정당은 수도에 소재하는 중앙당과 특별시·광역시·도에 각각 소재하는 시·도당으로 구성하는데, 정당은 5 이상의 시·도당을 가져야 하고, 시·도당은 500명 이상의 당원을 가져야 한다.

③ 정당이 그 소속 국회의원을 제명하기 위해서는 당헌이 정하는 절차를 거치는 외에 그 소속 국회의원 전원의 2분의 1 이상의 찬성이 있어야 한다.

④ 헌법재판소의 해산결정에 의하여 해산된 정당의 잔여재산은 당헌이 정하는 바에 따라 처분하고, 처분되지 아니한 정당의 잔여재산은 국고에 귀속한다.

⑤ 정당은 등록이 취소된 이후에는 헌법소원의 청구인능력이 없다.

해설 ① × : [한나라당 대통령 후보 경선시 여론조사 적용 위헌확인] **[각하]** **정당**은 국민의 이익을 위하여 책임 있는 정치적 주장이나 정책을 추진하고 공직선거의 후보자를 추천 또는 지지함으로써 국민의 정치적 의사형성에 참여함을 목적으로 하는 **국민의 자발적 조직**으로(정당법 제2조), 그 법적 성격은 일반적으로 사적·정치적 결사 내지는 법인격 없는 사단으로 파악되고 있고, 이러한 정당의 법률관계에 대하여는 정당법의 관계 조문 이외에 일반 사법 규정이 적용되므로, 정당은 공권력 행사의 주체가 될 수 없다(헌재 2007.10.30, 2007헌마1128).

▶ 정당이 공권력 행사의 주체가 아니고, 정당의 대통령선거 후보선출은 자발적 조직 내부의 의사결정에 지나지 아니하므로, 청구인들 주장과 같이 한나라당이 대통령선거 후보경선과정에서 여론조사 결과를 반영한 것을 일컬어 헌법소원심판의 대상이 되는 공권력의 행사에 해당한다 할 수 없다.

② × : 정당은 수도에 소재하는 중앙당과 특별시·광역시·도에 각각 소재하는 시·도당(이하 "시·도당"이라 한다)으로 구성한다(정당법 제3조). 정당은 **5 이상**의 시·도당을 가져야 한다(정당법 제17조). 시·도당은 **1천인 이상의 당원**을 가져야 한다(정당법 제18조 제1항).

③ ○ : 정당법 제33조

④ × : 정당이 제44조(등록의 취소) 제1항의 규정에 의하여 등록이 취소되거나 제45조(자진해산)의 규정에 의하여 자진해산한 때에는 그 잔여재산은 당헌이 정하는 바에 따라 처분한다(정당법 제48조 제1항). 제1항의 규정에 의하여 처분되지 아니한 정당의 잔여재산 및 헌법재판소의 **해산결정**에 의하여 해산된 정당의 잔여재산은 **국고**에 **귀속**한다(정당법 제48조 제2항).

⑤ × : [정당법 제25조 등 위헌확인](정당의 등록요건사건) [기각] 청구인(**사회당**)은 등록이 취소된 이후에도, 취소 전 사회당의 명칭을 사용하면서 대외적인 정치활동을 계속하고 있고, 대내외 조직구성과 선거에 참여할 것을 전제로 하는 당헌과 대내적 최고의사결정기구로서 당대회와, 대표단 및 중앙위원회, 지역조직으로 시·도위원회를 두는 등 계속적인 조직을 구비하고 있는 사실 등에 비추어 보면, 청구인은 등록이 취소된 이후에도 '등록정당'에 준하는 '권리능력 없는 사단'으로서의 실질을 유지하고 있다고 볼 수 있으므로 이 사건 헌법소원의 청구인능력을 인정할 수 있다(헌재 2006.3.30, 2004헌마246).

▶ 이 사건 법률조항(정당의 등록요건으로 "5 이상의 시·도당과 각 시·도당 1,000명 이상의 당원"을 요구하는 구 정당법)이 비록 정당으로 등록되기에 필요한 요건으로서 5개 이상의 시·도당 및 각 시·도당마다 1,000명 이상의 당원을 갖출 것을 요구하고 있기 때문에 국민의 정당설립의 자유에 어느 정도 제한을 가하는 점이 있는 것은 사실이나, 이러한 제한은 "상당한 기간 또는 계속해서", "상당한 지역에서" 국민의 정치적 의사형성 과정에 참여해야 한다는 헌법상 정당의 개념표지를 구현하기 위한 합리적인 제한이라고 할 것이므로, 그러한 제한은 헌법적으로 정당화된다.

02 정당에 관한 다음 설명 중 가장 옳지 않은 것은? ▶ 2025 법무사

① 정당은 헌법 제111조 제1항 제4호 및 헌법재판소법 제62조 제1항 제1호의 '국가기관'에 해당한다고 볼 수는 없으나, 사적 결사와 국회 교섭단체로서의 이중적 지위를 가진다는 점에서 권한쟁의심판의 당사자능력이 인정된다.

② 정당의 목적이나 활동이 민주적 기본질서에 위배될 때에는 정부는 국무회의의 심의를 거쳐 헌법재판소에 정당해산심판을 청구할 수 있다.

③ 복수 당적 보유가 허용될 경우 정당 간의 위법·부당한 간섭이 발생하거나 정당의 정체성이 약화될 수 있고, 그 결과 정당이 국민의 정치적 의사형성에 참여하고 이러한 목표 달성에 필요한 조직을 갖추어야 한다는 헌법적 과제를 효과적으로 수행하지 못하게 될 우려가 있다.

④ 정당 설립을 위하여 등록을 요구하는 정당등록제도는 어떤 정치적 결사가 정당법상 정당임을 법적으로 확인하여 주는 것에 그치므로 이를 정당의 자유에 대한 과도한 제한이라고 보기 어렵다.

⑤ 헌법재판소는 정당해산심판의 청구를 받은 때에는 직권 또는 청구인의 신청에 의하여 종국결정의 선고시까지 피청구인의 활동을 정지하는 결정을 할 수 있다.

 정답 　 **01** ③ **02** ①

해설 ① × : [국회의장의 무제한토론거부행위와 공직선거법 본회의수정안 가결선포행위 사건] **[각하] 정당**은 국민의 자발적 조직으로, 그 법적 성격은 일반적으로 사적·정치적 결사 내지는 법인격 없는 사단으로서 공권력의 행사 주체로서 국가기관의 지위를 갖는다고 볼 수 없다. 정당이 국회 내에서 교섭단체를 구성하고 있다고 하더라도, 헌법은 권한쟁의심판청구의 당사자로서 국회의원들의 모임인 **교섭단체**에 대해서 규정하고 있지 않고, 교섭단체의 권한 침해는 교섭단체에 속한 국회의원 개개인의 심의·표결권 등 권한 침해로 이어질 가능성이 높아 그 분쟁을 해결할 적당한 기관이나 방법이 없다고 할 수 없다. 따라서 정당은 헌법 제111조 제1항 제4호 및 헌법재판소법 제62조 제1항 제1호의 '국가기관'에 해당한다고 볼 수 없으므로, 권한쟁의심판의 당사자능력이 인정되지 아니한다(헌재 2020.5.27. 2019헌라6). ▶ 정당이 권한쟁의심판의 당사자능력이 있는지 여부 : 소극

② ○ : 헌법재판소법 제55조(정당해산심판의 청구)

③ ○ : [복수 당적 보유 금지 사건] **[기각]** 헌재 2022.3.31. 2020헌마1729

④ ○ : [정당법 제59조 제2항 등 위헌제청(정당등록, 정당명칭사용금지, 지역정당, 법정당원수에 대한 정당법 사건)] **[합헌, 기각]** 헌재 2023.9.26. 2021헌가23등

⑤ ○ : 헌법재판소법 제57조(가처분)

03 정당에 관한 다음 설명 중 옳지 않은 것은 모두 몇 개인가?

▸ 2022 법무사

> ㉠ 정당의 목적이나 활동 중 어느 하나라도 민주적 기본질서에 위배된다면 정당해산의 사유가 될 수 있다.
> ㉡ 정당해산심판제도는 1960.6.15. 제3차 헌법 개정을 통해 우리 헌법에 도입되었다.
> ㉢ 정당해산 사유를 규정한 헌법 제8조 제4항의 "민주적 기본질서"는 최대한 엄격하고 협소한 의미로 이해하여야 한다.
> ㉣ 정당이 당원 내지 후원자들로부터 정당의 목적에 따른 활동에 필요한 정치자금을 모금하는 것은 정당활동의 자유의 내용에 당연히 포함된다.
> ㉤ 헌법 제8조 제1항 전단에 규정된 정당설립의 자유에는 정당존속의 자유와 정당활동의 자유가 당연히 포함된다.

① 없음   ② 1개   ③ 2개
④ 3개   ⑤ 4개

해설 ㉠ ○ : [통합진보당해산사건] **[위헌정당해산결정]** 헌법 **제8조 제4항**은 "정당의 목적이나 활동이 민주적 기본질서에 위배될 때에는 정부는 헌법재판소에 그 해산을 제소할 수 있고, 정당은 헌법재판소의 심판에 의해 해산된다."고 규정하고 있고, 정당해산심판의 사유와 관련하여 이 규정을 구체적으로 어떻게 해석할 것인지 문제된다. …… 한편, 동 조항의 규정형식에 비추어 볼 때, 정당의 목적이나 활동 중 어느 하나라도 민주적 기본질서에 위배된다면 정당해산의 사유가 될 수 있다고 해석된다(헌재 2014.12.19. 2013헌다1).

㉡ ○ : 우리 헌법은 1960.6.15. **제3차** 헌법 개정을 통해 **정당조항**을 **신설**하여 정당제도를 보장하고, 정당해산심판제도를 도입하여 **방어적 민주주의**를 채택하였다.

ⓒ ○ : [통합진보당 해산사건] **[위헌정당해산결정]** 헌법 제8조 제4항의 민주적 기본질서 개념은 정당 해산결정의 가능성과 긴밀히 결부되어 있다. 이 민주적 기본질서의 외연이 확장될수록 정당해산결정의 가능성은 확대되고, 이와 동시에 정당 활동의 자유는 축소될 것이다. 민주 사회에서 정당의 자유가 지니는 중대한 함의나 정당해산심판제도의 남용가능성 등을 감안한다면, <u>헌법 제8조 제4항의 민주적 기본질서는 최대한 엄격하고 협소한 의미로 이해해야 한다</u>(헌재 2014.12.19, 2013헌다1).

ⓔ ○ : [정치자금법 제45조 제1항 등 위헌소원사건(정당에 대한 후원을 금지한 정치자금법 규정의 위헌 여부)] **[헌법불합치]** 정당이 국민 속에 뿌리를 내리고, 국민과 밀접한 접촉을 통하여 국민의 의사와 이익을 대변하고, 이를 국가와 연결하는 중개자로서의 역할을 수행하기 위해서 정당은 정치적으로뿐만 아니라 재정적으로도 국민의 동의와 지지에 의존하여야 하며, 정당 스스로 국민들로부터 그 재정을 충당하기 위해 노력해야 한다. 이러한 의미에서 <u>정당이 당원 내지 후원자들로부터 정당의 목적에 따른 활동에 필요한 정치자금을 모금하는 것은 정당의 조직과 기능을 원활하게 수행하는 필수적인 요소이자 정당활동의 자유를 보장하기 위한 필수불가결한 전제로서, 정당활동의 자유의 내용에 당연히 포함된다</u>고 할 수 있다(헌재 2015.12.23, 2013헌바168).

ⓜ ○ : [정당법 제41조 제4항 위헌확인사건(정당등록취소 및 등록취소된 정당의 명칭사용금지 사건)] **[위헌]** 헌법 제8조 제1항 전단은 단지 **정당설립의 자유**만을 명시적으로 규정하고 있지만, 정당의 설립만이 보장될 뿐 설립된 정당이 언제든지 해산될 수 있거나 정당의 활동이 임의로 제한될 수 있다면 정당설립의 자유는 사실상 아무런 의미가 없게 되므로, <u>정당설립의 자유는 당연히 **정당존속의 자유**와 **정당활동의 자유**를 포함하는 것이다</u>. 한편, 정당의 명칭은 그 정당의 정책과 정치적 신념을 나타내는 대표적인 표지에 해당하므로, 정당설립의 자유는 자신들이 원하는 명칭을 사용하여 정당을 설립하거나 정당활동을 할 자유도 포함한다(헌재 2014.1.28, 2012헌마431).

04 정당제도에 관한 다음 설명 중 가장 옳지 않은 것은?

▶ 2021 법무사

① 우리 헌법은 정당을 일반적인 결사의 자유로부터 분리하여 제8조에 독자적으로 규율함으로써, 정당의 특별한 지위를 강조하고 있다.

② 헌법 제8조 제1항 전단의 정당설립의 자유는 정당설립의 자유만이 아니라 누구나 국가의 간섭을 받지 아니하고 자유롭게 정당에 가입하고 정당으로부터 탈퇴할 수 있는 자유를 함께 보장한다.

③ 정당의 설립과 활동의 자유를 보장하는 것은 선거제도의 민주화와 국민주권을 실질적으로 현실화하고 정치적으로 자유민주주의 구현에 기여하는 데 그 목적이 있는 것이지 정치의 독점이나 무소속후보자의 진출을 봉쇄하는 정당의 특권을 설정할 수 있는 것을 의미하는 것이 아니다.

④ 정당은 단순히 행정부의 통상적인 처분에 의해서는 해산될 수 없고, 오직 헌법재판소가 그 정당의 위헌성을 확인하고 해산의 필요성을 인정한 경우에만 정당정치의 영역에서 배제된다.

⑤ 정당해산심판절차에 민사소송에 관한 법령을 준용하도록 한 헌법재판소법 제40조 제1항은 헌법상 재판을 받을 권리를 침해한다.

정답 ▶ 03 ① 04 ⑤

해설 ① ○ : 오늘날 민주주의에서 차지하는 정당의 이러한 의의와 기능을 고려하여 우리 헌법은 정당을 일반적인 결사의 자유로부터 분리하여 제8조에 독자적으로 규율함으로써, 정당의 특별한 지위를 강조하고 있다. 헌법 제8조는 제1항에서 "정당의 설립은 자유이며, 복수정당제는 보장된다."고 규정하여 국민 누구나가 원칙적으로 국가의 간섭을 받지 아니하고 정당을 설립할 권리를 국민의 기본권으로 보장하면서, 아울러 정당설립의 자유를 보장한 것의 당연한 법적 산물인 복수정당제를 제도적으로 보장하고 있다(헌재 1999.12.23, 99헌마135).

② ○ : 헌재 2006.3.30, 2004헌마246

③ ○ : 우리 헌법이 정당의 설립과 활동의 자유를 보장하고 있는 것은 선거제도의 민주화와 국민주권을 실질적으로 현실화하고 정치적으로 자유민주주의 구현에 기여하는데 그 목적이 있는 것이지 정치의 독점이나 무소속후보자의 진출을 봉쇄하는 정당의 특권을 설정할 수 있는 것을 의미하는 것이 아니기 때문에 정당만이 의석을 독점할 수 있도록 선거운동에 있어서 입후보자의 기회균등을 부정하는 선거법을 협상하고 비민주적인 선거제도를 만드는 것은 헌법상의 기본골격인 자유민주국가의 기본원리에 합당하지 않고 법치주의의 구현이나 공명선거의 시행을 염원하는 민의(民意)의 참뜻을 잘못 이해하고 있는 데에서 비롯되는 것이라 아니할 수 없다(헌재 1992.3.13, 92헌마37).

④ ○ : [통합진보당해산사건] **[위헌정당해산결정]** 정당해산심판제도는 정부의 일방적인 행정처분에 의해 진보적 야당이 등록취소되어 사라지고 말았던 우리 현대사에 대한 반성의 산물로서 제3차 헌법 개정을 통해 헌법에 도입된 것이다. 우리나라의 경우 이 제도는 발생사적 측면에서 정당을 보호하기 위한 절차로서의 성격이 부각된다. 따라서 모든 정당의 존립과 활동은 최대한 보장되며, 설령 어떤 정당이 민주적 기본질서를 부정하고 이를 적극적으로 공격하는 것으로 보인다 하더라도 국민의 정치적 의사형성에 참여하는 정당으로서 존재하는 한 헌법에 의해 최대한 두텁게 보호되므로, 단순히 행정부의 통상적인 처분에 의해서는 해산될 수 없고, 오직 헌법재판소가 그 정당의 위헌성을 확인하고 해산의 필요성을 인정한 경우에만 정당정치의 영역에서 배제된다(헌재 2014.12.19, 2013헌다1).

⑤ × : [통합진보당해산사건] **[위헌정당해산결정]** 정당해산심판절차에 관하여 민사소송에 관한 법령을 준용하도록 한 헌법재판소법 제40조 제1항은 헌법상 재판을 받을 권리를 침해하지 아니하므로(헌재 2014.2.27, 2014헌마7), 정당해산심판절차에는 헌법재판소법과 헌법재판소 심판규칙, 그리고 헌법재판의 성질에 반하지 않는 한도 내에서 민사소송에 관한 법령이 적용된다(헌재 2014.12.19, 2013헌다1). ∵ '헌법재판의 성질에 반하지 아니하는 한도'에서 민사소송에 관한 법령을 준용하도록 규정하여 정당해산심판의 고유한 성질에 반하지 않도록 적용범위를 한정하고 있으므로

05 정당해산심판제도에 관한 다음 설명 중 가장 옳지 않은 것은? ▶ 2021 법무사

① 헌법은 방어적 민주주의 관점에 기초하여 정당해산심판제도를 규정하고 있다.
② 정당의 목적이나 활동이 민주적 기본질서에 위배될 때에는 정부는 헌법재판소에 그 해산을 제소할 수 있다.
③ 정당의 목적이나 활동이 헌법에 위반된 경우, 그 위반이 사소한 위반인 경우에도 그 정당을 해산하는 것이 헌법 정신에 부합한다.
④ 정당 소속원이 민주적 기본질서에 위반된 행위를 하였다고 하더라도, 개인적 차원의 행위에 불과한 것이라면, 이러한 행위에 대해서까지 정당해산심판의 심판대상이 되는 활동으로 보기는 어렵다.
⑤ 정당해산심판제도는 정치적 비판자들을 탄압하기 위한 용도로 남용되는 일이 생기지 않도록 엄격하고 제한적으로 운용되어야 한다.

해설 ① ○ : [통합진보당해산사건] [위헌정당해산결정] 정당해산심판제도의 본질은 그 목적이나 활동이 민주적 기본질서에 위배되는 정당을 국민의 정치적 의사 형성과정에서 미리 배제함으로써 국민을 보호하고 헌법을 수호하기 위한 것이다. 어떠한 정당을 엄격한 요건 아래 위헌정당으로 판단하여 해산을 명하는 것은 헌법을 수호한다는 방어적 민주주의 관점에서 비롯되는 것이고, 이러한 비상상황에서는 국회의원의 국민대표성은 부득이 희생될 수밖에 없다(헌재 2014.12.19, 2013헌다1).

② ○ : 제8조 제4항

③ × : [통합진보당해산사건] [위헌정당해산결정] 헌법 제8조 제4항은 **정당해산심판의 사유를 "정당의 목적이나 활동이 민주적 기본질서에 위배될 때"**로 규정하고 있는바, 이 "위배될 때"의 해석 여하에 따라서는 정당의 목적이나 활동이 민주적 기본질서에 단순히 저촉되는 때에도 그 정당이 해산될 수 있다고 볼 수도 있을 것이다. 그러나 이러한 해석에 의하면 극단적인 경우 정당의 목적이나 활동이 민주적 기본질서와 부합하지 않는 부분이 경미하게라도 존재하기만 한다면 해산을 면할 수 없다는 결론도 가능한데, 이는 민주주의 사회에서 정당이 차지하는 중요성에 비추어 볼 때 쉽게 납득하기 어려운 결론이다. 정당에 대한 해산결정은 민주주의 원리와 정당의 존립과 활동에 대한 중대한 제약이라는 점에서, 정당의 목적과 활동에 관련된 모든 사소한 위헌성까지도 문제 삼아 정당을 해산하는 것은 적절하지 않다.
그렇다면 헌법 제8조 제4항에서 말하는 **민주적 기본질서의 위배**란, 민주적 기본질서에 대한 단순한 위반이나 저촉을 의미하는 것이 아니라, / 민주 사회의 불가결한 요소인 정당의 존립을 제약해야 할 만큼 그 정당의 목적이나 활동이 우리 사회의 **민주적 기본질서에 대하여 실질적인 해악을 끼칠 수 있는 구체적 위험성을 초래하는 경우**를 가리킨다(헌재 2014.12.19, 2013헌다1).

④ ○ : [통합진보당해산사건] [위헌정당해산결정] 그 밖의 **정당에 속한 개인이나 단체의 활동**은 그러한 활동이 이루어진 구체적인 경위를 살펴서 그것을 정당의 활동으로 볼 수 있는 사정이 있는지를 판단해야 한다. 예컨대, 활동을 한 개인이나 단체의 지위 등에 비추어 볼 때 정당이 그러한 활동을 할 권한을 부여하거나 그 활동을 독려하였는지 여부, 설령 그러한 권한의 부여 등이 없었다 하더라도 사후에 그 활동을 적극적으로 옹호하는 등 그 활동을 사실상 정당의 활동으로 추인한 것과 같다고 볼 수 있는 사정이 있는지 여부, 혹은 사전에 그 정당이 그러한 활동의 계획을 알았더라도 이를 정당 차원에서 지원하고 지지했을 것이라고 가정적으로 판단할 수 있는 사정이 있는지 여부

정답 **05** ③

등을 구체적으로 살펴 전체적이고 종합적으로 판단해야 한다. 반면, 정당대표나 주요 관계자의 행위라 하더라도 개인적 차원의 행위에 불과한 것이라면 이러한 행위에 대해서까지 정당해산심판의 심판대상이 되는 활동으로 보기는 어렵다(헌재 2014.12.19, 2013헌다1).

⑤ ○ : [통합진보당해산사건] [위헌정당해산결정] 정당해산심판제도는 운영 여하에 따라 그 자체가 민주주의에 대한 해악이 될 수 있으므로 일종의 극약처방인 셈이다. 따라서 정치적 비판자들을 탄압하기 위한 용도로 남용되는 일이 생기지 않도록 정당해산심판제도는 매우 엄격하고 제한적으로 운용되어야 한다. **'의심스러울 때에는 자유를 우선시하는(in dubio pro libertate)'** 근대 입헌주의의 원칙은 정당해산심판제도에서도 여전히 적용되어야 할 것이다(헌재 2014.12.19, 2013헌다1).

제5절   선거제도

01 선거원칙에 관한 다음 설명 중 가장 옳지 않은 것은? ▸ 2025 법무사

① 보통선거의 원칙은 선거권자의 능력, 재산, 사회적 지위 등의 실질적인 요소를 배제하고, 성년자이면 누구라도 당연히 선거권을 갖는 것을 요구한다. 따라서 보통선거의 원칙에 반하는 선거권 제한의 입법을 하기 위해서는 헌법 제37조 제2항의 규정에 따른 한계가 한층 엄격히 지켜져야 한다.

② 평등선거의 원칙은 1인 1표의 원칙과 1표의 투표가치가 대표자 선정이라는 선거의 결과에 대하여 기여한 정도에 있어서도 평등하여야 한다는 원칙(one vote, one value)을 그 내용으로 한다. 또한, 일정한 집단의 의사가 정치과정에서 반영될 수 없도록 차별적으로 선거구를 획정하는, 이른바 '게리맨더링'에 대한 부정을 의미하기도 한다.

③ 신체의 장애로 인하여 자신이 기표할 수 없는 선거인에 대해 투표보조인이 가족이 아닌 경우 반드시 2인을 동반하여서만 투표를 보조하게 할 수 있도록 정하고 있는 공직선거법 규정은, 선거인이 자신에게 필요한 투표보조인의 수를 스스로 결정할 수 없게 하고, 2인의 투표보조인에게 투표의 내용을 공개하도록 하여 선거권 행사를 위축시킨다. 따라서 위 규정은 선거의 공정성을 확보하는 데 치우친 나머지 비밀선거의 중요성을 간과하고 있으므로 선거권 제한을 최소화하고 있다고 보기 어려운 점 등에 비추어 과잉금지원칙에 위반된다.

④ 자유선거의 원칙은 헌법에 명문으로 규정되어 있지는 아니하나, 민주국가의 선거제도에 내재하는 법 원리로서, 국민주권의 원리, 의회민주주의의 원리 및 참정권에 관한 규정에서 그 근거를 찾을 수 있다.

⑤ 일부 선거구의 획정에 위헌성이 있다고 하더라도 선거구구역표는 전체가 불가분적 일체를 이루는 것이므로 선거구구역표의 전부에 관하여 위헌선언을 하여야 한다.

해설 ① ○ : [집행유예자 수형자 선거권제한사건] 헌재 2014.1.28, 2012헌마409등

② ○ : 헌재 2009.3.26, 2006헌마72

③ × : 지문은 반대의견의 내용이다.

　　[공직선거법 제157조 제6항 후단 위헌확인 등](신체에 장애가 있는 선거인에 대해 투표보조인이 가족이 아닌 경우 반드시 2인을 동반하도록 한 공직선거법 조항에 관한 위헌소원 사건) **[기각]** 심판대상조항이 달성하고자 하는 공익은 중증장애인의 실질적인 선거권 보장과 선거의 공정성 확보로서 매우 중요한 반면, 심판대상조항으로 인해 청구인이 받는 불이익은 투표보조인이 가족이 아닌 경우 2인을 동반해야 하므로, 투표보조인이 1인인 경우에 비하여 투표의 비밀이 더 유지되기 어렵고, 투표보조인을 추가로 섭외해야 한다는 불편에 불과하므로, 심판대상조항은 법익의 균형성원칙에 반하지 않는다. 그러므로 심판대상조항은 비밀선거의 원칙에 대한 예외를 두고 있지만 필요하고 불가피한 예외적인 경우에 한하고 있으므로, 과잉금지원칙에 반하여 청구인의 선거권을 침해하지 않는다(헌재 2020.5.27, 2017헌마867).

④ ○ : 헌재 1994.7.29, 93헌가4등

⑤ ○ : 헌재 1995.12.27, 95헌마224등

02 선거운동에 관한 다음 설명 중 가장 옳지 않은 것은?　　　▸ 2021 법무사

① 선거운동의 자유는 우리 헌법에 명시되어 있지 않다.

② 예비후보자로 등록한 사람은 선거운동기간 이전이라도 선거운동을 할 수 있다.

③ 예비후보자로서 선거운동을 할 수 있는 기간을 제한하는 것 자체가 선거운동의 자유를 과도하게 제한하는 것이라고 할 수는 없고, 제한되는 기간을 어느 정도로 할 것인지 여부는 입법정책에 맡겨져 있다고 볼 수 있으며, 그 구체적인 기간이 선거운동의 자유를 형해화할 정도에 이르지 않았다면 이 역시 기본권을 침해하였다고 볼 수 없다.

④ 선거운동기간 전에는 문자메시지를 전송하는 방법이나 인터넷 홈페이지 또는 그 게시판·대화방 등에 글이나 동영상 등을 게시하거나 전자우편을 전송하는 방법으로 선거운동을 하는 것이 허용되지 않는다.

⑤ 공직선거법이 자치구·시의 장의 선거에서 예비후보자의 선거운동기간보다 군의 장의 선거에서 예비후보자의 선거운동기간을 단기간으로 정한 것은 합리적 이유 있는 차별로서 평등원칙에 위배되지 않는다.

해설　① ○ : 선거운동의 자유는 우리 헌법에 명시되어 있지 않고, **공직선거법**에 명시되어 있다. 누구든지 자유롭게 선거운동을 할 수 있다. 그러나 이 법 또는 다른 법률의 규정에 의하여 금지 또는 제한되는 경우에는 그러하지 아니하다(공직선거법 제58조 제2항).

　　② ○ : 공직선거법 제59조 제1호 참조

　　④ × : 공직선거법 제59조 제2호·제3호 참조

✔ 참고　**공직선거법**

> 제59조(선거운동기간)
> 선거운동은 선거기간개시일부터 선거일 전일까지에 한하여 할 수 있다. 다만 다음 각 호의 어느 하나에 해당하는 경우에는 그러하지 아니하다.

정답 ▶　**01 ③　02 ④**

1. 제60조의3(예비후보자 등의 선거운동) 제1항 및 제2항의 규정에 따라 예비후보자 등이 선거운동을 하는 경우
2. 문자메시지를 전송하는 방법으로 선거운동을 하는 경우. 이 경우 자동동보통신의 방법(동시 수신대상자가 20명을 초과하거나 그 대상자가 20명 이하인 경우에도 프로그램을 이용하여 수신자를 자동으로 선택하여 전송하는 방식을 말한다)으로 전송할 수 있는 자는 후보자와 예비후보자에 한하되, 그 횟수는 8회를 넘을 수 없으며, 중앙선거관리위원회규칙에 따라 신고한 1개의 전화번호만을 사용하여야 한다.
3. 인터넷 홈페이지 또는 그 게시판·대화방 등에 글이나 동영상 등을 게시하거나 전자우편(컴퓨터 이용자끼리 네트워크를 통하여 문자·음성·화상 또는 동영상 등의 정보를 주고받는 통신시스템을 말한다. 이하 같다)을 전송하는 방법으로 선거운동을 하는 경우. 이 경우 전자우편 전송대행업체에 위탁하여 전자우편을 전송할 수 있는 사람은 후보자와 예비후보자에 한한다.
4. 선거일이 아닌 때에 전화(송·수화자 간 직접 통화하는 방식에 한정하며, 컴퓨터를 이용한 자동 송신장치를 설치한 전화는 제외한다)를 이용하거나 말(확성장치를 사용하거나 옥외집회에서 다중을 대상으로 하는 경우를 제외한다)로 선거운동을 하는 경우
5. 후보자가 되려는 사람이 선거일 전 180일(대통령선거의 경우 선거일 전 240일을 말한다)부터 해당 선거의 예비후보자등록신청 전까지 제60조의3 제1항 제2호의 방법으로 자신의 명함을 직접 주는 경우

③ ○ ⑤ ○ : [군의 장의 선거의 예비후보자등록 신청기간을 선거기간개시일 전 60일로 제한하는 공직선거법 조항에 관한 사건] 예비후보자로서 선거운동을 할 수 있는 기간을 제한하는 것 자체가 선거운동의 자유를 과도하게 제한하는 것이 아니라고 한다면, 제한되는 기간을 어느 정도로 할 것인지 여부는 입법정책에 맡겨져 있다고 볼 수 있고, 그 구체적인 기간이 선거운동의 자유를 형해화할 정도에 이르지 않았다면 이 역시 기본권을 침해하였다고 볼 수 없다. 입법자는 국가의 정치·사회·경제적 사정, 선거문화의 수준, 선거의 규모·특성 등을 종합적으로 고려하여 그 기간을 정할 수 있는 것이다(헌재 2020.11.26, 2018헌마260).

▶ 군은 주로 농촌 지역에 위치하고 있어 도시 지역인 자치구·시보다 대체로 인구가 적다. 또한, 군의 평균 선거인수는 자치구·시의 평균 선거인수에 비하여 적다. 심판대상조항은 이러한 차이를 고려하여 자치구·시의 장의 선거에서보다 군의 장의 선거에서 예비후보자의 선거운동기간을 단기간으로 정한 것인바, 이러한 차별취급은 자의적인 것이라 할 수 없다. 따라서 이 조항은 청구인의 평등권을 침해하지 않는다.

03 정치적 표현의 자유에 관한 다음 설명 중 가장 옳지 않은 것은? ▶ 2022 법무사

① 공무원이 선거에서 특정정당 또는 특정인을 지지하기 위하여 타인에게 정당에 가입하도록 권유 운동을 한 경우 형사처벌하는 조항은 공무원의 정치적 표현의 자유를 침해한다.

② 당원이 아닌 자에게도 투표권을 부여하는 당내경선에서 지방공기업법에 규정된 시설관리공단의 상근직원이 경선운동을 할 수 없도록 금지하는 조항은 정치적 표현의 자유를 침해한다.

③ 당내경선에서 이루어지는 경선운동은 원칙적으로 공직선거에서의 당선 또는 낙선을 위한 행위인 선거운동에 해당하지 않으므로, 경선운동을 금지하는 조항이 과잉금지원칙에 반하는지 여부를 판단할 때에는 엄격한 심사기준이 적용되어야 한다.

④ 오늘날 정치적 표현의 자유는 자유민주적 기본질서의 구성요소로서 다른 기본권에 비하여 우월한 효력을 가지므로, 공무원이라는 지위에 있다는 이유만으로 정치적 표현의 자유를 전면적으로 부정할 수는 없다.

⑤ 군무원이 연설, 문서 등의 방법으로 정치적 의견을 공표하는 경우 2년 이하의 금고에 처하도록 한 조항은 군무원의 정치적 표현의 자유를 침해하지 않는다.

해설 ① × : [국가공무원법 제65조 제2항 제5호 등 위헌소원(국가공무원법상 정당가입권유금지조항, 공직선거법상 경선운동금지조항, 경선운동방법조항, 기부행위금지조항, 분리선고조항 사건)] [합헌] **정당가입권유금지조항**은 선거에서 특정정당·특정인을 지지하기 위하여 정당가입을 권유하는 적극적·능동적 의사에 따른 행위만을 금지함으로써 공무원의 정치적 표현의 자유를 최소화하고 있고, 이러한 행위는 단순한 의견개진의 수준을 넘어 선거운동에 해당하므로 입법자는 헌법 제7조 제2항이 정한 공무원의 정치적 중립성 보장을 위해 이를 제한할 수 있다. 그러므로 정당가입권유금지조항은 과잉금지원칙에 반하여 정치적 표현의 자유를 침해하지 아니한다(헌재 2021.8.31, 2018헌바149).

② ○ ③ ○ : [공직선거법 제57조의6 제1항 등 위헌제청(지방공단 상근직원의 경선운동 금지 사건)] [위헌] [1] 당내경선은 공직선거 자체와는 구별되는 정당 내부의 자발적인 의사결정에 해당하고(헌재 2007.10.30, 2007헌마1128 참조), **경선운동**은 원칙적으로 공직선거에서의 당선 또는 낙선을 위한 행위인 **선거운동**에 해당하지 않는다(대판 2003.7.8, 2003도305 판결; 대판 2012.4.13, 2011도17437 판결 등 참조). 따라서 당내경선의 형평성과 공정성을 담보하기 위해서 국가가 개입하여야 하는 정도가 공직선거와 동등하다고 보기 어려우므로, 심판대상조항이 과잉금지원칙에 반하는지 여부를 판단할 때에는 **엄격한 심사기준**이 적용되어야 한다.

[2] 공직선거법 제53조 제1항 제6호가 지방공단의 상근임원(구청장이 임면하고, 공단의 업무에 관한 중요 사항을 심의·의결하는 이사회의 구성원임)과 달리 상근직원은 그 직을 유지한 채 공직선거에 입후보할 수 있도록 규정한 것도 상근직원의 영향력이 상근임원보다 적다는 점을 고려한 것이다. 그럼에도 불구하고 이 사건 공단의 상근임원의 경선운동을 금지하는 데 더하여 상근직원에게까지 경선운동을 금지하는 것은 당내경선의 형평성과 공정성을 확보한다는 입법목적에 비추어 보았을 때 과도한 제한이다. 이 사건 공단의 상근직원이 그 지위를 이용하여 경선운동을 하는 행위를 금지·처벌하는 규정을 두는 것은 별론으로 하고, 당내경선에서 이 사건 공단의 상근직원의 경선운동을 일률적으로 금지·처벌하는 것은 정치적 표현의 자유를 과도하게 제한하는 것이다. 그러므로 심판대상조항은 **침해의 최소성 원칙**에 위배된다.

정답 03 ①

심판대상조항이 당원이 아닌 자에게도 투표권을 부여하여 실시하는 당내경선에서 이 사건 공단의 상근직원 모두에 대하여 일률적으로 경선운동을 금지하는 것은 정치적 표현의 자유를 중대하게 제한하는 것이다. 반면, 이 사건 공단의 상근직원이 수행하는 직무는 공단에 부여된 업무에 국한된다는 점에 비추어 볼 때 당내경선에서 공무원에 준하는 영향력이 있다고 볼 수 없을 뿐만 아니라, 영향력이 있다고 하더라도 그 지위를 이용한 경선운동을 금지하는 것만으로 당내경선의 형평성과 공정성을 확보할 수 있다는 점을 고려하면, 심판대상조항이 당내경선의 형평성과 공정성의 확보라는 공익에 기여하는 바가 크다고 보기 어렵다. 따라서 심판대상조항(당원이 아닌 자에게도 투표권을 부여하는 당내경선에서 지방공기업법에 규정된 시설관리공단의 상근직원이 경선운동을 할 수 없도록 금지하는 조항)은 **법익의 균형성**을 충족하지 못하였다. 심판대상조항은 과잉금지원칙에 반하여 정치적 표현의 자유를 침해하므로 헌법에 위반된다(헌재 2021.4.29. 2019헌가11).

④ ○ ⑤ ○ : [구 군형법 제94조 위헌소원(군무원의 정치적 의견 공표행위금지 사건)] **[합헌]** [1] 표현의 자유는 개인이 자기의 인격을 형성하는 개인적 가치인 자기실현의 수단임과 동시에 정치적 의사결정에 참여하는 사회적 가치인 자기통치를 실현하는 수단이라는 점에서 이러한 자유는 공무원에게도 원칙적으로 보장되어야 한다. 더욱이 오늘날 정치적 표현의 자유는 자유민주적 기본질서의 구성요소로서 다른 기본권에 비하여 우월한 효력을 가지므로, 공무원이라는 지위에 있다는 이유만으로 정치적 표현의 자유를 전면적으로 부정할 수는 없다(헌재 2014.8.28. 2011헌바32 등 참조). [2] 군무원은 그 특수한 지위로 인하여 헌법 제7조와 제5조 제2항에 따라 그 정치적 표현의 자유에 대해 엄격한 제한을 받을 수밖에 없으므로, 그 정치적 의견을 공표하는 행위 역시 이를 엄격히 제한할 필요가 있다. 그런데 심판대상조항은 군무원의 정치적 표현의 자유에 대한 제한을 최소한으로 줄이고 있다. 따라서 심판대상조항(군무원이 연설, 문서 등의 방법으로 정치적 의견을 공표하는 경우 2년 이하의 금고에 처하도록 한 조항)은 과잉금지원칙에 반하여 군무원의 정치적 표현의 자유를 침해한다고 볼 수도 없다(헌재 2018.7.26. 2016헌바139).

04 공직선거법상 선거운동에 관한 설명으로 가장 옳지 않은 것은?

▶ 2024 법무사

① 선거운동기간 전에 개별적으로 대면하여 말로 하는 선거운동을 금지한 공직선거법 조항은 과잉금지원칙에 반하여 선거운동 등 정치적 표현의 자유를 침해한다.

② 공개장소에서의 연설·대담장소 또는 대담·토론회장에서 연설·대담·토론용으로 사용하는 경우를 제외하고는 선거운동을 위하여 확성장치를 사용할 수 없도록 한 공직선거법 조항은 과잉금지원칙에 반하여 정치적 표현의 자유를 침해한다.

③ 선거일 전 180일부터 선거일까지 선거에 영향을 미치게 하기 위한 벽보의 게시, 인쇄물의 배부·게시행위를 금지한 공직선거법 조항은 과잉금지원칙에 반하여 정치적 표현의 자유를 침해한다.

④ 누구든지 선거기간 중 선거에 영향을 미치게 하기 위한 그 밖의 집회나 모임의 개최를 금지한 공직선거법 조항은 과잉금지원칙에 반하여 집회의 자유, 정치적 표현의 자유를 침해한다.

⑤ 선거일 전 180일부터 선거일까지 선거에 영향을 미치게 하기 위한 광고물의 설치·진열·게시나 표시물의 착용을 금지하는 공직선거법 조항은 과잉금지원칙에 반하여 정치적 표현의 자유를 침해한다.

해설 ① ○ : [공직선거법 제59조 본문 등 위헌소원(공직선거법상 선거운동기간 제한 및 처벌조항 사건)] **[위헌]** 심판대상조항은 입법목적을 달성하는 데 지장이 없는 선거운동방법, 즉 돈이 들지 않는 방법으로서 '후보자 간 경제력 차이에 따른 불균형 문제'나 '사회·경제적 손실을 초래할 위험성'이 낮은, 개별적으로 대면하여 말로 지지를 호소하는 선거운동까지 금지하고 처벌함으로써, 과잉금지원칙에 반하여 선거운동 등 정치적 표현의 자유를 과도하게 제한하고 있다. 결국 이 사건 선거운동기간조항 중 선거운동기간 전에 개별적으로 대면하여 말로 하는 선거운동에 관한 부분, 이 사건 처벌조항 중 '그 밖의 방법'에 관한 부분 가운데 개별적으로 대면하여 말로 하는 선거운동을 한 자에 관한 부분은 과잉금지원칙에 반하여 선거운동 등 정치적 표현의 자유를 침해한다(헌재 2022.2.24. 2018헌바146).

② × : [현수막, 그 밖의 광고물 설치·게시, 그 밖의 표시물 착용, 벽보 게시, 인쇄물 배부·게시, 확성장치사용을 금지하는 공직선거법 조항 사건] **[합헌]** 확성장치사용 금지조항은 선거운동 과정에서 확성장치 사용으로 인한 소음을 규제하여 국민의 건강하고 쾌적한 환경에서 생활할 권리를 보장하고자 한 것으로, 목적의 정당성 및 수단의 적합성이 인정된다. 확성장치에 의해 기계적으로 유발되는 소음은 자연적으로 발생하는 생활소음에 비하여 상대적으로 큰 피해를 유발할 가능성이 높고, 또한 일반 국민의 생업에 지장을 초래할 수도 있는 점, 모든 종류의 공직선거 때마다 확성장치로 인한 소음을 감내할 것을 요구하기 어려운 점, 선거운동에서 다소 전통적인 수단이라고 할 수 있는 확성장치의 사용을 규제한다고 하더라도 후보자로서는 보다 접근이 용이한 다른 선거운동방법을 활용할 수 있는 점, 확성장치의 출력수나 사용시간을 규제하는 입법이 확성장치 사용 자체를 제한하는 방안과 동등하거나 유사한 효과를 불러온다고 보기 어려운 점 등을 종합하면, 확성장치사용 금지조항은 침해의 최소성에 어긋나지 않는다. 나아가 확성장치사용 금지조항이 달성하고자 하는 공익이 그로써 제한되는 정치적 표현의 자유보다 작다고 할 수 없으므로, 위 조항은 법익의 균형성에도 어긋나지 않는다. 따라서 **확성장치사용 금지조항**(공개장소에서의 연설·대담장소 또는 대담·토론회장에서 연설·대담·토론용으로 사용하는 경우를 제외하고는 선거운동을 위하여 확성장치를 사용할 수 없도록 한 공직선거법 조항)은 과잉금지원칙에 반하여 정치적 표현의 자유를 침해하지 않는다(헌재 2022.7.21. 2017헌바100).

③ ○ : [현수막, 그 밖의 광고물 설치·게시, 그 밖의 표시물 착용, 벽보 게시, 인쇄물 배부·게시, 확성장치사용을 금지하는 공직선거법 조항 사건] **[헌법불합치]** 인쇄물배부 등 금지조항은 선거에서의 균등한 기회를 보장하고 선거의 공정성을 확보하기 위한 것으로서 입법목적의 정당성 및 수단의 적합성이 인정된다. 그러나 벽보·인쇄물은 시설물 등과 비교하여 보더라도 투입되는 비용이 상대적으로 적어 경제력 차이로 인한 선거 기회 불균형의 문제가 크지 않고, 그러한 우려도 선거비용을 규제하거나 벽보·인쇄물의 종류나 금액 등을 제한하는 수단을 통해서 방지할 수 있다. 또한 공직선거법상 후보자 비방 금지 규정 등을 통해 무분별한 흑색선전 등의 방지도 가능한 점을 종합하면, 인쇄물배부 등 금지조항은 목적 달성에 필요한 범위를 넘어 장기간 동안 벽보 게시, 인쇄물 배부·게시를 금지·처벌하는 것으로서 침해의 최소성에 반한다. 또한 인쇄물배부 등 금지조항으로 인하여 일반 유권자나 후보자가 받는 정치적 표현의 자유에 대한 제약이 위 조항을 통하여 달성되는 공익보다 중대하므로 인쇄물배부 등 금지조항은 법익의 균형성에도 위배된다. 따라서 **인쇄물배부 등 금지조항**(선거일 전 180일부터 선거일까지 선거에 영향을 미치게 하기 위한 벽보의 게시, 인쇄물의 배부·게시행위를 금지한 공직선거법 조항)은 과잉금지원칙에 반하여 정치적 표현의 자유를 침해한다(헌재 2022.7.21. 2017헌바100).

정답 04 ②

④ ○ : [공직선거법 제103조 제3항 위헌소원(선거기간 중 선거에 영향을 미치게 하기 위한 집회나 모임(향우회·종친회·동창회·단합대회·야유회가 아닌 것에 한정)개최 금지 사건)] **[위헌]** 심판대상조항의 입법목적은 '집회 및 시위에 관한 법률', 선거비용 제한·보전 제도, 기부행위 금지, 과도한 비용이 발생하거나 금전적 이익이 집회 참여의 대가로 수수되는 집회나 모임의 개최만을 한정적으로 금지하는 방법, 허위사실유포 등을 직접 처벌하는 공직선거법 규정 등으로 달성할 수 있다. 심판대상조항은 정치적 의사표현이 활발하게 교환되어야 할 선거기간 중에, 오히려 특정 후보자나 정당이 특정한 정책에 대한 찬성이나 반대를 하고 있다는 언급마저도 할 수 없는 범위 내에서만 집회나 모임의 방법으로 정치적 의사를 표현하도록 하여, 평소보다 일반 유권자의 정치적 표현의 자유를 더 제한하고 있다. 선거의 공정이나 평온에 대한 구체적인 위험이 없어, 규제가 불필요하거나 또는 예외적으로 허용하는 것이 가능한 경우에도, 선거기간 중 선거에 영향을 미칠 염려가 있거나 미치게 하기 위한 일반 유권자의 집회나 모임을 전면적으로 금지하고 위반 시 처벌하는 것은 침해의 최소성에 반한다. <u>선거기간 중 선거와 관련된 집단적 의견표명 일체가 불가능하게 됨으로써 일반 유권자가 받게 되는 집회의 자유, 정치적 표현의 자유에 대한 제한 정도는 매우 중대하므로, 심판대상조항(누구든지 선거기간 중 선거에 영향을 미치게 하기 위한 그 밖의 집회나 모임의 개최를 금지한 공직선거법 조항)은 집회의 자유, 정치적 표현의 자유를 침해한다</u> (헌재 2022.7.21. 2018헌바164).

⑤ ○ : [현수막, 그 밖의 광고물 설치·게시, 그 밖의 표시물 착용, 벽보 게시, 인쇄물 배부·게시, 확성장치사용을 금지하는 공직선거법 조항 사건] **[헌법불합치]** 시설물설치 등 금지조항은 선거에서의 균등한 기회를 보장하고 선거의 공정성을 확보하기 위한 것으로서 입법목적의 정당성 및 수단의 적합성이 인정된다. 그러나 선거비용을 제한·보전하거나 일반 유권자가 과도한 비용을 들여 현수막, 그 밖의 광고물을 설치·게시하거나 그 밖의 표시물을 착용하는 행위를 제한하는 수단을 통해서 선거에서의 기회 균등이라는 심판대상조항의 입법목적의 달성이 가능하고, 공직선거법상 후보자 비방 금지 규정 등을 통해 무분별한 흑색선전 등의 방지도 가능한 점을 종합하면, <u>시설물설치 등 금지조항은 목적 달성에 필요한 범위를 넘어 장기간 동안 선거에 영향을 미치게 하기 위한 현수막, 그 밖의 광고물의 설치·게시나 그 밖의 표시물의 착용을 금지·처벌하는 것으로서 침해의 최소성에 반한다.</u> 또한 시설물설치 등 금지조항으로 인하여 일반 유권자나 후보자가 받는 정치적 표현의 자유에 대한 제약이 위 조항을 통해 달성되는 공익보다 중대하므로 시설물설치 등 금지조항은 법익의 균형성에도 위배된다. 따라서 **시설물설치 등 금지조항**(선거일 전 <u>180일부터 선거일까지 선거에 영향을 미치게 하기 위한 광고물의 설치·진열·게시나 표시물의 착용을 금지하는 공직선거법 조항)은 과잉금지원칙에 반하여 정치적 표현의 자유를 침해한다</u>(헌재 2022.7.21. 2017헌바100).

제6절 공무원제도

01 **공무원제도에 관한 다음 설명 중 가장 옳은 것은?** ▸ 2022 법무사

① 직업공무원제도는 헌법이 보장하는 제도적 보장의 하나이므로 '최대한 보장의 원칙'이 적용된다.

② 공무원이 금고 이상의 형의 선고유예를 받은 경우 범죄의 유형과 내용에 관계없이 당연히 퇴직하도록 하는 것은 헌법에 위배되지 않는다.

③ 헌법 제7조 제1항에 의하여 국민전체에 대한 봉사자로서 국민에 대하여 책임을 지는 공무원과 같은 조 제2항에 의하여 신분과 정치적 중립성이 보장되는 공무원이 일치하지는 않는다.

④ 모든 공무원은 단체행동권을 가질 수 없다.

⑤ 공무원에게 직무의 내외를 불문하고 품위유지의무를 부과하고, 품위손상행위를 공무원에 대한 징계사유로 규정한 국가공무원법 조항은 명확성 원칙에 위배된다.

해설 ① × : **기본권 보장**은 "**최대한 보장의 원칙**"이 적용됨에 반하여, / **제도적 보장**은 그 본질적 내용을 침해하지 아니하는 범위 안에서 입법자에게 제도의 구체적 내용과 형태의 형성권을 폭넓게 인정한다는 의미에서 "**최소한 보장의 원칙**"이 적용될 뿐이다(헌재 1997.4.24, 95헌바48).

▸ 직업공무원제도는 헌법이 보장하는 제도적 보장중의 하나임이 분명하므로 입법자는 직업공무원제도에 관하여 '최소한 보장'의 원칙의 한계안에서 폭넓은 입법형성의 자유를 가진다. 따라서 입법자가 동장의 임용의 방법이나 직무의 특성 등을 고려하여 이 사건 법률조항에서 동장의 공직상의 신분을 지방공무원법상 신분보장의 적용을 받지 아니하는 별정직공무원의 범주에 넣었다 하여 바로 그 법률조항부분을 위헌이라고 할 수는 없다.

② × : 〈금고 이상의 형의 선고유예를 받은 경우에는 공무원직에서 당연히 퇴직하는 것으로 규정한 지방공무원법 제61조 중 제31조 제5호 부분이 헌법 제25조의 공무담임권을 침해하고 있는 것인지 여부(적극)〉 공무원이 금고 이상의 형의 선고유예를 받은 경우에는 공무원직에서 당연히 퇴직하는 것으로 규정하고 있는 이 사건 법률조항은 금고 이상의 선고유예의 판결을 받은 모든 범죄를 포괄하여 규정하고 있을 뿐 아니라, 심지어 오늘날 누구에게나 위험이 상존하는 교통사고 관련 범죄 등 과실범의 경우마저 당연퇴직의 사유에서 제외하지 않고 있으므로 최소침해성의 원칙에 반한다. 결국, 지방공무원법 제61조 중 제31조 제5호 부분은 헌법 제25조의 **공무담임권**을 **침해**하였다고 할 것이다(헌재 2002.8.29, 2001헌마788).

〈금고 이상의 형의 선고유예를 받은 경우에는 공무원직에서 당연히 퇴직하는 것으로 규정한 국가공무원법 제69조 중 제33조 제1항 제5호 부분이 헌법 제25조의 공무담임권을 침해하는 것인지 여부(적극)〉 금고 이상의 형의 선고유예를 받은 경우에는 공무원직에서 당연히 퇴직하는 것으로 규정한 국가공무원법 제69조 중 제33조 제1항 제5호 부분이 헌법 제25조의 공무담임권을 침해하는 것인지 여부에 대하여 지방공무원법 규정에 관한 위 2001헌마788 등 결정과 그 판단을 달리할 특별한 사정도 없다. 따라서 이 사건 법률조항은 과잉금지원칙에 위배하여 **공무담임권**을 **침해**하는 조항이라고 할 것이다(헌재 2003.10.30, 2002헌마684).

정답 **01** ③

③ ○ : 헌법 제7조 제1항에 의하여 국민전체에 대한 봉사자로서 국민에 대하여 책임을 지는 공무원은 가장 넓은 의미의 공무원(**최광의의 공무원**)을 의미하고, 일반직공무원은 물론 특정직공무원과 특수경력직공무원도 포함되며, 공무원의 신분은 가지지 않지만 공무를 위탁받아 이에 종사하는 모든 사람도 여기서 말하는 공무원에 포함되나, / 헌법 제7조 제2항에 의하여 신분과 정치적 중립성이 보장되는 공무원은 국가 또는 공공단체와 근로계약을 맺고 이른바 공법상 특별권력관계에서 공무를 담당하는 것을 직업으로 하는 **협의의 공무원**, 즉 일반직·특정직공무원과 같은 **경력직공무원**만을 말하며, 정무직·별정직과 같은 특수경력직공무원은 포함되지 않는다.

④ × : 사실상 노무에 종사하는 공무원은 단체행동권을 가지고, 다른 공무원도 공무원노조법상 허용되는 범위 내에서는 단체행동권을 가진다.

헌법은 공무원인 근로자는 법률이 정하는 자에 한하여 단결권·단체교섭권 및 단체행동권을 가지고(제33조 제2항), 법률이 정하는 주요방위산업체에 종사하는 근로자의 단체행동권은 법률이 정하는 바에 의하여 이를 제한하거나 인정하지 아니할 수 있다(제33조 제3항)고 규정하고 있고, 이에 따라 **공무원노조법**은 노동조합과 그 조합원은 파업, 태업 또는 그 밖에 업무의 정상적인 운영을 방해하는 어떠한 행위도 하여서는 아니 된다고 규정하고 있다. / **국가공무원법**은 공무원은 노동운동이나 그 밖에 공무 외의 일을 위한 집단 행위를 하여서는 아니 된다. 다만, 사실상 노무에 종사하는 공무원은 예외로 한다(국가공무원법 제66조)고 규정하고 있다.

⑤ × : [국가공무원법 제63조 등 위헌소원(공무원의 품위유지의무와 징계사유 사건)] [1] '품위' 등 용어의 사전적 의미가 명백하고, 대법원은 공무원이 유지하여야 할 품위에 관하여 '주권자인 국민의 수임자로서 직책을 맡아 수행해 나가기에 손색이 없는 인품'을 말한다고 판시하고 있는바, 위와 같은 입법취지, 용어의 사전적 의미 및 법원의 해석 등을 종합할 때 이 사건 법률조항이 공무원 징계사유로 규정한 품위손상행위는 '주권자인 국민으로부터 수임받은 공무를 수행함에 손색이 없는 인품에 어울리지 않는 행위를 함으로써 공무원 및 공직 전반에 대한 국민의 신뢰를 떨어뜨릴 우려가 있는 경우'를 일컫는 것으로 해석할 수 있고, 그 수범자인 평균적인 공무원은 이를 충분히 예측할 수 있다. 따라서 이 사건 법률조항은 명확성원칙에 위배되지 아니한다. [2] 이 사건 법률조항으로 인한 공무원의 기본권 제한을 최소화하기 위한 장치들이 마련되어 있어, 이 사건 법률조항이 공무원의 일반적 행동의 자유를 과도하게 제한한다고 보기 어려우므로, 과잉금지원칙에 위배되지 아니한다(헌재 2016.2.25. 2013헌바435).

02 직업공무원제도에 관한 다음 설명 중 가장 옳지 않은 것은?
▶ 2023 법무사

① 헌법 제7조 제2항이 규정한 직업공무원제도는 엽관제를 지양함으로써 정치와 공직을 분리하고 이를 통하여 공무수행의 안정성, 전문성을 꾀하려는 데에 그 목적이 있다.

② 공무원은 정당의 발기인 및 당원이 될 수 없으나, 예외적으로 대통령, 국무총리, 국무위원, 국회의원, 지방의회의원, 선거에 의하여 취임하는 지방자치단체의 장이나 교육감에게는 이를 허용하고 있다.

③ 직업공무원의 신분을 보장하는 것은 소신과 능력에 따라 국민 전체를 위한 직무수행이 가능하도록 하기 위한 것으로, 생계보호, 직업보호의 의미도 아울러 지니며, 이러한 신분보장은 헌법 제25조의 공무담임권의 보호영역에도 포함된다.

④ 직무의 내외를 불문하고 체면이나 위신을 손상하는 행위를 징계사유로 규정한 국가공무원법 규정은 명확성원칙에 위배되거나 과잉금지원칙에 반한다고 볼 수 없다.

⑤ 직업공무원제도에 있어 과학적 직위분류제나 성적주의 등에 따른 인사의 공정성을 유지하는 장치도 중요하지만, 무엇보다도 그 중추적 요소는 공무원의 정치적 중립과 신분보장에 있다 할 수 있다.

해설 ① ○ : 공무원의 신분 보장에 관한 헌법적 의의를 보건대, "헌법 **제7조 제2항**은 공무원의 신분과 정치적 중립성을 법률로써 보장할 것을 규정하고 있다. 위 조항의 뜻은 공무원이 정치과정에서 승리한 정당원에 의하여 충원되는 **엽관제를 지양**하고, 정권교체에 따른 국가작용의 중단과 혼란을 예방하며 일관성 있는 **공무수행의 독자성과 영속성을 유지**하기 위하여 공직구조에 관한 제도적 보장으로서의 직업공무원제도를 마련해야 한다는 것이다. 직업공무원제도는 바로 그러한 제도적 보장을 통하여 모든 공무원으로 하여금 어떤 특정 정당이나 특정 상급자를 위하여 충성하는 것이 아니라 국민 전체에 대한 봉사자로서 법에 따라 그 소임을 다할 수 있게 함으로써 공무원 개인의 권리나 이익을 보호함에 그치지 아니하고 나아가 국가기능의 측면에서 정치적 안정의 유지에 기여하도록 하는 제도이다"(헌재 1997.4.24, 95헌바48 참조)(헌재 2014.3.27, 2011헌바43).

② ✕ : **교육감**에게는 정당의 발기인 및 당원이 될 수 있도록 허용하는 규정이 없다.

✔ 참고

> **정당법 제22조(발기인 및 당원의 자격)**
> ① 16세 이상의 국민은 공무원 그 밖에 그 신분을 이유로 정당가입이나 정치활동을 금지하는 다른 법령의 규정에 불구하고 누구든지 정당의 발기인 및 당원이 될 수 있다. 다만 다음 각 호의 어느 하나에 해당하는 자는 그러하지 아니하다.
> 1. 「국가공무원법」 제2조(공무원의 구분) 또는 「지방공무원법」 제2조(공무원의 구분)에 규정된 공무원. 다만 대통령, 국무총리, 국무위원, 국회의원, 지방의회의원, 선거에 의하여 취임하는 지방자치단체의 장, 국회 부의장의 수석비서관·비서관·비서·행정보조요원, 국회 상임위원회·예산결산특별위원회·윤리특별위원회 위원장의 행정보조요원, 국회의원의 보좌관·비서관·비서, 국회 교섭단체대표의원의 행정비서관, 국회 교섭단체의 정책연구위원·행정보조요원과 「고등교육법」 제14조(교직원의 구분) 제1항·제2항에 따른 교원은 제외한다.
> 2. 「고등교육법」 제14조 제1항·제2항에 따른 교원을 제외한 사립학교의 교원
> 3. 법령의 규정에 의하여 공무원의 신분을 가진 자
> 4. 「공직선거법」 제18조 제1항에 따른 선거권이 없는 사람

③ ○ : 헌법 제25조는 "모든 국민은 법률이 정하는 바에 의하여 공무담임권을 가진다."고 하여 공무담임권을 보장하고 있다. 공무담임권의 보호영역에는 공직취임의 기회의 자의적인 배제 뿐 아니라, 공무원 신분의 부당한 박탈도 포함되는 것이다(헌재 2003.10.30, 2002헌마684).

④ ○ : [국가공무원법 제63조 등 위헌소원(공무원의 품위유지의무와 징계사유 사건)] [1] **공무원에게 직무의 내외를 불문하고 품위유지의무를 부과하고, 품위손상행위를 공무원에 대한 징계사유로 규정한 국가공무원법 조항이 명확성원칙에 위배되는지 여부(소극)** : '품위' 등 용어의 사전적 의미가 명백하고, 대법원은 공무원이 유지하여야 할 품위에 관하여 '주권자인 국민의 수임자로서 직책을 맡아 수행해 나가기에 손색이 없는 인품'을 말한다고 판시하고 있는바, 위와 같은 입법취지, 용어의 사전적 의미 및 법원의 해석 등을 종합할 때 이 사건 법률조항이 공무원 징계사유로 규정한 품위손상행위는 '주권자인 국민으로부터 수임받은 공무를 수행함에 손색이 없는 인품에 어울

정답 02 ②

리지 않는 행위를 함으로써 공무원 및 공직 전반에 대한 국민의 신뢰를 떨어뜨릴 우려가 있는 경우'를 일컫는 것으로 해석할 수 있고, 그 수범자인 평균적인 공무원은 이를 충분히 예측할 수 있다. 따라서 이 사건 법률조항은 명확성원칙에 위배되지 아니한다. [2] 이 사건 법률조항으로 인한 공무원의 기본권 제한을 최소화하기 위한 장치들이 마련되어 있어, 이 사건 법률조항이 공무원의 일반적 행동의 자유를 과도하게 제한한다고 보기 어려우므로, 과잉금지원칙에 위배되지 아니한다(헌재 2016.2.25, 2013헌바435).

⑤ ○ : [국가보위입법회의법 등의 위헌여부에 관한 헌법소원] 직업공무원제도하에 있어서는 과학적 직위분류제(職位分類制), 성적주의 등에 따른 인사의 공정성을 유지하는 장치가 중요하지만 특히 공무원의 정치적 중립과 신분보장은 그 중추적 요소라고 할 수 있는 것이다(헌재 1989.12.18, 89헌마32).

제7절 지방자치제도

01 지방자치단체에 관한 다음 설명 중 가장 옳지 않은 것은? ▶ 2021 법무사

① 헌법상 특정 지방자치단체의 존속이 보장되어야 하므로 법률로 지방자치단체를 폐치·분합하는 것은 허용되지 않는다.

② 지방자치단체 상호 간에 권한의 유무 또는 범위에 관하여 다툼이 있을 때에는 해당 지방자치단체는 헌법재판소에 권한쟁의심판을 청구할 수 있다.

③ 지방자치단체에는 반드시 지방의회를 두어야 한다.

④ 지방자치단체는 주민의 복리에 관한 사무를 처리하고 재산을 관리하며, 법령의 범위 안에서 자치에 관한 규정을 제정할 수 있다.

⑤ 지방자치단체가 제정한 조례가 법령에 위반되는 경우에는 효력이 없다.

해설 ① × : 지방자치법 제5조(지방자치단체의 명칭과 구역) ① 지방자치단체의 명칭과 구역은 종전과 같이 하고, 명칭과 구역을 바꾸거나 지방자치단체를 폐지하거나 설치하거나 나누거나 합칠 때에는 **법률**로 정한다.
[제주특별자치도의 설치 및 국제자유도시 조성을 위한 특별법안 제15조 제1항 등 위헌확인사건] 헌법 제117조 제2항은 지방자치단체의 종류를 법률로 정하도록 규정하고 있을 뿐 **지방자치단체의 종류 및 구조**를 명시하고 있지 않으므로 이에 관한 사항은 기본적으로 입법자에게 위임된 것으로 볼 수 있다. 헌법상 지방자치제도보장의 핵심영역 내지 본질적 부분이 특정 지방자치단체의 존속을 보장하는 것이 아니며 지방자치단체에 의한 자치행정을 일반적으로 보장하는 것이므로, 현행법에 따른 지방자치단체의 중층구조 또는 지방자치단체로서 특별시·광역시 및 도와 함께 시·군 및 구를 계속하여 존속하도록 할지 여부는 결국 입법자의 입법형성권의 범위에 들어가는 것으로 보아야 한다. 같은 이유로 일정구역에 한하여 당해 지역 내의 지방자치단체인 시·군을 모두 폐지하여 중층구조를 단층화하는 것 역시 입법자의 선택범위에 들어가는 것이다(헌재 2006.4.27, 2005헌마1190).

② ○ : 헌법재판소법 제61조 제1항

③ ○ : 지방자치단체에 의회를 **둔다**(제118조 제1항).

④ ○ : 제117조 제1항

⑤ ○ : [조례안재의결무효확인사건] 지방자치법 제15조(강사 주 : 현행 지방자치법 제28조) 본문은 "지방자치단체는 법령의 범위 안에서 그 사무에 관하여 조례를 제정할 수 있다."고 규정하는 바, 여기서 말하는 '**법령의 범위 안에서**'란 '법령에 위반되지 않는 범위 내에서'를 가리키므로 지방자치단체가 제정한 조례가 법령에 위반되는 경우에는 효력이 없다(대판 2002.4.26, 2002추23 ; 대판 2009.10.15, 2008추32).

02 지방자치제도에 관한 다음 설명 중 가장 옳지 않은 것은? ▸ 2023 법무사

① 지방자치법상 공법인인 지방자치단체의 기관으로는 대의기관인 지방의회, 집행기관인 지방자치단체장이 있다.

② 지방의회는 조례·규칙의 제정·개정 및 폐지, 예산의 심의·확정, 결산의 승인, 행정사무감사 및 조사권을 가진다.

③ 지방자치단체는 사무처리를 위한 행정기구를 설치할 수 있고, 소속 공무원에 관한 임용, 징계 등 인사를 스스로 할 수 있다.

④ 지방자치단체가 기관위임사무에 관한 권한쟁의심판을 청구하는 것은 허용되지 아니한다.

⑤ 감사원은 지방자치단체에 대하여 합목적성 감사도 실시할 수 있으나, 중앙행정기관은 지방자치단체에 대하여 합법성 감사만을 할 수 있다.

해설 ① ○ : 지방자치단체는 **법인**으로 한다(지방자치법 제3조). 지방자치단체에 주민의 대의기관인 **의회**를 둔다(지방자치법 제37조). 지방자치단체의 **장**은 지방자치단체를 대표하고, 그 사무를 총괄하며, 그 지방자치단체의 사무와 법령에 따라 그 지방자치단체의 장에게 위임된 사무를 관리하고 집행한다(지방자치법 제114조, 제116조).

② × : 지방의회는 조례의 제정·개정 및 폐지, 예산의 심의·확정, 결산의 승인에 대하여 의결권(지방자치법 제47조)을 가지고, 행정사무감사 및 조사권(지방자치법 제49조)을 가지나, / **규칙제정권**은 **지방자치단체의 장**이 가진다(지방자치법 제29조).
지방자치단체의 장은 법령이나 조례가 위임한 범위에서 그 권한에 속하는 사무에 관하여 규칙을 제정할 수 있다(지방자치법 제29조).

③ ○ : 지방자치단체는 그 **사무를 분장하기 위하여 필요한 행정기구**와 지방공무원을 둔다(지방자치법 제125조). 지방자치단체의 구역, 조직, 행정관리 등의 **소속 공무원의 인사**·후생복지 및 교육은 지방자치단체의 사무예시이다(지방자치법 제13조 제2항 제1호).

④ ○ : [성남시와 경기도 간의 권한쟁의] 지방자치단체는 헌법 또는 법률에 의하여 부여받은 그의 권한, 즉 지방자치단체의 사무에 관한 권한이 침해되거나 침해될 우려가 있는 때에 한하여 **권한쟁의심판**을 청구할 수 있다고 할 것인데, 도시계획사업실시계획인가사무는 건설교통부장관으로부터 시·도지사에게 위임되었고, 다시 시장·군수에게 재위임된 **기관위임사무**로서 국가사무라고 할 것이므로, 청구인의 이 사건 심판청구 중 도시계획사업실시계획인가처분에 대한 부분은 지방자치단체의 권한에 속하지 아니하는 사무에 관한 것으로서 부적법하다(헌재 1999.7.22, 98헌라4).

정답 01 ① 02 ②

⑤ ○ : [강남구청등과 감사원 간의 권한쟁의] **위임사무**나 **자치사무**의 구별 없이 **합법성 감사**뿐만 아니라 **합목적성 감사**도 포함한 이 사건 감사는 감사원법에 근거한 것으로서, … 헌법이 감사원을 독립된 외부감사기관으로 정하고 있는 취지, 국가기능의 총체적 극대화를 위하여 중앙정부와 지방자치단체는 서로 행정기능과 행정책임을 분담하면서 중앙행정의 효율성과 지방행정의 자주성을 조화시켜 국민과 주민의 복리증진이라는 공동목표를 추구하는 협력관계에 있다는 점에 비추어 보면, 감사원에 의한 지방자치단체의 자치사무에 대한 감사를 합법성 감사에 한정하고 있지 아니한 이 사건 관련 규정은 그 목적의 정당성과 합리성을 인정할 수 있다. … 지방자치단체의 인사권이나 자치행정의 자기책임적 판단이 말살될 정도로 지방자치권의 본질이 훼손되었다고 보기는 어렵다(헌재 2008.5.29, 2005헌라3).

▶ 감사원법은 지방자치단체의 위임사무나 자치사무의 구별 없이 합법성 감사뿐만 아니라 합목적성 감사도 허용하고 있는 것으로 보이므로, **감사원의 지방자치단체에 대한** 이 사건 **감사는** 법률상 권한 없이 이루어진 것은 아니다.

행정안전부장관이나 시·도지사는 지방자치단체의 자치사무에 관하여 보고를 받거나 서류·장부 또는 회계를 감사할 수 있다. 이 경우 감사는 법령 위반사항에 대해서만 한다(지방자치법 제190조 제1항).

[서울특별시와 정부 간의 권한쟁의] 중앙행정기관의 지방자치단체의 자치사무에 대한 구 지방자치법 제158조 단서 규정의 감사권은 사전적·일반적인 포괄감사권이 아니라 그 대상과 범위가 한정적인 제한된 감사권이라 해석함이 마땅하다. 중앙행정기관이 구 지방자치법 제158조 단서 규정상의 감사에 착수하기 위해서는 자치사무에 관하여 특정한 법령위반행위가 확인되었거나 위법행위가 있었으리라는 합리적 의심이 가능한 경우여야 하고, 또한 그 감사대상을 특정해야 한다. 따라서 전반기 또는 후반기 감사와 같은 포괄적·사전적 일반감사나 위법사항을 특정하지 않고 개시하는 감사 또는 법령위반사항을 적발하기 위한 감사는 모두 허용될 수 없다(헌재 2009.5.28, 2006헌라6).

03 조례에 관한 다음 설명 중 가장 옳지 않은 것은?

▸ 2024 법무사

① 법령에서 조례로 정하도록 위임한 사항은 그 법령의 하위법령에서 그 위임의 내용과 범위를 제한하거나 직접 규정할 수 없다.

② 조례는 고유사무와 단체위임사무에 대하여만 제정할 수 있으며, 기관위임사무와 같은 국가적 사무에 대하여는 조례를 제정할 수 없다.

③ 지방자치법이 지방자치단체의 장의 재량으로 투표실시 여부를 결정할 수 있도록 규정하고 있음에도 일정한 기간 내에 반드시 투표를 실시하도록 규정한 조례안은 지방자치단체의 장의 고유권한을 침해한다.

④ 주민은 지방세·사용료·수수료·부담금을 부과·징수 또는 감면하는 사항에 대하여 조례의 제정을 청구할 수 없다.

⑤ 헌법 제117조 및 제118조의 '지방자치'에 관한 규정으로부터 지방자치단체와 지역주민들의 자치권이 제도적으로 보장된다.

해설 ① ○ : 지방자치단체는 **법령의 범위**에서 그 사무에 관하여 조례를 제정할 수 있다. 다만, 주민의 권리 제한 또는 의무 부과에 관한 사항이나 벌칙을 정할 때에는 **법률의 위임**이 있어야 한다(지방자치법 제28조 제1항). 법령에서 **조례로 정하도록 위임한 사항**은 그 법령의 하위 법령에서 그 위임의 내용과 범위를 제한하거나 직접 규정할 수 없다(지방자치법 제28조 제2항).

② ○ : [1] **지방자치단체가 기관위임사무에 관하여 조례를 제정할 수 있는지 여부(소극)** : 헌법 제117조 제1항과 지방자치법 제15조(현행 제28조)에 의하면 지방자치단체는 법령의 범위 안에서 그 사무에 관하여 자치조례를 제정할 수 있으나 이때 사무란 지방자치법 제9조 제1항에서 말하는 지방자치단체의 자치사무와 법령에 의하여 지방자치단체에 속하게 된 단체위임사무를 가리키므로 지방자치단체가 자치조례를 제정할 수 있는 것은 원칙적으로 이러한 **자치사무**와 **단체위임사무**에 한하므로, 국가사무가 지방자치단체의 장에게 위임된 **기관위임사무**와 같이 지방자치단체의 장이 국가기관의 지위에서 수행하는 사무일 뿐 지방자치단체 자체의 사무라고 할 수 없는 것은 원칙적으로 자치조례의 제정범위에 속하지 않는다.

[2] **기관위임사무에 있어서도** 그에 관한 **개별 법령에서 일정한 사항을 조례로 정하도록 위임하고 있는 경우**에는 지방자치단체의 자치조례 제정권과 무관하게 이른바 위임조례를 정할 수 있다고 하겠으나 이 때에도 그 내용은 개별 법령이 위임하고 있는 사항에 관한 것으로서 개별 법령의 취지에 부합하는 것이라야만 하고, 그 범위를 벗어난 경우에는 위임조례로서의 효력도 인정할 수 없다(대판 1999.9.17, 99추30).

③ ○ : [조례안재의결무효확인사건] 지방자치법 제13조의2 제1항(강사 주 : 현 지방자치법 제18조 제1항)에 의하면, 주민투표의 대상이 되는 사항이라 하더라도 주민투표의 시행 여부는 **지방자치단체의 장의 임의적 재량**에 맡겨져 있음이 분명하므로, 지방자치단체의 장의 재량으로서 투표실시 여부를 결정할 수 있도록 한 법규정에 반하여 지방의회가 조례로 정한 특정한 사항에 관하여는 일정한 기간 내에 반드시 투표를 실시하도록 규정한 조례안은 지방자치단체의 장의 고유권한을 침해하는 규정이다(대판 2002.4.26, 2002추23).

④ ○ : 주민조례발안에 관한 법률 제4조 제2호

✔ 참고   주민조례발안법

> 제4조(주민조례청구 제외 대상)
> 다음 각 호의 사항은 주민조례청구 대상에서 제외한다.
> 1. 법령을 위반하는 사항
> 2. 지방세·사용료·수수료·부담금을 부과·징수 또는 감면하는 사항
> 3. 행정기구를 설치하거나 변경하는 사항
> 4. 공공시설의 설치를 반대하는 사항

⑤ × : **지방자치법 제13조의2 제1항에서 규정한 주민투표권이 헌법이 보장하는 지방자치제도에 포함되는지 여부(소극)** : 헌법 제117조 및 제118조가 보장하고 있는 본질적인 내용은 자치단체의 보장, 자치기능의 보장 및 자치사무의 보장으로 어디까지나 **지방자치단체의 자치권**으로 헌법은 지역 주민들이 자신들이 선출한 **자치단체의 장**과 **지방의회**를 통하여 자치사무를 처리할 수 있는 대의제 또는 대표제 지방자치를 보장하고 있을 뿐이지 주민투표에 대하여는 어떠한 규정도 두고 있지 않다. / 따라서 우리의 **지방자치법**이 비록 주민에게 주민투표권(제13조의2)과 조례의 제정 및 개폐청구권(제13조의3) 및 감사청구권(제13조의4)를 부여함으로써 주민이 지방자치사무에 직접 참여할 수 있는 길을 열어 놓고 있다 하더라도 이러한 제도는 어디까지나 입법자의 결단에 의

정답 **03** ⑤

하여 채택된 것일 뿐, 헌법이 이러한 **제도의 도입을 보장하고 있는 것은 아니다**(헌재 2001.6.28, 2000헌마735).

▶ 구 지방자치법 제13조의2가 주민투표의 법률적 근거를 마련하면서, 주민투표에 관련된 구체적 절차와 사항에 관하여는 따로 법률로 정하도록 하였다고 하더라도 주민투표에 관련된 구체적인 절차와 사항에 대하여 입법하여야 할 헌법상 의무가 국회에게 발생하였다고 할 수는 없다.

04 조례에 관한 다음 설명 중 가장 옳지 않은 것은?

▶ 2025 법무사

① 주민조례발안에 관한 법률에 따르면 주민은 공공시설 설치의 반대, 행정기구의 설치·변경에 대해서는 조례의 제정이나 개정 또는 폐지를 청구할 수 없다.

② 조례안재의결 무효확인소송에서의 심리대상은 지방의회에 재의를 요구할 당시 이의사항으로 지적되어 재의결에서 심의의 대상이 된 것에 국한되지 아니한다.

③ 지방자치단체는 조례를 위반한 행위에 대하여 조례로써 1천만 원 이하의 과태료를 정할 수 있다.

④ 지방자치단체의 장은 지방의회에서 의결되어 지방자치단체의 장에게 이송된 조례안에 대하여 이의가 있으면 재의 요구를 할 수 있으나, 조례안의 일부에 대한 재의 요구는 할 수 없다.

⑤ 교육감은 교육·학예에 관한 의안 중 주민의 재정적 부담이나 의무 부과에 관한 조례안을 시·도의회에 제출하고자 할 때에는 미리 시·도지사와 협의하여야 한다.

해설
① O : 주민조례발안에 관한 법률 제4조(주민조례청구 제외 대상) 제3호, 제4호
② X : 조례안재의결 무효확인소송에서의 심리대상은 지방자치단체의 장이 지방의회에 재의를 요구할 당시 이의사항으로 지적하여 재의결에서 심의의 대상이 된 것에 국한된다(대판 2007.12.13, 2006추52; 대판 2015.5.14, 2013추98).
③ O : 지방자치법 제34조(조례 위반에 대한 과태료) 제1항
④ O : 지방자치법 제32조 제3항
⑤ O : 지방교육자치에 관한 법률 제29조의2(의안의 제출 등)

정답 04 ②

국회

제1절 의회주의(의회제도)

제2절 국회의 구성과 조직

제3절 국회의 운영과 의사절차

01 국회에 관한 다음 설명 중 가장 옳지 않은 것은? ▶ 2021 법무사

① 국회의 정기회는 법률이 정하는 바에 의하여 매년 1회 집회되며, 임시회는 대통령 또는 국회재적의원 4분의 1 이상의 요구에 의하여 집회된다. 대통령이 임시회의 집회를 요구할 때에는 기간과 집회요구의 이유를 명시하여야 한다.

② 국회의 회의는 공개한다. 다만, 출석의원 과반수의 찬성이 있거나 의장이 국가의 안전보장을 위하여 필요하다고 인정할 때에는 공개하지 아니할 수 있다.

③ 우리 헌법은 국회에 제출된 의안이 회기 중에 의결되지 못한 경우에는 폐기된다는 회기불계속의 원칙을 취하고 있다.

④ 대통령은 국회에서 의결된 법률안에 이의가 있을 때에는 정부에 이송된 후 15일 이내에 이의서를 붙여 국회로 환부하여 그 재의를 요구할 수 있다.

⑤ 법률안에 대한 재의의 요구가 있을 때에는 국회는 재의에 붙이고, 재적의원 과반수의 출석과 출석의원 3분의 2 이상의 찬성으로 전과 같은 의결을 하면 그 법률안은 법률로서 확정된다.

해설 ① ○ : 제47조 제1항, 제3항
　　　② ○ : 제50조 제1항
　　　③ × : 우리 헌법은 **회기계속의 원칙**을 취하고 있고, 다만 예외를 인정하고 있다.
　　　　국회에 제출된 법률안 기타의 의안은 회기 중에 의결되지 못한 이유로 폐기되지 아니한다. 다만, 국회의원의 임기가 만료된 때에는 그러하지 아니하다(제51조).
　　　④ ○ : 제53조 제2항
　　　⑤ ○ : 제53조 제4항

정답　**01** ③

02 국회에 관한 다음 설명 중 가장 옳지 않은 것은? ▸ 2024 법무사

① 헌법개정안은 기명투표로 표결한다.

② 국무총리 또는 국무위원의 해임건의안이 발의되었을 때에는 의장은 그 해임건의안이 발의된 후 처음 개의하는 본회의에 그 사실을 보고하고, 본회의에 보고된 때부터 24시간 이후 72시간 이내에 무기명투표로 표결한다.

③ 본회의의 표결방법은 전자투표에 의한 기록표결이 원칙이나, 중요한 안건으로서 의장의 제의 또는 의원의 동의로 본회의 의결이 있거나 재적의원 5분의 1 이상의 요구가 있을 때에는 기명투표·호명투표 또는 무기명투표로 표결한다.

④ 국회는 휴회 중이라도 대통령의 요구가 있을 때, 의장이 긴급한 필요가 있다고 인정할 때 또는 재적의원 3분의 1 이상의 요구가 있을 때에는 본회의를 재개한다.

⑤ 국회의원이 징계대상자에 대한 징계를 요구하려는 경우에는 의원 20명 이상의 찬성으로 그 사유를 적은 요구서를 의장에게 제출하여야 한다.

> **해설** ① ○ : 국회법 제112조 제4항
> ② ○ : 국회법 제112조 제7항
> ③ ○ : 국회법 제112조 제1항·제2항
> ④ ✕ : 국회가 휴회 중이라도 대통령의 요구가 있을 때, 의장이 긴급한 필요가 있다고 인정할 때, 국회재적의원 **4분의 1 이상**의 요구가 있을 때에는 본회의를 재개한다(국회법 제8조 제2항).
> ⑤ ○ : 국회법 제156조 제3항

제4절 국회의 권한

01 국회의 입법권에 관한 다음 설명 중 가장 옳은 것은? ▸ 2022 법무사

① 국회의원만이 법률안을 제출할 수 있다.

② 법률안 심의·표결권은 국회의원으로 구성된 국회에 부여된 것이지 국회의원 각자에게 보장된 것은 아니다.

③ 대통령이 법률안에 대하여 재의를 요구한 경우 국회는 재의에 붙이고, 재적의원 3분의 2 이상의 출석과 출석의원 3분의 2 이상의 찬성으로 전과 같은 의결을 하면 그 법률안은 법률로서 확정된다.

④ 국회에 제출된 법률안은 회기 중에 의결되지 못하면 폐기되는 것이 원칙이다.

⑤ 국회의원은 국회의 조약에 대한 체결·비준 동의권 침해를 주장하면서 대통령을 상대로 권한쟁의심판을 청구할 수 없다.

해설
① ✕ : 국회의원과 **정부**는 법률안을 제출할 수 있다(제52조).
② ✕ : [국회의원과 국회의장 간의 권한쟁의(방위사업법 날치기 권한쟁의사건)] **[인용(권한침해)]**
[기각] 국회의원의 법률안 심의·표결권은 의회민주주의의 원리, 입법권을 국회에 귀속시키고 있는 헌법 제40조, 국민에 의하여 선출되는 국회의원으로 국회를 구성한다고 규정한 헌법 제41조 제1항 및 국회의결에 관하여 규정한 헌법 제49조로부터 당연히 도출되는 헌법상의 권한이고, 이러한 **국회의원의 법률안 심의·표결권**은 헌법기관으로서의 **국회의원 각자**에게 모두 보장됨은 물론이다(헌재 2011.8.30, 2009헌라1). ▶ 국회의장이 국회의원의 반대토론 신청이 적법하게 이루어졌음에도 이를 허가하지 않고 나아가 토론절차를 생략하기 위한 의결을 거치지도 않은 채 법률안들에 대한 표결절차를 진행하여 법률안들을 가결선포한 행위가 국회의원의 법률안 심의·표결권을 침해하는지 여부(적극) 및 위 법률안 가결선포행위가 무효인지 여부(소극)
③ ✕ : 재의의 요구가 있을 때에는 국회는 재의에 붙이고, **재적의원과반수의 출석**과 출석의원 3분의 2 이상의 찬성으로 전과 같은 의결을 하면 그 법률안은 법률로서 확정된다(제53조 제4항).
④ ✕ : 우리 헌법은 **회기계속의 원칙**을 취하고 있고, 다만 예외를 인정하고 있다.
국회에 제출된 법률안 기타의 의안은 회기 중에 의결되지 못한 이유로 폐기되지 아니한다. 다만, 국회의원의 임기가 만료된 때에는 그러하지 아니하다(제51조).
⑤ ○ : [국회의원과 대통령 등 간의 권한쟁의] [각하] 권한쟁의심판에 있어 '**제3자 소송담당**'을 허용하는 법률의 규정이 없는 현행법 체계하에서 국회의 구성원인 청구인들은 **국회의 조약에 대한 체결·비준 동의권**의 침해를 주장하는 권한쟁의심판을 청구할 수 없다 할 것이므로, 청구인들의 이 부분 심판청구는 청구인적격이 없어 부적법하다(헌재 2007.7.26, 2005헌라8).
▶ **국회의원의 심의·표결권**은 국회의 대내적인 관계에서 행사되고 침해될 수 있을 뿐 다른 국가기관과의 대외적인 관계에서는 침해될 수 없는 것이므로, 국회의원들 상호 간 또는 국회의원과 국회의장 사이와 같이 국회 내부적으로만 직접적인 법적 연관성을 발생시킬 수 있을 뿐이고 대통령 등 국회 이외의 국가기관과 사이에서는 권한침해의 직접적인 법적 효과를 발생시키지 아니한다. 따라서 피청구인인 대통령이 국회의 동의 없이 조약을 체결·비준하였다 하더라도 국회의원인 청구인들의 심의·표결권이 침해될 가능성은 없다(헌재 2007.7.26, 2005헌라8).

02 국회에 관한 다음 설명 중 가장 옳지 않은 것은?

▸ 2023 법무사

① 국회의 정기회는 법률이 정하는 바에 의하여 매년 1회 집회되며, 국회의 임시회는 대통령 또는 국회재적의원 4분의 1 이상의 요구에 의하여 집회된다.
② 국회에서 의결된 법률안은 정부에 이송되어 15일 이내에 대통령이 공포하나, 법률안에 이의가 있을 때에는 대통령은 제1항의 기간 내에 그 전부 또는 일부에 관한 이의서를 붙여 국회로 환부하고, 그 재의를 요구할 수 있다.
③ 국회나 그 위원회의 요구가 있는 경우 국무총리·국무위원 또는 정부위원은 출석·답변하여야 하며, 국무총리 또는 국무위원이 출석요구를 받은 때에는 국무위원 또는 정부위원으로 하여금 출석·답변하게 할 수 있다.
④ 국회는 직무집행에 있어서 헌법이나 법률을 위배한 검사뿐만 아니라 고위공직자범죄수사처의 검사에 대하여도 탄핵소추를 의결할 수 있다.

정답 ▸ **02 ④ / 01 ⑤ 02 ②**

⑤ 국회는 정부의 동의 없이 정부가 제출한 지출예산 각항의 금액을 증가하거나 새 비목을 설치할 수 없으며, 예산에 변경을 가할 필요가 있다 하더라도 직접 추가경정예산안을 제출, 의결할 수는 없다.

해설 ① ○ : 제47조 제1항
② × : 국회에서 의결된 법률안은 정부에 이송되어 15일 이내에 대통령이 공포하고(제53조 제1항), 법률안에 이의가 있을 때에는 대통령은 제1항의 기간 내에 이의서를 붙여 국회로 환부하고, 그 재의를 요구할 수 있다. 국회의 폐회 중에도 또한 같다(제53조 제2항). 대통령은 법률안의 **일부**에 대하여 또는 법률안을 **수정**하여 재의를 요구할 수 없다(제53조 제3항).
③ ○ : 제62조 제2항
④ ○ : 대통령·국무총리·국무위원·행정각부의 장·헌법재판소 재판관·법관·중앙선거관리위원회 위원·감사원장·감사위원 **기타 법률이 정한 공무원**이 그 직무집행에 있어서 헌법이나 법률을 위배한 때에는 국회는 탄핵의 소추를 의결할 수 있다(제65조 제1항). ▶ 검사와 고위공직자범죄수사처의 검사는 '기타 법률이 정한 공무원'에 해당한다(검찰청법 제37조, 공수처법 제14조 참조).
⑤ ○ : **정부**는 예산에 변경을 가할 필요가 있을 때에는 추가경정예산안을 편성하여 국회에 제출할 수 있다(제56조). 국회는 정부의 동의 없이 정부가 제출한 지출예산 각항의 금액을 증가하거나 새 비목을 설치할 수 없다(제57조).

03 헌법에 명시된 탄핵소추의 대상이 아닌 자는?

▶ 2022 법무사

① 대통령
② 법관
③ 국무위원
④ 헌법재판소 재판관
⑤ 검사

해설 ① ○ ② ○ ③ ○ ④ ○ : 대통령·국무총리·국무위원·행정각부의 장·헌법재판소 재판관·법관·중앙선거관리위원회 위원·감사원장·감사위원 **기타 법률이 정한 공무원**이 그 직무집행에 있어서 헌법이나 법률을 위배한 때에는 국회는 탄핵의 소추를 의결할 수 있다(제65조 제1항).
⑤ × : 검사는 헌법이 아니라 '기타 법률이 정한 공무원'에 해당한다.
검찰청법 제37조(신분보장) 검사는 **탄핵**이나 금고 이상의 형을 선고받은 경우를 제외하고는 파면되지 아니하며, 징계처분이나 적격심사에 의하지 아니하고는 해임·면직·정직·감봉·견책 또는 퇴직의 처분을 받지 아니한다.

04 다음 설명 중 가장 옳지 않은 것은? ▶ 2023 법무사

① 헌법 제65조는 행정부와 사법부의 고위공직자에 의한 헌법위반이나 법률위반에 대하여 탄핵소추의 가능성을 규정함으로써, 그들에 의한 헌법위반을 경고하고 사전에 방지하는 기능을 하며, 국민에 의하여 국가권력을 위임받은 국가기관이 그 권한을 남용하여 헌법이나 법률에 위반하는 경우에는 다시 그 권한을 박탈하는 기능을 한다. 즉, 공직자가 직무수행에 있어서 헌법에 위반한 경우 그에 대한 법적 책임을 추궁함으로써, 헌법의 규범력을 확보하고자 하는 것이 바로 탄핵심판절차의 목적과 기능인 것이다.

② 국회의 의사절차에 헌법이나 법률을 명백히 위반한 흠이 있는 경우가 아니면 국회 의사절차의 자율권은 권력분립의 원칙상 존중되어야 하고, 국회법 제130조 제1항은 탄핵소추의 발의가 있을 때 그 사유 등에 대한 조사 여부를 국회의 재량으로 규정하고 있으므로, 국회가 탄핵소추사유에 대하여 별도의 조사를 하지 않았다거나 국정조사결과나 특별검사의 수사결과를 기다리지 않고 탄핵소추안을 의결하였다고 하여 그 의결이 헌법이나 법률을 위반한 것이라고 볼 수 없다.

③ 대통령·국무총리·국무위원·행정각부의장·헌법재판소 재판관·법관·중앙선거관리위원회위원·감사원장·감사위원 기타 법률이 정한 공무원이 그 직무집행에 있어서 헌법이나 법률을 위배한 때에는 국회는 탄핵의 소추를 의결할 수 있다. 탄핵소추는 국회재적의원 3분의 1 이상의 발의가 있어야 하며, 그 의결은 국회재적의원 과반수의 찬성이 있어야 한다. 다만, 대통령에 대한 탄핵소추는 국회재적의원 과반수의 발의와 국회재적의원 3분의 2 이상의 찬성이 있어야 한다.

④ 국가기관이 국민에 대하여 공권력을 행사할 때 준수하여야 하는 법원칙으로 형성된 적법절차의 원칙을 국가기관에 대하여 헌법을 수호하고자 하는 탄핵소추절차에 직접 적용할 수 없다.

⑤ 피청구인에 대한 탄핵심판 청구와 동일한 사유로 형사소송이 진행되고 있는 경우에는 재판부는 심판절차를 정지하여야 한다.

해설 ① ○ ② ○ : [대통령(노무현)탄핵사건] **[기각]** 헌재 2004.5.14, 2004헌나1

③ ○ : 제65조 제1항·제2항

④ ○ : [대통령(노무현)탄핵사건] **[기각] 적법절차원칙**이란, 국가공권력이 국민에 대하여 불이익한 결정을 하기에 앞서 국민은 자신의 견해를 진술할 기회를 가짐으로써 절차의 진행과 그 결과에 영향을 미칠 수 있어야 한다는 법원리를 말한다. 그런데 이 사건의 경우, 국회의 탄핵소추절차는 국회와 대통령이라는 헌법기관 사이의 문제이고, 국회의 탄핵소추의결에 의하여 사인으로서의 대통령의 기본권이 침해되는 것이 아니라, 국가기관으로서의 대통령의 권한행사가 정지되는 것이다. 따라서 국가기관이 국민과의 관계에서 공권력을 행사함에 있어서 준수해야 할 법원칙으로서 형성된 적법절차의 원칙을 국가기관에 대하여 헌법을 수호하고자 하는 탄핵소추절차에는 직접 적용할 수 없다고 할 것이고, 그 외 달리 탄핵소추절차와 관련하여 피소추인에게 의견진술의 기회를 부여할 것을 요청하는 명문의 규정도 없으므로, 국회의 탄핵소추절차가 적법절차원칙에 위배되었다는 주장은 이유 없다(헌재 2004.5.14, 2004헌나1).

정답 03 ⑤ 04 ⑤

⑤ × : 피청구인에 대한 탄핵심판 청구와 동일한 사유로 형사소송이 진행되고 있는 경우에는 재판부는 심판절차를 **정지할 수 있다**(헌법재판소법 제51조).

05 탄핵소추심판에 관한 다음 설명 중 가장 옳지 않은 것은?
▸ 2024 법무사

① 헌법 제65조는 행정각부의 장이 '그 직무집행에 있어서 헌법이나 법률을 위배한 때'를 탄핵소추사유로 규정하고 있는데, 여기에서 '직무'란 법제상 소관 직무에 속하는 고유 업무와 사회통념상 이와 관련된 업무를 말하고, 법령에 근거한 행위뿐만 아니라 행정각부의 장의 지위에서 국정수행과 관련하여 행하는 모든 행위를 포괄하는 개념이다.

② 탄핵소추사유인 헌법과 법률 위반과 관련하여, 헌법 제65조에서 말하는 '헌법'에는 명문의 헌법규정뿐만 아니라 헌법재판소의 결정에 따라 형성되어 확립된 불문헌법도 포함되고, '법률'에는 형식적 의미의 법률과 이와 동등한 효력을 가지는 국제조약 및 일반적으로 승인된 국제법규 등이 포함된다.

③ 행정각부의 장은 정부 권한에 속하는 중요정책을 심의하는 국무회의의 구성원이자 행정부의 소관 사무를 통할하고 소속공무원을 지휘·감독하는 기관으로서 행정부 내에서 통치기구와 집행기구를 연결하는 가교 역할을 하므로, 그에 대한 파면 결정이 가져올 수 있는 국정공백과 정치적 혼란 등 국가적 손실이 경미하다고 평가하기 어렵다.

④ '탄핵심판 청구가 이유 있는 경우'란 피청구인의 파면을 정당화할 수 있을 정도로 중대한 헌법이나 법률 위반이 있는 경우를 말하는데, 국가 원수이자 행정부의 수반으로서 국민의 선거에 의하여 선출되어 직접적인 민주적 정당성을 부여받은 대통령과 행정각부의 장은 정치적 기능이나 비중에서 본질적 차이가 있고, 양자 사이의 직무계속성의 공익이 다름에 따라 파면의 효과 역시 근본적인 차이가 있으므로, '법 위반행위의 중대성'과 '파면 결정으로 인한 효과' 사이의 법익형량을 함에 있어 이와 같은 점이 고려되어야 한다.

⑤ 헌법 제65조의 탄핵제도는 고위공직자가 그 지위에서 국민의 대의기관인 국회로부터 헌법이나 법률 위반의 법적 책임을 추궁받는 제도이므로, 탄핵소추를 받은 자가 임기만료로 퇴직하여 더 이상 공직을 보유하지 않게 되었다면 탄핵심판에서의 피청구인자격을 상실하여 심판절차가 종료된 것으로 보아야 한다.

해설 ① ○ ② ○ ③ ○ ④ ○ : [행정안전부장관(이상민) 탄핵사건] **[기각]** 헌재 2023.7.25. 2023헌나1
⑤ × : [법관(임성근) 탄핵사건)] **[각하]** 〈**헌법재판소의 탄핵심판 계속 중 피청구인이 임기만료로 퇴직한 경우, 탄핵심판청구가 적법한지 여부 : 소극**〉 헌법과 헌법재판소법 등에 의하면, 탄핵심판의 이익을 인정하기 위해서는 탄핵결정 선고 당시까지 피청구인이 '해당 공직을 보유하는 것'이 필요하다. 그런데, 이 사건에서, 국회는 2021.2.4. 피청구인에 대한 탄핵소추를 의결한 후 같은 날 헌법재판소에 탄핵심판청구를 하였고, 피청구인은 2021.2.28. 임기만료로 2021.3.1. 법관의 직에서 퇴직하여 더 이상 해당 공직을 보유하지 않게 되었다. 피청구인이 임기만료 퇴직으로 법관직을 상실함에 따라 본안심리를 마친다 해도 파면결정이 불가능해졌으므로 공직 박탈의 관점에서 심판의 이익을 인정할 수 없다. 임기만료라는 일상적 수단으로 민주적 정당성이 상실되었으

므로, 민주적 정당성의 박탈의 관점에서도, 탄핵이라는 비상적인 수단의 역할 관점에서도 심판의 이익을 인정할 수 없다. 결국 이 사건 심판청구는 탄핵심판의 이익이 인정되지 아니하여 부적법하므로 각하해야 한다(헌재 2021.10.28, 2021헌나1).

▶ 지문은 헌재의 반대의견의 내용이다. **[심판절차종료의견]** 국회의 탄핵소추절차와 헌법재판소의 탄핵심판절차는 독립된 절차이므로, 탄핵소추 당시 피청구인이 공직에 있어 적법하게 소추되었더라도 탄핵심판계속 중 그 직에서 퇴직하였다면 이는 심판절차의 계속을 저지하는 사유로서 탄핵심판절차를 종료하여야 할 사유에 해당한다. 그러므로 이 사건 탄핵심판은 피청구인이 임기만료로 퇴직하여 법관의 신분을 상실한 2021.3.1. 그 절차가 종료되었다고 할 것이다.

06 인사청문회에 관한 다음 설명 중 가장 옳은 것은?

▶ 2022 법무사

① 우리 헌법은 대법원장, 대법관, 헌법재판소장, 국무총리, 감사원장에 대하여는 그 임명 시 인사청문회를 실시하도록 규정하고 있으나, 국세청장, 검찰총장, 경찰청장 등에 대하여는 헌법이 아닌 국회법에 인사청문회의 실시근거를 두고 있다.

② 대법원장, 대법관, 헌법재판소장에 대한 인사청문회는 국회 법제사법위원회에서 실시하고, 국무총리, 감사원장에 대한 인사청문회는 국회 정무위원회에서 실시한다.

③ 국회에 선출권이나 동의권이 없는 공직후보자에 관한 국회 인사청문경과보고서는 임명권자의 판단을 구속하지 아니하므로, 임명권자는 국회의 의견과 다르게 후보자를 임명하거나 임명하지 않을 수 있다.

④ 국회는 임명동의안 등이 제출된 날부터 20일 이내에 그 심사 또는 인사청문을 마쳐야 하고, 부득이한 사유로 그 기간 이내에 국회가 인사청문경과보고서를 송부하지 못한 경우 임명권자는 15일 이내의 범위에서 기간을 정하여 인사청문경과보고서 송부를 요청할 수 있다.

⑤ 인사청문 요청은 임명권자 내지 지명권자가 하는 것이 원칙이므로, 대통령과 대법원장은 후보자에 대한 인사청문을 요청할 수 있으나, 임기가 개시되지 아니하여 법률적 지위가 부여되기 이전인 대통령당선인은 인사청문 요청을 할 수 없다.

해설 ① × ② × : 우리 헌법에 대법원장 등 임명시 인사청문회를 실시하도록 규정하고 있는 것이 아니라, **국회법**에 그 실시근거규정을 두고 있다. 대법원장, 대법관, 헌법재판소장, 국무총리, 감사원장에 대하여는 **인사청문특별위원회**에서 인사청문을 실시하고(국회법 제46조의3), / 국세청장, 검찰총장, 경찰청장 등에 대하여는 소관 **상임위원회**에서 인사청문을 실시한다(국회법 제65조의2).
인사청문특별위원회는 ㉠ 헌법에 따라 그 임명에 국회의 동의가 필요한 대법원장·헌법재판소장·국무총리·감사원장 및 대법관과 ㉡ 국회에서 선출하는 헌법재판소 재판관 및 중앙선거관리위원회 위원에 대한 선출안 등을 그 대상으로 한다(국회법 제46조의3).
소관 **상임위원회**는 ㉠ 대통령이 임명하는 헌법재판소 재판관, 중앙선거관리위원회 위원, 국무위원, 방송미디어통신위원회 위원장, 국가정보원장, 공정거래위원회 위원장, 금융위원회 위원장, 국가인권위원회 위원장, 고위공직자범죄수사처장, 국세청장, 검찰총장, 경찰청장, 합동참모의장, 한

국은행 총재, 특별감찰관 또는 한국방송공사 사장 또는 방송미디어통신심의위원회 위원장의 후보
자, ⓛ 대통령당선인이 「대통령직 인수에 관한 법률」 제5조 제1항에 따라 지명하는 국무위원 후
보자, ⓒ 대법원장이 지명하는 헌법재판소 재판관 또는 중앙선거관리위원회 위원의 후보자 등에
대한 청문을 행한다(국회법 제65조의2).

③ ○ : [대통령(노무현)탄핵사건] [기각] 대통령은 그의 지휘·감독을 받는 행정부 구성원을 임명하
고 해임할 권한(헌법 제78조)을 가지고 있으므로, **국가정보원장의 임명행위**는 헌법상 대통령의
고유권한으로서 법적으로 국회 인사청문회의 견해를 수용해야 할 의무를 지지는 않는다. 따라서
대통령은 국회 인사청문회의 판정을 수용하지 않음으로써 국회의 권한을 침해하거나 헌법상 권
력분립원칙에 위배되는 등 헌법에 위반한 바가 없다(헌재 2004.5.14. 2004헌나1).

④ × : 국회는 **임명동의안 등이 제출된 날부터 20일 이내**에 그 심사 또는 인사청문을 마쳐야 하고
(인사청문회법 제6조 제2항), 부득이한 사유로 후보자에 대한 인사청문회를 마치지 못하여 국회
가 인사청문경과보고서를 송부하지 못한 경우에 대통령·대통령당선인 또는 대법원장은 **20일이
경과한 다음 날부터 10일 이내의 범위**에서 기간을 정하여 인사청문경과보고서를 송부하여 줄 것
을 국회에 요청할 수 있다(인사청문회법 제6조 제3항). 그럼에도 해당기간 이내에 인사청문경과보
고서를 국회가 송부하지 아니한 경우에는 임명 또는 지명할 수 있다(인사청문회법 제6조 제4항).

⑤ × : 대통령당선인도 인사청문 요청을 할 수 있다.
「대통령직 인수에 관한 법률」 제5조 제2항에 따라 대통령당선인이 국무총리 후보자에 대한 인사
청문의 실시를 요청하는 경우에 의장은 각 교섭단체 대표의원과 협의하여 그 인사청문을 실시하
기 위한 인사청문특별위원회를 둔다(국회법 제46조의3 제1항 단서).
대통령당선인은 대통령 임기 시작 전에 국회의 인사청문 절차를 거치게 하기 위하여 국무총리
및 국무위원 후보자를 지명할 수 있다. 이 경우 국무위원 후보자에 대하여는 국무총리 후보자의
추천이 있어야 한다(대통령직 인수법 제5조 제1항). 대통령당선인은 제1항에 따라 국무총리 및
국무위원 후보자를 지명한 경우에는 국회의장에게 「국회법」 제65조의2 및 「인사청문회법」에 따
른 인사청문의 실시를 요청하여야 한다(대통령직 인수법 제5조 제2항).

07 국회에 관한 다음 설명 중 가장 옳은 것은? ▸ 2025 법무사

① 국회의 임시회는 대통령 또는 국회재적의원 5분의 1 이상의 요구에 의하여 집회된다.

② 정기회의 회기는 100일을, 임시회의 회기는 50일을 초과할 수 없다.

③ 헌법 제50조 제1항 단서가 정하고 있는 출석의원 과반수의 찬성보다 더 엄격한 본회의 의결을 통해 민주적 정당성을 갖춘 법률의 형식으로 위원회 회의의 비공개를 결정할 수 있다.

④ 법률안에 대한 대통령의 재의의 요구가 있을 때에는 국회는 재의에 붙이고, 재적의원 3분의 2 이상의 찬성으로 전과 같은 의결을 하면 그 법률안은 법률로서 확정된다.

⑤ 국회에서 선출하는 헌법재판소 재판관·중앙선거관리위원회 위원 후보자는 인사청문특별위원회에서 인사청문회를 실시하고, 대통령이 임명하거나 대법원장이 지명하는 헌법재판소 재판관·중앙선거관리위원회 위원 후보자는 소관 상임위원회에서 인사청문회를 실시한다.

해설 ① × : 국회의 정기회는 법률이 정하는 바에 의하여 매년 1회 집회되며, 국회의 임시회는 대통령 또는 국회재적의원 **4분의 1 이상**의 요구에 의하여 집회된다(제47조 제1항).

② × : 정기회의 회기는 100일을, 임시회의 회기는 **30일**을 초과할 수 없다(제47조 제2항).

③ × : 지문의 내용은 **반대의견**의 내용이다.

[정보위원회 회의를 비공개하도록 규정한 국회법 조항에 관한 사건] [위헌] 정보위원회 회의는 공개하지 아니한다고 정하고 있는 국회법 제54조의2 제1항 본문이 의사공개원칙에 위배되어 청구인들의 알 권리를 침해하는지 여부(적극): 헌법 제50조 제1항은 본문에서 국회의 회의를 공개한다는 원칙을 규정하면서, 단서에서 '출석의원 과반수의 찬성이 있거나 의장이 국가의 안전보장을 위하여 필요하다고 인정할 때'에는 이를 공개하지 아니할 수 있다는 예외를 두고 있다. 이러한 헌법 제50조 제1항의 구조에 비추어 볼 때, 헌법상 의사공개원칙은 모든 국회의 회의를 항상 공개하여야 하는 것은 아니나 이를 공개하지 아니할 경우에는 **헌법에서 정하고 있는 일정한 요건을 갖추어야 함**을 의미한다. 또한 헌법 제50조 제1항 단서가 정하고 있는 회의의 비공개를 위한 절차나 사유는 그 문언이 매우 구체적이어서, 이에 대한 예외는 엄격하게 인정되어야 한다. 이러한 점에 비추어 보면 헌법 제50조 제1항으로부터 일체의 공개를 불허하는 절대적인 비공개가 허용된다고 볼 수는 없는바, 특정한 내용의 국회의 회의나 특정 위원회의 회의를 일률적으로 비공개한다고 정하면서 공개의 여지를 차단하는 것은 헌법 제50조 제1항에 부합하지 아니한다(헌재 2022.1.27. 2018헌마1162).

④ × : 법률안에 대한 재의의 요구가 있을 때에는 국회는 재의에 붙이고, **재적의원 과반수의 출석**과 출석의원 3분의 2 이상의 찬성으로 전과 같은 의결을 하면 그 법률안은 법률로서 확정된다(제53조 제4항).

⑤ ○ : **인사청문특별위원회**의 청문대상은 ① 임명에 **국회**의 **동의**가 필요한 대법원장·헌법재판소장·국무총리·감사원장 및 대법관, ② **국회**에서 **선출**하는 헌법재판소 재판관 및 중앙선거관리위원회 위원에 대한 선출안, ③ **대통령당선인**이 **국무총리후보자**를 지명하여 인사청문실시를 요청하는 경우이고(국회법 제46조의3), 이외의 경우 소관 **상임위원회**의 청문대상이다(국회법 제65조의2).

 **제5절 국회의원의 지위와 특권**

01 국회의원에 관한 다음 설명 중 가장 옳지 않은 것은? ▸ 2025 법무사

① 국회의원이 체포 또는 구금된 국회의원의 석방 요구를 발의할 때에는 재적의원 과반수의 연서로 그 이유를 첨부한 요구서를 국회의장에게 제출하여야 한다.

② 국회의장은 국회를 대표하는 자로서 헌법상의 국가기관이며, 국회를 대표하고 의사를 정리하며 질서를 유지하고 사무를 감독할 지위에 있다.

③ 발의된 의안의 철회 동의 여부에 관한 국회의원의 심의·표결권한은 그 성질상 일신전속적인 것이므로 국회의원직을 상실한 경우 승계되거나 상속될 수 없고, 그 권한의 침해 여부가 문제된 권한쟁의심판절차 또한 수계될 수 있는 성질의 것이 아니다.

④ 국회법상 국회의장은 위원회에 출석하여 발언할 수 있으나, 표결에는 참가할 수 없다.

⑤ 무소속 국회의원으로서 교섭단체 소속 국회의원과 동등하게 대우받을 권리라는 것은 헌법이 일반 국민에게 보장하고 있는 기본권이라고 할 수 없으므로, 국회의원이 위와 같은 권리 침해를 이유로 헌법재판소법 제68조 제1항에 따른 헌법소원심판을 청구할 수는 없다.

해설

① × : 국회의원이 체포 또는 구금된 국회의원의 석방 요구를 발의할 때에는 **재적의원 1/4 이상의 연서**로 그 이유를 첨부한 요구서를 의장에게 제출하여야 한다(국회법 제28조).

② ○ : 국회법 제10조, 헌재 2020.5.27. 2019헌라6 ▶ **국회의장의 의사절차 진행 행위**는 그것이 헌법이나 법률에 명백히 위배되는 행위라고 인정되지 않는 한 다른 국가기관은 이를 존중하여야 한다는 사례

③ ○ : [국회의원과 국회의장 간의 권한쟁의(탄핵소추안 철회 및 재발의 권한쟁의 사건)] 헌재 2024.3.28. 2023헌라9 ▶ 권한쟁의심판절차 계속 중 국회의원직을 상실한 일부 청구인들에 대하여 **심판절차종료**를 선언한 사례

④ ○ : 국회법 제11조

⑤ ○ : [국회법 제48조 제3항 위헌확인] **[각하]** 헌재 2000.8.31. 2000헌마156

정답 ▸ **01** ①

---

01 대통령의 권한에 관한 다음 설명 중 가장 옳지 않은 것은? ▸ 2021 법무사

① 대통령은 법률이 정하는 바에 의하여 사면·감형 또는 복권을 명할 수 있다.

② 대통령은 헌법과 법률이 정하는 바에 의하여 국군을 통수한다.

③ 대통령은 전시·사변 또는 이에 준하는 국가비상사태에 있어서 병력으로써 군사상의 필요에 응하거나 공공의 안녕질서를 유지할 필요가 있을 때에는 법률이 정하는 바에 의하여 계엄을 선포할 수 있고 이때 대통령은 지체 없이 국회에 보고하여 그 승인을 얻어야 한다.

④ 대통령은 국회에 출석하여 발언하거나 서한으로 의견을 표시할 수 있다.

⑤ 대통령은 법률이 정하는 바에 의하여 훈장 기타의 영전을 수여한다.

> **해설** ① ○ : 제79조 제1항 ▶ 사면권
> ② ○ : 제74조 제1항 ▶ 국군통수권
> ③ × : 대통령은 전시·사변 또는 이에 준하는 국가비상사태에 있어서 병력으로써 군사상의 필요에 응하거나 공공의 안녕질서를 유지할 필요가 있을 때에는 법률이 정하는 바에 의하여 계엄을 선포할 수 있다(제77조 제1항). 계엄을 선포한 때에는 대통령은 지체 없이 **국회**에 **통고**하여야 한다(제77조 제4항). ▶ 계엄선포권
> ④ ○ : 제81조 ▶ 국회출석·발언권
> ⑤ ○ : 제80조 ▶ 영전수여권

02 대통령의 국가긴급권에 관한 다음 설명 준 가장 옳지 않은 것은? ▸ 2024 법무사

① 국가긴급권은 법치주의의 예외로서, 위기 극복이라는 소극적 목적을 위해 발동되어야 하며, 기간, 범위에 있어 목적 달성에 불가결한 최소한도 내로 한정되어야 한다.

② 헌법재판소나 법원은 국가긴급권 발동의 위헌·위법 여부를 사후적으로 심사할 수는 있으나, 국가긴급권이 가지는 고도의 정치적 성격이 그 심사의 한계로서 작용할 수 있다.

③ 대법원은 소위 유신헌법 제53조에 근거한 대통령 긴급조치 제1호에 대하여 비록 그 발동 당시 시행 중이던 유신헌법에 위배되지는 아니하나, 현행헌법에 비추어 그 발동요건을 갖추지 못하여 위헌, 위법이라고 판시한 바 있다.

④ 대통령의 긴급재정·경제명령은 법률과 마찬가지로 위헌법률심판이나 헌법소원심판의 대상이 된다.

⑤ 계엄 상황이 해소된 때에는 대통령은 국무회의의 심의를 거쳐 계엄을 해제할 수 있다.

> **정답**   01 ③   02 ③

해설 ① ○ : [국가보위에 관한 특별조치법 제9조 등 위헌제청] [위헌] 국가긴급권의 행사는 헌법질서에 대한 중대한 위기상황의 극복을 위한 것이기 때문에, 본질적으로 위기상황의 직접적인 원인을 제거하는데 필수불가결한 최소한도 내에서만 행사되어야 한다는 **목적상 한계**가 있다. 또한 국가긴급권은 비상적인 위기상황을 극복하고 헌법질서를 수호하기 위해 헌법질서에 대한 예외를 허용하는 것이기 때문에 그 본질상 일시적·잠정적으로만 행사되어야 한다는 **시간적 한계**가 있다(헌재 2015.3.26, 2014헌가5).

② ○ ④ ○ : [긴급재정명령 등 위헌확인] 〈대통령의 긴급재정경제명령이 헌법재판소의 심판대상인지 여부 : 적극〉 대통령의 긴급재정경제명령은 국가긴급권의 일종으로서 고도의 정치적 결단에 의하여 발동되는 행위이고 그 결단을 존중하여야 할 필요성이 있는 행위라는 의미에서 **이른바 통치행위**에 속한다고 할 수 있으나, 통치행위를 포함하여 모든 국가작용은 국민의 기본권적 가치를 실현하기 위한 수단이라는 한계를 반드시 지켜야 하는 것이고, 비록 고도의 정치적 결단에 의하여 행해지는 국가작용이라고 할지라도 그것이 **국민의 기본권 침해와 직접 관련되는 경우**에는 당연히 헌재의 심판대상이 된다(헌재 1996.2.29, 93헌마186).

③ × : 구 대한민국헌법(이하 '**유신헌법**'이라 한다) 제53조에 근거하여 발령된 **대통령 긴급조치 제1호**는 그 발동 요건을 갖추지 못한 채 목적상 한계를 벗어나 국민의 자유와 권리를 지나치게 제한함으로써 헌법상 보장된 국민의 기본권을 침해한 것이므로, 긴급조치 제1호가 해제 내지 실효되기 이전부터 **유신헌법에 위배**되어 위헌이고, 나아가 긴급조치 제1호에 의하여 침해된 각 기본권의 보장 규정을 두고 있는 현행 헌법에 비추어 보더라도 위헌이다. 결국 이 사건 재판의 전제가 된 긴급조치 제1호 제1항, 제3항, 제5항을 포함하여 긴급조치 제1호는 헌법에 위배되어 무효이다(대판 2010.12.16, 2010도5986 전원합의체).

⑤ ○ : 제89조 제5호

03 다음 설명 중 가장 옳지 않은 것은?

▶ 2023 법무사

① 우리 헌법 제79조 제1항은 "대통령은 법률이 정하는 바에 의하여 사면·감형 또는 복권을 명할 수 있다."고 대통령의 사면권을 규정하고 있고, 제3항은 "사면·감형 또는 복권에 관한 사항은 법률로 정한다."고 규정하여 사면의 구체적 내용과 방법 등을 법률에 위임하고 있다. 그러므로 사면의 종류, 대상, 범위, 절차, 효과 등은 범죄의 죄질과 보호법익, 일반국민의 가치관 내지 법감정, 국가이익과 국민화합의 필요성, 권력분립의 원칙과의 관계 등 제반사항을 종합하여 입법자가 결정할 사항으로서 광범위한 입법재량 내지 형성의 자유가 부여되어 있다.

② 사면은 형의 선고의 효력 또는 공소권을 상실시키거나, 형의 집행을 면제시키는 국가원수의 고유한 권한을 의미하며, 사법부의 판단을 변경하는 제도로서 권력분립의 원리에 대한 예외가 된다.

③ 사면에는 일반사면과 특별사면이 있으며, 특별사면은 이미 형의 선고를 받은 특정인에 대하여 형의 집행을 면제하거나, 선고의 효력을 상실케 하는 사면이다.

④ 대통령의 사면권행사는 권력분립의 원리에 대한 예외로서 이를 존중하기 위해 국회의 동의를 받을 필요가 없다.

⑤ 복권이란 형의 선고로 인하여 법령에 따른 자격이 상실되거나 정지된 자격을 회복시키는 것을 말하고, 형의 집행이 끝나지 아니한 자 또는 집행이 면제되지 아니한 자에 대하여는 하지 아니한다.

[해설] ① ○ ② ○ ③ ○ : **[사면법 제5조 제1항 제2호 위헌소원] [합헌]** 헌재 2000.6.1. 97헌바74

▶ 청구인은 특별사면의 효력이 유죄의 선고를 받은 사람의 형 전체에 대하여 미치는 것이므로 징역형의 집행유예와 벌금형을 병과하여 선고받은 자가 징역형의 집행유예에 대하여 형의 선고의 효력을 상실시키는 특별사면을 받았을 경우 그 효력이 벌금형에 대하여도 미치는 것이고, 이 사건 법률조항을 위와 같이 해석·적용하지 아니하는 한 헌법에 위반된다고 주장하였다. / 이에 대하여 헌재는 <u>선고된 형 전부를 사면할 것인지 또는 일부만을 사면할 것인지를 결정하는 것은 사면권자의 전권사항에 속하는 것</u>이고, 징역형의 집행유예에 대한 사면이 병과된 벌금형에도 미치는 것으로 볼 것인지 여부는 사면권자의 의사인 사면의 내용에 대한 해석문제에 불과하다 할 것이다고 하면서 <u>병과된 형의 일부만을 사면하는 것은 헌법에 위반된다고 볼 수 없다</u>고 보았다.

✔ 참고 사면법

제3조(사면 등의 대상)
사면, 감형 및 복권의 대상은 다음 각 호와 같다.
1. 일반사면 : 죄를 범한 자
2. 특별사면 및 감형 : 형을 선고받은 자
3. 복권 : 형의 선고로 인하여 법령에 따른 자격이 상실되거나 정지된 자

제5조(사면 등의 효과)
① 사면, 감형 및 복권의 효과는 다음 각 호와 같다.
　　1. 일반사면 : 형 선고의 효력이 상실되며, 형을 선고받지 아니한 자에 대하여는 공소권(公訴權)이 상실된다. 다만, 특별한 규정이 있을 때에는 예외로 한다.
　　2. 특별사면 : 형의 집행이 면제된다. 다만, 특별한 사정이 있을 때에는 이후 형 선고의 효력을 상실하게 할 수 있다.
　　5. 복권 : 형 선고의 효력으로 인하여 상실되거나 정지된 자격을 회복한다.

④ × : 일반사면을 명하려면 **국회의 동의**를 얻어야 한다(제79조 제2항).

▶ 일반사면은 헌법상 국무회의의 필수적 심의를 거친 후에 국회의 동의를 얻어 **대통령령**으로 행하고, / 특별사면은 **대통령의 명**으로써 행한다.

⑤ ○ : 사면법 제6조

제2절 행정부

01 **국무회의에 관한 다음 설명 중 가장 옳지 않은 것은?** ▸2025 법무사

① 국무위원이 국무회의에 출석하지 못할 때에는 각 부의 차관이 대리하여 출석하며, 대리 출석한 차관은 관계 의안에 관하여 발언하고 표결에 참가할 수 있다.

② 상훈법상 서훈의 추천이 있는 경우 행정안전부장관은 서훈에 관한 의안을 국무회의에 제출하여야 하고, 대통령은 이에 대하여 국무회의의 심의를 거쳐 서훈 대상자를 결정한다.

③ 국무회의는 구성원 과반수의 출석으로 개의하고, 출석구성원 3분의 2 이상의 찬성으로 의결한다.

④ 국가안전보장에 관련되는 대외정책·군사정책과 국내정책의 수립에 관하여 국무회의의 심의에 앞서 대통령의 자문에 응하기 위하여 국가안전보장회의를 둔다.

⑤ 국무회의에 제출된 의안은 긴급한 의안이 아닌 한 차관회의의 심의를 먼저 거쳐야 하나, 의안의 긴급성에 관한 판단에는 원칙적으로 정부의 재량이 있다.

> **해설** ① × : 국무회의 규정(대통령령) 제7조(대리 출석) ① 국무위원이 국무회의에 출석하지 못할 때에는 각 부의 차관이 대리하여 출석한다. ② 대리 출석한 차관은 관계 의안에 관하여 발언할 수 있으나 **표결에는 참가할 수 없다.**
> ② ○ : 상훈법 제5조(서훈의 추천) 제1항, 제7조 제1항·제2항
> ③ ○ : 국무회의 규정 제6조(의사 및 의결정족수 등)
> ④ ○ : 제91조 제1항
> ⑤ ○ : [통합진보당해산사건] **국무회의 규정 제5조 제1항**에 의하면 국무회의에 제출되는 의안은 긴급한 의안이 아닌 한 차관회의의 심의를 거쳐야 한다고 규정하고 있으나, 의안의 긴급성에 관한 판단에는 원칙적으로 정부의 재량이 있다고 할 것이고, 피청구인 소속 국회의원 등이 연루된 내란관련 사건이 발생한 상황에서 제출된 피청구인 해산심판청구에 대한 의안이 긴급한 의안에 해당한다고 본 정부의 판단에 재량의 일탈이나 남용의 위법이 있다고 단정하기 어렵다(헌재 2014.12.19. 2013헌다1).

02 국무회의에 대한 다음 설명 중 가장 옳지 않은 것은?

▶ 2022 법무사

① 구체적으로 어떤 정책을 필수적으로 국무회의 심의를 거쳐야 하는 중요한 정책으로 보아야 하는지는 국무회의에 의안을 상정할 수 있는 권한자인 대통령이나 국무위원에게 일정 정도의 판단재량이 인정되는 것으로 보아야 하고, 그에 관한 대통령이나 국무위원의 일차적 판단이 명백히 비합리적이거나 자의적인 것이 아닌 한 존중되어야 한다.

② 국무회의는 행정부 내 최고의 정책 심의기관이지만 의결기관은 아니다.

③ 국회는 국회재적의원 과반수의 발의와 국회재적의원 3분의 2 이상의 찬성으로 국무위원의 해임을 대통령에게 건의할 수 있다.

④ 대통령의 직무상 해외 순방 중 국무총리가 주재한 국무회의에서 이루어진 정당해산심판청구서 제출안에 대한 의결은 위법하지 아니하다.

⑤ 국무회의는 대통령·국무총리와 15인 이상 30인 이하의 국무위원으로 구성한다.

해설 ① ○ : [개성공단 전면중단조치 사건] [**기각**] 헌재 2022.1.27. 2016헌마364
  ▶ 피청구인 대통령이 개성공단의 운영 중단 결정 과정에서 국무회의 심의를 거치지 않았더라도 그 결정에 헌법과 법률이 정한 절차를 위반한 하자가 있다거나, 적법절차원칙에 따라 필수적으로 요구되는 절차를 거치지 않은 흠결이 있다고 할 수 없다. ∵ 판단재량
② ○ : 국무회의는 정부의 권한에 속하는 중요한 정책을 **심의**한다(제88조 제1항).
  ▶ 의결기관인 의원내각제의 내각과 구별된다.
③ × : 국회는 국무총리 또는 국무위원의 해임을 대통령에게 건의할 수 있다(제63조 제1항). 제1항의 해임건의는 **국회재적의원 3분의 1 이상**의 **발의**에 의하여 **국회재적의원 과반수의 찬성**이 있어야 한다(제63조 제2항).
④ ○ : [통합진보당해산사건] [**인용(해산)**] 대통령은 국무회의의 의장으로서 회의를 소집하고 이를 주재하지만 대통령이 사고로 직무를 수행할 수 없는 경우에는 국무총리가 그 직무를 대행할 수 있고, 대통령이 해외 순방 중인 경우는 '사고'에 해당되므로, 대통령의 직무상 해외 순방 중 국무총리가 주재한 국무회의에서 이루어진 정당해산심판청구서 제출안에 대한 의결은 위법하지 아니하다(헌재 2014.12.19. 2013헌다1).
⑤ ○ : 제88조 제2항

03 대통령에 관한 다음 설명 중 가장 옳지 않은 것은?

▸ 2024 법무사

① 대통령은 국무총리·국무위원·행정각부의 장 기타 법률이 정하는 공사의 직을 겸할 수 없고, 이는 비상계엄하에서도 마찬가지이다.

② 국가원로자문회의의 의장은 전직대통령이 된다.

③ 대통령후보자가 1인일 때에는 그 득표수가 선거권자 총수의 3분의 1 이상이 아니면 대통령으로 당선될 수 없다.

④ 대통령이 발한 긴급명령이 국회의 승인을 얻지 못한 때에는 그 명령은 그때부터 효력을 상실한다.

⑤ 국회가 재적의원 과반수의 찬성으로 계엄의 해제를 요구한 때에는 대통령은 이를 해제하여야 한다.

> **해설** ① ○ : 제83조 ▶ 헌법은 겸직금지의무(제83조)를 규정하고 있고, 비상계엄하에서도 대통령의 겸직금지를 허용하는 헌법이나 법률규정은 없다.
> ② ✕ : 국가원로자문회의의 의장은 **직전대통령**이 된다. 다만 직전대통령이 없을 때에는 대통령이 **지명**한다(제90조 제2항).
> ③ ○ : 제67조 제3항
> ④ ○ : 제76조 제4항
> ⑤ ○ : 제77조 제5항

04 감사원에 대한 다음 설명 중 가장 옳지 않은 것은?

▸ 2022 법무사

① 감사원은 조직상 대통령에 소속하되, 직무에 관하여는 독립의 지위를 가진다.

② 감사위원은 원장의 제청으로 국회의 동의를 얻어 대통령이 임명한다.

③ 국회·법원 및 헌법재판소에 소속된 공무원에 대하여는 직무감찰을 할 수 없다.

④ 감사원은 직무감찰결과 비위사실이 밝혀지더라도 해당 공무원에 대하여 직접 징계를 할 수는 없다.

⑤ 지방자치단체의 자치사무에 관하여도 합법성 감사뿐만 아니라 합목적성 감사가 허용된다.

> **해설** ① ○ : 국가의 세입·세출의 결산, 국가 및 법률이 정한 단체의 회계검사와 행정기관 및 공무원의 직무에 관한 감찰을 하기 위하여 대통령 소속 하에 감사원을 둔다(제97조).
> 감사원은 대통령에 소속하되, 직무에 관하여는 독립의 지위를 가진다(감사원법 제2조).
> ▶ 감사원은 조직상으로는 대통령에 소속하지만, 직무와 기능면에서는 독립하여 활동하는 헌법기관이다.
> ② ✕ : **원장**은 국회의 동의를 얻어 대통령이 임명하고, 그 임기는 4년으로 하며, 1차에 한하여 중임할 수 있다(제98조 제2항). / **감사위원**은 원장의 제청으로 대통령이 임명하고, 그 임기는 4년으로 하며, 1차에 한하여 중임할 수 있다(제98조 제3항).
> ▶ **감사원장** 임명에는 국회의 동의를 요하나, **감사위원** 임명에는 국회의 동의를 요하지 않는다.
> ③ ○ : 감사원법 제24조

✔ 참고 감사원법

> **제24조(감찰 사항)**
>
> ① 감사원은 다음 각 호의 사항을 감찰한다.
>   1. 「정부조직법」 및 그 밖의 법률에 따라 설치된 행정기관의 사무와 그에 소속한 공무원의 직무
>   2. 지방자치단체의 사무와 그에 소속한 지방공무원의 직무
>   3. 제22조 제1항 제3호 및 제23조 제7호에 규정된 자의 사무와 그에 소속한 임원 및 감사원의 검사대상이 되는 회계사무와 직접 또는 간접으로 관련이 있는 직원의 직무
>   4. 법령에 따라 국가 또는 지방자치단체가 위탁하거나 대행하게 한 사무와 그 밖의 법령에 따라 공무원의 신분을 가지거나 공무원에 준하는 자의 직무
> ② 제1항 제1호의 행정기관에는 군기관과 교육기관을 포함한다. 다만, 군기관에는 소장급 이하의 장교가 지휘하는 전투를 주된 임무로 하는 부대 및 중령급 이하의 장교가 지휘하는 부대는 제외한다.
> ③ 제1항의 공무원에는 **국회·법원 및 헌법재판소에 소속한 공무원은 제외**한다.
> ④ 제1항에 따라 감찰을 하려는 경우 다음 각 호의 어느 하나에 해당하는 사항은 감찰할 수 없다.
>   1. 국무총리로부터 국가기밀에 속한다는 소명이 있는 사항
>   2. 국방부장관으로부터 군기밀이거나 작전상 지장이 있다는 소명이 있는 사항

④ ○ : 감사원은 「국가공무원법」과 그 밖의 법령에 규정된 징계 사유에 해당하거나 정당한 사유 없이 이 법에 따른 감사를 거부하거나 자료의 제출을 게을리한 공무원에 대하여 그 소속 장관 또는 임용권자에게 징계를 요구할 수 있다(감사원법 제32조 제1항).

⑤ ○ : [강남구청등과 감사원 간의 권한쟁의] **위임사무**나 **자치사무**의 구별 없이 **합법성 감사**뿐만 아니라 **합목적성 감사**도 포함한 이 사건 감사는 감사원법에 근거한 것으로서, … 헌법이 감사원을 독립된 외부감사기관으로 정하고 있는 취지, 국가기능의 총체적 극대화를 위하여 중앙정부와 지방자치단체는 서로 행정기능과 행정책임을 분담하면서 중앙행정의 효율성과 지방행정의 자주성을 조화시켜 국민과 주민의 복리증진이라는 공동목표를 추구하는 협력관계에 있다는 점에 비추어 보면, 감사원에 의한 지방자치단체의 자치사무에 대한 감사를 합법성 감사에 한정하고 있지 아니한 이 사건 관련 규정은 그 목적의 정당성과 합리성을 인정할 수 있다. … 지방자치단체의 인사권이나 자치행정의 자기책임적 판단이 말살될 정도로 지방자치권의 본질이 훼손되었다고 보기는 어렵다(헌재 2008.5.29, 2005헌라3).

▶ 감사원법은 지방자치단체의 위임사무나 자치사무의 구별 없이 합법성 감사뿐만 아니라 합목적성 감사도 허용하고 있는 것으로 보이므로, **감사원의 지방자치단체에 대한** 이 사건 **감사**는 법률상 권한 없이 이루어진 것은 아니다.

정답 03 ② 04 ②

제3절 선거관리위원회

01 선거관리에 관한 다음 설명 중 가장 옳지 않은 것은?　　　　　▸ 2021 법무사

① 선거와 국민투표의 공정한 관리 및 정당에 관한 사무를 처리하기 위하여 선거관리위원회를 둔다.

② 중앙선거관리위원회는 대통령이 임명하는 9인의 위원으로 구성하고, 위원장은 위원 중에서 호선한다.

③ 중앙선거관리위원회 위원의 임기는 6년으로 한다.

④ 각급 선거관리위원회는 선거인명부의 작성 등 선거사무와 국민투표사무에 관하여 관계 행정기관에 필요한 지시를 할 수 있다.

⑤ 선거에 관한 경비는 법률이 정하는 경우를 제외하고는 정당 또는 후보자에게 부담시킬 수 없다.

> **해설**　① ○ : 제114조 제1항
> ② × : 중앙선거관리위원회는 **대통령이 임명하는 3인**, 국회에서 선출하는 3인과 대법원장이 지명하는 3인의 위원으로 구성한다. 위원장은 위원 중에서 호선한다(제114조 제2항).
> ③ ○ : 제114조 제3항
> ④ ○ : 제115조 제1항
> ⑤ ○ : 제116조 제2항 ▶ 선거공영제

정답　**01** ②

법원

01 법원에 관한 다음 설명 중 가장 옳지 않은 것은?　▸ 2021 법무사

① 대법관의 임기는 6년이고, 법률이 정하는 바에 의하여 연임할 수 있다.

② 법관은 탄핵 또는 금고 이상의 형의 선고에 의하지 아니하고는 파면되지 아니하고, 징계처분에 의하지 아니하고는 정직·감봉 기타 불리한 처분을 받지 아니한다.

③ 법관에 대한 징계처분 취소청구소송을 대법원의 단심재판에 의하도록 한 법관징계법 조항은 재판청구권을 침해한다.

④ 대법원장과 대법관이 아닌 법관은 대법관회의의 동의를 얻어 대법원장이 임명한다.

⑤ 군사법원의 상고심은 대법원에서 관할한다.

해설　① ○ : 제105조 제2항

② ○ : 제106조 제1항

③ × : [법관징계법 위헌소원사건] [합헌] 구 법관징계법 제27조는 법관에 대한 대법원장의 징계처분 취소청구소송을 대법원에 의한 단심재판에 의하도록 규정하고 있는바, 이는 독립적으로 사법권을 행사하는 법관이라는 지위의 특수성과 법관에 대한 징계절차의 특수성을 감안하여 재판의 신속을 도모하기 위한 것으로 그 합리성을 인정할 수 있고, 대법원이 법관에 대한 징계처분 취소청구소송을 단심으로 재판하는 경우에는 사실확정도 대법원의 권한에 속하여 법관에 의한 사실확정의 기회가 박탈되었다고 볼 수 없으므로, 헌법 제27조 제1항의 재판청구권을 침해하지 아니한다(헌재 2012.2.23, 2009헌바34).

④ ○ : 제104조 제3항

⑤ ○ : 제110조 제2항

정답　01 ③

제2절 법원의 조직

제3절 사법의 절차와 운영

제4절 법원의 권한

01 법원에 관한 다음 설명 중 가장 옳지 않은 것은?

▶ 2023 법무사

① 대법원이 법관에 대한 징계처분 취소청구소송을 단심으로 재판하는 경우에는 사실확정
도 대법원의 권한에 속하여 법관에 의한 사실확정의 기회가 박탈되었다고 볼 수 없으므
로, 법관에 대한 대법원장의 징계처분 취소청구소송을 대법원에 의한 단심재판에 의하도
록 한 것은 헌법 제27조 제1항의 재판청구권을 침해하지 아니한다.

② 단독판사와 합의부의 심판권을 어떻게 분배할 것인지 등에 관한 문제는 기본적으로 입법
형성권을 가진 입법자가 사법정책을 고려하여 결정할 사항으로, 입법자는 국민의 권리가
효율적으로 보호되고 재판제도가 적정하게 운용되도록 법원조직에 따른 재판사무 범위
를 배분·확정하여야 한다.

③ 재판의 심리와 판결은 공개한다. 다만, 심리는 국가의 안전보장 또는 안녕질서를 방해하
거나 선량한 풍속을 해할 염려가 있을 때에는 법원의 결정으로 공개하지 아니할 수 있다.

④ 명령·규칙 또는 처분이 헌법이나 법률에 위반되는 여부가 재판의 전제가 된 경우에는
법원은 헌법재판소에 제청하여 그 심판에 의하여 재판한다.

⑤ 형사재판에 있어서 사법권의 독립은 심판기관인 법원과 소추기관인 검찰청의 분리를 요
구함과 동시에 법관이 실제 재판에 있어서 소송당사자인 검사와 피고인으로부터 부당한
간섭을 받지 않은 채 독립하여야 할 것을 요구한다.

> **해설** ① ○ : [법관징계법 위헌소원사건] **[합헌]** 구 법관징계법 제27조는 법관에 대한 대법원장의 징계처
> 분 취소청구소송을 대법원에 의한 단심재판에 의하도록 규정하고 있는바, 이는 독립적으로 사법
> 권을 행사하는 법관이라는 지위의 특수성과 법관에 대한 징계절차의 특수성을 감안하여 재판의
> 신속을 도모하기 위한 것으로 그 합리성을 인정할 수 있고, 대법원이 법관에 대한 징계처분 취소
> 청구소송을 단심으로 재판하는 경우에는 사실확정도 대법원의 권한에 속하여 법관에 의한 사실
> 확정의 기회가 박탈되었다고 볼 수 없으므로, 헌법 제27조 제1항의 재판청구권을 침해하지 아니
> 한다(헌재 2012.2.23. 2009헌바34).
>
> ② ○ : [법원조직법 제7조 제4항 등 위헌소원] **[합헌]** 헌법 제27조 제1항은 "모든 국민은 헌법과
> 법률이 정한 법관에 의하여 법률에 의한 재판을 받을 권리를 가진다."라고 규정하고 있을 뿐, **합**
> **의부에 의한 재판을 받을 권리**를 명문화하고 있는 헌법상 규정은 존재하지 않는다. 결국 단독판
> 사와 합의부의 심판권을 어떻게 분배할 것인지 등에 관한 문제는 기본적으로 입법형성권을 가진

입법자가 사법정책을 고려하여 결정할 사항이다. 다만 입법자는 국민의 권리가 효율적으로 보호되고 재판제도가 적정하게 운용되도록 법원조직에 따른 재판사무 범위를 배분·확정하여야 한다(헌재 2021.8.31, 2020헌바357).

> ▶ **단기 1년 이상의 징역**에 해당하는 형사사건 등 일정한 경우에 한하여 합의부에서 심판을 받도록 규정한 법원조직법 조항은 재판사무 배분에 관한 입법형성의 재량을 일탈하였다고 볼 수 없으므로, 국민의 재판받을 권리를 침해하지 않는다.

③ ○ : 제109조

④ × : 대법원을 비롯한 각급 법원(군사법원 포함)은 명령·규칙을 심사할 수 있다. 그러나 명령·규칙의 위헌·위법 여부를 최종적으로 심사할 권한은 대법원이 가진다(제107조 제2항).

명령·규칙 또는 처분이 헌법이나 법률에 위반되는 여부가 재판의 전제가 된 경우에는 대법원은 이를 **최종적**으로 **심사**할 **권한**을 가진다(제107조 제2항). ▶ 명령·규칙심사권

↔ 법률이 헌법에 위반되는 여부가 재판의 전제가 된 경우에는 법원은 **헌법재판소에 제청**하여 그 심판에 의하여 재판한다(제107조 제1항). ▶ 위헌법률심사제청권

⑤ ○ : [소송기록송부지연 등 에 대한 헌법소원] [위헌] 헌법 제101조, 제103조, 제106조는 사법권독립을 보장하고 있는바, 형사재판에 있어서 사법권독립은 심판기관인 법원과 소추기관인 검찰청의 분리를 요구함과 동시에 법관이 실제 재판에 있어서 소송당사자인 검사와 피고인으로부터 부당한 간섭을 받지 않은 채 독립하여야 할 것을 요구한다(헌재 1995.11.30, 92헌마44).

> ▶ 이 사건 법률조항(구 형사소송법 제361조 제1항·제2항)은 그 입법목적을 달성하기 위하여 형사소송법의 다른 규정들만으로 충분한데도 구태여 **항소법원에의 기록송부 시 검사를 거치도록 함**으로서, 피고인의 헌법상 기본권을 침해하고 법관의 재판상 독립에 영향을 주는 것으로서 과잉금지의 원칙에 반하여 헌법 제27조 제1항 및 제3항 규정의 신속·공정한 재판을 받을 기본권을 침해하는 위헌의 법률조항이다.

정답   01 ④

제1절 헌법재판 일반론

01 헌법재판절차에서 행해지는 가처분에 관한 다음 설명 중 가장 옳지 않은 것은? ▶ 2024 법무사

① 헌법재판소가 권한쟁의심판의 청구를 받았을 때에는 직권 또는 청구인의 신청에 의하여 종국결정의 선고 시까지 심판대상이 된 피청구인의 처분의 효력을 정지하는 결정을 할 수 있고, 이 가처분결정을 함에 있어서는 행정소송법과 민사소송법 소정의 가처분 관련 규정이 준용된다.

② 본안심판이 부적법하거나 이유 없음이 명백하지 않고, 권한쟁의심판에서 문제된 피청구인의 처분 등이나 그 집행 또는 절차의 속행으로 인하여 생길 회복하기 어려운 손해를 예방할 필요와 그 효력을 정지시켜야 할 긴급한 필요가 있으며, 가처분을 인용한 뒤 종국결정에서 청구가 기각되었을 때 발생하게 될 불이익과 가처분을 기각한 뒤 청구가 인용되었을 때 발생하게 될 불이익을 비교형량하여 후자의 불이익이 전자의 불이익보다 클 경우 가처분을 인용할 수 있다.

③ 헌법소원심판절차에 있어 헌법재판소법상 명문의 규정을 두고 있지 않으나 가처분이 허용된다 할 것이고, 이러한 가처분결정은 헌법소원심판에서 다투어지는 '공권력 행사 또는 불행사'의 현상을 그대로 유지시킴으로 인하여 생길 회복하기 어려운 손해를 예방할 필요가 있어야 하고 그 효력을 정지시켜야 할 긴급한 필요가 있는 경우 인용할 수 있다.

④ 법령의 위헌확인을 청구하는 헌법소원심판에서의 가처분이 사인 간의 법률관계나 행정청의 구체적 처분의 효력을 정지시키는 것이 아니라 현재 시행되고 있는 법령의 효력을 정지시키는 것일 때에는 그 효력의 정지로 인하여 파급적으로 발생되는 효과가 클 수도 있기 때문에 이러한 점까지 고려하여 신중하게 판단하여야 한다.

⑤ 입국불허결정을 받은 외국인이, "출입국관리사무소장"을 상대로 제기한 인신보호법상 수용임시해제청구의 소가 인용되었고, 인신보호청구의 소 역시 항고심에서 인용된 후 재항고심에 계속 중이며, 난민인정심사불회부결정취소의 소 역시 청구를 인용하는 제1심 판결이 선고되었다면, 비록 위 소송 제기 후 5개월 이상 변호인을 접견하지 못한 상태라 하더라도 변호인 접견 허가에 관한 임시지위를 정하기 위한 가처분과 관련하여 손해를 방지할 긴급한 필요가 인정된다고 보기 어렵다.

해설 ① ○ : 헌재 1999.3.25, 98헌사98
② ○ : 헌재 2022.6.3, 2022헌사448 ▶ 가처분 인용요건
③ ○ : 헌법재판소법은 **정당해산심판**과 **권한쟁의심판**에 대해서만 가처분에 관한 규정을 두고 있다(헌법재판소법 제57조, 제65조). 2000헌사471결정에서 **헌법소원심판**절차에 있어서도 가처분이 허용된다고 보았다.

[사법시험령 제4조 제3항 효력정지 가처분신청] 헌재 2000.12.8, 2000헌사471
　▶ 헌법재판소법 제68조 제1항 헌법소원심판에서 가처분이 허용되는지 여부 : 적극
④ ○ : 헌재 2002.4.25, 2002헌사129
　▶ 법령의 위헌확인을 구하는 헌법소원심판에서 법령의 효력을 정지시키는 가처분의 허용기준
⑤ × : [효력정지가처분신청] [인용] 신청인이 피신청인을 상대로 제기한 인신보호법상 수용임시해제청구의 소는 인용되었고, 인신보호청구의 소 역시 항고심에서 인용된 후 재항고심에 계속 중이며, 난민인정심사불회부결정취소의 소 역시 청구를 인용하는 제1심 판결이 선고되었으나, 두 사건 모두 상급심에서 청구가 기각될 가능성을 배제할 수 없다. 신청인이 위 소송 제기 후 5개월 이상 변호인을 접견하지 못하여 공정한 재판을 받을 권리가 심각한 제한을 받고 있는데, 이러한 상황에서 피신청인의 재항고가 인용될 경우 신청인은 변호인 접견을 하지 못한 채 불복의 기회마저 상실하게 되므로 회복하기 어려운 중대한 손해를 입을 수 있다. 위 인신보호청구의 소는 재항고에 대한 결정이 머지않아 날 것으로 보이므로 손해를 방지할 긴급한 필요 역시 인정되고, 이 사건 신청을 기각한 뒤 본안 청구가 인용 될 경우 발생하게 될 불이익이 크므로 이 사건 신청을 인용함이 상당하다(헌재 2014.6.5, 2014헌사592).
　▶ 입국불허결정을 받은 외국인이 인천공항출입국관리사무소장을 상대로 인신보호청구의 소 및 난민인정심사불회부결정취소의 소를 제기한 후 그 소송수행을 위하여 변호인접견신청을 하였으나 피신청인이 이를 거부한 사안에서, 헌법재판소가 피신청인으로 하여금 변호인접견을 허가하도록 임시의 지위를 정하기 위한 가처분을 인용한 사례

정답　**01** ⑤

위헌법률심판

01 헌법재판소 위헌결정의 효력 등에 관한 다음 설명 중 가장 옳지 않은 것은? ▸2023 법무사

① 형사재판 유죄확정판결이 있은 후 당해 처벌 근거조항에 대해 위헌결정이 내려진 경우 유죄판결을 받은 자는 재심청구를 통하여 유죄의 확정판결을 다툴 수 있다.

② 헌법재판소법은 법률의 위헌결정, 권한쟁의심판의 결정, 헌법소원의 인용결정에 대한 기속력을 명문으로 규정하고 있다.

③ 형벌에 관한 법률 또는 법률의 조항이 위헌으로 결정된 경우 소급하여 그 효력을 상실하지만, 종전에 합헌으로 결정한 사건이 있는 경우에는 그 결정이 있는 날로 소급하여 효력을 상실한다.

④ 헌법재판소의 헌법불합치결정은 법률조항에 대한 위헌결정에 해당하므로, 형벌에 관한 법률조항을 이루게 되는 집회 및 시위에 관한 법률 조항에 대하여 헌법불합치결정이 선고된 경우 헌법재판소가 위 조항에 대하여 잠정적용을 명한 경우라 하더라도 형벌에 관한 법률조항에 대하여 위헌결정이 선고된 경우 그 조항이 소급하여 효력을 상실한다고 규정한 헌법재판소법 조항에 따라 위 조항은 소급하여 효력을 상실한다.

⑤ 법률조항의 위헌결정으로 인하여 당해 법률 전부를 시행할 수 없다고 인정될 때에는 그 전부에 대하여도 위헌결정을 할 수 있다.

해설 ① ○ : 헌법재판소법 제47조 제3항의 경우에 위헌으로 결정된 법률 또는 법률의 조항에 근거한 유죄의 확정판결에 대하여는 재심을 청구할 수 있다(헌법재판소법 제47조 제4항).

② ○ : 헌법재판소법 제47조 제1항, 헌법재판소법 제67조 제1항, 헌법재판소법 제75조 제1항

③ × : 헌법재판소법 제47조 제2항에도 불구하고 형벌에 관한 법률 또는 법률의 조항은 소급하여 그 효력을 상실한다. 다만, 해당 법률 또는 법률의 조항에 대하여 종전에 합헌으로 결정한 사건이 있는 경우에는 **그 결정이 있는 날의 다음 날**로 소급하여 효력을 상실한다(헌법재판소법 제47조 제3항).

④ ○ : 피고인이 야간옥외집회를 주최하였다는 취지의 공소사실에 대하여 원심이 집회 및 시위에 관한 법률 제23조 제1호, 제10조 본문을 적용하여 유죄를 인정하였는데, 원심판결 선고 후 헌법재판소가 위 법률조항에 대해 **헌법불합치결정**을 선고하면서 개정시한을 정하여 입법개선을 촉구하였는데도 위 시한까지 법률 개정이 이루어지지 않은 사안에서, 위 법률조항은 소급하여 효력을 상실하므로 이를 적용하여 공소가 제기된 위 피고사건에 대하여 **무죄**를 선고하여야 한다고 한 사례(대판 2011.6.23. 2008도7562 전원합의체)

⑤ ○ : 헌법재판소법 제45조

제3절 헌법소원심판

01 헌법재판소 및 위헌법률심사에 관한 다음 설명 중 가장 옳지 않은 것은? ▶ 2021 법무사

① 헌법재판소는 법관의 자격을 가진 9인의 재판관으로 구성하며, 재판관은 대통령이 임명한다.

② 위헌법률심판의 대상이 되는 '법률'에는 국회의 의결을 거친 형식적 의미의 법률뿐만 아니라 조약 등 형식적 의미의 법률과 동일한 효력을 가지는 법규범들도 포함된다.

③ 법률의 위헌 여부가 재판의 전제가 된 경우 법원은 헌법재판소에 제청하여 그 심판에 의하여 재판을 하는데, 여기서 말하는 재판에는 본안에 관한 재판 외에 소송절차에 관한 재판도 포함된다.

④ 헌법재판소법 제68조 제2항의 헌법소원은 법률의 위헌여부 심판의 제청신청을 하여 그 신청이 기각된 때에 청구할 수 있다.

⑤ 개별적, 구체적 사건에서 법률조항의 단순한 포섭, 적용에 관한 문제를 다투는 것도 적법한 헌법소원 심판청구에 해당한다.

해설 ① ○ : 제111조 제2항

② ○ : [구 헌법 제53조 등 위헌소원](유신헌법 긴급조치 사건) 헌재 2013.3.21, 2010헌바132

③ ○ : [형사소송법 제92조 제1항(구속기간 제한) 위헌제청] [합헌] **헌법재판소법 제41조 제1항의 "재판"**이라 함은 판결·결정·명령 등 그 형식 여하와 본안에 관한 재판이거나 소송절차에 관한 재판이거나를 불문하며, 심급을 종국적으로 종결시키는 종국재판뿐만 아니라 중간재판도 이에 포함된다(헌재 2001.6.28, 99헌가14). ▶ 이 사건 법률조항에 의하여 법원이 행하는 **구속기간갱신결정**도 당해 소송사건을 종국적으로 종결시키는 재판은 아니라고 하더라도, 그 자체가 소송절차에 관한 재판에 해당하는 법원의 의사결정으로서 헌법 제107조 제1항과 헌법재판소법 제41조 제1항에 규정된 재판에 해당된다.

④ ○ : 제41조 제1항에 따른 법률이 위헌 여부 심판이 제청신청이 기각된 때에는 그 신청을 한 당사자는 헌법재판소에 헌법소원심판을 청구할 수 있다(헌법재판소법 제68조 제2항).
헌법재판소법 제68조 제2항의 헌법소원은 법률의 위헌여부심판의 제청신청을 하여 그 신청이 기각된 때에만 청구할 수 있는 것이므로, 청구인이 특정 법률조항에 대한 위헌여부심판의 제청신청을 하지 않았고 따라서 법원의 기각결정도 없었다면 비록 헌법소원심판청구에 이르러 위헌이라고 주장하는 법률조항에 대한 헌법소원은 원칙적으로 심판청구요건을 갖추지 못하여 부적법한 것이나, **예외**적으로 위헌제청신청을 기각 또는 각하한 법원이 위 조항을 실질적으로 판단하였거나 위 조항이 명시적으로 위헌제청신청을 한 조항과 필연적 연관관계를 맺고 있어서 법원이 위 조항을 묵시적으로나마 위헌제청신청으로 판단을 하였을 경우에는 헌법재판소법 제68조 제2항의 헌법소원으로서 적법한 것이다(헌재 2005.2.24, 2004헌바24).

⑤ × : [구 특정범죄 가중처벌 등에 관한 법률 제2조 제1항 위헌소원 등(뇌물죄의 주체인 '공무원'의 해석·적용에 대한 위헌소원사건)] 법률의 의미는 결국 개별·구체화된 법률해석에 의해 확인되는 것이므로 법률과 법률의 해석을 구분할 수는 없고, 재판의 전제가 된 법률에 대한 규범통제

정답 01 ③ / 01 ⑤

는 해석에 의해 구체화된 법률의 의미와 내용에 대한 헌법적 통제로서 헌법재판소의 고유권한이며, 헌법합치적 법률해석의 원칙상 법률조항 중 위헌성이 있는 부분에 한정하여 위헌결정을 하는 것은 입법권에 대한 자제와 존중으로서 당연하고 불가피한 결론이므로, 이러한 한정위헌결정을 구하는 **한정위헌청구**는 원칙적으로 적법하다고 보아야 한다. / 다만, 재판소원을 금지하는 헌법재판소법 제68조 제1항의 취지에 비추어, 개별·구체적 사건에서 단순히 법률조항의 포섭이나 적용의 문제를 다투거나, 의미 있는 헌법문제에 대한 주장 없이 단지 재판결과를 다투는 헌법소원 심판청구는 여전히 허용되지 않는다(헌재 2012.12.27, 2011헌바117).

▶ **[한정위헌]** 형법 제129조 제1항 중 "공무원"에 구 '제주특별자치도 설치 및 국제자유도시 조성을 위한 특별법' 제299조 제2항의 제주특별자치도통합영향평가심의위원회 심의위원 중 위촉위원이 포함되는 것으로 해석하는 것이 죄형법정주의원칙에 위배되는지 여부(적극) : 이 사건 법률조항의 '공무원'에 국가공무원법·지방공무원법에 따른 공무원이 아니고 공무원으로 간주되는 사람도 아닌 제주자치도 위촉위원이 포함된다고 해석하는 것은 법률해석의 한계를 넘은 것으로서 죄형법정주의에 위배된다.

02 헌법소원의 대상에 관한 다음 설명 중 가장 옳지 않은 것은? ▶ 2021 법무사

① 행정청이 우월적 지위에서 일방적으로 강제하는 '권력적 사실행위'는 헌법소원의 대상이 될 수 있다.

② 대통령의 법률안 제출행위는 국가기관 사이의 내부적 행위에 불과하므로 헌법소원심판의 대상이 되는 공권력의 행사가 아니다.

③ 명령·규칙 그 자체에 의하여 직접 기본권이 침해된 경우, 대법원이 이를 최종적으로 심사할 권한을 가지므로 명령·규칙은 헌법소원의 대상이 될 수 없다.

④ 예산은 일반국민을 구속하지 않으므로 국회의 예산안 의결행위는 헌법소원의 대상이 되지 않는다.

⑤ 헌법 해석상 특정인의 기본권을 보호하기 위한 국가의 입법의무가 발생하였음에도 불구하고 입법자가 아무런 입법조치를 취하지 않고 있는 경우 그 입법부작위는 헌법소원의 대상이 될 수 있다.

해설 ① ○ : [과다감사 위헌확인] **[기각]** [1] 행정상의 사실행위는 경고(警告), 권고(勸告), 시사(示唆)와 같은 정보제공행위나 단순한 지식표시행위인 행정지도(行政指導)와 같이 대외적 구속력이 없는 '비권력적 사실행위'와 행정청이 우월적 지위에서 일방적으로 강제하는 '권력적 사실행위'로 나눌 수 있고, 이 중에서 권력적 사실행위는 헌법소원의 대상이 되는 공권력의 행사에 해당한다. [2] 이 사건 감사는 피청구인이 폐기물관리법 제43조 제1항에 따라 폐기물의 적정 처리 여부 등을 확인하기 위한 목적으로 청구인들의 의사에 상관없이 일방적으로 행하는 사실적 업무행위이고, 청구인들이 이를 거부·방해하거나 기피하는 경우에는 과태료에 처해지는 점으로 볼 때 청구인들도 이를 수인해야 할 법적 의무가 있다. 그렇다면 이 사건 감사는 피청구인이 우월적 지위에서 일방적으로 강제하는 권력적 사실행위라 할 것이고 이는 헌법소원의 대상이 되는 헌법재판소법 제68조 제1항의 '공권력의 행사'에 해당된다(헌재 2003.12.18, 2001헌마754).

② ○ : 공권력의 행사에 대하여 헌법소원심판(憲法訴願審判)을 청구하기 위하여는, 공권력의 주체에 의한 공권력의 발동으로서 국민의 권리의무에 대하여 직접적인 법률효과를 발생시키는 행위

가 있어야 한다. 그런데 **대통령의 법률안 제출행위**는 국가기관 간의 내부적 행위에 불과하고 국민에 대하여 직접적인 법률효과를 발생시키는 행위가 아니므로 헌법재판소법 제68조에서 말하는 공권력의 행사에 해당되지 않는다(헌재 1994.8.31. 92헌마174).

③ × : [체육시설의 설치ㆍ이용에 관한 법률 시행규칙 제5조에 대한 헌법소원] **[위헌] 명령ㆍ규칙 그 자체에 의하여 직접 기본권이 침해되었을 경우**에는 그것을 대상으로 하여 헌법소원심판을 청구할 수 있고, 그 경우 제소요건으로서 당해 법령이 구체적 집행행위를 매개로 하지 아니하고 직접적으로 그리고 현재적으로 국민의 기본권을 침해하고 있어야 한다(헌재 1993.5.13. 92헌마80).

④ ○ : **예산**은 일종의 법규범이고 법률과 마찬가지로 국회의 의결을 거쳐 제정되지만 법률과 달리 국가기관만을 구속할 뿐 일반국민을 구속하지 않는다. 국회가 의결한 **예산** 또는 **국회의 예산안 의결**은 헌법재판소법 제68조 제1항 소정의 '공권력의 행사'에 해당하지 않고 따라서 헌법소원의 대상이 되지 아니한다(헌재 2006.4.25. 2006헌마409).

⑤ ○ : [입법부작위 위헌확인] (진정) **입법부작위에 대한 헌법소원**은 헌법에서 기본권보장을 위해 명시적인 입법위임을 하였음에도 입법자가 이를 이행하지 아니하였거나, 헌법해석상 특정인에게 구체적인 기본권이 생겨 이를 보장하기 위한 국가의 행위의무 내지 보호의무가 발생하였음이 명백함에도 불구하고 입법자가 아무런 입법조치를 취하지 아니한 경우에만 예외적으로 인정될 수 있다(헌재 2008.7.1. 2008헌마428).

03 헌법소원의 대상에 관한 다음 설명 중 가장 옳지 않은 것은?

▸ 2022 법무사

① 행정규칙은 원칙적으로 헌법소원의 대상이 될 수 없으나, 예외적으로 법령의 규정에 의하여 행정관청에 법령의 구체적 내용을 보충할 권한을 부여한 경우나, 재량권행사의 준칙으로서 그 정한 바에 따라 되풀이 시행되어 행정관행이 형성됨으로써 평등의 원칙이나 신뢰보호의 원칙에 따라 행정기관이 그 상대방에 대한 관계에서 그 규칙에 따라야 할 자기구속을 당하게 되는 경우에는 헌법소원의 대상이 될 수도 있다.

② 중앙선거관리위원회가 '비례○○당'의 명칭이 정당법에서 금지하는 유사명칭에 해당하여 정당의 명칭으로 사용할 수 없다고 결정ㆍ공표한 행위는 정당의 법적 지위에 영향을 미치므로 헌법소원의 대상이 되는 공권력의 행사에 해당한다.

③ 대통령기록물 소관 기록관이 대통령기록물을 중앙기록물관리기관으로 이관하는 행위는 국가기관 사이의 내부적ㆍ절차적 행위에 불과하므로 헌법소원의 대상이 되는 공권력의 행사에 해당하지 아니한다.

④ 경찰서장이 시장에게 활동보조인과 수급자의 인적사항, 휴대전화번호 등을 확인할 수 있는 자료를 요청한 것에 대하여 시장은 협조할 의무를 부담하지 않으므로 경찰서장의 위와 같은 요청행위는 공권력 행사성이 인정되지 않는다.

⑤ 행정권력의 부작위에 대한 헌법소원은 공권력의 주체에게 헌법에서 유래하는 작위의무가 특별히 구체적으로 규정되어 이에 의거하여 기본권의 주체가 행정행위 내지 공권력의 행사를 청구할 수 있음에도 공권력의 주체가 그 의무를 해태하는 경우에 한하여 허용된다.

정답 ▸ 02 ③ 03 ②

해설 ① ○ : [사회복무요원 복무관리 규정 제27조 등 위헌확인(사회복무요원의 정치적 행위 금지사건)] **행정규칙**은 원칙적으로 헌법소원의 대상이 될 수 없으나, / 예외적으로 법령의 규정에 의하여 행정관청에 법령의 구체적 내용을 보충할 권한을 부여한 경우나, 재량권행사의 준칙으로서 그 정한 바에 따라 되풀이 시행되어 행정관행이 형성됨으로써 평등의 원칙이나 신뢰보호의 원칙에 따라 행정기관이 그 상대방에 대한 관계에서 그 규칙에 따라야 할 자기구속을 당하게 되는 경우에는 헌법소원의 대상이 될 수 있다(헌재 1990.9.3, 90헌마13; 헌재 2013.8.29, 2012헌마767 등 참조)(헌재 2021.11.25, 2019헌마534).

> 1. [각하] 구 사회복무요원 복무관리 규정 제27조 제1호의 헌법소원의 대상이 되는 공권력 행사에 해당하는지 여부(소극)
>
> 2. [기각] 사회복무요원이 정당 가입을 할 수 없도록 규정한 병역법 제33조 제2항 본문 제2호 중 '정당'에 관한 부분이 사회복무요원인 청구인의 정치적 표현의 자유 및 결사의 자유를 침해하는지 여부(소극) ∵ 사회복무요원의 정치적 중립성 유지
>
> 3. [위헌] 사회복무요원의 정치적 행위를 금지하는 병역법 제33조 제2항 본문 제2호 중 '**그 밖의 정치단체에 가입하는 등 정치적 목적을 지닌 행위**'에 관한 부분이 청구인의 정치적 표현의 자유 및 결사의 자유를 침해하는지 여부(적극) ∵ 명확성원칙 위배

② × : [정당명칭 사용불가 결정·공표 행위 위헌확인] [각하] 이 사건 **결정·공표**(피청구인 중앙선거관리위원회가 2020.1.13, '비례○○당'의 명칭은 정당법 제41조 제3항에 위반되어 정당의 명칭으로 사용할 수 없다고 결정·공표한 행위)는 '비례○○당'이 정당법 제41조 제3항에 따라 사용이 금지되는 유사명칭에 해당하는지 여부에 대한 피청구인의 내부적인 판단을 공표한 것으로서, 그 자체로 청구인의 법적 지위에 어떠한 영향을 미친다고 볼 수 없다. 따라서 이 사건 결정·공표는 헌법소원의 대상이 되는 '공권력의 행사'에 해당하지 않는다(헌재 2021.3.25, 2020헌마94).

> 사실관계 : 비례자유한국당(가칭, 기성정당 명칭에 '비례'만을 붙임) 중앙당창당준비위원회 → '미래한국당'으로 변경, 중앙당등록 → 미래통합당에 흡수합당 → '국민의힘'으로 정당명 변경

③ ○ : [대통령기록물 이관 등 위헌확인(대통령기록물이관 및 보호기간지정사건)] [각하] [1] 이 사건 **이관행위**는 '대통령기록물관리에 관한 법률'에 따른 대통령기록물 관리업무 수행 기관의 변경행위로서, 법률이 정하는 권한분장에 따라 업무수행을 하기 위한 국가기관 사이의 내부적·절차적 행위에 불과하므로 헌법소원심판의 대상이 되는 공권력의 행사에 해당한다고 볼 수 없다. [2] 이 사건 **지정행위**는 대통령기록물법에 따라 이루어진 국가기관 사이의 내부적인 기록물의 분류 및 통보행위로서, 개별 기록물에 대하여 이관행위 이전에 이루어지고, 이때 어떤 대통령지정기록물에 대해 보호기간이 지정되는지는 대외적으로 공개·공표되지 않는다. 보호기간 지정행위 자체는 국가기관 사이의 행위로서, 국민을 상대로 행하는 직접적 공권력작용에 해당한다고 보기는 어려우며, 이 사건 지정행위만으로는 청구인들의 기본권 침해의 법적 관련성이 인정된다고 보기 어렵다(헌재 2019.12.27, 2017헌마359).

④ ○ : [개인정보 제공 요청행위 위헌확인 등] [각하] 이 사건 사실조회행위의 근거조항인 이 사건 사실조회조항은 수사기관에 공사단체 등에 대한 사실조회의 권한을 부여하고 있을 뿐이고, 피청구인 김포시장은 피청구인 김포경찰서장의 사실조회에 응하거나 협조하여야 할 의무를 부담하지 않는다. 따라서 이 사건 **사실조회행위**(피청구인 김포경찰서장이 2015.6.26, 피청구인 김포시장에게 활동보조인과 수급자의 인적사항, 휴대전화번호 등을 확인할 수 있는 자료를 요청한 행위)만으로는 청구인들의 법적 지위에 어떠한 영향을 미친다고 보기 어렵고, 김포시장의 자발적인 협조가 있어야만 비로소 청구인들의 개인정보자기결정권이 제한된다. 그러므로 이 사건 사실조회행위는 공권력 행사성이 인정되지 않는다(헌재 2018.8.30, 2016헌마483).

▶ **[기각]** 피청구인 김포시장이 2015.7.3. 피청구인 김포경찰서장에게 청구인들의 이름, 생년월일, 전화번호, 주소를 제공한 행위(이하 '이 사건 **정보제공행위**'라 한다)가 영장주의에 위배되어 청구인들의 개인정보자기결정권을 침해하는지 여부(소극) 및 과잉금지원칙에 위배되어 청구인들의 개인정보자기결정권을 침해하는지 여부(소극)

⑤ ○ : 헌재 1991.9.16, 89헌마163

04 헌법재판소법 제68조 제1항의 '공권력의 행사 또는 불행사'에 관한 다음 설명 중 가장 옳지 않은 것은?

▶ 2025 법무사

① 헌법재판소법 제68조 제1항에서의 '공권력'은 입법권·행정권·사법권을 행사하는 모든 국가기관·공공단체 등의 고권적 작용을 말하고, 그 행사 또는 불행사로 국민의 권리와 의무에 대하여 직접적인 법률효과를 발생시켜 청구인의 법률관계 내지 법적 지위를 불리하게 변화시키는 것이어야 한다.

② 일반적으로 어떤 행위가 헌법소원의 대상이 되는 권력적 사실행위에 해당하는지 여부는 당해 행정주체와 상대방의 관계, 그 사실행위에 대한 상대방의 의사·관여정도와 태도, 사실행위의 목적·경위, 법령에 의한 명령·강제수단 발동 가부 등 그 행위가 행하여질 당시의 구체적 사정을 종합적으로 고려하여 개별적으로 판단하여야 한다.

③ 행정권력의 부작위가 헌법소원의 대상이 되는 공권력의 불행사에 해당하려면, 공권력의 주체에게 헌법에서 유래하는 작위의무가 특별히 구체적으로 규정되어 이에 의거하여 기본권의 주체가 행정행위나 공권력의 행사를 청구할 수 있음에도 공권력의 주체가 그 의무를 해태하는 경우이어야 한다.

④ 대통령과 통일부장관에 의한 개성공단 전면중단 조치는 개성공단 투자기업들에 대해 일방적으로 행해진 권력적 사실행위로서 공권력의 행사에 해당한다.

⑤ 검찰수사관이 피의자신문에 참여한 변호인에게 변호인 참여신청서의 작성을 요구한 행위는 검찰수사관이 자신의 우월한 지위를 이용하여 변호인에게 일방적으로 강제한 것으로서 권력적 사실행위에 해당하여 헌법소원의 대상이 될 수 있다.

> **해설** ① ○ : 헌재 2023.6.27, 2023헌마793
>
> ② ○ : 헌재 2014.1.14, 2013헌마856
>
> ③ ○ : 헌재 1991.9.16, 89헌마163
>
> ④ ○ : [개성공단 전면중단조치 사건] **[기각]** 이 사건 **중단조치**는 투자기업인 청구인들로 하여금 공권력에 순응케 하여 개성공단의 운영을 중단시키는 결과를 실현한 일련의 행위로 구성되며, 그로 인해 위 청구인들의 개성공단에서의 사업 활동이 중단되고, 개성공단 내 공장, 영업시설이나 자재 등에 접근, 이용이 차단되는 등 법적 지위에 직접적, 구체적 영향을 받게 되었으므로, 이 사건 중단조치는 피청구인들이 투자기업인 청구인들에 대한 우월적 지위에서 일방적으로 행한 **권력적 사실행위**로서 **공권력의 행사**에 해당한다(헌재 2022.1.27, 2016헌마364).

정답 04 ⑤

⑤ × : [변호인 참여신청서 요구행위 등 위헌확인] 청구인은 이 사건 참여신청서요구행위에 따라 수사관이 출력해 준 신청서에 인적사항을 기재하여 제출하였는데, 이는 청구인이 피의자의 변호인임을 밝혀 피의자신문에 참여할 수 있도록 하기 위한 검찰 내부 절차를 수행하는 과정에서 이루어진 **비권력적 사실행위**에 불과하므로, 헌법소원의 대상이 되는 공권력의 행사에 해당하지 않는다(헌재 2017.11.30, 2016헌마503).

▶ 검찰수사관인 피청구인이 피의자신문에 참여한 변호인인 청구인에게 피의자 후방에 앉으라고 요구한 행위(이하 '이 사건 후방착석요구행위'라 한다)가 변호인인 청구인의 변호권을 침해하는지 여부(적극)

05 입법부작위에 관한 다음 설명 중 가장 옳지 않은 것은?

▶ 2023 법무사

① 양육비 대지급제 등 양육비 이행의 실효성을 더 높이는 내용의 법률을 제정할 헌법의 명시적인 입법위임이 존재한다고 볼 수 없고, 헌법해석상 기존의 양육비 이행을 확보하기 위하여 마련된 여러 입법 이외에 양육비 대지급제 등과 같은 구체적·개별적 사항에 대한 입법의무가 새롭게 발생된다고도 볼 수 없다.

② 진정입법부작위에 대한 헌법소원심판청구는 헌법에서 기본권 보장을 위하여 법률에 명시적으로 입법위임을 하였음에도 입법자가 이를 이행하지 아니한 경우이거나, 헌법 해석상 특정인에게 구체적인 기본권이 생겨 이를 보장하기 위한 국가의 행위의무 내지 보호의무가 발생하였음이 명백함에도 불구하고 입법자가 아무런 입법조치를 취하지 아니한 경우에 한하여 허용된다.

③ 의료인이 아닌 사람도 문신시술을 업으로 행할 수 있도록 그 자격 및 요건을 법률로 제정하도록 하는 내용의 명시적인 입법위임은 헌법에 존재하지 않으며, 문신시술을 위한 별도의 자격제도를 마련할지 여부는 여러 가지 사회적·경제적 사정을 참작하여 입법부가 결정할 사항으로, 그에 관한 입법의무가 헌법해석상 도출된다고 보기는 어렵다.

④ 가정폭력 가해자인 전 남편이 이혼 후 추가 가해 목적으로 자녀의 가족관계증명서 및 기본증명서의 교부를 청구하는 것이 분명한 경우에도 이를 제한하는 규정을 제정하지 아니한 '가족관계의 등록 등에 관한 법률'의 입법부작위는 청구인의 개인정보자기결정권을 침해하는 진정입법부작위에 해당한다.

⑤ 가족이 북한 내 정치범수용소에 억류되어 있는 북한이탈주민 등이 이른바 '북한인권법'을 제정하지 아니한 입법부작위가 청구인들의 기본권을 침해한다고 주장하며 제기한 헌법소원심판 계속 중에 국회가 북한인권법을 제정하였다면, 더 이상 권리보호이익이 존재한다고 보기 어렵고, 달리 헌법적 해명의 필요성도 찾아보기 어려우므로 헌법소원심판청구는 부적법하다.

해설 ① ○ : [입법부작위 위헌확인(양육비 입법부작위 사건)] [1] 헌법 제36조 제1항은 혼인과 가족을 보호해야 한다는 국가의 일반적 과제를 규정하였을 뿐, 청구인들의 주장과 같이 양육비 채권의 집행권원을 얻었음에도 양육비 채무자가 이를 이행하지 아니하는 경우 그 이행을 용이하게 확보하도록 하는 내용의 구체적이고 명시적인 입법의무를 부여하였다고 볼 수 없다. [2] 헌법 제34조 및 제36조가 가족생활을 보호하고 청소년의 복지향상을 위해 노력할 과제를 국가에게 부여하고 있다고 할지라도, 이러한 헌법조항의 해석만으로는 청구인들이 주장하는 바와 같이 양육비 대지급제 등 양육비의 이행을 실효적으로 담보하기 위한 구체적 제도에 대한 입법의무가 곧바로 도출된다고 보기는 어렵다(헌재 2021.12.23. 2019헌마168).

② ○ : [입법부작위 위헌확인] 헌법소원은 헌법재판소법 제68조 제1항에 규정한 바와 같이 공권력의 불행사에 대하여서도 청구할 수 있지만, 입법부작위에 대한 헌법소원은 원칙적으로 인정될 수 없고, 다만 ① 헌법에서 기본권 보장을 위해 명시적인 입법위임을 하였음에도 입법자가 이를 이행하지 않거나, ② 헌법해석상 특정인에게 구체적인 기본권이 생겨 이를 보장하기 위한 국가의 행위의무 내지 보호의무가 발생하였음이 명백함에도 입법자가 아무런 입법조치를 취하지 않고 있는 경우에만 예외적으로 인정될 수 있다는 것이 헌법재판소의 확립된 판례이다(헌재 2000.6.1. 2000헌마18).

③ ○ : [의료법 제27조 제1항 본문 전단 위헌확인(비의료인 문신시술 금지 사건)] 의료인이 아닌 사람도 문신시술을 업으로 행할 수 있도록 그 자격 및 요건을 법률로 제정하도록 하는 내용의 명시적인 입법위임은 헌법에 존재하지 않으며, 문신시술을 위한 별도의 자격제도를 마련할지 여부는 여러 가지 사회적·경제적 사정을 참작하여 입법부가 결정할 사항으로, 그에 관한 입법의무가 헌법해석상 도출된다고 보기는 어렵다. 따라서 이 사건 입법부작위에 대한 심판청구는 입법자의 입법의무를 인정할 수 없다(헌재 2022.3.31. 2017헌마1343).

④ × : 진정입법부작위에 해당하는 것이 아니라, **부진정입법부작위**에 해당한다.

[입법부작위 위헌확인(가족관계의 등록 등에 관한 법률 제14조 제1항 본문 부진정입법부작위 위헌확인 사건)] [**헌법불합치**] 이 사건 법률조항은 가정폭력 가해자에 대한 별도의 제한 없이 직계혈족이기만 하면 사실상 자유롭게 그 자녀의 가족관계증명서와 기본증명서의 교부를 청구하여 발급받을 수 있도록 함으로써, 그로 인하여 가정폭력 피해자인 청구인의 개인정보가 가정폭력 가해자인 전 배우자에게 무단으로 유출될 수 있는 가능성을 열어놓고 있다. 따라서 과잉금지원칙에 위배되어 청구인의 개인정보자기결정권을 침해한다(헌재 2020.8.28. 2018헌마927). ▶ 이 사건 법률조항이 불완전·불충분하게 규정되어, 직계혈족이 가정폭력의 가해자로 판명된 경우 주민등록법 제29조 제6항 및 제7항과 같이 가정폭력 피해자가 가정폭력 가해자를 지정하여 가족관계증명서 및 기본증명서의 교부를 제한하는 등의 가정폭력 피해자의 개인정보를 보호하기 위한 구체적 방안을 마련하지 아니한 **부진정입법부작위**가 과잉금지원칙을 위반하여 청구인의 개인정보자기결정권을 침해한다.

⑤ ○ : [입법부작위 위헌확인(북한인권법 사건)] [**각하**] 헌법소원제도는 국민의 기본권 침해를 구제하기 위한 제도이므로 그 제도의 목적에 비추어 권리보호이익이 있는 경우에만 이를 제기할 수 있다. 권리보호이익은 헌법재판소의 결정 당시에도 존재해야 하므로, 헌법소원심판청구 당시 권리보호이익이 인정되더라도 심판 계속 중에 사실관계 또는 법률관계의 변동으로 말미암아 청구인이 주장하는 기본권의 침해가 종료된 경우에는 원칙적으로 권리보호이익이 없으므로 헌법소원이 부적법한 것으로 된다(헌재 2007.11.29. 2005헌마499; 헌재 2013.12.26. 2012헌마308). …… 피청구인이 '북한주민 등에 대한 인권유린의 증거조사 및 기록보존을 위한 제도적 장치를 마련하고, 인권유린의 중단 및 예방조치를 강구하기 위한 법률'을 마련하지 않음으로써 자신들의 기본권이 침해되었다는 청구인들(가족이 북한 내 정치범수용소에 억류되어 있는 북한이탈주민 등)의 주장은 위와 같은 북한인권법의 제정으로 모두 해소되었으므로, 이 사건 심판청구의 권리보호이익은 소멸되었고, 달리 헌법적 해명의 필요성도 찾아보기 어렵다(헌재 2016.4.28. 2013헌마266).

정답　**05** ④

06 입법부작위에 관한 다음 설명 중 가장 옳지 않은 것은?

▶ 2025 법무사

① 헌법재판소법 제68조 제2항에 의한 헌법소원은 법률의 위헌성을 적극적으로 다투는 제도이므로, 법률의 부존재, 즉 진정입법부작위를 다투는 것은 허용되지 아니하고, 다만 법률이 불완전·불충분하게 규정되었음을 주장하며 법률 자체의 위헌성을 다투는 취지라면 이는 그 법률이 당해 사건의 재판의 전제가 된다는 것을 요건으로 허용될 수 있다.

② 행정절차에서의 위법하거나 부당한 구금의 피해자에 대하여 형사보상 및 명예회복에 관한 법률에 보상 규정을 두지 않은 입법부작위는 진정입법부작위에 해당한다.

③ 국가로 하여금 무죄판결이 확정된 피고인에 대하여 그 재판에 소요된 비용을 보상하도록 규정한 형사소송법 제194조의2 제1항에서 기소유예처분을 받았다가 헌법재판소의 취소결정을 받고 혐의없음의 불기소처분을 받은 피의자에 대한 경우를 비용보상의 대상으로 규정하지 아니한 것은 비용보상의 요건을 불완전·불충분하게 규정한 것에 해당한다.

④ 70세 이상인 불구속 피의자에 대하여 국선변호인을 선정하는 제도를 두지 않은 입법부작위는 헌법소원의 대상이 될 수 없는 입법부작위에 해당한다.

⑤ 6·25전쟁 중(1950.6.25.부터 1953.7.27. 군사정전에 관한 협정 체결 전까지를 말한다) 본인의 의사에 반하여 북한에 의하여 강제로 납북된 자 및 그 가족에 대한 보상입법을 마련하지 아니한 입법부작위는 헌법소원의 대상이 될 수 없다.

해설 ① ○ : 헌법재판소법 제68조 제2항에 의한 헌법소원은 '법률'의 위헌성을 적극적으로 다투는 제도이므로 '법률의 부존재' 즉, 진정입법부작위를 다투는 것은 그 자체로 허용되지 아니하고, 다만 법률이 불완전·불충분하게 규정되었음을 근거로 법률 자체의 위헌성을 다투는 취지 즉, 부진정입법부작위를 다투는 것으로 이해될 경우에는 그 법률이 당해 사건 재판의 전제가 된다는 것을 요건으로 허용될 수 있다(헌재 2010.2.25, 2008헌바67; 헌재 2017.6.27, 2017헌바24).

② ○ : [형사보상 및 명예회복에 관한 법률 제2조 제1항 위헌소원(보호처분을 받아 수용되거나 법률상 근거 없이 송환대기실에 수용되었던 외국인에 대하여 보상을 지급하는 법률을 제정하지 아니한 입법부작위에 관한 사건)] [각하] (헌재 2024.1.25, 2020헌바475등)

③ × : [형사소송법 제194조의2 제1항 위헌소원] [각하] 형사소송법 제194조의2 제1항은 그 내용과 체계, 비용보상청구권의 입법취지 등에 비추어 볼 때, 공소가 제기되어 법원의 무죄판결이 확정된 피고인에 대한 비용보상 제도를 입법사항으로 규율한다 할 것이고 피의자에 대한 비용보상 제도까지 규율하고 있다고 볼 수 없으므로, **기소유예처분을 받은 피의자가 헌법소원심판청구를 통해 기소유예처분의 취소결정을 받고 검사로부터 혐의없음의 불기소처분을 받은 경우에 그 피의자에 대하여도 헌법소원심판청구를 하는 데 소요된 비용을 보상하는 규정을 마련하여 달라는 심판청구**는 진정입법부작위를 다투는 것에 해당하며, 헌법재판소법 제68조 제2항에 의한 헌법소원에서 진정입법부작위를 다투는 것은 그 자체로 허용되지 않으므로, 이 사건 심판청구는 부적법하다(헌재 2024.8.29, 2023헌바365).

[결정이유] 기소유예처분을 받았다가 헌법재판소의 취소결정을 받고 혐의없음의 불기소처분을 받은 피의자에 대한 경우를 비용보상의 대상으로 규정하지 아니한 것은 비용보상의 요건을 불완전·불충분하게 규정한 것이 아니라, 입법자가 처음부터 아무런 입법을 하지 않았다고 보는 것이 입법취지에 부합한다. 그에 대한 보상은 공소제기가 되어 **무죄판결이 확정된 피고인에 대한 비용보상 제도**와 별개의 법률에서 별도의 입법을 통한 보호가 필요한 영역이라 할 것이다.

④ ○ : [기본권 침해 위헌확인] [각하] 헌법은 70세 이상인 불구속 피의자가 피의자신문을 받을 때 국선변호인을 선정하는 법률을 제정할 것을 명시적으로 위임하고 있지 않다. 헌법 제12조 제4항 본문과 단서의 논리적 관계를 고려할 때 **'국선변호인의 조력을 받을 권리'**는 피의자가 아닌 **피고인에게만 보장되는 기본권**이다. 따라서 헌법 제12조 제4항이 70세 이상인 불구속 피의자에 대하여 국선변호인의 조력을 받을 권리가 있음을 천명한 것이라고 볼 수 없으며, 그 밖에 헌법상의 다른 규정을 살펴보아도 위와 같은 권리나 이를 보장하기 위한 입법의무를 명시적으로나 해석상으로 인정할 근거가 없다. 따라서 이 사건 입법부작위에 대한 심판청구는 헌법소원의 대상이 될 수 없는 입법부작위를 대상으로 한 것으로서 부적법하다(헌재 2023.2.23, 2020헌마1030).
→ 형사소송법 제33조는 70세 이상인 불구속피고인에 대하여만 국선변호인선정제도를 규정하고 있다.

⑤ ○ : [입법부작위 위헌확인] [각하] 헌법은 전시납북자와 그 가족에 대한 보상에 관한 법률을 제정할 것을 명시적으로 위임하고 있지 아니하므로 헌법 규정으로부터 직접 도출되는 입법의무는 없다. 나아가 헌법 제30조(**범죄피해자구조청구권**)의 해석만으로는 전시납북자와 그 가족에 대한 보상입법의무가 곧바로 도출된다고 볼 수 없고, 그 밖에 헌법 전문이나 제10조 등을 해석하여 보더라도 그와 같은 입법의무가 직접적으로 도출된다고 보기 어렵다. 따라서 이 사건 심판청구는 헌법소원의 대상이 될 수 없는 진정입법부작위를 대상으로 한 것으로서 부적법하다(헌재 2022.8.31, 2019헌마1331).

07 헌법소원에서의 권리보호이익에 관한 다음 설명 중 가장 옳지 않은 것은?　▶ 2025 법무사

① 헌법소원심판청구 당시 권리보호이익이 인정되더라도 심판 계속 중에 사실관계 또는 법률관계의 변동으로 말미암아 청구인이 주장하는 기본권의 침해가 종료된 경우에는 원칙적으로 권리보호이익이 없다.

② 대법원호적예규 중 한자 성의 한글표기에 관하여 두음법칙을 예외 없이 일률적·확일적으로 적용하도록 규정하던 부분이 헌법소원 심판청구 후 합리적 사유가 있는 경우에는 두음법칙에 따르지 않을 수 있도록 개정되었다면 위 부분의 위헌 확인을 구할 권리보호이익이 상실된다.

③ 헌법소원심판청구가 청구인의 주관적 권리구제에는 도움이 되지 않는다 하더라도 그러한 침해행위가 앞으로도 반복될 위험이 있고, 당해 분쟁의 해결이 헌법질서의 수호·유지를 위하여 긴요한 사항이어서 헌법적으로 그 해명이 중대한 의미를 지니고 있는 경우에는 예외적으로 심판의 이익을 인정할 수 있다.

④ 행정5급 일반임기제공무원을 채용하는 경력경쟁채용시험공고를 하면서, 그 응시자격요건으로 변호사 자격 등록을 요구한 방위사업청 공고의 위헌확인을 구하는 헌법소원에 대해서는 예외적으로 심판의 이익을 인정하기 어렵다.

⑤ 구치소장이 변호인접견실에 CCTV를 설치하여 접견 장면을 관찰하는 행위는 반복될 우려가 있고, 이는 미결수용자에 대한 기본적 처우와 관련된 중요한 문제로서 그에 대한 헌법적 해명은 헌법질서의 수호·유지를 위해 중요한 의미를 가지므로 이에 대해서는 심판의 이익을 인정할 수 있다.

정답　**06 ③　07 ④**

해설 ① ○ : 헌재 1997.3.27. 93헌마251

② ○ : [호적부상의 성 표기 정정신청 거부행위 위헌확인] 대법원호적예규 제520호 중 한자 성의 한글표기에 관하여 두음법칙을 예외 없이 일률적·획일적으로 적용하도록 규정하고 있던 부분은, 예규 제722호에 의하여 두음법칙 적용의 예외를 인정할 합리적 사유가 있는 경우에는 두음법칙에 따르지 않을 수 있도록 개정되고, 2007.8.1.부터 시행됨으로 인하여, 2007.8.1.부터 실효되었으므로 위헌확인을 청구할 권리보호의 이익이 없어졌다(헌재 2007.10.25. 2003헌마95).

③ ○ : 헌재 1992.1.28. 91헌마111 ▶ 권리보호이익의 예외적 인정

④ × : [방위사업청 공고 2019-25호 [별지] 채용예정직위 응시자격요건 사건] 이 사건 공고가 더 이상 효력이 존속하지 않으므로, 헌법재판소가 이 사건 공고에 대한 심판청구를 인용한다고 하더라도 이로써 청구인들이 권리구제를 받을 수는 없다. 그러나 공무담임권 침해 여부가 문제되는 이 사건 공고와 같은 내용의 공권력의 행사는 반복될 수 있고, 또한 이 사건 심판청구와 동일 또는 유사한 사안에 관하여 헌법적 해명이 아직까지 이루어진 바 없으므로, 이 사건 공고에 대한 심판청구는 예외적으로 심판이익이 인정된다(헌재 2019.8.29. 2019헌마616).

⑤ ○ : [접견실내 CCTV 감시·녹화행위 등 위헌확인 (변호인접견실에 CCTV를 설치하여 관찰한 행위와 미결수용자와 변호인 간에 수수한 서류 확인 및 등재행위 위헌확인 사건)] **[기각]** 헌재 2016.4.28. 2015헌마243

제4절　권한쟁의심판

01 권한쟁의심판에 관한 다음 설명 중 가장 옳지 않은 것은?　　▶ 2023 법무사

① 국가기관의 법률상 권한은 국회의 입법행위에 의하여 형성·부여된 권한일 뿐, 역으로 국회의 입법행위를 구속하는 기준이 될 수 없으므로, 침해의 원인이 '국회의 입법행위'인 경우에 '법률상 권한'을 침해의 대상으로 삼는 심판청구는 그 권한침해가능성을 인정할 수 없다.

② 국가기관과 지방자치단체 간 권한쟁의심판의 당사자에 관한 헌법재판소법 제62조 제1항 제2호의 '정부'는 예시규정이므로, 정부뿐 아니라 정부의 부분기관, 국회, 법원도 당사자가 될 수 있다.

③ 국가기관과 지방자치단체 간, 지방자치단체 상호 간 권한쟁의심판의 당사자에 관한 헌법재판소법 제62조 제1항 제3호의 '지방자치단체'는 예시규정이라 할 수 없으므로, 지방의회나 교육감은 당사자가 될 수 없다.

④ 중앙행정기관이나 광역지방자치단체가 지방자치단체의 자치사무에 대한 감사에 착수하기 위해서는 감사대상이 사전에 특정되어야 하고, 연간감사계획에 포함되지 아니한 감사라 하더라도 감사대상 지방자치단체에게 특정된 감사대상을 사전에 통보하는 것이 감사의 개시요건이라 할 것이므로, 그러한 절차를 거치지 않았다면 해당 감사착수는 적법하다고 볼 수 없다.

⑤ 권한쟁의심판을 청구하기 위해서는 피청구인의 처분 또는 부작위가 요구되므로, 정부의 법률안 제출행위, 행정안전부장관의 단순한 견해표명 또는 업무연락은 처분성이 인정되지 아니하여 권한쟁의심판의 대상이 되지 아니한다.

> **해설**　① ○ : [법무부장관 등과 국회 간의 권한쟁의(검사의 수사권 축소 등에 관한 권한쟁의사건)] **[각하]**
> **국가기관의 '헌법상 권한'**은 국회의 입법행위를 비롯한 다양한 국가기관의 행위로 침해될 수 있다. / 그러나 **국가기관의 '법률상 권한'**은, 다른 국가기관의 행위로 침해될 수 있음은 별론으로 하고, 국회의 입법행위로는 침해될 수 없다. 국가기관의 '법률상 권한'은 국회의 입법행위에 의해 비로소 형성·부여된 권한일 뿐, 역으로 국회의 입법행위를 구속하는 기준이 될 수 없기 때문이다. 따라서 문제된 침해의 원인이 '국회의 입법행위'인 경우에는 '법률상 권한'을 침해의 대상으로 삼는 심판청구는 권한침해가능성을 인정할 수 없다(헌재 2023.3.23. 2022헌라4).
> 　▶ 이 사건 **법률개정행위**(국회가 2022.5.9. 법률 제18861호로 검찰청법을 개정한 행위 및 같은 날 법률 제18862호로 형사소송법을 개정한 행위)는 검사의 '헌법상 권한'(영장신청권)을 제한하지 아니하고, 국회의 입법행위로 그 내용과 범위가 형성된 검사의 '법률상 권한'(수사권·소추권)이 법률개정행위로 침해될 가능성이 있다고 볼 수 없으므로, 권한침해가능성이 인정되지 아니한다.

정답　**01** ④

② ○ : [경상남도 등과 정부 간의 권한쟁의] **헌법재판소법 제62조 제1항 제2호**는 권한쟁의의 당사자인 국가기관으로서 '**정부**'만을 규정하고 있으나, 이는 예시적인 것으로서 정부의 부분기관이나 국회·법원 등 여타 국가기관도 당사자가 될 수 있다. 다만 이에 해당하는지 여부를 판별함에 있어서는 그 국가기관이 헌법에 의하여 설치되고 헌법과 법률에 의하여 독자적인 권한을 부여받고 있는지 여부, 헌법에 의하여 설치된 국가기관 상호 간의 권한쟁의를 해결할 수 있는 적당한 기관이나 방법이 있는지 여부 등을 종합적으로 고려하여 판단하여야 한다(헌재 2008.3.27, 2006헌라1).

③ ○ : [경기도 안산시 의회 의원과 의회 의장 간의 권한쟁의] [각하] **지방자치단체의 의결기관 구성원과 그 기관 대표자 간의 권한쟁의**는 헌법 및 법률에 의하여 헌법재판소가 관장하는 지방자치단체 상호 간의 권한쟁의심판의 범위에 해당하지 아니함이 법문상으로 명백할 뿐 아니라, 헌법재판소법 제62조 제1항 제3호가 규정하고 있는 지방자치단체 상호 간 권한쟁의심판의 종류가 예시적인 것이라고 해석할 여지도 없다. 결국 지방자치단체의 의결기관을 구성하는 **지방의회 의원과 그 기관의 대표자인 지방의회 의장 사이의 내부적 분쟁**에 관련된 이 사건 심판청구는, 헌법재판소가 관장하는 지방자치단체 상호 간의 권한쟁의심판에 속하지 아니하고, 달리 헌법재판소법 제62조 제1항 제1호의 국가기관 상호 간의 권한쟁의심판이나 제62조 제1항 제2호의 국가기관과 지방자치단체 상호 간의 권한쟁의심판에 해당한다고 볼 수도 없으므로, 위 심판청구는 헌법재판소법 제62조 제1항의 권한쟁의심판에 해당하지 않는다고 할 것이다(헌재 2010.4.29, 2009헌라11).
[경상남도 교육감과 경상남도 간의 권한쟁의사건] [각하] 헌법은 '국가기관'과는 달리 '지방자치단체'의 경우에는 그 종류를 법률로 정하도록 규정하고 있으며(헌법 제117조 제2항), 지방자치법은 지방자치단체의 종류를 특별시, 광역시, 특별자치시, 도, 특별자치도와 시, 군, 구로 정하고 있고(지방자치법 제2조 제1항), 헌법재판소법은 이를 감안하여 권한쟁의심판의 종류를 정하고 있다. 즉, 지방자치법은 헌법의 위임을 받아 지방자치단체의 종류를 규정하고 있으므로, 지방자치단체 상호 간의 권한쟁의심판을 규정하는 헌법재판소법 제62조 제1항 제3호를 예시적으로 해석할 필요성 및 법적 근거가 없다. 따라서 시·도의 교육·학예에 관한 집행기관인 **교육감**과 **해당 지방자치단체** 사이의 내부적 분쟁과 관련된 심판청구는 헌법재판소가 관장하는 권한쟁의심판에 속하지 아니한다(헌재 2016.6.30, 2014헌라1).

④ × : [남양주시와 경기도 간의 권한쟁의(경기도가 남양주시에 대하여 실시한 감사가 남양주시의 지방자치권을 침해하였는지 여부에 관한 사건)] 〈**광역지방자치단체가 기초지방자치단체의 자치사무에 대하여 실시하는 감사 중 연간 감사계획에 포함되지 아니하고 사전조사도 수행되지 아니한 감사의 경우 감사대상의 사전 통보가 감사의 개시요건인지 여부 : 소극**〉 [1] 행정감사규정 제5조에 의하면 시·도지사 등은 연간 감사계획의 주요 내용을 매년 1월 31일까지 감사대상 지방자치단체의 장에게 통보하여야 하고(제1항 본문), 연간 감사계획을 통보한 후 이를 변경하였을 경우에는 지체 없이 그 내용을 감사대상 지방자치단체의 장에게 통보하여야 하는데(제2항 본문), 이 사건 감사와 같이 연간 감사계획에 포함되지 아니한 감사의 경우 감사대상이나 내용을 통보할 것을 요구하는 명시적인 규정을 발견할 수 없다. [2] 광역지방자치단체가 기초지방자치단체의 자치사무에 대한 감사에 착수하기 위해서는 감사대상을 특정하여야 하나, 이에 더하여 감사대상 지방자치단체에게 특정된 감사대상을 사전에 통보할 것까지 요구된다고 볼 수는 없다. 따라서 피청구인이 이 사건 조사개시 통보를 하면서 내부적으로 특정한 감사대상을 통보하지 않았다고 하더라도, 그러한 사정만으로는 이 사건 감사가 위법하다고 할 수 없다(헌재 2023.3.23, 2020헌라5).

⑤ ○ : [서울특별시와 정부 간의 권한쟁의] [각하] 헌법재판소법 제61조 제2항에 따라 권한쟁의심판을 청구하려면 피청구인의 처분 또는 부작위가 존재하여야 하고, 여기서 "**처분**"이란 법적 중요성을 지닌 것에 한하므로, 청구인의 법적 지위에 구체적으로 영향을 미칠 가능성이 없는 행위는 "처분"이라 할 수 없어 이를 대상으로 하는 권한쟁의심판청구는 허용되지 않는다. 정부가 법률안

을 제출하였다 하더라도 그것이 법률로 성립되기 위해서는 국회의 많은 절차를 거쳐야 하고, 법률안을 받아들일지 여부는 전적으로 헌법상 입법권을 독점하고 있는 의회의 권한이다. 따라서 **정부가 법률안을 제출하는 행위**는 입법을 위한 하나의 사전 준비행위에 불과하고, 권한쟁의심판의 독자적 대상이 되기 위한 법적 중요성을 지닌 행위로 볼 수 없다(헌재 2005.12.22, 2004헌라3).

[울산광역시 동구 등과 행정자치부장관 간의 권한쟁의] **[각하]** 행정자치부장관이 '행정부시장・부지사 회의'를 개최하여 행정자치부에서 작성한 표준안대로 복무조례를 개정할 것을 울산광역시 동구 및 북구에 요청한 것은 각 지방자치단체가 참고할 수 있도록 표준안을 제시한 것에 불과하여 **단순한 업무협조 요청**에 불과하고, 「징계업무처리지침」 및 「병・연가불허지시」를 통보한 것도 상호 협력의 차원에서 조언・권고한 것이거나 단순히 **'업무연락'**을 한 것이지, 각 지방자치단체를 법적으로 규제하는 강제적・명령적 조치를 취한 것이라 보기 어려우며, 기자회견을 통해 '총파업가담자에 대한 처벌과 정부의 방침에 소극적으로 대처하는 지방자치단체에 대하여 특별교부세 지원중단 등의 행정적・재정적 불이익 조치를 취할 것'이라는 것을 주된 내용으로 하는 담화문을 발표한 것 또한 단지 파업의 대응방침을 천명한 것으로 단순한 견해의 표명에 지나지 않는다 할 것이다. 이러한 행위들은 권한쟁의심판의 대상이 되는 처분이라 할 수 없으므로 이를 대상으로 한 권한쟁의심판청구는 부적법하다(헌재 2006.3.30, 2005헌라1).

상법

PART
01
총칙

01 상법상 상인과 상법의 적용에 관한 다음 설명 중 가장 옳지 않은 것은?　▸2022 법무사

① 공법인의 상행위에 대하여는 법령에 다른 규정이 없는 경우에 한하여 상법이 적용된다.

② 행정관청에 대한 인·허가 명의나 국세청에 신고한 사업자등록상의 명의와 실제 영업상의 주체가 다를 경우 실제 영업상의 주체가 자기 명의로 상행위를 하는 자로서 상인이 된다.

③ 변호사와 법무사는 상법 제5조 제1항이 규정하는 '상인적 방법으로 영업을 하는 자'라고 볼 수 없다.

④ 자본금액이 1,000만 원에 미치지 못하는 상인으로서 회사가 아닌 자인 소상인에게는 지배인, 상호, 상업장부, 상업등기, 영업양도에 관한 상법 규정이 적용되지 아니한다.

⑤ 새마을금고가 금고의 회원에게 자금을 대출하는 행위는 일반적으로 영리를 목적으로 하는 행위라고 보기 어렵지만, 대출을 받은 회원이 상인으로서 그 영업을 위하여 대출을 받았다면 그 대출금채권은 상사채권이라고 보아야 한다.

해설　① [○] : 상법 제2조(공법인의 상행위): 공법인의 상행위에 대하여는 법령에 다른 규정이 없는 경우에 한하여 본법을 적용한다.
　② [○] : 대판 1962.3.29, 4294민상962
　③ [○] : 대판 2007.07.26, 2006마334; 대판 2008.06.26, 2007마996
　④ [×] : 상법 제9조(소상인): 지배인, 상호, 상업장부와 상업등기에 관한 규정은 소상인에게 적용하지 아니한다.
　⑤ [○] : 대판 1998.7.10, 98다10793

정답　01 ④

상인

상업사용인

01 상법상 지배인에 관한 다음 설명 중 옳은 것을 모두 고른 것은? (다툼이 있는 경우 대법원 판례에 따르고 전원합의체 판결의 경우 다수의견에 의함. 특별한 언급이 없다면 각 지문의 회사는 자본금 총액이 10억 원 이상인 비상장 주식회사를 의미) ▶ 2024 법무사

(ㄱ) 지배인은 영업주에 갈음하여 그 영업에 관한 재판상 또는 재판 외의 모든 행위를 할 수 있는 상업사용인이다.

(ㄴ) 상인은 수인의 지배인에게 공동으로 대리권을 행사하게 할 수 있다. 이 경우 지배인 1인에 대한 의사표시만으로도 영업주에 대하여 효력이 있다.

(ㄷ) 본점 또는 지점의 본부장, 지점장, 그 밖에 지배인으로 인정될 만한 명칭을 사용하는 자는 본점 또는 지점의 지배인과 동일한 권한이 있는 것으로 본다. 이는 재판상 행위에 관하여도 마찬가지이다.

(ㄹ) 지배인의 행위가 영업주의 영업에 관한 것인지는 지배인의 행위 당시 주관적 의사와 관계없이 그 행위의 객관적 성질에 따라 추상적으로 판단하여야 한다. 지배인이 영업주 명의로 한 어음행위는 객관적으로 영업에 관한 행위로서 지배인의 대리권의 범위에 속하는 행위이므로 지배인이 개인적 목적을 위하여 어음행위를 한 경우에도 그 행위의 효력은 영업주에게 미친다. 이러한 법리는 표현지배인의 경우에도 동일하게 적용할 수 있다.

(ㅁ) 상법상 지배인에 관한 규정은 소상인에게 적용되지 않는다.

① (ㄴ), (ㄷ) 　② (ㄷ), (ㄹ) 　③ (ㄱ), (ㄹ), (ㅁ)
④ (ㄱ), (ㄴ), (ㄷ), (ㅁ) 　⑤ (ㄱ), (ㄴ), (ㄹ), (ㅁ)

해설 (ㄱ) [O] : 상법 제11조(지배인의 대리권) 제1항
(ㄴ) [O] : 상법 제12조(공동지배인) 제2항
(ㄷ) [×] : 상법 제14조(표현지배인) 제1항(다만 재판상행위는 제외된다)
(ㄹ) [O] : 대판 1998.8.21. 97다6704
(ㅁ) [O] : 상법 제9조(소상인)

02 지배인에 관한 다음 설명 중 가장 옳지 않은 것은? (다툼이 있는 경우 판례에 따르고 전원합의체 판결의 경우 다수의견에 의함)

▶ 2023 법무사

① 지배인의 행위가 영업주의 영업에 관한 행위로 판단되는 경우에 지배인이 영업주가 정한 대리권에 관한 제한 규정에 위반하여 한 행위에 대하여는 제3자가 위 대리권의 제한 사실을 알고 있었던 경우뿐만 아니라 알지 못한 데에 중대한 과실이 있는 경우에도 영업주는 그러한 사유를 들어 상대방에게 대항할 수 있고, 이러한 제3자의 악의 또는 중대한 과실에 대한 주장·입증책임은 영업주가 부담한다.

② 지배인은 영업주에 갈음하여 그 영업에 관한 재판상 또는 재판 외의 모든 행위를 할 수 있고, 지배인의 대리권에 대한 제한은 선의의 제3자에게 대항하지 못하며, 여기서 지배인의 어떤 행위가 영업주의 영업에 관한 것인가의 여부는 지배인의 행위 당시의 주관적인 의사뿐만 아니라 그 행위의 객관적 성질을 함께 고려하여 판단해야 한다.

③ 지배인의 행위가 영업에 관한 것으로서 대리권한 범위 내의 행위라 하더라도 영업주 본인의 이익이나 의사에 반하여 자기 또는 제3자의 이익을 도모할 목적으로 그 권한을 행사한 경우에 그 상대방이 지배인의 진의를 알았거나 알 수 있었을 때에는 민법 제107조 제1항 단서의 유추해석상 그 지배인의 행위에 대하여 영업주 본인은 아무런 책임을 지지 않는다.

④ 지배인이 내부적인 대리권 제한 규정에 위배하여 어음행위를 한 경우, 이러한 대리권의 제한에 대항할 수 있는 제3자의 범위에는 그 지배인으로부터 직접 어음을 취득한 상대방뿐만 아니라 그로부터 어음을 다시 배서양도받은 제3취득자도 포함된다.

⑤ 부분적 포괄대리권을 가진 사용인의 경우에는 표현지배인에 관한 상법 제14조의 규정이 유추적용되지 않는다.

[해설] ① [○] : 대판 1997.8.26, 96다36753
② [×] : 지배인의 어떤 행위가 영업주의 영업에 관한 것인가의 여부는 지배인의 행위 당시의 주관적인 의사와는 관계없이 그 행위의 객관적 성질에 따라 추상적으로 판단되어야 한다(대판 1997.8.26, 96다36753).
③ [○] : 대판 1999.3.9, 97다7721
④ [○] : 대판 1997.8.26, 96다36753
⑤ [○] : 대판 2007.8.23, 2007다23425

정답 01 ⑤ 02 ②

03 지배인의 대리권에 관한 다음 설명 중 가장 옳지 않은 것은? (다툼이 있는 경우 대법원 판례에 따르고 전원합의체 판결의 경우 다수의견에 의함. 특별한 언급이 없다면 각 지문의 회사는 자본금 총액이 10억 원 이상인 비상장 주식회사를 의미함)   ▶ 2025 법무사

① 지배인은 영업주의 영업활동을 보조하는 대리인이지만 상법 제11조에 의하여 영업주의 대외적인 영업거래에 대하여 정형적·획일적·포괄적인 대리권을 가지므로, 영업주가 정한 대리권에 관한 제한 규정에 위반한 지배인과 거래한 상대방은 과실이 있더라도 중과실이 아닌 한 보호받는다.

② 지배인은 영업주에 갈음하여 영업에 관한 재판상·재판 외의 모든 행위를 할 수 있는데, 영업에 관한 행위란 영업의 목적이 되는 행위 뿐 아니라 영업을 위하여 직·간접으로 필요한 행위를 의미한다.

③ 지배인의 어떤 행위가 영업주의 영업에 관한 것인가의 여부는 지배인의 행위 당시의 주관적인 의사와는 관계없이 그 행위의 객관적 성질에 따라 추상적으로 판단되어야 한다.

④ 지배인의 행위가 영업에 관한 것으로서 대리권한 범위 내의 행위라 하더라도 영업주 본인의 이익이나 의사에 반하여 자기 또는 제3자의 이익을 도모할 목적으로 그 권한을 행사한 경우에 그 상대방이 지배인의 진의를 알았거나 알 수 있었을 때에는 민법 제107조 제1항 단서의 유추해석상 그 지배인의 행위에 대하여 영업주 본인은 아무런 책임을 지지 않는다고 보아야 한다.

⑤ 지배인이 내부적인 대리권제한규정에 위배하여 어음행위를 한 경우 이러한 대리권의 제한에 대항할 수 있는 제3자의 범위에는 그 지배인으로부터 직접 어음을 취득한 상대방에 한한다.

> **해설** ① [○] : 대판 1997.8.26, 96다36753
> ② [○] : 대판 1997.8.26, 96다36753
> ③ [○] : 대판 1997.8.26, 96다36753
> ④ [○] : 대판 1999.3.9, 97다7721,7738
> ⑤ [×] : 지배인이 내부적인 대리권 제한 규정에 위배하여 어음행위를 한 경우, 이러한 대리권의 제한에 대항할 수 있는 제3자의 범위에는 그 지배인으로부터 직접 어음을 취득한 상대방 뿐만 아니라 그로부터 어음을 다시 배서양도받은 제3취득자도 포함된다(대판 1997.8.26, 96다36753).

04 **상법상 상업사용인에 관한 다음 설명 중 가장 옳지 않은 것은?**　　▶ 2021 법무사

① 지배인은 영업주에 갈음하여 그 영업에 관한 재판상 또는 재판 외의 모든 행위를 할 수 있다.

② 지배인이 영업주가 정한 대리권에 관한 제한규정에 위반하여 한 행위에 대하여는 제3자가 위 대리권 제한사실을 알고 있었던 경우뿐만 아니라 알지 못한 데에 중대한 과실이 있는 경우에도 영업주는 그러한 사유를 들어 상대방에게 대항할 수 있다.

③ 상인은 수인의 지배인에게 공동으로 대리권을 행사하게 할 수 있는데, 이는 등기사항에는 해당하지 않는다.

④ 표현지배인은 본점 또는 지점의 본부장, 지점장, 그 밖에 지배인으로 인정될 만한 명칭을 사용하는 자를 말하므로, 지점차장이라는 명칭을 사용하는 자는 표현지배인이라고 볼 수 없다.

⑤ 부분적 포괄대리권을 가진 상업사용인이 특정된 영업이나 특정된 사항에 속하지 아니하는 행위를 한 경우, 영업주가 책임을 지기 위하여는 민법상의 표현대리의 법리에 의하여 그 상업사용인과 거래한 상대방이 그 상업사용인에게 그 권한이 있다고 믿을 만한 정당한 이유가 있어야 한다.

해설　① [○] : 상법 제11조(지배인의 대리권) 제1항

　　② [○] : 대판 2008.7.10, 2006다43767

　　③ [×] : 상법 제13조 제1항(상인은 지배인의 선임과 그 대리권의 소멸에 관하여 그 지배인을 둔 본점 또는 지점소재지에서 등기하여야 한다. 공동지배인의 경우도 동일하다).

　　④ [○] : 지점 차장이라는 명칭은 그 명칭 자체로서 상위직의 사용인의 존재를 추측할 수 있게 하는 것이므로 상법 제14조 제1항 소정의 영업주임 기타 이에 유사한 명칭을 가진 사용인을 표시하는 것이라고 할 수 없고, 따라서 표현지배인이 아니다(대판 1993.12.10, 93다36974).

　　⑤ [○] : 대판 2006.6.15, 2006다13117

05 부분적 포괄대리권을 가진 사용인에 관한 다음 설명 중 가장 옳지 않은 것은? (다툼이 있는 경우 대법원 판례에 따르고 전원합의체 판결의 경우 다수의견에 의함. 특별한 언급이 없다면 각 지문의 회사는 자본금 총액이 10억 원 이상인 비상장 주식회사를 의미) ▸ 2024 법무사

① 일반적으로 건설회사의 현장소장에게는 회사의 부담으로 될 채무보증 또는 채무인수 등과 같은 행위를 할 권한이나 회사가 공사와 관련하여 거래상대방에 대하여 취득한 채권을 대가 없이 일방적으로 포기할 권한이 회사로부터 위임되어 있다고 볼 수 없다.

② 부분적 포괄대리권을 가진 상업사용인이 특정된 영업이나 특정된 사항에 속하지 아니하는 행위를 한 경우, 영업주가 책임을 지기 위하여는 민법상의 표현대리의 법리에 의하여 그 상업사용인과 거래한 상대방이 그 상업사용인에게 그 권한이 있다고 믿을 만한 정당한 이유가 있어야 한다.

③ 상무이사는 주식회사의 기관에 해당하므로 상법 제15조 소정의 부분적 포괄대리권을 가지는 그 회사의 사용인을 겸임할 수 없다.

④ 일반적으로 주식회사의 경리부장은 경상자금의 수입과 지출, 은행거래, 경리장부의 작성 및 관리 등 경리사무 일체에 관하여 그 권한을 위임받은 것으로 봄이 타당하고, 특별한 사정이 없는 한 독자적인 자금차용은 회사로부터 위임되어 있지 않다고 보아야 할 것이므로 경리부장에게 자금차용에 관한 상법 제15조의 부분적 포괄대리권이 있다고 할 수 없다.

⑤ 부분적 포괄대리권을 가진 상업사용인이 그 범위 내에서 한 행위는 설사 상업사용인이 영업주 본인의 이익이나 의사에 반하여 자기 또는 제3자의 이익을 도모할 목적으로 그 권한을 남용한 것이라 할지라도 일단 영업주 본인의 행위로서 유효하나, 그 행위의 상대방이 상업사용인의 진의를 알았거나 알 수 있었을 때에는 민법 제107조 제1항 단서의 유추해석상 그 행위에 대하여 영업주 본인에 대하여 무효가 된다.

해설 ① [○] : 대판 1999.5.28, 98다34515
② [○] : 대판 2006.6.15, 2006다13117
③ [×] : 주식회사의 기관인 상무이사라 하더라도 상법 제15조의 부분적 포괄대리권을 가지는 상업사용인을 겸임할 수 있다(대판 1996.8.23, 95다39472).
④ [○] : 경리부장은 부포상에 해당하고 별도의 수권이 없는 한 채무부담행위는 할 수 없다(대판 1990.1.23, 88다카3250; 대판 1999.5.28, 98다34515).
⑤ [○] : 대판 2008.7.10, 2006다43767

정답 **05** ③

01 상법상 상호에 관한 다음 설명 중 가장 옳지 않은 것은? (다툼이 있는 경우 대법원 판례에 따르고 전원합의체 판결의 경우 다수의견에 의함. 특별한 언급이 없다면 각 지문의 회사는 자본금 총액이 10억 원 이상인 비상장 주식회사를 의미함) ▸ 2025 법무사

① 상법 제25조 제1항은 "상호는 영업을 폐지하거나 영업과 함께 하는 경우에 한하여 이를 양도할 수 있다."고 규정하고 있어 영업과 분리하여 상호만을 양도할 수 있는 것은 영업의 폐지의 경우에 한하여 인정되는데, 이는 양도인의 영업과 양수인의 영업과의 사이에 혼동을 일으키지 않고 또 폐업하는 상인이 상호를 재산적 가치물로서 처분할 수 있도록 하기 위한 것이다.

② 상법 제25조 제1항의 '영업의 폐지'라 함은 정식으로 영업폐지에 필요한 행정절차를 밟아 폐업하는 경우에 한하고, 사실상 폐업한 경우에는 언제든지 다시 영업을 재개할 수 있으므로 이에 해당하지 않는다.

③ 상법 제23조 제1항은 "누구든지 부정한 목적으로 타인의 영업으로 오인할 수 있는 상호를 사용하지 못한다."고 규정하고 있는데, 위 규정의 취지는 일반거래시장에서 상호에 관한 공중의 오인·혼동을 방지하여 이에 대한 신뢰를 보호함과 아울러 상호권자가 타인의 상호와 구별되는 상호를 사용할 수 있는 이익을 보호하는 데 있다.

④ 상법 제23조 제1항에 규정된 '부정한 목적'이란 어느 명칭을 자기의 상호로 사용함으로써 일반인으로 하여금 자기의 영업을 명칭에 의하여 표시된 타인의 영업으로 오인하게 하여 부당한 이익을 얻으려 하거나 타인에게 손해를 가하려고 하는 등의 부정한 의도를 말하고, 부정한 목적이 있는지는 상인의 명성이나 신용, 영업의 종류·규모·방법, 상호 사용의 경위 등 여러 가지 사정을 종합하여 판단하여야 한다.

⑤ 상법 제23조 제1항의 입법 취지에 비추어 볼 때 어떤 상호가 '타인의 영업으로 오인할 수 있는 상호'에 해당하는지를 판단할 때에는 양 상호 전체를 비교 관찰하여 각 영업의 성질이나 내용, 영업 방법, 수요자층 등에서 서로 밀접한 관련을 가지고 있는 경우로서 일반인이 양 업무의 주체가 서로 관련이 있는 것으로 생각하거나 또는 타인의 상호가 현저하게 널리 알려져 있어 일반인으로부터 기업의 명성으로 견고한 신뢰를 획득한 경우에 해당하는지를 종합적으로 고려하여야 한다.

정답 **01** ②

해설 ① [O] : 대판 1988.1.19, 87다카1295
② [×] : 상법 제25조 제1항은 상호는 영업을 폐지하거나 영업과 함께 하는 경우에 한하여 이를 양도할 수 있다고 규정하고 있어 영업과 분리하여 상호만을 양도할 수 있는 것은 영업의 폐지의 경우에 한하여 인정되는데 이는 양도인의 영업과 양수인의 영업과의 사이에 혼동을 일으키지 않고 또 폐업하는 상인이 상호를 재산적 가치물로서 처분할 수 있도록 하기 위한 것인 점에 비추어 위 법조항에 규정된 영업의 폐지라 함은 정식으로 영업폐지에 필요한 행정절차를 밟아 폐업하는 경우에 한하지 아니하고 사실상 폐업한 경우도 이에 해당한다(대판 1988.1.19, 87다카1295).
③ [O] : 대판 2016.1.28, 2013다76635
④ [O] : 대판 2004.3.26, 2001다72081
⑤ [O] : 대판 2002.2.26, 2001다73879

02 상법상 상호에 관한 다음 설명 중 가장 옳지 않은 것은?

▸ 2022 법무사

① "타인이 등기한 상호는 동일한 특별시·광역시·시·군에서 동종영업의 상호로 등기하지 못한다."고 규정하고 있는 상법 제22조에 기하여 선등기자가 후등기자를 상대로 위 규정에 의하여 금지되는 상호등기의 말소청구의 소를 제기할 수 있다.
② 유한책임회사, 주식회사 또는 유한회사를 설립하고자 할 때 또는 회사의 상호와 목적을 변경하고자 할 때에는 본점의 소재지를 관할하는 등기소에 상호의 가등기를 신청할 수 있다.
③ 누구든지 부정한 목적으로 타인의 영업으로 오인할 수 있는 상호를 사용하지 못하므로, 이를 위반하여 상호를 사용하는 자가 있는 경우에 이로 인하여 손해를 받을 염려가 있는 자 또는 상호를 등기한 자는 그 폐지를 청구할 수 있고, 손해를 입은 자는 손해배상청구도 할 수 있다.
④ 동일한 특별시·광역시·시·군에서 동종영업으로 타인이 등기한 상호를 사용하는 자는 부정한 목적으로 사용하는 것으로 추정한다.
⑤ 상호는 영업을 폐지하거나 영업과 함께 하는 경우에 한하여 이를 양도할 수 있는데, 상호의 양도를 등기하지 않더라도 악의의 제3자에게는 대항할 수 있다.

해설 ① [O] : 상법 제22조(상호등기의 효력): 대판 2004.3.26, 2001다72081
② [O] : 상법 제22조의2(상호의 가등기) 제1항
③ [O] : 상법 제23조(주체를 오인시킬 상호의 사용금지) 제1항·제2항·제3항
④ [O] : 상법 제23조(주체를 오인시킬 상호의 사용금지) 제4항
⑤ [×] : 상법 제25조(상호의 양도): ① 상호는 영업을 폐지하거나 영업과 함께 하는 경우에 한하여 이를 양도할 수 있다. ② 상호의 양도는 등기하지 아니하면 제3자(선의·악의)에게 대항하지 못한다.

03 **상법상 명의대여자의 책임에 관한 다음 설명 중 가장 옳지 않은 것은?** ▸2021 법무사

① 명의대여자와 명의차용자의 책임은 동일한 경제적 목적을 가진 채무로서 서로 중첩되는 부분에 관하여 일방의 채무가 변제 등으로 소멸하면 타방의 채무도 소멸하는 이른바 부진정연대의 관계에 있다.

② 불법행위의 경우 피해자가 명의대여자를 영업주로 오인하였다면 명의대여자는 그 신뢰관계를 이유로 명의대여자 책임을 부담한다.

③ 명의대여자는 거래 상대방이 명의대여사실을 알았거나 모른 데 대하여 중대한 과실이 있는 때에는 명의대여자 책임을 지지 아니하고, 이때 거래 상대방의 악의, 중과실에 대하여는 면책을 주장하는 명의대여자가 증명책임을 부담한다.

④ 명의대여자의 책임은 명의사용을 허락받은 자의 행위에 한하고 명의차용자의 피용자의 행위에 대해서까지 미칠 수는 없다.

⑤ 건설업 면허를 대여한 자는 그 면허를 대여받은 자가 그 면허를 사용하여 면허를 대여한 자의 명의로 하도급거래를 한 경우 면허를 대여한 자를 영업의 주체로 오인한 하수급인에 대하여 명의대여자 책임을 질 수 있다.

해설 ① [O] : 대판 2011.4.14, 2010다91886
② [×] : 명의차용자의 불법행위의 경우는 명의대여자 책임을 인정하지 않는다(대판 1998.3.24, 97다55621).
③ [O] : 대판 2001.4.13, 2000다10512
④ [O] : 대판 1989.9.12, 88다카26390
⑤ [O] : 대판 2008.10.23, 2008다46555

04 상법상 명의대여에 관한 다음 설명 중 가장 옳지 않은 것은? (다툼이 있는 경우 대법원 판례에 따르고 전원합의체 판결의 경우 다수의견에 의함. 특별한 언급이 없다면 각 지문의 회사는 자본금 총액이 10억 원 이상인 비상장 주식회사를 의미함) ▶ 2025 법무사

① 상법 제24조의 명의대여자의 책임규정은 거래상의 외관보호와 금반언의 원칙을 표현한 것으로, 명의대여자가 영업주로서 자기의 성명이나 상호를 사용하는 것을 허락했을 때에는 명의차용자가 그것을 사용하여 법률행위를 함으로써 지게 된 거래상의 채무에 대하여 변제의 책임이 있다는 것을 밝히고 있으므로 여기에 근거한 명의대여자의 책임은 명의의 사용을 허락받은 자가 피용자를 고용하여 영업한 경우 그 피용자의 행위에 대해서까지 미친다.

② 일반거래에 있어서 실질적인 법률관계는 대리상, 특약점 또는 위탁매매업 등이면서도 두루 대리점이란 명칭으로 통용되고 있는데다가 타인의 상호아래 대리점이란 명칭을 붙인 경우는 그 아래 지점, 영업소, 출장소 등을 붙인 경우와는 달리 타인의 영업을 종속적으로 표시하는 부가부분이라고 보기도 어렵기 때문에 제3자가 자기의 상호아래 대리점이란 명칭을 붙여 사용하는 것을 허락하거나 묵인하였더라도 상법상 명의대여자로서의 책임을 물을 수는 없다.

③ 상법 제24조에 의한 명의대여자와 명의차용자의 책임은 동일한 경제적 목적을 가진 채무로서 서로 중첩되는 부분에 관하여 일방의 채무가 변제 등으로 소멸하면 타방의 채무도 소멸하는 이른바 부진정연대의 관계에 있다. 이와 같은 부진정연대채무에서는 채무자 1인에 대한 이행청구 또는 채무자 1인이 행한 채무의 승인 등 소멸시효의 중단사유나 시효이익의 포기가 다른 채무자에게 효력을 미치지 아니한다.

④ 상법 제24조는 타인에게 명의를 대여하여 영업을 하게 한 경우 그 명의대여자가 영업주인 줄로 알고 거래한 선의의 제3자를 보호하기 위하여 그 거래로 인하여 발생한 명의차용자의 채무에 대하여는 그 외관을 만드는 데에 원인을 제공한 명의대여자에게도 명의차용자와 같이 변제책임을 지우자는 것으로서 그 명의대여자가 상인이 아니거나, 명의차용자의 영업이 상행위가 아니라 하더라도 위 법리를 적용하는 데에 아무런 영향이 없다.

⑤ 영업주가 자기의 상점, 전화, 창고 등을 타인에게 사용하게 한 사실은 있으나 그 타인과 원고와의 거래를 위하여 영업주의 상호를 사용한 사실이 없는 경우에는 영업주가 자기의 상호를 타인에게 묵시적으로 대여하여 원고가 그 타인을 영업주로 오인하여 거래하였다고 보기 어렵다.

> **해설** ① [×] : 상법 제24조의 명의대여자의 책임규정은 거래상의 외관보호와 금반언의 원칙을 표현한 것으로서 명의대여자가 영업주(여기의 영업주는 상법 제4조 소정의 상인보다는 넓은 개념이다)로서 자기의 성명이나 상호를 사용하는 것을 허락했을 때에는 명의차용자가 그것을 사용하여 법률행위를 함으로써 지게 된 거래상의 채무에 대하여 변제의 책임이 있다는 것을 밝히고 있는 것에 그치는 것이므로 여기에 근거한 명의대여자의 책임은 명의의 사용을 허락받은 자의 행위에 한하고 명의차용자의 피용자의 행위에 대해서까지 미칠 수는 없다(대판 1989.9.12, 88다카26390).

② [○] : 대판 1989.10.10, 88다카8354
③ [○] : 대판 2011.4.14, 2010다91886
④ [○] : 대판 1987.3.24, 85다카2219
⑤ [○] : 대판 1982.12.28, 82다카887

상업장부

01 상업장부와 상업등기에 관한 다음 설명 중 가장 옳지 않은 것은? (다툼이 있는 경우 대법원 판례에 따르고 전원합의체 판결의 경우 다수의견에 의함. 특별한 언급이 없다면 각 지문의 회사는 자본금 총액이 10억 원 이상인 비상장 주식회사를 의미)　▸ 2024 법무사

① 상인은 영업상의 재산 및 손익의 상황을 명백히 하기 위하여 회계장부 및 대차대조표를 작성하여야 하고, 그 작성에 관하여 상법에 규정한 것을 제외하고는 일반적으로 공정·타당한 회계관행에 의한다.

② 상인은 상업장부와 영업에 관한 중요서류를 10년간 보존하여야 하지만 전표 또는 이와 유사한 서류는 5년간 이를 보존하면 된다. 상업장부에 관한 보존기간의 기산점은 그 장부를 폐쇄한 날이다.

③ 상법에 따라 등기할 사항을 등기하지 아니하면 선의의 제3자에게 대항할 수 없다. 그 등기를 한 후라도 제3자가 정당한 사유로 인하여 이를 알지 못한 때에는 마찬가지이다.

④ 법인등기부에 이사 또는 감사로 등재되어 있더라도 정당한 절차에 의하여 선임된 적법한 이사 또는 감사로 추정되지 않는다.

⑤ 회사등기에는 공신력이 인정되지 않는다. 따라서 합자회사의 사원 지분등기가 불실등기인 경우 그 불실등기를 믿고 합자회사 사원의 지분을 양수하였다 하여 그 지분을 양수한 것으로는 될 수 없다.

해설　① [○] : 상법 제29조(상업장부의 종류·작성원칙)
　　　② [○] : 상법 제33조(상업장부 등의 보존) 제1항·제2항
　　　③ [○] : 상법 제37조(등기의 효력) 제1항·제2항
　　　④ [×] : 등기부에 이사 또는 감사로 등재되어 있는 경우에는 특단의 사정이 없는 한 정당한 절차에 의하여 선임된 적법한 이사 또는 감사로 추정된다(대판 1983.12.27. 83다카331).
　　　⑤ [○] : 대판 1996.10.29. 96다19321

정답　**01** ④

상업등기

01 상업등기의 효력에 관한 다음 설명 중 가장 옳지 않은 것은? (다툼이 있는 경우 판례에 따르고 전원합의체 판결의 경우 다수의견에 의함)　　　▸ 2023 법무사

① 등기신청권자가 스스로 등기를 하지 않았더라도 그의 책임 있는 사유로 등기가 이루어지는 데에 관여하거나 불실등기의 존재를 알고 있음에도 이를 시정하지 않고 방치하는 등 등기신청권자의 고의·과실로 불실등기를 한 것과 동일시할 수 있는 특별한 사정이 있는 경우에는, 등기신청권자에 대하여 상법 제39조에 의한 불실등기 책임을 물을 수 있다.

② 상업등기는 이미 존재하는 사실관계를 공시함으로써 대항력을 갖추게 하는 효력만 가질 뿐이고, 등기된 대로의 효력을 부여하는 공신력이 인정되지는 않는 것이 원칙이다.

③ 상법에 따라 등기할 사항은 등기하지 아니하면 선의의 제3자에게 대항하지 못하고, 등기한 후라도 제3자가 정당한 사유로 인하여 이를 알지 못한 때에는 대항할 수 없다.

④ 창설적 효력이 인정되는 회사 설립등기 및 해산등기도 선의의 제3자에게 대항하지 못하고, 제3자가 정당한 사유로 등기의 내용을 알지 못한 경우에도 주장할 수 없다.

⑤ 이사 선임의 주주총회결의에 대한 취소판결이 확정되어 그 결의가 소급하여 무효가 된다고 하더라도 그 선임 결의가 취소되는 대표이사와 거래한 상대방은 상법 제39조의 적용 내지 유추적용에 의하여 보호될 수 있다.

해설　① [○] : 대판 2011.7.28, 2010다70018

② [○] : 회사등기에는 공신력이 인정되지 아니하므로, 합자회사의 사원 지분등기가 불실등기인 경우 그 불실등기를 믿고 합자회사 사원의 지분을 양수하였다 하여 그 지분을 양수한 것으로는 될 수 없다(대판 1996.10.29, 96다19321).

③ [○] : 상법 제37조(등기의 효력)

④ [×] : 창설적 등기사항(법인설립등기 등)은 등기 전에는 등기할 사항의 효력이 발생하지 않기 때문에 제3자의 선의나 악의 관계없이 상법 제37조(소극적 공시의 원칙)는 적용되지 않는다. 이러한 특수한 효력은 제3자의 선의·악의의 유무를 불문하고 등기 그 자체만으로써 효력이 발생한다.

⑤ [○] : 대판 2004.2.27, 2002다19797

정답　**01** ④

영업양도

01 상법상 영업양도에 관한 다음 설명 중 가장 옳은 것은? (다툼이 있는 경우 대법원 판례에 따르고 전원합의체 판결의 경우 다수의견에 의함. 특별한 언급이 없다면 각 지문의 회사는 자본금 총액이 10억 원 이상인 비상장 주식회사를 의미) ▶ 2024 법무사

① 영업양도는 일정한 영업목적에 의하여 조직화된 업체, 즉 인적·물적 조직을 그 동일성은 유지하면서 일체로서 이전하는 것으로서 영업의 일부만의 양도도 가능하다.

② 영업재산의 전부를 양도한 경우에 그 조직을 해체하여 양도했다 하더라도 영업의 양도로 볼 수 있다.

③ 영업양도가 이루어진 경우 별도의 특약이 있어야 해당 근로자들의 근로관계가 양수하는 기업에 포괄적으로 승계된다.

④ 영업을 양도한 경우에 다른 약정이 없으면 양도인은 5년간 동일한 특별시·광역시·시·군과 인접 특별시·광역시·시·군에서 동종영업을 하지 못한다.

⑤ 영업을 양도한 자가 동종영업을 하지 아니할 것을 약정한 때에는 동일한 특별시·광역시·시·군과 인접 특별시·광역시·시·군에 한하여 10년을 초과하지 아니한 범위 내에서 효력이 있다.

해설 ① [O] : 상법 제41조 소정의 영업의 양도란 영업목적을 위하여 조직화된 유기적 일체로서의 기능재산의 동일성이 유지된 일괄이전을 의미하는 것이고 영업의 동일성 여부는 일반사회관념에 의하여 결정되어져야 할 사실인정의 문제이기는 하지만, 영업재산의 전부를 양도했어도 그 조직을 해체하여 양도했다면 영업의 양도는 되지 않는 반면에 그 일부를 유보한 채 영업시설을 양도했어도 그 양도한 부분만으로도 종래의 조직이 유지되어 있다고 사회관념상 인정되기만 하면 그것을 영업의 양도라 하지 않을 수 없는 것이다(대판 1989.12.26, 88다카10128).

② [×] : 영업재산의 전부를 양도했어도 그 조직을 해체하여 양도했다면 영업의 양도로 볼 수 없다(대판 1989.12.26, 88다카10128).

③ [×] : 영업양도가 이루어진 경우에는 원칙적으로 해당 근로자들의 근로관계가 양수하는 기업에 포괄적으로 승계된다(대판 2002.3.29, 2000두8455).

④ [×] : 영업을 양도한 경우에 다른 약정이 없으면 양도인은 10년간 동일한 특별시·광역시·시·군과 인접 특별시·광역시·시·군에서 동종영업을 하지 못한다[상법 제41조(영업양도인의 경업금지) 제1항].

⑤ [×] : 양도인이 동종영업을 하지 아니할 것을 약정한 때에는 동일한 특별시·광역시·시·군과 인접 특별시·광역시·시·군에 한하여 20년을 초과하지 아니한 범위 내에서 그 효력이 있다[상법 제41조(영업양도인의 경업금지) 제2항].

02 영업양도에 관한 다음 설명 중 가장 옳지 않은 것은? (다툼이 있는 경우 대법원 판례에 따르고 전원합의체 판결의 경우 다수의견에 의함. 특별한 언급이 없다면 각 지문의 회사는 자본금 총액이 10억 원 이상인 비상장 주식회사를 의미함) ▶ 2025 법무사

① 영업양도계약에서 경업금지에 관하여 정함이 없는 경우에도 영업양수인은 영업양도인에게 상법 제41조 제1항에 따라 경업금지청구권을 행사할 수 있다.

② 영업양도계약에서 경업금지청구권의 양도와 관련하여 특별한 정함이 없는 상태에서 양도된 영업이 다시 동일성을 유지한 채 전전양도되는 경우, 영업양수인의 경업금지청구권과 이에 관한 양도통지의 권한은 원칙적으로 그 뒤의 영업양수인에게 전전양도 및 전전이전되지 않는다.

③ 영업양도는 일정한 영업목적에 의하여 조직화된 업체, 즉 인적·물적 조직을 그 동일성은 유지하면서 일체로서 이전하는 것으로서 영업의 일부양도도 가능하다.

④ 회사가 기존 영위하던 사업 부문을 폐지함에 따라 근로자들 전부가 사직서를 제출하고 퇴직금을 정산, 수령하였고 그중 절반 정도의 근로자들은 다른 직장에 취업하였으며 나머지 절반 정도의 근로자들만이 폐지되는 사업 부분과 동일한 사업을 하고 있던 계열회사에 입사시험 없이 종전 수준의 임금을 지급받기로 하고 입사한 경우, 기존 회사는 그 사업 부문을 폐지한 것에 불과할 뿐, 두 회사 사이에 영업양도가 있었다고 볼 수 없다.

⑤ 영업재산의 일부를 유보한 채 영업시설을 양도했어도 그 양도한 부분만으로도 종래의 조직이 유지되어 있다고 사회관념상 인정되면 그것을 영업의 양도라 볼 수 있고, 이러한 영업양도는 반드시 영업양도 당사자 사이의 명시적 계약에 의하여야 하는 것은 아니며 묵시적 계약에 의하여도 가능하다.

해설 ① [O] : 영업을 양도한 경우에 다른 약정이 없으면 양도인은 10년간 동일한 특별시·광역시·시·군과 인접 특별시·광역시·시·군에서 동종영업을 하지 못한다[상법 제41조(영업양도인의 경업금지) 제1항].

② [×] : 영업양도계약에서 경업금지에 관하여 정함이 없는 경우 영업양수인은 영업양도인에 대해 상법 제41조 제1항에 근거하여 경업금지청구권을 행사할 수 있고, 나아가 영업양도계약에서 경업금지청구권의 양도를 제한하는 등의 특별한 사정이 없다면 위와 같이 양도된 영업이 다시 동일성을 유지한 채 전전양도될 때 영업양수인의 경업금지청구권은 영업재산의 일부로서 영업과 함께 그 뒤의 영업양수인에게 전전양도되고, 그에 수반하여 지명채권인 경업금지청구권의 양도에 관한 통지권한도 전전이전된다고 보는 것이 타당하다(대판 2022.11.30, 2021다227629).

③ [O] : 영업양도라 함은 일정한 영업목적에 의하여 조직화된 총체 즉 인적, 물적 조직을 그 동일성을 유지하면서 일체로서 이전하는 것을 말하고, 영업의 일부만의 양도도 가능하지만 이 경우에도 해당 영업부문의 인적, 물적 조직이 그 동일성을 유지한 채 일체로서 이전되어야 한다(대판 1997.4.25, 96누19314).

④ [O] : 대판 1995.7.14, 94다20198

⑤ [O] : 대판 2009.1.15, 2007다17123, 17130

정답 ▶ 01 ① 02 ②

03 상법상 영업양도인의 경업금지에 관한 다음 설명 중 가장 옳지 않은 것은? (다툼이 있는 경우 판례에 따르고 전원합의체 판결의 경우 다수의견에 의함) ▸ 2023 법무사

① 영업양도인이 영업을 양도한 후에도 인근에서 동종영업을 한다면 영업양도는 유명무실해지고 영업양수인은 부당한 손실을 입게 되므로, 상법 제41조 제1항은 영업을 양도한 경우에 다른 약정이 없으면 영업양도인은 10년간 동일한 특별시·광역시·시·군과 인접 특별시·광역시·시·군에서 동종영업을 하지 못한다고 규정하고 있다.

② 경업이 금지되는 대상으로서의 동종영업은 영업의 내용, 규모, 방식, 범위 등 여러 사정을 종합적으로 고려하여 볼 때 양도된 영업과 경쟁관계가 발생할 수 있는 영업을 의미한다고 보아야 한다.

③ 상인이 아닌 농업협동조합은 영업을 양도하더라도 경업금지의무를 부담하지 않는다.

④ 영업양도계약에서 경업금지청구권의 양도를 제한하는 등의 특별한 사정이 없다면 양도된 영업이 다시 동일성을 유지한 채 전전양도될 때 영업양수인의 경업금지청구권은 영업재산의 일부로서 영업과 함께 그 뒤의 영업양수인에게 전전양도되고, 그에 수반하여 지명채권인 경업금지청구권의 양도에 관한 통지권한도 전전이전된다.

⑤ 경업금지지역으로서의 동일 및 인접 특별시·광역시·시·군 지역은 영업양도인의 통상적인 영업활동이 이루어지던 지역을 기준으로 정할 것이 아니라 양도된 물적 설비가 있던 지역을 기준으로 정하여야 한다.

해설 ① [O] : 상법 제41조(영업양도인의 경업금지) 제1항: 대판 2022.11.30, 2021다227629

② [O] : 대판 2015.9.10, 2014다80440.

③ [O] : 상법상의 영업양도에 관한 규정은 양도인이 상인이 아닌 경우에는 적용할 수 없고, 또 농업협동조합법 제5조 제2항에 의하면, 동 조합은 영리나 투기사업을 하지 못하게 되어 있으므로 동 조합을 상인이라 할 수 없고 따라서 동 조합이 도정공장을 양도하였다 하더라도 동 조합은 양수인에 대하여 상법 제41조에 의한 경업금지 의무는 없다(대판 1969.3.25, 68다1560).

④ [O] : 대판 2022.11.30, 2021다227629

⑤ [×] : 통상적인 영업활동이 이루어지던 지역을 기준으로 정함(대판 2015.9.10, 2014다80440).

04 상호를 속용하는 영업양수인의 책임에 관한 다음 설명 중 가장 옳지 않은 것은? (다툼이 있는 경우 판례에 따르고 전원합의체 판결의 경우 다수의견에 의함. 이하 같음) ▶ 2022 법무사

① 상법 제42조 제1항은 영업양수인이 양도인의 상호를 계속 사용하는 경우 양도인의 영업으로 인한 제3자의 채권에 대하여 양수인도 변제할 책임이 있다고 규정함으로써 양도인이 여전히 주채무자로서 채무를 부담하면서 양수인도 함께 변제책임을 지도록 하고 있는데, 영업양수인이 위 규정에 따라 책임지는 제3자의 채권은 영업양도 당시 발생한 채권과 영업양도 당시로 보아 가까운 장래에 발생될 것이 확실한 채권이다.

② 양수인에 의하여 속용되는 명칭이 상호 자체가 아닌 옥호 또는 영업표지인 때에도 그것이 영업주체를 나타내는 것으로 사용되는 경우에는 채권자가 영업주체의 교체나 채무인수 여부 등을 용이하게 알 수 없다는 점에서 일반적인 상호속용의 경우와 다를 바 없으므로, 양수인은 특별한 사정이 없는 한 상호를 속용하는 영업양수인의 책임을 정한 상법 제42조 제1항의 유추적용에 의하여 그 채무를 부담한다.

③ 채권자가 영업양도 무렵 채무인수 사실이 없음을 알지 못한 경우에는 특별한 사정이 없는 한 상호를 속용하는 영업양수인의 변제책임이 발생하고, 이후 채권자가 채무인수 사실이 없음을 알게 되었다고 하더라도 이미 발생한 영업양수인의 변제책임이 소멸하는 것은 아니다.

④ 영업임대차의 경우에 상호를 속용하는 영업양수인의 책임을 정한 상법 제42조 제1항을 유추적용할 수 없다.

⑤ 상법 제42조 제1항에 의하여 상호를 속용하는 영업양수인이 변제책임을 지는 양도인의 제3자에 대한 채무는 양도인의 영업으로 인한 채무로서 영업양도 전에 발생한 것이면 족하고, 반드시 영업양도 당시의 상호를 사용하는 동안 발생한 채무에 한하는 것은 아니다.

해설 ① [×] : 영업양수인이 위 규정에 따라 책임지는 제3자의 채권은 영업양도 당시 채무의 변제기가 도래할 필요까지는 없다고 하더라도 그 당시까지 발생한 것이어야 하고, 영업양도 당시로 보아 가까운 장래에 발생될 것이 확실한 채권도 양수인이 책임져야 한다고 볼 수 없다(대판 2020.2.6, 2019다270217).

② [O] : 대판 2010.9.30, 2010다35138

③ [O] : 채권자가 영업양도 당시 채무인수 사실이 없음을 알고 있었거나 그 무렵 알게 된 경우에는 영업양수인의 변제책임이 발생하지 않으나, 채권자가 영업양도 무렵 채무인수 사실이 없음을 알지 못한 경우에는 특별한 사정이 없는 한 상법 제42조 제1항에 따른 영업양수인의 변제책임이 발생하고, 이후 채권자가 채무인수 사실이 없음을 알게 되었다고 하더라도 이미 발생한 영업양수인의 변제책임이 소멸하는 것은 아니다(대판 2022.4.28, 2021다305659).

④ [O] : 대판 2017.4.7, 2016다47737

⑤ [O] : 대판 2010.9.30, 2010다35138

박문각 법무사

PART
02
상행위

통칙

01 상인과 상행위에 관한 다음 설명 중 가장 옳지 않은 것은? (다툼이 있는 경우 판례에 따르고 전원합의체 판결의 경우 다수의견에 의함)　▸ 2023 법무사

① 영업의 목적인 상행위를 개시하기 전에 한 영업을 위한 준비행위에는 상행위에 관한 상법의 규정이 적용될 수 있다.

② 영업을 위한 개업준비행위에 상행위에 관한 상법의 규정이 적용되기 위해서는 영업의사가 일반적·대외적으로 표시되어야 한다.

③ 회사는 상행위를 하지 아니하더라도 상인으로 본다.

④ 회사의 기관인 대표이사 개인이 회사의 운영 자금으로 사용하려고 돈을 빌리거나 투자를 받더라도 그것만으로 상행위에 해당하는 것은 아니다.

⑤ 상인이 그 영업과 상관없이 개인 자격에서 돈을 투자하는 행위는 상인의 기존 영업을 위한 보조적 상행위가 아니다.

해설　① [○] : 대판 1999.1.29, 98다1584

② [×] : 영업의 목적인 기본적 상행위를 개시하기 전에 영업을 위한 준비행위를 하는 자는 영업으로 상행위를 할 의사를 실현하는 것이므로 그 준비행위를 한 때 상인자격을 취득함과 아울러 이 개업준비행위는 영업을 위한 행위로서 그의 최초의 보조적 상행위가 되는 것이고, 이와 같은 개업준비행위는 반드시 상호등기·개업광고·간판부착 등에 의하여 영업의사를 일반적·대외적으로 표시할 필요는 없으나 점포구입·영업양수·상업사용인의 고용 등 그 준비행위의 성질로 보아 영업의사를 상대방이 객관적으로 인식할 수 있으면 당해 준비행위는 보조적 상행위로서 여기에 상행위에 관한 상법의 규정이 적용된다(대판 1999.1.29, 98다1584).

③ [○] : 상법 제5조(의제상인) 제2항

④ [○] : 대판 2012.7.26, 2011다43594

⑤ [○] : 대판 2018.4.24, 2017다205127

02 상행위 관한 다음 설명 중 가장 옳지 않은 것은? (다툼이 있는 경우 대법원 판례에 따르고 전원합의체 판결의 경우 다수의견에 의함. 특별한 언급이 없다면 각 지문의 회사는 자본금 총액이 10억 원 이상인 비상장 주식회사를 의미함) ▸2025 법무사

① 당사자 쌍방에 대하여 모두 상행위가 되는 행위로 인한 채권뿐만 아니라 당사자 일방에 대하여만 상행위에 해당하는 행위로 인한 채권도 상법 제64조에서 정한 5년의 소멸시효기간이 적용되는 상사채권에 해당하고, 그 상행위에는 상법 제46조 각 호에 해당하는 기본적 상행위뿐만 아니라 상인이 영업을 위하여 하는 보조적 상행위도 포함된다.

② 상법 제5조, 제47조에 의하면 회사는 상행위를 하지 않더라도 상인으로 보고, 상인이 영업을 위하여 하는 행위는 상행위로 보며, 상인의 행위는 영업을 위하여 하는 것으로 추정된다. 그러므로 회사가 한 행위는 그 영업을 위하여 한 것으로 추정되고, 회사가 그 영업을 위하여 하는 행위는 상행위로 보아야 한다.

③ 상인은 자기 명의로 상행위를 하는 자를 의미하는데, 여기서 '자기 명의'란 상행위로부터 생기는 권리의무의 귀속주체로 된다는 뜻으로서 실질에 따라 판단하여야 하므로, 행정관청에 대한 인·허가 명의나 국세청에 신고한 사업자등록상의 명의와 실제 영업상의 주체가 다를 경우 후자가 상인이 된다.

④ 한국토지공사가 택지개발사업을 시행하기 위하여 토지 소유자로부터 사업 시행을 위한 토지를 매수하는 행위를 하는 경우에는 한국토지공사를 상인이라고 볼 수 있으므로, 한국토지공사가 택지개발사업 지구 내에 있는 토지에 관하여 토지 소유자와 매매계약을 체결한 행위는 상행위로 볼 수 있다.

⑤ 상법 제3조에 따라 당사자 중 그 1인의 행위가 상행위인 때에는 전원에 대하여 상법이 적용되므로, 당사자의 일방이 수인인 경우에 그중 1인에게만 상행위가 되더라도 전원에 대하여 상법이 적용된다.

해설 ① [○] : 대판 2018.6.15, 2017다248803, 248810
② [○] : 대판 2024.3.12, 2021다309927
③ [○] : 대판 2008.12.11, 2007다66590
④ [×] : 한국토지공사가 택지개발사업을 시행하기 위하여 공익사업을 위한 토지 등의 취득 및 보상에 관한 법률에 따라 토지소유자로부터 사업 시행을 위한 토지를 매수하는 행위를 하더라도 한국토지공사를 상인이라 할 수 없고, 한국토지공사가 택지개발사업 지구 내에 있는 토지에 관하여 토지소유자와 매매계약을 체결한 행위를 상행위로 볼 수 없다(대판 2020.5.28, 2017다265389).
⑤ [○] : 대판 2014.4.10, 2013다68207

정답 ❯ 01 ② 02 ④

03 상법 제58조의 상사유치권에 관한 다음 설명 중 가장 옳지 않은 것은?　▸ 2022 법무사

① 상법 제58조의 상사유치권은 피담보채권인 '상인간의 상행위로 인한 채권'이 변제기에 있어야 하나, 민사유치권과 달리 피담보채권이 '목적물에 관하여' 생긴 것일 필요는 없다.

② 상법 제58조의 상사유치권은 당사자 사이의 특약에 의하여 배제될 수 있다.

③ 상법 제58조의 상사유치권의 목적물은, 채무자에 대한 상행위로 인하여 자기가 점유하고 있는 물건 또는 유가증권인데, 채무자의 소유일 필요는 없다.

④ 채무자 소유의 부동산에 관하여 이미 선행저당권이 설정되어 있는 상태에서 상법 제58조 상사유치권이 성립한 경우, 상사유치권자는 선행저당권자 또는 선행저당권에 기한 임의경매절차에서 부동산을 취득한 매수인에 대한 관계에서는 그 상사유치권으로 대항할 수 없다.

⑤ 상법 제58조의 상사유치권은 계약에 의하여 설정되는 것이 아니라 법이 정하는 일정한 객관적 요건을 갖춤으로써 발생하는 이른바 법정담보물권이나, 신의성실의 원칙에 반한다고 평가되는 유치권제도 남용의 유치권 행사는 허용될 수 없다.

> **해설**　①,② [O] : 상인간의 상행위로 인한 채권이 변제기에 있는 때에는 채권자는 변제를 받을 때까지 그 채무자에 대한 상행위로 인하여 자기가 점유하고 있는 채무자소유의 물건 또는 유가증권을 유치할 수 있다. 그러나 당사자 간에 다른 약정이 있으면 그러하지 아니하다(상법 제58조).
> ③ [X] : 채무자소유의 물건을 요건으로 한다(상법 제58조).
> ④ [O] : 대판 2013.2.28, 2010다57350
> ⑤ [O] : 대판 2011.12.22, 2011다84298

04 상법상 상사유치권(제58조) 또는 유질계약(제59조)에 관한 다음 설명 중 가장 옳지 않은 것은? (다툼이 있는 경우 대법원 판례에 따르고 전원합의체 판결의 경우 다수의견에 의함. 특별한 언급이 없다면 각 지문의 회사는 자본금 총액이 10억 원 이상인A 비상장 주식회사를 의미)　▸ 2024 법무사

① 상행위로 인하여 생긴 채권을 담보하기 위한 질권설정계약에 대해서는 유질약정을 허용하고 있다.

② 상법은 유질약정이 체결된 경우 질권의 실행 방법이나 절차에 관하여는 아무런 규정을 두고 있지 않으므로, 유질약정이 포함된 질권설정계약이 체결된 경우 질권의 실행 방법이나 절차는 원칙적으로 질권설정계약에서 정한 바에 따라야 한다.

③ 상사유치권 배제의 특약은 묵시적 약정에 의해서도 가능하다.

④ 질권설정계약에 포함된 유질약정이 상법 제59조에 따라 유효하기 위해서는 질권설정자와 질권자 쌍방이 모두 상인이어야 한다.

⑤ 일방적 상행위로 생긴 채권을 담보하기 위한 질권에 대해서도 유질약정을 허용한 상법 제59조가 적용된다.

해설 ① [○] : 대판 2021.11.25, 2018다304007
② [○] : 대판 2021.11.25, 2018다304007
③ [○] : 대판 2012.9.27, 2012다37176
④ [×] : 질권설정계약에 포함된 유질약정이 상법 제59조에 따라 유효하기 위해서는 질권설정계약의 피담보채권이 상행위로 인하여 생긴 채권이면 충분하고, 질권설정자(채무자)가 상인이어야 하는 것은 아니다(대판 2017.7.18, 2017다207499).
⑤ [○] : 대판 2017.7.18, 2017다207499

05 상법상 상행위와 상사 소멸시효에 관한 다음 설명 중 가장 옳지 않은 것은? ▸ 2021 법무사

① 당사자 중 일방이 수인인 경우 그 중 1인에게만 상행위가 되더라도 전원에 대하여 상사 소멸시효가 적용된다.
② 상인이 영업을 위하여 하는 보조적 상행위에도 상사소멸시효가 적용된다.
③ 상인의 행위는 영업을 위하여 하는 것으로 추정되므로, 영업을 위하여 하는 것인지 아닌지 분명하지 않은 상인의 행위는 영업을 위하여 하는 것으로 추정된다.
④ 회사는 상행위를 하지 않더라도 상인으로 보기 때문에 회사 대표이사 개인이 회사의 운영자금으로 사용하려고 돈을 빌린 때에는 언제나 상행위로 본다.
⑤ 당사자 일방에 대하여만 상행위에 해당하는 행위로 인한 채권에도 상사소멸시효가 적용된다.

해설 ① [○] : 대판 2014.4.10, 2013다68207
② [○] : 대판 2005.5.27, 2005다7863
③ [○] : 상법 제47조(보조적 상행위) 제2항
④ [×] : 대표이사 개인은 상인이 아니어서 상행위가 아니다(대판 2012.7.26, 2011다43594).
⑤ [○] : 대판 2014.7.24, 2013다214871

06 소멸시효에 관한 다음 설명 중 가장 옳지 않은 것은?

▸2022 법무사

① 단체협약에 기한 근로자의 유족들의 회사에 대한 위로금채권에는 5년의 상사 소멸시효 기간이 적용된다.

② 사용자가 근로계약에 수반되는 신의칙상의 부수적 의무인 보호의무를 위반하여 근로자에게 손해를 입힘으로써 발생한 근로자의 손해배상청구권은 특별한 사정이 없는 한 10년의 민사 소멸시효기간이 적용된다.

③ 한국전력공사와 다수의 전기수용가와 사이에 체결된 전기공급계약은 상법상 기본적 상행위에 해당하나 전기공급주체인 공법인은 상법이 적용되지 아니하므로, 전기공급계약에 근거한 위약금 지급채무는 10년의 민사 소멸시효기간이 적용된다.

④ 배당가능이익이 없는데도 이익의 배당이나 중간배당이 실시된 경우 회사나 채권자가 주주로부터 배당금을 회수하는 것은 회사의 자본충실을 도모하고 회사 채권자를 보호하는데 필수적이므로, 위법배당에 따른 부당이득반환청구권은 10년의 민사 소멸시효기간이 적용된다.

⑤ 건설공사에 관한 도급계약이 상행위에 해당하는 경우 그 도급계약에 기한 수급인의 하자담보책임은 5년의 소멸시효기간이 적용된다.

해설 ① [O] : 대판 2006.4.27, 2006다1381

② [O] : 대판 2021.8.19, 2018다270876

③ [×] : '영업으로 하는 전기의 공급에 관한 행위'는 상법상 기본적 상행위에 해당하고(상법 제46조 제4호), 전기공급주체가 공법인인 경우에도 법령에 다른 규정이 없는 한 상법이 적용되므로(상법 제2조), 그러한 전기공급계약에 근거한 위약금 지급채무 역시 상행위로 인한 채권으로서 상법 제64조에 따라 5년의 소멸시효기간이 적용된다 할 것이다(대판 2013.4.11, 2011다112032).

④ [O] : 대판 2021.6.24, 2020다208621

⑤ [O] : 대판 2011.12.8, 2009다25111

07 소멸시효에 관한 설명 중 가장 옳지 않은 것은? (다툼이 있는 경우 대법원 판례에 따르고 전원합의체 판결의 경우 다수의견에 의함. 특별한 언급이 없다면 각 지문의 회사는 자본금 총액이 10억 원 이상인 비상장 주식회사를 의미) ▸ 2024 법무사

① 甲이 乙에게 자신의 사업자명의를 사용하여 영업할 것을 허락하였고, 丙이 甲을 영업주로 오인하여 乙과 물품거래를 하였으며, 乙이 丙에게 물품대금 일부를 대물변제하였다면 乙의 시효중단 사유인 채무승인의 효력이 甲에게는 미치지 않는다.

② 채권자가 영업양도가 이루어진 뒤 영업양도인을 상대로 소를 제기하여 확정판결을 받았다면 그와 같은 소멸시효 중단이나 소멸시효 연장의 효과는 상호를 속용하는 영업양수인에게 미치지 않는다.

③ 창고업자인 甲이 선하증권이나 화물인도지시서와 상환하지 않고 임치물을 제3자에게 인도하였고, 임치물의 소유자인 乙이 甲에게 불법행위로 인한 손해배상을 청구하는 경우, 甲은 상법 제166조 제1항의 물건을 출고한 날로부터 1년의 소멸시효 항변을 할 수 있다.

④ 운송주선인이 자기 이름으로 운송계약을 체결한 경우 운송주선인에 대한 운송인의 채권은 1년의 단기소멸시효에 걸린다.

⑤ 기존회사가 채무를 면탈하기 위하여 기업의 형태·내용이 실질적으로 동일한 신설회사를 설립하여 기존회사의 채무면탈이라는 위법한 목적 달성을 위하여 회사제도를 남용한 것에 해당한다면, 기존회사에 대한 소멸시효가 완성되지 않은 상태에서 신설회사가 기존회사와 별도로 자신에 대하여 소멸시효가 완성되었다고 주장하는 것은 허용될 수 없다.

해설 ① [○] : 명의대여자와 명의차용자의 책임은 부진정연대의 관계에 있으므로, 채무자 1인에 대한 이행청구 또는 채무자 1인이 행한 채무의 승인 등 소멸시효의 중단사유나 시효이익의 포기는 다른 채무에게 당연히 효력이 미치지 아니한다(대판 2011.4.14, 2010다91886).

② [○] : 대판 2023.12.7, 2020다225138

③ [×] : 상법 제166조 소정의 창고업자의 책임에 관한 단기소멸시효는 창고업자의 계약상대방인 임치인의 청구에만 적용되며 임치물이 타인 소유의 물건인 경우에 소유권자인 타인의 청구에는 적용되지 아니한다(대판 2004.2.13, 2001다75318).

④ [○] : 상법 제121조(운송주선인의 책임의 시효) 제1항

⑤ [○] : 대판 2024.3.28, 2023다265700

08 상사채무의 연대성(상법 제57조)에 관한 다음 설명 중 가장 옳지 않은 것은? (다툼이 있는 경우 대법원 판례에 따르고 전원합의체 판결의 경우 다수의견에 의함. 특별한 언급이 없다면 각 지문의 회사는 자본금 총액이 10억 원 이상인 비상장 주식회사를 의미함) ▸ 2025 법무사

① 상법 제57조 제1항은 상사거래에 있어서의 인적 담보를 강화하여 채무이행을 확실히 하고 거래의 안전을 도모함으로써 상거래의 원활을 기하려는 것으로 민법상 다수당사자간의 채무이행에 있어서의 분할채무 원칙에 대한 특별규정이다. 여기에서 연대채무를 지우게 되는 행위는 수인이 그 1인 또는 전원에게 상행위가 되는 행위로 인하여 채무를 부담하는 경우이어야 한다.

② 피고들이 양말제조업을 공동으로 경영하며 원고로부터 계속적으로 원사구입을 하여 왔을 경우에 현재까지 지급하지 못한 외상대금이 남아 있다면 이는 피고들의 기본적 상행위로 인하여 부담하게 된 것이므로 피고들은 연대하여 원고에 대하여 채무를 변제할 책임이 있다.

③ 공동수급체의 구성원들이 상인인 경우 탈퇴한 조합원에 대하여 잔존 조합원들이 탈퇴 당시의 조합재산상태에 따라 탈퇴 조합원의 지분을 환급할 의무는 구성원 전원의 상행위에 따라 부담한 채무로서 공동수급체의 구성원들인 잔존 조합원들은 연대하여 탈퇴한 조합원에게 지분환급의무를 이행할 책임이 있다.

④ 피고 甲과 피고 乙이 시멘트 등을 제조판매하는 원고로부터 물품을 구입하여 동업으로 도로포장 공사를 하되 피고 甲은 주로 원고에 대한 교섭과 사업자금을 제공하고 피고 乙은 물품의 구입과 납품 등 업무를 분담 종사한 경우에는 피고 甲과 피고 乙은 동업자로서 원고에 대하여 상법 제57조에 따른 상행위로 인하여 물품대금채무를 부담한 것이므로 연대하여 이를 변제할 책임이 있다.

⑤ 상가건물의 일부에서 숙박업을 하는 공유자들이 건물의 관리를 담당한 단체와 체결한 숙박사업장의 관리에 관한 계약은 내부적 관리업무의 일환에 따른 것이므로 상법 제57조 제1항에서 규정하는 상행위에 해당하기 어렵고 위 공유자들은 지분비율에 따른 액수만큼 개별적으로 관리비 지급의무를 부담한다.

（해설） ① [○] : 대판 1987.6.23, 86다카633
② [○] : 대판 1966.11.29, 66다1741
③ [○] : 대판 2016.7.14, 2015다233098
④ [○] : 대판 1976.1.27, 75다1606
⑤ [×] : 상가건물의 일부에서 숙박업을 하는 공유자들이 건물의 관리를 담당한 단체와 체결한 위 숙박사업장의 관리에 관한 계약은 상법 제57조 제1항에서 규정하는 상행위에 해당하므로, 위 공유자들은 연대하여 관리비 전액의 지급의무를 부담한다(대판 2009.11.12, 2009다54034, 54041).

정답 ▸ 08 ⑤

01 매수인의 목적물의 검사와 하자통지의무를 규정한 상법 제69조에 관한 다음 설명 중 가장 옳지 않은 것은? (다툼이 있는 경우 대법원 판례에 따르고 전원합의체 판결의 경우 다수의견에 의함. 특별한 언급이 없다면 각 지문의 회사는 자본금 총액이 10억 원 이상인 비상장 주식회사를 의미함) ▸ 2025 법무사

① 상인간의 매매에 있어서 매수인이 목적물을 수령한 때에는 지체없이 이를 검사하여야 하며 하자 또는 수량의 부족을 발견한 경우에는 즉시, 즉시 발견할 수 없는 하자가 있는 경우에는 6월 내에 매수인이 매도인에게 그 통지를 발송하지 아니하면 이로 인한 계약해제, 대금감액 또는 손해배상을 청구하지 못하도록 규정하고 있는 상법 제69조 제1항은, 민법의 매매에 관한 규정이 민법 제567조에 의하여 매매 이외의 유상계약에 준용되는 것과 마찬가지로 상인간의 수량을 지정한 건물의 임대차계약에 준용될 수 있다.

② 상법 제69조의 규정은 상인간의 매매에 적용되는 것이며 매수인이 상인인 한 매도인이 상인인지 여부를 불문하고 위 규정이 적용되어야 하는 것은 아니다.

③ 상법 제69조 제1항의 취지는 상인간의 매매에 있어 그 계약의 효력을 민법 규정과 같이 오랫동안 불안정한 상태로 방치하는 것은 매도인에 대하여는 인도 당시의 목적물에 대한 하자의 조사를 어렵게 하고 전매의 기회를 잃게 될 뿐만 아니라, 매수인에 대하여는 그 기간 중 유리한 시기를 선택하여 매도인의 위험으로 투기를 할 수 있는 기회를 주게 되는 폐단 등이 있어 이를 막기 위하여 하자를 용이하게 발견할 수 있는 전문적 지식을 가진 매수인에게 신속한 검사와 통지의 의무를 부과함으로써 상거래를 신속하게 결말짓도록 한 것이다.

④ 상법 제69조 제1항은 민법상의 매도인의 담보책임에 대한 특칙이며, 그 성질상 임의규정으로 보아야 할 것이다. 따라서 당사자간의 약정에 의하여 이와 달리 정할 수 있다고 할 것이다.

⑤ 상법 제69조에서 규정하는 하자담보책임의 전제요건인 매수인의 목적물 검사와 하자통지사실에 관한 증명책임은 매수인에게 있다.

(해설) ① [×] : 상사매매에 관한 상법 제69조는, 민법의 매매에 관한 규정이 민법 제567조에 의하여 매매 이외의 유상계약에 준용되는 것과 달리, 상법에 아무런 규정이 없는 이상 상인간의 수량을 지정한 건물의 임대차계약에 준용될 수 없다(대판 1995.7.14, 94다38342).

② [○] : 대판 1993.6.11, 93다7174

③ [○] : 대판 1987.7.21, 86다카2446

④ [○] : 대판 2008.5.15, 2008다3671

⑤ [○] : 대판 1990.12.21, 90다카28498

정답 ▸ **01** ①

02 상인간 매매에 관한 상법상 특칙에 관한 다음 설명 중 가장 옳지 않은 것은? (다툼이 있는 경우 판례에 따르고 전원합의체 판결의 경우 다수의견에 의함) ▸2023 법무사

① 상인간의 매매에서 매수인이 목적물의 수령을 거부하거나 이를 수령할 수 없는 때에는 매도인은 그 물건을 공탁하거나 상당한 기간을 정하여 최고한 후 경매할 수 있다. 다만, 매수인에 대하여 최고를 할 수 없거나 목적물이 멸실 또는 훼손될 염려가 있는 때에는 최고 없이 경매할 수 있다.

② 상법 제68조에 정한 상인간의 확정기매매의 경우 당사자의 일방이 이행시기를 경과하면 상대방은 이행의 최고나 해제의 의사표시 없이 바로 해제의 효력을 주장할 수 있는바, 상인간의 확정기매매인지 여부는 매매목적물의 가격 변동성, 매매계약을 체결한 목적 및 그러한 사정을 상대방이 알고 있었는지 여부, 매매대금의 결제 방법 등과 더불어 선적기간의 표기가 불가결하고 중요한 약관이 있는지 여부, 계약 당사자 사이에 종전에 계약이 체결되어 이행된 방식, 당해 매매계약에서의 구체적인 이행 상황 등을 종합하여 판단하여야 한다.

③ 매수인에게 즉시 목적물의 검사와 하자통지를 할 의무를 지우고 있는 상법 제69조의 규정은 상인간의 매매에 적용되는 것이고, 매수인이 상인인 한 매도인이 상인인지 여부를 불문하고 위 규정이 적용되어야 하는 것은 아니다.

④ 매매의 목적물에 상인에게 통상 요구되는 객관적인 주의의무를 다하여도 즉시 발견할 수 없는 하자가 있는 경우, 상법 제69조에 따라 매수인이 6월 내에 그 하자를 발견하여 지체 없이 이를 통지하지 아니하였더라도 매수인에게 과실이 없다면 매도인에게 여전히 하자담보책임을 물을 수 있다.

⑤ 상법 제69조의 경우에 매수인이 계약을 해제한 때에도 매도인의 비용으로 매매의 목적물을 보관 또는 공탁하여야 하나, 목적물의 인도장소가 매도인의 영업소 또는 주소와 동일한 특별시·광역시·시·군인 때에는 위와 같은 보관 또는 공탁 의무가 없다.

해설 ① [○] : 상법 제67조(매도인의 목적물의 공탁, 경매권) 제1항·제2항

② [○] : 대판 2009.7.9, 2009다15565

③ [○] : 상법 제69조 제1항(매수인의 목적물의 검사와 하자통지의무) : 대판 1993.6.11, 93다7174

④ [×] : 상법 제69조는 상거래의 신속한 처리와 매도인의 보호를 위한 규정인 점에 비추어 볼 때, 설령 매매의 목적물에 상인에게 통상 요구되는 객관적인 주의의무를 다하여도 즉시 발견할 수 없는 하자가 있는 경우에도 매수인은 6월 내에 그 하자를 발견하여 지체 없이 이를 통지하지 아니하면 매수인은 과실의 유무를 불문하고 매도인에게 하자담보책임을 물을 수 없다(대판 1999.1.29, 98다1584).

⑤ [○] : 상법 제70조(매수인의 목적물보관, 공탁의무) 제1항·제3항

03 상인간 매매에 대한 상법상 특칙에 관한 다음 설명 중 가장 옳지 않은 것은?

▸ 2021 법무사

① 제작물공급계약에 의하여 제작공급하여야 할 물건이 대체물인 경우에는 매수인의 목적물 검사와 하자통지의무에 관한 상법 제69조 제1항이 적용된다고 하여도 무방할 것이나, 그 물건이 특정의 주문자의 수요를 만족시키기 위한 부대체물인 경우에는 위 규정이 당연히 적용된다고 할 수 없다.

② 상인간의 매매에 있어서 매매의 성질 또는 당사자의 의사표시에 의하여 일정한 일시 또는 일정한 기간 내에 이행하지 아니하면 계약의 목적을 달성할 수 없는 경우에 당사자의 일방이 이행시기를 경과한 때에는 상대방은 즉시 그 이행을 청구하지 아니하면 계약을 해제한 것으로 본다.

③ 매수인이 목적물의 수령을 거부하는 경우 매도인은 목적물이 멸실 또는 훼손될 염려가 있는 때에는 법원의 허가를 얻어 경매할 수 있다.

④ 매수인이 매매 목적물을 수령한 후 하자를 이유로 적법하게 계약을 해제한 경우 매수인은 그 목적물이 멸실 또는 훼손될 염려가 있는 때에는 법원의 허가를 얻어 경매하여 그 대가를 보관 또는 공탁하여야 한다.

⑤ 상법 제69조 제1항은 성질상 임의규정이고 당사자간의 약정에 의하여 이와 달리 정할 수 있다.

해설 ① [○] : 제작물공급계약은 그 제작의 측면에서는 도급의 성질이 있고 공급의 측면에서는 매매의 성질이 있어 이러한 계약은 대체로 매매와 도급의 성질을 함께 가지고 있는 것으로서 그 적용법률은 계약에 의하여 제작공급하여야 할 물건이 대체물인 경우에는 매매로 보아서 매매에 관한 규정(상법 제69조 제1항)이 적용된다고 할 것이나 물건이 특정의 주문자의 수요를 만족시키기 위한 불대체물인 경우에는 당해 물건의 공급과 함께 그 제작이 계약의 주목적이 되어 도급의 성질을 강하게 띠고 있다 할 것이므로 이 경우에는 매매에 관한 규정(상법 제69조 제1항)이 당연히 적용된다고 할 수 없다(대판 1987.7.21. 86다카2446).

② [○] : 상법 제68조(확정기매매의 해제)

③ [×] : 법원의 허가 없이 행사할 수 있다(상법 제67조 제2항).

④ [○] : 상법 제70조(매수인의 목적물보관, 공탁의무) 제1항 단서

⑤ [○] : 대판 2008.05.15. 2008다3671(상법 제69조 제1항은 임의규정이다)

상호계산

▸ 2021 법무사

01 상호계산에 관한 다음 설명 중 가장 옳지 않은 것은?

① 어음으로 인한 채권·채무를 상호계산에 계입한 경우에 그 어음채무자가 변제하지 아니한 때에 당사자는 그 채무의 항목을 상호계산에서 제거할 수 있다.

② 상호계산의 계약체결 당사자는 적어도 일방이 상인이면 된다.

③ 각 당사자는 계약의 존속기간을 정한 경우에도 언제든지 상호계산을 해지할 수 있다.

④ 상호계산기간에 대해 당사자간 약정이 있으면 그 기간으로 하고, 약정이 없으면 6개월로 한다.

⑤ 상호계산제도에서는 상계로 인한 잔액에 대해 이자가 발생할 여지가 없다.

해설 ① [○] : 상법 제73조(상업증권상의 채권채무에 관한 특칙)

② [○] : 상법 제72조(상인간 또는 비상인간에 적용)

③ [○] : 상법 제77조(상호계산의 해지)

④ [○] : 상법 제74조(상호계산기간)

⑤ [×] : 상법 제76조: 상계로 인한 잔액에 대하여는 채권자는 계산폐쇄일 이후의 법정이자를 청구할 수 있다(제1항). 전항의 규정에 불구하고 당사자는 각 항목을 상호계산에 계입한 날로부터 이자를 붙일 것을 약정할 수 있다(제2항).

정답 ▸ 01 ⑤

익명조합

01 **익명조합에 관한 다음 설명 중 가장 옳지 않은 것은?** ▸ 2022 법무사

① 익명조합은 당사자의 일방이 상대방의 영업을 위하여 출자하고 상대방은 그 영업으로 인한 이익을 분배할 것을 약정함으로써 그 효력이 생긴다.

② 익명조합원이 출자한 금전 기타의 재산은 영업자의 재산으로 본다.

③ 익명조합원이 자기의 성명을 영업자의 상호중에 사용하게 하거나 자기의 상호를 영업자의 상호로 사용할 것을 허락한 때에는 그 사용 이후의 채무에 대하여 영업자와 연대하여 변제할 책임이 있다.

④ 당사자간에 다른 약정이 없는 경우에, 익명조합원의 출자가 손실로 인하여 감소된 때에는 그 손실을 전보한 후가 아니면 이익배당을 청구하지 못하고, 손실이 출자액을 초과한 경우에는 증자할 의무가 있다.

⑤ 익명조합계약은 '영업의 폐지 또는 양도', '영업자의 사망 또는 성년후견개시', '영업자 또는 익명조합원의 파산'으로 인하여 종료한다.

> **해설** ① [○] : 상법 제78조(익명조합의 의의)
> ② [○] : 상법 제79조(익명조합원의 출자)
> ③ [○] : 상법 제81조(성명, 상호의 사용허락으로 인한 책임)
> ④ [×] : 상법 제82조 : 익명조합원의 출자가 손실로 인하여 감소된 때에는 그 손실을 전보한 후가 아니면 이익배당을 청구하지 못한다(제1항). 손실이 출자액을 초과한 경우에도 익명조합원은 이미 받은 이익의 반환 또는 증자할 의무가 없다(제2항).
> ⑤ [○] : 상법 제84조(계약의 종료)

정답 ▸ 01 ④

02 甲은 출자를 하지 않고 乙과 丙이 각각 1억 원을 출자하며, 甲이 단독으로 甲의 성명만이 들어간 상호를 사용하여 영업을 하고, 그 영업으로 인하여 발생한 이익의 25%씩을 乙과 丙에게 각각 분배하기로 하는 X약정을 체결하였다. 이에 관한 다음 설명 중 가장 옳지 않은 것은? ▸ 2021 법무사

① 乙과 丙은 甲의 행위에 관하여는 제3자에 대하여 권리나 의무가 없다.

② 乙과 丙의 출자가 손실로 인하여 감소된 때에는 그 손실을 전보한 후가 아니면 이액배당을 청구하지 못한다.

③ 乙과 丙이 출자한 출자금 2억 원은 甲의 재산으로 본다.

④ X약정이 종료한 때에는 甲은 乙과 丙에게 그 출자의 가액을 반환하여야 하고, 출자가 손실로 인하여 감소된 경우에도 마찬가지이다.

⑤ 당사자의 일방이 상대방의 영업을 위하여 출자를 하는 경우라 할지라도 그 영업에서 이익이 난 여부를 따지지 않고 상대방이 정기적으로 일정한 금액을 지급하기로 약정한 경우에는 X약정과 같은 성격의 약정으로 볼 수 없다.

해설 ① [O] : 익명조합원의 대외관계(상법 제80조): 익명조합원은 영업자의 행위에 관하여서는 제3자에 대하여 권리나 의무가 없다.

② [O] : 이익배당과 손실분담(상법 제82조 제1항): 익명조합원의 출자가 손실로 인하여 감소된 때에는 그 손실을 전보한 후가 아니면 이익배당을 청구하지 못한다.

③ [O] : 익명조합원의 출자(상법 제79조): 익명조합원이 출자한 금전 기타의 재산은 영업자의 재산으로 본다.

④ [×] : 계약종료의 효과(상법 제85조): 조합계약이 종료한 때에는 영업자는 익명조합원에게 그 출자의 가액을 반환하여야 한다. 그러나 출자가 손실로 인하여 감소된 때에는 그 잔액을 반환하면 된다.

⑤ [O] : 익명조합에서 이익의 분배는 반드시 영업으로부터 생긴 이익을 분배하여야 한다. 따라서 이익의 유무를 불문하고 일정한 금액의 지급을 보증하는 것은 익명조합의 본질에 반한다 (대판 1983.5.10, 81다650).

정답 ▸ **02** ④

합자조합

01 상법 제78조의 익명조합 또는 상법 제86조의2의 합자조합에 관한 다음 설명 중 가장 옳은 것은? (다툼이 있는 경우 대법원 판례에 따르고 전원합의체 판결의 경우 다수의견에 의함. 특별한 언급이 없다면 각 지문의 회사는 자본금 총액이 10억 원 이상인 비상장 주식회사를 의미) ▸ 2024 법무사

① 합자조합에서 업무집행조합원은 다른 조합원 과반수의 동의를 받으면 그 지분의 전부 또는 일부를 타인에게 양도할 수 있다.

② 합자조합에서 둘 이상의 업무집행조합원이 있는 경우 조합계약에 다른 정함이 없으면 그 각 업무집행조합원의 업무집행에 관한 행위에 대하여 다른 업무집행조합원의 이의가 있는 경우에는 그 행위를 중지하고 업무집행조합원 과반수의 결의에 따라야 한다.

③ 익명조합원은 금전 기타 재산으로 출자할 수 있을 뿐만 아니라 신용이나 노무의 출자도 가능하다.

④ 시설투자자에게 영업에서 이익이 난 여부를 따지지 않고 정기적으로 일정액을 지급할 것을 약정하고, 대외적 거래관계는 타방(경영자)이 그 명의로 단독으로 하며 그에게만 권리의무가 귀속되도록 약정한 동업관계의 경우 상법상 익명조합에 해당한다.

⑤ 익명조합원은 조합의 사업에 손실이 발생해 출자금이 감소된 경우라 하더라도 그 손실을 채우지 않고서도 이익배당을 청구할 수 있다.

해설 ① [×] : 업무집행조합원은 다른 조합원 전원의 동의를 받지 아니하면 그 지분의 전부 또는 일부를 타인에게 양도하지 못한다(상법 제86조의7 제1항).

② [○] : 상법 제86조의5(업무집행조합원) 제3항

③ [×] : 상법 제86조(준용): 익명조합원의 출자 목적물은 금전 또는 현물에 한정된다(상법 제272조).

④ [×] : 익명조합에서 이익의 분배는 반드시 영업으로부터 생긴 이익을 분배하여야 한다. 따라서 이익의 유무를 불문하고 일정한 금액의 지급을 보증하는 것은 익명조합의 본질에 반한다(대판 1983.5.10. 81다650).

⑤ [×] : 익명조합원의 출자가 손실로 인하여 감소된 때에는 그 손실을 전보한 후가 아니면 이익배당을 청구하지 못한다(상법 제82조 제1항).

정답 01 ②

대리상

01 상법상 대리상에 관한 다음 설명 중 가장 옳지 않은 것은? (다툼이 있는 경우 판례에 따르고 전원합의체 판결의 경우 다수의견에 의함)　　▸ 2023 법무사

① 대리상은 일정한 상인을 위하여 상업사용인이 아니면서 상시 그 영업부류에 속하는 거래의 대리 또는 중개를 영업으로 하는 자를 말한다.

② 어떤 자가 제조회사와 대리점 총판 계약이라고 하는 명칭의 계약을 체결하였다고 하여 곧바로 상법 제87조의 대리상으로 되는 것은 아니고, 그 계약 내용을 실질적으로 살펴 대리상인지 여부를 판단하여야 한다.

③ 대리상이 본인의 허락 없이 제3자의 계산으로 본인의 영업부류에 속하는 거래를 한 경우에 본인은 대리상과의 계약을 해지할 수 있고, 손해배상을 청구할 수 있으며, 그 거래로 인한 이득의 양도를 청구할 수도 있다.

④ 대리상은 거래의 대리 또는 중개로 인한 채권이 변제기에 있는 때에는 그 변제를 받을 때까지 본인을 위하여 점유하는 물건 또는 유가증권을 유치할 수 있는데, 위 물건 또는 유가증권은 본인 소유의 것이어야 한다.

⑤ 대리상의 활동으로 본인이 새로운 고객을 획득하거나 영업상의 거래가 현저하게 증가하고 이로 인하여 계약의 종료 후에도 본인이 이익을 얻고 있는 경우에는 대리상은 계약의 종료가 그의 책임 있는 사유로 인한 경우가 아닌 한 본인에 대하여 상당한 보상을 청구할 수 있다.

> **해설** ① [○] : 상법 제87조(대리상의 의의)
> ② [○] : 대판 1999.2.5, 97다26593(실질설)
> ③ [○] : 상법 제89조(대리상의 경업금지) 제2항(의무위반효과 : 상업사용인의 경업금지규정 준용)
> ④ [×] : 상법 제91조(대리상의 유치권) : 본인을 위하여 점유하는 물건 또는 유가증권을 유치할 수 있다.
> ⑤ [○] : 상법 제92조의2(대리상의 보상청구권) 제1항

02 상행위에 관한 다음 설명 중 가장 옳은 것은?

▸ 2021 법무사

① 대리상과 중개인은 모두 일정한 상인을 위하여 계속적으로 거래의 중개를 보조하는 자이다.

② 대리상, 중개인, 위탁매매인 모두 경업금지의무를 부담한다.

③ 위탁매매인이 위탁매매로 인하여 취득한 물건 또는 채권은 위탁자와 위탁매매인의 채권자 사이에서는 위탁매매인의 소유 또는 채권으로 본다.

④ 대리상은 일정한 상인(본인)의 명의로 본인을 대리하여 거래하고, 위탁매매인은 자기의 명의로 타인의 계산으로 거래하며, 가맹상은 자기의 명의와 계산으로 영업을 한다.

⑤ 가맹계약상 존속기간에 대한 약정의 유무와 관계없이 부득이한 사정이 있으면 즉시 가맹계약을 해지할 수 있다.

해설 ① [×] : 상법 제87조(대리상: 일정한 상인을 위하여), 상법 제93조(중개업: 불특정 다수인을 위하여)

② [×] : 대리상만 경업금지의무를 부담한다(상법 제89조).

③ [×] : 위탁자의 소유 또는 채권으로 본다(상법 제103조).

④ [○] : 상법 제87조(대리상의 의의)・제101조(위탁매매업의 의의)・제168조의6(가맹업의 의의)

⑤ [×] : 각 당사자는 상당한 기간을 정하여 예고한 후 가맹계약을 해지할 수 있다(상법 제168조의10).

정답 01 ④ 02 ④

중개업

위탁매매업

01 위탁매매업에 관한 다음 설명 중 가장 옳지 않은 것은? (다툼이 있는 경우 대법원 판례에 따르고 전원합의체 판결의 경우 다수의견에 의함. 특별한 언급이 없다면 각 지문의 회사는 자본금 총액이 10억 원 이상인 비상장 주식회사를 의미) ▸ 2024 법무사

① 채권매매거래의 위탁계약의 성립 시기는 위탁금이나 위탁채권을 받을 직무상의 권한이 있는 직원이 채권매매거래를 위탁한다는 의사로 이를 위탁하는 고객으로부터 금원이나 채권을 수령하면 곧바로 위탁계약이 성립하고, 그 이후에 그 직원의 금원수납에 관한 처리는 계약의 성립에 영향이 없다.

② 위탁매매인이 그가 제3자에 대하여 부담하는 채무를 담보하기 위하여 그 채권자에게 위탁매매로 취득한 채권을 양도한 경우에 위탁매매인은 위탁자에 대한 관계에서는 위탁자에 속하는 채권을 무권리자로서 양도한 것이므로, 그 채권양도는 무권리자의 처분 일반에서와 마찬가지로 양수인이 그 채권을 선의취득하였다는 등의 특별한 사정이 없는 한 위탁자에 대하여 효력이 없다.

③ 위탁매매란 자기의 명의로 타인의 계산에 의하여 물품을 매수 또는 매도하고 보수를 받는 것으로서 명의와 계산의 분리를 본질로 한다.

④ 위탁자의 위탁상품 공급으로 인한 위탁매매인에 대한 이득상환청구권이나 이행담보책임 이행청구권은 위탁자의 위탁매매인에 대한 상품 공급과 서로 대가관계에 있으므로 민법 제163조 제6호 소정의 '상인이 판매한 상품의 대가'에 해당하여 3년의 단기소멸시효가 적용된다.

⑤ 위탁매매인이 위탁자로부터 받은 물건 또는 유가증권이나 위탁매매로 인하여 취득한 물건, 유가증권 또는 채권은 위탁자와 위탁매매인 또는 위탁매매인의 채권자 간의 관계에서는 이를 위탁자의 소유 또는 채권으로 본다.

> **해설** ① [O] : 대판 1994.4.29, 94다2688
> ② [O] : 대판 2011.7.14, 2011다31645
> ③ [O] : 대판 2008.5.29, 2005다6297
> ④ [×] : 위탁자의 위탁상품 공급으로 인한 위탁매매인에 대한 이득상환청구권이나 이행담보책임 이행청구권은 위탁자의 위탁매매인에 대한 상품 공급과 서로 대가관계에 있지 아니하여 등가성이 없으므로 민법 제163조 제6호 소정의 '상인이 판매한 상품의 대가'에 해당하지 아니하여 3년의 단기소멸시효의 대상이 아니고, 한편 위탁매매는 상법상 전형적 상행위이며 위탁매매인은 당연한 상인이고 위탁자도 통상 상인일 것이므로, 위탁자의 위탁매매인에 대한 매매 위탁으로 인한 위의 채권은 다른 특별한 사정이 없는 한 통상 상행위로 인하여 발생한

정답   **01** ④

채권이어서 상법 제64조 소정의 5년의 상사소멸시효의 대상이 된다(대판 1996.1.23, 95다39854).

⑤ [O] : 상법 제103조(위탁물의 귀속)

02 위탁매매업 및 준위탁매매에 관한 다음 설명 중 가장 옳지 않은 것은? (다툼이 있는 경우 대법원 판례에 따르고 전원합의체 판결의 경우 다수의견에 의함. 특별한 언급이 없다면 각 지문의 회사는 자본금 총액이 10억 원 이상인 비상장 주식회사를 의미함) ▸ 2025 법무사

① 한국철도공사와 여행업체가 위탁운영 협약을 체결하여 여행업체가 관광열차를 이용한 여행상품을 판매·운영하고 위 여행상품 판매대금에서 판매·운영수수료, 행사비용, 운영비용을 공제한 나머지를 매월 정산하여 한국철도공사에 지급하였는데 양자간 협약상 한국철도공사는 열차 운행의 횟수나 편성 등에 관여할 수 있는 등 관광열차 판매·운영에 광범위한 권한을 가지고 관광열차 관련 지적재산권 등 일체의 권리 또한 한국철도공사에 귀속되었으며, 가격조정에도 한국철도공사의 동의가 필요하였고 여행업체에게 귀속되는 판매·운영수수료는 위 여행상품 총매출액의 일정 비율에 해당하는 금액에 해당하였다면, 여행업체는 자기 명의로 그러나 한국철도공사의 계산으로 위 여행상품 관련 용역의 제공을 영업으로 하는 준위탁매매인에 해당한다고 볼 수 있다.

② 자기명의로써 타인의 계산으로 매매 아닌 행위를 영업으로 하는 자에게는 상법상 위탁매매에 관한 규정이 준용되지 않는다.

③ 위탁매매인이 그가 제3자에 대하여 부담하는 채무를 담보하기 위하여 그 채권자에게 위탁매매로 취득한 채권을 양도한 경우에 위탁매매인은 위탁자에 대한 관계에서는 위탁자에 속하는 채권을 무권리자로서 양도한 것이고, 따라서 그 채권양도는 무권리자의 처분 일반에서와 마찬가지로 양수인이 그 채권을 선의취득하였다는 등의 특별한 사정이 없는 한 위탁자에 대하여 효력이 없다.

④ 위탁매매란 자기명의로써 타인의 계산으로 물품을 매수 또는 매도하고 보수를 받는 것으로서 명의와 계산의 분리를 본질로 하며, 어떠한 계약이 일반의 매매계약인지 위탁매매계약인지는 계약의 명칭 또는 형식적인 문언을 떠나 그 실질을 중시하여 판단하여야 한다.

⑤ 위탁매매인이 거래소의 시세가 있는 물건 또는 유가증권의 매매를 위탁받은 경우에는 직접 그 매도인이나 매수인이 될 수 있다. 이 경우의 매매대가는 위탁매매인이 매매의 통지를 발송할 때의 거래소의 시세에 따른다.

해설 ① [O] : 한국철도공사와 갑 주식회사가 위탁운영 협약을 체결하여, 갑 회사가 관광열차를 이용한 여행상품을 판매·운영하고 위 여행상품 판매대금에서 판매·운영수수료, 행사비용, 운영비용을 공제한 나머지를 매월 정산하여 한국철도공사에 지급하였는데, 위 여행상품 관련 용역의 공급주체가 누구인지 문제 된 사안에서, 갑 회사는 준위탁매매인에 해당(대판 2023.12.28, 2020두56780)

② [×] : 본장의 규정은 자기명의로써 타인의 계산으로 매매 아닌 행위를 영업으로 하는 자에 준용한다(상법 제113조(준위탁매매인)).

③ [O] : 대판 2011.7.14, 2011다31645

④ [O] : 대판 2008.5.29, 2005다6297

⑤ [O] : 상법 제107조(위탁매매인의 개입권) 제1항

정답 02 ②

운송주선업

01 다음 설명 중 가장 옳지 않은 것은? (다툼이 있는 경우 대법원 판례에 따르고 전원합의체 판결의 경우 다수의견에 의함. 특별한 언급이 없다면 각 지문의 회사는 자본금 총액이 10억원 이상인 비상장 주식회사를 의미) ▸ 2024 법무사

① 해상운송사업을 영위하는 자를 위하여 그 사업에 속하는 거래의 대리를 업무로 하는 자로서 운송인과의 계약에 따라 화물의 교부와 관련한 일체의 업무를 수행하는 선박대리점이 운송물에 대한 점유를 이전받기 이전에 실제 운송인 및 터미널 운영업자의 과실로 인하여 화물이 소훼되었다면, 선박대리점에게 운송물의 멸실에 대한 불법행위책임을 물을 수는 없다.

② 운송인은 그 운송을 위한 화물의 적부(積付)에 있어 선장·선원 내지 하역업자로 하여금 화물이 서로 부딪치거나, 혼합되지 않도록 그리고 선박의 동요 등으로부터 손해를 입지 않도록 하는 적절한 조치와 함께 운송물을 적당하게 선창 내에 배치하여야 하나, 적부가 독립된 하역업자나 송하인의 지시에 의하여 이루어졌다면 운송인은 그러한 적부에 관하여 손해를 방지하기 위한 적절한 예방조치를 강구하여야 할 주의의무가 있다고 할 수 없다.

③ 운송주선인은 하주나 운송인의 대리인이 되기도 하고 위탁자의 이름으로 운송계약을 체결하는 경우에도 운송주선인임에는 변함이 없다.

④ 운송주선인이 운송인의 지위를 취득하지 않는 한, 운송인의 대리인으로서 운송계약을 체결하였더라도 운송의뢰인에 대한 관계에서는 여전히 운송주선인의 지위에 있다.

⑤ 운송주선업자가 운송의뢰인으로부터 운송관련 업무를 의뢰받은 경우 운송까지 의뢰받은 것인지, 운송주선만을 의뢰받은 것인지 여부가 명확하지 않은 때에는 당사자의 의사를 탐구하여 운송인의 지위도 함께 취득하였는지 여부를 확정하여야 할 것이지만, 그 의사가 명확하지 않으면 선하증권의 발행자 명의, 운임의 지급형태 등 제반 사정을 종합적으로 고려하여 논리와 경험칙에 따라 운송주선업자가 운송의뢰인으로부터 운송을 인수하였다고 볼 수 있는지 여부를 확정하여야 한다.

해설 ① [○] : 대판 2007.4.27, 2007다4943
② [×] : <u>적부가 독립된 하역업자나 송하인의 지시에 의하여 이루어졌더라도 운송인은 그러한 적부가 운송에 적합한지 여부를 살펴보고, 운송을 위하여 인도받은 화물의 성질을 파악하여 그 화물의 성격이 요구하는 바에 따라 적부를 하는 등의 방법으로 손해를 방지하기 위한 적절한 예방조치를 강구하여야 할 주의의무가 있다</u>(대판 2017.6.8, 2016다13109).
③ [○] : 대판 1987.10.13, 85다카1080
④ [○] : 대판 2007.4.27, 2007다4943
⑤ [○] : 대판 2007.4.27, 2007다4943

02 운송주선업에 관한 다음 설명 중 가장 옳지 않은 것은? (다툼이 있는 경우 판례에 따르고 전원합의체 판결의 경우 다수의견에 의함) ▶ 2023 법무사

① 자기의 명의로 물건운송의 주선을 영업으로 하는 자를 운송주선인이라 하고, 여객운송의 주선은 이에 해당되지 않는다.

② 운송주선인이 상법 제116조에 따라 위탁자의 청구에 의하여 화물상환증을 작성하거나 상법 제119조 제2항에 따라 운송주선계약에서 운임의 액을 정한 경우에는 운송인으로서의 지위도 취득할 수 있지만, 운송주선인이 위 각 조항에 따라 운송인의 지위를 취득하지 않는 한, 운송인의 대리인으로서 운송계약을 체결하였더라도 운송의뢰인에 대한 관계에서는 여전히 운송주선인의 지위에 있다.

③ 운송주선인의 책임은 수하인이 운송물을 수령한 날 또는 운송물이 전부 멸실한 경우 그 운송물을 인도할 날로부터 1년을 경과하면 소멸시효가 완성되고, 이는 운송주선인이 악의인 경우에도 마찬가지이다.

④ 운송주선인은 위탁자를 위하여 물건운송계약을 체결할 것 등의 위탁을 인수하는 것을 본래적인 영업 목적으로 하나, 이러한 운송주선인이 다른 사람의 운송목적의 실현에 도움을 주는 부수적 업무를 담당할 수도 있는 것이어서 상품의 통관절차, 운송물의 검수, 보관, 부보, 운송물의 수령인도 등의 업무를 담당하고 있는 것이 상례이다.

⑤ 상법 제115조에 의하면, 운송주선인은 자기나 그 사용인이 운송물의 수령, 인도, 보관, 운송인이나 다른 운송주선인의 선택, 기타 운송에 관하여 주의를 해태하지 아니하였음을 증명하지 아니하면 운송물의 멸실, 훼손 또는 연착으로 인한 손해를 배상할 책임을 면하지 못한다.

> **해설**　① [O] : 상법 제114조(운송주선인의 의의)
> 　② [O] : 대판 1987.10.13, 85다카1080
> 　③ [×] : 운송주선인이나 그 사용인이 악의인 경우에는 적용하지 아니한다[상법 제121조(운송주선인의 책임의 시효) 제3항]
> 　④ [O] : 대판 2018.12.13, 2015다246186
> 　⑤ [O] : 상법 제115조(손해배상책임)

정답　01 ②　02 ③

운송업

01

상법상 육상운송업에 관한 다음 설명 중 가장 옳지 않은 것은? ▸ 2021 법무사

① 운송인은 송하인의 청구에 의하여 화물상환증을 교부하여야 하고, 그 경우 화물상환증의 소지인은 화물상환증과 상환하지 아니하면 운송물의 인도를 청구할 수 없다.

② 화물상환증이 발행되지 않은 경우 운송인이 수하인과의 계약으로 물건에 대한 권리를 취득한 자에게 인도하였다면 수하인의 의사에 따른 것이므로 물건의 인도에 관한 의무위반으로 볼 수 없다.

③ 운송인은 자기 또는 운송주선인이나 사용인, 그 밖에 운송을 위하여 사용한 자가 운송물의 수령, 인도, 보관 및 운송에 관하여 주의를 게을리하지 아니하였음을 증명하지 아니하면 운송물의 멸실, 훼손 또는 연착으로 인한 손해를 배상할 책임이 있다.

④ 해상운송에 있어서 해상강도로 인한 운송물의 멸실이 운송인의 면책사유로 인정되는 것과는 달리 육상에서의 강도로 인한 운송물의 멸실은 반드시 그 자체로서 불가항력으로 인한 면책사유가 된다고 할 수 없다.

⑤ 상법 제136조 고가물불고지로 인한 면책규정은 일반적으로 운송인의 운송계약상의 채무불이행으로 인한 청구에만 적용되고 불법행위로 인한 손해배상청구에는 그 적용이 없다.

> **해설** ① [O] : 상법 제128조(화물상환증의 발행)・상법 제129조(상환증권성)
>
> ② [×] : 화물상환증이 발행되지 않은 경우 수하인의 지위는 운송물이 도착지에 도착한 때에는 수하인은 송하인과 동일한 권리를 취득하고, 운송물이 도착지에 도착한 후 수하인이 그 인도를 청구한 때에는 수하인의 권리가 송하인의 권리에 우선한다(상법 제140조). 따라서 화물상환증이 발행되지 않은 경우에, 수하인이 운송물이 도착한 후에 인도를 청구하지 않은 상태에서 미리 운송인이 수하인과의 계약으로 물건에 대한 권리를 취득한 자에게 인도하였다면 수하인의 의사에 따른 것이라 하더라도 송하인의 권리를 침해하므로 물건의 인도에 관한 의무위반으로 볼 수 있다.
>
> ③ [O] : 상법 제135조(과실책임원칙)
>
> ④ [O] : 대판 1999.12.10, 98다9038
>
> ⑤ [O] : 대판 1991.08.23, 91다15409(청구권경합)

공중접객업

01 공중접객업에 관한 다음 설명 중 가장 옳지 않은 것은? (다툼이 있는 경우 대법원 판례에 따르고 전원합의체 판결의 경우 다수의견에 의함. 특별한 언급이 없다면 각 지문의 회사는 자본금 총액이 10억 원 이상인 비상장 주식회사를 의미함) ▶ 2025 법무사

① 극장, 여관, 음식점, 그 밖의 공중이 이용하는 시설에 의한 거래를 영업으로 하는 자는 상법상 공중접객업자이다.

② 상법 제152조 제1항의 규정에 의한 임치가 성립하려면 우선 공중접객업자와 객 사이에 공중접객업자가 자기의 지배영역 내에서 목적물 보관의 채무를 부담하기로 하는 명시적 또는 묵시적 합의가 있음을 필요로 한다.

③ 숙박업을 영위하는 공중접객업자는 투숙객이 소지한 물건 및 부설주차장에 주차한 차량에 한해서는 무조건 상법 제152조 제1항에서 규정하는 임치받은 물건에 관한 손해배상책임을 부담한다.

④ 숙박업을 영위하는 공중접객업자는 투숙객과 체결한 숙박계약에 따라, 통상의 임대차와 같이 단순히 여관 등의 객실 및 관련 시설을 제공하여 고객으로 하여금 이를 사용·수익하게 할 의무를 부담하는 것에서 한 걸음 더 나아가 고객에게 위험이 없는 안전하고 편안한 객실 및 관련 시설을 제공함으로써 고객의 안전을 배려하여야 할 보호의무를 부담한다.

⑤ 공중접객업자가 화폐, 유가증권, 그 밖의 고가물의 물건의 멸실 또는 훼손으로 인한 손해를 배상할 책임을 부담하더라도, 이는 공중접객업자가 임치물을 반환하거나 고객이 휴대물을 가져간 후 6개월이 지나면 소멸시효가 완성된다.

해설 ⑴ [〇] : 상법 제151조(공중접객업의 의의)

⑵ [〇] : 대판 1999.12.8, 98다37507

⑶ [×] : 공중접객업자가 이용객들의 차량을 주차할 수 있는 주차장을 설치하면서 그 주차장에 차량출입을 통제할 시설이나 인원을 따로 두지 않았다면, 그 주차장은 단지 이용객의 편의를 위한 주차장소로 제공된 것에 불과하고, 공중접객업자와 이용객 사이에 통상 그 주차차량에 대한 관리를 공중접객업자에게 맡긴다는 의사까지는 없다고 봄이 상당하므로, 공중접객업자에게 차량시동열쇠를 보관시키는 등의 명시적이거나 묵시적인 방법으로 주차차량의 관리를 맡겼다는 등의 특수한 사정이 없는 한, 공중접객업자에게 선량한 관리자의 주의로써 주차차량을 관리할 책임이 있다고 할 수 없다(대판 1999.12.8, 98다37507).

⑷ [〇] : 대판 1994.1.28, 93다43590

⑸ [〇] : 상법 제154조(공중접객업자의 책임의 시효) 제1항

정답 ▶ **01** ③

창고업

금융리스업

01 리스계약에 관한 다음 설명 중 가장 옳지 않은 것은? (다툼이 있는 경우 대법원 판례에 따르고 전원합의체 판결의 경우 다수의견에 의함. 특별한 언급이 없다면 각 지문의 회사는 자본금 총액이 10억 원 이상인 비상장 주식회사를 의미)　▶ 2024 법무사

① 금융리스계약은 금융리스업자가 금융리스이용자에게 금융리스물건을 취득 또는 대여하는 데 소요되는 자금에 관한 금융의 편의를 제공하는 것을 본질적 내용으로 한다.

② 금융리스업자는 금융리스이용자가 공급자로부터 상법 제168조의3 제1항에 따라 적합한 금융리스물건을 수령할 수 있도록 협력할 의무와 함께 독자적인 금융리스물건 인도의무 또는 검사·확인의무도 부담한다.

③ 리스계약은 형식에서는 임대차계약과 유사하나 그 실질은 물적 금융이며 임대차계약과는 여러 가지 다른 특질이 있기 때문에 민법의 임대차에 관한 규정이 바로 적용되지 아니한다.

④ 리스계약은 물건의 인도를 계약성립의 요건으로 하지 않는 낙성계약으로서 리스이용자가 리스물건수령증서를 리스회사에 발급한 이상 현실적으로 리스물건이 인도되기 전이라고 하여도 이때부터 리스기간이 개시되고 리스이용자의 리스료 지급의무도 발생한다.

⑤ 일반적으로 리스계약에 있어서는 리스물건의 소유권이 리스회사에게 유보되는 것 자체가 리스이용자의 리스회사에 대한 계약상의 채무 이행을 담보하는 기능을 가지고 있어 리스물건의 변환물이라고 할 수 있는 리스물건에 관한 리스회사의 보험금청구권 역시 그와 같은 담보적 기능을 가지고 있다.

해설 ① [○] : 대판 2013.7.12, 2013다20571; 대판 1996.8.23, 95다51915

② [×] : 금융리스계약의 법적 성격에 비추어 보면, 금융리스계약 당사자 사이에 금융리스업자가 직접 물건의 공급을 담보하기로 약정하는 등의 특별한 사정이 없는 한, 금융리스업자는 금융리스이용자가 공급자로부터 상법 제168조의3 제1항에 따라 적합한 금융리스물건을 수령할 수 있도록 협력할 의무를 부담할 뿐이고, 이와 별도로 독자적인 금융리스물건 인도의무 또는 검사·확인의무를 부담한다고 볼 수는 없다(대판 2019.2.14, 2016다245418, 245425, 245432).

③ [○] : 법적성질은 임대차·소비대차·매매 등이 혼합된 특수한 내용의 무명계약(비전형계약)이고 민법의 임대차규정이 바로 적용되지 않는다(대판 1994.11.8, 94다23388).

④ [○] : 대판 1995.9.29, 93다3417

⑤ [○] : 리스이용자의 계약상 채무불이행으로 인한 손해의 보상을 목적으로 한 리스보증보험은 보험금액의 한도 내에서 리스이용자의 채무불이행으로 인한 손해를 담보하는 것으로서 보증에 갈음하는 기능을 가지고 있어 보험자의 보상책임은 본질적으로 보증책임과 같으므로, 그 보증성에 터잡아 보험금을 지급한 리스보증보험의 보험자는 변제자대위의 법리에 따라 피보험자인 리스회사가 리스이용자에 대하여 가지는 채권 및 그 담보에 관한 권리를 대위하여 행사할 수 있다(대판 1997.11.14, 95다11009).

정답 ▶ **01** ②

가맹업

채권매입업

PART
03
회사

통칙

01 상법상 회사에 관한 다음 설명 중 가장 옳지 않은 것은? (다툼이 있는 경우 판례에 따르고 전원합의체 판결의 경우 다수의견에 의함) ▸ 2023 법무사

① 회사는 본점소재지에서 설립등기를 함으로써 성립되고, 주식회사의 경우 설립등기가 마쳐지면 주식인수인이 주식청약서 요건의 흠결을 이유로 그 인수의 무효를 주장하거나 사기, 강박 또는 착오를 이유로 그 인수를 취소하지 못한다.

② 회사는 합명회사, 합자회사, 유한책임회사, 주식회사, 유한회사의 5종으로 한다.

③ 개인이 회사를 설립하지 않고 영업을 하다가 그와 영업목적이나 물적 설비, 인적 구성원 등이 동일한 회사를 설립하는 경우에 그 회사가 외형상으로는 법인의 형식을 갖추고 있으나 법인의 형태를 빌리고 있는 것에 지나지 않고, 실질적으로는 완전히 그 법인격의 배후에 있는 개인의 개인기업에 불과하거나, 회사가 개인에 대한 법적 책임을 회피하기 위한 수단으로 함부로 이용되고 있는 예외적인 경우에는 회사의 법인격을 부인하여 그 배후에 있는 개인에게 책임을 물을 수 있다.

④ 개인과 회사의 주주들이 경제적 이해관계를 같이 하는 등 개인이 새로 설립한 회사를 실질적으로 운영하면서 자기 마음대로 이용할 수 있는 지배적 지위에 있다고 인정되는 경우로서, 제반 사정에 비추어 회사와 개인이 별개의 인격체임을 내세워 회사 설립 전 개인의 채무 부담행위에 대한 회사의 책임을 부인하는 것이 심히 정의와 형평에 반한다고 인정되는 때에는 회사에 대하여 회사 설립 전에 개인이 부담한 채무의 이행을 청구하는 것도 가능하다.

⑤ 회사의 법인격이 형해화되었다고 볼 수 있는지 여부는 원칙적으로 회사가 성립되는 설립등기를 한 시점을 기준으로, 회사의 법인격이 형해화될 정도에 이르지 않더라도 개인이 회사의 법인격을 남용하였는지 여부는 채무면탈 등의 남용행위를 한 시점을 기준으로 각 판단하여야 한다.

> **해설**　① [○] : 상법 제172조(회사의 성립), 상법 제320조(주식인수의 무효주장, 취소의 제한)
> ② [○] : 상법 제170조(회사의 종류)
> ③ [○] : 대판 2021.4.15. 2019다293449
> ④ [○] : 대판 2021.4.15. 2019다293449
> ⑤ [×] : 회사의 법인격이 형해화되었다고 볼 수 있는지 여부는 원칙적으로 문제가 되고 있는 법률행위나 사실행위를 한 시점을 기준으로, 회사의 법인격이 형해화될 정도에 이르지 않더라도 개인이 회사의 법인격을 남용하였는지 여부는 채무면탈 등의 남용행위를 한 시점을 기준으로 각 판단하여야 한다(대판 2023.2.2. 2022다276703).

02 법인격 부인에 관한 다음 설명 중 가장 옳지 않은 것은? (다툼이 있는 경우 대법원 판례에 따르고 전원합의체 판결의 경우 다수의견에 의함. 특별한 언급이 없다면 각 지문의 회사는 자본금 총액이 10억 원 이상인 비상장 주식회사를 의미함) ▸ 2025 법무사

① 회사가 외형상으로는 법인의 형식을 갖추고 있으나 이는 법인의 형태를 빌리고 있는 것에 지나지 아니하고 그 실질에 있어서는 완전히 그 법인격의 배후에 있는 타인의 개인기업에 불과하거나 그것이 배후자에 대한 법률적용을 회피하기 위한 수단으로 함부로 쓰여지는 경우에는, 비록 외견상으로는 회사의 행위라 할지라도 회사와 그 배후자가 별개의 인격체임을 내세워 회사에게만 그로 인한 법적 효과가 귀속됨을 주장하면서 배후자의 책임을 부정하는 것은 신의성실의 원칙에 위반되는 법인격의 남용으로서 심히 정의와 형평에 반하여 허용될 수 없고, 따라서 회사는 물론 그 배후자인 타인에 대하여도 회사의 행위에 관한 책임을 물을 수 있다.

② 개인과 회사의 주주들이 경제적 이해관계를 같이 하는 등 개인이 새로 설립한 회사를 실질적으로 운영하면서 자기 마음대로 이용할 수 있는 지배적 지위에 있다고 인정되는 경우로서, 여러 사정을 종합적으로 살펴보아 회사와 개인이 별개의 인격체임을 내세워 회사 설립 전 개인의 채무 부담행위에 대한 회사의 책임을 부인하는 것이 심히 정의와 형평에 반한다고 인정되는 때에는 회사에 대하여 회사 설립 전에 개인이 부담한 채무의 이행을 청구하는 것도 가능하다.

③ 개인의 채무 부담행위에 대한 회사의 책임을 부인하는 것이 심히 정의와 형평에 반한다고 인정되어 회사에 대하여 개인이 부담한 채무의 이행을 청구하는 법리는 채무면탈을 목적으로 회사가 새로 설립된 경우뿐 아니라 같은 목적으로 기존 회사의 법인격이 이용되는 경우에도 적용되는데, 여기에는 회사가 이름뿐이고 실질적으로는 개인기업에 지나지 않은 상태로 될 정도로 형해화된 경우와 회사의 법인격이 형해화될 정도에 이르지 않더라도 개인이 회사의 법인격을 남용하는 경우가 있을 수 있다. 이때 회사의 법인격이 형해화되었다고 볼 수 있는지 여부는 원칙적으로 문제가 되고 있는 법률행위나 사실행위를 한 시점을 기준으로, 회사의 법인격이 형해화될 정도에 이르지 않더라도 개인이 회사의 법인격을 남용하였는지 여부는 채무면탈 등의 남용행위를 한 시점을 기준으로 각 판단하여야 한다.

④ 기존회사가 채무를 면탈할 목적으로 기업의 형태·내용이 실질적으로 동일한 신설회사를 설립하여 채무면탈이라는 위법한 목적달성을 위하여 회사제도를 남용하였다고 평가되는 경우, 기존회사의 채권자는 신설회사만을 상대로 채무 이행을 구하여야 하고 기존회사를 상대로 채무 이행을 청구할 수는 없다.

⑤ 법인의 준거법은 원칙적으로 설립 준거법을 기준으로 결정되므로, 법인과 채권·채무관계가 있는 자가 법인과 사원 등 배후자 사이의 법인격의 분리를 부정하면서 법인의 사원 등 배후자에 대하여 법인의 채무에 대한 책임을 추궁하는 경우, 이는 결국 법인의 구성원이 법인의 채권자에 대하여 책임을 부담할지가 문제 되는 것이므로 특별한 사정이 없는 한 법인과 사원 등 사이의 법인격의 분리 여부와 요건을 규정한 그 법인의 설립 준거법에 따라야 한다.

해설 ① [○] : 대판 2010.2.25, 2008다82490
② [○] : 대판 2021.4.15, 2019다293449
③ [○] : 대판 2023.2.2, 2022다276703
④ [×] : 기존회사가 채무를 면탈하기 위하여 기업의 형태·내용이 실질적으로 동일한 신설회사를 설립하였다면, 신설회사의 설립은 기존회사의 채무면탈이라는 위법한 목적 달성을 위하여 회사제도를 남용한 것에 해당한다. 이러한 경우에 기존회사의 채권자에 대하여 위 두 회사가 별개의 법인격을 갖고 있음을 주장하는 것은 신의성실의 원칙상 허용될 수 없으므로, 기존회사의 채권자는 위 두 회사 어느 쪽에 대하여도 채무의 이행을 청구할 수 있다(대판 2008.8.21, 2006다24438).
⑤ [○] : 대판 2025.4.3, 2022다288836, 288843

03

1인 회사에 관한 다음 설명 중 가장 옳지 않은 것은? (다툼이 있는 경우 대법원 판례에 따르고 전원합의체 판결의 경우 다수의견에 의함. 특별한 언급이 없다면 각 지문의 회사는 자본금 총액이 10억 원 이상인 비상장 주식회사를 의미)　▶ 2024 법무사

① 주식회사에서 총 주식을 한 사람이 소유하고 있는 1인 회사의 경우에는 실제로 주주총회를 개최한 사실이 없다 하더라도 1인 주주에 의하여 의결이 있었던 것으로 주주총회 의사록이 작성되었다면 특별한 사정이 없는 한 그 내용의 결의가 있었던 것으로 볼 수 있어 형식적인 사유에 의하여 결의가 없었던 것으로 다툴 수는 없다.

② 위 ①항의 법리는 한 사람이 다른 사람의 명의를 빌려 주주로 등재하였으나 총 주식을 실질적으로 그 한 사람이 모두 소유한 경우에는 적용되지 않는다.

③ 주식의 소유가 실질적으로 분산되어 있는 경우에는 설령 1인이 총 주식의 대다수를 가지고 있고 그 지배주주에 의하여 의결이 있었던 것으로 주주총회 의사록이 작성되어 있다 하더라도 특별한 사정이 없는 한 그 내용의 결의가 있었던 것으로 볼 수 없다.

④ 실질상 1인 회사의 소유 재산을 그 회사의 대표이사이자 1인 주주가 처분하였다면 주주총회의 특별결의가 없고 그 재산이 회사의 유일한 영업재산이라 하더라도 유효하다.

⑤ 임원퇴직금지급규정에 관하여 주주총회 결의가 있거나 주주총회의사록이 작성된 적은 없으나 위 규정에 따른 퇴직금이 사실상 1인 회사의 실질적 1인 주주의 결재·승인을 거쳐 관행적으로 지급되었다면 위 규정에 대하여 주주총회의 결의가 있었던 것으로 볼 수 있다.

해설 ① [O] : 대판 1976.4.13, 74다1755
② [×] : 대판 2007.2.22, 2005다73020; 대판 1993.6.11, 93다8702(실질적 1인회사의 발생원인으로는 1인의 사원이 회사의 지분을 인수할 때 다른 사원들이 명의대여를 하거나 1인 사원에게 지분을 양도하였음에도 형식적으로 정관이나 주주명부에 이름만 남은 경우가 있다)
③ [O] : 대판 2007.2.22, 2005다73020
④ [O] : 타인의 승낙 없이 임의로 발기인으로 내세워 정관에 기명 날인하여 그 명의로 주식을 인수하고 주금까지 납입하여 회사설립행위를 마쳤다면 그 행위자 1인만이 발기인으로서 주주가 되어 회사를 설립하였다 할 것이고 따라서 제소기간의 도과로 그 설립의 무효를 주장할 수 없게 된 이상 1인 주주인 동시 대표이사인 사람이 회사 소유의 영업에 관한 유일한 재산을 주주총회의 특별결의 없이 처분하였다 하더라도 이를 무효라고 할 수는 없다(대구고법 1972.11.15, 71나556). 다만 1인 주주인 대표이사에게 배임죄는 성립된다(대판 1983.12.13, 83도2330 전합).
⑤ [O] : 임원퇴직금지급규정에 관하여 주주총회 결의가 있거나 주주총회의사록이 작성된 적은 없으나 위 규정에 따른 퇴직금이 사실상 1인회사의 실질적 1인 주주의 결재·승인을 거쳐 관행적으로 지급되었다면 위 규정에 대하여 주주총회의 결의가 있었던 것으로 볼 수 있다(대판 2004.12.10, 2004다25123).

04 상법상 회사와 합병에 관한 다음 설명 중 가장 옳지 않은 것은? (다툼이 있는 경우 대법원 판례에 따르고 전원합의체 판결의 경우 다수의견에 의함. 특별한 언급이 없다면 각 지문의 회사는 자본금 총액이 10억 원 이상인 비상장 주식회사를 의미함) ▸ 2025 법무사

① 상법상 회사는 합명회사, 합자회사, 유한책임회사, 주식회사와 유한회사의 5종이다.
② 회사합병이 있는 경우에는 피합병회사의 권리·의무는 사법상의 관계 혹은 공법상의 관계를 불문하고 그 성질상 이전이 허용되지 않는 것을 제외하고는 모두 합병으로 인하여 존속한 회사에 승계되는 것으로 보아야 한다.
③ 힙병을 하는 회사의 일방 또는 씽빙이 주식회사, 유한회사 또는 유한책임회사인 경우에는 합병 후 존속하는 회사나 합병으로 설립되는 회사는 합명회사, 합자회사, 유한책임회사, 주식회사와 유한회사로 자유롭게 정할 수 있다.
④ 소멸회사의 주주는 합병에 의하여 1주 미만의 단주만을 취득하게 되는 경우나 혹은 합병에 반대한 주주로서의 주식매수청구권을 행사하는 경우 등과 같은 특별한 경우를 제외하고는 원칙적으로 합병계약상의 합병비율과 배정방식에 따라 존속회사 또는 신설회사의 주주권을 취득하여 존속회사 또는 신설회사의 주주가 된다.
⑤ 법원은 회사의 설립목적이 불법한 것인 때, 회사가 정당한 사유 없이 설립 후 1년 내에 영업을 개시하지 아니하거나 1년 이상 영업을 휴지하는 때 등 상법이 규정하는 일정한 사유가 있는 경우에는 이해관계인이나 검사의 청구에 의하여 또는 직권으로 회사의 해산을 명할 수 있다.

정답 03 ② 04 ③

해설 ① [○] : 상법 제170조(회사의 종류)

② [○] : 대판 1980.3.25, 77누265

③ [×] : 합병을 하는 회사의 일방 또는 쌍방이 주식회사, 유한회사 또는 유한책임회사인 경우에는 합병 후 존속하는 회사나 합병으로 설립되는 회사는 주식회사, 유한회사 또는 유한책임회사이어야 한다(상법 제174조 제2항).

④ [○] : 대판 2003.2.11, 2001다14351

⑤ [○] : 상법 제176조(회사의 해산명령) 제1항

합명회사

제1절 설립 · 무효(취소)의 소

01 합명회사의 설립무효, 취소에 관한 다음 설명 중 가장 옳지 않은 것은? ▸ 2022 법무사

① 회사의 설립의 무효는 그 사원에 한하여, 설립의 취소는 그 취소권 있는 자에 한하여 회사성립의 날로부터 2년 내에 소만으로 이를 주장할 수 있는데, 사원은 사원의 주소지 법원에 설립무효의 소를 제기할 수 있다.

② 설립무효의 판결 또는 설립취소의 판결은 제3자에 대하여도 그 효력이 있으나 판결확정 전에 생긴 회사와 사원 및 제3자간의 권리의무에 영향을 미치지 아니한다.

③ 수개의 설립무효의 소 또는 설립취소의 소가 제기된 때에는 법원은 이를 병합심리하여야 한다.

④ 설립무효의 판결 또는 설립취소의 판결이 확정된 때에는 본점과 지점의 소재지에서 등기하여야 한다.

⑤ 설립무효의 판결 또는 설립취소의 판결이 확정된 때에는 해산의 경우에 준하여 청산하여야 한다.

해설 ① [×] : 상법 제186조(전속관할): 설립무효(취소)의 소는 본점소재지의 지방법원의 관할에 전속한다.
② [○] : 상법 제190조(판결의 효력)
③ [○] : 상법 제188조(소의 병합심리)
④ [○] : 상법 제192조(설립무효, 취소의 등기)
⑤ [○] : 상법 제193조(설립무효, 취소판결의 효과) 제1항

정답 01 ①

02 회사의 설립에 관한 다음 설명 중 가장 옳지 않은 것은?

▶ 2021 법무사

① 설립중의 회사로서의 실체가 갖추어지기 이전에 발기인이 취득한 권리의무는 구체적인 사정에 따라 발기인 개인 또는 발기인 조합에 귀속되고, 이후 양수나 계약자 지위인수 등의 특별한 이전행위 없이 설립 후의 회사에게 귀속된다.

② 주식회사 설립의 무효는 주주·이사 또는 감사에 한하여 회사성립의 날로부터 2년 내에 소만으로 이를 주장할 수 있다.

③ 합명회사와 합자회사에서는 설립무효의 판결 또는 설립취소의 판결이 확정된 경우에 그 무효나 취소의 원인이 특정한 사원에 한한 것인 때에는 다른 사원 전원의 동의로써 회사를 계속할 수 있다.

④ 주식회사의 설립과정에서 설립중의 회사는 정관이 작성되고 발기인이 적어도 1주 이상의 주식을 인수하였을 때 성립한다.

⑤ 주식회사 설립무효의 소가 그 심리 중에 원인이 된 하자가 보완되고 회사의 현황과 제반 사정을 참작하여 설립을 무효로 하는 것이 부적당하다고 인정한 때에는 법원은 그 청구를 기각할 수 있다.

해설 ① [×] : 설립중의 회사라 함은 주식회사의 설립과정에서 발기인이 회사의 설립을 위하여 필요한 행위로 인하여 취득하게 된 권리의무가 회사의 설립과 동시에 그 설립된 회사에 귀속되는 관계를 설명하기 위한 강학상의 개념으로서 정관이 작성되고 발기인이 적어도 1주 이상의 주식을 인수하였을 때 비로소 성립하는 것이고, 이러한 설립중의 회사로서의 실체가 갖추어지기 이전에 발기인이 취득한 권리, 의무는 구체적 사정에 따라 발기인 개인 또는 발기인 조합에 귀속되는 것으로서 이들에게 귀속된 권리의무를 설립 후의 회사에 귀속시키기 위하여는 양수나 채무인수 등의 특별한 이전행위가 있어야 한다(대판 1994.1.28, 93다50215).

② [○] : 상법 제328조(설립무효의 소) 제1항

③ [○] : 상법 제194조 제1항(설립의 무효, 취소와 회사계속), 상법 제269조(준용)

④ [○] : 대판 1994.01.28, 93다50215

⑤ [○] : 상법 제189조(하자의 보완 등과 청구의 기각), 상법 제328조(설립무효의 소) 제2항(준용)

01 합명회사에 관한 다음 설명 중 가장 옳은 것은? (다툼이 있는 경우 판례에 따르고 전원합의체 판결의 경우 다수의견에 의함)　▶ 2023 법무사

① 상법상 합명회사의 사원 또는 업무집행사원의 업무집행권한을 상실시키는 것은 상법 제205조 제1항에 따라 다른 사원의 청구에 의하여 법원의 선고로써 권한을 상실시키는 방법에 의해서만 가능하다.

② 합명회사의 사원은 회사채권자에 대하여 직접·연대·무한책임을 부담하지만, 업무집행권한 상실제도를 통하여 업무집행에 현저히 부적합하거나 중대하게 의무를 위반한 사원이나 업무집행사원을 업무집행에서 배제함으로써 자신의 책임이 부당하게 발생·증대되는 것으로부터 자신을 보호할 수 있다.

③ 합명회사 사원의 책임은 '회사의 재산으로 회사의 채무를 완제할 수 없는 때' 또는 '회사재산에 대한 강제집행이 주효하지 못한 때'에 비로소 발생한다.

④ 합명회사의 청산 중에 사원의 퇴사가 허용된다.

⑤ 상법은 합명회사의 경우 표현책임에 관한 규정을 두고 있지 아니하므로, 합명회사의 사원이 아닌 자가 타인에게 자기를 사원이라고 오인시키는 행위를 하였더라도 오인으로 인하여 회사와 거래한 자에 대하여 사원과 책임을 부담하는 것은 아니다.

> **해설**　① [×] : 상법상 합명회사의 사원 또는 업무집행사원의 업무집행권한을 상실시키는 방법으로는 다음의 두 가지를 상정할 수 있다. 첫째, 상법 제205조 제1항에 따라 다른 사원의 청구에 의하여 법원의 선고로써 그 권한을 상실시키는 방법이다. 둘째, 상법 제195조에 의하여 준용되는 민법 제708조에 따라 법원의 선고절차를 거치지 않고 총사원이 일치하여 업무집행사원을 해임함으로써 그 권한을 상실시키는 방법이다(대판 2015.5.29, 2014다51541).
>
> ② [○] : 대판 2015.5.29, 2014다51541
>
> ③ [×] : 상법 제269조에 의하여 합자회사에 준용되는 상법 제212조 제1항은 "회사의 재산으로 회사의 채무를 완제할 수 없는 때에는 합명회사의 각 사원은 연대하여 변제할 책임이 있다"고 규정하고, 제2항은 "회사재산에 대한 강제집행이 주효하지 못한 때에도 전항과 같다."고 규정하고 있는바, 합자회사의 무한책임사원의 책임은 회사가 채무를 부담하면 법률의 규정에 기해 당연히 발생하는 것이고, "회사의 재산으로 회사의 채무를 완제할 수 없는 때" 또는 "회사재산에 대한 강제집행이 주효하지 못한 때"에 비로소 발생하는 것은 아니며, 이는 회사채권자가 그와 같은 경우에 해당함을 증명하여 합자회사의 무한책임사원에게 보충적으로 책임의 이행을 청구할 수 있다는 책임이행의 요건을 정한 것으로 봄이 타당하다(대판 2012.4.12, 2010다27847).
>
> ④ [×] : 합명회사의 청산절차에서는 사원의 퇴사가 허용되지 아니하므로 사원이 퇴사하더라도 효력이 없고 사원의 지위를 보유한다(대판 2005.7.15, 2003다46963).
>
> ⑤ [×] : 사원이 아닌 자가 타인에게 자기를 사원이라고 오인시키는 행위를 하였을 때에는 오인으로 인하여 회사와 거래한 자에 대하여 사원과 동일한 책임을 진다[상법 제215조(자칭사원의 책임)].

정답　02 ① / 01 ②

제3절　외부관계

제4절　사원의 퇴사

제5절　회사의 해산 · 계속 · 조직변경

제6절　청산

합자회사

유한책임회사

01 다음 중 유한책임회사 설립등기사항을 모두 고른 것은? ▸2022 법무사

> ㉠ 목적, 상호, 본점의 소재지, 지점을 둔 경우에는 그 소재지
> ㉡ 존립기간 기타 해산사유를 정한 때에는 그 기간 또는 사유
> ㉢ 자본금의 액
> ㉣ 사원의 성명·주민등록번호
> ㉤ 유한책임회사를 대표할 자를 정한 경우에는 그 성명 또는 명칭과 주소

① ㉠, ㉡, ㉤
② ㉠, ㉣, ㉤
③ ㉠, ㉡, ㉢, ㉣
④ ㉠, ㉡, ㉢, ㉤
⑤ ㉠, ㉡, ㉢, ㉣, ㉤

해설 ㄱ. ㄴ. ㄷ. ㅁ. [O] : 상법 제287조의5[유한책임회사의 설립등기 사항은 (ⅰ) 목적, 상호, 본점의 소재지와 지점을 둔 경우에는 그 소재지(제1호), (ⅱ) 존립기간 기타 해산사유를 정한 때에는 그 기간 또는 사유(제2호), (ⅲ) 자본금의 액(제3호), (ⅳ) 업무집행자의 성명, 주소 및 주민등록번호(법인인 경우에는 명칭, 주소 및 법인등록번호). 다만, 유한책임회사를 대표할 업무집행자를 정한 경우에는 그 외의 업무집행자의 주소는 제외한다(제4호). (ⅴ) 유한책임회사를 대표할 자를 정한 경우에는 그 성명 또는 명칭과 주소(제5호), (ⅵ) 정관으로 공고방법을 정한 경우에는 그 공고방법(제6호), (ⅶ) 둘 이상의 업무집행자가 공동으로 회사를 대표할 것을 정한 경우에는 그 규정(제7호)이 있다.]

ㄹ. [×] : 사원의 성명·주소는 유한책임회사 설립등기사항이 아니다.

02 유한책임회사에 관한 다음 설명 중 가장 옳지 않은 것은? ▶ 2022 법무사

① 유한책임회사의 설립 시 사원은 신용이나 노무를 출자의 목적으로 하지 못한다.

② 유한책임회사의 사원은 다른 사원의 동의를 받지 아니하면 그 지분의 전부 또는 일부를 타인에게 양도하지 못한다.

③ 유한책임회사는 법인을 업무집행자로 선임할 수 있고, 이 경우 그 법인은 해당 업무집행자의 직무를 행할 자를 선임하여야 한다.

④ 유한책임회사는 총사원의 동의에 의하여 유한회사로 변경할 수 있다.

⑤ 유한책임회사의 업무집행자는 결산기마다 대차대조표, 손익계산서, 그 밖에 유한책임회사의 재무상태와 경영성과를 표시하는 것으로서 대통령령으로 정하는 서류를 작성하여야 한다.

해설 ① [○] : 상법 제287조의4(설립 시의 출자의 이행) 제1항
② [○] : 상법 제287조의8(지분의 양도) 제1항
③ [○] : 법인이 업무집행자인 경우의 특칙) 제1항(법인이 업무집행자인 경우에는 그 법인은 해당 업무집행자의 직무를 행할 자를 선임하고, 그 자의 성명과 주소를 다른 사원에게 통지하여야 한다(상법 제287조의15).
④ [×] : 유한책임회사는 총사원의 동의에 의하여 주식회사로 변경할 수 있다(상법 제287조의43 제2항).
⑤ [○] : 상법 제287조의33(재무제표의 작성 및 보존)

정답 **01** ④ **02** ④

주식회사

 **제1절** **설립**

01 다음 중 상법 제290조의 변태설립사항에 해당하지 않는 것은? ▸ 2022 법무사

① 발기인이 받을 특별이익과 이를 받을 자의 성명

② 현물출자를 하는 자의 성명과 그 목적인 재산의 종류, 수량, 가격과 이에 대하여 부여할 주식의 종류와 수

③ 액면주식의 경우에 액면 이상의 주식을 발행할 때에는 그 수와 금액

④ 회사성립 후에 양수할 것을 약정한 재산의 종류, 수량, 가격과 그 양도인의 성명

⑤ 회사가 부담할 설립비용과 발기인이 받을 보수액

> **해설** ① [○] : 상법 제290조(변태설립사항) 제1호
> ② [○] : 상법 제290조(변태설립사항) 제2호
> ③ [×] : 상법 제291조 제2호(주식회사 설립 당시의 주식발행사항의 결정)
> ④ [○] : 상법 제290조(변태설립사항) 제3호
> ⑤ [○] : 상법 제290조(변태설립사항) 제4호

02 발기인조합과 설립중의 회사에 관한 다음 설명 중 가장 옳지 않은 것은? (다툼이 있는 경우 대법원 판례에 따르고 전원합의체 판결의 경우 다수의견에 의함. 특별한 언급이 없다면 각 지문의 회사는 자본금 총액이 10억 원 이상인 비상장 주식회사를 의미함) ▸ 2025 법무사

① 설립중의 회사라 함은 주식회사의 설립과정에서 발기인이 회사의 설립을 위하여 필요한 행위로 인하여 취득하게 된 권리의무가 회사의 설립과 동시에 그 설립된 회사에 귀속되는 관계를 설명하기 위한 강학상의 개념이다.

② 설립중의 회사로서의 실체가 갖추어지기 이전에 발기인이 취득한 권리의무는 구체적 사정에 따라 발기인 개인 또는 발기인조합에 귀속되는 것으로서 이들에게 귀속된 권리의무는 회사가 설립되면 자동적으로 설립 후의 회사에 귀속된다.

③ 발기인이 개인 명의로 금원을 차용한 경우 이는 그 발기인 개인에게 귀속됨이 원칙이고, 위 채무가 발기인 조합에게 귀속되려면 위 금원의 차용행위가 조합원들의 의사에 기해 발기인 조합을 대리하여 이루어져야 한다.

④ 설립중의 회사는 정관이 작성되고 발기인이 적어도 1주 이상의 주식을 인수하였을 때 비로소 성립한다.

⑤ 판례는 발기인이 개업준비행위를 한 것에 대하여 성립된 회사의 책임을 인정하였다.

해설 ① [○] : 대판 1994.1.28, 93다50215
② [×] : 설립중의 회사로서의 실체가 갖추어지기 이전에 발기인이 취득한 권리의무는 구체적인 사정에 따라 발기인 개인 또는 발기인 조합에 귀속되는 것으로서, 이들에게 귀속된 권리의무를 설립 후의 회사에게 귀속시키기 위하여는 양수나 계약자 지위인수 등의 특별한 이전행위가 있어야 한다(대판 1998.5.12, 97다56020).
③ [○] : 대판 2007.9.7, 2005다18740
④ [○] : 대판 1994.1.28, 93다50215
⑤ [○] : 대판 2000.1.28, 99다35737

03 주식의 가장납입에 관한 다음 설명 중 가장 옳지 않은 것은? (다툼이 있는 경우 대법원 판례에 따르고 전원합의체 판결의 경우 다수의견에 의함. 특별한 언급이 없다면 각 지문의 회사는 자본금 총액이 10억 원 이상인 비상장 주식회사를 의미함) ▶ 2025 법무사

① 주식회사를 설립하면서 일시적인 차입금으로 주금납입의 외형을 갖추고 회사 설립절차를 마친 다음 바로 그 납입금을 인출하여 차입금을 변제하는 이른바 가장납입의 경우에도 주금납입의 효력을 부인할 수는 없다고 할 것이어서 주식인수인이나 주주의 주금납입의무도 종결되었다고 보아야 할 것이다.

② 주식회사의 자본충실의 요청상 주금을 납입하기 전에 명의대여자 및 명의차용자 모두에게 주금납입의 연대책임을 부과하는 규정인 상법 제332조 제2항은 이미 주금납입의 효력이 발생한 주금의 가장납입의 경우에는 적용되지 않는다.

③ 회사 설립 당시 원래 주주들이 주식인수인으로서 주식을 인수하고 가장납입의 형태로 주금을 납입한 경우 그들은 바로 회사의 주주라고 단정하기 어렵고, 그 후 그들이 회사가 청구한 주금 상당액을 실질적으로 납입하여야 주주로서의 지위를 취득한다고 할 것이다.

④ 주식회사의 자본충실의 원칙상 주식의 인수대금은 그 전액을 현실적으로 납입하여야 하고 그 납입에 관하여 상계로써 회사에 대항하지 못하는 것이므로 회사가 제3자에게 주식인수대금 상당의 대여를 하고 제3자는 그 대여금으로 주식인수대금을 납입한 경우에, 회사가 처음부터 제3자에 대하여 대여금 채권을 행사하지 아니하기로 약정되어 있는 등으로 대여금을 실질적으로 회수할 의사가 없었고 제3자도 그러한 회사의 의사를 전제로 하여 주식인수청약을 한 때에는, 그 제3자가 인수한 주식의 액면금액에 상당하는 회사의 자본이 증가되었다고 할 수 없으므로 위 주식인수대금의 납입은 단순히 납입을 가장한 것에 지나지 아니한다.

정답 **01** ③ **02** ② **03** ③

⑤ 상법 제385조 제2항은 "이사가 그 직무에 관하여 부정행위 또는 법령이나 정관에 위반한 중대한 사실이 있음에도 불구하고 주주총회에서 그 해임을 부결한 때에는 발행주식의 총수의 100분의 3 이상에 해당하는 주식을 가진 주주는 총회의 결의가 있은 날부터 1월 내에 그 이사의 해임을 법원에 청구할 수 있다."고 규정한다. 상법 제628조 제1항에 의하여 처벌 대상이 되는 납입 또는 현물출자의 이행을 가장하는 행위는 특별한 다른 사정이 없는 한, 위 상법 제385조 제2항에서 규정하는 '그 직무에 관하여 부정행위 또는 법령에 위반한 중대한 사실'이 있는 경우에 해당한다고 보아야 한다.

해설 ① [○] : 대판 2004.3.26. 2002다29138
② [○] : 대판 2004.3.26. 2002다29138
③ [×] : 회사 설립 당시 원래 주주들이 주식인수인으로서 주식을 인수하고 가장납입의 형태로 주금을 납입한 이상 그들은 바로 회사의 주주이고, 그 후 그들이 회사가 청구한 주금 상당액을 납입하지 아니하였다고 하더라도 이는 회사 또는 대표이사에 대한 채무불이행에 불과할 뿐 그러한 사유만으로 주주로서의 지위를 상실하게 된다고는 할 수 없으며, 또한 주식인수인들이 회사가 정한 납입일까지 주금 상당액을 납입하지 아니한 채 그로부터 상당 기간이 지난 후 비로소 회사의 주주임을 주장하였다고 하여 신의성실의 원칙에 반한다고도 할 수 없다(대판 1998.12.23. 97다20649).
④ [○] : 대판 2003.5.16. 2001다44109
⑤ [○] : 대판 2010.9.30. 2010다35985

PART · 03

제2절 주식

01 주식과 주권

01 주식회사 甲의 다음 행위 중 현행 상법 및 판례에 의할 때 허용되는 것을 모두 고른 것은?
(다툼이 있는 경우 대법원 판례에 따르고 전원합의체 판결의 경우 다수의견에 의함. 특별한
언급이 없다면 각 지문의 회사는 자본금 총액이 10억 원 이상인 비상장 주식회사를 의미)

▸ 2024 법무사

> (ㄱ) 주식회사 甲이 발행주식 총수 1,000주 중 500주를 액면가 5,000원에 발행하였는데,
> 추가로 신주 500주를 액면가 10,000원에 발행하는 행위
> (ㄴ) 임원 A와 퇴직합의를 체결하면서 A가 보유한 주식회사 甲 발행 주식을 주식회사 甲
> 이 매수하게 하는 주식매수청구권을 부여하였는데, 그 후 주식회사 甲이 배당가능이
> 익이 없음에도 위 약정에 기한 A의 주식매수청구권 행사에 따라 주식을 취득한 행위
> (ㄷ) 주식회사 甲이 주주 B로부터 주식회사 甲 발행 주식을 무상으로 양수하는 행위
> (ㄹ) 주식회사 甲의 대표이사가 주주총회에 참석하여 주식회사 甲이 취득한 자기주식으로
> 의결권을 행사하는 행위
> (ㅁ) 주식회사 甲 발행 주식을 C, D가 공유하는데, 그 주주권을 행사할 자가 지정되지 않
> 는 등으로 권리행사자가 없는 상황에서 주식회사 甲이 주소와 연락처를 알고 있는
> C에게만 주주권 행사 관련 통지를 하는 행위

① (ㄱ), (ㄷ)   ② (ㄱ), (ㅁ)   ③ (ㄴ), (ㄷ)
④ (ㄴ), (ㄹ)   ⑤ (ㄷ), (ㅁ)

해설 (ㄱ) [불가] : 상법 제329조(자본금의 구성) 제2항(액면주식의 금액은 균일하여야 한다)
　　　(ㄴ) [불가] : 상법 제341(자기주식의 취득)과 상법 제341조의2(특정목적에 의한 자기주식의 취득)
　　　　　규정에 위배한다. 판례에 따르면 <u>회사가 특정 주주와 사이에 특정한 금액으로 주식을
　　　　　매수하기로 약정함으로써 사실상 매수청구를 할 수 있는 권리를 부여하여 주주가 그
　　　　　권리를 행사하는 경우는 상법 제341조의2 제4호가 적용되지 않으므로,</u> 상법 제341조
　　　　　에서 정한 요건하에서만 회사의 자기주식취득이 허용된다. 상법이 자기주식취득 요건
　　　　　을 완화하였다고 하더라도 여전히 법이 정한 경우에만 자기주식취득이 허용된다는 원
　　　　　칙에는 변함이 없고 따라서 <u>상법 제341조에서 정한 요건 및 절차에 의하지 않은 자기
　　　　　주식취득 약정은 효력이 없다</u>(대판 2021.10.28, 2020다208058).
　　　(ㄷ) [허용] : 회사는 원칙적으로 자기의 계산으로 자기의 주식을 취득하지 못하는 것이지만, <u>회사가
　　　　　무상으로 자기주식을 취득하는 때와 같이 회사의 자본적 기초를 위태롭게 하거나 회사
　　　　　채권자와 주주의 이익을 해한다고 할 수가 없는 경우에는 예외적으로 자기주식의 취득
　　　　　을 허용할 수 있다</u>(대판 1996.6.25, 96다12726).

정답 01 ⑤

(ㄹ) [불가] : 회사가 가진 자기주식은 의결권이 없다[상법 제369조(의결권) 제2항].

(ㅁ) [허용] : 주식이 수인의 공유에 속하는 때에는 공유자는 주주의 권리를 행사할 자 1인을 정하여야 한다. 주주의 권리를 행사할 자가 없는 때에는 공유자에 대한 통지나 최고는 그 1인에 대하여 하면 된다[상법 제333조(주식의 공유) 제2항·제3항].

02 주주평등의 원칙에 관한 다음 설명 중 옳은 것을 모두 고른 것은? (다툼이 있는 경우 대법원 판례에 따르고 전원합의체 판결의 경우 다수의견에 의함. 특별한 언급이 없다면 각 지문의 회사는 자본금 총액이 10억 원 이상인 비상장 주식회사를 의미) ▶ 2024 법무사

(ㄱ) 주주는 원칙적으로 회사와의 법률관계에서 그가 가진 주식의 수에 따라 평등한 취급을 받아야 하지만, 회사가 일부 주주에게 우월한 권리나 이익을 부여하여 다른 주주들과 다르게 대우하는 경우에도 법률이 허용하는 절차와 방식에 따르거나 그 차등적 취급을 정당화할 수 있는 특별한 사정이 있는 경우에는 이를 허용할 수 있다. 회사의 주주에 대한 차등적 취급을 허용할 수 있는지 여부는 제반 사정을 고려하여 일부 주주에게 우월적 권리나 이익을 부여하여 주주를 차등 취급하는 것이 주주와 회사 전체의 이익에 부합하는지를 따져서 정의와 형평의 관념에 비추어 신중하게 판단하여야 한다.

(ㄴ) 회사와 주주가 회사의 중요 의사결정에 대하여 일부 주주의 사전동의를 받도록 하는 약정을 체결하였고 그 약정에 따른 일부 주주에 대한 차등적 취급이 예외적으로 허용되는 경우에 그 동의권 부여 약정 위반으로 인한 손해배상 명목의 금원을 지급하는 약정을 함께 체결하였다면, 그 금원 지급 약정이 사전동의를 받을 의무 위반으로 주주가 입은 손해를 배상 또는 전보하고 의무의 이행을 확보하기 위한 것이라 하더라도, 이는 투하자본의 회수를 절대적으로 보장함으로써 주주평등의 원칙에 위배되는 것이다.

(ㄷ) 주주가 회사와 계약을 체결할 때 회사의 다른 주주 내지 이사 개인이 함께 당사자로 참여한 경우에는 주주와 회사의 다른 주주 내지 이사 개인의 법률관계에도 주주평등의 원칙을 직접 적용할 수 있다.

(ㄹ) 주주가 회사의 다른 주주 내지 이사 개인과 체결한 계약의 내용을 해석할 때에는 계약의 형식과 내용, 계약이 체결된 동기와 경위 및 목적, 당사자의 진정한 의사 등을 종합적으로 고려하여 논리와 경험의 법칙, 사회일반의 상식과 거래의 통념에 따라 합리적으로 해석해야 하는 등 계약 해석에 관한 일반 원칙을 적용할 수 있다.

① (ㄱ), (ㄴ) ② (ㄱ), (ㄷ) ③ (ㄱ), (ㄹ)
④ (ㄴ), (ㄷ) ⑤ (ㄴ), (ㄹ)

해설 (ㄱ) [O] : 대판 2023.7.13, 2022다224986

(ㄴ) [×] : 대판 2023.7.13, 2021다293213

(ㄷ) [×] : 대판 2023.7.13, 2022다224986

(ㄹ) [O] : 대판 2023.7.13, 2022다224986

03 주주평등의 원칙에 관한 다음 설명 중 가장 옳지 않은 것은? (다툼이 있는 경우 대법원 판례에 따르고 전원합의체 판결의 경우 다수의견에 의함. 특별한 언급이 없다면 각 지문의 회사는 자본금 총액이 10억 원 이상인 비상장 주식회사를 의미함) ▸ 2025 법무사

① 주주평등의 원칙을 위반하여 회사가 일부 주주에게만 우월한 권리나 이익을 부여하기로 하는 약정은 특별한 사정이 없는 한 무효이나, 회사가 일부 주주에게 우월한 권리나 이익을 부여하여 다른 주주들과 다르게 대우하는 경우에도 법률이 허용하는 절차와 방식에 따르거나 그 차등적 취급을 정당화할 수 있는 특별한 사정이 있는 경우에는 이를 허용할 수 있다.

② 차등적 취급을 허용할 수 있는지 여부는, 차등적 취급에 따라 다른 주주가 입는 불이익의 내용과 정도, 개별 주주가 처분할 수 있는 사항에 관한 차등적 취급으로 불이익을 입게 되는 주주의 동의 여부와 전반적인 동의율, 회사의 상장 여부, 사업목적, 지배구조, 사업현황, 재무상태 등 제반 사정을 고려하여 일부 주주에게 우월적 권리나 이익을 부여하여 주주를 차등 취급하는 것이 주주와 회사 전체의 이익에 부합하는지를 따져서 정의와 형평의 관념에 비추어 신중하게 판단하여야 한다.

③ 회사가 자금조달을 위해 신주인수계약을 체결하면서 주주의 지위를 갖게 되는 자에게 회사의 의사결정에 대한 사전 동의를 받기로 약정한 경우, 그 약정은 회사가 일부 주주에게만 우월한 권리를 부여함으로써 주주들을 차등적으로 대우하는 것이다.

④ 회사가 주주의 지위를 갖게 되는 자와 사이에 주식인수대금으로 납입한 돈을 전액 보전해 주기로 약정하거나, 상법 제462조 등 법률의 규정에 의한 배당 외에 다른 주주들에게는 지급되지 않는 별도의 수익을 지급하기로 약정한다면, 이는 회사가 해당 주주에 대하여만 투하자본의 회수를 절대적으로 보장함으로써 다른 주주들에게 인정되지 않는 우월한 권리를 부여하는 것으로서 주주평등의 원칙에 위배되어 무효이다.

⑤ 회사와 주주가 체결한 동의권 부여 약정에 따른 차등적 취급이 예외적으로 허용되는 경우에 동의권 부여 약정 위반으로 인한 손해배상 명목의 금원을 지급하는 약정을 함께 체결하였고 그 약정이 사전 동의를 받을 의무 위반으로 주주가 입은 손해를 배상 또는 전보하고 의무의 이행을 확보하기 위한 것이라고 볼 수 있는 경우, 일부 주주에 대하여 투하자본의 회수를 절대적으로 보장함으로써 주주평등의 원칙에 위배된다.

해설 ① [O] : 대판 2023.7.13. 2022다224986
② [O] : 대판 2023.7.13. 2022다224986
③ [O] : 대판 2023.7.13. 2021다293213
④ [O] : 대판 2023.7.13. 2021다293213
⑤ [×] : 회사와 주주가 체결한 동의권 부여 약정에 따른 차등적 취급이 예외적으로 허용되는 경우에 동의권 부여 약정 위반으로 인한 손해배상 명목의 금원을 지급하는 약정을 함께 체결하였고 그 약정이 사전동의를 받을 의무 위반으로 주주가 입은 손해를 배상 또는 전보하고 의무의 이행을 확보하기 위한 것이라고 볼 수 있다면, 이는 회사와 주주 사이에 채무불이행에 따른 손해배상액의 예정을 약정한 것으로서 특별한 사정이 없는 한 유효하고, 일부

정답 ▸ **02** ③ **03** ⑤

주주에 대하여 투하자본의 회수를 절대적으로 보장함으로써 주주평등의 원칙에 위배된다고 단정할 것은 아니다(대판 2023.7.13, 2021다293213).

04 다음 설명 중 가장 옳지 않은 것은? (다툼이 있는 경우 판례에 따르고 전원합의체 판결의 경우 다수의견에 의함)

▶ 2023 법무사

① 주주평등의 원칙에 위반하여 회사가 일부 주주에게만 우월한 권리나 이익을 부여하기로 하는 약정은 특별한 사정이 없는 한 무효이다.

② 회사가 직원들을 유상증자에 참여시키면서 퇴직 시 그 출자 손실금을 전액 보전해 주는 약정은 사용자와 근로자의 관계를 규율하는 단체협약이나 취업규칙의 성격을 함께 가지고 있더라도 무효이다.

③ 잔여재산은 각 주주가 가진 주식 수에 따라 주주에게 분배하여야 한다. 그러나 회사가 잔여재산의 분배 등에 관하여 내용이 다른 종류의 주식을 발행한 경우에는 그러하지 아니하다.

④ 회사가 주주에게 투하자본의 회수를 절대적으로 보장하는 내용의 약정은 원칙적으로 무효이지만 주주 전원의 동의를 받았다는 특별한 사정이 인정된다면 유효하다.

⑤ 주주와 다른 주주 사이의 계약은 주주평등의 원칙과 관련이 없다.

해설 ① [○] : 대판 2020.8.13, 2018다236241

② [○] : 대판 2007.6.28, 2006다38161,38178

③ [○] : 상법 제538조(잔여재산의 분배)

④ [×] : 회사가 해당 주주에 대하여만 투하자본의 회수를 절대적으로 보장함으로써 다른 주주들에게 인정되지 않는 우월한 권리를 부여하는 것으로서 주주평등의 원칙에 위배되어 무효이다. 이러한 약정은 회사의 자본적 기초를 위태롭게 하여 회사와 다른 주주의 이익을 해하고 주주로서 부담하는 본질적 책임에서조차 벗어나게 하여 특정 주주에게 상법이 허용하는 범위를 초과하는 권리를 부여하는 것에 해당하므로, 회사의 다른 주주 전원이 그와 같은 차등적 취급에 동의하였다고 하더라도 주주평등의 원칙을 위반하여 효력이 없다(대판 2023.7.13, 2022다224986).

⑤ [○] : 대판 2023.7.13, 2022다224986

05 상법상 주권에 관한 다음 설명 중 가장 옳지 않은 것은?

▶ 2021 법무사

① 대표이사가 정관에 규정된 병합주권의 종류와 다른 주권을 발행하였다고 하더라도 회사가 이미 발행한 주식을 표창하는 주권을 발행한 것이라면, 위와 같은 정관 규정에 위배되었다는 사유만으로 이미 발행된 위 주권이 무효라고 할 수는 없다.

② 주식의 양도에 있어서는 주권을 교부하여야 하고, 주권이 발행되어 있는 주식을 양수한 자는 주권을 제시하여 양수사실을 증명함으로써 회사에 대해 단독으로 명의개서를 청구할 수 있다.

③ 주권이 발행되어 있는 주식을 양수한 자가 단독으로 명의개서를 청구한 경우, 회사는 청구자가 진정한 주주인가에 대한 실질적 자격을 심사하여 명의개서 여부를 결정하여야 한다.

④ 주주의 주권불소지신고에 의해 회사가 주주명부에 주권을 발행하지 아니한다는 뜻을 기재하고 그 사실을 주주에게 통지한 경우, 회사는 그 주권을 발행할 수 없다.

⑤ 주권을 상실한 자는 제권판결을 얻지 아니하면 회사에 대하여 주권의 재발행을 청구하지 못한다.

해설 ① [○] : 대판 1996.1.26, 94다24039
② [○] : 대판 2019.5.16, 2016다240338
③ [×] : 회사는 형식적 자격만을 심사할 의무가 있다(대판 2019.8.14, 2017다231980).
④ [○] : 상법 제358조의2(주권의 불소지) 제2항
⑤ [○] : 상법 제360조(주권의 제권판결, 재발행) 제2항

06 주주명부와 명의개서에 관한 다음 설명 중 가장 옳지 않은 것은? (다툼이 있는 경우 대법원 판례에 따르고 전원합의체 판결의 경우 다수의견에 의함. 특별한 언급이 없다면 각 지문의 회사는 자본금 총액이 10억 원 이상인 비상장 주식회사를 의미) ▶ 2024 법무사

① 주주 또는 회사채권자가 상법 제396조 제2항에 의하여 주주명부 등의 열람·등사청구를 한 경우 회사는 그 청구에 정당한 목적이 없는 등의 특별한 사정이 없는 한 이를 거절할 수 없는데, 이 경우 주주 또는 회사채권자가 정당한 목적이 있다는 점에 관한 증명책임을 부담한다.

② 주주명부에 명의개서를 한 주식양수인은 회사에 대하여 자신이 권리자라는 사실을 따로 증명하지 않고도 의결권, 배당금청구권, 신주인수권 등 주주로서의 권리를 적법하게 행사할 수 있다.

③ 주식회사는 주주명부상 주주 외에 실제 주식을 인수하거나 양수하고자 하였던 자가 따로 존재한다는 사실을 알았든 몰랐든 간에 주주명부상 주주의 주주권 행사를 부인할 수 없으며, 주주명부에 기재를 마치지 아니한 자의 주주권 행사를 인정할 수도 없다.

④ 주식을 취득한 자가 회사에 대하여 의결권을 주장할 수 있기 위하여는 주주명부에 주주로서 명의개서를 하여야 하므로, 명의개서를 하지 아니한 주식양수인에 대하여 주주총회 소집통지를 하지 않았다고 하여 주주총회결의에 절차상의 하자가 있다고 할 수 없다.

⑤ 주권이 발행되어 있는 주식을 양수한 자는 주권을 제시하여 양수사실을 증명함으로써 회사에 대해 단독으로 명의개서를 청구할 수 있다. 이때 회사는 청구자가 진정한 주권을 점유하고 있는가에 대한 형식적 자격만을 심사하면 족하고, 나아가 청구자가 진정한 주주인가에 대한 실질적 자격까지 심사할 의무는 없다.

해설 ① [×] : 주주 또는 회사채권자가 상법 제396조 제2항에 의하여 주주명부 등의 열람등사청구를 한 경우 회사는 그 청구에 정당한 목적이 없는 등의 특별한 사정이 없는 한 이를 거절할 수 없고, 이 경우 정당한 목적이 없다는 점에 관한 증명책임은 회사가 부담한다(대판 2010.7.22, 2008다37193).

정답 ▶ **04** ④ **05** ③ **06** ①

② [O] : 대판 2017.3.23, 2015다248342 전합; 대판 2018.10.12, 2017다221501(주주명부기재
의 추정력)
③ [O] : 대판 2017.3.23, 2015다248342 전합(주주명부기재의 구속력)
④ [O] : 상법 제353조(주주명부의 효력): 대판 2017.3.23, 2015다248342 전합(주주명부기재의
면책력)
⑤ [O] : 대판 2019.8.14, 2017다231980

07 **주식회사의 주식양도 내지 명의개서에 관한 다음 설명 중 가장 옳지 않은 것은?** ▸ 2022 법무사

① 상법 제335조 제3항 소정의 주권발행 전에 한 주식의 양도는 회사성립 후 6월이 경과한
때에는 회사에 대하여 효력이 있는 것으로서, 이 경우 주식의 양도는 지명채권의 양도에
관한 일반원칙에 따라 당사자의 의사표시만으로 효력이 발생하는 것이고, 상법 제337조
제1항에 규정된 주주명부상의 명의개서는 주식의 양수인이 회사에 대한 관계에서 주주
의 권리를 행사하기 위한 대항요건에 지나지 아니한다.

② 상법 제335조 제1항의 본문 및 단서에 의하면, 주식은 원칙적으로 타인에게 양도할 수
있고, 예외적으로 회사가 정관으로 정하는 바에 따라 그 발행하는 주식의 양도에 관하여
이사회의 승인을 받도록 할 수 있을 뿐이므로, 주주 사이에서 주식의 양도를 일부 제한
하는 약정은 원칙적으로 무효이다.

③ 주권발행 전 주식의 양도가 회사 성립 후 6월이 경과한 후에 이루어진 때에는 당사자의
의사표시만으로 회사에 대하여 효력이 있으므로, 주식양수인은 특별한 사정이 없는 한
양도인의 협력을 받을 필요 없이 단독으로 자신이 주식을 양수한 사실을 증명함으로써
회사에 대하여 명의개서를 청구할 수 있다.

④ 주권발행 전에 한 주식의 양도가 회사성립 후 또는 신주의 납입기일 후 6월이 경과하기
전에 이루어졌다고 하더라도 그 이후 6월이 경과하고 그 때까지 회사가 주권을 발행하지
않았다면, 그 하자는 치유되어 회사에 대하여도 유효한 주식양도가 된다.

⑤ 명의개서청구권은 기명주식을 취득한 자가 회사에 대하여 주주권에 기하여 그 기명주식
에 관한 자신의 성명, 주소 등을 주주명부에 기재하여 줄 것을 청구하는 권리로서 기명
주식을 취득한 자만이 그 기명주식에 관한 명의개서청구권을 행사할 수 있다. 또한 기명
주식의 취득자는 원칙적으로 취득한 기명주식에 관하여 명의개서를 할 것인지 아니면
명의개서 없이 이를 타인에게 처분할 것인지 등에 관하여 자유로이 결정할 권리가 있으
므로, 주식 양도인은 다른 특별한 사정이 없는 한 회사에 대하여 주식 양수인 명의로
명의개서를 하여 달라고 청구할 권리가 없다.

해설 ① [O] : 대판 1995.5.23, 94다36421
② [×] : 상법 제335조 제1항 단서는 주식의 양도를 전제로 하고, 다만 이를 제한하는 방법으로서
이사회의 승인을 요하도록 정관에 정할 수 있다는 취지이지 주식의 양도 그 자체를 금지할
수 있음을 정할 수 있다는 뜻은 아니기 때문에, 정관의 규정으로 주식의 양도를 제한하는

경우에도 주식양도를 전면적으로 금지하는 규정을 둘 수는 없다(대판 2000.9.26, 99다
48429). 따라서 주주 사이에서 주식의 양도를 일부 제한하는 약정은 원칙적으로 유효하다.
③ [O] : 대판 1995.5.23, 94다36421
④ [O] : 대판 2002.03.15, 2000두1850
⑤ [O] : 대판 2010.10.14, 2009다89665

08 상법상 주식의 양도 및 명의개서에 관한 다음 설명 중 가장 옳지 않은 것은?

▶ 2021 법무사

① 주권발행 전 주식의 양도가 회사 성립 후 6월이 경과한 후에 이루어진 때에는 당사자의
의사표시만으로 회사에 대하여 효력이 있으므로, 주식양수인은 특별한 사정이 없는 한
양도인의 협력을 받을 필요 없이 단독으로 자신이 주식을 양수한 사실을 증명함으로써
회사에 대하여 명의개서를 청구할 수 있다.

② 회사성립 후 또는 신주의 납입기간 후 6월이 지나도록 주권이 발행되지 않아 주권 없이
채권담보를 목적으로 체결된 주식양도계약에 따른 주식의 양도담보권자와 동일 주식에
대하여 압류명령을 집행한 자 사이의 우열은 그들이 주주명부에 명의개서를 하였는지
여부와는 상관없이 확정일자 있는 증서에 의한 양도통지 또는 승낙의 일시와 압류명령의
송달일시를 비교하여 그 선후에 따라 결정된다.

③ 상법은 주주명부의 기재를 회사에 대한 대항요건으로 정하고 있을 뿐 주식 이전의 효력
발생요건으로 정하고 있지 않으므로 명의개서가 이루어졌다고 하여 무권리자가 주주가
되는 것은 아니고, 명의개서가 이루어지지 않았다고 해서 주주가 그 권리를 상실하는 것
도 아니다.

④ 주식을 인수하거나 양수하려는 자가 타인의 명의를 빌려 회사의 주식을 인수하거나 양수
하고 타인의 명의로 주주명부에의 기재까지 마친 경우, 주주명부상의 주주가 아니라 명
의를 빌려 실세 주식을 인수하거나 양수한 자가 회사에 대한 관계에서 주주로서 의결권
등 주주권을 적법하게 행사할 수 있다.

⑤ 주주가 양도의 상대방을 지정하여 줄 것을 청구한 경우, 이사회가 2주간 내에 주주에게
상대방지정의 통지를 하지 아니한 때에는 주식의 양도에 관하여 이사회의 승인이 있는
것으로 본다.

해설 ① [O] : 대판 1995.05.23, 94다36421
② [O] : 대판 2018.10.12, 2017다221501
③ [O] : 대판 2018.10.12, 2017다221501
④ [×] : 주주명부상 주주가 회사에 대한 관계에서 주주권을 행사 할 수 있다(대판 2017.3.23,
2015다248342 전합).
⑤ [O] : 상법 제335조의3(양도상대방의 지정청구)

정답 07 ② 08 ④

09 주식양도의 제한에 관한 다음 설명 중 가장 옳지 않은 것은? (다툼이 있는 경우 대법원 판례에 따르고 전원합의체 판결의 경우 다수의견에 의함. 특별한 언급이 없다면 각 지문의 회사는 자본금 총액이 10억 원 이상인 비상장 주식회사를 의미함) ▶ 2025 법무사

① 상법 제335조 제1항 단서는 주식의 양도를 제한하는 방법으로서 이사회의 승인을 요하도록 정관에 정할 수 있다는 취지이다. 따라서 정관의 규정으로 주식의 양도를 제한하는 경우 주식양도를 전면적으로 금지하도록 할 수 있다.

② 주식의 양도에 관하여 이사회의 승인을 얻어야 하는 경우에 주식을 취득하였으나 회사로부터 양도승인거부의 통지를 받은 양수인은 회사에 대하여 주식매수청구권을 행사할 수 있다.

③ 상법 제335조 제1항 단서의 취지에 비추어 볼 때, 주주들 사이에서 주식의 양도를 일부 제한하는 내용의 약정을 한 경우, 그 약정은 주주의 투하자본회수의 가능성을 전면적으로 부정하는 것이 아니고, 공서양속에 반하지 않는다면 당사자 사이에서는 원칙적으로 유효하다.

④ 주권발행 전에 한 주식의 양도는 회사에 대하여 효력이 없으나 회사성립 후 또는 신주의 납입기일 후 6월이 경과한 때에는 회사에 대하여도 효력이 있다. 이 경우 주식의 양도는 지명채권의 양도에 관한 일반원칙에 따라 당사자의 의사표시만으로 효력이 발생한다.

⑤ 주권발행 전에 한 주식의 양도가 회사성립 후 또는 신주의 납입기일 후 6월이 경과하기 전에 이루어졌다고 하더라도 그 이후 6월이 경과하고 그때까지 회사가 주권을 발행하지 않았다면, 그 하자는 치유되어 회사에 대하여도 유효한 주식양도가 된다.

해설 ① [×] : 상법 제335조 제1항 단서는 주식의 양도를 전제로 하고, 다만 이를 제한하는 방법으로서 이사회의 승인을 요하도록 정관에 정할 수 있다는 취지이지 주식의 양도 그 자체를 금지할 수 있음을 정할 수 있다는 뜻은 아니기 때문에, 정관의 규정으로 주식의 양도를 제한하는 경우에도 주식양도를 전면적으로 금지하는 규정을 둘 수는 없다(대판 2000.9.26, 99다48429).

② [○] : 상법 제335조의2(양도승인의 청구) 제4항

③ [○] : 대판 2022.3.31, 2019다274639

④ [○] : 대판 2003.10.24, 2003다29661

⑤ [○] : 대판 2002.3.15, 2000두1850

10 주식양도의 제한에 관한 다음 설명 중 가장 옳지 않은 것은? (다툼이 있는 경우 판례에 따르고 전원합의체 판결의 경우 다수의견에 의함) ▸ 2021 법무사

① 상법 등에서 명시적으로 자기주식의 취득을 허용하는 경우 외에 회사의 자본적 기초를 위태롭게 하거나 주주 등의 이익을 해한다고 할 수 없는 것이 유형적으로 명백한 경우에도 자기주식의 취득이 예외적으로 허용되지만, 그 밖의 경우에는, 설령 회사 또는 주주나 회사채권자 등에게 생길지도 모르는 중대한 손해를 회피하기 위하여 부득이 한 사정이 있다고 하더라도 자기주식의 취득은 허용되지 않고 위와 같은 금지규정에 위반하여 회사가 자기주식을 취득하는 것은 당연히 무효이다.

② 정관에 의하여 양도가 제한된 주식을 보유한 주주는 이사회로부터 양도승인거부의 통지를 받은 경우 통지를 받은 날부터 20일 내에 회사에 대하여 양도 상대방의 지정 또는 그 주식의 매수를 청구할 수 있다.

③ 상법 제335조 제1항 단서는 주식의 양도를 전제로 하고, 다만 이를 제한하는 방법으로서 이사회의 승인을 요하도록 정관에 정할 수 있다는 취지이지 주식의 양도 그 자체를 금지할 수 있음을 정할 수 있다는 뜻은 아니기 때문에, 정관의 규정으로 주식의 양도를 제한하는 경우에도 주식양도를 전면적으로 금지하는 규정을 둘 수는 없다.

④ 甲회사가 乙회사의 발생주식 총수의 10분의 1을 초과하여 취득한 때에는 乙회사에 지체없이 이를 통지하여야 하고, 이 경우 乙회사가 가지고 있는 甲회사의 주식은 의결권이 없다.

⑤ 주식의 양도에 관하여 이사회의 승인을 얻어야 하는 경우에 주식을 취득하였으나 회사로부터 양도승인거부의 통지를 받은 양수인은 상법 제335조의7에 따라 회사에 대하여 주식매수청구권을 행사할 수 있다. 이와 관련하여 주식을 취득하지 못한 양수인이 회사에 대하여 주식매수청구를 하더라도 이는 효력이 없으나, 사후적으로 양수인이 주식 취득의 요건을 갖추게 되면 그 하자가 치유될 수 있다.

> **해설** ① [○] : 대판 2003.5.16, 2001다44109
> ② [○] : 상법 제335조의2(주식양도승인의 청구) 제4항
> ③ [○] : 대판 2000.09.26, 99다48429
> ④ [○] : 상법 제369조(주주총회의 의결권) 제3항
> ⑤ [×] : 이러한 주식매수청구권은 주식을 취득한 양수인에게 인정되는 이른바 형성권으로서 그 행사로 회사의 승낙 여부와 관계없이 주식에 관한 매매계약이 성립하게 되므로, 주식을 취득하지 못한 양수인이 회사에 대하여 주식매수청구를 하더라도 이는 아무런 효력이 없고, 사후적으로 양수인이 주식 취득의 요건을 갖추게 되더라도 하자가 치유될 수는 없다(대판 2014.12.24, 2014다221258, 221265).

11 회사의 자기주식취득에 관한 다음 설명 중 가장 옳지 않은 것은? (다툼이 있는 경우 대법원 판례에 따르고 전원합의체 판결의 경우 다수의견에 의함. 특별한 언급이 없다면 각 지문의 회사는 자본금 총액이 10억 원 이상인 비상장 주식회사를 의미함) ▸ 2025 법무사

① 2011.4.14. 법률 제10600호로 개정되어 2012.4.15.부터 시행된 개정 상법에 따라 회사의 자기주식취득은 원칙적으로 허용되었고, 상법 규정에서 정한 요건 및 절차를 사후에 갖춘 경우에도 쉽게 그 효력이 부정된다고 볼 수 없다.

② 회사가 주주들에게 보낸 자기주식취득 통지서에 이사회에서 결의한 사항의 일부가 누락되었더라도, 자기주식취득의 정당한 목적이 인정되고 대가가 정당하게 산정되는 등 여러 사정을 종합하여 주주들의 공평한 주식양도의 기회가 침해되었다고 보기 어렵다는 등의 사정이 있다면, 자기주식취득 거래를 당연 무효라고 단정할 수 없다.

③ 자기주식취득 가액의 총액을 제한하는 상법 제341조 제1항 단서는 자기주식 취득가액의 총액이 배당가능이익을 초과하여서는 안 된다는 것을 의미할 뿐 차입금으로 자기주식을 취득하는 것이 허용되지 않는다는 것을 의미하지 않는다.

④ 회사가 특정 주주와 사이에 특정한 금액으로 주식을 매수하기로 약정함으로써 사실상 매수청구를 할 수 있는 권리를 부여하여 주주가 그 권리를 행사하는 경우, 이는 특정목적, 즉 주주의 주식매수청구의 행사에 의한 자기주식의 취득에 관한 상법 제341조의2 제4호가 적용된다고 볼 수 없다.

⑤ 회사 아닌 제3자의 명의로 회사의 주식을 취득하더라도 그 주식취득을 위한 자금이 회사의 출연에 의한 것이고 그 주식취득에 따른 손익이 회사에 귀속되는 경우라면, 상법 기타의 법률에서 규정하는 예외사유에 해당하지 않는 한, 그러한 주식의 취득은 상법 제341조의 자기주식의 취득으로 평가될 수 있다.

해설 ① [×] : 개정 상법이 자기주식취득 요건을 완화하였다고 하더라도 여전히 법이 정한 경우에만 자기주식취득이 허용된다는 원칙에는 변함이 없고 따라서 위 규정에서 정한 요건 및 절차에 의하지 않은 자기주식취득 약정은 효력이 없다(대판 2021.10.28. 2020다208058).

② [○] : 대판 2021.7.29. 2017두63337
③ [○] : 대판 2021.7.29. 2017두63337
④ [○] : 대판 2021.10.28. 2020다208058
⑤ [○] : 대판 2007.7.26. 2006다33609

12 **상법상 자기주식에 관한 설명으로 가장 옳지 않은 것은?** ▸ 2022 법무사

① 상법 제341조의2에서 정한 특정목적에 의한 자기주식 취득이 아닌 경우에 회사는 직전 결산기의 배당가능이익을 초과하지 않는 범위에서 자기주식을 취득할 수 있다.

② 배당가능이익으로 하는 자기주식취득에서 매수할 주식의 종류와 수, 취득가액의 총액 한도 등은 주주총회 결의로 정하지만, 정관에서 이사회의 결의로 이익배당을 할 수 있다고 정하는 경우에는 이사회 결의로 정할 수 있다.

③ 회사의 합병 또는 다른 회사의 영업전부의 양수로 인한 경우, 회사의 권리를 실행함에 있어 그 목적을 달성하기 위하여 필요한 경우, 단주의 처리를 위하여 필요한 경우, 주주가 주식매수청구권을 행사한 경우에는 배당가능이익과 무관하게 자기주식을 취득할 수 있다.

④ 회사가 자기주식을 취득한 경우 상법 제341조의2에서 정한 특정목적에 의한 자기주식 취득이 아닌 이상 지체없이 주식실효의 절차를 밟아야 한다.

⑤ 자기주식의 취득이 예외적으로 허용되는 경우를 제외하고, 상법에서 정한 요건과 절차에 따르지 않은 자기주식 취득은 당연히 무효이다.

> **해설** ① [○] : 상법 제341조(자기주식의 취득) 제1항
> ② [○] : 상법 제341조(자기주식의 취득) 제2항
> ③ [○] : 상법 제341조의2
> ④ [×] : 자기주식의 처분(상법 제342조): 지체없이 실효절차 규정은 없고, 정관에 규정이 없는 경우 처분에 관하여 이사회가 자유롭게 결정한다.
> ⑤ [○] : 대판 2003.05.16, 2001다44109

13 **상호주식소유의 제한 및 의결권에 관한 다음 설명 중 가장 옳지 않은 것은? (다툼이 있는 경우 대법원 판례에 따르고 전원합의체 판결의 경우 다수의견에 의함. 특별한 언급이 없다면 각 지문의 회사는 자본금 총액이 10억 원 이상인 비상장 주식회사를 의미함)** ▸ 2022 법무사

① 다른 회사의 발행주식의 총수의 100분의 50을 초과하는 주식을 가진 회사(모회사)의 주식은 상법 제342조의2 제1항 각호에서 정한 경우를 제외하고는 그 다른 회사(자회사)가 이를 취득할 수 없다.

② 상법 제342조의2 제1항에서 자회사가 모회사의 주식을 취득할 수 있는 경우로 규정하는 사유는 주식의 포괄적 교환, 주식의 포괄적 이전, 회사의 합병 또는 다른 회사의 영업전부의 양수로 인한 때 또는 회사의 권리를 실행함에 있어 그 목적을 달성하기 위하여 필요한 때이다.

③ 상법 제342조의2 제1항 각호의 사유가 있어 자회사가 모회사의 주식을 취득하더라도, 자회사는 그 주식을 취득한 날로부터 6월 이내에 모회사의 주식을 처분하여야 한다.

④ 2개의 회사가 상대회사의 발행주식 총수의 20% 지분씩을 각각 보유하고 있을 뿐이어서 두 회사가 상법 제342조의2에서 규정하는 모자회사 관계에 이르지 않는다면, 위 각 주식은 모두 의결권이 있다.

⑤ 주주총회에서 권리를 행사할 주주의 확정을 위한 기준일에는 상법 제369조 제3항에 정한 의결권이 제한되는 주식의 상호소유 요건에 해당하지 않았던 주식이라도 실제 의결권이 행사되는 주주총회일에는 그 요건을 충족하는 경우라면, 상법 제369조 제3항이 정하는 상호소유 주식에 해당하여 의결권이 없다.

해설 ① [○] : 상법 제342조의2(자회사에 의한 모회사주식의 취득) 제1항
② [○] : 상법 제342조의2(자회사에 의한 모회사주식의 취득) 제1항 제1호·제2호
③ [○] : 상법 제342조의2(자회사에 의한 모회사주식의 취득) 제2항
④ [×] : 회사, 모회사 및 자회사 또는 자회사가 다른 회사의 발행주식의 총수의 10분의 1을 초과하는 주식을 가지고 있는 경우 그 다른 회사가 가지고 있는 회사 또는 모회사의 주식은 의결권이 없다[상법 제369조(의결권) 제3항].
⑤ [○] : 대판 2009.1.30, 2006다31269

14 주식매수선택권에 관한 다음 설명 중 가장 옳지 않은 것은? (다툼이 있는 경우 대법원 판례에 따르고 전원합의체 판결의 경우 다수의견에 의함. 특별한 언급이 없다면 각 지문의 회사는 자본금 총액이 10억 원 이상인 비상장 주식회사를 의미) ▸ 2024 법무사

① 주식매수선택권 제도는 회사의 설립·경영과 기술혁신 등에 기여하거나 기여할 수 있는 임직원에게 장차 주식매수로 인한 이득을 유인동기로 삼아 직무에 충실하도록 유도하기 위한 일종의 성과보상제도이다.

② 주식매수선택권 부여에 관한 주주총회 결의는 회사의 의사결정절차에 그치는 것이 아니므로, 특정인에 대한 주식매수선택권의 구체적 내용은 주주총회 결의를 통해서 정해진다.

③ 본인의 귀책사유가 아닌 사유로 퇴임 또는 퇴직하게 되더라도 퇴임 또는 퇴직일까지 상법 제340조의4 제1항의 '2년 이상 재임 또는 재직' 요건을 충족하지 못한다면 위 조항에 따른 주식매수선택권을 행사할 수 없다.

④ 회사는 주식매수선택권을 부여받은 자의 권리를 부당하게 제한하지 않고 정관의 기본 취지나 핵심 내용을 해치지 않는 범위에서 주주총회 결의와 개별 계약을 통해서 주식매수선택권을 부여받은 자가 언제까지 선택권을 행사할 수 있는지를 자유롭게 정할 수 있다.

⑤ 회사가 주식매수선택권 부여에 관한 계약을 체결할 때 주식매수선택권의 행사기간 등을 일부 변경하거나 조정한 경우 그것이 주식매수선택권을 부여받은 자, 기존 주주 등 이해관계인들 사이의 균형을 해치지 않고 주주총회 결의에서 정한 본질적인 내용을 훼손하는 것이 아니라면 유효하다고 보아야 한다.

해설 ① [○] : 대판 2018.7.26, 2016다237714
② [×] : 주식매수선택권 부여에 관한 <u>주주총회 결의는 회사의 의사결정절차에 지나지 않고, 특정
인에 대한 주식매수선택권의 구체적 내용은 일반적으로 회사가 체결하는 계약을 통해서
정해진다</u>(대판 2018.7.26, 2016다237714).
③ [○] : 대판 2011.3.24, 2010다85027
④ [○] : 대판 2018.7.26, 2016다237714
⑤ [○] : 대판 2018.7.26, 2016다237714

02 주식의 포괄적 교환 · 이전

01 **상법상 주식의 포괄적 교환(이 문제에서 '주식교환'이라고 한다)에 관한 다음 설명 중 가장
옳은 것은?**　　　　　　　　　▶ 2021 법무사

① 회사의 채권자는 주식교환의 날로부터 6개월 내에 소만으로 주식교환의 무효를 주장할
수 있다.

② 주식교환에 의하여 완전자회사가 되는 회사의 주주는 완전모회사가 되는 회사가 주식교
환을 위하여 발행하는 신주의 배정을 받거나 그 회사 자기주식의 이전을 받음으로써 그
회사의 주주가 된다.

③ 완전모회사가 되는 회사가 완전자회사가 되는 회사의 주주들에게 주식교환의 대가로 이
전하기 위하여 취득한 그 모회사의 주식이 주식교환 후에도 남은 경우 완전모회사가 되
는 회사는 이를 처분할 의무가 없다.

④ 주식교환에 의하여 완전모회사가 되는 회사의 이사로서 주식교환 이전에 취임한 자는
주식교환계약서에 다른 정함이 있는 경우를 제외하고는 주식교환이 이루어진 영업연도
가 종료된 때 퇴임한다.

⑤ 완전자회사가 되는 회사의 총주주의 동의가 있거나 그 회사의 발행주식 총수의 100분의
90 이상을 완전모회사가 되는 회사가 소유하고 있는 때에는 완전자회사가 되는 회사의
주주총회의 승인이나 이사회의 승인은 필요하지 않다.

해설 ① [×] : 주식교환의 무효는 각 회사의 주주·이사·감사·감사위원회의 위원 또는 청산인에 한
하여 주식교환의 날부터 6월 내에 소만으로 이를 주장할 수 있다(상법 제360조의14 제1항).
② [○] : 상법 제360조의2(주식의 포괄적 교환에 의한 완전모회사의 설립) 제2항
③ [×] : 완전모회사가 되는 회사는 취득한 그 회사의 모회사 주식을 주식교환 후에도 계속 보유
하고 있는 경우 주식교환의 효력이 발생하는 날부터 6개월 이내에 그 주식을 처분하여야
한다(상법 제360조의3 제7항).
④ [×] : 주식교환에 의하여 완전모회사가 되는 회사의 이사 및 감사로서 주식교환전에 취임한 자
는 주식교환계약서에 다른 정함이 있는 경우를 제외하고는 주식교환후 최초로 도래하는
결산기에 관한 정기총회가 종료하는 때에 퇴임한다(상법 제360조의13).

정답 14 ② / 01 ②

⑤ [×] : 완전자회사가 되는 회사의 총주주의 동의가 있거나 그 회사의 발행주식총수의 100분의 90 이상을 완전모회사가 되는 회사가 소유하고 있는 때에는 완전자회사가 되는 회사의 주주총회의 승인은 이를 이사회의 승인으로 갈음할 수 있다(상법 제360조의9(간이주식교환) 제1항).

03 지배주주에 의한 소수주식의 전부취득

01 상법상 지배주주에 의한 소수주식의 전부 취득에 관한 다음 설명 중 가장 옳지 않은 것은? (다툼이 있는 경우 판례에 따르고 전원합의체 판결의 경우 다수의견에 의함) ▸ 2023 법무사

① 회사의 발행주식총수의 100분의 90 이상을 자기의 계산으로 보유하고 있는 주주는 회사의 경영상 목적을 달성하기 위하여 필요한 경우에는 회사의 다른 주주에게 그 보유하는 주식의 매도를 청구할 수 있다.

② 지배주주가 소수주주에게 그가 보유하는 주식의 매도청구를 할 때에는 미리 주주총회의 승인을 받아야 한다.

③ 지배주주가 있는 회사의 소수주주는 언제든지 지배주주에게 그 보유주식의 매수를 청구할 수 있다.

④ 지배주주가 소수주주에 대한 매도청구에 따라 소수주주의 주식을 취득하는 경우, 지배주주가 매매가액을 소수주주에게 지급한 때에 주식이 이전된 것으로 본다.

⑤ 자회사의 소수주주가 상법 제360조의25 제1항에 따라 모회사에 주식매수청구를 한 경우, 모회사가 지배주주에 해당하는지는 자회사가 보유한 자기주식을 발행주식 총수 및 모회사의 보유주식에 각각 합산하여 판단하여야 한다.

해설 ① [×] : 상법 제360조의24(지배주주의 매도청구권) 제1항(발행주식 100분의 95 이상)
② [○] : 상법 제360조의24(지배주주의 매도청구권) 제3항
③ [○] : 상법 제360조의25(소수주주의 매수청구권) 제1항
④ [○] : 상법 제360조의26(주식의 이전 등) 제1항
⑤ [○] : 상법 제360조의24(지배주주의 매도청구권) 제2항

제3절　회사의 기관

01　주주총회

01 소수주주에 의한 주주총회 소집에 관한 다음 설명 중 가장 옳지 않은 것은? (다툼이 있는 경우 판례에 따르고 전원합의체 판결의 경우 다수의견에 의함)　　▶ 2023 법무사

① 상법 제366조 제1항에서 정한 소수주주는 회의의 목적사항과 소집 이유를 적은 서면 또는 전자문서를 이사회에 제출하는 방법으로 임시주주총회의 소집을 청구할 수 있는데, 이때 '이사회'는 원칙적으로 대표이사를 의미하고, 예외적으로 대표이사 없이 이사의 수가 1인 또는 2인인 소규모 회사의 경우에는 각 이사를 의미한다.

② 소수주주가 상법 제366조에 따라 임시총회 소집에 관한 법원의 허가를 신청할 때 주주총회의 권한에 속하는 결의사항이 아닌 것을 회의 목적사항으로 할 수는 없다.

③ 상법 제366조 제1항에서 정한 '전자문서'에는 전자우편은 포함되나 휴대전화 문자메시지·모바일 메시지는 포함되지 않는다.

④ 법원은 상법 제366조 제2항에 따라 총회의 소집을 구하는 소수주주에게 회의의 목적사항을 정하여 이를 허가할 수 있는데, 법원이 총회의 소집기간을 구체적으로 정하지 않은 경우에 총회소집허가결정일로부터 상당한 기간이 경과하도록 총회가 소집되지 않았다면, 소집허가결정에 따른 소집권한은 특별한 사정이 없는 한 소멸한다.

⑤ 소수주주가 임시총회 소집에 관한 법원의 허가를 신청한 경우, 법원은 직권으로 주주총회의 의장을 선임할 수 있다.

해설 ① [○] : 대판 2022.12.16, 2022그734, 상법 제366조 제1항, 상법 제383조 제5항
　　　② [○] : 대판 2022.4.19, 2022그501
　　　③ [×] : 상법 제366조 제1항에서 정한 '전자문서'란 정보처리시스템에 의하여 전자적 형태로 작성·변환·송신·수신·저장된 정보를 의미하고, 이는 작성·변환·송신·수신·저장된 때의 형태 또는 그와 같이 재현될 수 있는 형태로 보존되어 있을 것을 전제로 그 내용을 열람할 수 있는 것이어야 하므로, 이와 같은 성질에 반하지 않는 한 전자우편은 물론 휴대전화 문자메시지·모바일 메시지 등까지 포함된다(대판 2022.12.16, 2022그734).
　　　④ [○] : 대판 2018.3.15, 2016다275679
　　　⑤ [○] : 상법 제366조 제2항 후단

정답　　01 ① ／ 01 ③

02 주식회사의 주주총회에 관한 다음 설명 중 가장 옳지 않은 것은? (다툼이 있는 경우 판례에 따르고 전원합의체 판결의 경우 다수의견에 의함) ▶ 2023 법무사

① 주주총회는 상법 또는 정관이 정하는 사항에 한하여 결의할 수 있고, 총회의 소집은 상법에 다른 규정이 있는 경우 외에는 이사회가 결정한다.

② 주주총회 결의사항은 정관이나 주주총회의 결의에 의하더라도 이를 다른 기관이나 제3자에게 위임할 수 있으므로, 정관 또는 주주총회에서 임원의 보수 총액 내지 한도액만을 정하고 개별 이사에 대한 지급액 등 구체적인 사항을 이사회에 위임하는 것은 물론 이사의 보수에 관한 사항을 이사회에 포괄적으로 위임하는 것도 허용된다.

③ 주주총회를 소집할 권한이 없는 자가 이사회의 주주총회 소집결정도 없이 소집한 주주총회에서 이루어진 결의는 특별한 사정이 없는 한 총회 및 결의라고 볼 만한 것이 사실상 존재한다고 하더라도 그 성립과정에 중대한 하자가 있어 법률상 존재하지 않는다고 보아야 한다.

④ 주식회사가 영업의 전부 또는 중요한 일부를 양도한 후 주주총회의 특별결의가 없었다는 이유를 들어 스스로 그 약정의 무효를 주장하더라도 주주 전원이 그와 같은 약정에 동의한 것으로 볼 수 있는 등 특별한 사정이 인정되지 않는다면 위와 같은 무효 주장이 신의성실 원칙에 반한다고 할 수는 없다.

⑤ 1인회사가 아닌 주식회사에서는 특별한 사정이 없는 한, 주주총회의 의결정족수를 충족하는 주식을 가진 주주들이 동의하거나 승인하였다는 사정만으로 주주총회에서 그러한 내용의 결의가 이루어질 것이 명백하다거나 또는 그러한 내용의 주주총회 결의가 있었던 것과 마찬가지라고 볼 수는 없다.

> **해설** ① [O] : 상법 제361조(총회의 권한), 상법 제362조(소집의 결정)
> ② [×] : 상법 제361조는 "주주총회는 본법 또는 정관에 정하는 사항에 한하여 결의할 수 있다." 라고 규정하고 있는데, 이러한 주주총회 결의사항은 반드시 주주총회가 정해야 하고 정관이나 주주총회의 결의에 의하더라도 이를 다른 기관이나 제3자에게 위임하지 못한다. 따라서 정관 또는 주주총회에서 임원의 보수 총액 내지 한도액만을 정하고 개별 이사에 대한 지급액 등 구체적인 사항을 이사회에 위임하는 것은 가능하지만, 이사의 보수에 관한 사항을 이사회에 포괄적으로 위임하는 것은 허용되지 아니한다(대판 2020.6.4, 2016다241515・241522).
> ③ [O] : 대판 2010.6.24, 2010다13541
> ④ [O] : 대판 2018.4.26, 2017다288757
> ⑤ [O] : 대판 2020.6.4, 2016다241515; 대판 2007.2.22, 2005다73020(형식적 1인회사)

03 **상법상 주주총회에 관한 다음 설명 중 가장 옳지 않은 것은?** ▸ 2021 법무사

① 주식회사의 임시주주총회가 법령 및 정관상 요구되는 이사회의 결의 및 소집절차 없이 이루어졌다 하더라도, 주주명부상의 주주 전원이 참석하여 총회를 개최하는 데 동의하고 아무런 이의 없이 만장일치로 결의가 이루어졌다면 그 결의는 특별한 사정이 없는 한 유효하다.

② 회사의 총 주식을 한 사람이 소유하게 된 1인 회사의 경우에는 실제 총회를 개최한 사실이 없었다 하더라도 그 1인 주주에 의하여 의결이 있었던 것으로 주주총회의사록이 작성되었다면 특별한 사정이 없는 한 그 내용의 결의가 있었던 것으로 볼 수 있다.

③ 자본금 총액이 10억 원 미만인 회사가 주주총회를 소집하는 경우에는 주주총회일의 10일 전에 각 주주에게 서면으로 통지를 발송하거나 각 주주의 동의를 받아 전자문서로 통지를 발송할 수 있고, 주주 전원의 동의가 있을 경우에는 소집절차 없이 주주총회를 개최할 수도 있다.

④ 주주총회의 소집을 철회·취소하는 경우에는 반드시 총회의 소집과 동일한 방식으로 그 철회·취소를 총회 구성원들에게 통지하여야 할 필요는 없고, 주주에게 소집의 철회·취소결정이 있었음이 알려질 수 있는 적절한 조치를 취하면 된다.

⑤ 총회의 소집절차 또는 결의방법이 법령 또는 정관에 위반하거나 현저하게 불공정한 때 또는 그 결의의 내용이 정관에 위반한 때에 주주는 2월 내에 결의취소의 소를 제기할 수 있고, 하자가 일부 주주에게만 있는 경우 다른 주주도 그 하자를 주장하여 소를 제기할 수 있다.

해설 ① [○] : 대판 2002.12.24, 2000다69927

② [○] : 대판 1976.4.13, 74다1755

③ [○] : 상법 제363조(주주총회의 소집의 통지) 제3항·제4항

④ [×] : 주주총회 소집의 통지·공고가 행하여진 후 소집을 철회하거나 연기하기 위해서는 소집의 경우에 준하여 이사회의 결의를 거쳐 대표이사가 그 뜻을 그 소집에서와 같은 방법으로 통지·공고하여야 한다(대판 2009.3.26, 2007도8195).

⑤ 상법 제376조(주주총회의 결의취소의 소); 대판 2003.7.11, 2001다45584

04 의결권의 대리행사 및 불통일행사에 관한 다음 설명 중 가장 옳지 않은 것은? (다툼이 있는 경우 대법원 판례에 따르고 전원합의체 판결의 경우 다수의견에 의함. 특별한 언급이 없다면 각 지문의 회사는 자본금 총액이 10억 원 이상인 비상장 주식회사를 의미함) ▸ 2025 법무사

① 주식회사의 주주는 상법 제368조 제2항에 따라 타인에게 의결권 행사를 위임하거나 대리행사하도록 할 수 있다. 이 경우 의결권의 행사를 구체적이고 개별적인 사항에 국한하여 위임하여야 하고 포괄적으로 위임하는 것은 허용되지 않는다.

② 상법 제368조 제2항의 규정은 대리권의 존부에 관한 법률관계를 명확히 하여 주주총회 결의의 성립을 원활하게 하기 위한 데 그 목적이 있다고 할 것이므로 대리권을 증명하는 서면은 위조나 변조 여부를 쉽게 식별할 수 있는 원본이어야 하고, 특별한 사정이 없는 한 사본은 그 서면에 해당하지 아니하고, 팩스를 통하여 출력된 팩스본 위임장 역시 성질상 원본으로 볼 수 없다.

③ 상법 제368조 제2항이 규정하는 '대리권을 증명하는 서면'이라 함은 위임장을 일컫는 것으로서 회사가 위임장과 함께 인감증명서, 참석장 등을 제출하도록 요구하는 것은 대리인의 자격을 보다 확실하게 확인하기 위하여 요구하는 것일 뿐, 이러한 서류 등을 지참하지 아니하였다 하더라도 주주 또는 대리인이 다른 방법으로 위임장의 진정성 내지 위임의 사실을 증명할 수 있다면 회사는 그 대리권을 부정할 수 없다.

④ 상법 제368조 제2항의 규정은 주주의 대리인의 자격을 제한할 만한 합리적인 이유가 있는 경우 정관의 규정에 의하여 상당하다고 인정되는 정도의 제한을 가하는 것까지 금지하는 취지는 아니라고 해석되는바, 대리인의 자격을 주주로 한정하는 취지의 주식회사의 정관 규정은 주주총회가 주주 이외의 제3자에 의하여 교란되는 것을 방지하여 회사 이익을 보호하는 취지에서 마련된 것으로서 합리적인 이유에 의한 상당한 정도의 제한이라고 볼 수 있으므로 이를 무효라고 볼 수는 없다.

⑤ 상법 제368조의2 제1항은 "주주가 2 이상의 의결권을 가지고 있는 때에는 이를 통일하지 아니하고 행사할 수 있다. 이 경우 주주총회일의 3일 전에 회사에 대하여 서면 또는 전자문서로 그 뜻과 이유를 통지하여야 한다."고 규정하고 있는바, 여기서 3일의 기간이라 함은 의결권의 불통일행사가 행하여지는 경우에 회사 측에 그 불통일행사를 거부할 것인가를 판단할 수 있는 시간적 여유를 주고, 회사의 총회 사무운영에 지장을 주지 아니하도록 하기 위하여 부여된 기간으로서, 그 불통일행사의 통지는 원칙적으로 주주총회일의 3일 전에 회사에 도달할 것을 요한다.

해설 ① [×] : 주식회사의 주주는 상법 제368조 제2항에 따라 타인에게 의결권 행사를 위임하거나 대리행사하도록 할 수 있다. 이 경우 의결권의 행사를 구체적이고 개별적인 사항에 국한하여 위임해야 한다고 해석하여야 할 근거는 없고 포괄적으로 위임할 수도 있다(대판 2014.1.23. 2013다56839).

② [○] : 대판 1995.2.28. 94다34579

③ [○] : 대판 2009.4.23. 2005다22701,22718

④ [○] : 대판 2009.4.23, 2005다22701,22718
⑤ [○] : 대판 2009.4.23, 2005다22701,22718

05 다음 설명 중 가장 옳지 않은 것은?

▶ 2022 법무사

① 회사가 '영업의 전부 또는 중요한 일부의 양도', '영업 전부의 임대 또는 경영위임, 타인과 영업의 손익 전부를 같이 하는 계약, 그 밖에 이에 준하는 계약의 체결·변경 또는 해약', '회사의 영업에 중대한 영향을 미치는 다른 회사의 영업 전부 또는 일부의 양수'를 할 때에는 주주총회의 특별결의가 있어야 한다.

② 회사의 영업 그 자체가 아닌 영업용재산의 처분이라고 하더라도 그로 인하여 회사의 영업의 전부 또는 중요한 일부를 양도하거나 폐지하는 것과 같은 결과를 가져오는 경우에는 그 처분행위를 함에 있어서 상법 제374조 제1항 제1호 소정의 주주총회의 특별결의를 요하는 것이고, 다만 회사가 위와 같은 회사존속의 기초가 되는 영업재산을 처분할 당시에 이미 영업을 폐지하거나 중단하고 있었던 경우에는 그 처분으로 인하여 비로소 영업의 전부 또는 일부가 폐지되거나 중단되기에 이른 것이라고 할 수 없으므로 주주총회의 특별결의를 요하지 않는 것이고, 위에서 '영업의 중단'이라고 함은 영업의 계속을 포기하고 일체의 영업활동을 중단한 것으로서 영업의 폐지에 준하는 상태를 말하고 단순히 회사의 자금사정 등 경영상태의 악화로 일시 영업활동을 중지한 경우는 여기에 해당하지 않는다.

③ 상법 제374조 제1항 제1호는 주식회사가 영업의 전부 또는 중요한 일부의 양도행위를 할 때에는 제434조에 따라 출석한 주주의 의결권의 3분의 2 이상의 수와 발행주식총수의 3분의 1 이상의 수로써 결의가 있어야 한다고 규정하고 있으나, 거래상대방이 아닌 주식회사가 영업의 전부 또는 중요한 일부를 양도한 후 주주총회의 특별결의가 없었다는 이유를 들어 스스로 그 약정의 무효를 주장하는 것은 특별한 사정이 없는 한 신의성실 원칙에 반한다.

④ 영업양도에 반대하는 주주의 주식매수청구권은 이른바 형성권으로서 그 행사로 회사의 승낙 여부와 관계없이 주식에 관한 매매계약이 성립하고, 상법 제374조의2 제2항의 '매수 청구 기간이 종료하는 날부터 2개월'은 주식매매대금 지급의무의 이행기를 정한 것이라고 해석된다. 그리고 이러한 법리는 위 2개월 이내에 주식의 매수가액이 확정되지 아니하였다고 하더라도 다르지 아니하다.

⑤ 영업양도에 반대하는 주주의 주식매수청구권 행사에 따른 주식의 매수가액은 주주와 회사 간의 협의에 의하여 결정하고, 매수청구기간이 종료하는 날부터 30일 이내에 그 협의가 이루어지지 아니한 경우에는 회사 또는 주식의 매수를 청구한 주주는 법원에 대하여 매수가액의 결정을 청구할 수 있다.

해설 ① [○] : 상법 제374조 제1항, 상법 제576조 제1항
② [○] : 대판 1988.4.12, 87다카1662

정답 ▶ 04 ① 05 ③

③ [×] : 상법 제374조 제1항 제1호는 주식회사가 영업의 전부 또는 중요한 일부의 양도행위를
할 때에는 제434조에 따라 출석한 주주의 의결권의 3분의 2 이상의 수와 발행주식총수의
3분의 1 이상의 수로써 결의가 있어야 한다고 규정하고 있는데 이는 주식회사가 주주의
이익에 중대한 영향을 미치는 계약을 체결할 때에는 주주총회의 특별결의를 얻도록 하여
그 결정에 주주의 의사를 반영하도록 함으로써 주주의 이익을 보호하려는 강행법규이므
로, 주식회사가 영업의 전부 또는 중요한 일부를 양도한 후 주주총회의 특별결의가 없었
다는 이유를 들어 스스로 그 약정의 무효를 주장하더라도 주주 전원이 그와 같은 약정에
동의한 것으로 볼 수 있는 등 특별한 사정이 인정되지 않는다면 위와 같은 무효 주장이
신의성실 원칙에 반한다고 할 수는 없다(대판 2018.4.26. 2017다288757).
④ [○] : 대판 2011.4.28. 2010다94953
⑤ [○] : 상법 제374조의2 제3항 · 제4항

06

의결권의 대리행사 및 불통일행사에 관한 다음 설명 중 가장 옳지 않은 것은? (다툼이 있는
경우 대법원 판례에 따르고 전원합의체 판결의 경우 다수의견에 의함. 특별한 언급이 없다면
각 지문의 회사는 자본금 총액이 10억 원 이상인 비상장 주식회사를 의미함) ▶ 2025 법무사

① 주식회사의 주주는 상법 제368조 제2항에 따라 타인에게 의결권 행사를 위임하거나 대
리행사하도록 할 수 있다. 이 경우 의결권의 행사를 구체적이고 개별적인 사항에 국한하
여 위임하여야 하고 포괄적으로 위임하는 것은 허용되지 않는다.
② 상법 제368조 제2항의 규정은 대리권의 존부에 관한 법률관계를 명확히 하여 주주총회
결의의 성립을 원활하게 하기 위한 데 그 목적이 있다고 할 것이므로 대리권을 증명하는
서면은 위조나 변조 여부를 쉽게 식별할 수 있는 원본이어야 하고, 특별한 사정이 없는
한 사본은 그 서면에 해당하지 아니하고, 팩스를 통하여 출력된 팩스본 위임장 역시 성
질상 원본으로 볼 수 없다.
③ 상법 제368조 제2항이 규정하는 '대리권을 증명하는 서면'이라 함은 위임장을 일컫는 것
으로서 회사가 위임장과 함께 인감증명서, 참석장 등을 제출하도록 요구하는 것은 대리
인의 자격을 보다 확실하게 확인하기 위하여 요구하는 것일 뿐, 이러한 서류 등을 지참
하지 아니하였다 하더라도 주주 또는 대리인이 다른 방법으로 위임장의 진정성 내지 위
임의 사실을 증명할 수 있다면 회사는 그 대리권을 부정할 수 없다.
④ 상법 제368조 제2항의 규정은 주주의 대리인의 자격을 제한할 만한 합리적인 이유가 있
는 경우 정관의 규정에 의하여 상당하다고 인정되는 정도의 제한을 가하는 것까지 금지
하는 취지는 아니라고 해석되는바, 대리인의 자격을 주주로 한정하는 취지의 주식회사의
정관 규정은 주주총회가 주주 이외의 제3자에 의하여 교란되는 것을 방지하여 회사 이익
을 보호하는 취지에서 마련된 것으로서 합리적인 이유에 의한 상당한 정도의 제한이라고
볼 수 있으므로 이를 무효라고 볼 수는 없다.

⑤ 상법 제368조의2 제1항은 "주주가 2 이상의 의결권을 가지고 있는 때에는 이를 통일하지 아니하고 행사할 수 있다. 이 경우 주주총회일의 3일 전에 회사에 대하여 서면 또는 전자문서로 그 뜻과 이유를 통지하여야 한다."고 규정하고 있는바, 여기서 3일의 기간이라 함은 의결권의 불통일행사가 행하여지는 경우에 회사 측에 그 불통일행사를 거부할 것인가를 판단할 수 있는 시간적 여유를 주고, 회사의 총회 사무운영에 지장을 주지 아니하도록 하기 위하여 부여된 기간으로서, 그 불통일행사의 통지는 원칙적으로 주주총회일의 3일 전에 회사에 도달할 것을 요한다.

> **해설** ① [×] : 주식회사의 주주는 상법 제368조 제2항에 따라 타인에게 의결권 행사를 위임하거나 대리 행사하도록 할 수 있다. 이 경우 의결권의 행사를 구체적이고 개별적인 사항에 국한하여 위임해야 한다고 해석하여야 할 근거는 없고 포괄적으로 위임할 수도 있다(대판 2014.1.23, 2013다56839).
> ② [○] : 대판 1995.2.28, 94다34579
> ③ [○] : 대판 2009.4.23, 2005다22701,22718
> ④ [○] : 대판 2009.4.23, 2005다22701,22718
> ⑤ [○] : 대판 2009.4.23, 2005다22701,22718

07 주주총회 소집절차의 하자에 관한 다음 설명 중 가장 옳지 않은 것은? (다툼이 있는 경우 대법원 판례에 따르고 전원합의체 판결의 경우 다수의견에 의함. 특별한 언급이 없다면 각 지문의 회사는 자본금 총액이 10억 원 이상인 비상장 주식회사를 의미) ▶ 2024 법무사

① 대표이사 아닌 이사가 이사회의 소집 결의에 따라서 주주총회를 소집한 것이라면 위 주주총회에 있어서 소집절차상 하자는 주주총회결의의 취소사유에 불과하고 그것만으로 바로 주주총회결의가 무효이거나 부존재가 된다고 볼 수 없다.

② 정당한 소집권자에 의하여 소집된 주주총회에서 정족수가 넘는 주주의 출석으로 출석주주 전원의 찬성에 의하여 이루어진 결의라면, 설사 일부 주주에게 소집통지를 하지 아니하였거나 법정기간을 준수하지 아니한 서면통지에 의하여 주주총회가 소집되었다 하더라도 그와 같은 주주총회 소집절차상의 하자는 주주총회결의의 부존재 또는 무효사유가 아니라 취소사유에 불과하다.

③ 주주총회의 개회시각이 부득이한 사정으로 당초 소집통지된 시각보다 지연되는 경우에도 사회통념에 비추어 볼 때 정각에 출석한 주주들의 입장에서 변경된 개회시각까지 기다려 참석하는 것이 곤란하지 않을 정도라면 주주총회결의의 부존재 또는 무효사유가 아니라 단순한 취소사유에 불과하다.

④ 주주는 자신이 아닌 다른 주주에 대한 소집절차의 하자를 이유로 주주총회결의 취소의 소를 제기할 수 있다.

정답 06 ① 07 ③

⑤ 주주총회에서 총회소집 당시 미리 주주에게 통지하지 아니한 회의의 목적사항 이외의 사항
에 관한 결의에 가담한 주주가 주주총회 소집절차 또는 결의방법의 하자를 이유로 그 결의의
취소를 구한다고 하여 곧바로 신의성실의 원칙 및 금반언의 원칙에 반한다고 볼 수 없다.

해설 ① [○] : 대판 1993.9.10, 93도698
② [○] : 대판 2014.11.27, 2011다41420
③ [×] : 주주총회의 개회시각이 부득이한 사정으로 당초 소집통지된 시각보다 지연되는 경우에도
사회통념에 비추어 볼 때 정각에 출석한 주주들의 입장에서 변경된 개회시각까지 기다려
참석하는 것이 곤란하지 않을 정도라면 절차상의 하자가 되지 아니할 것이나, 그 정도를
넘어 개회시각을 사실상 부정확하게 만들고 소집통지된 시각에 출석한 주주들의 참석을
기대하기 어려워 그들의 참석권을 침해하기에 이르렀다면 주주총회의 소집절차가 현저히
불공정하다고 하지 않을 수 없고, 또한 소집통지 및 공고가 적법하게 이루어진 이후에 당
초의 소집장소에서 개회를 하여 소집장소를 변경하기로 하는 결의조차 할 수 없는 부득이
한 사정이 발생한 경우, 소집권자가 대체 장소를 정한 다음 당초의 소집장소에 출석한 주
주들로 하여금 변경된 장소에 모일 수 있도록 상당한 방법으로 알리고 이동에 필요한 조
치를 다한 때에 한하여 적법하게 소집장소가 변경되었다고 볼 수 있다(대판 2003.7.11,
2001다45584).
④ [○] : 대판 2003.7.11, 2001다45584
⑤ [○] : 대판 1979.3.27, 79다19

08 다음 설명 중 가장 옳지 않은 것은?

▶ 2022 법무사

① 주주총회결의의 효력이 그 회사 아닌 제3자 사이의 소송에 있어 선결문제로 된 경우에는
당사자는 언제든지 당해 소송에서 주주총회결의가 처음부터 무효 또는 부존재하다고 다투
어 주장할 수 있는 것이고, 반드시 먼저 회사를 상대로 제소하여야만 하는 것은 아니다.
② 주식회사와 전혀 관계없는 사람이 주주총회의사록을 위조한 경우와 같이 주식회사 내부
의 의사결정 자체가 아예 존재하지 않는 경우에 이를 확인하는 판결은 상법 제380조 소
정의 주주총회결의부존재확인판결에 해당한다고 보아서는 안 된다.
③ 주주총회결의의 부존재·무효를 확인하거나 결의를 취소하는 판결이 확정되면 당사자
이외의 제3자에게도 그 효력이 미쳐 제3자도 이를 다툴 수 없게 되므로, 주주총회결의의
하자를 다투는 소에 있어서 청구의 인낙이나 그 결의의 부존재·무효를 확인하는 내용
의 화해·조정은 할 수 없고, 가사 이러한 내용의 청구인낙 또는 화해·조정이 이루어졌
다 하여도 그 인낙조서나 화해·조정조서는 효력이 없다.
④ 이사 선임의 주주총회결의에 대한 취소판결이 확정된 경우 그 결의에 의하여 이사로 선
임된 이사들에 의하여 구성된 이사회에서 선정된 대표이사는 소급하여 그 자격을 상실하
고, 그 대표이사가 이사 선임의 주주총회결의에 대한 취소판결이 확정되기 전에 한 행위
는 대표권이 없는 자가 한 행위로서 무효가 된다.
⑤ 주주총회결의의 부존재 또는 무효 확인을 구하는 소를 여러 사람이 공동으로 제기한 경
우 필수적 공동소송이 아니라 통상공동소송에 해당한다.

해설 ① [○] : 대판 2011.06.24, 2009다35033

② [○] : 상법 제380조가 규정하고 있는 주주총회결의부존재확인판결은, [주주총회의결의]라는 주식회사 내부의 의사결정이 일단 존재하기는 하지만 그와 같은 의사결정을 위한 주주총회의 소집절차 또는 결의방법에 중대한 하자가 있기 때문에 그 결의를 법률상 유효한 주주총회의 결의라고 볼 수 없음을 확인하는 판결을 의미하는 것으로 해석함이 상당하고, 주식회사와 전혀 관계 없는 사람이 주주총회의사록을 위조한 경우와 같이 주식회사 내부의 의사결정 자체가 아예 존재하지 않는 경우에 이를 확인하는 판결도 상법 제380조 소정의 주주총회결의부존재확인판결에 해당한다고 보아 상법 제190조를 준용하여서는 안 된다 (대판 1994.3.25, 93다36097).

③ [○] : 대판 2004.9.24, 2004다28047

④ [○] : 대판 2004.2.27, 2002다19797

⑤ [×] : 주주총회결의의 부존재 또는 무효 확인을 구하는 소를 여러 사람이 공동으로 제기한 경우, **필수적 공동소송**(민사소송법 제67조)에 해당한다[당사자 1인이 받은 승소판결의 효력이 다른 공동소송인에게 미치므로 공동소송인 사이에 소송법·상법상 합일확정의 필요성이 인정되고, 당사자의 의사와 소송경제 등을 고려(대판 2021.7.22, 2020다284977 전합)].

09 주주총회 등에 관한 다음 설명 중 옳지 않은 것을 모두 고른 것은? (다툼이 있는 경우 대법원 판례에 따르고 전원합의체 판결의 경우 다수의견에 의함. 특별한 언급이 없다면 각 지문의 회사는 자본금 총액이 10억 원 이상인 비상장 주식회사를 의미) ▸ 2024 법무사

> (ㄱ) 이사 선임의 주주총회 결의에 대한 취소판결이 확정된 경우 그 판결은 장래에 대하여 형성적 효력이 있으므로, 그 결의에 의하여 선임된 이사들로 구성된 이사회에서 선정된 대표이사가 취소판결 확정 전에 한 행위는 유효하다.
>
> (ㄴ) 대표이사의 직무집행정지 및 직무대행자선임 가처분이 이루어진 이후 새로운 대표이사가 선임되었다면 새로이 선임된 대표이사는 그 선임결의의 적법 여부에 관계없이 대표이사로서의 권한을 가진다.
>
> (ㄷ) 회사 설립무효의 판결 또는 주주총회결의 취소의 판결은 제3자에 대하여도 효력이 미친다.
>
> (ㄹ) 동일한 결의에 관하여 주주총회결의부존재확인의 소가 결의의 날로부터 2월 내에 제기되어 있다면, 동일한 하자를 원인으로 하여 결의의 날로부터 2월이 경과한 후 주주총회결의취소소송으로 소를 변경하거나 추가한 경우에도 제소기간을 준수한 것이다.

① (ㄱ) ② (ㄱ), (ㄴ) ③ (ㄴ), (ㄷ)

④ (ㄷ), (ㄹ) ⑤ (ㄱ), (ㄴ), (ㄹ)

해설 (ㄱ) [×] : 이사 선임의 주주총회결의에 대한 취소판결이 확정된 경우 그 결의에 의하여 이사로 선임된 이사들에 의하여 구성된 이사회에서 선정된 대표이사는 소급하여 그 자격을 상

정답 08 ⑤ 09 ②

실하고, 그 대표이사가 이사 선임의 주주총회결의에 대한 취소판결이 확정되기 전에 한 행위는 대표권이 없는 자가 한 행위로서 무효가 된다(대판 2004.2.27, 2002다19797).

(ㄴ) [×] : 대표이사의 직무집행정지 및 직무대행자선임의 가처분이 이루어진 이상, 그 후 대표이사가 해임되고 새로운 대표이사가 선임되었다 하더라도 가처분결정이 취소되지 아니하는 한 직무대행자의 권한은 유효하게 존속하고, 새로이 선임된 대표이사는 그 선임결의의 적법 여부에 관계없이 대표이사로서의 권한을 가지지 못한다(대판 1992.5.12, 92다5638).

(ㄷ) [○] : 상법 제328조(준용) 제2항, 제376조(결의취소의 소) 제2항, 제190조(판결의 효력)

(ㄹ) [○] : 대판 2003.7.11, 2001다45584

02 이사와 이사회

01 **상법상 주식회사 이사의 선임에 관한 다음 설명 중 가장 옳은 것은?** ▸ 2022 법무사

① 이사는 주주총회에서 특별결의로 선임된다.

② 2인 이상의 이사의 선임을 목적으로 하는 총회의 소집이 있는 때에는 발행주식총수의 100분의 3 이상에 해당하는 주식을 가진 주주는 회사에 대하여 집중투표의 방법으로 이사를 선임할 것을 청구할 수 있다. 이때 100분의 3에는 의결권 없는 주식도 포함한다.

③ 2인 이상의 이사 선임에 관한 집중투표를 배제하는 정관 규정은 효력이 없다.

④ 이사선임결의와 피선임자의 승낙만 있으면 대표이사와 별도의 임용계약을 체결하였는지와 관계 없이 이사의 지위를 취득한다.

⑤ 이사의 임기는 3년을 초과하지 못하므로, 임기를 정하지 않은 경우에는 그 임기를 3년으로 본다.

해설 ① [×] : 이사의 선임은 주주총회에서 보통결의로 한다(상법 제382조 제1항).

②,③ [×] : 2인 이상의 이사의 선임을 목적으로 하는 총회의 소집이 있는 때에는 의결권 없는 주식을 제외한 발행주식총수의 100분의 3 이상에 해당하는 주식을 가진 주주는 정관에서 달리 정하는 경우를 제외하고는 회사에 대하여 집중투표의 방법으로 이사를 선임할 것을 청구할 수 있다(상법 제382조의2 제1항).

④ [○] : 대판 2017.3.23, 2016다251215 전합

⑤ [×] : 이사의 임기를 정한 경우라 함은 정관 또는 주주총회의 결의로 임기를 정하고 있는 경우를 말하고, 이사의 임기를 정하지 않은 때에는 이사의 임기의 최장기인 3년을 경과하지 않는 동안에 해임되더라도 그로 인한 손해의 배상을 청구할 수 없다고 할 것이고, 회사의 정관에서 상법 제383조 제2항과 동일하게 "이사의 임기는 3년을 초과하지 못한다."고 규정한 것이 이사의 임기를 3년으로 정하는 취지라고 해석할 수는 없다(대판 2001.6.15, 2001다23928).

02 다음 설명 중 가장 옳지 않은 것은? (다툼이 있는 경우 대법원 판례에 따르고 전원합의체 판결의 경우 다수의견에 의함. 특별한 언급이 없다면 각 지문의 회사는 자본금 총액이 10억원 이상인 비상장 주식회사를 의미함) ▶ 2025 법무사

① 법률 또는 정관에 정한 이사의 원수를 결한 경우에는 임기의 만료 또는 사임으로 인하여 퇴임한 이사는 새로 선임된 이사가 취임할 때까지 이사의 권리의무가 있다.

② 임기만료 후 이사로서의 권리의무를 행사하고 있는 퇴임이사는 새로 선임된 이사가 취임하거나 상법 제386조 제2항에 따라 일시 이사의 직무를 행할 자가 선임되면 별도의 주주총회 해임결의를 거치지 않더라도 이사로서의 권리의무를 상실한다.

③ 임기의 만료나 사임에 의하여 퇴임한 이사가 그 퇴임으로 법률 또는 정관에 정한 이사의 원수를 채우지 못하게 되어 후임이사의 취임시까지 이사로서의 권리의무를 유지하게 되는 경우에도, 이사의 퇴임으로 인한 변경등기기간의 기산일은 후임이사의 취임일이 아니라 퇴임한 이사의 퇴임일부터 기산하여야 한다.

④ 임기만료 후 이사로서의 권리의무를 행사하고 있는 퇴임이사는 상법 제385조 제1항의 해임대상이 되지 않는다.

⑤ 법인등기부에 이사 또는 감사로 등재되어 있는 경우에는 특단의 사정이 없는 한 정당한 절차에 의하여 선임된 적법한 이사 또는 감사로 추정된다.

해설 ① [○] : 상법 제386조(이사결원의 경우) 제1항(퇴임이사)
② [○] : 대판 2021.8.19, 2020다285406
③ [×] : 대표이사를 포함한 이사가 임기의 만료나 사임에 의하여 퇴임함으로 말미암아 법률 또는 정관에 정한 대표이사나 이사의 원수(최저인원수 또는 특정한 인원수)를 채우지 못하게 되는 결과가 일어나는 경우에, 그 퇴임한 이사는 새로 선임된 이사(후임이사)가 취임할 때까지 이사로서의 권리의무가 있는 것인바(상법 제386조 제1항, 제389조 제3항), 이러한 경우에는 이사의 퇴임등기를 하여야 하는 2주 또는 3주의 기간은 일반의 경우처럼 퇴임한 이사의 퇴임일부터 기산하는 것이 아니라 후임이사의 취임일부터 기산한다고 보아야 하며, 후임이사가 취임하기 전에는 퇴임한 이사의 퇴임등기만을 따로 신청할 수 없다고 봄이 상당하다(대판 2005.3.8, 2004마800).
④ [○] : 대판 2021.8.19, 2020다285406
⑤ [○] : 대판 1991.12.27, 91다4409, 4416

정답 ▶ 01 ④ 02 ③

03 주식회사의 이사의 보수에 관한 다음 설명 중 가장 옳지 않은 것은? (다툼이 있는 경우 대법원 판례에 따르고 전원합의체 판결의 경우 다수의견에 의함. 특별한 언급이 없다면 각 지문의 회사는 자본금 총액이 10억 원 이상인 비상장 주식회사를 의미) ▶ 2024 법무사

① 주주총회에서 선임된 이사가 회사와의 명시적 또는 묵시적 약정에 따라 업무를 다른 이사 등에게 포괄적으로 위임하고 이사로서의 실질적인 업무를 수행하지 않는 경우에는 회사를 상대로 주주총회 결의에서 정한 보수를 청구할 수 없다.

② 회사에 대한 경영권 상실 등으로 퇴직을 앞둔 이사가 회사에서 최대한 많은 보수를 받기 위하여 그에 동조하는 다른 이사와 함께 이사의 직무내용, 회사의 재무상황이나 영업실적 등에 비추어 지나치게 과다하여 합리적 수준을 현저히 벗어나는 보수 지급 기준을 마련하고 지위를 이용하여 주주총회에 영향력을 행사함으로써 소수주주의 반대에 불구하고 이에 관한 주주총회 결의가 성립되도록 하였다면, 이는 회사를 위하여 직무를 충실하게 수행하여야 하는 상법 제382조의3에서 정한 의무를 위반하여 회사재산의 부당한 유출을 야기함으로써 회사와 주주의 이익을 침해하는 것으로서 회사에 대한 배임행위에 해당하므로, 주주총회 결의를 거쳤다 하더라도 그러한 위법행위가 유효하다 할 수는 없다.

③ 정관 등에서 이사의 퇴직금에 관하여 주주총회의 결의로 정한다고 규정하면서 퇴직금의 액수에 관하여만 정하고 있다면, 퇴직금 중간정산에 관한 주주총회의 결의가 있었음을 인정할 증거가 없는 한 이사는 퇴직금 중간정산금 청구권을 행사할 수 없다.

④ 회사가 정관에서 이사의 퇴직금 지급에 관하여 주주총회의 결의를 거친 임원퇴직금 지급규정에 의한다고 규정하면서 그와 함께 퇴직하는 이사에 대한 퇴직금액의 하한을 구체적으로 정하고 있다면, 주주총회에서 이사의 퇴직금 지급에 관한 규정을 만들지 않거나 퇴직금에 관한 결의를 하지 않았다 하더라도 회사로서는 그와 같은 주주총회 결의 등이 없었음을 이유로 퇴직한 이사에 대하여 정관에 구체적으로 정한 하한의 범위 안에서의 퇴직금의 지급을 거절할 수는 없다.

⑤ 주식회사와 이사 사이에 체결된 고용계약에서 이사가 그 의사에 반하여 이사직에서 해임될 경우 퇴직위로금과는 별도로 일정한 금액의 해직보상금을 지급받기로 약정한 경우, 이사의 보수에 관한 상법 제388조를 준용 내지 유추적용하여 이사는 해직보상금에 관하여도 정관에서 그 액을 정하지 않는 한 주주총회 결의가 있어야만 회사에 대하여 이를 청구할 수 있다.

해설 ① [×] : 명목상 이사·감사도 법인인 회사의 기관으로서 회사가 사회적 실체로서 성립하고 활동하는 데 필요한 기초를 제공함과 아울러 상법이 정한 권한과 의무를 갖고 의무 위반에 따른 책임을 부담하므로 보수청구권을 갖는다(대판 2015.9.10, 2015다213308; 대판 2015.7.23, 2014다236311).
  ② [○] : 대판 2016.1.28, 2014다11888
  ③ [○] : 대판 2019.7.4, 2017다17436
  ④ [○] : 대판 1979.11.27, 79다1599
  ⑤ [○] : 대판 2006.11.23, 2004다49570

04 다음 설명 중 가장 옳지 않은 것은?

① 상법 제388조는 "이사의 보수는 정관에 그 액을 정하지 아니한 때에는 주주총회의 결의로 이를 정한다."라고 규정하고 있고, 위 규정의 보수에는 연봉, 수당, 상여금 등 명칭을 불문하고 이사의 직무수행에 대한 보상으로 지급되는 모든 대가가 포함된다. 다만 주주총회에서 이사의 보수에 관한 구체적 사항을 이사회에 위임한 경우에는 주주총회에서 이를 직접 정할 수 없다.

② 주식회사의 총주식을 한 사람이 소유하는 이른바 1인회사의 경우, 주주총회 소집절차에 하자가 있거나 주주총회의사록이 작성되지 않았더라도, 1인주주의 의사가 주주총회의 결의내용과 일치한다면 증거에 의하여 그러한 내용의 결의가 있었던 것으로 볼 수 있다.

③ 회사는 이사회의 결의로 회사를 대표할 이사를 선정하여야 한다. 그러나 정관으로 주주총회에서 이를 선정할 것을 정할 수 있다.

④ 이사회는 각 이사가 소집한다. 그러나 이사회의 결의로 소집할 이사를 정한 때에는 그러하지 아니하다.

⑤ 이사회의 결의는 이사 과반수의 출석과 출석이사의 과반수로 하여야 한다. 그러나 정관으로 그 비율을 높게 정할 수 있다.

해설 ① [×] : 주주총회에서 이사의 보수에 관한 구체적 사항을 이사회에 위임한 경우에도 이를 주주총회에서 직접 정하는 것도 상법이 규정한 권한의 범위에 속하는 것으로서 가능하다(대판 2020.6.4. 2016다241515, 241522).
② [O] : 대판 1976.04.13. 74다1755
③ [O] : 상법 제389조(대표이사) 제1항
④ [O] : 상법 제390조(이사회의 소집) 제1항
⑤ [O] : 상법 제391조(이사회의 결의방법) 제1항

정답 　03 ①　04 ①

05 주식회사의 이사회 결의 등에 관한 다음 설명 중 옳지 않은 것을 모두 고른 것은? (다툼이 있는 경우 대법원 판례에 따르고 전원합의체 판결의 경우 다수의견에 의함. 특별한 언급이 없다면 각 지문의 회사는 자본금 총액이 10억 원 이상인 비상장 주식회사를 의미) ▸ 2024 법무사

> ㄱ. 이사 등이 자기 또는 제3자의 계산으로 회사와 거래를 하면서 사전에 상법 제398조에서 정한 이사회 승인을 받지 않은 경우 특별한 사정이 없는 한 그 거래는 무효라고 보아야 하지만, 사후에 그 거래행위에 대하여 이사회 승인을 받은 경우에는 무효인 거래행위가 유효로 된다.
>
> ㄴ. 주식회사의 대표이사가 이사회의 결의를 거쳐야 할 대외적 거래행위에 관하여 이를 거치지 아니한 경우라도, 그 거래 상대방이 그와 같은 이사회 결의가 없었음을 알았거나 알 수 있었을 경우가 아니라면 그 거래행위는 유효하다.
>
> ㄷ. 주식회사의 정관이나 이사회 규정 등에서 이사회 결의를 거치도록 대표이사의 대표권을 제한한 경우, 거래행위의 상대방인 제3자가 상법 제209조 제2항에 따라 보호받기 위하여는 선의 이외에 무과실까지 필요한 것은 아니지만 그 제3자에게 중대한 과실이 있는 경우에는 그 거래행위가 무효이다.
>
> ㄹ. 주식회사의 대표이사가 회사를 대표하여 파산신청을 할 경우 원칙적으로 이사회 결의가 필요하지 않다.
>
> ㅁ. 이사의 자기거래 행위에 대한 이사회의 승인은 이사 3분의 2 이상의 수로써 하여야 한다.

① ㄱ   ② ㄱ, ㄴ   ③ ㄴ, ㄹ

④ ㄱ, ㄹ   ⑤ ㄱ, ㄹ, ㅁ

해설 (ㄱ) [×] : 이사 등이 자기 또는 제3자의 계산으로 회사와 유효하게 거래를 하기 위하여는 미리 상법 제398조에서 정한 이사회 승인을 받아야 하므로 사전에 상법 제398조에서 정한 이사회 승인을 받지 않았다면 특별한 사정이 없는 한 그 거래는 무효라고 보아야 하고, 사후에 그 거래행위에 대하여 이사회 승인을 받았다고 하더라도 특별한 사정이 없는 한 무효인 거래행위가 유효로 되는 것은 아니다(대판 2023.6.29, 2021다291712).

(ㄴ) [×] : 문제오류: 대판 2005.7.28, 2005다3649 → 판례변경(대판 2021.2.18, 2015다45451 전합) → 엄격히 말하면 틀린 지문이다. ⇒ 정답 없음으로 처리됨!!

(ㄷ) [○] : 대판 2021.2.18, 2015다45451 전합(전단적 대표행위)

(ㄹ) [×] : 주식회사 이사회의 역할, 파산이 주식회사에 미치는 영향, 회생절차 개시신청과의 균형, 파산신청권자에 대한 규정의 문언과 취지 등에 비추어 보면, 주식회사의 대표이사가 회사를 대표하여 파산신청을 할 경우 대표이사의 업무권한인 일상 업무에 속하지 않는 중요한 업무에 해당하여 이사회 결의가 필요하다고 보아야 하고, 이사에게 별도의 파산신청권이 인정된다고 해서 달리 볼 수 없다(대판 2021.8.26, 2020마5520).

(ㅁ) [○] : 상법 제398조(이사 등과 회사 간의 거래)

06 표현대표이사에 관한 다음 설명 중 가장 옳지 않은 것은? ▸ 2021 법무사

① 회사가 표현대표를 허용하였다고 하기 위하여는 진정한 대표이사가 표현대표를 허용하거나, 이사 전원이 아닐지라도 적어도 이사회결의의 성립을 위하여 회사의 정관에서 정한 이사의 수, 그와 같은 정관의 규정이 없다면 최소한 이사 정원의 과반수 이사가 적극적 또는 묵시적으로 표현대표를 허용한 경우이어야 한다.

② 거래의 상대방인 제3자가 회사의 대표이사가 아닌 이사에게 그 거래행위를 함에 있어 회사를 대표할 권한이 있다고 믿었다 할지라도 그와 같이 믿음에 있어서 중대한 과실이 있는 경우에는 회사는 그 제3자에 대하여는 상법 제395조에 의한 책임을 지지 아니한다.

③ 회사를 대표할 권한이 없는 표현대표이사가 다른 대표이사의 명칭을 사용하여 어음행위를 한 경우, 회사가 책임을 지는 선의의 제3자는 표현대표이사로부터 직접 어음을 취득한 상대방에 한하고, 그로부터 어음을 다시 배서양도받은 제3취득자는 포함되지 않는다.

④ 상법 제395조는 표현대표이사가 자기의 명칭을 사용하여 법률행위를 한 경우뿐만 아니라 자기의 명칭을 사용하지 아니하고 다른 대표이사의 명칭을 사용하여 행위를 한 경우에도 유추적용된다.

⑤ 상법 제395조는 회사가 이사의 자격이 없는 자에게 표현대표이사의 명칭을 사용하게 허용한 경우는 물론, 이사의 자격도 없는 사람이 임의로 표현대표이사의 명칭을 사용하고 있는 것을 회사가 알면서도 아무런 조치를 취하지 아니한 채 그대로 방치하여 소극적으로 묵인한 경우에도 유추적용된다.

해설 ① [○] : 대판 1992.9.22, 91다5365
② [○] : 대판 2003.7.22, 2002다40432
③ [×] : 선의의 제3자는 표현대표이사로부터 직접 어음을 취득한 상대방뿐만 아니라 그로부터 어음을 다시 배서양도받은 제3취득자는 포함된다(대판 2003.9.26, 2002다65073).
④ [○] : 대판 1998.3.27, 97다34709
⑤ [○] : 대판 2005.9.9, 2004다17702

정답 ▸ **05** ④ **06** ③

07 주식회사 이사에 대한 직무집행정지가처분 및 그 직무대행자에 관한 다음 설명 중 가장 옳지 않은 것은? (다툼이 있는 경우 판례에 따르고 전원합의체 판결의 경우 다수의견에 의함)

▸ 2023 법무사

① 이사직무집행정지가처분을 신청하기 위해서 이사의 지위를 다투는 본안소송이 반드시 제기되어 있어야 하는 것은 아니다.

② 이사직무집행정지가처분에 있어서 피신청인이 될 수 있는 자는 그 성질상 당해 이사이고, 회사에게는 피신청인의 적격이 없다.

③ 이사직무집행정지가처분이 있는 때에는 본점의 소재지에서 그 등기를 하여야 한다.

④ 직무대행자가 이사회 구성을 변경하는 행위를 안건으로 하는 임시주주총회를 소집하기 위해서는 법원의 허가가 필요하지만, 이사회 구성을 변경하는 행위를 안건으로 하는 정기주주총회의 소집은 직무대행자가 법원의 허가 없이 할 수 있다.

⑤ 대표이사의 직무집행정지 및 직무대행자선임의 가처분이 이루어졌고, 그 후 대표이사가 해임되고 새로운 대표이사가 선임되었어도 그 가처분결정이 취소되지 아니하는 한 새로이 선임된 대표이사는 대표이사로서의 권한을 가지지 못한다.

해설 ① [○] : 상법 제407조(직무집행정지, 직무대행자선임) 제1항

② [○] : 대판 1982.2.9, 80다2424

③ [○] : 상법 제407조 제3항

④ [×] : 직무대행자가 정기주주총회를 소집함에 있어서도 그 안건에 이사회의 구성 자체를 변경하는 행위나 상법 제374조의 특별결의사항에 해당하는 행위 등 회사의 경영 및 지배에 영향을 미칠 수 있는 것이 포함되어 있다면 그 안건의 범위에서 정기총회의 소집이 상무에 속하지 않는다고 할 것이고, 직무대행자가 정기주주총회를 소집하는 행위가 상무에 속하지 아니함에도 법원의 허가 없이 이를 소집하여 결의한 때에는 소집절차상의 하자로 결의취소사유에 해당한다(대판 2007.6.28, 2006다62362).

⑤ [○] : 대판 1992.5.12, 92다5638

08 상법 제398조(이사 등과 회사 간의 거래)에 관한 다음 설명 중 가장 옳지 않은 것은? (다툼이 있는 경우 판례에 따르고 전원합의체 판결의 경우 다수의견에 의함) ▸ 2023 법무사

① 상법 제398조는 이사 등이 회사와의 거래에 관하여 이사회 승인을 받기 위하여는 이사회에서 해당 거래에 관한 중요사실을 밝히도록 정하고 있으므로, 만일 이러한 사항들을 밝히지 아니한 채 그 거래가 이익상반거래로서 공정한 것인지에 관한 심의가 이루어진 것이 아니라 통상의 거래로서 이를 허용하는 이사회의 결의가 이루어진 것에 불과한 경우 등에는 상법 제398조가 정하는 이사회 승인이 있다고 할 수 없다.

② 甲이 타인의 명의로 乙 회사가 발행한 주식 총수의 10%(의결권 없는 주식 제외)를 소유한 실질주주인 경우에 甲의 시아버지인 丙이 乙 회사와 거래를 하고자 할 때에는 미리 이사회에서 해당 거래에 관한 중요사실을 밝히고 이사회의 승인을 받을 필요가 없다.

③ 자본금 총액이 10억 원 미만으로 이사가 1명 또는 2명인 회사의 이사가 자기 또는 제3자의 계산으로 회사와 거래를 하기 전에 주주총회에서 해당 거래에 관한 중요사실을 밝히고 주주총회의 승인을 받지 않았다면, 특별한 사정이 없는 한 그 거래는 무효라고 보아야 한다.

④ 이사 등이 자기 또는 제3자의 계산으로 회사와 유효하게 거래를 하기 위하여는 미리 상법 제398조에서 정한 이사회 승인을 받아야 하므로 사전에 상법 제398조에서 정한 이사회 승인을 받지 않았다면 특별한 사정이 없는 한 그 거래는 무효라고 보아야 하고, 사후에 그 거래행위에 대하여 이사회 승인을 받았다고 하더라도 특별한 사정이 없는 한 무효인 거래행위가 유효로 되는 것은 아니다.

⑤ 이사가 회사에 대하여 담보 약정을 하는 경우에는 이사회의 승인을 거칠 필요가 없다.

> **해설** ① [○] : 대판 2023.6.29, 2021다291712
> ② [×] : 甲의 시아버지인 丙은 상법 제398조(이사 등과 회사 간의 거래) 제2호(주요주주의 직계존비속)에 해당하여 이사회의 승인이 필요하다.
> ③ [○] : 대판 2020.7.9, 2019다205398
> ④ [○] : 대판 2023.6.29, 2021다291712
> ⑤ [○] : 이사가 회사에 대하여 담보 약정이나 이자 약정 없이 금전을 대여하는 행위와 같이 성질상 회사와 이사 사이의 이해충돌로 인하여 회사에 불이익이 생길 염려가 없는 경우에는 이사회의 승인을 거칠 필요가 없다(대판 2010.1.14, 2009다55808).

정답 07 ④ 08 ②

09 주식회사의 이사 등과 회사 간의 거래에 관한 다음 설명 중 옳지 않은 것을 모두 고른 것은?

▶ 2021 법무사

> ㉠ 이사회의 승인을 받지 못한 이사와 회사 사이의 이익상반거래에 대하여는, 사전에 주주 전원의 동의가 있다거나 그 승인이 정관에 주주총회의 권한사항으로 정해져 있다는 등의 특별한 사정이 없는 한, 주주총회에서 사후적으로 추인 결의를 하였다 하여 그 거래가 유효하게 될 수는 없다.
>
> ㉡ 이사와 회사 사이의 거래가 상법 제398조를 위반하였음을 이유로 무효임을 주장할 수 있는 자는 회사에 한정되고 특별한 사정이 없는 한 거래의 상대방인 당해 이사나 제3자는 그 무효를 주장할 이익이 없다.
>
> ㉢ 회사에 대하여 개인적인 채권을 가지고 있는 대표이사가 회사를 위하여 보관하고 있는 회사 소유의 금전으로 자신의 채권 변제에 충당하는 행위는 회사와 이사의 이해가 충돌하는 자기거래행위에 해당하므로 이사회의 승인을 필요로 한다.
>
> ㉣ 甲, 乙 두 회사의 대표이사를 겸하고 있던 자에 의하여 甲 회사와 乙 회사 사이에 토지 및 건물에 대한 매매계약이 체결되고 乙 회사 명의로 소유권이전등기가 경료된 경우, 그 매매계약은 원칙적으로 이사회의 승인을 요하는 이사의 자기거래에 해당한다.
>
> ㉤ 이사가 자기 또는 제3자의 계산으로 회사와 거래를 하기 위해서는 상법 제398조에 따라 미리 이사회의 승인을 받아야 하고, 이 경우 이사회 승인은 상법 제397조에 따른 경업금지의 해제에 대한 이사회 승인과 동일하게 이사 과반수의 출석과 출석이사의 과반수로 하여야 한다.

① ㉠, ㉡ ② ㉠, ㉣ ③ ㉡, ㉤

④ ㉢, ㉣ ⑤ ㉢, ㉤

해설 ㉠ [O] : 대판 2007.5.10, 2005다4284(이사 등과 회사 간의 거래의 승인은 이사회의 전결사항)

㉡ [O] : 대판 2007.5.10, 2005다4284

㉢ [×] : 회사에 대하여 개인적인 채권을 가지고 있는 대표이사가 회사를 위하여 보관하고 있는 회사 소유의 금전으로 자신의 채권의 변제에 충당하는 행위는 회사와 이사의 이해가 충돌하는 자기거래행위에 해당하지 않는다고 할 것이므로, 대표이사가 이사회의 승인 등의 절차 없이 그와 같이 자신의 회사에 대한 채권을 변제하였더라도 이는 대표이사의 권한 내에서 한 회사채무의 이행행위로서 유효하며, 따라서 그에게는 불법영득의 의사가 인정되지 아니하여 횡령죄의 죄책을 물을 수 없다(대판 1999.2.23, 98도2296).

㉣ [O] : 갑(한라건설), 을(현대양행) 두 회사의 대표이사를 겸하고 있던 자에 의하여 갑 회사와 을 회사 사이에 토지 및 건물에 대한 매매계약이 체결되고 을 회사 명의로 소유권이전등기가 경료된 경우, 그 매매계약은 이른바 '이사의 자기거래'에 해당하고, 달리 특별한 사정이 없는 한 이는 갑 회사와 그 이사와의 사이에 이해충돌의 염려 내지 갑 회사에 불이익을 생기게 할 염려가 있는 거래에 해당하는데, 그 거래에 대하여 갑 회사 이사회의 승인이 없었으므로 그 매매계약의 효력은 갑 회사에 대한 관계에 있어서 무효이다(대판 1996.5.28, 95다12101,12118).

㉤ [×] : 이사가 자기 또는 제3자의 계산으로 회사와 거래를 하기 위하여는 미리 이사회에서 해당 거래에 관한 중요사실을 밝히고 이사회의 승인을 받아야 한다. 이 경우 이사회의 승인은 이사 3분의 2 이상의 수로써 하여야 하고, 그 거래의 내용과 절차는 공정하여야 한다(상법 제398조 제1호).

10 이사 등의 자기거래 및 그 승인에 관한 다음 설명 중 가장 옳지 않은 것은? (다툼이 있는 경우 대법원 판례에 따르고 전원합의체 판결의 경우 다수의견에 의함. 특별한 언급이 없다면 각 지문의 회사는 자본금 총액이 10억 원 이상인 비상장 주식회사를 의미함) ▶ 2025 법무사

① 회사가 대표이사의 딸과 부동산에 관한 매매계약을 체결하기 위해서는 미리 이사회에서 해당 거래에 관한 중요사실을 밝히고 이사회의 승인을 받아야 한다.

② 이사 등과 회사 사이의 거래에 관하여 상법 제398조에 따라 이사회의 승인을 받아야 하는 경우 이사회의 승인은 이사 3분의 2 이상의 수로써 하여야 하고, 그 거래의 내용과 절차는 공정하여야 한다.

③ 이사 등이 자기 또는 제3자의 계산으로 회사와 거래를 하면서 사전에 상법 제398조에서 정한 이사회 승인을 받지 않은 경우라고 하더라도, 사후에 거래행위에 대하여 이사회 승인을 받은 경우라면 원칙적으로 무효인 거래행위가 유효가 된다.

④ 이사 등과 회사의 거래에 관하여 이사회의 승인이 있었더라도, 해당 거래에 관한 중요사실 등을 밝히지 아니한 채 그 거래가 이익상반거래로서 공정한 것인지에 관한 심의가 이루어진 것이 아니라 통상의 거래로서 이를 허용하는 이사회의 결의가 이루어진 것에 불과한 경우 등에는 상법 제398조가 정하는 이사회 승인이 있다고 할 수 없다.

⑤ 별개인 두 회사의 대표이사를 겸하고 있는 자가 두 회사 사이의 매매계약을 체결한 경우에도 이사의 자기거래에 해당한다.

해설 ① [○] : 상법 제398조(이사 등과 회사 간의 거래) 제2호(이사 또는 주요주주의 배우자 및 직계존비속)

② [○] : 상법 제398조(이사 등과 회사 간의 거래) 단서

③ [×] : 이사 등이 자기 또는 제3자의 계산으로 회사와 유효하게 거래를 하기 위하여는 미리 상법 제398조에서 정한 이사회 승인을 받아야 하므로 사전에 상법 제398조에서 정한 이사회 승인을 받지 않았다면 특별한 사정이 없는 한 그 거래는 무효라고 보아야 하고, 사후에 그 거래행위에 대하여 이사회 승인을 받았다고 하더라도 특별한 사정이 없는 한 무효인 거래행위가 유효로 되는 것은 아니다(대판 2023.6.29, 2021다291712).

④ [○] : 대판 2023.6.29, 2021다291712

⑤ [○] : 대판 1996.5.28, 95다12101

정답 ▶ 09 ⑤ 10 ③

11 이사의 경업금지, 이사와 회사간의 거래, 이사의 회사에 대한 책임에 관한 다음 설명 중 가장 옳지 않은 것은?　　　　▸2022 법무사

① 이사는 경업 대상 회사의 이사, 대표이사가 되는 경우뿐만 아니라 그 회사의 지배주주가 되어 그 회사의 의사결정과 업무집행에 관여할 수 있게 되는 경우에도 자신이 속한 회사 이사회의 승인을 얻어야 한다.

② 이사의 배우자의 직계존비속이 자기 또는 제3자의 계산으로 회사와 거래를 하기 위하여는 미리 이사회에서 해당 거래에 관한 중요사실을 밝히고 이사회의 승인을 받아야 한다. 이 경우 이사회의 승인은 이사 3분의 2 이상의 수로써 하여야 한다.

③ 이사가 고의 또는 과실로 법령 또는 정관에 위반한 행위를 하거나 그 임무를 게을리한 경우에 그 행위가 이사회의 결의에 의한 것인 때에는 그 결의에 찬성한 이사도 상법 제399조 제1항의 책임이 있다.

④ 위 ③의 이사회 결의에 참가한 이사로서 이의를 한 기재가 의사록에 없는 자는 상법 제399조 제3항에 따라 그 결의에 찬성한 것으로 추정한다.

⑤ 이사가 위 ③의 이사회에 출석하여 결의에 기권하였다고 의사록에 기재된 경우에는 그 결의에 이의하였다고 볼 수 없으므로 상법 제399조 제3항에 따라 그 결의에 찬성한 것으로 추정한다.

> **해설** ① [O] : 대판 2013.9.12, 2011다57869
> ② [O] : 상법 제398조(이사 등과 회사 간의 거래) 제3호
> ③ [O] : 상법 제399조(회사에 대한 책임) 제2항
> ④ [O] : 상법 제399조(회사에 대한 책임) 제3항
> ⑤ [×] : 이사가 이사회에 출석하여 결의에 기권하였다고 의사록에 기재된 경우에 그 이사는 "이의를 한 기재가 의사록에 없는 자"라고 볼 수 없으므로, 상법 제399조 제3항에 따라 이사회 결의에 찬성한 것으로 추정할 수 없고, 따라서 같은 조 제2항의 책임을 부담하지 않는다고 보아야 한다(대판 2019.5.16, 2016다260455).

12 이사의 책임에 관한 다음 설명 중 가장 옳지 않은 것은? (다툼이 있는 경우 대법원 판례에 따르고 전원합의체 판결의 경우 다수의견에 의함. 특별한 언급이 없다면 각 지문의 회사는 자본금 총액이 10억 원 이상인 비상장 주식회사를 의미함) ▸ 2025 법무사

① 이사는 회사의 위임에 따라 회사에 대하여 수임자로서 선량한 관리자의 주의의무를 지므로 제3자에게 손해배상책임을 지는 경우는 없다.

② 이사의 임무는 단지 이사회에 상정된 의안에 대하여 찬부의 의사표시를 하는 데에 그치지 않고 대표이사를 비롯한 업무담당이사의 전반적인 업무집행을 감시할 수 있는 것이다.

③ 이사가 대표이사나 다른 이사의 업무집행이 위법하거나 선관주의의무나 충실의무를 위반하였다고 의심할 만한 사유가 있음에도 감시의무를 위반하여 이를 방치한 때에는 이로 말미암아 회사가 입은 손해에 대하여 배상책임을 면할 수 없다.

④ 일정한 업무분장 하에 회사의 일상적인 업무를 집행하는 업무집행이사는 회사의 업무집행을 전혀 담당하지 아니하는 평이사에 비하여 보다 높은 주의의무를 부담한다.

⑤ 이사의 감시의무의 구체적인 내용은 회사의 규모나 조직, 업종, 법령의 규제, 영업상황 및 재무상태에 따라 크게 다를 수 있으므로 고도로 분업화되고 전문화된 대규모의 회사라고 하더라도 다른 이사들의 업무집행에 관한 감시의무를 면할 수는 없다.

해설 ① [×] : 이사가 고의 또는 중대한 과실로 그 임무를 게을리한 때에는 그 이사는 제3자에 대하여 연대하여 손해를 배상할 책임이 있다[상법 제401조(제3자에 대한 책임) 제1항].
  ② [○] : 대판 2022.5.12, 2021다279347
  ③ [○] : 대판 2021.11.11, 2017다222368
  ④ [○] : 대판 2008.9.11, 2007다31518
  ⑤ [○] : 대판 2021.11.11, 2017다222368

13 경영판단의 원칙과 이사의 책임에 관한 다음 설명 중 가장 옳지 않은 것은? (다툼이 있는 경우 대법원 판례에 따르고 전원합의체 판결의 경우 다수의견에 의함. 특별한 언급이 없다면 각 지문의 회사는 자본금 총액이 10억 원 이상인 비상장 주식회사를 의미함) ▸ 2025 법무사

① 이사는 법령 또는 정관에 정해진 목적 범위 내에서 회사의 경영에 관한 판단을 할 재량권을 가지고 있고, 기업의 경영에는 위험이 수반될 수 있으므로, 이사가 법령에 위반됨이 없이 임무를 수행하는 과정에서 합리적으로 이용가능한 범위 내에서 필요한 정보를 충분히 수집·조사하고 검토하는 절차를 거친 다음, 이를 근거로 회사의 최대 이익에 부합한다고 합리적으로 신뢰하고 신의성실에 따라 경영상의 판단을 내렸고, 그 내용이 현저히 불합리하지 않은 것으로서 통상의 이사를 기준으로 할 때 합리적으로 선택할 수 있는 범위 안에 있는 것이라면, 비록 사후에 그 회사가 예상했던 이익을 얻지 못하고 손해를 입게 되는 결과가 발생하였다 하더라도 그 이사의 행위는 허용되는 경영판단의 재량 범위 내에 있는 것이어서 해당 회사에 대하여 손해배상책임을 부담한다고 할 수 없다.

② 이사의 경영판단을 정당화할 수 있는 이익은 원칙적으로 회사가 실제로 얻을 가능성이 있는 구체적인 것이어야 하고, 일반적이거나 막연한 기대에 불과하여 회사가 부담하는 비용이나 위험에 상응하지 않는 것이어서는 안 된다.

③ 이사가 임무를 수행하면서 검토할 사항은 거래를 하는 목적이나 동기, 거래의 종류와 내용, 상대방과의 관계, 소속 회사의 재무적 상황 등에 따라 달라지므로, 사안마다 개별적으로 판단되어야 한다.

④ 이사가 임무를 수행함에 있어서 법령을 위반한 행위를 한 때에는 그 행위 자체가 회사에 대하여 채무불이행에 해당한다고 볼 수 있으나, 이사가 회사의 자금으로 뇌물을 공여함으로써 회사가 결과적으로 상당한 이익을 얻은 경우와 같이 회사가 궁극적으로 이익을 얻었다고 볼 수 있는 경우라면, 경영판단의 원칙이 예외적으로 적용될 수 있다.

⑤ 이사가 합리적으로 이용가능한 범위 내에서 필요한 정보를 충분히 수집·조사하고 검토하는 절차를 거치지 않고 단순히 회사의 경영상의 부담에도 불구하고 관계회사의 부도 등을 방지하는 것이 회사의 신인도를 유지하고 회사의 영업에 이익이 될 것이라는 일반적·추상적인 기대하에 일방적으로 관계회사에 자금을 지원하게 하여 회사에 손해를 입게 한 경우에 불과하다면 이러한 이사의 행위는 허용되는 경영판단의 재량범위 내에 있는 것이라고 할 수 없다.

해설 ① [○] : 대판 2023.3.30, 2019다280481
② [○] : 대판 2023.3.30, 2019다280481
③ [○] : 대판 2023.3.30, 2019다280481
④ [×] : 회사는 기업활동을 하면서 범죄를 수단으로 하여서는 아니 되므로, 이사가 회사의 업무를 집행하면서 고의·과실로 법령을 위반한 경우에 설령 그 법령 위반 행위로 인하여 회사에 어떠한 이득이 발생하였다 하더라도, 이러한 이득을 손익상계의 대상으로 삼는 것은 이사의 법령 위반 행위로 인한 회사의 위법한 이득 보유를 그대로 승인하고 그 범위 내에서 이사의 손해배상책임을 부정함으로써 오히려 이사의 법령 위반 행위와 회사의

범죄를 조장하고 손해배상 제도의 근본적인 취지에도 반하는 결과가 되므로 허용될 수 없다(대판 2025.6.12, 2021다256696, 256702).

⑤ [○] : 대판 2007.10.11, 2006다33333

14 주식회사에서 이사의 책임 등에 관한 다음 설명 중 가장 옳지 않은 것은? (다툼이 있는 경우 대법원 판례에 따르고 전원합의체 판결의 경우 다수의견에 의함. 특별한 언급이 없다면 각 지문의 회사는 자본금 총액이 10억 원 이상인 비상장 주식회사를 의미) ▸ 2024 법무사

① 상법 제399조 제1항에 따라 주식회사의 이사가 회사에 대한 임무를 게을리하여 발생한 손해배상책임은 위임관계로 인한 채무불이행책임이다.

② 주식회사의 이사가 회사에 대하여 상법 제399조 제1항에 따라 손해배상채무를 부담하는 경우 특별한 사정이 없는 한 임무해태로 인하여 손해가 발생한 시점부터 지체책임을 진다.

③ 이사가 임무를 수행하면서 법령을 위반하는 행위를 한 때는 원칙적으로 경영판단의 원칙이 적용되지 않는다.

④ 상법 제401조에 의한 이사의 제3자에 대한 손해배상책임의 소멸시효기간은 10년이다.

⑤ 이사의 고의 또는 과실에 의한 법령 또는 정관에 위반한 행위 또는 임무 해태가 이사회의 결의에 의한 것인 때에는 그 결의에 찬성한 이사도 연대하여 회사에 대하여 손해를 배상할 책임을 진다.

해설 ① [○] : 대판 2021.5.7, 2018다275888
② [×] : 대판 2021.5.7, 2018다275888(이행청구를 받은 시점부터 지체책임을 진다)
③ [○] : 대판 2007.7.26, 2006다33609
④ [○] : 상법 제401조에 기한 이사의 제3자에 대한 손해배상책임이 제3자를 보호하기 위하여 상법이 인정하는 특수한 책임이라는 점을 감안할 때, 일반 불법행위책임의 단기소멸시효를 규정한 민법 제766조 제1항은 적용될 여지가 없고, 일반 채권으로서 민법 제162조 제1항에 따라 그 소멸시효기간은 10년이다(대판 2006.12.22, 2004다63354).
⑤ [○] : 상법 제399조(회사에 대한 책임) 제2항

정답 ▸ 13 ④ 14 ②

15 상법상 주식회사 이사의 회사에 대한 책임에 관한 다음 설명 중 가장 옳지 않은 것은?

▸ 2021 법무사

① 이사가 고의 또는 과실로 법령 또는 정관에 위반한 행위를 하거나 그 임무를 게을리 한 경우에는 회사에 대하여 손해배상책임을 진다.

② 법령 또는 정관 위반행위가 이사회의 결의에 의한 경우 결의에 찬성한 이사도 손해배상책임을 지고, 나아가 이사회에 참석하지 아니한 경우에도 이사회 불출석 자체가 임무해태에 해당한다면 손해배상책임을 질 수 있다.

③ 이사회 결의에 참여한 이사로서 이의를 한 기재가 의사록에 없는 자는 그 결의에 찬성한 것으로 추정되므로, 당해 결의에 기권하였다고 의사록에 기재되었다면 찬성한 것으로 추정되어 그 이사는 손해배상책임을 진다.

④ 업무집행을 담당하지 않는 비상근이사·사외이사도 업무담당이사의 업무집행이 위법하다고 의심할 만한 사유가 있었음에도 불구하고 감시의무를 위반하여 방치한 때에는 손해배상책임을 진다.

⑤ 회사의 이사에 대한 책임은 총주주의 동의로 면제할 수 있는데, 다수의 주주가 면책에 동의한다 하더라도 총주주에 이르지 못하는 이상 면책되지 않는다.

해설 ① [○] : 상법 제399조(이사의 회사에 대한 책임) 제1항
② [○] : 상법 제399조(이사의 회사에 대한 책임)
③ [×] : 이사가 이사회에 출석하여 결의에 기권하였다고 의사록에 기재된 경우에 그 이사는 "이의를 한 기재가 의사록에 없는 자"라고 볼 수 없으므로, 상법 제399조 제3항에 따라 이사회 결의에 찬성한 것으로 추정할 수 없고, 따라서 같은 조 제2항의 책임을 부담하지 않는다고 보아야 한다(대판 2019.5.16, 2016다260455).
④ [○] : 대판 1985.6.25, 84다카1954; 대판 2019.11.28, 2017다244115
⑤ [○] : 상법 제400조(회사에 대한 책임의 감면) 제1항

16 업무집행지시자 등의 책임(상법 제401조의2)에 관한 다음 설명 중 가장 옳지 않은 것은? (다툼이 있는 경우 대법원 판례에 따르고 전원합의체 판결의 경우 다수의견에 의함. 특별한 언급이 없다면 각 지문의 회사는 자본금 총액이 10억 원 이상인 비상장 주식회사를 의미함)

▶ 2025 법무사

① 상법 제401조의2에서 이사가 아니면서 명예회장·회장·사장·부사장·전무·상무·이사 기타 회사의 업무를 집행할 권한이 있는 것으로 인정될 만한 명칭을 사용하여 회사의 업무를 집행한 자 등에 대해서는 회사에 대한 책임이 있는 경우 이사로 보도록 하는 것은, 주식회사의 이사가 아니지만 이사에게 업무집행을 지시하거나 이사처럼 업무를 집행하는 등으로 회사의 업무에 관여한 자에 대하여 그에 상응하는 책임을 묻기 위한 것이다.

② 상법 제401조의2 제1항 각호에 해당하는 자는 회사의 이사는 아니지만 상법 제399조에서 정한 손해배상책임을 적용함에 있어 그가 관여한 업무에 관하여 법령준수의무를 비롯하여 이사와 같은 선관주의의무와 충실의무를 부담하고, 이를 게을리하였을 경우 회사에 대하여 그로 인한 손해배상책임을 지게 된다.

③ 회사의 대주주 겸 회장으로서 회사의 실제 전반적인 운영을 담당한 자가 회사에 대한 업무상횡령범행을 저질러 유죄판결을 받았다면, 회사에 대하여 손해배상책임을 부담할 수 있다.

④ 상법 제401조의2 제1항이 정한 손해배상책임은 상법에 의하여 이사로 의제되는 데 따른 책임이므로 그에 따른 손해배상채권에도 일반 불법행위책임의 단기소멸시효를 규정한 민법 제766조 제1항이 적용된다.

⑤ 상법 제401조의2 제1항 제1호의 '회사에 대한 자신의 영향력을 이용하여 이사에게 업무집행을 지시한 자'에는 자연인뿐만 아니라 법인인 지배회사도 포함된다.

> **해설** ① [○] : 대판 2023.10.26, 2020다236848
> ② [○] : 대판 2023.10.26, 2020다236848
> ③ [○] : 상법 제401조의2(업무집행지시지 등의 책임) 제1항 제3호
> ④ [×] : 상법 제401조의2 제1항이 정한 손해배상책임은 상법에 의하여 이사로 의제되는 데 따른 책임이므로 그에 따른 손해배상채권에는 일반 불법행위책임의 단기소멸시효를 규정한 민법 제766조 제1항이 적용되지 않는다(대판 2023.10.26, 2020다236848).
> ⑤ [○] : 대판 2006.8.25, 2004다26119

정답   15 ③   16 ④

17 상법상 주주의 대표소송에 관한 다음 설명 중 가장 옳은 것은? ▸ 2021 법무사

① 주주의 대표소송은 주주가 타인인 회사의 이익을 위해서 스스로 원고가 되어 소송을 수행하는 것으로 주주가 승소한 경우 그 손해배상액은 주주에게 귀속된다.

② 주주 대표소송을 제기한 주주의 보유주식이 제소 후 발행주식총수의 100분의 1 미만으로 감소하거나 발행주식을 보유하지 않게 된 경우에도 소가 부적법하게 되는 것은 아니다.

③ 모회사 발행주식총수의 100분의 1 이상에 해당하는 주식을 가진 주주는 자회사에 대하여 자회사 이사의 책임을 추궁할 소의 제기를 청구할 수 있다.

④ 주주가 대표소송을 제기한 경우에는 법원의 허가 없이 소의 취하·청구의 포기·화해를 할 수 없지만 회사가 주주의 청구에 따라 이사의 책임을 추궁하는 소를 제기한 경우에는 법원의 허가 없이 할 수 있다.

⑤ 주주가 대표소송에서 패소한 경우 자신의 청구가 근거 없다는 것을 알면서 또는 과실로 알지 못하고 제소하였다면 손해배상책임을 진다.

> **해설** ① [×] : 주주대표소송은 제3자의 소송담당에 해당하므로 판결의 효력은 승소·패소를 불문하고 당연히 회사에 미치게 된다(상법 제403조, 민사소송법 제218조 제3항).
> ② [×] : 대판 2018.11.29, 2017다35717; 상법 제403조 제5항[소를 제기한 주주의 보유주식이 제소 후 발행주식총수의 100분의 1 미만으로 감소한 경우(발행주식을 보유하지 아니하게 된 경우를 제외한다)에도 제소의 효력에는 영향이 없다.]
> ③ [○] : 상법 제406조의2(다중대표소송) 제1항
> ④ [×] : 법원의 허가 없이 할 수 없다(상법 제403조 제6항).
> ⑤ [×] : 주주가 패소했다고 하더라도 그가 악의인 경우 외에는 회사에 대하여 손해를 배상할 책임이 없다(상법 제405조 제2항).

18 다음 설명 중 가장 옳지 않은 것은? ▸ 2022 법무사

① 6개월 전부터 계속하여 상장회사인 모회사 발행주식총수의 1만분의 50 이상에 해당하는 주식을 보유한 주주는 자회사에 대하여 자회사 이사의 책임을 추궁할 소의 제기를 청구할 수 있다.

② 주주의 제소청구서에 책임추궁 대상 이사의 성명이 기재되어 있지 않거나 책임발생 원인사실이 다소 개략적으로 기재되어 있더라도, 회사가 그 서면에 기재된 내용, 이사회의사록 등 회사 보유 자료 등을 종합하여 책임추궁 대상 이사, 책임발생 원인사실을 구체적으로 특정할 수 있다면, 그 서면은 상법 제403조 제2항에서 정한 요건을 충족하였다고 보아야 한다.

③ 주주가 대표소송에서 주장한 이사의 손해배상책임이 제소청구서에 적시된 것과 차이가 있더라도 제소청구서의 책임발생 원인사실을 기초로 하면서 법적 평가만을 달리한 것에 불과하다면 그 대표소송은 적법하다.

④ 모회사 발행주식총수의 100분의 1 이상에 해당하는 주식을 가진 주주는 다중대표소송의 제기를 위해 이유를 붙인 서면으로 자회사에 대해 회계의 장부와 서류의 열람 또는 등사를 청구할 수 있다.

⑤ 다중대표소송이 제기된 경우에 원고와 피고의 공모로 인하여 소송의 목적인 회사의 권리를 사해할 목적으로써 판결을 하게 한 때에는 회사 또는 주주는 확정한 종국판결에 대하여 재심의 소를 제기할 수 있다.

해설 ① [O] : 상법 제542조의6 제7항
② [O] : 대판 2021.5.13, 2019다291399
③ [O] : 대판 2021.7.15, 2018다298744
④ [×] : 원칙적으로 소수주주의 회계장부열람권은 발행주식총수의 100분의 3 이상이 필요함으로 요건상 맞지 않고, 모회사의 주주는 자회사의 회계서류에 대한 열람·등사 청구에 관한 명문규정은 없다. 비교판례는 "회사의 회계상황을 파악하기 위한 근거자료로서 실질적으로 필요한 경우에는 자회사의 회계서류가 모회사에 보관되어 있고 모회사의 회계서류로서 모회사 소수주주(발행주식총수의 100분의 3 이상)의 열람·등사청구의 대상이 될 수 있다"고 하였다(대판 2001.10.26, 99다58051).
⑤ [O] : 다중대표소송이 제기된 경우에 원고와 피고의 공모로 소송의 목적인 자회사의 권리를 사해할 목적으로써 판결을 하게 한 때에는 자회사 또는 모회사의 주주는 확정된 종국판결에 대하여 재심의 소를 제기할 수 있다(상법 제406조의2 제3항, 제406조 제1항).

03 감사 및 감사위원회

01 주식회사의 감사에 관한 다음 설명 중 가장 옳지 않은 것은? (다툼이 있는 경우 판례에 따르고 전원합의체 판결의 경우 다수의견에 의함) ▸ 2023 법무사

① 감사는 주주총회에서 선임하는데, 의결권 없는 주식을 제외한 발행주식의 총수의 100분의 3을 초과하는 수의 주식을 가진 주주는 그 초과하는 주식에 관하여 감사 선임에서의 의결권을 행사하지 못하는 것이 원칙이다.
② 주주총회에서 감사 선임결의가 있고, 선임된 사람의 동의가 있었다고 하여 바로 피선임자가 감사의 지위를 취득하게 되는 것은 아니고, 주주총회의 선임결의에 따라 회사의 대표기관이 임용계약의 청약을 하고 피선임자가 이에 승낙을 함으로써 비로소 피선임자가 감사의 지위에 취임하여 그 직무를 수행할 수 있게 된다.
③ 주식회사의 감사는 회사의 필요적 상설기관으로서 회계감사를 비롯하여 이사의 업무집행 전반을 감시할 권한을 갖는 등 상법 기타 법령이나 정관에서 정한 권한과 의무가 있다. 감사는 이러한 권한과 의무를 선량한 관리자의 주의의무를 다하여 이행하여야 하고, 이에 위반하여 그 임무를 해태한 때에는 그로 인하여 회사가 입은 손해를 배상할 책임이 있다.

④ 감사의 소극적인 직무 수행 사유만을 가지고 감사로서의 자격을 부정하거나 주주총회 결의에서 정한 보수청구권의 효력을 부정하기는 어렵다. 다만 보수가 합리적인 수준을 벗어나서 현저히 균형성을 잃을 정도로 과다하거나, 오로지 보수의 지급이라는 형식으로 회사의 자금을 개인에게 지급하기 위한 방편으로 감사로 선임하였다는 등의 특별한 사정이 있는 경우에는 보수청구권의 일부 또는 전부에 대한 행사가 제한되고 회사는 합리적이라고 인정되는 범위를 초과하여 지급된 보수의 반환을 구할 수 있다.

⑤ 감사는 필요하면 회의의 목적사항과 소집이유를 서면에 적어 이사 또는 소집권자에게 제출하여 이사회 소집을 청구할 수 있다. 이때 이사가 지체 없이 이사회를 소집하지 아니하면 그 청구한 감사가 이사회를 소집할 수 있다.

> **해설** ① [○] : 상법 제409조(감사의 선임) 제1항·제2항
> ② [×] : 대판 2017.3.23. 2016다251215 전합
> ③ [○] : 상법 제414조(감사의 책임), 상법 제415조(준용규정)
> ④ [○] : 대판 2015.9.10. 2015다213308
> ⑤ [○] : 상법 제412조의4(감사의 이사회 소집청구)

02 상법상 주식회사의 감사 및 감사위원회에 관한 다음 설명 중 가장 옳지 않은 것은?

▶ 2021 법무사

① 자본금의 총액이 10억 원 미만인 회사의 경우에는 감사를 선임하지 않을 수 있다.

② 감사는 주주총회에서 감사의 해임에 관하여 의견을 진술할 수 있다.

③ 회사는 정관이 정한 바에 따라 감사에 갈음하여 제393조의2의 규정에 의한 위원회로서 감사위원회를 설치할 수 있고, 감사위원회를 설치한 경우에도 감사를 함께 둘 수 있다.

④ 감사위원회의 위원의 해임에 관한 이사회의 결의는 이사 총수의 3분의 2 이상의 결의로 하여야 한다.

⑤ 감사위원회는 그 결의로 위원회를 대표할 자를 선정하여야 하고, 이 경우 수인의 위원이 공동으로 위원회를 대표할 것을 정할 수 있다.

> **해설** ① [○] : 상법 제409조(감사의 선임) 제4항
> ② [○] : 상법 제409조의2(감사의 해임에 관한 의견진술의 권리)
> ③ [×] : 상법 제415조의2 제1항(정관이 정한 바에 따라 감사에 갈음하여 감사위원회를 둘 수 있으나, 감사를 함께 둘 수는 없다)
> ④ [○] : 상법 제415조의2(감사위원회) 제3항
> ⑤ [○] : 상법 제415조의2(감사위원회) 제4항

제4절　신주의 발행

01 비상장 주식회사의 신주발행에 관한 다음 설명 중 가장 옳지 않은 것은? (다툼이 있는 경우 대법원 판례에 따르고 전원합의체 판결의 경우 다수의견에 의함. 특별한 언급이 없다면 각 지문의 회사는 자본금 총액이 10억 원 이상인 비상장 주식회사를 의미)　▸ 2024 법무사

① 발행할 신주의 종류와 수에 관하여 정관에 규정이 없는 경우 이사회에서 이를 결정한다.

② 신주의 인수인이 납입기일에 납입 또는 현물출자를 이행하지 아니한 때에는 그 권리를 잃는다.

③ 신주의 인수인이 납입 또는 현물출자의 이행을 한 경우 주권을 교부받은 날부터 주주의 권리의무가 있다.

④ 신주인수권증서를 상실한 자는 주식청약서에 의하여 주식의 청약을 할 수 있지만 그 청약은 신주인수권증서에 의한 청약이 있는 때에는 그 효력을 잃는다.

⑤ 신주인수권증서가 발행되지 아니한 경우 신주인수권 양도의 제3자에 대한 대항요건으로는 지명채권의 양도와 마찬가지로 확정일자 있는 증서에 의한 양도통지 또는 회사의 승낙이라고 보는 것이 상당하다.

해설　① [O] : 상법 제416조(발행사항의 결정)
　　　② [O] : 상법 제423조(납입해태의 효과) 제2항
　　　③ [×] : 신주의 인수인은 납입 또는 현물출자의 이행을 한 때에는 납입기일의 다음 날로부터 주주의 권리의무가 있다[상법 제423조(주주가 되는 시기) 제1항].
　　　④ [O] : 상법 제420조의5(신주인수권증서에 의한 청약) 제2항
　　　⑤ [O] : 대판 1995.5.23, 94다36421

02 주식회사의 신주발행에 관한 다음 설명 중 가장 옳지 않은 것은? (다툼이 있는 경우 판례에 따르고 전원합의체 판결의 경우 다수의견에 의함) ▸ 2023 법무사

① 신주발행무효의 소에서 신주를 발행한 날부터 6월의 출소기간이 경과한 후에는 새로운 무효사유를 추가하여 주장할 수 없다.

② 주식회사가 회사의 경영권 분쟁이 현실화된 상황에서 대주주나 경영진 등의 경영권이나 지배권 방어라는 목적을 달성하기 위하여 제3자에게 신주를 배정하는 것은 상법 제418조 제2항을 위반하여 주주의 신주인수권을 침해하는 것이고, 그로 인하여 회사의 지배구조에 심대한 변화가 초래되고 기존 주주들의 회사에 대한 지배권이 현저하게 약화되는 중대한 결과가 발생하는 경우에는 그러한 신주 발행은 무효이다.

③ 신주 등의 발행에서 주주배정방식과 제3자배정방식을 구별하는 기준은 회사가 신주 등을 발행하면서 주주들에게 그들의 지분비율에 따라 신주 등을 우선적으로 인수할 기회를 부여하였는지 여부에 따라 객관적으로 결정되어야 하고, 신주 등의 인수권을 부여받은 주주들이 실제로 인수권을 행사함으로써 신주 등을 배정받았는지 여부에 좌우되는 것은 아니다.

④ 회사가 주주배정방식에 의하여 신주를 발행하려는데 주주가 인수를 포기하거나 청약을 하지 아니함으로써 그 인수권을 잃은 때에는 회사가 이사회 결의로 인수가 없는 부분을 제3자에게 처분할 수 있으나, 이 경우에도 실권된 신주를 제3자에게 발행하는 것에 관하여 정관에 반드시 근거 규정 자체는 있어야 한다.

⑤ 주식회사가 액면미달의 가액으로 주식을 발행하기 위해서는 설립등기를 마친 날로부터 2년이 경과한 후여야 하고, 반드시 주식의 최저발행가액을 정한 주주총회의 특별결의와 법원의 인가가 있어야 한다.

해설
① [○] : 대판 2012.11.15, 2010다49380
② [○] : 대판 2019.4.3, 2018다289542; 대판 2022.10.27, 2021다201054
③ [○] : 대판 2012.11.15, 2010다49380
④ [×] : 회사가 주주배정방식에 의하여 신주를 발행하려는데 주주가 인수를 포기하거나 청약을 하지 아니함으로써 그 인수권을 잃은 때에는(구 상법 제419조 제4항) 회사는 이사회 결의로 인수가 없는 부분에 대하여 자유로이 이를 제3자에게 처분할 수 있고, 이 경우 실권된 신주를 제3자에게 발행하는 것에 관하여 정관에 반드시 근거 규정이 있어야 하는 것은 아니다(대판 2012.11.15, 2010다49380).
⑤ [○] : 상법 제417조(액면미달발행)

제5절 정관의 변경

제6절 자본금의 감소

01 자본금 감소에 관한 다음 설명 중 가장 옳지 않은 것은? (다툼이 있는 경우 대법원 판례에 따르고 전원합의체 판결의 경우 다수의견에 의함. 특별한 언급이 없다면 각 지문의 회사는 자본금 총액이 10억 원 이상인 비상장 주식회사를 의미) ▸ 2024 법무사

① 주식병합을 통한 자본금 감소에 이의가 있는 주주·이사·감사·청산인·파산관재인 또는 자본금의 감소를 승인하지 않은 채권자는 자본금감소로 인한 변경등기가 된 날부터 6개월 내에 감자무효의 소를 제기할 수 있다.

② 주주총회의 자본금 감소 결의에 취소 또는 무효의 하자가 있다고 하더라도 그 하자가 극히 중대하여 자본감소가 존재하지 아니하는 정도에 이르는 등의 특별한 사정이 없는 한 자본감소의 효력이 발생한 후에는 감자무효의 소에 의해서만 다툴 수 있다.

③ 상법은 자본금 감소의 무효와 관련하여 개별적인 무효사유를 열거하고 있지 않으므로, 자본금 감소의 방법 또는 기타 절차가 주주평등의 원칙에 반하는 경우, 기타 법령·정관에 위반하거나 민법상 일반원칙인 신의성실의 원칙에 반하여 현저히 불공정한 경우에 무효소송을 제기할 수 있다.

④ 만일 주주의 주식수에 따라 다른 비율로 주식병합을 하여 차등감자가 이루어진다면 이는 주주평등의 원칙에 반하여 자본금 감소 무효의 원인이 될 수 있다. 또한 주식병합을 통한 자본금 감소가 현저하게 불공정하게 이루어져 권리남용금지의 원칙이나 신의성실의 원칙에 반하는 경우에도 자본금 감소 무효의 원인이 될 수 있다.

⑤ 자본금 감소를 위한 주식소각 절차에 하자가 있다면, 주주 등은 자본금 감소로 인한 변경등기가 된 날부터 6개월 내에 소로써만 무효를 주장할 수 있으므로, 이사가 주식소각 과정에서 법령을 위반하여 회사에 손해를 끼친 사실이 인정될 때에는 감자무효의 판결이 확정되어야 상법 제399조 제1항에 따라 회사에 대하여 손해배상책임을 부담한다.

해설 ① [○] : 상법 제445조(감자무효의 소)
② [○] : 대판 2010.2.11, 2009다83599
③ [○] : 대판 2020.11.26, 2018다283315
④ [○] : 대판 2020.11.26, 2018다283315
⑤ [×] : 이사가 임무를 수행함에 있어서 법령을 위반한 행위를 한 때에는 그 행위 자체가 회사에 대하여 채무불이행에 해당하므로, 그로 인하여 회사에 손해가 발생한 이상 특별한 사정이 없는 한 손해배상책임을 면할 수 없다. 따라서 이사가 주식소각 과정에서 법령을 위반하여 회사에 손해를 끼친 사실이 인정될 때에는 감자무효의 판결이 확정되었는지 여부와 관계없이 상법 제399조 제1항에 따라 회사에 대하여 손해배상책임을 부담한다(대판 2021.7.15, 2018다298744).

정답 02 ④ / 01 ⑤

제7절   회사의 회계

01 주주의 이익배당청구권에 관한 다음 설명 중 가장 옳지 않은 것은? (다툼이 있는 경우 판례에 따르고 전원합의체 판결의 경우 다수의견에 의함) ▸ 2023 법무사

① 회사는 상법 제464조에 따른 이익배당을 원칙적으로 이익배당을 결의한 주주총회나 이사회의 결의를 한 날로부터 1개월 내에 하여야 하고, 주주의 배당금지급청구권은 5년간 이를 행사하지 아니하면 소멸시효가 완성된다.

② 이익잉여금처분계산서가 주주총회에서 승인됨으로써 이익배당이 확정될 때까지는 주주에게 구체적이고 확정적인 배당금지급청구권이 인정되지 아니한다.

③ 정관에서 회사에 배당의무를 부과하면서 배당금의 지급조건이나 배당금액을 산정하는 방식 등을 구체적으로 정하고 있어 그에 따라 개별 주주에게 배당할 금액이 일의적으로 산정되고, 대표이사나 이사회가 경영판단에 따라 배당금 지급 여부나 시기, 배당금액 등을 달리 정할 수 있도록 하는 규정이 없다면, 정관에서 정한 지급조건이 갖추어지는 때에 주주에게 구체적이고 확정적인 배당금지급청구권이 인정될 수 있다. 이러한 경우 회사는 주주총회에서 이익배당에 관한 결의가 이루어지지 않았더라도 주주에게 이익배당금의 지급을 거절할 수 없다.

④ 상법 제467조의2 제1항은 "회사는 누구에게든지 주주의 권리행사와 관련하여 재산상의 이익을 공여할 수 없다."라고 규정하고 있는데, 위 규정에서 정한 '주주의 권리'에 주주총회에서의 의결권, 대표소송 제기권, 주주총회결의에 관한 각종 소권 등과 같은 공익권은 포함되나, 이익배당청구권, 잔여재산분배청구권, 신주인수권 등과 같은 자익권은 포함되지 않는다.

⑤ 주주총회에서 특정 주주를 제외한 나머지 주주들에 대하여만 배당금을 지급하기로 하는 내용으로 이익배당 결의가 이루어졌을 경우 그와 같은 결의는 주주평등의 원칙에 반하는 것으로서 무효이다. 이 경우 이익배당에서 제외된 주주가 주주평등의 원칙을 내세워 회사를 상대로 다른 주주에게 지급된 이익배당금과 동일한 비율로 계산된 이익배당금의 지급을 구할 수는 없다.

> **해설** ① [○] : 상법 제464조의2 제1항·제2항
> ② [○] : 대판 2022.8.19, 2020다263574
> ③ [○] : 대판 2022.8.19, 2020다263574
> ④ [×] : 상법 제467조의2 제1항에서 정한 '주주의 권리'란 법률과 정관에 따라 주주로서 행사할 수 있는 모든 권리를 의미하고, 주주총회에서의 의결권, 대표소송 제기권, 주주총회결의에 관한 각종 소권 등과 같은 공익권뿐만 아니라 이익배당청구권, 잔여재산분배청구권, 신주인수권 등과 같은 자익권도 포함하지만, 회사에 대한 계약상의 특수한 권리는 포함되지 아니한다. 그리고 '주주의 권리행사와 관련하여'란 주주의 권리행사에 영향을 미치기 위한 것을 의미한다(대판 2017.1.12, 2015다68355, 68362).

⑤ [O] : 주주총회에서 특정 주주를 제외한 나머지 주주들에 대하여만 배당금을 지급하기로 하는 내용으로 이익배당 결의가 이루어졌을 경우 그와 같은 결의는 주주평등의 원칙에 반하는 것으로서 무효이고, 무효인 배당결의에 기해서는 이익배당청구권이 발생하지 않는다. 따라서 이익배당에서 제외된 주주가 주주평등의 원칙을 내세워 회사를 상대로 다른 주주에게 지급된 이익배당금과 동일한 비율로 계산된 이익배당금의 지급을 구할 수는 없다(서울고법 1976.6.11, 75나1555).

02 상법상 주식회사의 배당에 관한 다음 설명 중 가장 옳은 것은? ▸ 2022 법무사

① 이익배당을 할 수 있는 금액을 계산할 때에는 대통령령으로 정하는 미실현이익을 공제하지 않는다.

② 이익배당의 의사결정은 주주총회의 결의로만 정할 수 있다.

③ 배당가능이익에 관한 제한을 위반하여 이익을 배당한 경우에도 무효라고 할 수는 없으므로 회사채권자는 배당한 이익을 회사에 반환할 것을 청구할 수는 없다.

④ 이익의 배당은 새로이 발행하는 주식으로써 할 수도 있고 그 경우 이익배당총액 상당까지 할 수 있다.

⑤ 주식배당의 의사결정은 주주총회의 결의로만 정할 수 있다.

해설 ① [×] : 회사는 대차대조표의 순자산액으로부터 일정한 금액[자본금의 액(제1호), 그 결산기까지 적립된 자본준비금과 이익준비금의 합계액(제2호), 그 결산기에 적립하여야 할 이익준비금의 액(제3호), 대통령령으로 정하는 미실현이익(제4호)]을 공제한 액을 한도로 하여 이익배당을 할 수 있다(상법 제462조 제1항).

② [×] : 이익배당은 주주총회의 결의로 정한다. 다만, 재무제표를 이사회가 승인하는 경우에는 이사회의 결의로 정한다(상법 제462조 제2항).

③ [×] : 배당가능이익이 없음에도 이익을 배당한 경우(위법배당)는 당연무효이며 회사채권자는 배당한 이익을 회사에 반환할 것을 청구할 수 있다(상법 제462조 제3항).

④ [×] : 회사는 주주총회의 결의에 의하여 이익의 배당을 새로이 발행하는 주식으로써 할 수 있다. 그러나 주식에 의한 배당은 이익배당총액의 2분의 1에 상당하는 금액을 초과하지 못한다 (상법 제462조의2 제1항).

⑤ [O] : 회사는 주주총회의 결의에 의하여 이익의 배당을 새로이 발행하는 주식으로써 할 수 있다 [상법 제462조의2(주식배당) 제1항 본문].

정답 01 ④ 02 ⑤

03 중간배당에 관한 다음 설명 중 가장 옳지 않은 것은? (다툼이 있는 경우 판례에 따르고 전원합의체 판결의 경우 다수의견에 의함) ▸ 2023 법무사

① 연 2회 이상의 결산기를 정한 회사는 상법 제462조의3에 따른 중간배당을 할 수 없다.

② 중간배당에 관한 이사회의 결의가 있는 경우, 같은 영업연도 중 다시 중간배당에 관한 이사회 결의를 하는 것은 허용되지 않으나, 같은 영업연도 중이라도 중간배당 지급청구권의 내용을 수정하는 이사회 결의는 허용된다.

③ 배당가능이익이 없는데도 중간배당이 실시된 경우, 위법배당에 따른 부당이득반환청구권은 민법 제162조 제1항이 적용되어 10년의 민사소멸시효에 걸린다.

④ 상법 제462조의3에 따른 중간배당의 횟수는 영업연도 중 1회로 제한된다.

⑤ 당해 결산기 대차대조표상의 순자산액이 상법 제462조 제1항에 규정된 이익배당의 법정한도에 미치지 못함에도 불구하고 중간배당을 한 경우 이사는 회사에 대하여 연대하여 그 차액(배당액이 그 차액보다 적을 경우에는 배당액)을 배상할 책임이 있다.

> **해설** ① [○] : 상법 제462조의3(중간배당) 제1항(연1회 결산기를 정한 회사)
> ② [×] : 중간배당에 관한 이사회 결의가 있으면 중간배당금이 지급되기 전이라도 당해 영업연도 중 1회로 제한된 중간배당은 이미 결정된 것이고, 같은 영업연도 중 다시 중간배당에 관한 이사회 결의를 하는 것은 허용되지 않는다. 그리고 이사회 결의로 주주의 중간배당금 지급청구권이 구체적으로 확정된 이상 그 청구권의 내용을 수정 내지 변경하는 내용의 이사회 결의도 허용될 수 없다(대판 2022.9.7, 2022다223778).
> ③ [○] : 대판 2021.6.24, 2020다208621
> ④ [○] : 상법 제462조의3(중간배당) 제1항
> ⑤ [○] : 상법 제462조의3(중간배당) 제4항

04 주주의 회계장부 등에 대한 열람·등사권(상법 제466조)에 관한 다음 설명 중 가장 옳지 않은 것은? (다툼이 있는 경우 판례에 따르고 전원합의체 판결의 경우 다수의견에 의함) ▸ 2023 법무사

① 회계장부의 열람 또는 등사를 청구할 수 있는 자는 발행주식총수의 100분의 3 이상에 해당하는 주식을 가진 주주이다.

② 회계장부열람·등사권은 이유를 붙인 서면에 의해 행사되어야 하고, 그 서면에는 특별한 사정이 없는 한 열람·등사청구를 하는 이유를 뒷받침하는 자료가 첨부되어야 한다.

③ 주식매수청구권을 행사한 주주도 회사로부터 주식의 매매대금을 지급받지 아니하고 있는 동안에는 특별한 사정이 없는 한 주주로서의 권리를 행사하기 위하여 필요한 경우에는 회계장부열람·등사권을 가진다.

④ 회계장부 열람·등사청구의 대상이 되는 '회계의 장부 및 서류'는 소수주주가 열람·등사를 구하는 이유와 실질적으로 관련이 있는 회계장부와 그 근거자료가 되는 회계서류이다.

⑤ 열람·등사제공의무를 부담하는 회사의 출자 또는 투자로 성립한 자회사의 회계장부가 모회사에 보관되어 있고, 모회사의 회계상황을 파악하기 위한 근거자료로서 실질적으로 필요한 경우에는 모회사 소수주주의 열람·등사청구의 대상이 될 수 있다.

해설 ① [O] : 상법 제466조(주주의 회계장부열람권) 제1항
② [×] : 주주가 제출하는 열람·등사청구서에 붙인 '이유'는 회사가 열람·등사에 응할 의무의 존부를 판단하거나 열람·등사에 제공할 회계장부와 서류의 범위 등을 확인할 수 있을 정도로 열람·등사청구권 행사에 이르게 된 경위와 행사의 목적 등이 구체적으로 기재되면 충분하고, 더 나아가 그 이유가 사실일지도 모른다는 합리적 의심이 생기게 할 정도로 기재하거나 그 이유를 뒷받침하는 자료를 첨부할 필요는 없다(대판 2022.5.13, 2019다270163).
③ [O] : 대판 2018.2.28, 2017다270916
④,⑤ [O] : 대판 2001.10.26, 99다58051

05 상법상 주식회사 주주의 회계장부 및 주주명부 열람·등사청구에 관한 다음 설명 중 가장 옳지 않은 것은?

▸ 2021 법무사

① 발행주식 총수의 100분의 3 이상에 해당하는 주식을 가진 상태에서 회계장부와 서류 열람 등을 재판상으로 청구하였더라도 소송계속 중 신주발행 등으로 위 요건에 미달하게 된 경우에는 당사자적격이 상실된다.
② 주식매수청구권을 행사한 주주도 회사로부터 아직 대금을 지급받지 않고 있다면 여전히 주주로서의 지위를 가지므로 주주권 행사에 필요하다면 회계장부의 열람·등사를 청구할 수 있다.
③ 주주가 열람·등사를 청구하기 위해서는 이유를 붙인 서면을 미리 회사에 제출하여야 하고, 구두에 의한 청구나 이유를 기재하지 않은 청구는 효력이 없다.
④ 회사는 주주의 회계장부 열람·등사청구가 부당함을 입증하여 이를 거부할 수 있고, 주주명부에 대한 열람·등사청구에 대하여도 그 청구에 정당한 목적이 없음을 입증하여 거부할 수 있다.
⑤ 회계장부의 열람·등사청구권을 피보전권리로 한 당해 회계장부의 열람·등사를 명하는 가처분은 사실상 본안소송의 목적을 완전히 달성하게 되는 결과가 되므로 허용되지 않는다.

해설 ① [O] : 대판 2017.11.9, 2015다252037
② [O] : 대판 2018.2.28, 2017다270916
③ [O] : 대판 1999.12.21, 99다137
④ [O] : 대판 2004.12.24, 2003마1575
⑤ [×] : 상법 제466조 제1항[소정의 소수주주의 회계장부열람등사청구권을 피보전권리로 하여 당해 장부 등의 열람·등사를 명하는 가처분이 실질적으로 본안소송의 목적을 달성하여 버리

는 면이 있다고 할지라도, 나중에 본안소송에서 패소가 확정되면 손해배상청구권이 인정되
는 등으로 법률적으로는 여전히 잠정적인 면을 가지고 있기 때문에 임시적인 조치로서 이
러한 회계장부열람등사청구권을 피보전권리로 하는 가처분도 허용된다(대판 1999.12.21,
99다137).

제8절 사채

01 전환사채에 관한 다음 설명 중 가장 옳지 않은 것은? (다툼이 있는 경우 대법원 판례에 따르
고 전원합의체 판결의 경우 다수의견에 의함. 특별한 언급이 없다면 각 지문의 회사는 자본
금 총액이 10억 원 이상인 비상장 주식회사를 의미함) ▶ 2025 법무사

① 신주의 발행과 관련하여 특별법에서 달리 정한 경우를 제외하고 신주의 발행은 상법이
정하는 방법 및 절차에 의하여만 가능하다는 점에 비추어 볼 때, 상법이 정하고 있지
않은 전환권 부여조항은 효력이 없다.

② 전환사채는 전환권의 행사에 의하여 장차 주식으로 전환될 수 있는 권리가 부여된 사채
로서 전환사채의 발행은 주식회사의 물적 기초와 기존 주주들의 이해관계에 영향을 미친
다는 점에서 사실상 신주를 발행하는 것과 유사하므로 전환사채 발행의 경우에도 신주발
행무효의 소에 관한 상법 제429조가 유추적용된다.

③ 전환사채 발행의 실체가 없음에도 전환사채 발행의 등기가 되어 있는 외관이 존재하는
경우 이를 제거하기 위하여 전환사채발행부존재 확인의 소를 제기할 수 있으므로 상법
제429조 소정의 6월의 제소기간의 제한이 적용된다.

④ 전환사채발행유지청구는 회사가 법령 또는 정관에 위반하거나 현저하게 불공정한 방법
에 의하여 전환사채를 발행함으로써 주주가 불이익을 받을 염려가 있는 경우에 회사에
대하여 그 발행의 유지를 청구하는 것으로서, 전환사채 발행의 효력이 생기기 전, 즉 전
환사채의 납입기일까지 이를 행사하여야 한다.

⑤ 전환사채권자가 전환청구를 하면 회사는 주식을 발행해 주어야 하는데, 전환권은 형성
권이므로 전환을 청구한 때에 당연히 전환의 효력이 발생하여 전환사채권자는 그때부터
주주가 되고 사채권자로서의 지위를 상실하게 되므로 그 이후에는 주식전환의 금지를
구할 법률상 이익이 없게 된다.

해설 ① [O] : 주식회사가 타인으로부터 돈을 빌리는 소비대차계약을 체결하면서 "채권자는 만기까지 대
여금액의 일부 또는 전부를 회사 주식으로 액면가에 따라 언제든지 전환할 수 있는 권한
을 갖는다"는 내용의 계약조항을 둔 경우, 달리 특별한 사정이 없는 한 이는 전환의 청구
를 한 때에 그 효력이 생기는 형성권으로서의 전환권을 부여하는 조항이라고 보아야 하는
바, 신주의 발행과 관련하여 특별법에서 달리 정한 경우를 제외하고 신주의 발행은 상법이

정하는 방법 및 절차에 의하여만 가능하다는 점에 비추어 볼 때, 위와 같은 전환권 부여조항은 상법이 정한 방법과 절차에 의하지 아니한 신주발행 내지는 주식으로의 전환을 예정하는 것이어서 효력이 없다(대판 2007.2.22, 2005다73020).

② [○] : 대판 2004.8.16, 2003다9636

③ [×] : 전환사채 발행의 경우에도 신주발행무효의 소에 관한 상법 제429조가 유추적용되므로 전환사채발행무효 확인의 소에 있어서도 상법 제429조 소정의 6월의 제소기간의 제한이 적용된다 할 것이나, 이와 달리 전환사채 발행의 실체가 없음에도 전환사채 발행의 등기가 되어 있는 외관이 존재하는 경우 이를 제거하기 위한 전환사채발행부존재 확인의 소에 있어서는 상법 제429조 소정의 6월의 제소기간의 제한이 적용되지 아니한다(대판 2004.8.16, 2003다9636).

④ [○] : 대판 2004.8.16, 2003다9636

⑤ [○] : 대판 2004.8.16, 2003다9636

02 전환사채에 관한 다음 설명 중 가장 옳지 않은 것은? (다툼이 있는 경우 판례에 따르고 전원합의체 판결의 경우 다수의견에 의함) ▸ 2023 법무사

① 전환사채 발행일로부터 6월내에 전환사채발행무효의 소가 제기되지 않거나 6월내에 제기된 전환사채발행무효의 소가 적극적 당사자의 패소로 확정되었다면, 이후에는 더 이상 전환사채 발행의 무효를 주장할 수 없으나, 전환권의 행사로 인한 신주 발행에 대해서는 상법 제429조를 적용하여 신주발행무효의 소로써 다툴 수 있다. 이때 신주발행무효의 소의 제소기간은 신주 발행일로부터 기산하여야 하고, 전환사채 발행일부터 기산되는 것은 아니다.

② 전환사채 발행의 실체가 없음에도 전환사채 발행의 등기가 되어 있는 외관이 존재하는 경우 이를 제거하기 위한 전환사채발행부존재 확인의 소에 있어서는 상법 제429조에 따른 6월의 제소기간의 제한이 적용된다.

③ 전환사채발행유지 청구는 회사가 법령 또는 정관에 위반하거나 현저하게 불공정한 방법에 의하여 전환사채를 발행함으로써 주주가 불이익을 받을 염려가 있는 경우에 회사에 대하여 그 발행의 유지를 청구하는 것으로서, 전환사채 발행의 효력이 생기기 전, 즉 전환사채의 납입기일까지 이를 행사하여야 한다.

④ 전환사채권자가 전환 청구를 한 이후에는 주식전환의 금지를 구할 법률상 이익이 없다.

⑤ 회사가 경영상 목적 없이 대주주 등의 경영권이나 지배권 방어 목적으로 제3자에게 전환사채를 발행하였다면 전환사채의 발행은 무효가 될 수 있고, 전환사채 발행일로부터 6월내에 위와 같은 사유를 들어 전환사채발행무효의 소로써 다툴 수 있다.

해설 ① [○] : 대판 2022.11.17, 2021다205650(대판 2022.10.27, 2021다201054 참조: 신주인수권부사채발행 무효의 소 → 전환사채에도 동일하게 적용됨)

② [×] : 전환사채 발행의 경우에도 신주발행무효의 소에 관한 상법 제429조가 유추적용되므로 전환사채발행무효 확인의 소에 있어서도 상법 제429조 소정의 6월의 제소기간의 제한이 적용된

정답 01 ③ 02 ②

다 할 것이나, 이와 달리 전환사채 발행의 실체가 없음에도 전환사채 발행의 등기가 되어 있는 외관이 존재하는 경우 이를 제거하기 위한 전환사채발행부존재 확인의 소에 있어서는 상법 제429조 소정의 6월의 제소기간의 제한이 적용되지 아니한다(대판 2004.8.16, 2003다9636).

③,④ [○] : 대판 2004.8.16, 2003다9636

⑤ [○] : 대판 2022.11.17, 2021다205650(대판 2022.10.27, 2021다201054 참조: 신주인수권 부사채발행 무효의 소 → 전환사채에도 동일하게 적용됨)

03 상법상 전환사채발행의 하자에 관한 다음 설명 중 가장 옳지 않은 것은? ▶ 2021 법무사

① 상법상 전환사채의 발행 무효의 주장 방법으로 전환사채발행 무효의 소가 명문으로 인정되고 그 구체적인 내용에 관하여는 신주발행 무효의 소에 관한 규정을 준용하고 있다.

② 전환사채발행무효 확인의 소에 있어서도 신주발행무효의 소와 마찬가지로 6월의 제소기간의 제한이 적용된다.

③ 전환사채발행무효 확인의 소에 있어서 전환사채를 발행한 날로부터 6월의 출소기간이 경과한 후에는 새로운 무효사유를 추가할 수 없다.

④ 전환사채 인수인이 회사의 지배주주와 특별한 관계에 있는 자라거나 그 전환가액이 발행 시점의 주가 등에 비추어 다소 낮은 가격이라는 사유는 일반적으로 이미 발행된 전환사채를 무효화할 만한 원인이 되지 못한다.

⑤ 전환사채발행부존재 확인의 소도 인정되고 이 경우 6월의 제소기간 제한은 적용되지 않는다.

해설 ① [×] : 상법은 제516조 제1항에서 신주발행의 유지청구권에 관한 제424조 및 불공정한 가액으로 주식을 인수한 자의 책임에 관한 제424조의2 등을 전환사채의 발행의 경우에 준용한다고 규정하면서도, 신주발행무효의 소에 관한 제429조의 준용 여부에 대해서는 아무런 규정을 두고 있지 않으나, 전환사채는 전환권의 행사에 의하여 장차 주식으로 전환될 수 있는 권리가 부여된 사채로서, 이러한 전환사채의 발행은 주식회사의 물적 기초와 기존 주주들의 이해관계에 영향을 미친다는 점에서 사실상 신주를 발행하는 것과 유사하므로, 전환사채 발행의 경우에도 신주발행무효의 소에 관한 상법 제429조가 유추적용된다(대판 2004.8.16, 2003다9636).

② [○] : 대판 2004.8.16, 2003다9636

③ [○] : 대판 2012.11.15, 2010다49380; 대판 2004.8.16, 2003다9636

④ [○] : 대판 2004.6.25, 2000다37326

⑤ [○] : 대판 2004.8.16, 2003다9636

04 신주인수권부사채에 관한 다음 설명 중 가장 옳지 않은 것은? ▶ 2022 법무사

① 주주외의 자에 대하여 신주인수권부사채를 발행하는 경우에 그 발행할 수 있는 신주인수권부사채의 액, 신주인수권의 내용과 신주인수권을 행사할 수 있는 기간에 관하여 정관에 규정이 없으면 주주총회에서 출석한 주주의 의결권의 3분의 2 이상의 수와 발행주식총수의 3분의 1 이상의 수로써 이를 정하여야 한다.

② 상법의 규정에 따르면 주주외의 자에 대하여 신주인수권부사채를 발행하는 경우에 회사는 제516조 제2항에서 정한 신주인수권부사채에 관한 내용을 그 납입기일의 2주 전까지 주주에게 통지하거나 공고하여야 한다.

③ 회사가 법령 또는 정관에 위반하거나 현저하게 불공정한 방법에 의하여 신주인수권부사채를 발행함으로써 주주가 불이익을 받을 염려가 있는 경우에는 그 주주는 회사에 대하여 그 발행을 유지할 것을 청구할 수 있다.

④ 이사와 통모하여 현저하게 불공정한 발행가액으로 신주인수권부사채를 인수한 자는 회사에 대하여 공정한 발행가액과의 차액에 상당한 금액을 지급할 의무가 있다.

⑤ 신주인수권부사채 발행의 무효는 주주·이사 또는 감사에 한하여 신주인수권부사채를 발행한 날로부터 6월내에 소만으로 이를 주장할 수 있다.

해설 ① [O] : 상법 제516조의2(신주인수권부사채의 발행) 제4항 본문
② [×] : 상법 제418조 제4항(주주외의 자에게 신주배정할 경우에는 납입기일의 2주 전까지 주주에게 통지하거나 공고하여야 한다). 다만 신주인수권부사채에는 동규정이 없다.
③ [O] : 상법 제516조의11(준용규정), 제424조
④ [O] : 상법 제516조의11(준용규정), 제424조의2
⑤ [O] : 신주인수권부사채는 미리 확정된 가액으로 일정한 수의 신주 인수를 청구할 수 있는 신주인수권이 부여된 사채로서 신주인수권부사채 발행의 경우에도 주식회사의 물적 기초와 기존 주주들의 이해관계에 영향을 미친다는 점에서 사실상 신주를 발행하는 것과 유사하므로, 신주발행무효의 소에 관한 상법 제429조가 유추적용되고, 신주발행의 무효원인에 관한 법리 또한 마찬가지로 적용된다(대판 2015.12.10, 2015다202919)

제9절 해산

 **제10절 합병**

01 상법상 간이합병·소규모합병에 관한 다음 설명 중 가장 옳지 않은 것은? (다툼이 있는 경우 대법원 판례에 따르고 전원합의체 판결의 경우 다수의견에 의함. 특별한 언급이 없다면 각 지문의 회사는 자본금 총액이 10억 원 이상인 비상장 주식회사를 의미) ▶ 2024 법무사

① 주식회사 간 흡수합병의 경우 소멸회사 총주주의 동의가 있거나 그 회사 발행주식총수의 90% 이상을 합병후 존속회사가 소유하고 있는 때에는 소멸회사 주주총회 승인을 이사회 승인으로 갈음할 수 있다.

② 소규모합병의 경우 존속하는 회사의 합병계약서에는 주주총회의 승인을 얻지 아니하고 합병을 한다는 뜻을 기재하여야 한다.

③ 소규모합병의 경우 존속하는 회사는 합병계약서를 작성한 날부터 2주내에 소멸하는 회사의 상호 및 본점의 소재지, 합병을 할 날, 주주총회의 승인을 얻지 아니하고 합병을 한다는 뜻을 공고하거나 주주에게 통지하여야 한다.

④ 소규모합병 및 간이합병의 경우 모두 합병에 반대하는 의사를 통지한 반대주주에게 주식매수청구권이 인정되지 아니한다.

⑤ 소멸회사의 주주에게 지급할 금액이나 그 밖의 재산을 정한 경우 그 금액 및 그 밖의 재산의 가액이 존속회사의 최종 대차대조표상으로 현존하는 순자산액의 100분의 5를 초과하는 때에는 주주총회의 특별결의를 거쳐야 한다.

> **해설** ① [O] : 상법 제527조의2(간이합병)
> ② [O] : 상법 제527조의3(소규모합병) 제2항
> ③ [O] : 상법 제527조의3(소규모합병) 제3항
> ④ [×] : 간이합병은 주식매수청구 가능하다[상법 제522조의3(합병반대주주의 주식매수청구권) 제2항]. 주식매수청구권이 인정되지 않는다[상법 제527의3(소규모합병) 제5항].
> ⑤ [O] : 상법 제527조의3(소규모합병) 제1항 후단

02 주식회사의 합병에 관한 다음 설명 중 가장 옳지 않은 것은? (다툼이 있는 경우 판례에 따르고 전원합의체 판결의 경우 다수의견에 의함) ▸ 2023 법무사

① 합병은 주로 흡수합병과 신설합병으로 구별되고, 권리와 의무가 합병 후 존속회사 또는 합병으로 신설되는 회사에 법률상 포괄승계되는 측면에서 영업양도와 유사하다.

② 회사는 합병계약서를 작성하여 주주총회 승인결의를 얻어야 하고, 그 결의가 있은 날로부터 2주 내에 채권자에 대하여 합병에 관한 이의제출의 기회를 부여해야 한다. 이때 적법한 최고를 받은 채권자가 기한 내에 이의를 제기하지 아니하면 합병을 승인한 것으로 간주되고, 이후 합병무효의 소를 제기할 수 없다.

③ 회사의 합병은 합병 후 존속하는 회사 또는 합병으로 인하여 설립되는 회사가 그 본점 소재지에서 합병의 등기를 마쳐야만 소멸된 회사의 권리의무를 승계하는 효력이 생긴다.

④ 현저하게 불공정한 합병비율을 정한 합병계약은 사법관계를 지배하는 신의성실의 원칙이나 공평의 원칙 등에 비추어 무효이고, 따라서 합병비율이 현저하게 불공정한 경우 합병할 각 회사의 주주 등은 상법 제529조(합병무효의 소)에 의하여 소로써 합병의 무효를 구할 수 있다.

⑤ 합병무효의 소는 합병의 등기가 있는 날로부터 6월내에 제기하여야 한다.

> **해설** ① [×] : 영업양도는 채권계약이므로 양도인이 재산이전의무를 이행함에 있어서는 상속이나 회사의 합병의 경우와 같이 포괄적 승계가 인정되지 않고 특정 승계의 방법에 의하여 재산의 종류에 따라 개별적으로 이전행위를 하여야 한다(대판 1991.10.8, 91다22018, 22025).
> ② [○] : 상법 제527조의5(채권자보호절차) 제1항·제3항
> ③ [○] : 상법 제530조(준용규정) 제2항(합병의 효력발생: 상법 제238조)
> ④ [○] : 대판 2008.1.10, 2007다64136
> ⑤ [○] : 상법 제529조(합병무효의 소) 제2항

제11절 회사의 분할

정답 01 ④ 02 ①

제12절 청산

01 청산 및 해산에 관한 다음 설명 중 가장 옳지 않은 것은? (다툼이 있는 경우 대법원 판례에 따르고 전원합의체 판결의 경우 다수의견에 의함. 특별한 언급이 없다면 각 지문의 회사는 자본금 총액이 10억 원 이상인 비상장 주식회사를 의미) ▶ 2024 법무사

① 청산 중인 주식회사의 청산인을 피신청인으로 하여 그 직무집행을 정지하고 직무대행자를 선임하는 가처분결정이 있은 후, 그 선임된 청산인 직무대행자가 주주들의 요구에 따라 소집한 주주총회에서 회사를 계속하기로 하는 결의와 아울러 새로운 이사들과 감사를 선임하는 결의가 있었던 경우 그 주주총회의 결의에 의하여 청산인 직무대행자의 권한이 당연히 소멸하는 것은 아니다.

② 당사자 쌍방이 현금과 현물(토지)을 출자하여 공동으로 주식회사를 설립하여 운영하고, 그 회사를 공동으로 경영함에 따르는 비용의 부담과 이익의 분배를 지분 비율에 따라 할 것을 내용으로 하는 동업계약에 따라 회사가 설립되어 그 실체가 갖추어진 이상, 주식회사의 청산에 관한 상법의 규정에 따라 청산절차가 이루어지지 않는 한 일방 당사자가 잔여재산을 분배받을 수 없다.

③ 상법 제520조의2의 규정에 의하여 주식회사가 해산되고 그 청산이 종결된 것으로 보게 되는 회사라도 어떤 권리관계가 남아 있어 현실적으로 정리할 필요가 있으면 그 회사의 해산 당시의 이사는 정관에 다른 규정이 있거나 주주총회에서 따로 청산인을 선임하지 아니한 경우에 당연히 청산인이 되고, 그러한 청산인이 없는 때에는 이해관계인의 청구에 의하여 법원이 선임한 자가 청산인이 된다.

④ 청산법인에서는 이사에 갈음하여 청산인만이 회사의 청산사무를 집행하고 회사를 대표하는 기관이 된다.

⑤ 주식회사에 대하여 법원의 해산판결이 선고, 확정되어 해산등기가 마쳐졌고 아울러 법원이 적법하게 그 청산인을 선임하여 그 취임등기까지 경료되었으나 해산 당시 이사가 해산판결 선고 이전에 부적법하게 해임된 바 있어 주주총회의 이사해임 결의가 무효인 경우, 그 이사는 해산판결 전에 이루어진 회사의 주주총회 결의나 이사회 결의의 무효확인을 구할 법률상 이익이 있다.

해설 ① [O] : 대판 1991.12.24, 91다4355
② [O] : 대판 2005.4.15, 2003도7773
③ [O] : 대판 2019.10.23, 2012다46170 전합
④ [O] : 대판 1991.11.22, 91다22131
⑤ [×] : 주식회사에 대하여 법원의 해산판결이 선고 확정되어 해산등기가 마쳐졌고 아울러 법원이 적법하게 그 청산인을 선임하여 그 취임등기까지 경료된 경우, 해산 당시 이사가 설사 해산판결 선고 이전에 부적법하게 해임된 바 있어 주주총회의 이사해임 결의가 무효라 하더라도 그 이사로서는 청산인의 지위에 이를 방도가 없게 되었고, 한편 그 이사가 주식회사

의 주주라 하여도 위와 같이 회사가 적법하게 해산된 데다가 적법한 청산인이 선임된 이상 주주의 지위에는 아무 영향이 없다 할 것이므로, 결국 위 이사로서는 해산판결 전에 이루어진 회사의 주주총회 결의나 이사회 결의의 무효확인을 구할 법률상 이익이 없다(대판 1991.11.22, 91다22131).

제13절 상장회사특례

정답 01 ⑤

유한회사

01 유한회사에 관한 다음 설명 중 가장 옳지 않은 것은? (다툼이 있는 경우 판례에 따르고 전원합의체 판결의 경우 다수의견에 의함) ▸ 2023 법무사

① 유한회사의 정관에서 특정 이사의 보수액을 구체적으로 정한 경우, 보수액은 임용계약의 내용이 되어 당사자인 회사와 이사 쌍방을 구속하므로, 특별한 사정이 없는 한 유한회사의 사원총회에서 임용계약의 내용으로 이미 편입된 이사의 보수를 감액하거나 박탈하는 결의를 하더라도, 이러한 사원총회 결의는 결의 자체의 효력과 관계없이 이사의 보수청구권에 아무런 영향을 미치지 못한다.

② 유한회사의 사원총회에서 선임된 이사가 회사와의 명시적 또는 묵시적 약정에 따라 그 업무를 다른 이사 등에게 포괄적으로 위임하고 이사로서의 실질적인 업무를 수행하지 않은 경우라 하더라도 특별한 사정이 없는 한 소극적인 직무 수행 사유만을 가지고 그 이사로서의 자격을 부정하거나 사원총회 결의에서 정한 보수청구권의 효력을 부정하기는 어렵다.

③ 유한회사 성립 후에 출자금액의 납입 또는 현물출자의 이행이 완료되지 아니하였음이 발견된 때에 회사성립 당시의 사원, 이사와 감사는 회사에 대하여 그 납입되지 아니한 금액 또는 이행되지 아니한 현물의 가액을 연대하여 지급할 책임이 있는데, 이때 사원의 책임은 면제하지 못하나, 이사와 감사의 책임은 총사원의 동의가 있으면 면제할 수 있다.

④ 유한회사 사원의 지분은 사원이 회사에 대하여 가지는 권리의무의 총체 즉 사원권으로서 신분상의 권리와 아울러 재산상의 권리를 포함하고 있는 것이므로 재산상의 가치를 가지고 이를 현금화하는 것이 가능하므로 강제집행의 대상이 되고, 피전부채권으로서의 적격도 있다.

⑤ 유한회사의 사원권에 관한 명의신탁 해지로 명의신탁자가 사원권을 회복하기 위하여는 사원총회의 특별결의가 있는 때에 한하여 그 효력이 생기고, 해지의 의사표시만에 의하여 수탁된 지분이 바로 명의신탁자에게 복귀하는 것은 아니다.

해설 ① [○] : 대판 2017.3.30, 2016다21643
② [○] : 대판 2015.8.27, 2015다200524
③ [○] : 상법 제551조(출자미필액에 대한 회사성립시의 사원의 책임)
④ [×] : 유한회사 사원의 지분은 사원이 회사에 대하여 가지는 권리의무의 총체로서 성질상 피전부채권의 적격은 인정되지 않는다. 피전부(압류)채권의 대상은 금전채권에 한정된다: 상법 제554조
⑤ [○] : 대판 1997.6.27, 95다20140(주의: 구 상법 제556조에서는 유한회사 사원의 지분양도에 사원총회 특별결의가 필요하였으나, 2011년 상법개정으로 지분의 양도에 사원총회결의를 요건으로 하지 않고 있다. 지문의 판례는 개정 전의 판례로 해석에 이견이 있다. 다만 사원이 정관의 필수적 기재사항이라 사원총회 특별결의가 필요하다는 견해에 따르면 아직까지 유효한 판례라 볼 수 있다)

정답 ▸ **01 ④**

보험

통칙

01 보험약관의 설명의무에 관한 다음 설명 중 가장 옳지 않은 것은? ▶ 2022 법무사

① 약관조항에 관한 명시·설명의무가 제대로 이행되었더라도 그러한 사정이 보험계약의 체결 여부에 영향을 미치지 않은 경우, 약관조항이 명시·설명의무의 대상이 되는 보험계약의 중요한 내용이라고 할 수 없다.

② 보험자 또는 보험계약의 체결 또는 모집에 종사하는 자는 보험계약을 체결할 때에 보험계약자 또는 피보험자에게 보험약관에 기재되어 있는 보험상품의 내용, 보험료율의 체계 및 보험청약서상 기재사항의 변동사항 등 보험계약의 중요한 내용에 대하여 구체적이고 상세하게 설명할 의무를 지고, 보험자가 이러한 보험약관의 설명의무를 위반하여 보험계약을 체결한 때에는 약관의 내용을 보험계약의 내용으로 주장할 수 없다.

③ 보험회사 또는 보험모집종사자가 보험계약을 체결하거나 모집하면서 보험계약의 중요사항에 관한 설명의무를 위반한 경우, 이로 인해 발생한 고객의 손해를 배상할 책임을 부담한다.

④ 보험계약 체결에 설명의무 위반이 있는 경우에 이후 보험약관에 따른 해약환급금이 지급되었다면, 보험계약자가 설명의무 위반으로 입은 손해는 납입한 보험료 합계액에서 지급받은 해약환급금액을 공제한 금액 상당이다.

⑤ 약관에 정하여진 사항으로서 이미 법령에 의하여 정하여진 것을 되풀이하거나 부연하는 정도에 불과한 사항에 대해서도 고객이 이를 알고 있다고 단정할 수 없으므로 보험자는 명시·설명의무를 부담한다.

해설 ① [O] : 대판 2005.10.7, 2005다28808

② [O] : 대판 1999.3.9, 98다43342

③ [O] : 대판 2013.6.13, 2010다34159

④ [O] : 대판 2014.10.27, 2012다22242

⑤ [×] : 보험약관의 중요한 내용에 해당하는 사항이라 하더라도 보험계약자나 그 대리인이 그 내용을 충분히 잘 알고 있거나, 거래상 일반적이고 공통된 것이어서 보험계약자가 별도의 설명 없이도 충분히 예상할 수 있었거나, 이미 법령에 의하여 정하여진 것을 되풀이하거나 부연하는 정도에 불과한 사항이라면 그러한 사항에 대하여서까지 보험자에게 명시·설명의무가 인정된다고 할 수는 없다(대판 2006.1.26, 2005다60017, 60024).

02 보험약관의 명시 · 설명의무에 관한 다음 설명 중 가장 옳지 않은 것은?　▸ 2021 법무사

① 상법의 일반조항과 다른 내용으로 보험자의 책임개시시기를 정한 경우, 그 약관 내용은 명시 · 설명의무의 대상에 해당한다.

② '보험약관에 정한 보험금에서 상대방 차량이 가입한 자동차보험 등의 대인배상으로 보상받을 수 있는 금액을 공제한 액수만을 자기신체사고 보험금으로 지급한다.'는 약관 조항은 명시 · 설명의무의 대상에 해당한다.

③ 무보험자동차에 의한 상해보상특약에 있어서 보험금액의 산정기준이나 방법은 명시 · 설명의무의 대상에 해당하지 아니한다.

④ 보험계약자가 별도의 설명 없이도 충분히 예상할 수 있었던 사항이거나 보험계약자나 그 대리인이 그 내용을 충분히 잘 알고 있는 경우에는 보험자로서는 보험계약자 또는 그 대리인에게 약관의 내용을 따로 설명할 필요가 없다.

⑤ '계약자 또는 피보험자가 손해의 통지 또는 보험금청구에 관한 서류에 고의로 사실과 다른 것을 기재하였거나 그 서류 또는 증거를 위조하거나 변조한 경우'를 보험금청구권의 상실사유로 정한 보험약관은 명시 · 설명의무의 대상에 해당한다.

> **해설** ① [○] : 대판 2005.12.9, 2004다26164 · 26171
> ② [○] : 대판 2004.11.25, 2004다28245
> ③ [○] : 대판 2004.4.27, 2003다7302
> ④ [○] : 대판 2006.1.26, 2005다60017 · 60024
> ⑤ [×] : 명시 · 설명의무에 대상이 아니다(대판 2003.5.30, 2003다15556).

03 보험계약에 관한 다음 설명 중 가장 옳지 않은 것은? (다툼이 있는 경우 대법원 판례에 따르고 전원합의체 판결의 경우 다수의견에 의함. 특별한 언급이 없다면 각 지문의 회사는 자본금 총액이 10억 원 이상인 비상장 주식회사를 의미)　▸ 2024 법무사

① 보험계약이 체결되기 전에 보험사고가 이미 발생하였을 경우라면, 보험계약의 당사자 쌍방 및 피보험자가 이를 알지 못하였다고 하더라도 그 보험계약은 보험사고가 불확정한 것이어야 한다는 보험의 본질에 비추어 무효이다.

② 상법 제652조 제2항에 따라 보험자가 피보험자 등으로부터 사고발생의 위험이 변경 또는 증가하였다는 통지를 받고 이를 이유로 보험계약을 해지하는 경우, 보험약관에서 미경과기간에 대한 보험료를 반환하도록 정하고 있다면 그 보험약관은 유효하다.

③ 보험회사 또는 보험모집종사자가 설명의무를 위반하여 고객이 보험계약의 중요사항에 관하여 제대로 이해하지 못한 채 착오에 빠져 보험계약을 체결한 경우, 그러한 착오가 동기의 착오에 불과하다고 하더라도 그러한 착오를 일으키지 않았더라면 보험계약을 체결하지 않았거나 아니면 적어도 동일한 내용으로 보험계약을 체결하지 않았을 것이 명백하다면, 위와 같은 착오는 보험계약의 내용의 중요부분에 관한 것에 해당하므로 이를 이유로 보험계약을 취소할 수 있다.

> **정답**　01 ⑤　02 ⑤　03 ①

④ 약관에 정하여진 사항이라고 하더라도 거래상 일반적이고 공통된 것이어서 보험계약자
가 별도의 설명 없이도 충분히 예상할 수 있었던 사항이거나, 이미 법령에 의하여 정하
여진 것을 되풀이하거나 부연하는 정도에 불과한 사항이라면, 그러한 사항까지 보험자에
게 명시·설명의무가 있다고는 할 수 없다.

⑤ 통신판매 방식으로 체결된 상해보험계약에서 보험자가 약관 내용의 개요를 소개한 것이라는
내용과 면책사고에 해당하는 경우를 확인하라는 내용이 기재된 안내문과 청약서를 보험계약
자에게 우송한 것만으로는 보험자의 면책약관에 관한 설명의무를 다한 것으로 볼 수 없다.

> **해설** ① [×] : 보험계약당시에 보험사고가 이미 발생하였거나 또는 발생할 수 없는 것인 때에는 그 계약
> 은 무효로 한다. 다만 당사자 쌍방과 피보험자가 이를 알지 못한 때에는 그러하지 아니하
> 다[상법 제644조(보험사고의 객관적 확정의 효과)].
>
> ② [○] : 대판 2008.1.31, 2005다57806
> ③ [○] : 대판 2018.4.12, 2017다229536
> ④ [○] : 대판 2006.1.26, 2005다60017,60024
> ⑤ [○] : 대판 1999.3.9, 98다43342

04

**보험계약자 또는 피보험자의 고지의무에 관한 다음 설명 중 가장 옳지 않은 것은? (다툼이 있
는 경우 대법원 판례에 따르고 전원합의체 판결의 경우 다수의견에 의함. 특별한 언급이 없다면
각 지문의 회사는 자본금 총액이 10억 원 이상인 비상장 주식회사를 의미)** ▸ 2024 법무사

① 일반적으로 보험모집인은 독자적으로 보험자를 대리하여 보험계약을 체결할 권한이 없
을 뿐만 아니라 고지 내지 통지를 수령할 권한도 없다.

② 보험자가 생명보험계약을 체결함에 있어 다른 보험계약의 존재 여부를 청약서에 기재하
여 질문하였다면 이는 그러한 사정을 보험계약을 체결할 것인지의 여부에 관한 판단자료
로 삼겠다는 의사를 명백히 한 것으로 볼 수 있고, 그러한 경우에는 다른 보험계약의
존재 여부가 고지의무의 대상이 된다.

③ 보험자가 다른 보험계약의 존재 여부에 관한 고지의무 위반을 이유로 보험계약을 해지하
려면 보험계약자 또는 피보험자가 다른 보험계약의 존재를 알고 있는 외에 그것이 고지
를 요하는 중요한 사항에 해당한다는 사실을 알고도, 또는 중대한 과실로 알지 못하여
고지의무를 다하지 아니한 사실을 입증하여야 한다.

④ 상법 제672조 제2항에서 손해보험에 있어서 동일한 보험계약의 목적과 동일한 사고에
관하여 수개의 보험계약을 체결하는 경우에는 보험계약자는 각 보험자에 대하여 각 보험
계약의 내용을 통지하도록 규정하고 있으므로, 중복보험을 체결한 사실은 상법 제651조
의 고지의무의 대상이 되는 중요한 사항에 해당된다.

⑤ 보험자가 보험약관의 명시·설명의무에 위반하여 보험계약을 체결한 때에는 그 약관의
내용을 보험계약의 내용으로 주장할 수 없으므로, 보험계약자나 그 대리인이 그 약관에
규정된 고지의무를 위반하였다 하더라도 이를 이유로 보험계약을 해지할 수 없다.

해설　① [○] : 대판 2006.6.30, 2006다19672,19689
　　　　② [○] : 대판 2001.11.27, 99다33311
　　　　③ [○] : 대판 2001.11.27, 99다33311
　　　　④ [×] : 손해보험에 있어서 보험계약자에게 다수의 보험계약의 체결사실에 관하여 고지 및 통지하도록 규정한 상법 제672조 제2항의 취지는, 부당한 이득을 얻기 위한 사기에 의한 보험계약의 체결을 사전에 방지하고 보험자로 하여금 보험사고 발생시 손해의 조사 또는 책임의 범위의 결정을 다른 보험자와 공동으로 할 수 있도록 하기 위한 것일 뿐, 보험사고발생의 위험을 측정하여 계약을 체결할 것인지 또는 어떤 조건으로 체결할 것인지 판단할 수 있는 자료를 제공하기 위한 것이라고 볼 수는 없으므로 중복보험을 체결한 사실은 상법 제651조의 고지의무의 대상이 되는 중요한 사항에 해당되지 아니한다(대판 2003.11.13, 2001다49623).
　　　　⑤ [○] : 대판 1997.9.26, 97다4494

05 보험에 관한 다음 설명 중 가장 옳지 않은 것은?　▶ 2022 법무사

① 보험계약자는 위임을 받거나 위임을 받지 아니하고 특정 또는 불특정의 타인을 위하여 보험계약을 체결할 수 있으나 손해보험계약의 경우에 그 타인의 위임이 없는 때에는 보험계약자는 이를 보험자에게 고지하여야 하고, 그 고지가 없는 때에는 타인이 그 보험계약이 체결된 사실을 알지 못하였다는 사유로 보험자에게 대항하지 못한다.

② 보험사고가 발생하기 전에는 보험계약자는 언제든지 계약의 전부 또는 일부를 해지할 수 있다. 그러나 상법 제639조(타인을 위한 보험)의 보험계약의 경우에는 보험계약자는 그 타인의 동의를 얻지 아니하거나 보험증권을 소지하지 아니하면 그 계약을 해지하지 못한다.

③ 보험계약자 또는 피보험자나 보험수익자는 보험사고의 발생을 안 때에는 지체없이 보험자에게 그 통지를 발송하여야 하고, 보험계약자 또는 피보험자나 보험수익자가 그 통지의무를 해태함으로 인하여 손해가 증가된 때에는 보험자는 그 증가된 손해를 보상할 책임이 없다.

④ 보험계약자가 다수의 계약을 통하여 보험금을 부정 취득할 목적으로 보험계약을 체결하여 그것이 민법 제103조에 따라 선량한 풍속 기타 사회질서에 반하여 무효인 경우 보험자의 보험금에 대한 부당이득반환청구권은 민법상 10년의 소멸시효기간이 적용된다.

⑤ 보험계약의 당사자 사이에 계약상 채무의 존부나 범위에 관하여 다툼이 있는 경우 그로 인한 법적 불안을 제거하기 위하여 보험회사는 먼저 보험수익자를 상대로 소극적 확인의 소를 제기할 확인의 이익이 있다.

해설　① [○] : 상법 제639조(타인을 위한 보험) 제1항
　　　　② [○] : 상법 제649조(사고발생전의 임의해지) 제1항
　　　　③ [○] : 상법 제657조(보험사고발생의 통지의무) 제1항·제2항
　　　　④ [×] : 보험계약자가 다수의 계약을 통하여 보험금을 부정 취득할 목적으로 보험계약을 체결하여 그것이 민법 제103조에 따라 선량한 풍속 기타 사회질서에 반하여 무효인 경우 보험자의 보험금에 대한 부당이득반환청구권은 상법 제64조를 유추적용하여 5년의 상사 소멸시효기간이 적용된다(대판 2021.7.22, 2019다277812 전합).
　　　　⑤ [○] : 대판 2021.6.17, 2018다257958 전합

정답　04 ④　05 ④

06 보험금 청구에 관한 다음 설명 중 가장 옳지 않은 것은? (다툼이 있는 경우 대법원 판례에 따르고 전원합의체 판결의 경우 다수의견에 의함. 특별한 언급이 없다면 각 지문의 회사는 자본금 총액이 10억 원 이상인 비상장 주식회사를 의미함) ▸ 2025 법무사

① 보험금청구권자는 손해보험의 경우 피보험자이고 인보험의 경우 보험수익자인데, 보험사고 발생 전 보험금청구권자가 사망하면 손해보험의 경우 피보험자의 상속인이 보험금청구권을 가지고 인보험의 경우 보험계약자가 보험수익자를 다시 지정할 수 있다.

② 보험금청구권의 소멸시효는 보험사고가 발생한 때로부터 진행하고, 피보험자와 보험자 사이의 보험금 지급기한 유예 합의는 보험금지급청구권에 관한 소멸시효의 이익을 미리 포기하는 것에 해당한다.

③ 보험자는 보험금액의 지급에 관하여 약정기간이 없는 경우에는 보험사고발생통지를 받은 후 지체 없이 지급할 보험금액을 정하고 그 정하여진 날부터 10일 내에 보험금을 지급하여야 한다.

④ 보험급여는 금전 외에도 채무면제, 현물급부, 용역제공 등으로 제공될 수 있고, 인보험의 경우 약정에 따라 분할지급 할 수도 있다.

⑤ 자동차손해배상 보장법 제40조상의 압류·양도금지 규정은 강행규정이지만 피해자를 치료한 의료기관이 피해자에 대한 진료비 청구권에 기하여 피해자의 보험사업자 등에 대한 직접청구권을 압류하는 것까지 금지하는 것은 아니다.

해설 ① [○] : 상법 제658조(보험금액의 지급), 제733조(보험수익자의 지정 또는 변경의 권리) 제3항

② [×] : 특별한 다른 사정이 없는 한 원칙적으로 보험금액청구권의 소멸시효는 보험사고가 발생한 때로부터 진행한다(대판 2001.4.27, 2000다31168). 타인을 위한 보험계약에 있어서 피보험자는 직접 자기 고유의 권리로서 보험자에 대한 보험금지급청구권을 취득하는 것이므로 특별한 사정이 없는 한 피보험자는 보험계약자의 지급기한을 연기하는 등 그 권리를 행사하고 처분할 수 있다. 피보험자와 보험자 사이의 보험금지급기한 유예의 합의는 보험금지급청구권에 관한 소멸시효의 이익을 미리 포기하는 것에 해당하지 아니한다(대판 1981.10.6, 80다2699).

③ [○] : 상법 제658조(보험금액의 지급)

④ [○] : 상법 제727조(인보험자의 책임) 제1항·제2항

⑤ [○] : 대판 2004.5.28, 2004다6542

07 상법상 보험료에 관한 다음 설명 중 가장 옳지 않은 것은? (다툼이 있는 경우 판례에 따르고 전원합의체 판결의 경우 다수의견에 의함) ▸ 2023 법무사

① 보험계약자는 계약체결 후 지체 없이 보험료의 전부 또는 제1회 보험료를 지급하여야 하며, 보험계약자가 이를 지급하지 아니하는 경우에는 다른 약정이 없는 한 계약성립 후 2월이 경과하면 보험자는 그 계약을 해지할 수 있다.

② 계속보험료가 약정한 시기에 지급되지 아니한 때에는 보험자는 상당한 기간을 정하여 보험계약자에게 최고하고 그 기간 내에 지급되지 아니한 때에는 그 계약을 해지할 수 있다.

③ 특정한 타인을 위한 보험의 경우에 보험계약자가 보험료의 지급을 지체한 때에는 보험자는 그 타인에게도 상당한 기간을 정하여 보험료의 지급을 최고한 후가 아니면 그 계약을 해제 또는 해지하지 못한다.

④ 보험자는 계속보험료 지급의 연체를 이유로 상법 제650조 제2항에 의하여 보험계약을 해지하였어도 계속보험료의 연체 이전에 발생한 보험사고에 대하여 지급한 보험금의 반환을 구할 수 없다.

⑤ 계속보험료가 약정한 시기에 지급되지 아니한 때 일정한 유예기간이 경과하면 보험자의 최고나 해지의 의사표시 없이 자동적으로 계약의 효력이 상실된다는 내용의 약관은 무효이다.

해설 ① [×] : 보험계약자는 계약체결 후 지체없이 보험료의 전부 또는 제1회 보험료를 지급하여야 하며, 보험계약자가 이를 지급하지 아니하는 경우에는 다른 약정이 없는 한 계약성립 후 2월이 경과하면 그 계약은 해제된 것으로 본다[상법 제650조(보험료의 지급과 지체의 효과) 제1항].

② [O] : 상법 제650조(보험료의 지급과 지체의 효과) 제2항

③ [O] : 상법 제650조(보험료의 지급과 지체의 효과) 제3항

④ [O] : 대판 2001.4.10, 99다67413

⑤ [O] : 대판 1995.11.16, 94다50852 전합

08 보험에 관한 다음 설명 중 가장 옳지 않은 것은? (다툼이 있는 경우 판례에 따르고 전원합의체 판결의 경우 다수의견에 의함)

▶ 2023 법무사

① 보험계약은 당사자 일방이 약정한 보험료를 지급하고, 상대방이 재산 또는 생명이나 신체에 관하여 불확정한 사고가 생길 경우에 일정한 보험금액 기타의 급여를 지급할 것을 약정함으로써 효력이 생기는 계약으로, 계약 내용은 미리 공인·심사된 보험약관의 규정에 국한되어 인정되고, 당사자가 특별히 보험약관과 다른 사항에 관하여 합의한 내용의 효력은 인정되지 아니한다.

② 보험계약의 존속 중에 당사자 일방의 부당한 행위 등으로 인하여 계약의 기초가 되는 신뢰관계가 파괴되어 계약의 존속을 기대할 수 없는 중대한 사유가 있는 때에는 상대방은 그 계약을 해지함으로써 장래에 향하여 그 효력을 소멸시킬 수 있다.

③ 보험계약이 당사자 일방의 부당한 행위로 계약의 기초가 되는 신뢰관계가 파괴되어 상대방이 그 계약을 해지하는 경우, 신뢰관계를 파괴하는 당사자의 부당한 행위가 해당 보험계약의 주계약이 아닌 특약에 관한 것이라 하더라도 그 행위가 중대하여 이로 인해 보험계약 전체가 영향을 받고 계약 자체를 유지할 것을 기대할 수 없다면, 특별한 사정이 없는 한 해지의 효력은 해당 보험계약 전부에 미친다.

④ 보험금청구권의 소멸시효는 특별한 다른 사정이 없는 한 보험사고가 발생한 때부터 진행하는 것이 원칙이지만, 객관적으로 보아 보험사고가 발생한 사실을 확인할 수 없는 사정이 있는 경우에는 보험금청구권자가 보험사고의 발생을 알았거나 알 수 있었던 때부터 보험금청구권의 소멸시효가 진행한다.

⑤ 보험사고란 보험계약에서 보험자의 보험금 지급책임을 구체화하는 불확정한 사고를 의미하는 것으로서, 계약이행보증보험에 있어서 보험사고가 구체적으로 무엇인지는 당사자 사이의 약정으로 계약내용에 편입된 보험약관과 보험약관이 인용하고 있는 보험증권 및 주계약의 구체적인 내용 등을 종합하여 결정하여야 한다.

> **해설** ① [×] : 개별약정우선의 원칙: 보험계약은 당사자 일방이 약정한 보험료를 지급하고 상대방이 재산 또는 생명이나 신체에 관하여 불확정한 사고가 생길 경우에 일정한 보험금액 기타의 급여를 지급할 것을 약정함으로써 효력이 생기는 불요식의 낙성계약이므로, 계약 내용이 반드시 보험약관의 규정에 국한되는 것은 아니고 당사자가 특별히 보험약관과 다른 사항에 관하여 합의한 때에는 그 효력이 인정된다(대판 1997.9.5, 95다47398).
> ② [○] : 대판 2020.10.29, 2019다267020
> ③ [○] : 대판 2020.10.29, 2019다267020
> ④ [○] : 대판 2008.11.13, 2007다19624
> ⑤ [○] : 대판 2007.2.9, 2006다28553

09 상법상 보험계약의 해지에 관한 다음 설명 중 가장 옳은 것은? ▶ 2021 법무사

① 계속보험료가 약정한 시기에 지급되지 아니한 때에는 보험자는 상당한 기간을 정하여 보험계약자에게 최고하고 그 기간 내에 지급되지 아니한 때에는 그 계약을 해지할 수 있다. 이 경우 연체 이전에 발생한 보험사고에 대해서도 보험금을 지급할 의무가 없다.

② 보험기간 중 보험계약자, 피보험자 또는 보험수익자의 고의 또는 중대한 과실로 인하여 사고발생의 위험이 현저하게 변경 또는 증가된 때에는 보험자는 그 사실을 안 날부터 1월 내에 보험료의 증액을 청구하거나 해지할 수 있다. 그 경우 보험모집인이 보험사고발생의 위험이 현저하게 변경 또는 증가된 사실을 알았다면 보험자가 이를 알았다고 본다.

③ 보험자가 보험약관의 교부·설명의무를 위반하여 보험계약을 체결하였다 하더라도 보험계약자가 그 약관에 규정된 고지의무를 위반하였다면 보험자는 이를 이유로 보험계약을 해지할 수 있다.

④ 보험계약의 존속 중에 당사자 일방의 부당한 행위 등으로 인하여 계약의 기초가 되는 신뢰관계가 파괴되어 계약의 존속을 기대할 수 없는 중대한 사유가 있는 때에는 상대방은 그 계약을 해지할 수 있다.

⑤ 고지의무를 위반한 사실 또는 위험이 현저하게 변경되거나 증가된 사실이 보험사고 발생에 영향을 미치지 아니한 경우라 하더라도 보험계약자가 사전에 올바로 고지하였다면 보험계약을 체결하지 않았거나 최소 동일한 내용으로 보험계약을 체결하지 않았을 것이므로, 보험금을 지급할 책임이 없다.

[해설] ① [×] : 상법 제650조 제2항이 보험계약자를 보호하기 위하여 계속보험료가 연체된 경우에 상당한 최고기간을 둔 다음 해지하도록 규정하고 있는 점 등에 비추어 볼 때, 계속보험료의 연체로 인하여 보험계약이 해지된 경우에는 보험자는 계약해지시로부터 더 이상 보험금을 지급할 의무만을 면할 뿐, 계속보험료의 연체가 없었던 기간에 발생한 보험사고에 대하여 이미 보험계약자가 취득한 보험보호를 소급하여 사라지게 하는 것이 아니므로, 보험자는 보험계약자에 대하여 이미 지급한 보험금의 반환을 구할 수 없다 할 것이다(대판 2001.4.10, 99다67413).

② [×] : 보험모집인은 특정 보험자를 위하여 보험계약의 체결을 중개하는 자일 뿐 보험자를 대리하여 보험계약을 체결할 권한이 없고 보험계약자 또는 피보험자가 보험자에 대하여 하는 고지나 통지를 수령할 권한도 없으므로, 보험모집인이 통지의무의 대상인 '보험사고발생의 위험이 현저하게 변경 또는 증가된 사실'을 알았다고 하더라도 이로써 곧 보험자가 위와 같은 사실을 알았다고 볼 수는 없다(대판 2006.6.30, 2006다19672, 19689).

③ [×] : 보험자는 보험계약자의 고지의무 위반을 이유로 보험계약을 해지할 수 없다(대판 1997.9.26, 97다4494).

④ [○] : 장래에 향하여 그 효력을 소멸시킬 수 있다(대판 2020.10.29, 2019다267020).

⑤ [×] : 보험금을 지급할 책임이 있다(상법 제655조 후단).

01 손해보험 등에 관한 다음 설명 중 옳지 않은 것을 모두 고른 것은? (다툼이 있는 경우 대법원 판례에 따르고 전원합의체 판결의 경우 다수의견에 의함. 특별한 언급이 없다면 각 지문의 회사는 자본금 총액이 10억 원 이상인 비상장 주식회사를 의미)　▸ 2024 법무사

> (ㄱ) 손해보험에 있어 당사자간에 보험가액을 정하지 아니한 때에는 보험계약 체결 시의 가액을 보험가액으로 한다.
> (ㄴ) 초과보험인지 여부는 원칙적으로 보험계약 당시의 가액을 기준으로 판단한다.
> (ㄷ) 보험계약자의 사기로 인하여 초과보험계약이 체결된 경우에 그 보험계약은 무효가 되나, 보험자는 그 사실을 안 때까지의 보험료를 청구할 수 있다.
> (ㄹ) 일부보험의 경우 보험자는 보험금액의 보험가액에 대한 비율에 따라 보상할 책임을 지는 것이 원칙이나, 당사자 간에 다른 약정이 있는 때에는 보험자는 보험금액의 한도 내에서 그 손해를 보상할 책임을 진다.

① (ㄱ)　　　　　　② (ㄱ), (ㄴ)　　　　　　③ (ㄱ), (ㄷ)
④ (ㄷ), (ㄹ)　　　　⑤ (ㄱ), (ㄷ), (ㄹ)

해설 (ㄱ) [×] : 사고발생시의 가액을 보험가액으로 한다[상법 제671조(미평가보험)]
　　　(ㄴ) [○] : 상법 제669조(초과보험) 제2항
　　　(ㄷ) [○] : 상법 제669조 제4항
　　　(ㄹ) [○] : 상법 제674조(일부보험)

02 보험가액, 초과보험, 중복보험에 관한 다음 설명 중 가장 옳지 않은 것은? (다툼이 있는 경우 대법원 판례에 따르고 전원합의체 판결의 경우 다수의견에 의함. 특별한 언급이 없다면 각 지문의 회사는 자본금 총액이 10억 원 이상인 비상장 주식회사를 의미함)　▸ 2025 법무사

① 손해보험에 있어서 보험사고의 발생에 의하여 피보험자가 불이익을 받게 될 이해관계의 평가액인 보험가액은 보험목적의 객관적인 기준에 따라 평가되어야 하나, 보험사고가 발생한 후 그 평가를 둘러싸고 보험자와 피보험자 사이에 분쟁이 발생하는 것을 미리 예방하고 신속한 보상을 할 수 있도록 하기 위하여 상법 제670조에서 기평가보험에 있어 보험가액에 관한 규정을 두고 있다.

② 상법 제669조 소정의 초과보험계약이라는 사유를 들어 보험가액의 제한 또는 보험계약의 무효를 주장하는 경우, 그 증명책임은 무효를 주장하는 보험자가 부담한다.

③ 상법 제672조 제2항에서 규정하는 통지의무의 해태로 인한 사기의 중복보험을 인정하기 위하여는 보험자가 통지의무가 있는 보험계약자 등이 통지의무를 이행하였다면 보험자가 그 청약을 거절하였거나 다른 조건으로 승낙할 것이라는 것을 알면서도 정당한 사유 없이 위법하게 재산상의 이익을 얻을 의사로 통지의무를 이행하지 않았음을 증명하여야 할 것이고, 단지 통지의무를 게을리 하였다는 사유만으로 사기로 인한 중복보험계약이 체결되었다고 추정할 수는 없다. 다만 중복보험계약 체결이 인정되기만 한다면 그 고지의무 해태를 이유로 상법 제651조(고지의무위반으로 인한 계약해지)에 따라 보험계약을 해지할 수 있는 것이다.

④ 수 개의 손해보험계약이 동시 또는 순차로 체결된 경우에 그 보험금액의 총액이 보험가액을 초과한 때에는 상법 제672조 제1항의 규정에 따라 보험자는 각자의 보험금액의 한도에서 연대책임을 지고 이 경우 각 보험자의 보상책임은 각자의 보험금액의 비율에 따르는 것이 원칙이라 할 것이나, 이러한 상법의 규정은 강행규정이라고 해석되지 아니하므로, 각 보험계약의 당사자는 각개의 보험계약이나 약관을 통하여 중복보험에 있어서의 피보험자에 대한 보험자의 보상책임 방식이나 보험자들 사이의 책임 분담방식에 대하여 상법의 규정과 다른 내용으로 규정할 수 있다.

⑤ 중복보험이라 함은 동일한 보험계약의 목적과 동일한 사고에 관하여 수개의 보험계약이 동시에 또는 순차로 체결되고 그 보험금액의 총액이 보험가액을 초과하는 경우를 말하므로 보험계약의 목적 즉 피보험이익이 다르면 중복보험으로 되지 않는다.

해설 ① [O] : 손해보험에 있어서 보험사고의 발생에 의하여 피보험자가 불이익을 받게 될 이해관계의 평가액인 보험가액은 보험목적의 객관적인 기준에 따라 평가되어야 하나, 보험사고가 발생한 후 그 평가를 둘러싸고 보험자와 피보험자 사이에 분쟁이 발생하는 것을 미리 예방하고 신속한 보상을 할 수 있도록 하기 위하여 상법 제670조에서 기평가보험에 있어 보험가액에 관한 규정을 두고 있는바, 이러한 기평가보험계약에 있어서도 당사자는 추가보험계약으로 평가액을 감액 또는 증액할 수 있다(대판 1988.2.9, 86다카2933).

② [O] : 대판 1999.4.23, 99다8599

③ [X] : 손해보험에서 중복보험인 경우에 연대비례부상주의를 규정하고 있는 상법 제672조 제1항과 사기로 인한 중복보험을 무효로 규정하고 있는 상법 제672조 제3항, 제669조 제4항의 규정에 비추어 볼 때, 부당한 이득을 얻기 위한 사기에 의한 보험계약의 체결을 사전에 방지하고 보험자로 하여금 보험사고 발생시 손해의 조사 또는 책임의 범위의 결정을 다른 보험자와 공동으로 할 수 있도록 하기 위한 것일 뿐, 보험사고발생의 위험을 측정하여 계약을 체결할 것인지 또는 어떤 조건으로 체결할 것인지 판단할 수 있는 자료를 제공하기 위한 것이라고 볼 수는 없으므로 중복보험을 체결한 사실은 상법 제651조의 고지의무의 대상이 되는 중요한 사항에 해당되지 아니한다(대판 2000.1.28, 99다50712; 대판 2003.11.13, 2001다49623).

④ [O] : 대판 2002.5.17, 2000다30127

⑤ [O] : 대판 2005.4.29, 2004다57687

정답 ▶ 01 ① 02 ③

03 손해보험에 관한 다음 설명 중 가장 옳지 않은 것은? (다툼이 있는 경우 판례에 따르고 전원합의체 판결의 경우 다수의견에 의함)

▶ 2023 법무사

① 손해보험은 피보험자의 '물건이나 재산'에 생기는 사고에 대비하는 것이라는 점에서, 피보험자의 '생명이나 신체'에 생기는 사고에 대비하는 인보험과 구별된다.

② 손해보험의 보험사고에 관하여 동시에 불법행위나 채무불이행에 기한 손해배상책임을 지는 제3자가 있어 피보험자가 그를 상대로 손해배상청구를 하는 경우에, 피보험자는 보험자로부터 수령한 보험금으로 전보되지 않고 남은 손해에 관하여 제3자를 상대로 그의 배상책임을 이행할 것을 청구할 수 있다.

③ 중복보험의 각 보험자는 각자의 보험금액의 한도에서 각자의 보험금액의 비율에 따라 연대책임을 지는데, 여기서 중복보험이라 함은 동일한 보험계약의 목적과 동일한 사고에 관하여 수개의 보험계약이 동시에 또는 순차로 체결되고 그 보험금액의 총액이 보험가액을 초과하는 경우를 말하므로 보험계약의 목적 즉 피보험이익이 다르면 중복보험으로 되지 않는다.

④ 보험계약자와 피보험자는 손해의 방지와 경감을 위하여 노력하여야 한다(상법 제680조 제1항 전문). 보험계약자와 피보험자가 고의 또는 중대한 과실로 손해방지의무를 위반한 경우에는 보험자는 손해방지의무 위반과 상당인과관계가 있는 손해액에 대하여 배상을 청구하거나 지급할 보험금과 상계하여 이를 공제한 나머지 금액만을 보험금으로 지급할 수 있으나, 경과실로 위반한 경우에는 그러하지 아니하다.

⑤ 상법 제682조에 따르면 손해가 제3자의 행위로 인하여 발생한 경우에 보험금을 지급한 보험자는 그 지급한 금액의 한도에서 그 제3자에 대한 보험계약자 또는 피보험자의 권리를 취득하는데, 여기서 '제3자의 행위'란 '피보험이익에 대하여 손해를 일으키는 행위'를 뜻하는 것으로서 고의 또는 과실에 의한 행위만을 의미한다.

해설 ① [○] : 상법 제665조(손해보험자의 책임), 제727조(인보험자의 책임)

② [○] : 대판 2015.1.22, 2014다46211전합

③ [○] : 상법 제672조 제1항: 대판 1997.9.5, 95다47398

④ [○] : 대판 2016.1.14, 2015다6302

⑤ [×] : 보험사고에 의하여 손해가 발생하고 피보험자가 그 손해에 관하여 제3자에게 손해배상청구권을 갖게 되면 보험금을 지급한 보험자는 제3자에게 귀책사유가 있음을 입증할 필요가 없이 법률의 규정에 의하여 당연히 그 손해배상청구권을 취득하게 된다고 할 것이므로, 상법 제682조 소정의 '제3자의 행위'란 '피보험이익에 대하여 손해를 일으키는 행위'를 뜻하는 것으로서 고의 또는 과실에 의한 행위만이 이에 해당하는 것은 아니다(대판 2021.6.10, 2020다298389).

04 중복보험에 관한 다음 설명 중 가장 옳지 않은 것은? (다툼이 있는 경우 판례에 따르고 전원합의체 판결의 경우 다수의견에 의함) ▶ 2023 법무사

① 학교배상책임공제계약의 피공제자인 중학생 甲이 축구 동아리 활동을 위해 학교 밖 축구장으로 이동하던 중 인도를 지나가던 피해자 乙을 제대로 보지 못하고 부딪히는 사고가 발생하여 乙이 뒤로 넘어지면서 중증 뇌손상 등을 입고 치료 중 사망한 경우, 학교안전공제중앙회가 학교배상책임공제에 따라 피해자 乙에게 공제금을 지급하였다면, 가해자인 피공제자 甲의 책임보험자에게 피해자의 보험금 직접청구권을 대위행사할 수 있다.

② 건물의 임차인이 임차건물을 보험목적으로 하여 가입한 화재보험과 건물의 소유자가 건물을 보험목적으로 하여 가입한 화재보험이 소유자를 피보험자로 하는 중복보험의 관계에 있는 경우, 임차인의 책임 있는 사유로 임차건물에 화재가 발생하여 소유자에게 보험금을 지급한 소유자 화재보험의 보험자가 임차인 화재보험의 보험자로부터 중복보험 분담금을 지급받았더라도 임차인에 대하여 보험자대위에 의한 청구권을 행사할 수 있다.

③ 사용자의 보험자가 피해자인 제3자에게 사용자와 피용자의 공동불법행위로 인한 손해배상금을 보험금으로 모두 지급하여 피용자의 보험자가 면책됨으로써 사용자의 보험자가 피용자의 보험자에게 부담하여야 할 부분에 대하여 직접 구상권을 행사하는 경우, 피용자의 보험자는 사용자의 보험자에 대하여 신의칙상 상당하다고 인정되는 한도 내에서만 사용자의 구상권이 인정된다는 등의 구상권 제한의 법리를 주장할 수 없다.

④ 하나의 사고에 관하여 여러 개의 무보험자동차에 의한 상해담보특약이 체결되고 그 보험금액의 총액이 피보험자가 입은 손해액을 초과하는 때에는 손해보험에 관한 상법 제672조 제1항이 준용되어 보험자는 각자의 보험금액의 한도에서 연대책임을 지고, 이 경우 각 보험자 사이에서는 각자의 보험금액의 비율에 따른 보상책임을 진다. 이때 각 보험자는 특별한 사정이 없는 한 보험금 지급채무에 대하여 부진정연대관계에 있다.

⑤ 제1 책임보험계약과 제2 책임보험계약의 피보험자 甲과 제2 책임보험계약의 피보험자 乙의 공동불법행위로 피해자 丙이 사망하는 보험사고가 발생하여 제2 책임보험계약의 보험자가 丙에 대한 보험금 지급으로 甲, 乙 공동의 면책을 얻게 하였는데 지급한 보험금 전액이 중복보험에 해당하는 경우, 제2 책임보험계약의 보험자가 제1 책임보험계약의 보험자를 상대로 행사할 수 있는 구상권의 범위는 제1 책임보험계약 보험자의 중복보험 부담 부분 중 甲의 과실비율 상당액이다.

> **해설** ① [×] : 상법 제664조에 규정된 '공제'로서 상법의 보험편 규정이 준용된다고 보아야 한다. 따라서 학교안전공제중앙회는 학교배상책임공제에 따라 피해자에게 공제금을 지급한 경우에 학교안전법에 따라 수급권자를 대위할 수 있는 학교안전공제회와 달리 가해자인 피공제자의 책임보험자에게 피해자의 보험금 직접청구권을 대위행사할 수 없고, 책임보험자와 중복보험의 보험자 관계에서(상법 제725조의2, 제672조) 자기의 부담 부분을 넘어 피해자에게 공제금을 지급하였을 때에 책임보험자의 부담 부분에 한하여 구상권을 행사할 수 있을 뿐이다(대판 2022.5.26, 2020다301186).

정답 03 ⑤ 04 ①

② [○] : 대판 2015.1.29, 2013다214529
③ [○] : 대판 2017.4.27, 2016다271226
④ [○] : 대판 2023.6.1, 2019다237586
⑤ [○] : 대판 2015.7.23, 2014다42202

05 제3자에 대한 보험대위(상법 제682조)에 관한 다음 설명 중 옳지 않은 것을 모두 고른 것은? (다툼이 있는 경우 대법원 판례에 따르고 전원합의체 판결의 경우 다수의견에 의함. 특별한 언급이 없다면 각 지문의 회사는 자본금 총액이 10억 원 이상인 비상장 주식회사를 의미함)

▶ 2025 법무사

ㄱ. 상법 제682조 제1항 본문은 "손해가 제3자의 행위로 인하여 발생한 경우에 보험금을 지급한 보험자는 그 지급한 금액의 한도에서 그 제3자에 대한 보험계약자 또는 피보험자의 권리를 취득한다."고 규정하고 있다. 여기서 말하는 '제3자의 행위'란 '피보험이익에 대하여 손해를 일으키는 행위'를 뜻하는 것으로서 고의 또는 과실에 의한 행위에 한하고 제3자에게 귀책사유가 없다면 위 조항이 적용되지 않는다.

ㄴ. 피보험자동차를 무면허로 운전할 경우 보험자를 면책시키는 약관조항이 부착된(무면허운전 면책약관부) 보험계약에서 무면허 운전자가 피보험자의 동거가족으로서 피보험자동차를 운전한 경우에는 특별한 사정이 없는 한 무면허 운전자는 상법 제682조 소정의 제3자의 범위에 포함되지 않는다. 따라서 피보험자의 아들이 무면허로 피보험자동차를 운전하여 피해자들을 들이받아 상해를 입게 한 후 보험자가 피해자들에게 손해배상하였다고 하더라도 보험자는 피보험자의 아들을 상대로 상법 제682조에 따른 보험자대위를 행사할 수 없다.

ㄷ. 타인을 위한 손해보험계약은 타인의 이익을 위한 계약으로서 그 타인(피보험계약자)의 이익이 보험의 목적이 되는 것이므로, 타인을 위하여 자신의 명의로 손해보험계약을 체결하여 보험자에게 보험료를 납입하는 보험계약자는 당연히 제3자의 범주에서 제외되는 것으로 해석하여야 한다.

ㄹ. 상법 제682조에서 정한 제3자에 대한 보험자대위가 인정되기 위하여는 보험자가 피보험자에게 보험금을 지급할 책임이 있는 경우이어야 한다. 보험자가 보험약관에 정하여져 있는 중요한 내용에 해당하는 면책약관에 대한 설명의무를 위반하여 약관의 규제에 관한 법률 제3조 제4항에 따라 해당 면책약관을 계약의 내용으로 주장하지 못하고 보험금을 지급하게 되었더라도, 이는 보험자가 피보험자에게 보험금을 지급할 책임이 있는 경우에 해당하므로 보험자는 보험자대위를 할 수 있다.

ㅁ. 공동불법행위자 중 1인의 보험자가 피해자에게 손해배상금을 보험금으로 모두 지급함으로써 공동면책되었다면, 피보험자인 공동불법행위자는 다른 공동불법행위자들을 상대로 그들의 부담 부분에 대하여 구상권을 행사할 수 있을 뿐만 아니라, 상법 제

724조 제2항에 따라 다른 공동불법행위자들의 부담 부분에 대한 구상권을 그들의 보험자들에게 직접 행사할 수 있고, 손해배상금을 지급한 보험자는 상법 제682조의 보험자대위의 법리에 따라 자신의 피보험자가 다른 공동불법행위자들의 보험자들에 대하여 갖는 직접적인 구상권을 취득하여 그 보험자들에게 행사할 수 있다. 이같이 보험자대위의 법리에 따라 취득한 피보험자의 위 보험자들에 대한 구상권의 소멸시효기간은 상사채권과 같이 5년이고, 그 기산점은 구상권이 발생한 시점, 즉 구상권자가 현실로 피해자에게 손해배상금을 지급한 때이다.

① ㄱ, ㄷ, ㅁ 　　② ㄱ, ㄴ, ㄷ 　　③ ㄴ, ㄷ, ㅁ
④ ㄴ, ㄹ, ㅁ 　　⑤ ㄱ, ㄷ, ㄹ

해설　ㄱ. [×] : 상법 제682조 소정의 "제3자의 행위"란 "피보험이익에 대하여 손해를 일으키는 행위"를 뜻하는 것으로서 고의 또는 과실에 의한 행위만이 이에 해당하는 것은 아니라고 보아야 한다(대판 2021.6.10, 2020다298389).

ㄴ. [○] : 대판 2002.9.6, 2002다32547

ㄷ. [×] : 타인을 위한 손해보험계약은 타인의 이익을 위한 계약으로서 그 타인(피보험자)의 이익이 보험의 목적이지 여기에 당연히(특약 없이) 보험계약자의 보험이익이 포함되거나 예정되어 있는 것은 아니므로 피보험이익의 주체가 아닌 보험계약자는 비록 보험자와의 사이에서는 계약당사자이고 약정된 보험료를 지급할 의무자이지만 그 지위의 성격과 보험자대위 규정의 취지에 비추어 보면 보험자대위에 있어서 보험계약자와 제3자를 구별하여 취급할 법률상의 이유는 없는 것이며 따라서 타인을 위한 손해보험계약자가 당연히 제3자의 범주에서 제외되는 것은 아니다(대판 1989.4.25, 87다카1669).

ㄹ. [○] : 대판 2014.11.27, 2012다14562

ㅁ. [×] : 공동불법행위자 중 1인의 보험자가 피해자에게 손해배상금을 보험금으로 모두 지급함으로써 공동면책되었다면, 피보험자인 공동불법행위자는 다른 공동불법행위자들을 상대로 그들의 부담 부분에 대하여 구상권을 행사할 수 있을 뿐만 아니라, 상법 제724조 제2항에 따라 다른 공동불법행위자들의 부담 부분에 대한 구상권을 그들의 보험자들에게 직접 행사할 수 있고, 손해배상금을 지급한 보험자는 상법 제682조의 보험자대위의 법리에 따라 자신의 피보험자가 다른 공동불법행위자들의 보험자들에 대하여 갖는 직접적인 구상권을 취득하여 그 보험자들에게 행사할 수 있다. 이같이 보험자대위의 법리에 따라 취득한 피보험자의 다른 공동불법행위자들 및 그들의 보험자들에 대한 구상권의 소멸시효기간은 일반채권과 같이 10년이고, 그 기산점은 구상권이 발생한 시점, 즉 구상권자가 현실로 피해자에게 손해배상금을 지급한 때이다(대판 2024.9.27, 2024다249729).

정답　05 ①

06 손해보험에 관한 다음 설명 중 가장 옳지 않은 것은? ▸ 2021 법무사

① 상법 제680조 제1항의 피보험자의 손해방지의무 내용에는 손해를 직접적으로 방지하는 행위는 물론이고 간접적으로 방지하는 행위도 포함되고, 그 손해는 피보험이익에 대한 구체적인 침해의 결과로서 생기는 손해뿐만 아니라, 보험자의 구상권과 같이 보험자가 손해를 보상한 후에 취득하게 되는 이익을 상실함으로써 결과적으로 보험자에게 부담되는 손해까지 포함된다.

② 손해보험의 보험사고에 관하여 동시에 불법행위나 채무불이행에 기한 손해배상책임을 지는 제3자가 있어 피보험자가 그를 상대로 손해배상청구를 하는 경우에, 피보험자가 손해보험계약에 따라 보험자로부터 수령한 보험금은 제3자의 손해배상책임액에서 공제할 것이 아니고, 피보험자는 보험자로부터 수령한 보험금으로 전보되지 않고 남은 손해에 관하여 제3자를 상대로 그의 배상책임을 이행할 것을 청구할 수 있다.

③ 상법 제724조 제2항에 의하여 피해자에게 인정되는 직접청구권의 법적 성질은 보험자가 피보험자의 피해자에 대한 손해배상채무를 병존적으로 인수한 것으로서 피해자가 보험자에 대하여 가지는 손해배상청구권이고, 피보험자의 보험자에 대한 보험금청구권의 변형 내지는 이에 준하는 권리가 아니다.

④ 하나의 사고로 보험목적물과 보험목적물이 아닌 재산에 대하여 한꺼번에 손해가 발생한 경우, 보험목적물에 대한 부분으로 한정하여 보험자가 보험자대위에 의하여 제3자에게 청구할 수 있는 권리의 범위를 결정하여야 한다.

⑤ 상법 제724조 제2항에 의하여 피해자에게 인정되는 직접청구권에 대한 지연손해금에 관하여는 연 5%의 민사법정이율이 적용된다.

> **해설** ① [×] : 상법 제680조 제1항 본문의 피보험자의 손해방지의무의 내용에는 손해를 직접적으로 방지하는 행위는 물론이고 간접적으로 방지하는 행위도 포함된다. 그러나 그 손해는 피보험이익에 대한 구체적인 침해의 결과로서 생기는 손해만을 뜻하는 것이고, 보험자의 구상권과 같이 보험자가 손해를 보상한 후에 취득하게 되는 이익을 상실함으로써 결과적으로 보험자에게 부담되는 손해까지 포함된다고 볼 수는 없다(대판 2018.9.13, 2015다209347).
> ② [○] : 대판 2015.1.22, 2014다46211
> ③ [○] : 대판 2005.10.7, 2003다6774
> ④ [○] : 대판 2019.11.14, 2019다216589
> ⑤ [○] : 대판 2019.5.30, 2016다205243

07 **책임보험에 관한 다음 설명 중 가장 옳지 않은 것은?** ▸ 2022 법무사

① 책임보험계약의 보험자는 피보험자가 보험기간 중의 사고로 인하여 제3자에게 배상할 책임을 진 경우에 이를 보상할 책임이 있고, 이 때 피보험자가 제3자의 청구를 방어하기 위하여 지출한 재판상 또는 재판외의 필요비용은 보험의 목적에 포함된 것으로 한다.

② 피보험자가 제3자로부터 배상청구를 받았을 때에는 지체 없이 보험자에게 그 통지를 발송하여야 하고, 피보험자가 상법 제722조 제1항의 통지를 게을리하여 손해가 증가된 경우 보험자는 그 증가된 손해를 보상할 책임이 없다.

③ 피보험자가 동일한 사고로 제3자에게 배상책임을 짐으로써 입은 손해를 보상하는 수개의 책임보험계약이 동시 또는 순차로 체결된 경우에 그 보험금액의 총액이 피보험자의 제3자에 대한 손해배상액을 초과하는 때에는 중복보험의 규정을 준용한다.

④ 제3자는 피보험자가 책임을 질 사고로 입은 손해에 대하여 보험금액의 한도내에서 보험자에게 직접 보상을 청구할 수 있고, 이러한 직접청구권에 대한 지연손해금에는 연 6%의 상사법정이율이 적용된다.

⑤ 피해자의 직접청구권에 따라 보험자가 부담하는 손해배상채무는 보험계약을 전제로 하는 것으로서 보험계약에 따른 보험자의 책임 한도액의 범위 내에서 인정되어야 한다.

해설 ① [O] : 상법 제720조(피보험자가 지출한 방어비용의 부담) 제1항
  ② [O] : 상법 제722조(피보험자의 배상청구 사실 통지의무) 제1항·제2항
  ③ [O] : 상법 제725조의2(수개의 책임보험)
  ④ [×] : 상법 제724조(보험자와 제3자와의 관계) 제2항에 의하여 피해자에게 인정되는 직접청구권의 법적 성질은 보험자가 피보험자의 피해자에 대한 손해배상채무를 병존적으로 인수한 것으로서 피해자가 보험자에 대하여 가지는 손해배상청구권이고, 피보험자의 보험자에 대한 보험금청구권의 변형 내지는 이에 준하는 권리가 아니므로, 이에 대한 지연손해금에 관하여는 연 6%의 상사법정이율이 아닌 연 5%의 민사법정이율이 적용된다(대판 2019.5.30, 2016다205243).
  ⑤ [O] : 제3자는 피보험자가 책임을 질 사고로 입은 손해에 대하여 보험금액의 한도내에서 보험자에게 직접 보상을 청구할 수 있다[상법 제724조(보험자와 제3자와의 관계) 제2항].

08 보증보험에 관한 다음 설명 중 가장 옳지 않은 것은? (다툼이 있는 경우 판례에 따르고 전원합의체 판결의 경우 다수의견에 의함)

▶ 2023 법무사

① 하자보수보증계약의 보증기간을 주계약의 하자담보책임기간과 동일하게 정하였는데, 하자담보책임기간 내에 발생한 하자에 대하여 보증기간이 종료된 후 보증사고가 발생한 경우, 보증금청구권의 소멸시효 기산점은 보증사고가 발생한 때이다.

② 보증보험은 보험계약자의 채무불이행으로 피보험자가 입게 될 손해의 전보를 보험자가 인수하는 손해보험으로서 형식적으로는 채무자의 채무불이행을 보험사고로 하는 보험계약이나 실질적으로는 보증의 성격을 가지고 보증계약과 같은 효과를 목적으로 한다. 따라서 보증보험은 보증의 성격과 보험의 성격을 함께 가지고 그 성질에 반하지 않는 범위에서 보험과 보증의 규정이 모두 적용된다.

③ 보증보험계약이 체결된 후 보험금이 아직 지급되지 않은 상태에서 주계약의 당사자인 보험계약자와 피보험자 사이에 주계약에 따른 채무의 존부와 범위에 관하여 다툼이 있는 경우, 보험계약자가 피보험자를 상대로 주계약에 따른 채무 부존재 확인을 구하는 소송을 제기하여 승소판결을 받더라도 그 승소판결의 기판력이 보험계약자와 보험자 사이의 법률관계 및 보험자와 피보험자 사이의 법률관계에 미치지 못하므로, 보험계약자는 피보험자를 상대로 주계약에 따른 채무부존재의 확인을 구할 이익이 없다.

④ 보증보험계약에서 이행을 담보하는 주계약상의 채무가 확정되기 전에 구상채무의 보증인이 적법하게 보증계약을 해지한 경우, 구체적인 보증채무가 발생하기 전에 보증계약관계가 종료되어 구상채무의 보증인이 보증책임을 면한다.

⑤ 보증보험회사는 보증보험계약을 체결함에 있어서 일반적으로 보증대상인 주계약의 부존재나 무효 여부 등에 관하여 조사·확인할 의무가 없으나, 보증보험청약서 등 보험계약자가 제출하는 서류에 보증대상인 주계약의 부존재나 무효 등을 의심할만한 점이 발견되는 등의 특별한 사정이 있는 경우에는 위와 같은 조사·확인 의무가 면제되지 않는다.

> **해설** ① [○] : (ⅰ) 보증보험증권에 보험기간이 정해져 있는 경우에는 보험사고가 그 기간 내에 발생한 때에 한하여 보험자가 보험계약상의 책임을 지는 것이 원칙이다. (ⅱ) 보증보험계약의 목적이 주계약의 하자담보책임기간 내에 발생한 하자에 대하여 보험계약자의 하자보수의무 불이행으로 인한 손해를 보상하기 위한 것임에도 불구하고 보험기간을 주계약의 하자담보책임기간과 동일하게 정한 경우, 보증보험계약은 하자담보책임기간 내에 발생한 하자에 대하여는 보험기간이 종료된 후 보험사고가 발생하였다고 하더라도 보험자로서 책임을 진다. (ⅲ) 보험금청구권의 소멸시효는 특별한 사정이 없는 한 민법 제166조 제1항의 규정에 의하여 보험사고가 발생한 때부터 진행한다(대판 2015.11.26, 2013다62490).
>
> ② [○] : 대판 2014.11.13, 2011다90170
>
> ③ [×] : 보증보험계약이 체결된 경우, 보험금이 아직 지급되지 않은 상태에서 주계약의 당사자인 보험계약자와 피보험자 사이에 주계약에 따른 채무의 존부와 범위에 관하여 다툼이 있는 경우, 이는 보험자의 피보험자에 대한 보험금지급채무 존부와 범위에도 영향을 미칠 수 있다. 따라서 그러한 경우 주계약의 채무자이기도 한 보험계약자로서는 우선 그 계약상 채권자인 피보험자를 상대로 주계약에 따른 채무 부존재 확인을 구하는 것이 분쟁을 해결

하는 가장 유효적절한 방법일 수 있다(대판 1994.11.8, 94다23388; 대판 2022.12.15, 2019다269156).

④ [○] : 보증보험계약에서 이행을 담보하는 주계약상의 채무가 확정되기 전에 구상채무의 보증인이 적법하게 보증계약을 해지하면 구체적인 보증채무가 발생하기 전에 보증계약관계가 종료된다. 따라서 그 이후 보험사고가 발생하여 보험자의 보험금지급채무가 확정되고 나아가 보험계약자의 구상채무까지 확정되더라도 구상채무의 보증인은 그에 관하여 보증책임을 지지 않는다(대판 2018.3.27, 2015다12130).

⑤ [○] : 대판 2014.11.13, 2011다90170

정답   08 ③

01 상법상 생명보험계약에 관한 다음 설명 중 가장 옳지 않은 것은? ▸ 2021 법무사

① 타인의 생명보험계약 성립 당시 피보험자의 서면동의가 없다면 보험계약은 확정적으로 무효가 되고, 피보험자가 이미 무효가 된 보험계약을 추인하였다고 하더라도 그 보험계약이 유효로 될 수는 없다.

② 단체가 규약에 따라 구성원의 전부 또는 일부를 피보험자로 하는 생명보험계약을 체결하는 경우에는 원칙적으로 피보험자의 서면에 의한 동의를 요하지 아니한다.

③ 15세 미만자, 심신상실자 또는 심신박약자의 사망을 보험사고로 한 보험계약은 무효이다. 심신박약자가 보험계약을 체결하거나 단체보험의 피보험자가 될 때에 의사능력이 있는 경우에도 마찬가지이다.

④ 보험계약자가 피보험자의 상속인을 보험수익자로 하여 맺은 생명보험계약에 있어서 피보험자의 상속인은 피보험자의 사망이라는 보험사고가 발생한 때에는 보험수익자의 지위에서 보험자에 대하여 보험금 지급을 청구할 수 있고, 이 권리는 상속재산이 아니라 상속인의 고유재산이다.

⑤ 타인의 사망을 보험사고로 하는 보험계약에서 피보험자인 타인의 동의는 각 보험계약에 대하여 개별적으로 서면에 의하여 이루어져야 하고 포괄적인 동의 또는 묵시적이거나 추정적 동의만으로는 부족하다.

해설 ① [○] : 대판 2006.9.22. 2004다56677
② [○] : 상법 제735의3(단체보험) 제1항
③ [×] : 상법 제732조 단서(심신박약자가 보험계약을 체결하거나 제735조의3에 따른 단체보험의 피보험자가 될 때에 의사능력이 있는 경우에는 그러하지 아니하다)
④ [○] : 대판 2004.07.09. 2003다29463
⑤ [○] : 대판 2006.9.22. 2004다56677

02 생명보험에 관한 다음 설명 중 가장 옳지 않은 것은? (다툼이 있는 경우 대법원 판례에 따르고 전원합의체 판결의 경우 다수의견에 의함. 특별한 언급이 없다면 각 지문의 회사는 자본금 총액이 10억 원 이상인 비상장 주식회사를 의미함) ▸ 2025 법무사

① 상법 제731조 제1항을 위반하여 피보험자의 서면 동의 없이 타인의 사망을 보험사고로 하는 보험계약을 체결한 자가 스스로가 무효를 주장하는 것은 신의성실 또는 금반언의 원칙에 반한다.

② 타인의 사망을 보험사고로 하는 보험계약에는 피보험자의 동의를 얻어야 한다는 상법 제731조 제1항의 규정은 강행법규로 보아야 하므로 피보험자의 동의는 보험계약의 효력 발생 요건이 된다.

③ 상법 제731조 제1항이 타인의 사망을 보험사고로 하는 보험계약의 체결 시 타인의 서면 동의를 얻도록 규정한 것은 동의의 시기와 방식을 명확히 함으로써 분쟁의 소지를 없애려는 데 취지가 있으므로, 피보험자인 타인의 동의는 각 보험계약에 대하여 개별적으로 서면에 의하여 이루어져야 하고 포괄적인 동의 또는 묵시적이거나 추정적 동의만으로는 부족하다.

④ 상법 제731조 제1항에 의하면 타인의 생명보험에서 피보험자가 서면으로 동의의 의사표시를 하여야 하는 시점은 보험계약 체결 시까지이고, 이는 강행규정으로서 이에 위반한 보험계약은 무효이므로, 피보험자가 이미 무효로 된 보험계약을 추인하였다고 하더라도 보험계약이 유효로 될 수는 없다.

⑤ 보험수익자 변경권은 형성권으로서 보험계약자가 보험자나 보험수익자의 동의를 받지 않고 자유로이 행사할 수 있고, 보험수익자 변경의 의사표시가 보험자에게 도달하지 않더라도 보험수익자 변경의 효과가 발생한다. 다만 보험계약자는 보험수익자를 변경한 후 보험자에 대하여 이를 통지하지 않으면 보험자에게 대항할 수 없다.

해설 ① [×] : 피보험자의 서면 동의 없이 타인의 신체 상해를 보험사고로 하는 보험계약을 체결한 사람 스스로 보험계약의 무효를 수상하는 것은 신의성실의 원직 또는 금반인의 원칙에 빈하지 않는다(대판 2024.11.14, 2024다238392).
② [○] : 대판 1989.11.28, 88다카33367
③ [○] : 대판 2006.9.22, 2004다56677
④ [○] : 대판 2006.9.22, 2004다56677
⑤ [○] : 대판 2020.2.27, 2019다204869: 상법 제734조 제1항

03 생명보험에 관한 다음 설명 중 가장 옳지 않은 것은?

▶ 2022 법무사

① 보험계약자가 피보험자의 상속인을 보험수익자로 하여 맺은 생명보험계약에 있어서 피보험자의 상속인은 피보험자의 사망이라는 보험사고가 발생한 때에는 보험자에 대하여 보험금 지급을 청구할 수 있고, 이 권리는 보험계약의 효력으로 당연히 생기는 것으로서 상속재산이다.

② 생명보험계약의 약관에 보험계약자는 보험계약의 해약환급금의 범위 내에서 보험회사가 정한 방법에 따라 대출을 받을 수 있고, 이에 따라 대출이 된 경우에 보험계약자는 그 대출 원리금을 언제든지 상환할 수 있으며, 만약 상환하지 아니한 동안에 보험금이나 해약환급금의 지급사유가 발생한 때에는 위 대출 원리금을 공제하고 나머지 금액만을 지급한다는 취지로 규정되어 있다면, 보험약관대출금의 경제적 실질은 보험회사가 장차 지급하여야 할 보험금이나 해약환급금을 미리 지급하는 선급금과 같은 성격이고, 일반적인 대출과는 다르다.

③ 보험수익자가 보험존속 중에 사망한 때에는 보험계약자는 다시 보험수익자를 지정할 수 있다. 이 경우에 보험계약자가 지정권을 행사하지 아니하고 사망한 때에는 보험수익자의 상속인을 보험수익자로 한다.

④ 보험계약자가 계약체결후에 보험수익자를 지정 또는 변경할 때에는 보험자에 대하여 그 통지를 하지 아니하면 이로써 보험자에게 대항하지 못한다.

⑤ 사망을 보험사고로 한 보험계약에서는 사고가 보험계약자 또는 피보험자나 보험수익자의 중대한 과실로 인하여 발생한 경우에도 보험자는 보험금을 지급할 책임을 면하지 못한다.

> **해설** ① [×] : 보험계약자가 피보험자의 상속인을 보험수익자로 하여 맺은 생명보험계약에 있어서 피보험자의 상속인은 피보험자의 사망이라는 보험사고가 발생한 때에는 보험수익자의 지위에서 보험자에 대하여 보험금 지급을 청구할 수 있고, 이 권리는 보험계약의 효력으로 당연히 생기는 것으로서 상속재산이 아니라 상속인의 고유재산이다(대판 2004.7.9, 2003다29463).
> ② [O] : 대판 2007.9.28, 2005다15598 전합
> ③ [O] : 상법 제733조(보험수익자의 지정 또는 변경의 권리) 제3항
> ④ [O] : 상법 제734조(보험수익자지정권 등의 통지)
> ⑤ [O] : 상법 제732조의2(중과실로 인한 보험사고 등) 제1항

04 단체보험에 관한 다음 설명 중 가장 옳지 않은 것은? ▶ 2022 법무사

① 상법 제735조의3에 규정된 단체보험에 해당하려면 단체가 규약에 따라 보험계약을 체결하여야 하고, 단순히 다수의 회사 직원을 피보험자로 하여 보험계약이 체결되었다고 하여 위 조항상의 단체보험이 되는 것은 아니다.

② 상법 제735조의3에서 '규약'의 의미는 보험가입에 관하여 대표자가 구성원을 위하여 일괄하여 계약을 체결할 수 있다는 취지를 담고 있는 것만으로는 충분하지 않고 반드시 당해 보험가입과 관련한 상세한 사항까지 단체내부의 협정에 규정되어 있어야 한다.

③ 단체보험은 타인의 생명보험임에도 불구하고 계약체결 시 타인의 서면 동의를 받지 않아도 된다.

④ 단체보험에서 보험계약자는 단체의 구성원인 피보험자를 보험수익자로 하여 타인을 위한 보험계약으로 체결할 수도 있고 보험계약자 자신을 보험수익자로 하여 자기를 위한 보험계약으로 체결할 수도 있다.

⑤ 보험계약에서 보험계약자가 피보험자 또는 그 상속인이 아닌 자를 보험수익자로 지정할 때에는 단체의 규약에서 명시적으로 정하는 경우 외에는 그 피보험자의 상법 제731조 제1항에 따른 서면 동의를 받아야 한다.

해설 ① [○] : 대판 2006.4.27, 2003다60259

② [×] : 상법 제735조의3에서 단체보험의 유효요건으로 요구하는 '규약'의 의미는 단체협약, 취업규칙, 정관 등 그 형식을 막론하고 단체보험의 가입에 관한 단체내부의 협정에 해당하는 것으로서, 반드시 당해 보험가입과 관련한 상세한 사항까지 규정하고 있을 필요는 없고 그러한 종류의 보험가입에 관하여 대표자가 구성원을 위하여 일괄하여 계약을 체결할 수 있다는 취지를 담고 있는 것이면 충분하다 할 것이지만, 위 규약이 강행법규인 상법 제731조 소정의 피보험자의 서면동의에 갈음하는 것인 이상 취업규칙이나 단체협약에 근로자의 채용 및 해고, 재해부조 등에 관한 일반적 규정을 두고 있다는 것만으로는 이에 해당한다고 볼 수 없다(대판 2006.4.27, 2003다60259).

③ [○] : 단체가 규약에 따라 구성원의 전부 또는 일부를 피보험자로 하는 생명보험계약을 체결하는 경우에는 제731조(타인의 생명보험 가입시 동의)를 적용하지 아니한다[상법 제735조의3(단체보험) 제1항].

④ [○] : 대판 2006.4.27, 2003다60259

⑤ [○] : 상법 제735조의3(단체보험) 제3항

박문각 법무사

해상

해상기업

01　선박소유자의 책임제한에 관한 다음 설명 중 가장 옳지 않은 것은?　　▸ 2022 법무사

① 상법상 책임이 제한되는 주체는 선박소유자뿐만 아니라 선체용선자도 포함된다.

② 선박소유자의 책임제한은 계약책임에 대해서만 적용될 뿐이고 불법행위책임에는 적용이 없다.

③ 피용자에게 고의 또는 무모한 행위가 있었다고 하더라도 선박소유자 본인에게 그와 같은 고의 또는 무모한 행위가 없는 이상 선박소유자는 상법 제769조 본문에 의하여 책임을 제한할 수 있다.

④ 법인의 대표기관뿐만 아니라 적어도 법인의 내부적 업무분장에 따라 당해 법인의 관리업무 전부 또는 특정 부분에 관하여 대표기관에 갈음하여 사실상 회사의 의사결정 등 권한을 행사하는 사람의 행위는 그가 이사회의 구성원 또는 임원이 아니더라도 선박소유자 등 책임제한 배제 규정을 적용할 때 책임제한 주체 자신의 행위로 보아야 한다.

⑤ 선박소유자 등에게 손해배상 등을 청구하는 소송이 제기된 경우 책임제한의 배제를 주장하는 채권자가 책임제한 배제사유의 존재에 대한 증명책임을 부담하지만, 선박소유자 책임제한절차에서는 절차개시를 신청하는 신청인이 책임제한 배제사유의 부존재에 대하여 소명하여야 한다.

해설　① [○] : 상법 제774조 제1항 제1호(용선자, 선박관리인, 선박운항자)

② [×] : 상법 제769조 본문(청구원인의 여하에 불구하고…): 선박소유자의 책임제한은 계약책임과 불법행위책임에도 적용이 된다.

③ [○] : 상법 제769조

④ [○] : 대판 2012.4.17, 2010마222

⑤ [○] : 대판 2012.4.17, 2010마222

02 선박우선특권에 관한 다음 설명 중 가장 옳지 않은 것은? (다툼이 있는 경우 대법원 판례에 따르고 전원합의체 판결의 경우 다수의견에 의함. 특별한 언급이 없다면 각 지문의 회사는 자본금 총액이 10억 원 이상인 비상장 주식회사를 의미함) ▸ 2025 법무사

① 선박우선특권자는 그 우선특권 있는 채권에 대한 집행력 있는 집행권원을 요함이 없이 선박을 물적 담보로 하여 특별한 사정이 없는 한 언제든지 경매청구를 할 수 있고, 매각대금에 대하여 우선변제권을 행사할 수 있다.

② 선박에 대한 압류의 효력이 발생한 때부터 매각대금 지급 시까지의 기간 동안에 선박의 정박을 위하여 발생한 정박료는 상법 제777조 제1항 제1호 소정의 선박우선특권에 해당한다.

③ 선박우선특권자는 그 피담보채권이 변제기에 있는 한, 언제든지 우선특권의 목적물에 대하여 우선특권을 행사할 수 있고 반드시 채권의 발생과 동시에 행사하여야 한다거나 항해 종료 직후 곧바로 행사할 필요는 없다.

④ 수회의 항해에 관한 채권의 우선특권이 경합하는 때에는 후의 항해에 관한 채권이 전의 항해에 관한 채권에 우선한다.

⑤ 선박우선특권은 그 채권이 생긴 날부터 1년 이내에 실행하지 아니하면 소멸한다.

해설 ① [○] : 대판 1976.6.24, 76마195
② [×] : 선박경매에 있어서 선박을 압류항에 정박시켜 두지 아니하면 경매 절차를 속행할 수 없으므로, 선박에 대한 압류의 효력이 발생한 때부터 경락대금 지급시까지의 기간 동안에 선박의 정박을 위하여 발생한 정박료는 선박경매를 수행하기 위한 것으로서 당해 집행사건의 집행비용에 해당한다고 보아야 상법 제861조(1991.12.31, 법률 제4470호로 제정된 것) 제1항 제1호 소정의 선박우선특권에 해당한다고 볼 수는 없다(대판 1998.2.10, 97다10468).
③ [○] : 대판 1979.6.26, 79다407
④ [○] : 상법 제783조(수회항해에 관한 채권에 대한 우선특권의 순위) 제1항
⑤ [○] : 상법 제786조(우선특권의 소멸)

정답 01 ② 02 ②

03 상법상 선박우선특권에 관한 다음 설명 중 가장 옳은 것은?

▶ 2021 법무사

① 선박이 출항 준비를 하다가 화재가 발생하였고 수리를 마친 후 항해를 계속한 경우 그 수리비는 선박의 상태 및 가치를 유지·보존하기 위한 비용으로 선박우선특권의 피담보채권에 해당한다.

② 목적하는 항해를 마치지 않고 항해 도중 경매 또는 양도처분으로 항해가 중지된 경우 항해를 폐지한 시기에 선박이 존재하는 항에서 수리한 비용은 피담보채권에 해당하지 않는다.

③ 선체용선에 관한 상법 제850조 제2항의 규정이 정기용선에 유추적용되어 정기용선된 선박의 이용에 관하여 생긴 우선특권을 가지는 채권자는 선박소유자의 선박에 대하여 경매청구를 할 수 있다.

④ 선박채권자의 우선특권은 그 선박소유권의 이전으로 인하여 영향을 받지 않으므로, 선박의 양수인에게도 채무의 변제를 청구할 수 있다.

⑤ 선박우선특권은 건조 중인 선박에는 준용되지 않는다.

해설 ① [×] : 연근해를 운행하는 유류운송선이 출항 준비 중에 발생한 화재로 인한 수리를 마친 후 항해를 계속한 경우, 그 수리비는 선박의 상태 및 가치를 유지·보존하기 위한 비용일지라도 최후의 입항 후에 발생한 것이 아니므로 그 수리비 채권을 두고 상법 제777조 제1항 제1호 소정의 선박보존비 등에 해당한다고 볼 수 없다(대판 1998.2.9, 97마2525, 2526).

② [×] : 상법 제777조 제1항 제1호가 최후 입항 후의 선박보존비 등에 대하여 선박우선특권을 부여하는 것은, 이러한 비용의 지출이 없으면 다른 채권자들도 선박 경매대금으로부터 변제를 받기가 불가능하게 될 것이라는 점에서 이러한 비용은 경매에 관한 비용에 준하는 성질을 가지기 때문이며, 따라서 '최후 입항 후'라는 의미는 목적하는 항해가 종료되어 돌아온 항뿐만 아니라 선박이 항해 도중 경매 또는 양도처분으로 항해가 중지되어 경매되는 경우의 선박보존비용도 이에 포함된다(대판 1996.5.14, 96다3609).

③ [○] : 대판 2019.7.24, 2017마1442

④ [×] : 상법 제777조 소정의 선박우선특권을 가진 선박채권자는 선박을 양수한 사람에게 채무의 변제를 청구할 수 없고 다만 선박우선특권의 추급성에 의하여 선박이 우선특권의 목적물이 될 뿐이다(대판 1974.10.10, 74다176).

⑤ [×] : 건조 중인 선박에도 준용된다(상법 제790조).

정답 03 ③

운송과 용선

01 해상운송인에 관한 다음 설명 중 가장 옳은 것은? (다툼이 있는 경우 판례에 따르고 전원합의체 판결의 경우 다수의견에 의함)　　▶ 2023 법무사

① 해상운송인의 송하인 또는 수하인에 대한 채권 및 채무는 그 청구원인의 여하에 불구하고 운송인이 수하인에게 운송물을 인도한 날부터 또는 인도할 날부터 2년 이내에 재판상 청구가 없으면 소멸한다.

② 해상운송인의 송하인이나 수하인에 대한 권리·의무에 관한 소멸기간은 소멸시효에 해당하고, 그 기산일인 '운송물을 인도할 날'이란 통상 운송계약이 그 내용에 좇아 이행되었으면 인도가 행하여져야 했던 날을 의미한다. 이 경우 운송물이 물리적으로 멸실되는 경우뿐만 아니라 운송인이 운송물의 인도를 거절하거나 운송인의 사정으로 운송이 중단되는 등의 사유로 운송물이 인도되지 않은 경우에도 '운송물을 인도할 날'을 기준으로 하여 소멸기간이 도과하였는지를 판단하여야 한다.

③ 상법 제814조 제1항에 따른 해상운송인의 송하인이나 수하인에 대한 권리·의무에 관한 소멸기간은 해상운송인의 송하인 또는 수하인에 대한 채권 및 채무의 청구원인이 계약인 경우에 적용되고, 불법행위인 경우에는 적용되지 않는다.

④ 복합운송주선인인 甲 주식회사가 운송계약에 따라 해상운송인인 乙 외국회사에 운송을 의뢰한 화물은 폐기물처리업자가 수출 화물인 것처럼 가장하여 반출하려 한 폐기물이었는데, 이를 甲 회사 및 甲 회사가 지정한 수하인이 수령하지 않아 컨테이너 초과사용료, 터미널 보관료 등 손해가 계속 발생하자, 乙 회사가 화물 도착 후 2년이 지난 시점에 甲 회사를 상대로 손해배상청구소송을 제기한 경우, 위 소는 상법 제814조 제1항에서 정한 소멸기간이 지난 후에 제기된 것이어서 부적법하다.

⑤ 상법 제814조 제1항에서 정한 소멸기간이 지난 뒤에 그 기간 경과의 이익을 받는 당사자가 기간이 지난 사실을 알면서도 기간 경과로 인한 법적 이익을 받지 않겠다는 의사를 표시한 경우에는, 권리소멸의 이익을 포기하였다고 인정할 수 있다.

해설 ① [×] : 1년 이내에 재판상 청구가 없으면 소멸한다[상법 제814조(운송인이 채권채무의 소멸) 제1항].

② [×] : 소멸기간은 제척기간에 해당하고…(대판 2022.12.1, 2020다280685)

③ [×] : 해상운송인의 송하인 또는 수하인에 대한 채권 및 채무는 그 청구원인이 계약인 경우뿐만 아니라 불법행위인 경우에도 위 제척기간이 적용된다(대판 2022.12.1, 2020다280685).

정답 ▶ **01** ⑤

④ [×] : 상법 제814조 제1항에서 정한 제척기간의 기산점으로서 '화물의 인도가 행하여져야 했던 날'을 지나서 발생하는 위 손해배상채권의 제척기간 기산일은 그 채권의 발생일이라고 해석함이 타당하고, 그날부터 상법 제814조 제1항에서 정한 권리의 존속기간인 1년의 제척기간이 적용된다고 보아야 하는데도, 위 손해배상청구 중 소제기 1년 안에 발생한 부분까지도 제척기간을 도과하여 부적법하다고 본 원심판단에 법리오해의 잘못이 있다(대판 2022.12.1, 2020다280685).

⑤ [○] : 대판 2022.6.9, 2017다247848

02 선하증권에 관한 다음 설명 중 가장 옳지 않은 것은?

▸ 2021 법무사

① 선하증권이 발행된 경우 운송인과 송하인 사이에 선하증권에 기재된 대로 개품운송계약이 체결되고 운송물을 수령 또는 선적한 것으로 추정한다.

② 재용선계약 등에 의하여 복수의 해상운송 주체가 있는 경우 운송의 최종 수요자인 운송의뢰인에 대한 관계에서도 선하증권의 발행사실만으로 당연히 운송인의 지위가 인정된다.

③ 운송인은 운송물을 수령한 후 송하인의 청구에 의하여 선하증권을 1통 또는 수통 교부하여야 한다.

④ 양륙항에서 수통의 선하증권 중 1통을 소지한 자가 운송물의 인도를 청구하는 경우에도 선장은 그 인도를 거부하지 못한다.

⑤ 선하증권은 운송물인도청구권을 표창하는 유가증권으로서 화물상환증과 같은 물권적 효력이 있다.

해설　① [○] : 상법 제854조(선하증권의 기재의 효력) 제1항

② [×] : 재용선계약의 경우, 선주와 용선자 사이의 주된 용선계약과 용선자와 재용선자 사이의 재용선계약은 각각 독립된 운송계약으로서 선주와 재용선계약의 재용선자와는 아무런 직접적인 관계가 없다 할 것인바, 재용선계약 등에 의하여 복수의 해상운송 주체가 있는 경우 운송의 최종 수요자인 운송의뢰인에 대한 관계에서는, 용선계약에 의하여 그로부터 운송을 인수한 자가 누구인지에 따라 운송인이 확정되는 것이고, 선하증권의 발행자가 운송인으로 인정될 개연성이 높다 하겠지만, 그렇다고 하여 선하증권의 발행사실만으로 당연히 운송인의 지위가 인정되는 것은 아니다(대판 2004.10.27, 2004다7040).

③ [○] : 상법 제852조(선하증권의 발행) 제1항

④ [○] : 상법 제857조(수통의 선하증권과 양륙항에 있어서의 운송물의 인도) 제1항

⑤ [○] : 대판 2000.1.10, 2000다70064

03 다음 설명 중 가장 옳지 않은 것은? (다툼이 있는 경우 대법원 판례에 따르고 전원합의체 판결의 경우 다수의견에 의함. 특별한 언급이 없다면 각 지문의 회사는 자본금 총액이 10억 원 이상인 비상장 주식회사를 의미) ▸ 2024 법무사

① 어떤 자가 제조자나 공급자와 대리점계약이라는 명칭의 계약을 체결하였다고 하여 곧바로 상법 제87조의 대리상으로 되는 것은 아니다.

② 어떠한 법률관계가 내적 조합에 해당하는지 아니면 익명조합에 해당하는지는 당사자들의 내부관계에 있어서 공동사업이 있는지, 조합원이 업무검사권 등을 가지고 조합의 업무에 관여하였는지, 재산의 처분 또는 변경에 전원의 동의가 필요한지 등을 모두 종합하여 판단하여야 한다.

③ 해상운송화물이 통관을 위하여 보세창고에 입고된 경우에는 운송인과 보세창고업자 사이에 해상운송화물에 관하여 묵시적 임치계약이 성립한다.

④ 보세창고업자는 운송인의 이행보조자로서 해상운송의 정당한 수령인인 수하인 또는 수하인이 지정하는 자에게 화물을 인도할 의무를 부담한다.

⑤ 보세창고업자는 화물 인도 과정에서 운송인이 발행한 화물인도지시서가 화물을 인도할 수 있는 근거서류로 적법하게 발행되었는지 등을 확인할 주의의무를 부담하는데, 선하증권을 취득하지 못한 신용장 개설은행에 대해서도 이러한 주의의무를 부담한다.

PART · 05

해설 ① [O] : 대판 1999.2.5, 97다26593
② [O] : 대판 2011.11.24, 2010도5014
③ [O] : 대판 2009.10.15, 2009다39820
④ [O] : 대판 2009.10.15, 2009다39820
⑤ [×] : 보세창고업자는 화물 인도 과정에서 운송인이 발행한 화물인도지시서가 화물을 인도할 수 있는 근거서류로 적법하게 발행되었는지 등을 확인할 주의의무를 부담한다. 이와 같이 보세창고업자가 화물 인도에 관하여 부담하는 주의의무는 선하증권 소지인의 권리 기타 재산상의 이익을 보호하고 손해를 방지하는 것을 목적으로 할 뿐, 선하증권을 취득하지 못한 신용장 개설은행에 대해서까지 이러한 주의의무를 부담한다고 보기 어렵다(대판 2023.12.14, 2022다208649).

정답 02 ② 03 ⑤

해상위험

01 공동해손에 관한 다음 설명 중 가장 옳지 않은 것은? ▸ 2022 법무사

① 선박과 적하의 공동위험을 면하기 위한 선장의 선박 또는 적하에 대한 처분으로 인하여 생긴 손해 또는 비용은 공동해손으로 하고, 공동해손은 그 위험을 면한 선박 또는 적하의 가액과 운임의 반액과 공동해손의 액과의 비율에 따라 각 이해관계인이 이를 분담한다.

② 공동해손의 분담액을 정함에 있어서는 선박의 가액은 도달의 때와 곳의 가액으로 하고, 적하의 가액은 양륙의 때와 곳의 가액으로 한다. 다만, 적하에 관하여는 그 가액 중에서 멸실로 인하여 지급을 면하게 된 운임과 그 밖의 비용을 공제하여야 한다.

③ 선박에 비치한 무기, 선원의 급료, 선원과 여객의 식량·의류는 보존된 경우에는 그 가액을 공동해손의 분담에 산입하지 아니하고, 손실된 경우에는 그 가액을 공동해손의 액에 산입한다.

④ 속구목록에 기재하지 아니한 속구, 선하증권이나 그 밖에 적하의 가격을 정할 수 있는 서류 없이 선적한 하물 또는 종류와 가액을 명시하지 아니한 화폐나 유가증권과 그 밖의 고가물은 보존된 경우에는 그 가액을 공동해손의 분담에 산입하고, 손실된 경우에는 그 가액을 공동해손의 액에 산입하지 아니한다.

⑤ 공동해손으로 인하여 생긴 채권 및 상법 제870조에 따른 구상채권은 그 계산이 종료한 날부터 2년 이내에 재판상 청구가 없으면 소멸한다.

해설 ① [O] : 상법 제865조(공동해손의 요건), 제866조(공동해손의 분담)
② [O] : 상법 제867조(공동해손분담액의 산정)
③ [O] : 상법 제871조(공동해손분담제외)
④ [O] : 상법 제872조(공동해손분담청구에서의 제외) 제1항
⑤ [×] : 공동해손으로 인하여 생긴 채권 및 제870조에 따른 구상채권은 그 계산이 종료한 날부터 1년 이내에 재판상 청구가 없으면 소멸한다. 다만, 이 기간은 당사자의 합의에 의하여 연장할 수 있다(상법 제875조).

정답 **01** ⑤

PART
06
환어음

발행과 방식

01 어음법 및 수표법상 환어음, 약속어음, 수표의 비교에 관한 다음 설명 중 가장 옳지 않은 것은?
▸ 2022 법무사

① 환어음은 조건 없이 일정한 금액을 지급할 것을 위탁하는 뜻을 적고, 약속어음은 조건 없이 일정한 금액을 지급할 것을 약속하는 뜻을 적는다.

② 약속어음은 지급인이 없고 따라서 지급지도 기재하지 않는다.

③ 수표에는 만기와 수취인을 기재할 필요가 없다.

④ 수표는 발행인이 처분할 수 있는 자금이 있는 은행을 지급인으로 한다. 그러나 이를 위반하는 경우에도 수표로서의 효력에 영향을 미치지 않는다.

⑤ 환어음과 달리 수표는 인수하지 못한다.

해설 ① [○] : 어음법 제1조(어음의 요건) 제2호, 제75조(약속어음의 요건) 제2호

② [×] : 어음법 제75조 제4호(약속어음에는 지급인이 있을 수 없지만 지급지는 필요하고 기재하여야 한다)

③ [○] : 수표법 제1조(수표의 요건: 수표는 만기가 없다), 제5조 제3항(수취인 기재는 상대적 기재사항이다)

④ [○] : 수표법 제3조 후단

⑤ [○] : 수표법 제4조(인수의 금지): 수표는 인수하지 못한다. 수표에 적은 인수의 문구는 적지 아니한 것으로 본다.

02 다음 중 어음 또는 수표가 무효로 되는 경우를 모두 고른 것은?
▸ 2022 법무사

> 가. 약속어음의 발행인이 어음면에 지급에 관한 조건을 기재한 경우
> 나. 수표의 발행인이 수표에 이자의 약정을 기재한 경우
> 다. 환어음의 발행인이 인수를 담보하지 않는다는 문구를 기재한 경우
> 라. 약속어음의 발행인이 발행일 이전의 날짜를 만기로 기재한 경우
> 마. 환어음의 발행인이 지급을 담보하지 않는다는 문구를 기재한 경우

① 가, 나   ② 가, 라   ③ 나, 다

④ 나, 라   ⑤ 다, 마

해설 가. [무효] : 약속어음에는 조건 없이 일정한 금액을 지급할 것을 약속하는 뜻을 적어야 한다(어음법 제75조(어음의 요건: 절대적 기재사항) 제2호).

나. [유효] : 수표에 적은 이자의 약정은 적지 아니한 것으로 본다[수표법 제7조(이자의 약정)].

다. [유효] : 발행인은 인수를 담보하지 아니한다는 내용을 어음에 적을 수 있다[어음법 제9조(발행인
의 책임) 제2항].

라. [무효] : 확정일출급 약속어음의 경우에 있어서 만기의 일자가 발행일보다 앞선 일자로 기재되어
있는 것은 무효이다(대판 2000.4.25, 98다59682).

마. [유효] : 발행인이 지급을 담보하지 아니한다는 뜻의 모든 문구는 적지 아니한 것으로 본다[어음
법 제9조(발행인의 책임) 제2항].

03 어음행위의 대리에 관한 다음 설명 중 가장 옳지 않은 것은? ▸ 2021 법무사

① 어음상에 대리인 자신을 위한 어음행위가 아니고 본인을 위하여 어음행위를 한다는 취지
를 인식할 수 있을 정도의 표시가 있으면 대리관계의 표시로 보아야 할 것이어서, "甲주
식회사 이사 乙"이라는 표시는 甲주식회사의 대리관계의 표시로써 적법한 표시이다.

② 조합의 어음행위는 조합의 성질상 조합원 전원이 기명날인 또는 서명을 하여야 하고, 대
표조합원이 그 대표자격을 밝히고 조합원 전원을 대리하여 서명한 경우라도 조합원 전원
에 대한 유효한 어음행위가 될 수 없다.

③ 약속어음의 보증 부분이 위조된 경우, 해당 약속어음을 배서, 양도받는 제3취득자는 위
보증행위가 민법 제126조 소정의 표현대리행위로서 보증인에게 그 효력이 미친다고 주
장할 수 있는 제3자에 해당하지 않는다.

④ 어음위조의 경우에도 제3자가 어음행위를 실제로 한 자에게 그와 같은 어음행위를 할
수 있는 권한이 있다고 믿을 만한 사유가 있고, 본인에게 책임을 질 만한 사유가 있는
때에는 대리방식에 의한 어음행위의 경우와 마찬가지로 민법상의 표현대리 규정을 유추
적용하여 본인에게 그 책임을 물을 수 있다.

⑤ 어음행위의 대리 또는 대행권한을 수여받은 자가 그 수권의 범위를 넘어 어음행위를 한
경우에 본인은 그 수권의 범위 내에서는 대리 또는 대행자와 함께 어음상의 채무를 부담
한다.

해설 ① [O] : 대판 1978.12.13, 78다1567
② [×] : 대표조합원이 그 대표자격을 밝히고 조합원 전원을 대리하여 서명한 경우에는 조합원 전
원에 대한 유효한 어음행위가 될 수 있다(대판 1970.8.31, 70다1360).
③ [O] : 대판 2002.12.10, 2001다58443
④ [O] : 대판 1999.1.29, 98다27470
⑤ [O] : 대판 2001.2.23, 2000다45303 · 45310

정답 ▸ 01 ② 02 ② 03 ②

04 어음관계와 원인관계에 관한 다음 설명 중 가장 옳지 않은 것은? ▶ 2021 법무사

① 채무자가 기존 채무의 이행에 관하여 채권자에게 어음을 교부하는 경우에 어음상의 주채무자가 원인관계상의 채무자와 동일하지 아니한 때에는 제3자인 어음상의 주채무자에 의한 지급이 예정되어 있으므로 이는 '지급을 위하여' 교부된 것으로 추정되지만, '지급에 갈음하여' 교부된 것으로 볼 만한 특별한 사정이 있는 경우에는 그러한 추정은 깨진다.

② 원인채권의 지급을 확보하기 위한 방법으로 어음이 수수된 경우, 채권자가 어음채권에 기하여 청구를 하더라도 원인채권의 소멸시효를 중단시키는 효력은 없다.

③ 다른 사람이 발행 또는 배서양도하는 약속어음에 배서인이 된 사람은 그 배서로 인한 어음상의 채무만을 부담하는 것이 원칙이고, 특별히 채권자에 대하여 자기가 그 발행 또는 배서양도의 원인이 된 채무까지 보증하겠다는 뜻으로 배서한 경우에 한하여 그 원인채무에 대한 보증책임을 부담한다.

④ 어음에 의하여 청구를 받은 자는 종전의 소지인에 대한 인적 관계로 인한 항변으로써 소지인에게 대항하지 못하는 것이 원칙이지만, 자기에 대한 배서의 원인관계가 흠결됨으로써 어음소지인이 그 어음을 소지할 정당한 권원이 없어지고 어음금의 지급을 구할 경제적 이익이 없게 된 경우에는 인적항변 절단의 이익을 향유할 지위에 있지 않다고 보아야 한다.

⑤ 채무자가 채권자에게 기존 채무의 이행에 관하여 교부한 어음이 '지급을 위하여' 교부된 것으로 추정되는 경우, 채권자가 기존 채무의 변제기보다 후의 일자가 만기로 된 어음을 교부받은 때에는 특별한 사정이 없는 한 기존채무의 지급을 유예하는 의사가 있었다고 보아야 한다.

> **해설** ① [○] : 대판 2010.12.23, 2010다44019
> ② [×] : 대판 2002.02.26, 2000다25484(…원인채권의 소멸시효를 중단시키는 효력이 있다)
> ③ [○] : 대판 2009.10.29, 2009다44884
> ④ [○] : 대판 2003.1.10, 2002다46508
> ⑤ [○] : 대판 2001.07.13, 2000다57771

05 어음의 항변에 관한 설명 중 가장 옳지 않은 것은? ▸ 2022 법무사

① 소지인이 어음 채무자를 해할 것임을 중대한 과실로 알지 못하였다면 어음 채무자는 종전 소지인에 대한 인적항변으로써 소지인에게 대항할 수 있다.

② 융통어음을 발행한 자는 그 어음을 양수한 제3자에 대하여는 특별한 사정이 없는 한 선의, 악의를 묻지 아니하고 대가 없이 발행한 융통어음이었다는 항변으로 대항할 수 없다.

③ 융통어음을 양수한 제3자가 양수 당시 그 어음이 융통어음으로 발행되었고 이와 교환으로 교부된 담보어음이 지급거절되었다는 사정을 알고 있었다면, 융통어음의 발행자는 그 제3자에 대하여도 융통어음의 항변으로 대항할 수 있다.

④ 현재의 어음소지인에게 어음을 양도한 사람이 어음취득 당시 선의였기 때문에 그에게 대항할 수 없었던 사유에 대하여는 현재의 어음소지인이 비록 어음취득 당시 그 사유를 알고 있었다고 해도 현재의 어음소지인에게 대항할 수 없다.

⑤ 약속어음 발행인으로부터 인적항변의 대항을 받는 어음소지인은 당해 어음을 제3자에게 배서·양도한 후 환배서에 의하여 이를 다시 취득하여 소지하게 되었다고 할지라도 발행인으로부터 여전히 위 항변의 대항을 받는다.

해설 ① [×] : 환어음에 의하여 청구를 받은 자는 발행인 또는 종전의 소지인에 대한 인적 관계로 인한 항변(抗辯)으로써 소지인에게 대항하지 못한다. 그러나 소지인이 그 채무자를 해할 것을 알고 어음을 취득한 경우에는 그러하지 아니하다[어음법 제17조(인적 항변의 절단)]: 따라서 어음 채무자는 소지인이 그 채무자를 해할 것을 알고 어음을 취득한 경우가 아닌 한, 소지인이 중대한 과실로 그러한 사실을 몰랐다고 하더라도 종전 소지인에 대한 인적항변으로써 소지인에게 대항할 수 없다(대판 1996.3.22, 95다56033).

② [O] : 대판 2012.11.15, 2012다60015

③ [O] : 대판 1994.5.10, 93다58721

④ [O] : 엄폐물의 법칙: 어음의 양도 전에 배서를 하였다가 이를 말소한 채로 다시 어음을 양도한 자도 배서인으로서의 소구의무를 부담하는 것은 아니나 현재의 어음소지자의 전자로서의 권리를 양도한 어음상의 권리자였다는 점에는 변함이 없다 할 것이고, 현재의 어음소지인에게 어음을 양도한 자가 어음취득 당시 선의였기 때문에 그에게 대항할 수 없었던 사유에 대하여는 현재의 어음소지인이 비록 어음취득 당시 그 사유를 알고 있었다고 하여 그것으로써 현재의 어음소지인에게 대항할 수는 없다고 할 것이다(대판 1995.1.20, 94다50489).

⑤ [O] : 대판 2002.4.26, 2000다42915

06 어음과 수표의 백지보충에 관한 다음 설명 중 가장 옳지 않은 것은? (다툼이 있는 경우 대법원 판례에 따르고 전원합의체 판결의 경우 다수의견에 의함. 특별한 언급이 없다면 각 지문의 회사는 자본금 총액이 10억 원 이상인 비상장 주식회사를 의미함) ▸ 2025 법무사

① 어음법 제10조가 규정하는 '악의로 어음을 취득한 때'라 함은 소지인이 백지어음이 부당 보충되었다는 사실과 이를 취득할 경우 어음채무자를 해하게 된다는 것을 알면서도 어음을 양수한 때를 말하고, '중대한 과실로 인하여 어음을 취득한 때'라 함은 소지인이 조금만 주의를 기울였더라면 백지어음이 부당 보충되었다는 사실을 알 수 있었음에도 불구하고 그와 같은 주의도 기울이지 아니하고 부당 보충된 어음을 양수한 때를 말한다. 소지인이 악의 또는 중과실로 부당 보충된 어음을 취득한 경우 발행인은 이에 대한 어음상의 책임을 당연히 지지 않게 된다.

② 만기는 기재되어 있으나 지급지, 지급을 받을 자 등과 같은 어음요건이 백지인 약속어음의 소지인이 그 백지 부분을 보충하지 않은 상태에서 어음금을 청구하는 것은 어음상의 청구권에 관하여 잠자는 자가 아님을 객관적으로 표명한 것이고 그 청구로써 어음상의 청구권에 관한 소멸시효는 중단된다.

③ 백지수표의 보충권 행사에 의하여 생기는 채권은 수표금 채권이고, 수표법 제51조에 의하면 수표의 발행인에 대한 상환청구권은 제시기간 경과 후 6개월간 행사하지 아니하면 소멸시효가 완성되는 점 등을 고려하면 발행일을 백지로 하여 발행된 수표의 백지보충권의 소멸시효기간은 백지보충권을 행사할 수 있는 때로부터 6개월로 봄이 상당하다.

④ 어음금액이 백지인 어음을 취득하면서 보충권한을 부여받은 자의 지시에 의하여 어음금액란을 보충하는 경우 보충권의 내용에 관하여 어음의 기명날인자(발행인)에게 직접 조회하지 않았다면 특별한 사정이 없는 한 취득자에게 중대한 과실이 있다.

⑤ 약속어음의 금액란이 부당보충된 경우에는 어음법상의 어음의 위조에 해당되지 않는다.

> **해설** ① [×] : 비록 소지인이 악의 또는 중과실로 부당 보충된 어음을 취득하였다 하더라도 발행인은 자신이 유효하게 보충권을 수여한 범위 안에서는 당연히 어음상의 책임을 져야 할 것이다 (대판 1999.2.9, 98다37736).
> ② [○] : 대판 2010.5.20, 2009다48312
> ③ [○] : 대판 2001.10.23, 99다64018
> ④ [○] : 대판 1978.3.14, 77다2020
> ⑤ [○] : 대판 1978.3.14, 77다2020

정답 ▸ **06** ①

배서

인수

보증

01 어음의 보증에 관한 다음 설명 중 가장 옳지 않은 것은? ▸ 2021 법무사

① 약속어음의 보증을 하면서 누구를 위하여 보증한 것임을 표시하지 아니하였으면 약속어음의 발행인을 위하여 보증한 것으로 본다.

② 보증인이 환어음의 지급을 하면 보증된 자와 그 자의 어음상의 채무자에 대하여 어음으로부터 생기는 권리를 취득한다.

③ 민법상 보증인에게 인정되는 최고·검색의 항변권은 어음보증인에게도 인정된다.

④ 어음보증을 조건부로 하더라도 그 효력이 인정된다.

⑤ 어음금액의 일부만을 보증하는 일부보증도 가능하다.

해설 ① [○] : 어음법 제31조(보증의 방식) 제4항
② [○] : 어음법 제32조(보증의 효력) 제3항
③ [×] : 환어음의 발행, 인수, 배서 또는 보증을 한 자는 소지인에 대하여 합동으로 책임을 진다 [어음법 제47조(어음채무자의 합동책임) 제1항]. 따라서 민법상 공동보증과 달리 보증인 상호간의 분별의 이익이 없고, 최고·검색의 항변권도 인정되지 않는다.
④ [○] : 대판 1986.3.25, 84다카2438
⑤ [○] : 어음법 제30조(보증의 기능) 제1항, 제77조 제3항(준용)

정답 01 ③

Chapter 05 만기

Chapter 06 지급

Chapter 07 상환청구

Chapter
08
참가

Chapter
09
복본 · 등본

Chapter
10
변조

박문각 법무사

PART

07

약속어음

약속어음

01 어음에 관한 다음 설명 중 가장 옳지 않은 것은? (다툼이 있는 경우 판례에 따르고 전원합의체 판결의 경우 다수의견에 의함) ▶ 2023 법무사

① 어음채무자는 어음채권을 지명채권양도의 방법으로 양수한 자에게 양도인에 대한 인적 항변으로 대항할 수 있고, 따라서 지명채권양도의 방법으로 양수한 어음채권의 행사는 어음채무자와 양도인 사이의 원인관계의 효력에 따라 제한될 수 있다.

② 발행인과 수취인이 통모하여 진정한 어음채무 부담이나 어음채권 취득에 관한 의사 없이 단지 발행인의 채권자에게서 채권 추심이나 강제집행을 받는 것을 회피하기 위하여 형식적으로만 약속어음의 발행을 가장한 경우 이러한 어음발행행위는 통정허위표시로서 무효이고, 어음발행행위 등 어떠한 의사표시가 통정허위표시로서 무효라고 주장하는 자에게 그 사유에 해당하는 사실을 증명할 책임이 있다.

③ 특정인의 채무를 담보하기 위하여 약속어음을 발행하거나 그 어음에 배서한 경우에는 어음의 발행이나 배서인과 채권자 사이에 민사상 보증계약이 성립하였다고 추정되므로, 약속어음의 발행인 또는 배서인은 어음금의 지급 또는 상환책임 등 어음상 채무뿐만 아니라 약속어음의 발행 또는 배서의 원인이 되는 채무에 대한 민사상 보증책임도 부담한다.

④ 매수인이 매도인으로부터 물품을 공급받은 다음 그들 사이의 물품대금 지급방법에 관한 약정에 따라 대금의 지급을 위하여 물품 매도인에게 지급기일이 물품공급일자 이후로 된 약속어음을 발행·교부한 경우, 물품대금 지급채무의 이행기는 다른 특별한 사정이 없는 한 약속어음의 지급기일이고, 위 약속어음이 발행인에게 발생한 지급정지사유로 지급기일이 도래하기 전에 지급거절 되었더라도 지급거절된 때에 물품대금 지급채무의 이행기가 도래하는 것은 아니다.

⑤ 표지어음은 약속어음임을 표시하는 문구를 비롯하여 만기, 발행일, 발행인의 기명날인 등을 비롯한 어음법 제75조 소정의 주요한 어음요건을 갖추고 있고, 하단에는 표지어음이 어음에 해당함을 다시 확인하여 주는 문구, 즉 "발행지, 발행일, 수취인 등이 누락된 상태에서 지급제시하는 경우 지급거절로 선의의 피해를 입을 수 있으니 누락됨이 없도록 주의하시기 바랍니다."라고 찍혀 있는 것이 보통이며, 그 기재가 계약서가 아닌 약속어음 표면에 존재하는 이상 이를 예문에 해당하는 것으로 볼 수 없다는 점에서 그 법적 성격은 어음법 소정의 약속어음에 해당한다. 따라서 수취인란이 기재되지 아니한 미완성의 표지어음을 가지고 한 지급제시만으로는 발행인을 이행지체에 빠뜨릴 수 없고 그 지연손해금은 이를 보충한 후 지급제시를 한 다음 날부터 기산한다.

해설 ① [○] : 대판 2015.3.20, 2014다83647
② [○] : 대판 2017.8.18, 2014다87595
③ [×] : 특정인의 채무를 담보하기 위하여 약속어음을 발행하거나 그 어음에 배서하였다고 하더라도 그러한 사정만으로 어음의 발행인이나 배서인과 채권자 사이에 민사상 보증계약이 성립하였다고 추단할 수는 없고, 어음의 발행인 또는 배서인이 단순히 어음상의 채무를 부담하는 형태로 채권자에게 신용을 공여한 것이 아니라 민사상 보증의 형태로도 신용을 공여한 것이라는 점이 인정되어야 어음의 발행인 또는 배서인과 채권자 사이에 민사상 보증계약이 성립하였다고 볼 수 있다(대판 2015.5.14, 2013다49152).
④ [○] : 대판 2014.6.26, 2011다101599
⑤ [○] : 대판 2014.6.26, 2014다13167

02

다음 설명 중 가장 옳지 않은 것은? (다툼이 있는 경우 대법원 판례에 따르고 전원합의체 판결의 경우 다수의견에 의함. 특별한 언급이 없다면 각 지문의 회사는 자본금 총액이 10억원 이상인 비상장 주식회사를 의미) ▶ 2024 법무사

① 약속어음의 소지인이 그 어음이 지급기일에 지급거절되자 자기의 전자에게 피배서인이 백지인 배서가 되어 있는 상태로 교부하여 전자가 그 어음발행인을 상대로 어음금청구의 소를 제기하였으나 인적항변의 대항을 받아 패소하자 다시 그 어음을 교부받아 그 어음발행인을 상대로 어음금청구의 소를 제기한 경우, 그 어음발행인은 전자에 대한 인적항변으로 그 어음소지인에게 대항할 수 없다.

② 어음면의 기재 자체로 보아 국내어음으로 인정되는 경우에 있어서는 그 어음면상 발행지의 기재가 없는 경우라고 할지라도 이를 무효의 어음으로 볼 수 없다.

③ 어음발행인이 지급기일에 피사취신고 등 사고신고를 하면서 어음액면금 상당의 사고신고담보금을 지급은행에 예치하였다 하더라도, 어음소지인에 대한 변제공탁으로서 효력을 갖는다고 볼 수 없다.

④ 어음발행인에 대한 법인회생절차에서 어음소지인의 어음상의 권리가 회생계획의 규정에 따라 변경되었다고 하더라도 어음소지인이 지급은행에 대하여 갖는 사고신고담보금에 대한 권리에는 아무런 영향이 없다.

⑤ 어음발행인과 지급은행 사이에 체결된 사고신고담보금의 처리를 위한 약정서상에 지급은행이 어음발행인에게 담보금을 지급하는 경우의 하나로 '당해 어음과 관련하여 이해관계인이 소송계속중임을 입증하는 서면을 지급은행에 제출한 바가 없고 지급제시일로부터 6개월이 경과한 경우'를 정하고 있고, 제3자가 배서인을 채무자, 지급은행을 제3채무자로 하여 사고신고담보금에 대하여 채권압류 및 전부명령을 받은 경우, 제3자가 받은 위 압류 및 전부명령의 송달만으로는 사고신고담보금의 처리를 위한 약정서상의 소송계속중임을 증명하는 서면이 제출된 것으로 볼 수 없다.

정답 ▶ 01 ③ 02 ①

해설 ① [×] : 약속어음의 소지인이 그 어음이 지급기일에 지급거절되자 자기의 전자에게 피배서인이
백지인 배서가 되어 있는 상태로 교부하여 전자가 그 어음발행인을 상대로 어음금청구의
소를 제기하였으나 인적항변의 대항을 받아 패소하자 다시 그 어음을 교부받아 그 어음발
행인을 상대로 어음금청구의 소를 제기한 경우, 그 어음발행인은 전자에 대한 인적항변으
로 그 어음소지인에게 대항할 수 있다(대판 2002.4.26, 2000다42915).
② [○] : 대판 1998.4.23, 95다36466 전합
③ [○] : 대판 2017.2.3, 2016다41425
④ [○] : 대판 2005.3.24, 2004다71928
⑤ [○] : 대판 1998.11.24, 98다33154

PART
08
수표

발행과 방식

01 어음 및 수표에 관한 다음 설명 중 가장 옳지 않은 것은? (다툼이 있는 경우 대법원 판례에 따르고 전원합의체 판결의 경우 다수의견에 의함. 특별한 언급이 없다면 각 지문의 회사는 자본금 총액이 10억 원 이상인 비상장 주식회사를 의미) ▸ 2024 법무사

① 자기앞수표의 정당한 소지인이 수표법상의 보전절차를 취하지 않고 지급제시기간을 경과하여 수표상의 권리가 소멸됨으로써 수표법 제63조에 따라 취득하게 되는 이득상환청구권은 지명채권에 해당한다.

② 자기앞수표의 이득상환청구권의 경우 양도통지 또는 채무자의 승낙이 확정일자 있는 증서에 의하여 이루어지지 않더라도 채무자인 자기앞수표 발행 은행은 이득상환청구권의 양도, 그에 기한 채무의 변제라는 사정을 들어 양도인의 위 채권에 대한 압류채권자 등 양수인의 지위와 양립할 수 없는 법률상 지위를 취득한 사람에게 대항할 수 있다.

③ 지급제시기간이 경과한 자기앞수표는 이득상환청구권이 화체된 유가증권이 아니라 그 소지자가 이득상환청구권을 취득 또는 양수하였다는 점을 유력하게 뒷받침하는 증거증권으로서의 의미를 갖는다. 그러므로 자기앞수표를 소지하지 않은 상태에서 자기앞수표의 이득상환청구권을 행사하고자 하는 사람은 다른 증거에 의하여 자신이 이득상환청구권자임을 증명하여 이득상환청구권을 행사할 수 있다.

④ 만기는 기재되어 있으나 지급지, 지급을 받을 자 등과 같은 어음요건이 백지인 약속어음 소지인이 그 백지 부분을 보충하지 않은 상태에서 어음금을 청구한 경우 어음상의 청구권에 관한 소멸시효가 중단되는 효과가 있다.

⑤ 만기를 백지로 하여 발행된 약속어음의 백지보충권의 소멸시효기간은 백지보충권을 행사할 수 있는 때로부터 3년으로 보아야 한다.

해설 ① [○] : 대판 1970.3.10. 69다1370

② [×] : <u>자기앞수표의 이득상환청구권 역시 일반 지명채권과 마찬가지로 그 양도에 관하여 양도통지 또는 채무자의 승낙이 확정일자 있는 증서에 의하여 이루어지지 않는 이상, 채무자인 자기앞수표 발행 은행 등은 이득상환청구권의 양도, 그에 기한 채무의 변제라는 사정을 들어 양도인의 위 채권에 대한 압류채권자 등 양수인의 지위와 양립할 수 없는 법률상 지위를 취득한 사람에게 대항할 수 없다</u>(대판 2023.11.30. 2019다203286).

③ [○] : 대판 2023.11.30. 2019다203286

④ [○] : 대판 2010.5.20. 2009다48312 전합

⑤ [○] : 대판 2001.10.23. 99다64018; 대판 2003.5.30. 2003다16214

정답 01 ②

Chapter 02

양도

Chapter 03

보증

제시와 지급

횡선수표

상환청구

복본

변조

시효

지급보증

통칙

민법

민법총칙

기본문제 | **기본문제의 구성**

01 신의칙과 권리남용에 관한 다음 설명 중 가장 옳지 않은 것은? (다툼이 있는 경우 판례에 따르고 전원합의체 판결의 경우 다수의견에 의함. 이하 같음) ▶ 2024 법무사

① 계속적 보증계약에서 보증인은 변제기에 있는 주채무 전액에 대하여 책임을 지는 것이 원칙이고, 다만 보증 당시 주채무의 액수를 보증인이 예상하였거나 예상할 수 있었을 경우에는 그 예상 범위로 보증책임을 제한할 수 있으나, 그 예상 범위를 상회하는 주채무 과다 발생의 원인이 채권자가 주채무자의 자산 상태가 현저히 악화된 사실을 잘 알거나 중대한 과실로 알지 못한 탓으로 이를 알지 못하는 보증인에게 아무런 통보나 의사 타진도 없이 고의로 거래 규모를 확대함에 연유하는 등 신의칙에 반하는 사정이 있는 경우에 한하여 보증인의 책임을 합리적인 범위 내로 제한할 수 있다.

② 위임계약에서 보수액에 관하여 약정한 경우에 수임인은 원칙적으로 약정보수액을 전부 청구할 수 있는 것이 원칙이지만, 위임의 경위, 위임업무 처리의 경과와 난이도, 투입한 노력의 정도, 위임인이 업무 처리로 인하여 얻게 되는 구체적 이익, 기타 변론에 나타난 제반 사정을 고려할 때 약정보수액이 부당하게 과다하여 신의성실의 원칙이나 형평의 원칙에 반한다고 볼 만한 특별한 사정이 있는 때에는 예외적으로 상당하다고 인정되는 범위 내의 보수액만을 청구할 수 있다.

③ 계약 성립의 기초가 된 사정이 현저히 변경되고 당사자가 계약의 성립 당시 이를 예견할 수 없었으며, 그로 인하여 계약을 그대로 유지하는 것이 당사자의 이해에 중대한 불균형을 초래하거나 계약을 체결한 목적을 달성할 수 없는 경우에는 계약준수 원칙의 예외로서 사정변경을 이유로 계약을 해제하거나 해지할 수 있다. 여기에서 말하는 사정이란 당사자들에게 계약 성립의 기초가 된 사정뿐만 아니라, 어느 일방당사자가 변경에 따른 불이익이나 위험을 떠안기로 한 사정도 모두 포함될 수 있다.

④ 점유자가 취득시효완성 후에 그 사실을 모르고 당해 토지에 관하여 어떠한 권리도 주장하지 않기로 하였다 하더라도 이에 반하여 시효주장을 하는 것은 특별한 사정이 없는 한 신의칙상 허용되지 않는다.

⑤ 상속인 중의 1인이 피상속인의 생존 시에 피상속인에 대하여 상속을 포기하기로 약정하였다고 하더라도, 상속개시 후 민법이 정하는 절차와 방식에 따라 상속포기를 하지 아니한 이상, 상속개시 후에 자신의 상속권을 주장하는 것은 정당한 권리행사로서 권리남용에 해당하거나 또는 신의칙에 반하는 권리의 행사라고 할 수 없다.

해설 ① 일반적으로 계속적 보증계약에 있어서 보증인의 부담으로 돌아갈 주채무의 액수가 보증인이 보증 당시에 예상하였거나 예상할 수 있었던 범위를 훨씬 상회하고, 그 같은 주채무 과다 발생의 원인이 채권자가 주채무자의 자산상태가 현저히 악화된 사실을 익히 알거나 중대한 과실로 알지 못한 탓으로 이를 알지 못하는 보증인에게 아무런 통보나 의사타진도 없이 고의로 거래규모를 확대함에 비롯되는 등 신의칙에 반하는 사정이 인정되는 경우에 한하여 보증인의 책임을 합리적인 범위 내로 제한할 수 있다(대판 2005.10.27, 2005다35554).

② 대판 2016.2.18, 2015다35560, 대판(전) 2018.5.17, 2016다35833

③ 계약 성립의 기초가 된 사정이 현저히 변경되고 당사자가 계약의 성립 당시 이를 예견할 수 없었으며, 그로 인하여 계약을 그대로 유지하는 것이 당사자의 이해에 중대한 불균형을 초래하거나 계약을 체결한 목적을 달성할 수 없는 경우에는 계약준수 원칙의 예외로서 사정변경을 이유로 계약을 해제하거나 해지할 수 있다. 여기에서 말하는 사정이란 당사자들에게 계약 성립의 기초가 된 사정을 가리키고, 당사자들이 계약의 기초로 삼지 않은 사정이나 어느 일방당사자가 변경에 따른 불이익이나 위험을 떠안기로 한 사정은 포함되지 않는다. 경제상황 등의 변동으로 당사자에게 손해가 생기더라도 합리적인 사람의 입장에서 사정변경을 예견할 수 있었다면 사정변경을 이유로 계약을 해제할 수 없다. 특히 계속적 계약에서는 계약의 체결 시와 이행 시 사이에 간극이 크기 때문에 당사자들이 예상할 수 없었던 사정변경이 발생할 가능성이 높지만, 이러한 경우에도 위 계약을 해지하려면 경제적 상황의 변화로 당사자에게 불이익이 발생했다는 것만으로는 부족하고 위에서 본 요건을 충족하여야 한다(대판 2017.6.8, 2016다249557).

④ 취득시효완성 사실을 모르고 어떠한 권리주장도 하지 않기로 한 점유자가 후에 취득시효를 주장함은 신의칙에 어긋난다(대판 1998.5.22, 96다24101).

⑤ 상속인 중의 1인이 피상속인의 생존시에 피상속인에 대하여 상속을 포기하기로 약정하였다고 하더라도, 상속개시 후 민법이 정하는 절차와 방식에 따라 상속포기를 하지 아니한 이상, 상속개시 후에 자신의 상속권을 주장하는 것은 정당한 권리행사로서 권리남용에 해당하거나 또는 신의칙에 반하는 권리의 행사라고 할 수 없다(대판 1998.7.24, 98다9021).

정답 01 ③

심화문제 │ 확인 · 보충 · 심화문제

01 관습법에 관한 다음 설명 중 가장 옳지 않은 것은?　▸ 2025 법무사

① 토지 및 그 지상 건물 모두가 각 공유에 속한 상태에서 토지 및 건물공유자 중 1인이 그중 건물 지분만을 다른 사람에게 증여하여 토지와 건물의 소유자가 달라진 경우, 토지 전부에 관하여 건물의 소유를 위한 관습법상 법정지상권이 성립된 것으로 볼 수 없다.

② 사실인 관습은 법령으로서의 효력이 없는 단순한 관행으로서 법률행위의 당사자의 의사를 보충함에 그치는 것이다.

③ 사회를 지배하는 기본적 이념이나 사회질서의 변화로 인하여 관습법을 적용하여야 할 시점에 있어서의 전체 법질서에 부합하지 않게 되었다면 그러한 관습법은 법적 규범으로서의 효력이 부정될 수밖에 없다.

④ 외국적 요소가 있는 법률관계에 적용될 외국법규의 내용을 확정하고 그 의미를 해석할 때 외국 관습법까지 고려할 수는 없다.

⑤ 일반적으로 볼 때 법령과 같은 효력을 갖는 관습법은 당사자의 주장 · 증명을 기다림이 없이 법원이 직권으로 이를 확정하여야 한다.

> **해설** ① 토지 및 그 지상 건물 모두가 각 공유에 속한 경우 토지 및 건물공유자 중 1인이 그중 건물 지분만을 타에 증여하여 토지와 건물의 소유자가 달라진 경우에도 해당 토지 전부에 관하여 건물의 소유를 위한 관습법상 법정지상권이 성립된 것으로 보게 된다면, 이는 토지공유자의 1인으로 하여금 다른 공유자의 의사에 기하지 아니한 채 자신의 지분을 제외한 다른 공유자의 지분에 대하여서까지 지상권설정의 처분행위를 허용하는 셈이 되어 부당하다. 따라서 이 사건 토지 및 건물 공유자 중 1인인 원고가 피고 1에게 위 건물의 공유지분을 이전함으로써 토지와 건물의 소유자가 달라졌다고 하여 위 피고에게 이 사건 토지에 관한 관습법상 법정지상권의 성립을 인정할 수 없다(대판 2022.8.31. 2018다218601).
>
> ② 관습법은 바로 법원으로서 법령과 같은 효력을 갖는 관습으로서 법령에 저촉되지 않는 한 법칙으로서의 효력이 있는 것이며, 이에 반하여 사실인 관습은 법령으로서의 효력이 없는 단순한 관행으로서 법률행위의 당사자의 의사를 보충함에 그치는 것이다(대판 1983.6.14. 80다3231).
>
> ③ 사회의 거듭된 관행으로 생성된 사회생활규범이 관습법으로 승인되었다고 하더라도 사회 구성원들이 그러한 관행의 법적 구속력에 대하여 확신을 갖지 않게 되었다거나, 사회를 지배하는 기본적 이념이나 사회질서의 변화로 인하여 그러한 관습법을 적용하여야 할 시점에 있어서의 전체 법질서에 부합하지 않게 되었다면 그러한 관습법은 법적 규범으로서의 효력이 부정될 수밖에 없다(대판(전합) 2005.7.21. 2002다13850).
>
> ④ 외국적 요소가 있는 법률관계에 적용될 외국법규의 내용을 확정하고 그 의미를 해석할 때는 외국법이 그 본국에서 현실로 해석 · 적용되고 있는 의미와 내용에 따라 해석 · 적용하여야 한다(대판 2024.7.25. 2019다256501).

⑤ 법령과 같은 효력을 갖는 관습법은 당사자의 주장 입증을 기다림이 없이 법원이 직권으로 이를 확정하여야 하고 사실인 관습은 그 존재를 당사자가 주장 입증하여야 하나, 관습은 그 존부자체도 명확하지 않을 뿐만 아니라 그 관습이 사회의 법적 확신이나 법적 인식에 의하여 법적 규범으로까지 승인되었는지의 여부를 가리기는 더욱 어려운 일이므로, 법원이 이를 알 수 없는 경우 결국은 당사자가 이를 주장 입증할 필요가 있다(대판 1983.6.14, 80다3231).

정답 ▶ 01 ④

기본문제 | 기본문제의 구성

제1절 능력

01 다음 설명 중 가장 옳지 않은 것은? (다툼이 있는 경우 판례에 따르고 전원합의체 판결의 경우 다수의견에 의함. 이하 같음) ▶ 2021 법무사

① 미성년자가 토지매매행위를 부인하고 있는 이상, 미성년자가 그 법정대리인의 동의를 얻었다는 점에 관한 입증책임은 미성년자에게 없고 이를 주장하는 상대방에게 있다.

② 책임능력 있는 미성년자의 불법행위로 인하여 손해가 발생한 경우에 그 발생된 손해가 당해 미성년자의 감독의무자의 의무위반과 상당인과관계가 있을 경우에는 감독의무자는 일반불법행위자로서 손해배상의무가 있다.

③ 미성년자의 법률행위에 법정대리인의 동의를 요하도록 하는 것은 강행규정인데, 위 규정에 반하여 이루어진 신용구매계약을 미성년자 스스로 취소하는 것을 신의칙 위반을 이유로 배척한다면, 이는 오히려 위 규정에 의해 배제하려는 결과를 실현시키는 셈이 되어 미성년자 제도의 입법 취지를 몰각시킬 우려가 있으므로, 법정대리인의 동의 없이 신용구매계약을 체결한 미성년자가 사후에 법정대리인의 동의 없음을 사유로 들어 이를 취소하는 것이 신의칙에 위배된 것이라고 할 수 없다.

④ 미성년자의 친권자인 모가 자기 오빠의 제3자에 대한 채무의 담보로 미성년자 소유의 부동산에 근저당권을 설정하는 행위는, 채무자를 위한 것으로서 미성년자에게는 불이익만을 주는 것이어서 민법 제921조 제1항에 규정된 "법정대리인인 친권자와 그 자 사이에 이해상반되는 행위"에 해당한다.

⑤ 미성년자가 법률행위를 함에 있어서 요구되는 법정대리인의 동의는 언제나 명시적이어야 하는 것은 아니고 묵시적으로도 가능한 것이며, 미성년자의 행위가 위와 같이 법정대리인의 묵시적 동의가 인정되거나 처분허락이 있는 재산의 처분 등에 해당하는 경우라면, 미성년자로서는 더 이상 행위무능력을 이유로 그 법률행위를 취소할 수 없다.

[해설] ① 미성년자의 행위에 대해 법정대리인의 동의가 있었다는 사실에 관하여는 상대방이 입증책임을 진다(대판 1970.2.24. 69다1568).

② 민법 제750조에 대한 특별규정인 민법 제755조 제1항에 의하여 책임능력 없는 미성년자를 감독할 법정의 의무 있는 자가 지는 손해배상책임은 그 미성년자에게 책임이 없음을 전제로 하여 이를 보충하는 책임이고, 그 경우에 감독의무자 자신이 감독의무를 해태하지 아니하였음을 증명하지 아

니하는 한 책임을 면할 수 없는 것이나, 반면에 미성년자가 책임능력이 있어 그 스스로 불법행위책임을 지는 경우에도 그 손해가 감독의무자의 의무위반과 상당인과관계가 있으면 감독의무자는 제750조 일반 불법행위자로서 손해배상책임이 있다(대판 1994.2.8, 93다13605).

③ 미성년자의 법률행위에 법정대리인의 동의를 요하도록 하는 것은 강행규정인데, 위 규정에 반하여 이루어진 신용구매계약을 미성년자 스스로 취소하는 것을 신의칙 위반을 이유로 배척한다면, 이는 오히려 위 규정에 의해 배제하려는 결과를 실현시키는 셈이 되어 미성년자 제도의 입법 취지를 몰각시킬 우려가 있으므로, 법정대리인의 동의 없이 신용구매계약을 체결한 미성년자가 사후에 법정대리인의 동의 없음을 사유로 들어 이를 취소하는 것이 신의칙에 위배된 것이라고 할 수 없다(대판(전) 2007.11.16, 2005다71659·71666·71673).

④ 미성년자의 친권자인 모가 자기 오빠의 제3자에 대한 채무의 담보로 미성년자 소유의 부동산에 근저당권을 설정하는 행위가, 채무자를 위한 것으로서 미성년자에게는 불이익만을 주는 것이라고 하더라도, 민법 제921조 제1항에 규정된 '법정대리인인 친권자와 그 자 사이에 이해상반되는 행위'라고 볼 수는 없다(대판 1991.11.26, 91다32466).

⑤ 미성년자가 법률행위를 함에 있어서 요구되는 법정대리인의 동의는 언제나 명시적이어야 하는 것은 아니고 묵시적으로도 가능한 것이며, 미성년자의 행위가 위와 같이 법정대리인의 묵시적 동의가 인정되거나 처분허락이 있는 재산의 처분 등에 해당하는 경우라면, 미성년자로서는 더 이상 행위무능력(현행 제한능력)을 이유로 그 법률행위를 취소할 수 없다(대판(전) 2007.11.16, 2005다71659·71666·71673).

제2절 주소

제3절 부재와 실종

심화문제 | 확인 · 보충 · 심화문제

법인

기본문제 │ 기본문제의 구성

01 법인에 관한 다음 설명 중 가장 옳지 않은 것은?　　　▸ 2022 법무사

① 법인은 법률의 규정에 좇아 정관으로 정한 목적 범위 내에서 권리와 의무의 주체가 되는데, '목적 범위 내'의 행위라 함은 정관에 명시된 목적 자체에 국한되는 것이 아니라, 그 목적을 수행하기 위한 직접 또는 간접으로 필요한 행위를 모두 포함한다. 목적 수행에 필요한지 여부도 행위의 객관적 성질에 따라 추상적으로 판단해야 하므로, 행위자의 주관적·구체적 의사에 따라 판단하면 아니 되고, 문제된 행위가 정관상 목적에 현실적으로 필요한 것인지 여부에 따라 판단하여야 한다.

② 법인은 이사 기타 대표자가 그 직무에 관하여 타인에게 가한 손해를 배상할 책임이 있는데, 법인의 목적 범위 외의 행위로 인하여 타인에게 손해를 가한 때에는 그 사항의 의결에 찬성하거나 그 의결을 집행한 사원, 이사 및 기타 대표자가 연대하여 배상하여야 한다.

③ 민법 제35조 제1항에 의한 법인의 불법행위가 성립하는 경우, 사용자책임을 규정한 민법 제756조 제1항이 적용되지 않는다.

④ 민법 제35조 제1항의 '대표자'에는 그 명칭이나 직위 여하를 불문하고 당해 법인을 실질적으로 운영하면서 사실상 법인을 대표하여 법인의 사무를 집행하는 사람을 포함한다.

⑤ 법인의 대표자의 행위가 직무에 관한 행위에 해당하지 아니함을 피해자 자신이 알았거나 또는 중대한 과실로 인하여 알지 못한 경우에는 법인에게 손해배상책임을 물을 수 없다고 할 것이고, 여기서 중대한 과실이라 함은 거래의 상대방이 조금만 주의를 기울였더라면 대표자의 행위가 그 직무권한 내에서 적법하게 행하여진 것이 아니라는 사정을 알 수 있었음에도 만연히 이를 직무권한 내의 행위라고 믿음으로써 일반인에게 요구되는 주의의무에 현저히 위반하는 것으로 거의 고의에 가까운 정도의 주의를 결여하고, 공평의 관점에서 상대방을 구태여 보호할 필요가 없다고 봄이 상당하다고 인정되는 상태를 말한다.

> **해설** ① 정관에 정한 목적의 범위 내라 함은 목적을 수행하는 데 있어서 직접·간접으로 필요한 행위를 모두 포함하고, 목적수행에 필요한지 여부는 행위의 객관적 성질에 따라 판단할 것이고 행위자의 주관적, 구체적 의사에 따라 판단할 것은 아니다(대판 1991.11.22, 91다8821). 따라서 정관에 명시된 목적 자체에는 포함되지 않는 행위라 할지라도 그 목적수행에 필요한 행위는 회사의 목적 범위 내의 행위라 할 것이고 그 목적수행에 필요한 행위인가 여부는 문제된 행위가 정관기재의 목적에 현실적으로 필요한 것이었던가 여부를 기준으로 판단할 것이 아니라 그 행위의 객관적 성질에 비추어 추상적으로 판단할 것이다(대판 1987.10.13, 86다카1522).

② 제35조【법인의 불법행위능력】① 법인은 이사 기타 대표자가 그 직무에 관하여 타인에게 가한 손해를 배상할 책임이 있다. 이사 기타 대표자는 이로 인하여 자기의 손해배상책임을 면하지 못한다.
② 법인의 목적범위 외의 행위로 인하여 타인에게 손해를 가한 때에는 그 사항의 의결에 찬성하거나 그 의결을 집행한 사원, 이사 및 기타 대표자가 연대하여 배상하여야 한다.

③ 법인에 있어서 그 대표자가 직무에 관하여 불법행위를 한 경우에는 민법 제35조 제1항에 의하여, 법인의 피용자가 사무집행에 관하여 불법행위를 한 경우에는 민법 제756조 제1항에 의하여 각기 손해배상책임을 부담한다(대판 2009.11.26, 2009다57033).

④ 민법 제35조 제1항은 "법인은 이사 기타 대표자가 그 직무에 관하여 타인에게 가한 손해를 배상할 책임이 있다"라고 정한다. 여기서 '법인의 대표자'에는 그 명칭이나 직위 여하, 또는 대표자로 등기되었는지 여부를 불문하고 당해 법인을 실질적으로 운영하면서 법인을 사실상 대표하여 법인의 사무를 집행하는 사람을 포함한다고 해석함이 상당하다(대판 2011.4.28, 2008다15438).

⑤ 비법인사단의 경우 대표자의 행위가 직무에 관한 행위에 해당하지 아니함을 피해자 자신이 알았거나 또는 중대한 과실로 인하여 알지 못한 경우에는 비법인사단에게 손해배상책임을 물을 수 없다고 할 것이고, 여기서 중대한 과실이라 함은 거래의 상대방이 조금만 주의를 기울였더라면 대표자의 행위가 그 직무권한 내에서 적법하게 행하여진 것이 아니라는 사정을 알 수 있었음에도 만연히 이를 직무권한 내의 행위라고 믿음으로써 일반인에게 요구되는 주의의무에 현저히 위반하는 것으로 거의 고의에 가까운 정도의 주의를 결여하고, 공평의 관점에서 상대방을 구태여 보호할 필요가 없다고 봄이 상당하다고 인정되는 상태를 말한다(대판 2003.7.25, 2002다27088).

02 비법인사단에 관한 다음 설명 중 가장 옳지 않은 것은?

▸ 2022 법무사

① 비법인사단의 경우에는 대표자의 대표권 제한에 관하여 등기할 방법이 없어 민법 제60조의 규정을 준용할 수 없고, 비법인사단의 대표자가 정관에서 사원총회의 결의를 거쳐야 하도록 규정한 대외적 거래행위에 관하여 이를 거치지 아니한 경우라도, 이와 같은 사원총회 결의사항은 비법인사단의 내부적 의사결정에 불과하다 할 것이므로, 그 거래 상대방이 그와 같은 대표권 제한 사실을 알았거나 알 수 있었을 경우가 아니라면 그 거래행위는 유효하다고 봄이 상당하고, 이 경우 거래의 상대방이 대표권 제한 사실을 알았거나 알 수 있었음은 이를 주장하는 비법인사단 측이 주장 및 증명하여야 한다.

② 임시이사의 선임에 관한 민법 제63조는 법인의 조직과 활동에 관한 것으로서 법인격을 전제로 하는 조항은 아니라 할 것이고, 법인 아닌 사단이나 재단의 경우에도 이사가 없거나 결원이 생길 수 있으며, 통상의 절차에 따른 새로운 이사의 선임이 극히 곤란하고 종전 이사의 긴급처리권도 인정되지 아니하는 경우에는 사단이나 재단 또는 타인에게 손해가 생길 염려가 있을 수 있으므로, 민법 제63조는 법인 아닌 사단이나 재단에도 유추 적용할 수 있다.

③ 종중은 공동선조의 분묘수호와 제사 및 후손 상호 간의 친목을 목적으로 하여 형성되는 자연발생적인 종족단체로서 그 선조의 사망과 동시에 그 자손에 의하여 관습상 당연히 성립하는 것이므로 공동선조의 후손들 중 특정 지역 거주자나 특정 범위 내의 자들만으로 구성된 종중이란 있을 수 없고, 종중이 공동선조의 제사봉행을 주목적으로 하는 것과 구관습상의 양자제도의 목적에 비추어 타가에 출계한 자는 친가의 생부를 공동선조로 하여 자연발생적으로 형성되는 종중의 구성원이 될 수 없다.

④ 종중총회는 특별한 사정이 없는 한 족보에 의하여 소집통지 대상이 되는 종중원의 범위를 확정한 후 국내에 거주하고 소재가 분명하여 통지가 가능한 모든 종중원에게 개별적으로 소집통지를 함으로써 각자가 회의와 토의 및 의결에 참가할 수 있는 기회를 주어야 하고, 일부 종중원에게 소집통지를 결여한 채 개최된 종중총회의 결의는 효력이 없으나, 그 소집통지의 방법은 반드시 직접 서면으로 하여야만 하는 것은 아니고 구두 또는 전화로 하여도 되고 다른 종중원이나 세대주를 통하여 하여도 무방하며, 경우에 따라서는 소집권자가 지파 또는 거주지별 대표자에게 총회소집을 알리는 것만으로도 적법하게 통지할 수 있다.

⑤ 교회의 교인들은 교회 재산을 총유의 형태로 소유하면서 사용·수익할 것인데, 일부 교인들이 교회를 탈퇴하여 그 교회 교인으로서의 지위를 상실하게 되면 탈퇴가 개별적인 것이든 집단적인 것이든 이와 더불어 종전 교회의 총유 재산의 관리처분에 관한 의결에 참가할 수 있는 지위나 그 재산에 대한 사용·수익권을 상실하고, 종전 교회는 잔존 교인들을 구성원으로 하여 실체의 동일성을 유지하면서 존속하며 종전 교회의 재산은 그 교회에 소속된 잔존 교인들의 총유로 귀속됨이 원칙이다. 그리고 교단에 소속되어 있던 지교회의 교인들의 일부가 소속 교단을 탈퇴하기로 결의한 다음 종전 교회를 나가 별도의 교회를 설립하여 별도의 대표자를 선정하고 나아가 다른 교단에 가입한 경우, 그 교회는 종전 교회에서 집단적으로 이탈한 교인들에 의하여 새로이 법인 아닌 사단의 요건을 갖추어 설립된 신설 교회라 할 것이어서, 그 교회 소속 교인들은 더 이상 종전 교회의 재산에 대한 권리를 보유할 수 없게 된다.

해설

① 대판 2003.7.22, 2002다64780

② 대결(전) 2009.11.19, 2008마699

③ 대판 1999.8.24, 99다14228

④ 종중총회는 특별한 사정이 없는 한 족보에 의하여 소집통지 대상이 되는 종중원의 범위를 확정한 후 국내에 거주하고 소재가 분명하여 통지가 가능한 모든 종중원에게 개별적으로 소집통지를 함으로써 각자가 회의와 토의 및 의결에 참가할 수 있는 기회를 주어야 하고, 일부 종중원에게 소집통지를 결여한 채 개최된 종중총회의 결의는 효력이 없으나, 그 소집통지의 방법은 반드시 직접 서면으로 하여야만 하는 것은 아니고 구두 또는 전화로 하여도 되고 다른 종중원이나 세대주를 통하여 하여도 무방하다(대판 2000.2.15, 99다20155). 그러나 종중총회의 소집통지는 이에 관한 종중의 규약이나 관례가 없는 경우, 소집권자가 총회에 참석할 자격이 있는 종원 중 국내에 거주하고, 소재가 분명하여 연락통지가 가능한 종원에게 적당한 방법으로 통지하여야 하고, 소집권자가 지파 또는 거주지별 대표자에게 총회소집을 알리는 것만으로는 총회소집이 적법하게 통지되었다고 볼 수 없다(대판 1994.6.14, 93다45244).

⑤ 대판(전) 2006.4.20, 2004다37775

03 다음 설명 중 가장 옳지 않은 것은?

▸ 2023 법무사

① 교회가 법인 아닌 사단으로서 존재하는 이상 그 법률관계를 둘러싼 분쟁을 소송적인 방법으로 해결함에 있어서는 법인 아닌 사단에 관한 민법의 일반 이론에 따라 교회의 실체를 파악하고 교회의 재산 귀속에 대하여 판단하여야 하고, 그 교인들은 교회 재산을 총유의 형태로 소유하면서 사용·수익하게 된다.

② 비법인사단인 교회의 대표자는 총유물인 교회 재산의 처분에 관하여 교인총회의 결의를 거치지 아니하고는 이를 대표하여 행할 권한이 없으나, 교회의 대표자가 권한 없이 행한 교회 재산의 처분행위에 대하여도 민법 제126조의 표현대리에 관한 규정이 준용될 수 있다.

③ 비법인사단이 타인 간의 금전채무를 보증하는 행위는 총유물 그 자체의 관리·처분이 따르지 아니하는 단순한 채무부담행위에 불과하여 이를 총유물의 관리·처분행위라고 볼 수는 없다.

④ 교회가 그 실체를 갖추어 법인 아닌 사단으로서 성립한 경우에 교회의 대표자가 교회를 위하여 취득한 권리의무는 교회에 귀속된다고 할 것이나, 교회가 아직 실체를 갖추지 못하여 법인 아닌 사단으로서 성립되기 이전에 설립의 주체인 개인이 취득한 권리의무는 그것이 앞으로 성립될 교회를 위한 것이라 하더라도 바로 법인 아닌 사단인 교회에 귀속될 수는 없다.

⑤ 일부 교인들이 교회를 탈퇴하여 그 교회 교인으로서의 지위를 상실하게 되면 탈퇴가 개별적인 것이든 집단적인 것이든 이와 더불어 종전 교회의 총유 재산의 관리처분에 관한 의결에 참가할 수 있는 지위나 그 재산에 대한 사용·수익권을 상실하고, 종전 교회는 잔존 교인들을 구성원으로 하여 실체의 동일성을 유지하면서 존속하며 종전 교회의 재산은 그 교회에 소속된 잔존 교인들의 총유로 귀속됨이 원칙이다.

> **해설** ① 대판 2007.6.29, 2007마224
> ② 비법인사단인 교회의 대표자는 총유물인 교회 재산의 처분에 관하여 <u>교인총회의 결의를 거치지 아니하고는 이를 대표하여 행할 권한이 없다. 그리고 교회의 대표자가 권한 없이 행한 교회 재산의 처분행위에 대하여는 민법 제126조의 표현대리에 관한 규정이 준용되지 아니한다</u>(대판 2009.2.12, 2006다23312).
> ③ 대판(전합) 2007.4.19, 2004다60072
> ④ 대판 2008.2.28, 2007다37394·37400 → 설립 중 회사의 개념과 법적 성격에 비추어, 법인 아닌 사단인 교회가 성립하기 전의 단계에서 설립 중의 회사의 법리를 유추적용할 수는 없다.
> ⑤ 대판(전합) 2006.4.20, 2004다37775

정답 　03 ②

04 사찰(寺刹)에 관한 다음 설명 중 가장 옳지 않은 것은? ▶ 2023 법무사

① 법인격 없는 사단이나 재단으로서 권리의무의 주체가 되는 독립한 사찰은 독자적으로 존속할 수도 있지만 종교적 이념이나 교리 또는 종교적 이해관계를 같이 하는 사람과 단체로 구성된 상위 종단에 소속되어 존속하기도 하는데, 사찰의 종단소속관계는 사법상 계약의 영역으로서 사찰이 특정 종단에 소속하려면 이에 관한 사찰과 특정 종단 사이의 합의가 전제되어야 한다.

② 개인사찰로 관리·운영되어 오던 사찰이 종단 소속 사찰로 등록되어 종단으로부터 주지 임명을 받은 후 관할 관청에 종단 소속으로 사찰등록 및 주지등록을 하고 사찰부지에 관하여 사찰 명의로 소유권이전등기를 경료한 경우, 특별한 사정이 없는 한 그 사찰은 종단 소속 불교단체 내지는 법인 아닌 사단 또는 재단으로서의 실체를 갖춘 독립된 사찰로 보아야 한다.

③ 개인사찰에 있어서 창건주에 의하여 건립되었던 사찰건물이 그와 무관하게 멸실된 후 동일 용도의 사찰건물을 새로 건립하거나 산신각 등 추가적인 사찰건물이 필요하게 되어 이를 건립한 경우, 창건주가 직접 그 건물들을 건립하지 아니하고 창건주에 의하여 임명된 주지가 주도하여 신도들의 시주를 주된 재원으로 하여 이를 건립하였다면, 특별한 사정이 없는 한 위와 같이 추가로 건립된 사찰건물들은 창건주가 아닌 주지와 신도들의 소유로 귀속된다.

④ 사찰이 특정 종단과 종단소속에 관한 합의를 하게 되면 그때부터는 그 종단의 소속 사찰이 되어 종단의 종헌이나 종법을 사찰의 자치법규로 삼아 따라야 하고 사찰의 주지 임면권도 종단에 귀속되는 등 사찰 자체의 지위나 권한에 중대한 변화를 가져오게 되므로 어느 사찰이 특정 종단에 가입하거나 소속 종단을 변경하기 위해서는 사찰 자체의 자율적인 의사결정이 기본적인 전제가 되어야 한다.

⑤ 사찰이 소속 종단의 종헌에 따르지 아니하고 그 신도와 승려가 결합하여 그 소속 종단을 탈종하였다 하더라도 이는 그 신도와 승려 개인이 소속 종단에서 탈퇴하게 되는 데에 그치는 것일 뿐 그로써 이미 독립한 권리·의무의 귀속 주체로 성립한 사찰 자체의 종단 소속이 변경되게 되는 것은 아니고, 사찰이 일단 성립한 이상 사찰 그 자체의 분열도 인정되지 않는다.

> **해설** ①,④ 대판 2020.12.24, 2015다222920
>
> ② 대판 1999.9.3, 98다13600
>
> ③ 개인사찰에 있어서 창건주에 의하여 건립되었던 사찰건물이 그와 무관하게 멸실된 후 동일 용도의 사찰건물을 새로 건립하거나 산신각 등 추가적인 사찰건물이 필요하게 되어 이를 건립한 경우 창건주가 직접 그 건물들을 건립하지 아니하고 창건주에 의하여 임명된 주지가 주도하여 신도들의 시주를 주된 재원으로 하여 이를 건립하였다고 할지라도 **특정 신도가 대부분의 자금을 출연하고 건물의 소유권을 보유하되 사찰의 건물로만 제공한다는 등의 특별한 사정이 존재하지 않는 이상** 신도들의 시주와 건물 건립은 모두 그 사찰을 위하여 이루어진 것으로서 위 **추가로 건립된 사찰건물들은 역시 창건주의 소유로 귀속된다**(대판 2005.6.24, 2003다54971).
>
> ⑤ 대판 2000.5.12, 99다69983

05 **권리의 주체나 객체에 관한 다음 설명 중 가장 옳지 않은 것은?** ▸ 2024 법무사

① 종중이란 공동선조의 분묘수호와 제사 및 종원 상호 간의 친목 등을 목적으로 하여 구성되는 자연발생적인 종족집단이므로, 종중의 이러한 목적과 본질에 비추어 볼 때 공동선조와 성과 본을 같이 하는 후손은 성별의 구별 없이 성년이 되면 당연히 그 구성원이 된다. 민법 제781조 제6항에 따라 자녀의 복리를 위하여 자녀의 성과 본을 변경할 필요가 있어 자녀의 성과 본이 모의 성과 본으로 변경되었을 경우 성년인 그 자녀는 모가 속한 종중의 공동선조와 성과 본을 같이 하는 후손으로서 당연히 종중의 구성원이 된다.

② 사단법인의 사원총회의 결의는 민법 또는 정관에 다른 규정이 없으면 사원 과반수의 출석과 출석사원 결의권의 과반수로써 하는데, 이때 각 사원의 결의권 행사에 관한 의사의 진정성을 담보하기 위하여 결의권을 서면으로 행사하는 것은 금지되나, 대리인을 통해 결의권을 행사하는 것은 허용된다.

③ 의사능력이란 자기 행위의 의미나 결과를 정상적인 인식력과 예기력을 바탕으로 합리적으로 판단할 수 있는 정신적 능력이나 지능을 말한다. 의사능력 유무는 구체적인 법률행위와 관련하여 개별적으로 판단해야 하고, 특히 어떤 법률행위가 일상적인 의미만을 이해해서는 알기 어려운 특별한 법률적 의미나 효과가 부여되어 있는 경우 의사능력이 인정되기 위해서는 그 행위의 일상적인 의미뿐만 아니라 법률적인 의미나 효과에 대해서도 이해할 수 있어야 한다.

④ 법인의 불법행위능력을 규정한 민법 제35조에서 말하는 '이사 기타 대표자'는 법인의 대표기관을 의미하는 것이고 대표권이 없는 이사는 법인의 기관이기는 하지만 대표기관은 아니기 때문에 그들의 행위로 인하여 법인의 불법행위가 성립하지 않는다.

⑤ 구분건물의 전유부분에 대한 소유권보존등기만 경료되고 대지지분에 대한 등기가 경료되기 전에 전유부분만에 대해 내려진 가압류결정의 효력은, 대지사용권의 분리처분이 가능하도록 규약으로 정하였다는 등의 특별한 사정이 없는 한 종물 내지 종된 권리인 그 대지권에까지 미친다.

> **해설** ① 종중이란 공동선조의 분묘수호와 제사 및 종원 상호 간의 친목 등을 목적으로 하여 구성되는 자연발생적인 종족집단이므로, 종중의 이러한 목적과 본질에 비추어 볼 때 공동선조와 성과 본을 같이 하는 후손은 성별의 구별 없이 성년이 되면 당연히 그 구성원이 된다. 민법 제781조 제6항에 따라 자녀의 복리를 위하여 자녀의 성과 본을 변경할 필요가 있어 자녀의 성과 본이 모의 성과 본으로 변되었을 경우 성년인 그 자녀는 모가 속한 종중의 공동선조와 성과 본을 같이 하는 후손으로서 당연히 종중의 구성원이 된다(대판 2022.5.26, 2017다260940).
>
> ② 제73조 참조 → 사원은 대리인을 통해 결의권을 행사할 수 있을 뿐만 아니라 서면으로 결의권을 행사하는 것도 허용된다.

정답   **04** ③   **05** ②

③ 의사능력이란 자신의 행위의 의미나 결과를 정상적인 인식력과 예기력을 바탕으로 합리적으로 판단할 수 있는 정신적 능력 내지는 지능을 말하는바, 특히 어떤 법률행위가 그 일상적인 의미만을 이해하여서는 알기 어려운 특별한 법률적인 의미나 효과가 부여되어 있는 경우 의사능력이 인정되기 위하여는 그 행위의 일상적인 의미뿐만 아니라 법률적인 의미나 효과에 대하여도 이해할 수 있을 것을 요한다고 보아야 하고, 의사능력의 유무는 구체적인 법률행위와 관련하여 개별적으로 판단되어야 할 것이다(대판 2006.9.22, 2006다29358 등).

④ 민법 제35조에서 말하는 '이사 기타 대표자'는 법인의 대표기관을 의미하는 것이고 대표권이 없는 이사는 법인의 기관이기는 하지만 대표기관은 아니기 때문에 그들의 행위로 인하여 법인의 불법행위는 성립하지 않는다(대판 2005.12.23, 2003다30159).

⑤ 대판 2006.10.26, 2006다29020

01 법인의 불법행위에 관한 다음 설명 중 가장 옳지 않은 것은?　▶ 2025 법무사

① 법인은 이사 기타 대표자가 그 직무에 관하여 타인에게 가한 손해를 배상할 책임이 있다. 이사 기타 대표자는 이로 인하여 자기의 손해배상책임을 면하지 못한다.

② 법인의 목적범위 외의 행위로 인하여 타인에게 손해를 가한 때에는 그 사항의 의결에 찬성하거나 그 의결을 집행한 사원, 이사 및 기타 대표자가 연대하여 배상하여야 한다.

③ 대표권이 없는 이사도 법인의 기관에 해당하므로, 그들의 행위로 인하여 법인의 불법행위가 성립한다.

④ 학교법인의 설립자로서 이사 겸 학교장인 자가 자기 개인의 사업자금으로 사용할 목적으로 학교법인의 명의로 금원을 차용하면서 그 차용을 위하여 학교법인의 이사회결의까지 있었다면 그 차용금의 사용목적이 무엇이던간에 위 학교장의 차용행위는 학교법인의 사무집행 행위라 하지 않을 수 없다.

⑤ 이사회의 의결은 원칙적으로 법인의 내부행위에 불과하므로 특별한 사정이 없는 한 그 사항의 의결에 찬성하였다는 이유만으로 제3자의 채권을 침해한다거나 대표자의 행위에 가공 또는 방조한 자로서 제3자에 대하여 불법행위 책임을 부담한다고 할 수는 없다.

해설 ① 법인의 불법행위능력 : 법인은 이사 기타 대표자가 그 직무에 관하여 타인에게 가한 손해를 배상할 책임이 있다. 이사 기타 대표자는 이로 인하여 자기의 손해배상책임을 면하지 못한다(민법 제35조 제1항).

② 법인의 불법행위능력 : 법인의 목적범위외의 행위로 인하여 타인에게 손해를 가한 때에는 그 사항의 의결에 찬성하거나 그 의결을 집행한 사원, 이사 및 기타 대표자가 연대하여 배상하여야 한다(민법 제35조 제2항).

③ 민법 제35조에서 말하는 '이사 기타 대표자'는 법인의 대표기관을 의미하는 것이고 대표권이 없는 이사는 법인의 기관이기는 하지만 대표기관은 아니기 때문에 그들의 행위로 인하여 법인의 불법행위가 성립하지 않는다(대판 2005.12.23, 2003다30159).

④ 학교법인의 설립자로서 이사 겸 학교장인 자가 자기 개인의 사업자금으로 사용할 목적으로 학교법인의 명의로 금원을 차용하면서 그 차용을 위하여 학교법인의 이사회결의까지 있었다면 그 차용금의 사용목적이 무엇이던간에 위 학교장의 차용행위는 학교법인의 사무집행 행위라 하지 않을 수 없다(대판 1987.4.28, 86다카2534).

⑤ 법인의 대표자가 그 직무에 관하여 타인에게 손해를 가함으로써 법인에 손해배상책임이 인정되는 경우에, 대표자의 행위가 제3자에 대한 불법행위를 구성한다면 그 대표자도 제3자에 대하여 손해배상책임을 면하지 못하며(민법 제35조 제1항), 또한 사원도 위 대표자와 공동으로 불법행위를 저질렀거나 이에 가담하였다고 볼 만한 사정이 있으면 제3자에 대하여 위 대표자와 연대하여 손해배상책임을 진다. 그러나 사원총회, 대의원 총회, 이사회의 의결은 원칙적으로 법인의 내부행위에 불과하므로 특별한 사정이 없는 한 그 사항의 의결에 찬성하였다는 이유만으로 제3자의 채권을 침해한다거나 대표자의 행위에 가공 또는 방조한 자로서 제3자에 대하여 불법행위책임을 부담한다고 할 수는 없다(대결 2009.1.30, 2006마930).

정답 ▶ **01** ③

02 법인 및 법인 아닌 사단에 관한 다음 설명 중 가장 옳지 않은 것은? ▸ 2025 법무사

① 법인이거나 비법인 사단인 어느 단체가 상급단체에 가입 되어 있는 경우, 가입단체의 조직과 운영에 관하여는 특별한 사정이 없는 한 상급단체가 제정한 규칙에 따라 규율된다.

② 법인 아닌 사단의 대표자가 당해 법인 아닌 사단이 채무를 부담하게 되는 보증계약을 체결하는 경우에도 이로 인해 총유물에 대한 관리·처분이 따르지 않는 이상 사원총회의 결의를 거치지 않았다는 이유로 그 계약이 무효가 되지는 않는다.

③ 법인이 피해자인 경우 법인의 업무에 관하여 포괄적 대리권을 가진 대리인이 가해자인 피용자의 행위가 사용자의 사무집행행위에 해당하지 않음을 안 때에는 피해자인 법인이 이를 알았다고 보아야 하고, 이러한 법리는 그 대리인이 본인인 법인에 대한 관계에서 이른바 배임적 대리행위를 하는 경우에도 마찬가지이다.

④ 설립 중의 회사의 개념과 법적 성격에 비추어, 법인 아닌 사단인 교회가 성립하기 전의 단계에서 설립 중의 회사의 법리를 유추적용할 수는 없다.

⑤ 재단법인에 관한 민법 규정이 준용되는 의료법인의 대표가 그 법인의 재산을 처분함에 있어서 이사회의 결의를 거치도록 정관에 규정되어 있다면 그와 같은 규정은 법인 대표권의 제한에 관한 규정으로서 이러한 제한은 등기하지 아니하면 제3자에게 대항할 수 없는 것이고, 이 경우 제3자가 선의인지 악의인지는 묻지 아니한다.

해설 ① 법인이거나 비법인 사단인 어느 단체가 상급단체에 가입되어 있는 경우, 상급단체의 지위에서 가입단체에 대하여 업무상 지휘·감독할 수 있는 권한은 인정될 수 있지만 그 권한은 가입단체의 독립성을 침해하지 아니하는 범위 내로 제한되어야 하고, 같은 이치로 가입단체가 상급단체의 규칙이나 정관을 자신의 정관으로 받아들인다고 규정하고 있지 아니한 이상 가입단체의 조직과 운영에 관하여 상급단체가 제정한 규칙에 따라 규율된다고 볼 수 없다(대판 2010.5.27, 2006다72109).

② 민법 제275조, 제276조 제1항에서 말하는 총유물의 관리 및 처분이라 함은 총유물 그 자체에 관한 이용·개량행위나 법률적·사실적 처분행위를 의미하는 것이므로, 비법인사단이 타인 간의 금전채무를 보증하는 행위는 총유물 그 자체의 관리·처분이 따르지 아니하는 단순한 채무부담행위에 불과하여 이를 총유물의 관리·처분행위라고 볼 수는 없다. 따라서 비법인사단인 재건축조합의 조합장이 채무보증계약을 체결하면서 조합규약에서 정한 조합 임원회의 결의를 거치지 아니하였다거나 조합원총회 결의를 거치지 않았다고 하더라도 그것만으로 바로 그 보증계약이 무효라고 할 수는 없다(대판(전합) 2007.4.19, 2004다60072).

③ 법인이 피해자인 경우 법인의 업무에 관하여 포괄적 대리권을 가진 대리인이 가해자인 피용자의 행위가 사용자의 사무집행행위에 해당하지 않음을 안 때에는 피해자인 법인이 이를 알았다고 보아야 하고, 이러한 법리는 그 대리인이 본인인 법인에 대한 관계에서 이른바 배임적 대리행위를 하는 경우에도 마찬가지이다(대판 2007.9.20, 2004다43886).

④ 교회가 그 실체를 갖추어 법인 아닌 사단으로 성립한 경우에 교회의 대표자가 교회를 위하여 취득한 권리의무는 교회에 귀속되나, 교회가 아직 실체를 갖추지 못하여 법인 아닌 사단으로 성립하기 전에 설립의 주체인 개인이 취득한 권리의무는 그것이 앞으로 성립할 교회를 위한 것이라 하더라도 바로 법인 아닌 사단인 교회에 귀속될 수는 없고, 또한 설립 중의 회사의 개념과 법적 성격에 비추어, 법인 아닌 사단인 교회가 성립하기 전의 단계에서 설립 중의 회사의 법리를 유추

　적용할 수는 없다(대판 2008.2.28, 2007다37394).
⑤ 재단법인의 대표자가 그 법인의 채무를 부담하는 계약을 함에 있어서 이사회의 결의를 거쳐 노회와 설립자의 승인을 얻고 주무관청의 인가를 받도록 정관에 규정되어 있다면 그와 같은 규정은 법인 대표권의 제한에 관한 규정으로서 이러한 제한은 등기하지 아니하면 제3자에게 대항할 수 없다. 법인의 정관에 법인 대표권의 제한에 관한 규정이 있으나 그와 같은 취지가 등기되어 있지 않다면 법인은 그와 같은 정관의 규정에 대하여 선의냐 악의냐에 관계없이 제3자에 대하여 대항할 수 없다(대판 1992.2.14, 91다24564).

03 종중에 관한 다음 설명 중 가장 옳지 않은 것은?

▶ 2025 법무사

① 종중의 대표자는 종중의 규약이나 관례가 있으면 그에 따라 선임하고 그것이 없다면 종장 또는 문장이 그 종원 중 성년 이상의 사람을 소집하여 선출하며, 평소에 종중에 종장이나 문장이 선임되어 있지 아니하고 선임에 관한 규약이나 관례가 없으면 현존하는 연고항존자가 종장이나 문장이 되어 국내에 거주하고 소재가 분명한 종원에게 통지하여 종중총회를 소집하고 그 회의에서 종중 대표자를 선임하는 것이 일반 관습이다.

② 종중은 공동선조의 분묘수호와 제사 및 종원 상호 간의 친목 등을 목적으로 하여 구성되는 자연발생적인 종족집단으로 그 공동선조와 성과 본을 같이하는 후손은 그 의사와 관계없이 성년이 되면 당연히 그 구성원이 된다.

③ 종중 규약의 내용이 선량한 풍속 기타 사회질서에 반하는 경우 또는 종원이 가지는 고유하고 기본적인 권리의 본질적인 내용을 침해하는 등 종중의 본질이나 설립 목적에 크게 위배되는 경우 그 종중 규약은 무효로 보아야 한다.

④ 종중이 종중원의 자격을 박탈하거나 종중원이 종중을 탈퇴할 수 없는 것이지만, 공동선조의 후손들은 종중을 양분하는 것과 같은 종중분열을 할 수 있다.

⑤ 종중이 자연발생적으로 성립한 후에 정관 등 종중규약을 작성하면서 일부 종원의 자격을 임의로 제한하거나 확장하더라도 그러한 규약은 종중의 본질에 반하여 무효이고, 그로 인하여 이미 성립한 종중의 실재 자체가 부인되는 것은 아니다.

해설 ① 종중의 대표자는 종중의 규약이나 관례가 있으면 그에 따라 선임하고 그것이 없다면 종장 또는 문장이 그 종원 중 성년 이상의 사람을 소집하여 선출하며, 평소에 종중에 종장이나 문장이 선임되어 있지 아니하고 선임에 관한 규약이나 관례가 없으면 현존하는 연고항존자가 종장이나 문장이 되어 국내에 거주하고 소재가 분명한 종원에게 통지하여 종중총회를 소집하고 그 회의에서 종중 대표자를 선임하는 것이 일반 관습이다(대판 2024.12.24, 2024다274398).

② 종중은 공동선조의 분묘수호와 제사 및 종원 상호 간의 친목 등을 목적으로 하여 구성되는 자연발생적인 종족집단으로 그 공동선조와 성과 본을 같이하는 후손은 그 의사와 관계없이 성년이 되면 당연히 그 구성원이 된다(대판 2024.12.24, 2024다274398).

정답 　02 ①　03 ④

③ 이와 같은 종중의 성격과 법적 성질에 비추어, 종중 규약의 내용이 선량한 풍속 기타 사회질서에 반하는 경우 또는 종원이 가지는 고유하고 기본적인 권리의 본질적인 내용을 침해하는 등 종중의 본질이나 설립 목적에 크게 위배되는 경우 그 종중 규약은 무효로 보아야 한다(대판 2024.12.24, 2024다274398).

④ 종중이 종중원의 자격을 박탈하거나 종중원이 종중을 탈퇴할 수 없는 것이어서 공동선조의 후손들은 종중을 양분하는 것과 같은 종중분열을 할 수 없다(대판 2023.12.28, 2023다278829).

⑤ 고유 의미의 종중이란 공동선조의 후손 중 성년인 사람을 종원으로 하여 구성되는 자연발생적인 종족집단으로서 특별한 조직행위를 필요로 함이 없이 관습상 당연히 성립하는 것이고, 종중이 자연발생적으로 성립한 후에 정관 등 종중규약을 작성하면서 일부 종원의 자격을 임의로 제한하거나 확장하더라도 그러한 규약은 종중의 본질에 반하여 무효이고, 그로 인하여 이미 성립한 종중의 실재 자체가 부인되는 것은 아니다(대판 2023.12.28, 2023다278829).

물건

01 **다음 설명 중 가장 옳지 않은 것은?** ▸ 2021 법무사

① 부동산에 부합된 물건이 사실상 분리복구가 불가능하여 거래상 독립된 권리의 객체성을 상실하고 그 부동산과 일체를 이루는 부동산의 구성부분이 된 경우에는 타인의 권원에 의하여 이를 부합시킨 경우에도 그 물건의 소유권은 부동산의 소유자에게 귀속된다.

② 토지의 지상에 별개의 부동산인 건축물이 건축된 경우, 토지의 지하에 시공된 시설이 토지에 부합되었는지 아니면 지상 건축물의 기초 등을 구성하여 건축물의 일부분이 되었는지 여부는, 그 시설과 토지 및 건축물 사이의 각 결합 정도나 그 물리적 구조뿐만 아니라 당해 시설의 객관적, 사회경제적인 기능과 용도, 일반 거래관념, 토지의 당초 조성상태, 건축물의 종류와 규모 등 제반 사정을 종합하여 합리적으로 판단하여야 한다.

③ 종물은 물건의 소유자가 그 물건의 상용에 공하기 위하여 자기 소유인 다른 물건을 이에 부속하게 한 것을 말하므로 주물과 다른 사람의 소유에 속하는 물건은 종물이 될 수 없다.

④ 종물은 주물의 처분에 수반된다는 민법 제100조 제2항은 임의규정이므로, 당사자는 주물을 처분할 때에 특약으로 종물을 제외할 수 있고 종물만을 별도로 처분할 수도 있다.

⑤ 부동산에 부합된 물건이 사실상 분리복구가 불가능하여 거래상 독립한 권리의 객체성을 상실하고 그 부동산과 일체를 이루는 부동산의 구성부분이 된 경우에는 타인이 권원에 의하여 이를 부합시켰더라도 그 물건의 소유권은 부동산의 소유자에게 귀속되어 부동산의 소유자는 방해배제청구권에 기하여 부합물의 철거를 청구할 수 없고, 부합물이 위와 같은 요건을 충족하지 못해 그 물건의 소유권이 부동산의 소유자에게 귀속되었다고 볼 수 없는 경우에도 부동산의 소유자는 방해배제청구권에 기하여 부합물의 철거를 청구할 수 없다.

> **해설** ① 부동산에 부합된 물건이 사실상 분리복구가 불가능하여 거래상 독립한 권리의 객체성을 상실하고 그 부동산과 일체를 이루는 부동산의 구성부분이 된 경우에는 타인이 권원에 의하여 이를 부합시킨 경우에도 그 물건의 소유권은 부동산의 소유자에게 귀속된다(대판 1985.12.24, 84다카2428).
> ② 부동산에 부합된 물건이 사실상 분리복구가 불가능하여 거래상 독립된 권리의 객체성을 상실하고 그 부동산과 일체를 이루는 부동산의 구성부분이 된 경우에는 타인의 권원에 의하여 이를 부합시킨 경우에도 그 물건의 소유권은 부동산의 소유자에게 귀속되는 것이지만, 토지의 지상에 별개의 부동산인 건축물이 건축된 경우, 토지의 지하에 시공된 시설이 토지에 부합되었는지 아니면 지상

정답 ▸ **01** ⑤

건축물의 기초 등을 구성하여 건축물의 일부분이 되었는지 여부는, 그 시설과 토지 및 건축물 사이의 각 결합 정도나 그 물리적 구조뿐만 아니라 당해 시설의 객관적, 사회경제적인 기능과 용도, 일반 거래관념, 토지의 당초 조성상태, 건축물의 종류와 규모 등 제반 사정을 종합하여 합리적으로 판단하여야 할 것이다(대판 2009.8.20, 2008두8727).

③ 종물은 물건의 소유자가 그 물건의 상용에 공하기 위하여 자기 소유인 다른 물건을 이에 부속하게 한 것을 말하므로(민법 제100조 제1항), 주물과 다른 사람의 소유에 속하는 물건은 종물이 될 수 없다(대판 2008.5.8, 2007다36933 · 36940).

④ 제100조 제2항은 강행규정이 아닌 임의규정이므로 당사자의 약정에 의하여 종물만의 처분도 가능하다(대판 2012.1.26, 2009다76546).

⑤ ⅰ) 부동산에 부합된 물건이 사실상 분리복구가 불가능하여 거래상 독립한 권리의 객체성을 상실하고 그 부동산과 일체를 이루는 부동산의 구성부분이 된 경우에는 타인이 권원에 의하여 이를 부합시켰더라도 그 물건의 소유권은 부동산의 소유자에게 귀속되어 부동산의 소유자는 방해배제청구권에 기하여 부합물의 철거를 청구할 수 없지만, ⅱ) 부합물이 위와 같은 요건을 충족하지 못해 그 물건의 소유권이 부동산의 소유자에게 귀속되었다고 볼 수 없는 경우에는 부동산의 소유자는 방해배제청구권에 기하여 부합물의 철거를 청구할 수 있다(대판 2020.4.9, 2018다264307).
→ [사실관계 및 해설] : 피고가 사적인 통행을 위해 종래 밭으로 사용되던 이 사건 도로부지에 가볍게 아스콘(아스팔트 콘크리트)을 씌운 것이어서 토지와 아스콘의 구분이 명확하고, 아스콘 제거에 과다한 비용이 소요되지 아니하므로, 포장은 이 사건 도로부지로부터 사실적 · 물리적으로 충분히 분리복구가 가능한 상태로 봄이 타당하고, 그 포장은 원고가 이 사건 도로부지를 당초 용도에 따라 밭으로 사용하고자 할 경우에는 불필요하고 오히려 원고의 소유권 행사를 방해하는 것으로서 이 사건 도로부지와 일체를 이루는 토지의 구성부분이 되었다고 볼 수 없으므로, 원고의 철거청구를 인정한 사례이다.

심화문제 | 확인 · 보충 · 심화문제

법률행위

제1절 총칙

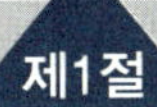 **법률행위의 해석에 관한 다음 설명 중 가장 옳지 않은 것은?** ▶ 2024 법무사

① 하나의 법률관계를 둘러싸고 각기 다른 내용을 정한 여러 개의 계약서가 순차로 작성되어 있는 경우 당사자가 그러한 계약서에 따른 법률관계나 우열관계를 명확하게 정하고 있다면 그와 같은 내용대로 효력이 발생하지만, 여러 개의 계약서에 따른 법률관계 등이 명확히 정해져 있지 않다면 각각의 계약서에 정해져 있는 내용 중 서로 양립할 수 없는 부분에 관해서는 원칙적으로 나중에 작성된 계약서에서 정한 대로 계약 내용이 변경되었다고 해석하는 것이 합리적이다.

② 계약의 합의해지는 계속적 채권채무관계에서 당사자가 이미 체결한 계약의 효력을 장래에 향하여 소멸시킬 것을 내용으로 하는 새로운 계약으로서, 이를 인정하기 위해서는 계약이 성립하는 경우와 마찬가지로 기존 계약의 효력을 장래에 향하여 소멸시키기로 하는 내용의 청약과 승낙이라는 서로 대립하는 의사표시가 합치될 것을 요건으로 한다. 이와 같은 합의가 성립하기 위해서는 쌍방 당사자의 표시행위에 나타난 의사의 내용이 객관적으로 일치하여야 하지만 계약당사자 일방이 계약해지에 관한 조건을 제시한 경우 그 조건에 관한 합의까지 이루어질 필요는 없다.

③ 계약을 체결하는 행위자가 타인의 이름으로 법률행위를 한 경우에 행위자 또는 명의인 가운데 누구를 계약의 당사자로 볼 것인가에 관하여는, 우선 행위자와 상대방의 의사가 일치한 경우에는 그 일치한 의사대로 행위자 또는 명의인을 계약의 당사자로 확정해야 하고, 행위자와 상대방의 의사가 일치하지 않는 경우에는 그 계약의 성질·내용·목적·체결 경위 등 그 계약 체결 전후의 구체적인 제반 사정을 토대로 상대방이 합리적인 사람이라면 행위자와 명의자 중 누구를 계약 당사자로 이해할 것인가에 의하여 당사자를 결정하여야 한다.

④ 성립이 진정한 것으로 인정되는 처분문서(매매계약서)는 그 내용을 부정할 만한 분명하고 수긍할 수 있는 이유가 없는 한 그 내용되는 법률행위의 존재를 인정하여야 한다.

정답 **01** ②

⑤ 계약이 성립하기 위하여는 당사자 사이에 의사의 합치가 있을 것이 요구되는데, 이러한 의사의 합치는 당해 계약의 내용을 이루는 모든 사항에 관하여 있어야 하는 것은 아니고 그 본질적 사항이나 중요사항에 관하여 구체적으로 의사의 합치가 있거나 적어도 장래 구체적으로 특정할 수 있는 기준과 방법 등에 관한 합의가 있으면 된다. 따라서 당사자 사이에 체결된 계약과 이에 따라 장래 체결할 본계약을 구별하고자 하는 의사가 명확하거나 일정한 형식을 갖춘 본계약 체결이 별도로 요구되는 경우 등의 특별한 사정이 없다면, 매매계약이 성립하였다고 보기에 충분한 합의가 있었음에도 법원이 매매계약 성립을 부정하고 별도의 본계약이 체결되어야 하는 매매예약에 불과하다고 단정할 것은 아니다.

해설 ① 하나의 법률관계를 둘러싸고 각기 다른 내용을 정한 여러 개의 계약서가 순차로 작성되어 있는 경우 당사자가 그러한 계약서에 따른 법률관계나 우열관계를 명확하게 정하고 있다면 그와 같은 내용대로 효력이 발생한다. 그러나 여러 개의 계약서에 따른 법률관계 등이 명확히 정해져 있지 않다면 각각의 계약서에 정해져 있는 내용 중 서로 양립할 수 없는 부분에 관해서는 원칙적으로 나중에 작성된 계약서에서 정한 대로 계약 내용이 변경되었다고 해석하는 것이 합리적이다(대판 2020.12.30, 2017다17603).

② 계약의 합의해지는 계속적 채권채무관계에서 당사자가 이미 체결한 계약의 효력을 장래에 향하여 소멸시킬 것을 내용으로 하는 새로운 계약으로서, 이를 인정하기 위해서는 계약이 성립하는 경우와 마찬가지로 기존 계약의 효력을 장래에 향하여 소멸시키기로 하는 내용의 청약과 승낙이라는 서로 대립하는 의사표시가 합치될 것을 요건으로 한다. 계약의 합의해지는 묵시적으로 이루어질 수도 있으나, 계약에 따른 채무의 이행이 시작된 다음에 당사자 쌍방이 계약실현 의사의 결여 또는 포기로 계약을 실현하지 않을 의사가 일치되어야만 한다. 이와 같은 합의가 성립하기 위해서는 쌍방 당사자의 표시행위에 나타난 의사의 내용이 객관적으로 일치하여야 하므로 계약 당사자 일방이 계약해지에 관한 조건을 제시한 경우 그 조건에 관한 합의까지 이루어져야 한다(대판 2018.12.27, 2016다274270).

③ 계약을 체결하는 행위자가 타인의 이름으로 법률행위를 한 경우에 행위자 또는 명의인 가운데 누구를 계약의 당사자로 볼 것인가에 관하여는, 우선 행위자와 상대방의 의사가 일치한 경우에는 그 일치한 의사대로 행위자 또는 명의인을 계약의 당사자로 확정해야 하고, 행위자와 상대방의 의사가 일치하지 않는 경우에는 그 계약의 성질·내용·목적·체결 경위 등 그 계약 체결 전후의 구체적인 제반 사정을 토대로 상대방이 합리적인 사람이라면 행위자와 명의자 중 누구를 계약당사자로 이해할 것인가에 의하여 당사자를 결정하여야 한다. 일방 당사자가 대리인을 통하여 계약을 체결하는 경우에 있어서 계약의 상대방이 대리인을 통하여 본인과 사이에 계약을 체결하려는 데 의사가 일치하였다면 대리인의 대리권 존부 문제와는 무관하게 상대방과 본인이 그 계약의 당사자이다(대판 2003.12.12, 2003다44059).

④ 처분문서는 그 성립의 진정함이 인정되는 이상 법원은 그 기재 내용을 부인할 만한 분명하고도 수긍할 수 있는 반증이 없으면 처분문서에 기재된 문언대로 의사표시의 존재와 내용을 인정하여야 한다(대판 2020.12.30, 2017다17603).

⑤ 청약의 의사표시와 승낙의 의사표시가 내용적으로 일치하는 것을 객관적 합치라고 한다. 다만 의사의 합치는 해당 계약의 내용을 이루는 모든 사항에 관하여 있어야 하는 것은 아니고, 그 본질적 사항이나 중요사항에 관해 구체적인 의사의 합치가 있거나 적어도 장래 구체적으로 특정할 수 있는 기준과 방법 등에 관한 합의가 있어야 한다. 따라서 당사자 사이에 체결된 계약과 이에 따라 장래 체결할 본계약을 구별하고자 하는 의사가 명확하거나 일정한 형식을 갖춘 본계약 체결

이 별도로 요구되는 경우 등의 특별한 사정이 없다면, 매매계약이 성립하였다고 보기에 충분한 합의가 있었음에도 법원이 매매계약 성립을 부정하고 별도의 본계약이 체결되어야 하는 매매예약에 불과하다고 단정할 것은 아니다(대판 2022.7.14, 2022다225767·225774). → ※ [보충] : ⅰ) 매매는 당사자 일방이 재산권을 상대방에게 이전할 것을 약정하고 상대방이 대금을 지급할 것을 약정함으로써 효력이 발생하는 것이므로, 매매계약은 매도인이 재산권을 이전하는 것과 매수인이 대가로서 대금을 지급하는 것에 관하여 쌍방 당사자의 합의가 이루어짐으로써 성립하는 것이며, 그 경우 매매목적물과 대금은 반드시 계약체결 당시에 구체적으로 특정할 필요는 없고 이를 사후에라도 구체적으로 특정할 수 있는 방법과 기준이 정하여져 있으면 충분하다. 이 경우 그 약정된 기준에 따른 대금액 산정에 관하여 당사자 간에 다툼이 있다면 법원이 이를 정할 수밖에 없다. 매매대금 액수를 일정기간 후 시가에 의하여 정하기로 하였다는 사유만을 들어 매매계약이 아닌 매매예약이라고 단정할 것은 아니다. ⅱ) 그 밖에 특별한 사정이 없는 한 이행시기, 이행장소, 담보책임 등에 관한 합의가 없었더라도 매매계약이 성립하는 데에 지장이 없다(대판 2023.9.14, 2023다227500).

02 반사회질서 내지 불공정한 법률행위에 관한 다음 설명 중 가장 옳지 않은 것은?

▸ 2024 법무사

① 대물변제예약이 불공정한 법률행위가 되는 요건의 하나인 대차의 목적물가격과 대물변제의 목적물가격에 있어서의 불균형이 있느냐 여부를 결정할 시점은 대물변제예약 시가 아니라 대물변제의 효력이 발생할 변제기 당시를 표준으로 하여야 할 것임이 원칙이므로, 채권액수도 역시 변제기까지의 원리액을 기준으로 하여야 할 것이다.

② 도박채무의 변제를 위하여 채무자로부터 부동산의 처분을 위임받은 채권자가 그 부동산을 제3자에게 매도한 경우, 도박채무 부담행위 및 그 변제약정이 민법 제103조의 선량한 풍속 기타 사회질서에 위반되어 무효이므로, 그 무효는 변제약정의 이행행위에 해당하는 위 부동산을 제3자에게 처분한 대금으로 도박채무의 변제에 충당한 부분뿐만 아니라 위 변제약정의 이행행위에 직접 해당하지 아니하는 부동산 처분에 관한 대리권을 도박 채권자에게 수여한 행위 부분까지 무효이다.

③ 소송사건에서 일방 당사자를 위하여 증인으로 출석하여 증언하였거나 증언할 것을 조건으로 어떤 대가를 받을 것을 약정한 경우, 증인은 법률에 의하여 증언거부권이 인정되지 않은 한 진실을 진술할 의무가 있는 것이므로 그 대가의 내용이 통상적으로 용인될 수 있는 수준(예컨대 증인에게 일당과 여비가 지급되기는 하지만 증인이 법원에 출석함으로써 입게 되는 손해에는 미치지 못하는 경우 그러한 손해를 전보해 주는 정도)을 초과하는 경우에는 그와 같은 약정은 금전적 대가가 결부됨으로써 선량한 풍속 기타 사회질서에 반하는 법률행위가 되어 민법 제103조에 따라 효력이 없다.

④ 금전 소비대차계약과 함께 이자의 약정을 하는 경우, 양쪽 당사자 사이의 경제력의 차이로 인하여 그 이율이 당시의 경제적·사회적 여건에 비추어 사회통념상 허용되는 한도를 초과하여 현저하게 고율로 정하여졌다면, 그와 같이 허용할 수 있는 한도를 초과하는 부분의 이자 약정은 대주가 그의 우월한 지위를 이용하여 부당한 이득을 얻고 차주에게는 과도한 반대급부 또는 기타의 부당한 부담을 지우는 것이므로 선량한 풍속 기타 사회질서에 위반한 사항을 내용으로 하는 법률행위로서 무효이다.

⑤ 제3자가 피상속인으로부터 토지를 전전매수하였다는 사실을 알면서도 그 정을 모르는 상속인을 기망하여 결과적으로 그로 하여금 토지를 이중매도하게 하였다면, 그 매수인의 적극적인 기망행위에 의하여 이루어진 상속인과 사이의 토지에 관한 양도계약은 반사회적 법률행위로서 무효이다.

해설 ① 대물변제예약이 불공정한 법률행위가 되는 요건의 하나인 대차의 목적물가격과 대물변제의 목적물가격에 있어서의 불균형이 있느냐 여부를 결정할 시점은 대물변제의 효력이 발생할 변제기 당시를 표준으로 하여야 할 것임이 원칙이므로 채권액수도 역시 변제기까지의 원리액을 기준으로 하여야 할 것이다(대판 1965.6.15, 65다610).

② 도박채무의 변제를 위하여 채무자로부터 부동산의 처분을 위임받은 채권자가 그 부동산을 제3자에게 매도한 경우, 도박채무 부담행위 및 그 변제약정이 민법 제103조의 선량한 풍속 기타 사회질서에 위반되어 무효라 하더라도, 그 무효는 변제약정의 이행행위에 해당하는 위 부동산을 제3자에게 처분한 대금으로 도박채무의 변제에 충당한 부분에 한정되고, 위 변제약정의 이행행위에 직접 해당하지 아니하는 부동산 처분에 관한 대리권을 도박 채권자에게 수여한 행위 부분까지 무효라고 볼 수는 없으므로, 위와 같은 사정을 알지 못하는 거래 상대방인 제3자가 도박 채무자부터 그 대리인인 도박 채권자를 통하여 위 부동산을 매수한 행위까지 무효가 된다고 할 수는 없다(대판 1995.7.14, 94다40147).

③ 소송사건에서 일방 당사자를 위하여 증인으로 출석하여 증언하였거나 증언할 것을 조건으로 어떤 대가를 받을 것을 약정한 경우, 증인은 법률에 의하여 증언거부권이 인정되지 않는 한 진실을 진술할 의무가 있는 것이므로 그 대가의 내용이 통상적으로 용인될 수 있는 수준(예컨대 증인에게 일당과 여비가 지급되기는 하지만 증인이 법원에 출석함으로써 입게 되는 손해에는 미치지 못하는 경우 그러한 손해를 전보해 주는 정도)을 초과하는 경우에는 그와 같은 약정은 금전적 대가가 결부됨으로써 선량한 풍속 기타 사회질서에 반하는 법률행위가 되어 민법 제103조에 따라 효력이 없다(대판 1999.4.13, 98다52483). 이는 증언거부권이 있는 증인이 그 증언거부권을 포기하고 증언을 하는 경우라고 하여 달리 볼 것이 아니다(대판 2010.7.29, 2009다56283).

④ 대판(전합) 2007.2.15, 2004다50426 → ※ [보충] : 선량한 풍속 기타 사회질서에 위반하여 무효인 부분의 이자 약정을 원인으로 차주가 대주에게 임의로 이자를 지급하는 것은 통상 불법의 원인으로 인한 재산 급여라고 볼 수 있을 것이나, 불법원인급여에 있어서도 그 불법원인이 수익자에게만 있는 경우이거나 수익자의 불법성이 급여자의 그것보다 현저히 커서 급여자의 반환청구를 허용하지 않는 것이 오히려 공평과 신의칙에 반하게 되는 경우에는 급여자의 반환청구가 허용되므로, 대주가 사회통념상 허용되는 한도를 초과하는 이율의 이자를 약정하여 지급받은 것은 그의 우월한 지위를 이용하여 부당한 이득을 얻고 차주에게는 과도한 반대급부 또는 기타의 부당한 부담을 지우는 것으로서 그 불법의 원인이 수익자인 대주에게만 있거나 또는 적어도 대주의 불법성이 차주의 불법성에 비하여 현저히 크다고 할 것이어서 차주는 그 이자의 반환을 청구할 수 있다.

⑤ 제3자가 피상속인으로부터 토지를 전전매수하였다는 사실을 알면서도 그 정을 모르는 상속인을 기망하여 결과적으로 그로 하여금 토지를 이중매도하게 하였다면, 그 매수인의 적극적인 기망행위에 의하여 이루어진 상속인과 사이의 토지에 관한 양도계약은 반사회적 법률행위로서 무효이다(대판 1994.11.18, 94다37349).

03 법률행위의 목적에 관한 다음 설명 중 가장 옳지 않은 것은?

▶ 2025 법무사

① 형사사건에서의 성공보수약정은 수사·재판의 결과를 금전적인 대가와 결부시킴으로써, 기본적 인권의 옹호와 사회정의의 실현을 사명으로 하는 변호사 직무의 공공성을 저해하고, 의뢰인과 일반 국민의 사법제도에 대한 신뢰를 현저히 떨어뜨릴 위험이 있으므로, 선량한 풍속 기타 사회 질서에 위배되는 것으로 평가할 수 있다.

② 매매계약체결 당시에 정당한 대가를 지급하고 목적물을 매수하는 계약을 체결하였더라도, 그 후 목적물이 범죄행위로 취득된 것을 알게 되었다면 위 계약의 이행을 구하는 것은 선량한 풍속 기타 사회질서에 위반하는 것이 되므로 당초의 매매계약에 기하여 목적물에 대한 소유권이전등기를 구할 수 없다.

③ 영리를 목적으로 윤락행위를 하도록 권유·유인·알선 또는 강요하거나 이에 협력하는 것은 선량한 풍속 기타 사회질서에 위반되므로 그러한 행위를 하는 자가 영업상 관계있는 윤락행위를 하는 자에 대하여 가지는 채권은 계약의 형식에 관계없이 무효라고 보아야 한다.

④ 불공정 법률행위에 해당하는지는 법률행위가 이루어진 시점을 기준으로 약속된 급부와 반대급부 사이의 객관적 가치를 비교 평가하여 판단하여야 할 문제이고, 당초의 약정대로 계약이 이행되지 아니할 경우에 발생할 수 있는 문제는 달리 특별한 사정이 없는 한 채무의 불이행에 따른 효과로서 다루어지는 것이 원칙이다.

⑤ '궁박'이라 함은 '급박한 곤궁'을 의미하는 것으로서 경제적 원인에 기인할 수도 있고 정신적 또는 심리적 원인에 기인할 수도 있으며, 당사자가 궁박한 상태에 있었는지 여부는 그의 나이와 직업, 교육 및 사회경험의 정도, 재산 상태 및 그가 처한 상황의 절박성의 정도 등 여러 사정을 종합하여 구체적으로 판단하여야 한다. 한편 당사자가 계약을 지키지 않는 경우 얻을 이익이 이로 인해 입을 불이익보다 크다고 판단하여, 그 불이익의 발생을 예측하면서도 이를 감수할 생각으로 계약에 반하는 행위를 함으로써 계약 상대방과의 관계에서 그가 주장하는 급박한 곤궁 상태에 이르렀다면, 이와 같이 그가 자초한 상태를 민법 제104조의 궁박이라고 인정하는 것은 엄격하고 신중하게 이루어져야 한다.

> **해설** ① 형사사건에 관하여 체결된 성공보수약정이 가져오는 여러 가지 사회적 폐단과 부작용 등을 고려하면, 구속영장청구 기각, 보석 석방, 집행유예나 무죄 판결 등과 같이 의뢰인에게 유리한 결과를 얻어내기 위한 변호사의 변론활동이나 직무수행 그 자체는 정당하다 하더라도, 형사사건에서의 성공보수약정은 수사·재판의 결과를 금전적인 대가와 결부시킴으로써, 기본적 인권의 옹호와 사회정의의 실현을 사명으로 하는 변호사 직무의 공공성을 저해하고, 의뢰인과 일반 국민의 사법

정답 03 ②

제도에 대한 신뢰를 현저히 떨어뜨릴 위험이 있으므로, 선량한 풍속 기타 사회질서에 위배되는 것으로 평가할 수 있다(대판(전합) 2015.7.23, 2015다200111).

② 매매계약체결 당시에 정당한 대가를 지급하고 목적물을 매수하는 계약을 체결하였다면, 비록 그 후 목적물이 범죄행위로 취득된 것을 알게 되었다고 하더라도, 계약의 이행을 구하는 것 자체가 선량한 풍속 기타 사회질서에 위반하는 것으로 볼 만한 특별한 사정이 없는 한, 그러한 사유만으로 당초의 매매계약에 기하여 목적물에 대한 소유권이전등기를 구하는 것이 민법 제103조의 공서양속에 반하는 행위라고 단정할 수 없다(대판 2001.11.9, 2001다44987).

③ 영리를 목적으로 윤락행위를 하도록 권유·유인·알선 또는 강요하거나 이에 협력하는 것은 선량한 풍속 기타 사회질서에 위반되므로 그러한 행위를 하는 자가 영업상 관계있는 윤락행위를 하는 자에 대하여 가지는 채권은 계약의 형식에 관계없이 무효라고 보아야 한다(대판 2004.9.3, 2004다27488).

④ 불공정 법률행위에 해당하는지는 법률행위가 이루어진 시점을 기준으로 약속된 급부와 반대급부 사이의 객관적 가치를 비교 평가하여 판단하여야 할 문제이고, 당초의 약정대로 계약이 이행되지 아니할 경우에 발생할 수 있는 문제는 달리 특별한 사정이 없는 한 채무의 불이행에 따른 효과로서 다루어지는 것이 원칙이다(대판 2013.9.26, 2010다42075).

⑤ '궁박'이라 함은 '급박한 곤궁'을 의미하는 것으로서 경제적 원인에 기인할 수도 있고 정신적 또는 심리적 원인에 기인할 수도 있으며, 당사자가 궁박한 상태에 있었는지 여부는 그의 나이와 직업, 교육 및 사회경험의 정도, 재산 상태 및 그가 처한 상황의 절박성의 정도 등 여러 사정을 종합하여 구체적으로 판단하여야 한다. 한편 당사자가 계약을 지키지 않는 경우 얻을 이익이 이로 인해 입을 불이익보다 크다고 판단하여, 그 불이익의 발생을 예측하면서도 이를 감수할 생각으로 계약에 반하는 행위를 함으로써 계약 상대방과의 관계에서 그가 주장하는 급박한 곤궁 상태에 이르렀다면, 이와 같이 그가 자초한 상태를 민법 제104조의 궁박이라고 인정하는 것은 엄격하고 신중하게 이루어져야 한다(대판 2024.3.12, 2023다301712).

제2절 의사표시

01 다음 설명 중 가장 옳지 않은 것은?

▶ 2021 법무사

① 계약체결의 요건을 규정하고 있는 강행법규에 위반한 계약은 무효이므로 그 경우에 계약 상대방이 선의·무과실이더라도 민법 제107조의 비진의표시의 법리 또는 표현대리 법리가 적용될 여지는 없다.

② 법률상 또는 사실상의 장애로 자기 명의로 대출받을 수 없는 자를 위하여 대출금채무자로서의 명의를 빌려준 자에게 그와 같은 채무부담의 의사가 없는 것이라고는 할 수 없을 것이어서 그러한 의사표시를 비진의표시에 해당한다고 볼 수 없다.

③ 비진의 의사표시에 있어서의 진의란 특정한 내용의 의사표시를 하고자 하는 표의자의 생각을 말하는 것이지 표의자가 진정으로 마음속에서 바라는 사항을 뜻하는 것은 아니라고 할 것이므로, 비록 재산을 강제로 뺏긴다는 것이 표의자의 본심으로 잠재되어 있었다 하여도 표의자가 강박에 의하여서나마 증여를 하기로 하고 그에 따른 증여의 의사표시를 한 이상 증여의 내심의 효과의사가 결여된 것이라고 할 수는 없다.

④ 어떠한 의사표시가 비진의 의사표시로서 무효라고 주장하는 경우에 그 입증책임은 그 주장자에게 있다.

⑤ 진의 아닌 의사표시인지의 여부는 효과의사에 대응하는 내심의 의사가 있는지 여부에 따라 결정되는 것인 바, 근로자가 사용자의 지시에 좇아 일괄하여 사직서를 작성 제출할 당시 그 사직서에 기하여 의원면직 처리될지 모른다는 점을 인식하였다면 내심에 사직의 의사가 있는 것으로 보아야 한다.

해설 ① 계약체결의 요건을 규정하고 있는 강행법규에 위반한 계약은 무효이므로 그 경우에 계약상대방이 선의·무과실이라 하더라도 민법 제107조의 비진의표시의 법리 또는 표현대리 법리가 적용될 여지는 없다(대판 1983.12.27, 83다548, 대판 1996.8.23, 94다38199 등).

② 명의대여에 있어서는 경제적인 효과는 타인에게 귀속시키되, 법률상의 효과는 대여자 자신에게 귀속시키려는 진의가 있는 것이므로 비진의표시가 아니다. 법률상 또는 사실상의 장애로 자기 명의로 대출받을 수 없는 자를 위하여 대출금채무자로서의 명의를 빌려준 자에게 그와 같은 채무부담의 의사가 없는 것이라고는 할 수 없으므로 그 의사표시를 비진의표시에 해당한다고 볼 수 없다. 따라서 명의대여자는 표시행위에 나타난 대로 대출금채무를 부담한다(대판 1996.9.10, 96다18182).

③ 비진의 의사표시에 있어서의 진의란 특정한 내용의 의사표시를 하고자 하는 표의자의 생각을 말하는 것이지 표의자가 진정으로 마음속에서 바라는 사항을 뜻하는 것은 아니라고 할 것이므로, 비록 재산을 강제로 뺏긴다는 것이 표의자의 본심으로 잠재되어 있었다 하여도 표의자가 강박에 의하여서나마 증여를 하기로 하고 그에 따른 증여의 의사표시를 한 이상 증여의 내심의 효과의사가 결여된 것이라고 할 수는 없다(대판 2002.12.27, 2000다47361).

 **정답** **01** ⑤

④ 비진의라는 사실 및 그에 대한 지·부지나 과실의 유무는 행위 시를 표준으로 하여 결정하고, 이는 무효를 주장하는 자가 입증해야 한다(대판 1992.5.22, 92다2295).

⑤ 진의 아닌 의사표시인지의 여부는 효과의사에 대응하는 내심의 의사가 있는지 여부에 따라 결정되는 것인바, 근로자가 사용자의 지시에 좇아 일괄하여 사직서를 작성 제출할 당시 그 사직서에 기하여 의원면직 처리될지 모른다는 점을 인식하였다고 하더라도 이것만으로 그의 내심에 사직의 의사가 있는 것이라고 할 수 없다(대판 1991.7.12, 90다11554; 대판 1992.5.26, 92다3670).

02 다음 설명 중 가장 옳지 않은 것은?

▸ 2021 법무사

① 실제로는 전세권설정계약이 없으면서도 임대차계약에 기한 임차보증금반환채권을 담보할 목적 또는 금융기관으로부터 자금을 융통할 목적으로 임차인과 임대인 사이의 합의에 따라 임차인 명의로 전세권설정등기를 경료한 후 그 전세권에 대하여 근저당권이 설정된 경우, 가사 위 전세권설정계약만 놓고 보아 그것이 통정허위표시에 해당하여 무효라 하더라도 이로써 위 전세권설정계약에 의하여 형성된 법률관계를 토대로 별개의 법률원인에 의하여 새로운 법률상 이해관계를 갖게 된 근저당권자에 대하여는 그와 같은 사정을 알고 있었던 경우에만 그 무효를 주장할 수 있다.

② 대출절차상의 편의를 위하여 명의만을 대여한 것으로 인정되어 채무자로 볼 수 없는 경우라 하더라도, 실질적 주채무자에 대한 보증의 의사가 있는 것으로 볼 수 있다.

③ 통정한 허위표시에 의하여 외형상 형성된 법률관계로 생긴 채권을 가압류한 경우, 그 가압류권자는 허위표시에 기초하여 새로운 법률상 이해관계를 가지게 되므로 민법 제108조 제2항의 제3자에 해당한다고 봄이 상당하고, 또한 민법 제108조 제2항의 제3자는 선의이면 족하고 무과실은 요건이 아니다.

④ 불법원인급여를 규정한 민법 제746조 소정의 "불법의 원인"이라 함은 재산을 급여한 원인이 선량한 풍속 기타 사회질서에 위반하는 경우를 가리키는 것으로서, 강제집행을 면할 목적으로 부동산의 소유자명의를 신탁하는 것이 위와 같은 불법원인급여에 해당한다고 볼 수는 없다.

⑤ 민법 제108조 제1항에서 상대방과 통정한 허위의 의사표시를 무효로 규정하고, 제2항에서 그 의사표시의 무효는 선의의 제3자에게 대항하지 못한다고 규정하고 있는데, 여기에서 제3자는 특별한 사정이 없는 한 선의로 추정할 것이므로, 제3자가 악의라는 사실에 관한 주장·입증책임은 그 허위표시의 무효를 주장하는 자에게 있다.

해설 ① 실제로는 전세권설정계약이 없으면서도 임대차계약에 기한 임차보증금반환채권을 담보할 목적 또는 금융기관으로부터 자금을 융통할 목적으로 임차인과 임대인 사이의 합의에 따라 임차인 명의로 전세권설정등기를 경료한 후 그 전세권에 대하여 근저당권이 설정된 경우, 가사 위 전세권설정계약만 놓고 보아 그것이 통정허위표시에 해당하여 무효라 하더라도 이로써 위 전세권설정계약에 의하여 형성된 법률관계를 토대로 별개의 법률원인에 의하여 새로운 법률상 이해관계를 갖게 된 근저당권자에 대하여는 그와 같은 사정을 알고 있었던 경우에만 그 무효를 주장할 수 있다(대판 2008.3.13, 2006다58912).

② 대출절차상의 편의를 위하여 명의만을 대여한 것으로 인정되어 채무자로 볼 수 없는 경우( 명의대여자가 채무를 부담하지 않는 것으로 금융기관과 양해가 된 경우), 그 형식상 주채무자(명의대여자)가 실질적인 주채무자(명의차용자)를 위하여 보증인이 될 의사가 있었다는 등의 특별한 사정이 없는 한 그 형식상의 주채무자에게 실질적 주채무자에 대한 보증의 의사가 있는 것으로 볼 수는 없다(대판 2005.5.12. 2004다68366).
③ 통정한 허위표시에 의하여 외형상 형성된 법률관계로 생긴 채권을 가압류한 경우, 그 가압류권자는 허위표시에 기초하여 새로운 법률상 이해관계를 가지게 되므로 민법 제108조 제2항의 제3자에 해당한다고 봄이 상당하고, 또한 민법 제108조 제2항의 제3자는 선의이면 족하고 무과실은 요건이 아니다(대판 2007.11.29. 2007다53013).
④ 불법원인급여를 규정한 민법 제746조 소정의 '불법의 원인'이라 함은 재산을 급여한 원인이 선량한 풍속 기타 사회질서에 위반하는 경우를 가리키는 것으로서, 강제집행을 면할 목적으로 부동산의 소유자명의를 신탁하는 것이 위와 같은 불법원인급여에 해당한다고 볼 수는 없다(대판 1994.4.15. 93다61307).
⑤ 제3자는 특별한 사정이 없는 한 선의로 추정할 것이므로, 제3자가 악의라는 사실에 관한 주장·증명책임은 그 허위표시의 무효를 주장하는 자에게 있다(대판 1970.9.29. 70다466).

03 의사표시에 관한 다음 설명 중 가장 옳지 않은 것은?

▶ 2022 법무사

① 착오로 인한 취소 제도와 매도인의 하자담보책임 제도는 취지가 서로 다르고, 요건과 효과도 구별되므로, 매매계약 내용의 중요 부분에 착오가 있는 경우 매수인은 매도인의 하자담보책임이 성립하는지와 상관없이 착오를 이유로 매매계약을 취소할 수 있다.
② 소취하합의의 의사표시는 법률행위의 내용의 중요 부분에 착오가 있더라도 민법 제109조에 따라 취소할 수는 없다.
③ 장래에 발생할 막연한 사정을 예측하거나 기대하고 법률행위를 한 경우 그러한 예측이나 기대와 다른 사정이 발생하였다고 하더라도 그로 인한 위험은 원칙적으로 법률행위를 한 사람이 스스로 감수하여야 하고 상대방에게 전가해서는 안 되므로 착오를 이유로 취소를 구할 수 없다.
④ 하나의 법률행위의 일부분에만 취소사유가 있다고 하더라도 그 법률행위가 가분적이거나 그 목적물의 일부가 특정될 수 있다면, 그 나머지 부분이라도 이를 유지하려는 당사자의 가정적 의사가 인정되는 경우 그 일부만의 취소도 가능하다고 할 것이고, 그 일부의 취소는 법률행위의 일부에 관하여 효력이 생긴다.
⑤ 학교법인이 사립학교법상의 제한규정 때문에 그 학교의 교직원들인 소외인들의 명의를 빌려서 피고로부터 금원을 차용한 경우에 피고 역시 그러한 사정을 알고 있었다고 하더라도 위 소외인들의 의사는 위 금전의 대차에 관하여 그들이 주채무자로서 채무를 부담하겠다는 뜻이라고 해석함이 상당하므로 이를 진의 아닌 의사표시라고 볼 수 없다.

해설 ① 민법 제109조 제1항에 의하면 법률행위 내용의 중요 부분에 착오가 있는 경우 착오에 중대한 과실이 없는 표의자는 법률행위를 취소할 수 있고, 민법 제580조 제1항, 제575조 제1항에 의하

정답 ▶ 02 ② 03 ②

면 매매의 목적물에 하자가 있는 경우 하자가 있는 사실을 과실 없이 알지 못한 매수인은 매도인에 대하여 하자담보책임을 물어 계약을 해제하거나 손해배상을 청구할 수 있다. 착오로 인한 취소 제도와 매도인의 하자담보책임 제도는 취지가 서로 다르고, 요건과 효과도 구별된다. 따라서 매매계약 내용의 중요 부분에 착오가 있는 경우 매수인은 매도인의 하자담보책임이 성립하는지와 상관없이 착오를 이유로 매매계약을 취소할 수 있다(대판 2018.9.13, 2015다78703).

② 소취하 합의의 의사표시 역시 민법 제109조에 따라 법률행위의 내용의 중요 부분에 착오가 있는 때에는 취소할 수 있다(대판 2020.10.15, 2020다227523·227530).

③ 민법 제109조에 따라 의사표시에 착오가 있다고 하려면 법률행위를 할 당시에 실제로 없는 사실을 있는 사실로 잘못 깨닫거나 아니면 실제로 있는 사실을 없는 것으로 잘못 생각하듯이 의사표시자의 인식과 그러한 사실이 어긋나는 경우라야 한다. 의사표시자가 행위를 할 당시 장래에 있을 어떤 사항의 발생을 예측한 데 지나지 않는 경우는 의사표시자의 심리상태에 인식과 대조사실의 불일치가 있다고 할 수 없어 이를 착오로 다룰 수 없다. 장래에 발생할 막연한 사정을 예측하거나 기대하고 법률행위를 한 경우 그러한 예측이나 기대와 다른 사정이 발생하였다고 하더라도 그로 인한 위험은 원칙적으로 법률행위를 한 사람이 스스로 감수하여야 하고 상대방에게 전가해서는 안 되므로 착오를 이유로 취소를 구할 수 없다(대판 2020.5.14, 2016다12175).

④ 대판 1998.2.10, 97다44737

⑤ 대판 1980.7.8, 80다639

04 착오로 인한 의사표시에 관한 다음 설명 중 가장 옳지 않은 것은? ▶ 2023 법무사

① 동기의 착오가 법률행위의 내용의 중요 부분의 착오에 해당함을 이유로 표의자가 법률행위를 취소하려면 그 동기를 당해 의사표시의 내용으로 삼을 것을 상대방에게 표시하고 의사표시의 해석상 법률행위의 내용으로 되어 있다고 인정되면 충분하고 당사자들 사이에 별도로 그 동기를 의사표시의 내용으로 삼기로 하는 합의까지 이루어질 필요는 없다.

② 법률행위 내용의 중요 부분에 착오가 있는 때에는 그 의사표시를 취소할 수 있으나 그 착오가 표의자의 중대한 과실로 인한 때에는 취소하지 못한다. 여기서 '중대한 과실'이라 함은 표의자의 직업, 행위의 종류, 목적 등에 비추어 보통 요구되는 주의를 현저히 결여하는 것을 의미한다.

③ 상대방이 표의자의 착오를 알고 이를 이용한 경우에는 착오가 표의자의 중대한 과실로 인한 것이라고 하더라도 표의자는 의사표시를 취소할 수 있다.

④ 주채무자의 차용금반환채무를 보증할 의사로 공정증서에 연대보증인으로 서명·날인하였으나 그 공정증서가 주채무자의 기존의 구상금채무 등에 관한 준소비대차계약의 공정증서이었던 경우, 위와 같은 착오는 연대보증계약의 중요 부분의 착오에 해당한다.

⑤ 민사소송법상의 소송행위에는 특별한 규정이나 특별한 사정이 없는 한 민법상의 법률행위에 관한 규정이 적용될 수 없는 것이므로, 착오로 항소이유서를 제출하였다고 하여 의사표시의 하자를 이유로 그와 같은 소송행위의 취소를 주장할 수는 없다.

해설 ① 대판 2000.5.12, 2000다12259 등

②,③ 대판 2023.4.27, 2017다227264

④ 주채무자의 차용금반환채무를 보증할 의사로 공정증서에 연대보증인으로 서명·날인하였으나 그 공정증서가 주채무자의 기존의 구상금채무 등에 관한 준소비대차계약의 공정증서이었던 경우, **소비대차계약과 준소비대차계약의 법률효과는 동일하므로** 위와 같은 착오는 **연대보증계약의 중요 부분의 착오가 아니다**(대판 2006.12.7, 2006다41457). → 착오로 인하여 표의자가 경제적인 불이익을 입지 않았다면 특별한 사정이 없는 한 이를 법률행위 내용의 중요 부분의 착오라고 할 수 없다.

⑤ 대판 1964.9.15, 64다92

05 다음 설명 중 가장 옳지 않은 것은?

▶ 2021 법무사

① 채권양도의 통지와 같은 준법률행위의 도달은 의사표시와 마찬가지로 사회관념상 채무자가 통지의 내용을 알 수 있는 객관적 상태에 놓였을 때를 지칭하고, 그 통지를 채무자가 현실적으로 수령하였거나 그 통지의 내용을 알았을 것까지는 필요하지 않다.

② 대리인이 본인을 위한 것임을 표시하지 아니한 때에는 그 의사표시는 본인에 대하여 효력이 생기지 않고, 원칙적으로 대리인 자기를 위한 것으로 보지도 않는다.

③ 의사표시의 상대방이 의사표시를 받은 때에 제한능력자인 경우에는 의사표시자는 그 의사표시로써 대항할 수 없다. 다만, 그 상대방의 법정대리인이 의사표시가 도달한 사실을 안 후에는 그러하지 아니하다.

④ 의사표시자가 그 통지를 발송한 후 사망하거나 제한능력자가 되어도 의사표시의 효력에 영향을 미치지 아니한다.

⑤ 표의자가 과실 없이 상대방을 알지 못하거나 상대방의 소재를 알지 못하는 경우에는 의사표시는 민사소송법 공시송달의 규정에 의하여 송달할 수 있다.

[해설]
① 채권양도의 통지와 같은 준법률행위의 도달은 의사표시와 마찬가지로 사회관념상 채무자가 통지의 내용을 알 수 있는 객관적 상태에 놓였을 때를 지칭하고, 그 통지를 채무자가 현실적으로 수령하였거나 그 통지의 내용을 알았을 것까지는 필요하지 않다(대판 1983.8.23, 82다카439). 즉 채권양도의 통지는 민법 제111조 도달주의를 유추적용하고, 송달장소에 관한 민사소송법규정의 엄격한 내용을 유추적용하지 않는다. 따라서 채권양도의 통지는 민사소송법상의 송달에 관한 규정에서 송달장소로 정하는 채무자의 주소·거소·영업소 또는 사무소 등에 해당하지 아니하는 장소에서라도 채무자가 사회통념상 그 통지의 내용을 알 수 있는 객관적 상태에 놓였다고 인정됨으로써 족하다.

② 제115조 【본인을 위한 것임을 표시하지 아니한 행위】 대리인이 본인을 위한 것임을 표시하지 아니한 때에는 그 의사표시는 자기를 위한 것으로 본다. 그러나 상대방이 대리인으로서 한 것임을 알았거나 알 수 있었을 때에는 전조 제1항의 규정을 준용한다.

③ 제112조
④ 제111조 제2항
⑤ 제113조

제3절 대리

01 다음 설명 중 가장 옳지 않은 것은?　　　　　▸ 2021 법무사

① 미성년자의 법정대리인인 친권자의 법률행위에 있어서 법정대리인인 친권자의 대리행위가 객관적으로 볼 때 미성년자 본인에게는 경제적인 손실만을 초래하는 반면, 친권자나 제3자에게는 경제적인 이익을 가져오는 행위이고, 그 행위의 상대방이 이러한 사실을 알았거나 알 수 있었을 때에는, 민법 제107조 제1항 단서의 규정을 유추적용하여 그 행위의 효과는 자(子)에게는 미치지 않는다고 해석함이 상당하다.

② 외형상 형성된 법률관계를 기초로 하여 새로운 법률상 이해관계를 맺은 선의의 제3자에 대하여는 민법 제107조 제2항의 규정을 유추적용하여 누구도 그와 같은 사정을 들어 대항할 수 없으며, 제3자가 악의라는 사실에 관한 주장·증명책임은 그 무효를 주장하는 자에게 있다.

③ 대리권이 법률행위에 의하여 부여된 경우에는 대리인은 본인의 승낙이 있거나 부득이한 사유가 있는 때가 아니어도 필요에 따라 복대리인을 선임할 수 있다.

④ 의사표시의 효력이 의사의 흠결, 사기, 강박 또는 어느 사정을 알았거나 과실로 알지 못한 것으로 인하여 영향을 받을 경우에 그 사실의 유무는 대리인을 표준하여 결정한다.

⑤ 일반적으로 매매계약에서 매도인으로 나온 사람이 소유권자로부터 매매에 관한 권한을 위임받은 내용의 위임장을 제시하고 매매계약을 체결하였다면 특단의 사정이 없는 한 그는 소유권자를 대리하여 매매행위를 한 것으로 보아야 할 것이고, 매매계약서의 매도인란에 대리관계의 표시가 없이 그 자신의 이름을 기재하였다고 하여도 이것만으로 그 자신이 매도인으로서 타인물의 매매를 한 것이라고 볼 수는 없는 것이다.

해설 ①,② 법정대리인인 친권자의 대리행위가 객관적으로 볼 때 미성년자 본인에게는 경제적인 손실만을 초래하는 반면, 친권자나 제3자에게는 경제적인 이익을 가져오는 행위이고 행위의 상대방이 이러한 사실을 알았거나 알 수 있었을 때에는 민법 제107조 제1항 단서의 규정을 유추적용하여 행위의 효과가 자에게는 미치지 않는다고 해석함이 타당하나, 그에 따라 외형상 형성된 법률관계를 기초로 하여 새로운 법률상 이해관계를 맺은 선의의 제3자에 대하여는 같은 조 제2항의 규정을 유추적용하여 누구도 그와 같은 사정을 들어 대항할 수 없으며, 제3자가 악의라는 사실에 관한 주장·증명책임은 무효를 주장하는 자에게 있다(대판 2018.4.26, 2016다3201).

③ 제120조 【임의대리인의 복임권】 대리권이 법률행위에 의하여 부여된 경우에는 대리인은 본인의 승낙이 있거나 부득이한 사유가 있는 때가 아니면 복대리인을 선임하지 못한다.

④ 제116조 제1항

⑤ 매매위임장을 제시하고 매매계약을 체결하는 자는 특단의 사정이 없는 한 소유자를 대리하여 매매행위하는 것이라고 보아야 하고, 매매계약서에 대리관계의 표시 없이 그 자신의 이름을 기재하였다고 해서 그것만으로 그 자신이 매도인으로서 타인물을 매매한 것이라고 볼 수는 없다(대판 1982.5.25, 81다1349·81다카1209).

02 대리에 관한 다음 설명 중 가장 옳지 않은 것은? ▸ 2022 법무사

① 매매계약의 체결과 이행에 관하여 포괄적으로 대리권을 수여받은 대리인은 특별한 다른 사정이 없는 한 상대방에 대하여 약정된 매매대금지급기일을 연기하여 줄 권한도 가진다고 보아야 할 것이다.

② 대리권 없는 자가 타인의 대리인으로 계약을 한 경우에 상대방은 상당한 기간을 정하여 본인에게 그 추인 여부의 확답을 최고할 수 있고, 본인이 그 기간 내에 확답을 발하지 않은 때에는 추인을 거절한 것으로 본다.

③ 민법 제134조에서 정한 상대방의 철회권은, 무권대리행위가 본인의 추인에 따라 효력이 좌우되어 상대방이 불안정한 지위에 놓이게 됨을 고려하여 대리권이 없었음을 알지 못한 상대방을 보호하기 위하여 상대방에게 부여된 권리로서, 상대방이 유효한 철회를 하면 무권대리행위는 확정적으로 무효가 되어 그 후에는 본인이 무권대리행위를 추인할 수 없다.

④ 대리인이 대리권 소멸 후 복대리인을 선임하여 복대리인으로 하여금 상대방과 사이에 대리행위를 하도록 한 경우에도, 상대방이 대리권 소멸 사실을 알지 못하여 복대리인에게 적법한 대리권이 있는 것으로 믿었고 그와 같이 믿은 데 과실이 없다면 민법 제129조에 의한 표현대리가 성립할 수 있다.

⑤ 증권회사의 직원이 아니면서도 사실상 투자상담사의 역할을 하는 자가 고객의 유치, 투자상담 및 권유, 위탁매매약정실적의 제고 등의 업무를 위임받아 증권회사를 대리하여 예탁금을 수령하거나 위탁매매계약을 체결한 경우 권한초과의 표현대리가 성립한다.

해설 ① 대판 1992.4.14, 91다43107

② 제131조

③ 민법 제134조에서 정한 상대방의 철회권은, 무권대리행위가 본인의 추인에 따라 효력이 좌우되어 상대방이 불안정한 지위에 놓이게 됨을 고려하여 대리권이 없었음을 알지 못한 상대방을 보호하기 위하여 상대방에게 부여된 권리로서, 상대방이 유효한 철회를 하면 무권대리행위는 확정적으로 무효가 되어 그 후에는 본인이 무권대리행위를 추인할 수 없다. 한편 상대방이 대리인에게 대리권이 없음을 알았다는 점에 대한 주장·입증책임은 철회의 효과를 다투는 본인에게 있다(대판 2017.6.29, 2017다213838).

④ 대판 1998.5.29, 97다55317

⑤ 민법 제126조의 표현대리가 성립하기 위하여는 무권대리인에게 법률행위에 관한 기본대리권이 있어야 하는바, 증권회사로부터 위임받은 고객의 유치, 투자상담 및 권유, 위탁매매약정실적의 제고 등의 업무는 사실행위에 불과하므로 이를 기본대리권으로 하여서는 권한초과의 표현대리가 성립할 수 없다(대판 1992.5.26, 91다32190).

정답 01 ③ 02 ⑤

03 임의대리권에 관한 다음 설명 중 가장 옳지 않은 것은? ▸ 2023 법무사

① 매매계약의 체결과 이행에 관하여 포괄적으로 대리권을 수여받은 대리인이라도 특별한 다른 사정이 없는 한 상대방에 대하여 약정된 매매대금지급기일을 연기하여 줄 권한은 없다.

② 수권행위의 통상의 내용으로서의 임의대리권은 그 권한에 부수하여 필요한 한도에서 상대방의 의사표시를 수령하는 이른바 수령대리권을 포함한다.

③ 부동산의 소유자로부터 매매계약을 체결할 대리권을 수여받은 대리인은 특별한 사정이 없는 한 그 매매계약에서 약정한 바에 따라 중도금이나 잔금을 수령할 권한이 있다.

④ 예금계약의 체결을 위임받은 자가 가지는 대리권에 당연히 그 예금을 담보로 하여 대출을 받거나 이를 처분할 수 있는 대리권이 포함되어 있는 것은 아니다.

⑤ 소송상 화해나 청구의 포기에 관한 특별수권이 되어 있다면 특별한 사정이 없는 한 그러한 소송행위에 대한 수권만이 아니라 그러한 소송행위의 전제가 되는 당해 소송물인 권리의 처분이나 포기에 대한 권한도 수여되어 있다고 봄이 상당하다.

> **해설** ①,③ 부동산의 소유자로부터 **매매계약을 체결할 대리권을 수여받은 대리인은** 특별한 다른 사정이 없는 한 그 매매계약에서 약정한 바에 따라 **중도금이나 잔금을 수령할 수도 있다**고 보아야 하고, 매매계약의 체결과 이행에 관하여 **포괄적으로 대리권을 수여받은 대리인은** 특별한 다른 사정이 없는 한 **상대방에 대하여 약정된 매매대금지급기일을 연기하여 줄 권한도 가진다**고 보아야 할 것이다(대판 1992.4.14, 91다43107).
>
> ② 대판 1994.2.8, 93다39379
>
> ④ 대판 1995.8.22, 94다59042
>
> ⑤ 대결 2000.1.31, 99마6205

04 대리에 관한 다음 설명 중 옳은 것을 모두 고른 것은?

▸ 2024 법무사

ㄱ. 대리권 남용 행위에 따라 외형상 형성된 법률관계를 기초로 하여 새로운 법률상 이해관계를 맺은 선의의 제3자에 대해서는 민법 제107조 제2항을 유추적용하여 누구도 그러한 사정을 들어 대항할 수 없는데, 제3자가 악의라는 사실에 관한 증명책임은 그 무효를 주장하는 자에게 있다.

ㄴ. 대부중개업자가 전주를 위하여 금전소비대차계약과 그 담보를 위한 담보권설정계약을 체결할 대리권을 수여받은 것으로 인정되는 경우에는 특별한 사정이 없는 한 금전소비대차계약과 그 담보를 위한 담보권설정계약이 체결된 후에 이를 해제할 권한까지 당연히 가지고 있다고 볼 수 있다.

ㄷ. 특정한 법률행위를 위임한 경우에 대리인이 본인의 지시에 좇아 그 행위를 한 때에는 본인은 자기가 안 사정 또는 과실로 인하여 알지 못한 사정에 관하여 대리인의 부지를 주장하지 못한다.

ㄹ. 부부의 일방이 의식불명의 상태에 있어 사회통념상 대리관계를 인정할 필요가 있다는 사정이 인정된다면 그 배우자로서는 당연히 채무의 부담행위를 포함한 모든 법률행위에 관하여 대리권을 갖는다고 보아야 한다.

ㅁ. 대리권 소멸 후의 표현대리에 관한 민법 제129조는 법정대리인의 대리권이 소멸된 경우에도 적용된다고 할 것이다.

① ㄱ, ㄴ, ㅁ　　　　② ㄱ, ㄷ, ㄹ　　　　③ ㄱ, ㄷ, ㅁ
④ ㄴ, ㄷ, ㅁ　　　　⑤ ㄴ, ㄹ, ㅁ

해설　ㄱ. 법정대리인인 친권자의 대리행위가 객관적으로 볼 때 미성년자 본인에게는 경제적인 손실만을 초래하는 반면, 친권자나 제3자에게는 경제적인 이익을 가져오는 행위이고 행위의 상대방이 이러한 사실을 알았거나 알 수 있었을 때에는 민법 제107조 제1항 단서의 규정을 유추적용하여 행위의 효과가 자에게는 미치지 않는다고 해석함이 타당하나, 그에 따라 외형상 형성된 법률관계를 기초로 하여 새로운 법률상 이해관계를 맺은 선의의 제3자에 대하여는 같은 조 제2항의 규정을 유추적용하여 누구도 그와 같은 사정을 들어 대항할 수 없으며, 제3자가 악의라는 사실에 관한 주장·증명책임은 무효를 주장하는 자에게 있다(대판 2018.4.26, 2016다3201).

ㄴ. 어떠한 계약의 체결에 관한 대리권을 수여받은 대리인이 수권된 법률행위를 하게 되면 그것으로 대리권의 원인된 법률관계는 원칙적으로 목적을 달성하여 종료하는 것이고, 법률행위에 의하여 수여된 대리권은 그 원인된 법률관계의 종료에 의하여 소멸하는 것이므로(민법 제128조), 그 계약을 대리하여 체결하였던 대리인이 체결된 계약의 해제 등 일체의 처분권과 상대방의 의사를 수령할 권한까지 가지고 있다고 볼 수는 없다(대판 2008.6.12, 2008다11276).

ㄷ. 제116조

ㄹ. 대리가 적법하게 성립하기 위하여는 대리행위를 한 자, 즉 대리인이 본인을 대리할 권한을 가지고 그 대리권의 범위 내에서 법률행위를 하였음을 요하며, 부부의 경우에도 일상의 가사가 아닌 법률행위를 배우자를 대리하여 행함에 있어서는 별도로 대리권을 수여하는 수권행위가 필요한

것이지, 부부의 일방이 의식불명의 상태에 있어 사회통념상 대리관계를 인정할 필요가 있다는 사정만으로 그 배우자가 당연히 채무의 부담행위를 포함한 모든 법률행위에 관하여 대리권을 갖는다고 볼 것은 아니다(대판 2000.12.8, 99다37856).

ㅁ. 대리권 소멸 후의 표현대리에 관한 민법 제129조는 법정대리인의 대리권 소멸에 관하여서도 그 적용이 있다(대판 1975.1.28, 74다1199).

05 무효행위의 추인에 관한 다음 설명 중 가장 옳지 않은 것은? ▸ 2025 법무사

① 부동산 소유자가 취득시효 완성 사실을 알고서 그 부동산을 제3자에게 처분하여 소유권 이전등기를 마쳐주었는데, 그 부동산을 취득한 제3자가 부동산 소유자의 이와 같은 불법 행위에 적극 가담하여 위 처분행위 및 제3자 명의의 등기가 무효인 경우, 시효완성 당시 의 소유자가 그 무효행위를 추인하여도 그 제3자 명의의 등기는 무효이다.

② 무효행위를 추인한 때에는 달리 소급효를 인정하는 법률규정이 없는 한 새로운 법률행위 를 한 것으로 보아야 하지만, 주식회사의 이사회결의와 같이 단체법적 법률효과를 가지 는 법률행위의 사후 추인의 경우에는 소급효를 가진다.

③ 무권대리행위의 추인은 무권대리인 또는 상대방의 동의나 승낙을 요하지 않는 단독행위로 서 추인은 의사표시의 전부에 대하여 행하여져야 하고, 그 일부에 대하여 추인을 하거나 그 내용을 변경하여 추인을 하였을 경우에는 상대방의 동의를 얻지 못하는 한 무효이다.

④ 법인의 대표자가 한 매매계약이 법인에 대한 배임행위에 해당하고 그 매매계약 상대방이 배임행위를 유인·교사하거나 배임행위의 전 과정에 관여하는 등 배임행위에 적극 가담 한 경우에는 그 매매계약이 반사회적 법률행위에 해당하여 무효로 될 수 있지만, 이때 매매계약을 무효로 한 이유는 본인인 법인의 이익을 보호하기 위한 데에 있는 것이어서, 무효의 원인이 소멸된 후 본인인 법인의 진정한 의사로 무효임을 알고 추인한 때에는 새로운 법률행위로그 효력이 생길 수 있다.

⑤ 무권리자에 의한 처분행위를 권리자가 추인한 경우에 권리자는 무권리자에 대하여 무권 리자가 처분행위로 인하여 얻은 이득의 반환을 청구할 수 있다.

해설 ① 취득시효 완성 후 경료된 무효인 제3자 명의의 등기에 대하여 시효완성 당시의 소유자가 무효행 위를 추인하여도 그 제3자 명의의 등기는 그 소유자의 불법행위에 제3자가 적극 가담하여 경료 된 것으로서 사회질서에 반하여 무효라고 한 사례이다(대판 2002.3.15, 2001다77352).

② 이러한 상법 제398조의 문언 내용을 입법 취지와 개정 연혁 등에 비추어 보면, 이사 등이 자기 또는 제3자의 계산으로 회사와 유효하게 거래를 하기 위하여는 미리 상법 제398조에서 정한 이사회 승인을 받아야 하므로 사전에 상법 제398조에서 정한 이사회 승인을 받지 않았다면 특별한 사정이 없는 한 그 거래는 무효라고 보아야 하고, 사후에 그 거래행위에 대하여 이사회 승인을 받았다고 하더라도 특 별한 사정이 없는 한 무효인 거래행위가 유효로 되는 것은 아니다(대판 2023.6.29, 2021다291712).

③ 무권대리행위의 추인은 무권대리인에 의하여 행하여진 불확정한 행위에 관하여 그 행위의 효과 를 자기에게 직접 발생케 하는 것을 목적으로 하는 의사표시이며, 무권대리인 또는 상대방의 동 의나 승낙을 요하지 않는 단독행위로서 추인은 의사표시의 전부에 대하여 행하여져야 하고, 그

일부에 대하여 추인을 하거나 그 내용을 변경하여 추인을 하였을 경우에는 상대방의 동의를 얻지 못하는 한 무효이다(대판 1982.1.26, 81다카549).

④ 법인의 대표자가 한 매매계약이 법인에 대한 배임행위에 해당하고 그 매매계약 상대방이 배임행위를 유인·교사하거나 배임행위의 전 과정에 관여하는 등 배임행위에 적극 가담한 경우에는 그 매매계약이 반사회적 법률행위에 해당하여 무효로 될 수 있지만, 이때 매매계약을 무효로 한 이유는 본인인 법인의 이익을 보호하기 위한 데에 있는 것이어서, 무효의 원인이 소멸된 후 본인인 법인의 진정한 의사로 무효임을 알고 추인한 때에는 새로운 법률행위로 그 효력이 생길 수 있다. 그리고 추인은 묵시적인 방법으로도 할 수 있으므로, 본인이 그 행위로 처하게 된 법적 지위를 충분히 이해하고 그럼에도 진의에 기하여 그 행위의 결과가 자기에게 귀속된다는 것을 승인한 것으로 볼 만한 사정이 있는 경우에는 묵시적으로 추인한 것으로 볼 수 있다(대판 2013.11.28, 2010다91831).

⑤ 무권리자에 의한 처분행위를 권리자가 추인한 경우에 권리자는 무권리자에 대하여 무권리자가 처분행위로 인하여 얻은 이득의 반환을 청구할 수 있다(대판 2022.6.30, 2020다210686).

06 표현대리에 관한 다음 설명 중 가장 옳지 않은 것은?

▶ 2025 법무사

① 과거에 가졌던 대리권이 소멸되어 민법 제129조(대리권 소멸 후의 표현대리)에 의하여 표현대리로 인정되는 경우에 그 표현대리의 권한을 넘는 대리행위가 있을 때에는 민법 제126조(권한을 넘은 표현대리)에 의한 표현대리가 성립할 수 있다.

② 민법 제126조의 표현대리에서 자칭 대리인에게 대리권이 있다고 믿을 만한 정당한 이유가 있는지 여부는 대리행위인 매매계약 당시를 기준으로 결정하여야 하고 매매계약 성립 이후의 사정은 고려할 것이 아니다.

③ 교회의 대표자가 권한 없이 행한 교회 재산의 처분행위에 대하여는 민법 제126조의 표현대리에 관한 규정이 준용되지 아니한다.

④ 복대리인 선임권이 없는 대리인에 의하여 선임된 복대리인의 권한은 민법 제126조의 기본대리권이 될 수 없다.

⑤ 대리권의 소멸은 선의의 제3자에게 대항하지 못한다. 그러나 제3자가 과실로 인하여 그 사실을 알지 못한 때에는 그러하지 아니하다.

해설 ① 민법 제126조에서 말하는 권한을 넘은 표현대리는 현재에 대리권을 가진 자가 그 권한을 넘은 경우에 성립하는 것이지, 현재에 아무런 대리권도 가지지 아니한 자가 본인을 위하여 한 어떤 대리행위가 과거에 이미 가졌던 대리권을 넘은 경우에까지 성립하는 것은 아니라고 할 것이고, 한편 과거에 가졌던 대리권이 소멸되어 민법 제129조에 의하여 표현대리로 인정되는 경우에 그 표현대리의 권한을 넘는 대리행위가 있을 때에는 민법 제126조에 의한 표현대리가 성립할 수 있다(대판 2008.1.31, 2007다74713).

② 민법 제126조의 표현대리에 있어서 무권대리인에게 그 권한이 있다고 믿을 만한 정당한 이유가 있는가의 여부는 대리행위인 매매계약 당시를 기준으로 결정하여야 하고 매매계약 성립 이후의 사정은 고려할 것이 아니므로, 무권대리인이 매매계약 후 그 이행단계에서야 비로소 본인의 인감증명과 위임장을 상대방에게 교부한 사정만으로는 상대방이 무권대리인에게 그 권한이 있다고 믿을 만한 정당한 이유가 있었다고 단정할 수 없다(대판 2018.7.24, 2017다2472).

정답 05 ② 06 ④

③ 비법인사단인 교회의 대표자는 총유물인 교회 재산의 처분에 관하여 교인총회의 결의를 거치지 아니하고는 이를 대표하여 행할 권한이 없다. 그리고 교회의 대표자가 권한 없이 행한 교회 재산의 처분행위에 대하여는 민법 제126조의 표현대리에 관한 규정이 준용되지 아니한다(대판 2009.2.12, 2006다23312).

④ 대리인이 사자 내지 임의로 선임한 복대리인을 통하여 권한 외의 법률행위를 한 경우, 상대방이 그 행위자를 대리권을 가진 대리인으로 믿었고 또한 그렇게 믿는 데에 정당한 이유가 있는 때에는, 복대리인 선임권이 없는 대리인에 의하여 선임된 복대리인의 권한도 기본대리권이 될 수 있을 뿐만 아니라, 그 행위자가 사자라고 하더라도 대리행위의 주체가 되는 대리인이 별도로 있고 그들에게 본인으로부터 기본대리권이 수여된 이상, 민법 제126조를 적용함에 있어서 기본대리권의 흠결 문제는 생기지 않는다(대판 1998.3.27, 97다48982).

⑤ 대리권 소멸 후의 표현대리 : 대리권의 소멸은 선의의 제삼자에게 대항하지 못한다. 그러나 제삼자가 과실로 인하여 그 사실을 알지 못한 때에는 그러하지 아니하다(민법 제129조).

제4절 무효와 취소

01 **법률행위의 유동적 무효에 관한 다음 설명 중 가장 옳지 않은 것은?** ▶ 2022 법무사

① 토지거래계약 허가구역 내의 토지에 관하여 관할관청의 허가를 받을 것을 전제로 한 매매계약에 기한 소유권이전등기청구권 또는 토지거래계약에 관한 허가를 받을 것을 조건으로 한 소유권이전등기청구권을 피보전권리로 한 부동산처분금지가처분신청은 허용되지 않는다.

② 매매 당사자 일방이 계약 당시 상대방에게 계약금을 교부한 경우 당사자 사이에 다른 약정이 없는 한 당사자 일방이 계약 이행에 착수할 때까지 계약금 교부자는 이를 포기하고 계약을 해제할 수 있고, 그 상대방은 계약금의 배액을 상환하고 계약을 해제할 수 있음이 계약 일반의 법리인 이상, 특별한 사정이 없는 한 토지거래계약허가를 받지 않아 유동적 무효 상태인 매매계약에 있어서도 당사자 사이의 매매계약은 매도인이 계약금의 배액을 상환하고 계약을 해제함으로써 적법하게 해제된다.

③ 토지거래계약허가를 받지 않아 유동적 무효의 상태에 있는 계약을 체결한 당사자는 쌍방이 그 계약이 효력이 있는 것으로 완성될 수 있도록 서로 협력할 의무가 있다고 할 것이므로, 이러한 매매계약을 체결할 당시 당사자 사이에 그 일방이 토지거래계약허가를 받기 위한 협력 자체를 이행하지 아니하거나 허가신청에 이르기 전에 매매계약을 철회하는 경우 상대방에게 일정한 손해액을 배상하기로 하는 약정을 유효하게 할 수 있다.

④ 매도인의 토지거래계약허가 신청절차에 협력할 의무와 토지거래계약허가를 받으면 매매계약 내용에 따라 매수인이 이행하여야 할 매매대금 지급의무나 이에 부수하여 매수인이 부담하기로 특약한 양도소득세 상당 금원의 지급의무는 상호 이행상의 견련성이 있으므로 동시이행관계에 있다.

⑤ 유동적 무효의 상태에 있는 거래계약의 당사자는 상대방이 그 거래계약의 효력이 완성되도록 협력할 의무를 이행하지 아니하였음을 들어 일방적으로 유동적 무효의 상태에 있는 거래계약 자체를 해제할 수 없다.

해설 ① 부동산 거래신고 등에 관한 법률상의 토지거래계약 허가구역 내의 토지에 관하여 관할관청의 허가를 받을 것을 전제로 한 매매계약은 법률상 미완성의 법률행위로서 허가받기 전의 상태에서는 아무런 효력이 없어, 그 매수인이 매도인을 상대로 하여 권리의 이전 또는 설정에 관한 어떠한 이행청구도 할 수 없고, 이행청구를 허용하지 않는 취지에 비추어 볼 때 그 매매계약에 기한 소유권이전등기청구권 또는 토지거래계약에 관한 허가를 받을 것을 조건으로 한 소유권이전등기청구권을 피보전권리로 한 부동산처분금지가처분신청 또한 허용되지 않는다(대결 2010.8.26, 2010마818).

② 민법 제565조 제1항에 따라 매매 당사자 일방이 계약 당시 상대방에게 계약금을 교부한 경우 당사자 사이에 다른 약정이 없는 한 당사자 일방이 계약 이행에 착수할 때까지 계약금 교부자는 이를 포기하고 계약을 해제할 수 있고, 그 상대방은 계약금의 배액을 상환하고 계약을 해제할 수 있음이 계약 일반의 법리인 이상, 특별한 사정이 없는 한 국토이용관리법(현행 부동산 거래신고 등에 관한 법률)상의 토지거래허가를 받지 않아 유동적 무효 상태인 매매계약에 있어서도 당사자 사이의 매매계약은 매도인이 계약금의 배액을 상환하고 계약을 해제함으로써 적법하게 해제된다(대판 1997.6.27, 97다9369).

③ 국토이용관리법(현행 부동산 거래신고 등에 관한 법률)상 토지거래허가 구역 내의 토지에 대하여 관할 관청의 허가를 받기 전 유동적 무효 상태에 있는 계약을 체결한 당사자는 쌍방이 그 계약이 효력이 있는 것으로 완성될 수 있도록 서로 협력할 의무가 있는 것이므로, 이러한 매매계약을 체결할 당시 당사자 사이에 당사자 일방이 토지거래허가를 받기 위한 협력 자체를 이행하지 아니하거나 허가신청에 이르기 전에 매매계약을 철회하는 경우 상대방에게 일정한 손해액을 배상하기로 하는 약정을 유효하게 할 수 있다(대판 1997.2.28, 96다49933).

④ 국토이용관리법(현행 부동산 거래신고 등에 관한 법률)상의 토지거래규제구역 내의 토지에 관하여 관할 관청의 토지거래허가 없이 매매계약이 체결됨에 따라 그 매수인이 그 계약을 효력이 있는 것으로 완성시키기 위하여 매도인에 대하여 그 매매계약에 관한 토지거래허가 신청절차에 협력할 의무의 이행을 청구하는 경우, 매도인의 토지거래계약허가 신청절차에 협력할 의무와 토지거래허가를 받으면 매매계약 내용에 따라 매수인이 이행하여야 할 매매대금 지급의무나 이에 부수하여 매수인이 부담하기로 특약한 양도소득세 상당 금원의 지급의무 사이에는 상호 이행상의 견련성이 있다고 할 수 없으므로, 매도인으로서는 그러한 의무이행의 제공이 있을 때까지 그 협력의무의 이행을 거절할 수 있는 것은 아니다(대판 1996.10.25, 96다23825).

⑤ 협력의무의 불이행을 이유로 일방적으로 유동적 무효의 상태에 있는 거래계약 자체를 해제할 수는 없다(대판(전) 1999.6.17, 98다40459).

02 다음 설명 중 가장 옳지 않은 것은?

▶ 2021 법무사

① 통정한 허위의 의사표시는 허위표시의 당사자와 포괄승계인 이외의 자로서 그 허위표시에 의하여 외형상 형성된 법률관계를 토대로 실질적으로 새로운 법률상 이해관계를 맺은 선의의 제3자를 제외한 누구에 대하여서나 무효이고, 또한 누구든지 그 무효를 주장할 수 있다. 그러나 비록 무효인 법률행위가 그 법률행위가 성립한 당초부터 당연히 효력이 발생하지 않는 것이라 하더라도, 무효인 법률행위에 따른 법률효과를 침해하는 것처럼 보이는 위법행위나 채무불이행이 있다면 그 손해가 없다고 할 수 없으므로 손해배상을 청구할 수 있다.

② 매매계약이 약정된 매매대금의 과다로 말미암아 민법 제104조에서 정하는 '불공정한 법률행위'에 해당하여 무효인 경우에도 무효행위의 전환에 관한 민법 제138조가 적용될 수 있다. 따라서 당사자 쌍방이 위와 같은 무효를 알았더라면 대금을 다른 액으로 정하여 매매계약에 합의하였을 것이라고 예외적으로 인정되는 경우에는, 그 대금액을 내용으로 하는 매매계약이 유효하게 성립한다고 할 것이다.

③ 무권리자가 타인의 권리를 자기의 이름으로 또는 자기의 권리로 처분한 경우에, 권리자는 후일 이를 추인함으로써 그 처분행위를 인정할 수 있고, 특별한 사정이 없는 한 이로써 권리자 본인에게 위 처분행위의 효력이 발생함은 사적 자치의 원칙에 비추어 당연하고, 이 경우 추인은 명시적으로뿐만 아니라 묵시적인 방법으로도 가능하며 그 의사표시는 무권대리인이나 그 상대방 어느 쪽에 하여도 무방하다.

④ 취소의 의사표시란 반드시 명시적이어야 하는 것은 아니고, 취소자가 그 착오를 이유로 자신의 법률행위의 효력을 처음부터 배제하려고 한다는 의사가 드러나면 족한 것이며, 취소원인의 진술 없이도 취소의 의사표시는 유효한 것이다.

⑤ 당사자가 이전의 법률행위가 존재함을 알고 그 유효함을 전제로 하여 이에 터 잡은 후속행위를 하였다고 해서 그것만으로 이전의 법률행위를 묵시적으로 추인하였다고 단정할 수는 없고, 묵시적 추인을 인정하기 위해서는 이전의 법률행위가 무효임을 알거나 적어도 무효임을 의심하면서도 그 행위의 효과를 자기에게 귀속시키도록 하는 의사로 후속행위를 하였음이 인정되어야 할 것이다.

> **해설** ① 통정한 허위의 의사표시는 허위표시의 당사자와 포괄승계인 이외의 자로서 그 허위표시에 의하여 외형상 형성된 법률관계를 토대로 실질적으로 새로운 법률상 이해관계를 맺은 선의의 제3자를 제외한 누구에 대하여서나 무효이고, 또한 누구든지 그 무효를 주장할 수 있다. 무효인 법률행위는 그 법률행위가 성립한 당초부터 당연히 효력이 발생하지 않는 것이므로, 무효인 법률행위에 따른 법률효과를 침해하는 것처럼 보이는 위법행위나 채무불이행이 있다고 하여도 법률효과의 침해에 따른 손해는 없는 것이므로 그 손해배상을 청구할 수는 없다(대판 2003.3.28, 2002다72125).
>
> ② 매매계약이 약정된 매매대금의 과다로 말미암아 민법 제104조에서 정하는 '불공정한 법률행위'에 해당하여 무효인 경우에도 무효행위의 전환에 관한 민법 제138조가 적용될 수 있다. 따라서 당사자 쌍방이 위와 같은 무효를 알았더라면 대금을 다른 액으로 정하여 매매계약에 합의하였을 것이라고 예외적으로 인정되는 경우에는, 그 대금액을 내용으로 하는 매매계약이 유효하게 성립한다(대판 2010.7.15, 2009다50308).

③ 무권리자가 타인의 권리를 자기의 이름으로 또는 자기의 권리로 처분한 경우에, 권리자는 후일 이를 추인함으로써 그 처분행위를 인정할 수 있고, 특별한 사정이 없는 한 이로써 권리자 본인에게 위 처분행위의 효력이 발생함은 사적 자치의 원칙에 비추어 당연하고, 이 경우 추인은 명시적으로뿐만 아니라 묵시적인 방법으로도 가능하며 그 의사표시는 무권리자나 그 상대방 어느 쪽에 하여도 무방하다(대판 2001.11.9, 2001다44291).

④ 취소의 의사표시란 반드시 명시적이어야 하는 것은 아니고, 취소자가 그 착오를 이유로 자신의 법률행위의 효력을 처음부터 배제하려고 한다는 의사가 드러나면 족한 것이며, 취소원인의 진술 없이도 취소의 의사표시는 유효한 것이므로, 신원보증서류에 서명날인하는 것으로 잘못 알고 이행보증보험약정서를 읽어보지 않은 채 서명날인한 것일 뿐 연대보증약정을 한 사실이 없다는 주장은 위 연대보증약정을 착오를 이유로 취소한다는 취지로 볼 수 있다(대판 2005.5.27, 2004다43824).

⑤ 당사자가 이전의 법률행위가 존재함을 알고 그 유효함을 전제로 하여 이에 터 잡은 후속행위를 하였다고 해서 그것만으로 이전의 법률행위를 묵시적으로 추인하였다고 단정할 수는 없고, 묵시적 추인을 인정하기 위해서는 이전의 법률행위가 무효임을 알거나 적어도 무효임을 의심하면서도 그 행위의 효과를 자기에게 귀속시키도록 하는 의사로 후속행위를 하였음이 인정되어야 할 것이다(대판 2014.3.27, 2012다106607).

03 법률행위 취소에 관한 다음 설명 중 옳지 않은 것을 모두 고른 것은? ▸ 2024 법무사

> ㄱ. 민법 제109조 제1항 단서는 의사표시의 착오가 표의자의 중대한 과실로 인한 때에는 그 의사표시를 취소하지 못한다고 규정하고 있는데, 위 단서 규정은 표의자의 상대방의 이익을 보호하기 위한 것이므로, 상대방이 표의자의 착오를 알고 이를 이용한 경우에도 착오가 표의자의 중대한 과실로 인한 것이라면 표의자는 의사표시를 취소할 수 없다.
>
> ㄴ. 동기의 착오가 법률행위의 내용의 중요부분의 착오에 해당함을 이유로 표의자가 법률행위를 취소하려면 그 동기를 당해 의사표시의 내용으로 삼을 것을 상대방에게 표시하고 의사표시의 해석상 법률행위의 내용으로 되어 있다고 인정되면 충분하고 당사자들 사이에 별도로 그 동기를 의사표시의 내용으로 삼기로 하는 합의까지 이루어질 필요는 없지만, 그 법률행위의 내용의 착오는 보통 일반인이 표의자의 입장에 섰더라면 그와 같은 의사표시를 하지 아니하였으리라고 여겨질 정도로 그 착오가 중요한 부분에 관한 것이어야 한다.
>
> ㄷ. 제한능력자의 법률행위는 취소할 수 있고, 취소된 법률행위는 처음부터 무효인 것으로 보므로 제한능력자가 취소된 법률행위로 수령한 급부는 상대방에게 부당이득으로 전부 반환되어야 한다.
>
> ㄹ. 임대차 계약에서 임차목적물이 임대인의 소유라는 사실은 중요한 필요조건이므로 목적물이 반드시 임대인의 소유일 것을 특히 계약의 내용으로 삼지 않은 경우라도 타인 소유의 부동산을 임대한 것이라면 임대차계약을 해지할 사유뿐 아니라 착오를 이유로 임차인이 임대차계약을 취소할 수도 있다.

정답 ▸ 02 ① 03 ③

> ㅁ. 상품의 선전, 광고에 있어 다소의 과장이나 허위가 수반되는 것은 그것이 일반 상거래의 관행과 신의칙에 비추어 시인될 수 있는 한 기망성이 결여된다고 하겠으나, 거래에 있어서 중요한 사항에 관하여 구체적 사실을 신의성실의 의무에 비추어 비난받을 정도의 방법으로 허위로 고지한 경우에는 기망행위에 해당한다.

① ㄱ, ㄴ   ② ㄱ, ㄷ   ③ ㄱ, ㄷ, ㄹ
④ ㄴ, ㄷ, ㄹ   ⑤ ㄴ, ㄹ, ㅁ

해설 ㄱ. 민법 제109조 제1항 단서는 의사표시의 착오가 표의자의 중대한 과실로 인한 때에는 그 의사표시를 취소하지 못한다고 규정하고 있는데, 위 단서 규정은 표의자의 상대방의 이익을 보호하기 위한 것이므로, 상대방이 표의자의 착오를 알고 이를 이용한 경우에는 착오가 표의자의 중대한 과실로 인한 것이라고 하더라도 표의자는 의사표시를 취소할 수 있다(대판 2014.11.27, 2013다49794).

ㄴ. 동기의 착오가 법률행위의 내용의 중요부분의 착오에 해당함을 이유로 표의자가 법률행위를 취소하려면 그 동기를 당해 의사표시의 내용으로 삼을 것을 상대방에게 표시하고 의사표시의 해석상 법률행위의 내용으로 되어 있다고 인정되면 충분하고 당사자들 사이에 별도로 그 동기를 의사표시의 내용으로 삼기로 하는 합의까지 이루어질 필요는 없지만, 그 법률행위의 내용의 착오가 보통 일반인이 표의자의 입장에 있었더라면 그와 같은 의사표시를 하지 아니하였으리라고 여겨질 정도로 중요한 부분에 관한 것이어야 한다(대판 2000.5.12, 2000다12259).

ㄷ. 제141조 참조 → 제한능력자는 이익이 현존하는 한도에서 상환할 책임을 부담할 뿐이다.

ㄹ. 타인소유의 부동산을 임대한 것이 임대차계약을 해지할 사유는 될 수 없고 목적물이 반드시 임대인의 소유일 것을 특히 계약의 내용으로 삼은 경우라야 착오를 이유로 임차인이 임대차계약을 취소할 수 있다(대판 1975.1.28, 74다2069).

ㅁ. 대판 2001.5.29, 99다55601; 대판 2023.7.27, 2022다293395

제5절 　조건과 기한

01　다음 설명 중 가장 옳지 않은 것은?　　　　　　　　　　　　▶ 2021 법무사

① 법률행위의 해석에 있어 당사자가 표시한 문언에 의하여 객관적인 의미가 명확하게 드러나지 않는 경우에는 문언의 형식과 내용, 법률행위가 이루어진 동기 및 경위, 당사자가 법률행위에 의하여 달성하려는 목적과 진정한 의사, 거래의 관행 등을 종합적으로 고려하여 사회정의와 형평의 이념에 맞도록 논리와 경험의 법칙, 그리고 사회일반의 상식과 거래의 통념에 따라 합리적으로 해석하여야 한다.

② 조건은 법률행위 효력의 발생 또는 소멸을 장래 불확실한 사실의 발생 여부에 따라 좌우되게 하는 법률행위의 부관이고, 법률행위에서 효과의사와 일체적인 내용을 이루는 의사표시 그 자체이다.

③ 조건을 붙이고자 하는 의사는 법률행위의 내용으로 외부에 표시될 필요가 없고, 조건을 붙이고자 하는 의사가 있는지는 의사표시에 관한 법리에 따라 판단하여야 한다.

④ 조건을 붙이고자 하는 의사가 외부에 표시되었다고 인정하려면, 그 법률행위가 이루어진 동기와 경위, 그 법률행위에 의하여 달성하려는 목적, 거래의 관행 등을 종합적으로 고려하여 그 법률행위 효력의 발생 또는 소멸을 장래의 불확실한 사실의 발생 여부에 따라 좌우되게 하려는 의사가 인정되어야 한다.

⑤ 법률행위에 붙은 부관이 조건인지 기한인지가 명확하지 않은 경우 법률행위의 해석을 통해서 이를 결정해야 한다. 부관에 표시된 사실이 발생하지 않으면 채무를 이행하지 않아도 된다고 보는 것이 합리적인 경우에는 조건으로 보아야 한다. 그러나 부관에 표시된 사실이 발생한 때에는 물론이고 반대로 발생하지 않는 것이 확정된 때에도 그 채무를 이행하여야 한다고 보는 것이 합리적인 경우에는 표시된 사실의 발생 여부가 확정되는 것을 불확정기한으로 정한 것으로 보아야 한다.

> **해설**　① 법률행위의 해석은 당사자가 표시행위에 부여한 객관적인 의미를 명백하게 확정하는 것으로서, 당사자가 표시한 문언에 의하여 객관적인 의미가 명확하게 드러나지 아니하는 경우에는 문언 내용과 법률행위가 이루어지게 된 동기 및 경위, 당사자가 법률행위에 의하여 달성하려고 하는 목적과 진정한 의사, 거래관행 등을 종합적으로 고찰하여 사회정의와 형평의 이념에 맞도록 논리와 경험의 법칙 그리고 사회일반의 상식과 거래의 통념에 따라 합리적으로 해석하여야 한다(대판 2013.7.11, 2011다101483).
>
> ②,③,④ 조건은 법률행위 효력의 발생 또는 소멸을 장래 불확실한 사실의 발생 여부에 따라 좌우되게 하는 법률행위의 부관이고, 법률행위에서 효과의사와 일체적인 내용을 이루는 의사표시 그 자체이다. 조건을 붙이고자 하는 의사는 법률행위의 내용으로 외부에 표시되어야 하고, 조건을 붙이고자 하는 의사가 있는지는 의사표시에 관한 법리에 따라 판단하여야 한다. 조건을 붙이고자 하는 의사의 표시는 그 방법에 관하여 일정한 방식이 요구되지 않으므로 묵시적 의사표시나 묵시적 약정으

로도 할 수 있다. 이를 인정하려면, 법률행위가 이루어진 동기와 경위, 법률행위에 의하여 달성하려는 목적, 거래의 관행 등을 종합적으로 고려하여 법률행위 효력의 발생 또는 소멸을 장래의 불확실한 사실의 발생 여부에 따라 좌우되게 하려는 의사가 인정되어야 한다(대판 2018.6.28, 2016다221368; 대판 2020.7.9, 2020다202821).

⑤ 법률행위에 붙은 부관이 조건인지 기한인지가 명확하지 않은 경우 법률행위의 해석을 통해서 이를 결정해야 한다. 부관에 표시된 사실이 발생하지 않으면 채무를 이행하지 않아도 된다고 보는 것이 합리적인 경우에는 조건으로 보아야 한다. 그러나 부관에 표시된 사실이 발생한 때에는 물론이고 반대로 발생하지 않는 것이 확정된 때에도 채무를 이행하여야 한다고 보는 것이 합리적인 경우에는 표시된 사실의 발생 여부가 확정되는 것을 불확정기한으로 정한 것으로 보아야 한다(대판 2018.6.28, 2018다201702).

02 다음 설명 중 가장 옳지 않은 것은?

▶ 2023 법무사

① 부관이 붙은 법률행위에 있어서 부관에 표시된 사실이 발생하지 아니하면 채무를 이행하지 아니하여도 된다고 보는 것이 상당한 경우에는 정지조건으로 보아야 하고, 표시된 사실이 발생한 때에는 물론이고 반대로 발생하지 아니 하는 것이 확정된 때에도 그 채무를 이행하여야 한다고 보는 것이 상당한 경우에는 표시된 사실의 발생 여부가 확정되는 것을 불확정기한으로 정한 것으로 보아야 한다.

② 부부가 협의이혼을 전제로 재산분할의 약정을 한 경우, 특별한 사정이 없는 한 그 후 협의상 이혼이 이루어지지 아니하고 혼인관계가 존속하게 되거나 재판상 이혼이 이루어진 경우에는 그 재산분할 약정은 조건의 불성취로 인하여 효력이 발생하지 않는다.

③ 조건의 성취로 인하여 불이익을 받을 당사자가 신의성실에 반하여 조건의 성취를 방해한 경우, 조건이 성취된 것으로 의제되는 시점은 이러한 신의성실에 반하는 행위가 있었던 시점이다.

④ 조건부 법률행위에 있어 조건의 내용 자체가 불법적인 것이어서 무효일 경우 또는 조건을 붙이는 것이 허용되지 아니하는 법률행위에 조건을 붙인 경우 그 조건만을 분리하여 무효로 할 수는 없고 그 법률행위 전부가 무효로 된다고 보아야 한다.

⑤ 이미 부담하고 있는 채무의 변제에 관하여 일정한 사실이 부관으로 붙여진 경우에는 특별한 사정이 없는 한 그것은 변제기를 유예한 것으로서 그 사실이 발생한 때 또는 발생하지 아니하는 것으로 확정된 때에 기한이 도래한다.

해설 ① 대판 2003.8.19, 2003다24215; 대판 2020.12.24, 2019다293098; 대판 2023.6.29, 2023다221830

② 대판 2003.8.19, 2001다14061

③ 조건의 성취로 인하여 불이익을 받을 당사자가 신의성실에 반하여 조건의 성취를 방해한 경우, **조건이 성취된 것으로 의제되는 시점은 이러한 신의성실에 반하는 행위가 없었더라면 조건이 성취되었으리라고 추산되는 시점**이다(대판 1998.12.22, 98다42356).

④ 대결 2005.11.8, 2005마541

⑤ 대판 2020.12.24, 2019다293098

03 조건, 기한 및 기간에 관한 다음 설명 중 가장 옳은 것은? ▸ 2024 법무사

① 기한은 채권자의 이익을 위한 것으로 추정한다.

② 조건이 법률행위의 당시 이미 성취한 것인 경우에는 그 조건이 정지조건이면 조건 없는 법률행위로 하고 해제조건이면 그 법률행위는 무효로 한다.

③ 조건이 선량한 풍속 기타 사회질서에 위반한 것인 때에는 그 조건만 무효가 될 뿐 법률행위는 무효로 되지 않는다.

④ 연령계산에서 출생일은 산입하지 아니한다.

⑤ 제척기간에도 소멸시효 중단의 규정이 준용된다.

해설 ① 제153조 → 기한은 채무자의 이익을 위한 것으로 추정

② 제151조

③ 조건부 법률행위에 있어 조건의 내용 자체가 불법적인 것이어서 무효일 경우 또는 조건을 붙이는 것이 허용되지 아니하는 법률행위에 조건을 붙인 경우 그 조건만을 분리하여 무효로 할 수는 없고 그 법률행위 전부가 무효로 된다(대결 2005.11.8, 2005마541).

④ 제158조

⑤ 제척기간에 있어서는 소멸시효와 같이 기간의 중단이 있을 수 없다(대판 2003.1.10, 2000다26425).

04 조건과 기한에 관한 다음 설명 중 가장 옳지 않은 것은? ▸ 2025 법무사

① 조건은 법률행위 효력의 발생 또는 소멸을 장래의 불확실한 사실의 성부에 의존하게 하는 법률행위의 부관이다. 반면 장래의 사실이더라도 그것이 장래 반드시 실현되는 사실이면 실현되는 시기가 비록 확정되지 않더라도 이는 기한으로 보아야 한다.

② 법률행위에 붙은 부관이 조건인지 기한인지가 명확하지 않은 경우 법률행위의 해석을 통해서 이를 결정해야 한다. 부관에 표시된 사실이 발생하지 않으면 채무를 이행하지 않아도 된다고 보는 것이 합리적인 경우에는 조건으로 보아야 하나, 부관에 표시된 사실이 발생한 때에는 물론이고 반대로 발생하지 않는 것이 확정된 때에도 채무를 이행하여야 한다고 보는 것이 합리적인 경우에는 표시된 사실의 발생 여부가 확정되는 것을 불확정기한으로 정한 것으로 보아야 한다.

③ 기한이익 상실의 특약이 정지조건부 기한이익 상실의 특약과 형성권적 기한이익 상실의 특약 중 어느 것에 해당 하느냐는 당사자의 의사해석의 문제이지만 일반적으로 기한이익 상실의 특약이 채권자를 위하여 둔 것인 점에 비추어 명백히 형성권적 기한이익 상실의 특약이라고 볼 만한 특별한 사정이 없는 이상 정지조건부 기한이익 상실의 특약으로 추정하는 것이 타당하다.

④ 기한의 이익은 상대방의 이익을 해하지 않는 한 이를 포기할 수 있으므로, 가령 이자부 소비대차의 채무자는 이행기까지의 이자를 지급하여 기한 전에 변제를 할 수 있다.

⑤ 기한의 이익 포기의 효과는 상대적이기 때문에 주채무자가 기한의 이익을 포기하더라도 그것은 보증인에게 효력이 없다.

해설 ① 조건은 법률행위 효력의 발생 또는 소멸을 장래의 불확실한 사실의 성부에 의존하게 하는 법률행위의 부관이다. 반면 장래의 사실이더라도 그것이 장래 반드시 실현되는 사실이면 실현되는 시기가 비록 확정되지 않더라도 이는 기한으로 보아야 한다(대판 2018.6.28, 2018다201702).

② 법률행위에 붙은 부관이 조건인지 기한인지가 명확하지 않은 경우 법률행위의 해석을 통해서 이를 결정해야 한다. 부관에 표시된 사실이 발생하지 않으면 채무를 이행하지 않아도 된다고 보는 것이 합리적인 경우에는 조건으로 보아야 한다. 그러나 부관에 표시된 사실이 발생한 때에는 물론이고 반대로 발생하지 않는 것이 확정된 때에도 채무를 이행하여야 한다고 보는 것이 합리적인 경우에는 표시된 사실의 발생 여부가 확정되는 것을 불확정기한으로 정한 것으로 보아야 한다. 이러한 부관이 화해계약의 일부를 이루고 있는 경우에도 마찬가지이다(대판 2018.6.28, 2018다201702).

③ 기한이익 상실의 특약은 그 내용에 의하여 일정한 사유가 발생하면 채권자의 청구 등을 요함이 없이 당연히 기한의 이익이 상실되어 이행기가 도래하는 것으로 하는 정지조건부 기한이익 상실의 특약과 일정한 사유가 발생한 후 채권자의 통지나 청구 등 채권자의 의사행위를 기다려 비로소 이행기가 도래하는 것으로 하는 형성권적 기한이익 상실의 특약의 두 가지로 대별할 수 있고, 기한이익 상실의 특약이 위의 양자 중 어느 것에 해당하느냐는 당사자의 의사해석의 문제이지만 일반적으로 기한이익 상실의 특약이 채권자를 위하여 둔 것인 점에 비추어 명백히 정지조건부 기한이익 상실의 특약이라고 볼 만한 특별한 사정이 없는 이상 형성권적 기한이익 상실의 특약으로 추정하는 것이 타당하다(대판 2002.9.4, 2002다28340).

④ 기한의 이익은 포기할 수 있으나, 상대방의 이익을 해하지 못한다(민법 제153조 제2항). 변제기 전이라도 채무자는 변제할 수 있으나, 상대방의 손해는 배상하여야 한다(민법 제468조). 채무의 변제는 제3자도 할 수 있으나(민법 제469조 제1항 본문), 그 경우에도 급부행위는 채무내용에 좇은 것이어야 한다(민법 제460조). 채권자와 채무자 모두가 기한의 이익을 갖는 이자부 금전소비대차계약 등에 있어서, 채무자가 변제기로 인한 기한의 이익을 포기하고 변제기 전에 변제하는 경우 변제기까지의 약정이자 등 채권자의 손해를 배상하여야 하고, 이러한 약정이자 등 손해액을 함께 제공하지 않으면 채무의 내용에 따른 변제제공이라고 볼 수 없으므로, 채권자는 수령을 거절할 수 있다. 이는 제3자가 변제하는 경우에도 마찬가지이다(대판 2023.4.13, 2021다305338).

⑤ 보증인과 주채무자항변권 : 보증인은 주채무자의 항변으로 채권자에게 대항할 수 있다. 주채무자의 항변포기는 보증인에게 효력이 없다(민법 제433조).

심화문제 | 확인 · 보충 · 심화문제

기간

소멸시효

기본문제 │ 기본문제의 구성

01 제척기간에 관한 다음 설명 중 가장 옳지 않은 것은? ▸ 2023 법무사

① 제척기간에 있어서는 소멸시효와 같이 기간의 중단이 있을 수 없다.

② 제척기간이 도과하였는지 여부는 직권조사사항으로서 이에 대한 당사자의 주장이 없더라도 법원이 당연히 직권으로 조사하여 재판에 고려하여야 한다.

③ 소멸시효가 일정한 기간의 경과와 권리의 불행사라는 사정에 의하여 권리소멸의 효과를 가져오는 것과는 달리 제척기간은 그 기간의 경과 자체만으로 곧 권리소멸의 효과를 가져온다.

④ 제척기간 진행의 기산점은 특별한 사정이 없는 한 원칙적으로 권리가 발생한 때이나, 당사자 사이에 매매예약 완결권을 행사할 수 있는 시기를 특별히 약정한 경우에는 그 제척기간은 그 약정에 따라 권리를 행사할 수 있는 때로부터 10년이 되는 날까지이다.

⑤ 채권양도의 통지는 양도인이 채권이 양도되었다는 사실을 채무자에게 알리는 것에 그치는 행위이므로, 그것만으로 제척기간의 준수에 필요한 권리의 재판 외 행사에 해당한다고 할 수 없다.

> **해설** ① 대판 2003.1.10, 2000다26425
> ② 대판 2021.1.14, 2018다273981
> ③.④ 제척기간은 권리자로 하여금 당해 권리를 신속하게 행사하도록 함으로써 법률관계를 조속히 확정시키려는 데 그 제도의 취지가 있는 것으로서, 소멸시효가 일정한 기간의 경과와 권리의 불행사라는 사정에 의하여 권리 소멸의 효과를 가져오는 것과는 달리 그 기간의 경과 자체만으로 곧 권리 소멸의 효과를 가져오게 하는 것이므로 그 기간 진행의 기산점은 특별한 사정이 없는 한 원칙적으로 권리가 발생한 때이고, 당사자 사이에 매매예약 완결권을 행사할 수 있는 시기를 특별히 약정한 경우에도 그 **제척기간은 당초 권리의 발생일로부터 10년간의 기간이 경과되면 만료되는 것이지** 그 기간을 넘어서 그 **약정에 따라 권리를 행사할 수 있는 때로부터 10년이 되는 날까지로 연장된다고 볼 수 없다**(대판 1995.11.10, 94다22682·22699).
> ⑤ 대판(전합) 2012.3.22, 2010다28840

02 다음 설명 중 가장 옳지 않은 것은?

▶ 2021 법무사

① 소멸시효 중단사유로서의 채무승인은 시효의 이익을 받는 이가 상대방의 권리 등의 존재를 인정하는 일방적 행위로서, 그 권리의 원인·내용이나 범위 등에 관한 구체적 사항을 확인하여야 하는 것은 아니고, 그에 있어서 채무자가 권리 등의 법적 성질까지 알고 있거나 권리 등의 발생원인을 특정하여야 할 필요는 없다고 할 것이다.

② 타인의 채무를 담보하기 위하여 자기의 물건에 담보권을 설정한 물상보증인은 채권자에 대하여 물적 유한책임을 지고 있어 그 피담보채권의 소멸에 의하여 직접 이익을 받는 관계에 있으므로 소멸시효의 완성을 주장할 수 있다. 또한 물상보증인이 그 피담보채무의 부존재 또는 소멸을 이유로 제기한 저당권설정등기 말소등기절차이행청구소송에서 채권자 겸 저당권자가 청구기각의 판결을 구하고 피담보채권의 존재를 주장하였다면 민법 제168조 제1호 소정의 소멸시효 중단사유인 '청구'에 해당한다.

③ 형사소송은 피고인에 대한 국가형벌권의 행사를 그 목적으로 하는 것이므로, 피해자가 형사소송에서 소송촉진 등에 관한 특례법에서 정한 배상명령을 신청한 경우를 제외하고는 단지 피해자가 가해자를 상대로 고소하거나 그 고소에 기하여 형사재판이 개시되어도 이를 가지고 소멸시효의 중단사유인 재판상의 청구로 볼 수는 없다. 또한 검사 작성의 피의자신문조서에서 피의자의 진술은 어디까지나 검사를 상대로 이루어지는 것이어서 그 진술기재 가운데 채무의 일부를 승인하는 의사가 표시되어 있다고 하더라도, 그 기재 부분만으로 곧바로 소멸시효 중단사유로서 승인의 의사표시가 있는 것으로 볼 수도 없다.

④ 이행인수는 채무자와 인수인 사이의 계약에 따라 인수인이 채권자에 대한 채무를 변제하기로 약정하는 것을 말한다. 이 경우 인수인은 채무자의 채무를 변제하는 등으로 면책시킬 의무를 부담하지만 채권자에 대한 관계에서 직접 이행의무를 부담하게 되는 것은 아니다. 한편 소멸시효 중단사유인 채무의 승인은 시효이익을 받을 당사자나 대리인만 할 수 있으므로 이행인수인이 채권자에 대하여 채무자의 채무를 승인하더라도 다른 특별한 사정이 없는 한 시효중단 사유가 되는 채무승인의 효력은 발생하지 않는다.

⑤ 소멸시효의 중단사유로서의 승인은 소멸시효의 진행이 개시된 이후에만 가능하고 그 이전에 승인을 하더라도 시효가 중단되지는 않는다고 할 것이고, 또한 현존하지 아니하는 장래의 채권을 미리 승인하는 것은 채무자가 그 권리의 존재를 인식하고서 한 것이라고 볼 수 없어 허용되지 않는다고 할 것이다.

> **해설** ① 소멸시효중단사유로서의 채무승인은 시효의 이익을 받는 이가 상대방의 권리 등의 존재를 인정하는 일방적 행위로서, 그 권리의 원인·내용이나 범위 등에 관한 구체적 사항을 확인하여야 하는 것은 아니고, 그에 있어서 채무자가 권리 등의 법적 성질까지 알고 있거나 권리 등의 발생원인을 특정하여야 할 필요는 없다고 할 것이다(대판 2012.10.25, 2012다45566; 대판 2019.4.25, 2015두39897).

정답 01 ④ 02 ②

② 타인의 채무를 담보하기 위하여 자기의 물건에 담보권을 설정한 물상보증인은 채권자에 대하여 물적 유한책임을 지고 있어 그 피담보채권의 소멸에 의하여 직접 이익을 받는 관계에 있으므로 소멸시효의 완성을 주장할 수 있는 것이지만, 채권자에 대하여는 아무런 채무도 부담하고 있지 아니하므로, 물상보증인이 그 피담보채무의 부존재 또는 소멸을 이유로 제기한 저당권설정등기 말소등기절차이행청구소송에서 채권자 겸 저당권자가 청구기각의 판결을 구하고 피담보채권의 존재를 주장하였다고 하더라도 이로써 직접 채무자에 대하여 재판상 청구를 한 것으로 볼 수는 없는 것이므로 피담보채권의 소멸시효에 관하여 규정한 민법 제168조 제1호 소정의 '청구'에 해당하지 아니한다(대판 2004.1.16, 2003다30890).

③ 형사소송은 피고인에 대한 국가형벌권의 행사를 그 목적으로 하는 것이므로, 피해자가 형사소송에서 소송촉진 등에 관한 특례법에서 정한 배상명령을 신청한 경우를 제외하고는 단지 피해자가 가해자를 상대로 고소하거나 그 고소에 기하여 형사재판이 개시되어도 이를 가지고 소멸시효의 중단사유인 재판상의 청구로 볼 수는 없다. 또한 소멸시효 중단사유로서 승인은 시효이익을 받을 당사자인 채무자가 소멸시효의 완성으로 권리를 상실하게 될 자 또는 그 대리인에 대하여 그 권리가 존재함을 인식하고 있다는 뜻을 표시함으로써 성립하는 것인바, 검사 작성의 피의자신문조서는 검사가 피의자를 신문하여 그 진술을 기재한 조서로서 그 작성형식은 원칙적으로 검사의 신문에 대하여 피의자가 응답하는 형태를 취하여 피의자의 진술은 어디까지나 검사를 상대로 이루어지는 것이어서 그 진술기재 가운데 채무의 일부를 승인하는 의사가 표시되어 있다고 하더라도, 그 기재 부분만으로 곧바로 소멸시효 중단사유로서 승인의 의사표시가 있은 것으로는 볼 수 없다(대판 1999.3.12, 98다18124).

④ 이행인수는 채무자와 인수인 사이의 계약에 따라 인수인이 채권자에 대한 채무를 변제하기로 약정하는 것을 말한다. 이 경우 인수인은 채무자의 채무를 변제하는 등으로 면책시킬 의무를 부담하지만 채권자에 대한 관계에서 직접 이행의무를 부담하게 되는 것은 아니다. 한편 소멸시효 중단사유인 채무의 승인은 시효이익을 받을 당사자나 대리인만 할 수 있으므로 이행인수인이 채권자에 대하여 채무자의 채무를 승인하더라도 다른 특별한 사정이 없는 한 시효중단 사유가 되는 채무승인의 효력은 발생하지 않는다(대판 2016.10.27, 2015다239744).

⑤ 소멸시효의 중단사유로서의 승인은 시효이익을 받을 당사자인 채무자가 그 권리의 존재를 인식하고 있다는 뜻을 표시함으로써 성립하는 것이므로 이는 소멸시효의 진행이 개시된 이후에만 가능하고 그 이전에 승인을 하더라도 시효가 중단되지는 않는다고 할 것이고, 또한 현존하지 아니하는 장래의 채권을 미리 승인하는 것은 채무자가 그 권리의 존재를 인식하고서 한 것이라고 볼 수 없어 허용되지 않는다고 할 것이다(대판 2001.11.9, 2001다52568).

03 **소멸시효의 중단에 관한 다음 설명 중 가장 옳지 않은 것은?** ▸ 2022 법무사

① 건물에 관한 소유권이전등기청구권에 있어서 그 목적물인 건물이 완공되지 아니하여 이를 행사할 수 없었다는 사유는 사실상의 장애사유에 불과하다.

② 체납처분에 의한 채권압류로 인하여 채권자의 채무자에 대한 채권의 시효가 중단된 경우에 압류에 의한 체납처분 절차가 채권추심 등으로 종료된 때뿐만 아니라, 피압류채권이 기본계약관계의 해지·실효 또는 소멸시효 완성 등으로 인하여 소멸함으로써 압류의 대상이 존재하지 않게 되어 압류 자체가 실효된 경우에도 체납처분 절차는 더 이상 진행될 수 없으므로 시효중단사유가 종료한 것으로 보아야 하고, 그때부터 시효가 새로이 진행한다.

③ 소멸시효 중단사유로서의 채무승인은 시효이익을 받는 당사자인 채무자가 소멸시효의 완성으로 채권을 상실하게 될 자에 대하여 상대방의 권리 또는 자신의 채무가 있음을 알고 있다는 뜻을 표시함으로써 성립하는 이른바 관념의 통지로 여기에 어떠한 효과의사가 필요하지 않지만, 이에 반하여 시효완성 후 시효이익의 포기가 인정되려면 시효이익을 받는 채무자가 시효의 완성으로 인한 법적인 이익을 받지 않겠다는 효과의사가 필요하다.

④ 소멸시효의 기간만료 전 6개월 내에 제한능력자에게 법정대리인이 없는 경우에는 그가 능력자가 되거나 법정대리인이 취임한 때부터 6개월 내에는 시효가 완성되지 아니한다.

⑤ 진료계약을 체결하면서 "입원료 기타 제 요금이 체납될 시는 병원의 법적 조치에 대하여 아무런 이의를 하지 않겠다."고 약정하였다 하더라도, 이로써 그 당시 아직 발생하지도 않은 치료비 채무의 존재를 미리 승인하였다고 볼 수는 없다.

해설 ① 건물에 관한 소유권이전등기청구권에서 그 건물이 완공되지 않아서 이를 행사할 수 없었다는 사유는 법률상의 장애사유에 해당하므로(건물이 완공되지 않았다면 소멸시효의 진행을 방해하게 되므로), 그에 관한 소멸시효는 건물 완공 시부터 진행한다고 보아야 한다(대판 2007.8.23, 2007다28024·28031).

② 체납처분에 의한 채권압류로 인하여 채권자의 채무자에 대한 채권의 시효가 중단된 경우에 압류에 의한 체납처분 절차가 채권추심 등으로 종료된 때뿐만 아니라, 피압류채권이 기본계약관계의 해지·실효 또는 소멸시효 완성 등으로 인하여 소멸함으로써 압류의 대상이 존재하지 않게 되어 압류 자체가 실효된 경우에도 체납처분 절차는 더 이상 진행될 수 없으므로 시효중단사유가 종료한 것으로 보아야 하고, 그때부터 시효가 새로이 진행한다(대판 2017.4.28, 2016다239840).

③ 따라서 시효완성 후 소멸시효 중단사유에 해당하는 채무의 승인이 있었다 하더라도 그것만으로는 곧바로 소멸시효 이익의 포기라는 의사표시가 있었다고 단정할 수 없다(대판 2013.2.28, 2011다21556).

④ 제179조 【제한능력자의 시효정지】 소멸시효의 기간만료 전 6개월 내에 제한능력자에게 법정대리인이 없는 경우에는 그가 능력자가 되거나 법정대리인이 취임한 때부터 6개월 내에는 시효가 완성되지 아니한다.

⑤ 진료계약을 체결하면서 "입원료 기타 제요금이 체납될 시는 병원의 법적 조치에 대하여 아무런 이의를 하지 않겠다."고 약정하였다 하더라도, 이로써 그 당시 아직 발생하지도 않은 치료비 채무의 존재를 미리 승인하였다고 볼 수는 없다(대판 2001.11.9, 2001다52568). → 소멸시효 중단사유로서의 승인은 소멸시효의 진행이 개시된 이후에만 가능하고 그 이전에 승인을 하더라도 시

정답 ▸ **03** ①

효가 중단되지는 않는다고 할 것이고, 또한 현존하지 아니하는 장래의 채권을 미리 승인하는 것은 채무자가 그 권리의 존재를 인식하고서 한 것이라고 볼 수 없어 허용되지 않기 때문이다.

04 소멸시효에 관한 다음 설명 중 가장 옳지 않은 것은?

▶ 2023 법무사

① 부진정연대채무에서 채무자 1인에 대한 재판상 청구 또는 채무자 1인이 행한 채무의 승인 등 소멸시효의 중단사유나 시효이익의 포기는 다른 채무자에게 효력을 미치지 않는다.

② 후순위 담보권자는 선순위 담보권의 피담보채권이 소멸하면 담보권의 순위가 상승하고 이에 따라 피담보채권에 대한 배당액이 증가할 수 있으므로, 선순위 담보권의 피담보채권에 관한 소멸시효가 완성되었다고 주장할 수 있다.

③ 보증채무에 대한 소멸시효가 중단되는 등의 사유로 완성되지 아니하였다고 하더라도 주채무에 대한 소멸시효가 완성된 경우에는 시효완성 사실로써 주채무가 당연히 소멸되므로 보증채무의 부종성에 따라 보증채무 역시 당연히 소멸된다.

④ 특별한 사정이 없는 한 임치물 반환청구권의 소멸시효는 임치계약이 성립하여 임치물이 수치인에게 인도된 때부터 진행하는 것이지, 임치인이 임치계약을 해지한 때부터 진행한다고 볼 수 없다.

⑤ 주택임대차보호법에 따른 임대차에서 임차인이 임대차 종료 후 동시이행항변권을 근거로 임차목적물을 계속 점유하고 있는 경우에는 보증금반환채권에 대한 소멸시효가 진행하지 않는다.

해설 ① 대판 2017.9.12, 2017다865

② 소멸시효가 완성된 경우 이를 주장할 수 있는 사람은 시효로 채무가 소멸되는 결과 직접적인 이익을 받는 사람에 한정된다. 후순위 담보권자는 선순위 담보권의 피담보채권이 소멸하면 담보권의 순위가 상승하고 이에 따라 피담보채권에 대한 배당액이 증가할 수 있지만, 이러한 **배당액 증가에 대한 기대는 담보권의 순위 상승에 따른 반사적 이익에 지나지 않는다. 후순위 담보권자는 선순위 담보권의 피담보채권 소멸로 직접 이익을 받는 자에 해당하지 않아 선순위 담보권의 피담보채권에 관한 소멸시효가 완성되었다고 주장할 수 없다**고 보아야 한다(대판 2021.2.5, 2016다232597).

③ 대판 2002.5.14, 2000다62476

④ 대판 2022.8.19, 2020다220140 → 임치계약 해지에 따른 임치물 반환청구는 임치계약 성립 시부터 당연히 예정된 것이고, 임치계약에서 임치인은 언제든지 계약을 해지하고 임치물의 반환을 구할 수 있는 것이기 때문이다.

⑤ 대판 2020.7.9, 2016다244224

05 소멸시효에 관한 다음 설명 중 옳지 않은 것을 모두 고른 것은?   ▸ 2024 법무사

ㄱ. 연예인의 임금 채권은 1년간 행사하지 아니하면 소멸시효가 완성한다.

ㄴ. 채권자가 영업양도가 이루어진 뒤 영업양도인을 상대로 소를 제기하여 확정판결을 받아 영업양도인에 대한 관계에서 소멸시효가 중단되거나 소멸시효 기간이 연장되었다면 그와 같은 소멸시효 중단이나 소멸시효 연장의 효과는 상호를 속용하는 영업양수인에게도 미친다.

ㄷ. 부동산경매절차에서 채무자에게 교부할 잉여금이 공탁된 경우, 채무자의 공탁금지급청구권은 공탁일부터 소멸시효가 진행하고, 부동산경매절차에서 채무자에 대한 송달이 공시송달의 방법으로 이루어짐으로써 채무자가 경매진행 사실 및 잉여금의 존재에 관하여 사실상 알지 못하였다고 하더라도 소멸시효기간이 진행한다.

ㄹ. 채무불이행에 따른 해제의 의사표시 당시에 이미 채무불이행의 대상이 되는 본래 채권이 시효가 완성되어 소멸하였다고 하더라도, 특별한 사정이 없는 한 채권자는 채무불이행 시점이 본래 채권의 시효 완성 전이라면 그 채무불이행을 이유로 한 해제권 및 이에 기한 원상회복청구권을 행사할 수 있다.

ㅁ. 채무자가 제3채무자를 상대로 금전채권의 이행을 구하는 소를 제기한 후 채권자가 위 금전채권에 대하여 압류 및 추심명령을 받아 제3채무자를 상대로 추심의 소를 제기한 경우, 채무자가 권리주체의 지위에서 한 시효중단의 효력은 추심채권자에게도 미친다.

① ㄱ, ㄴ   ② ㄱ, ㄷ   ③ ㄱ, ㄹ
④ ㄴ, ㄹ   ⑤ ㄴ, ㅁ

 **해설** ㄱ. 제164조 제3호 참조

ㄴ. 영업양도인의 영업으로 인한 채무와 상호를 속용하는 영업양수인의 상법 제42조 제1항에 따른 채무는 같은 경제적 목적을 가진 채무로서 서로 중첩되는 부분에 관하여는 일방의 채무가 변제 등으로 소멸하면 다른 일방의 채무도 소멸하는 이른바 부진정연대의 관계에 있다. 따라서 ① 채권자가 영업양도인을 상대로 소를 제기하여 확정판결을 받아 소멸시효가 중단되거나 소멸시효 기간이 연장된 뒤 영업양도가 이루어졌다면 그와 같은 소멸시효 중단이나 소멸시효 연장의 효과는 상호를 속용하는 영업양수인에게 미치지만, ② 채권자가 '영업양도가 이루어진 뒤' 영업양도인을 상대로 소를 제기하여 확정판결을 받았다면 영업양도인에 대한 관계에서 소멸시효가 중단되거나 소멸시효 기간이 연장된다고 하더라도 그와 같은 소멸시효 중단이나 소멸시효 연장의 효과는 상호를 속용하는 영업양수인에게 미치지 않는다(대판 2023.12.7. 2020다225138).

ㄷ. 공탁물이 금전인 경우 그 원금 또는 이자의 수령, 회수에 대한 권리는 그 권리를 행사할 수 있는 때부터 10년간 행사하지 아니하면 시효로 소멸하는데(공탁법 제9조 제3항), 경매절차에서 채무자에게 교부할 잉여금을 공탁한 경우에는 권리를 행사할 수 있는 공탁일부터 소멸시효기간이 진행한다. 소멸시효는 객관적으로 권리가 발생하고 그 권리를 행사할 수 있는 때부터 진행하고, 그 권리를 행사할 수 없는 동안에는 진행하지 아니한다. 여기서 '권리를 행사할 수 없다.'란 그 권리행사에 법률상의 장애사유, 예컨대 기간의 미도래나 조건불성취 등이 있는 경우를 말하는 것이고, 사실

정답 ▸ **04** ② **05** ④

상 그 권리의 존부나 권리행사의 가능성을 알지 못하였거나 알지 못함에 과실이 없다고 하여도 이러한 사유는 법률상 장애사유에 해당한다고 할 수 없다. 따라서 부동산경매절차에서 채무자에 대한 송달이 공시송달의 방법으로 이루어짐으로써 채무자가 경매진행 사실 및 잉여금의 존재에 관하여 사실상 알지 못하였다고 하더라도 소멸시효기간이 진행한다(대결 2024.4.30, 2023그 887).

ㄹ. ① 이행불능 또는 이행지체를 이유로 한 법정해제권은 채무자의 채무불이행에 대한 구제수단으로 인정되는 권리이다. 따라서 채무자가 이행해야 할 본래 채무가 **이행불능이라는 이유로 계약을 해제하려면** 그 이행불능의 대상이 되는 **채무자의 본래 채무가 유효하게 존속하고 있어야 한다.**

② 민법 제167조는 "소멸시효는 그 기산일에 소급하여 효력이 생긴다."라고 정한다. 본래 채권이 시효로 인하여 소멸하였다면 그 채권은 그 기산일에 소급하여 더는 존재하지 않는 것이 되어 채권자는 그 권리의 이행을 구할 수 없는 것이고, 이와 같이 **본래 채권이 유효하게 존속하지 않는 이상 본래 채무의 불이행을 이유로 계약을 해제할 수 없다고 보아야 한다.** 결국 채무불이행에 따른 해제의 의사표시 당시에 이미 채무불이행의 대상이 되는 **본래 채권이 시효가 완성되어 소멸하였다면,** 채무자가 소멸시효의 완성을 주장하는 것이 신의성실의 원칙에 반하여 허용될 수 없다는 등의 특별한 사정이 없는 한, **채권자는 채무불이행 시점이 본래 채권의 시효 완성 전인지 후인지를 불문하고 그 채무불이행을 이유로 한 해제권 및 이에 기한 원상회복청구권을 행사할 수 없다**(대판 2022.9.29, 2019다204593).

ㅁ. ① 채무자의 제3채무자에 대한 금전채권에 대하여 압류 및 추심명령이 있더라도, 이는 추심채권자에게 피압류채권을 추심할 권능만을 부여하는 것이고, 이로 인하여 채무자가 제3채무자에게 가지는 채권이 추심채권자에게 이전되거나 귀속되는 것은 아니다. 따라서 채무자가 제3채무자를 상대로 금전채권의 이행을 구하는 소를 제기한 후 채권자가 위 금전채권에 대하여 압류 및 추심명령을 받아 제3채무자를 상대로 추심의 소를 제기한 경우, 채무자가 권리주체의 지위에서 한 시효중단의 효력은 집행법원의 수권에 따라 피압류채권에 대한 추심권능을 부여받아 일종의 추심기관으로서 그 채권을 추심하는 추심채권자에게도 미친다. ② 재판상의 청구는 소송의 각하, 기각 또는 취하의 경우에는 시효중단의 효력이 없지만, 그 경우 6개월 내에 재판상의 청구, 파산절차참가, 압류 또는 가압류, 가처분을 한 때에는 시효는 최초의 재판상 청구로 인하여 중단된 것으로 본다(민법 제170조). 그러므로 채무자가 제3채무자를 상대로 제기한 금전채권의 이행소송이 압류 및 추심명령으로 인한 당사자적격의 상실로 각하되더라도, 위 이행소송의 계속 중에 피압류채권에 대하여 채무자에 갈음하여 당사자적격을 취득한 추심채권자가 위 각하판결이 확정된 날로부터 6개월 내에 제3채무자를 상대로 추심의 소를 제기하였다면, 채무자가 제기한 재판상 청구로 인하여 발생한 시효중단의 효력은 추심채권자의 추심소송에서도 그대로 유지된다고 보는 것이 타당하다(대판 2019.7.25, 2019다212945).

01 소멸시효에 관한 다음 설명 중 가장 옳지 않은 것은?

▶ 2025 법무사

① 소멸시효의 기산일은 변론주의의 적용 대상이고, 따라서 본래의 소멸시효 기산일과 당사자가 주장하는 기산일이 서로 다른 경우에는 변론주의의 원칙상 법원은 당사자가 주장하는 기산일을 기준으로 소멸시효를 계산하여야 한다.

② 민법 제163조 제2호 소정의 '의사의 치료에 관한 채권'에 있어서는, 특약이 없는 한 그 개개의 진료가 종료될 때마다 각각의 당해 진료에 필요한 비용의 이행기가 도래하여 그에 대한 소멸시효가 진행된다고 해석함이 상당하고, 장기간 입원 치료를 받는 경우라 하더라도 다른 특약이 없는 한 입원 치료 중에 환자에 대하여 치료비를 청구함에 아무런 장애가 없으므로 퇴원 시부터 소멸시효가 진행된다고 볼 수는 없다.

③ 특별한 사정이 없는 한 임치계약 해지에 따른 임치물 반환청구권의 소멸시효는 임치인이 임치계약을 해지한 때부터 진행하는 것이지, 임치계약이 성립하여 임치물이 수치인에게 인도된 때부터 진행한다고 볼 수 없다.

④ 매도인에 대한 하자담보에 기한 매수인의 손해배상청구권은 권리의 내용·성질 및 취지에 비추어 민법 제162조 제1항의 채권 소멸시효의 규정이 적용되고, 다른 특별한 사정이 없는 한 매수인이 매매 목적물을 인도받은 때부터 소멸시효가 진행한다고 해석함이 타당하다.

⑤ 부당이득반환청구권은 그 발생과 동시에 행사할 수 있으므로, 부당이득채권이 발생한 때부터 소멸시효가 진행한다.

해설 ① 소멸시효의 기산일은 채권의 소멸이라고 하는 법률효과 발생의 요건에 해당하는 소멸시효기간 계산의 시발점으로서 시효소멸 항변의 법률요건을 구성하는 구체적인 사실에 해당하므로 이는 변론주의의 적용대상이라 할 것이고, 따라서 본래의 소멸시효 기산일과 당사자가 주장하는 기산일이 서로 다른 경우에는 변론주의의 원칙상 법원은 당사자가 주장하는 기산일을 기준으로 소멸시효를 계산하여야 하는데, 이는 당사자가 본래의 기산일보다 뒤의 날짜를 기산일로 하여 주장하는 경우는 물론이고, 특별한 사정이 없는 한 그 반대의 경우에 있어서도 마찬가지라고 보아야 할 것이다(대판 2009.12.24, 2009다60244).

② 민법 제163조 제2호 소정의 '의사의 치료에 관한 채권'에 있어서는, 특약이 없는 한 그 개개의 진료가 종료될 때마다 각각의 당해 진료에 필요한 비용의 이행기가 도래하여 그에 대한 소멸시효가 진행된다고 해석함이 상당하고, 장기간 입원 치료를 받는 경우라 하더라도 다른 특약이 없는 한 입원 치료 중에 환자에 대하여 치료비를 청구함에 아무런 장애가 없으므로 퇴원 시부터 소멸시효가 진행된다고 볼 수는 없다(대판 2001.11.9, 2001다52568).

③ 임치계약 해지에 따른 임치물 반환청구는 임치계약 성립 시부터 당연히 예정된 것이고, 임치계약에서 임치인은 언제든지 계약을 해지하고 임치물의 반환을 구할 수 있는 것이므로, 특별한 사정이 없는 한 임치물 반환청구권의 소멸시효는 임치계약이 성립하여 임치물이 수치인에게 인도된 때부터 진행하는 것이지, 임치인이 임치계약을 해지한 때부터 진행한다고 볼 수 없다(대판 2022.8.19, 2020다220140).

④ 매도인에 대한 하자담보에 기한 손해배상청구권에 대하여는 민법 제582조의 제척기간이 적용되고, 이는 법률관계의 조속한 안정을 도모하고자 하는 데에 취지가 있다. 그런데 하자담보에 기한 매수인의 손해배상청구권은 권리의 내용·성질 및 취지에 비추어 민법 제162조 제1항의 채권 소멸시효의 규정이 적용되고, 민법 제582조의 제척기간 규정으로 인하여 소멸시효 규정의 적용이 배제된다고 볼 수 없으며, 이때 다른 특별한 사정이 없는 한 무엇보다도 매수인이 매매 목적물을 인도받은 때부터 소멸시효가 진행한다고 해석함이 타당하다(대판 2011.10.13, 2011다10266).

⑤ 부당이득반환청구권은 법률상 원인 없이 타인의 재산 또는 노무로 인하여 이익을 얻고 이로 인하여 타인에게 손해를 가한 경우에 성립하며, 그 성립과 동시에 권리를 행사할 수 있으므로 청구권이 성립한 때부터 소멸시효가 진행한다(대판 2025.3.13, 2023다264462). → ※ [참고] : ① 매매계약의 무효를 원인으로 한 매매대금 상당의 부당이득반환청구권은 특별한 사정이 없는 한 매매대금을 지급한 때에 성립하고 그 성립과 동시에 권리를 행사할 수 있으므로 그때부터 소멸시효가 진행한다(대판 2024.6.27, 2023다302920). ② 과세처분이 부존재하거나 당연무효인 경우에 이 과세처분에 의하여 납세의무자가 납부하거나 징수당한 오납금은 국가가 법률상 원인 없이 취득한 부당이득에 해당하고, 이러한 오납금에 대한 납세의무자의 부당이득반환청구권은 처음부터 법률상 원인이 없이 납부 또는 징수된 것이므로 납부 또는 징수 시에 발생하여 확정된다. 과세처분의 취소를 구하였으나 재판과정에서 그 과세처분이 무효로 밝혀졌다고 하여도 그 과세처분은 처음부터 무효이고 무효선언으로서의 취소판결이 확정됨으로써 비로소 무효로 되는 것은 아니므로 오납 시부터 그 반환청구권의 소멸시효가 진행한다(대판(전합) 1992.3.31, 91다32053).

PART
02
채권총론

채권의 목적

기본문제 │ 기본문제의 구성

01 채권의 목적에 관한 다음 설명 중 가장 옳지 않은 것은? (다툼이 있는 경우 판례에 따르고 전원합의체 판결의 경우 다수의견에 의함. 이하 같음)　▸ 2024 법무사

① 특정물의 인도가 채권의 목적인 때에는 채무자는 그 물건을 인도하기까지 선량한 관리자의 주의로 보존하여야 하므로, 보수 없이 임치를 받은 자의 경우에도 선량한 관리자의 주의로 임치물을 보관해야 한다.

② 원본채권의 소멸시효가 지분적 이자채권의 소멸시효에 앞서 완성되면 지분적 이자채권은 그 자체의 소멸시효가 완성되지 않더라도 소멸한다.

③ 채권액이 외국통화로 지정된 금전채권인 외화채권을 채무자가 우리나라 통화로 변제함에 있어서 현실이행시의 외국환시세에 의하여 환산한 우리나라 통화로 변제하여야 하므로, 채권자가 위와 같은 외화채권을 대용급부의 권리를 행사하여 우리나라 통화로 환산하여 청구하는 경우에도 법원이 채무자에게 그 이행을 명함에 있어서는 채무자가 현실로 이행할 때에 가장 가까운 사실심 변론종결 당시의 외국환 시세를 우리나라 통화로 환산하는 기준 시로 삼아야 한다.

④ 금전채무의 지연손해금채무는 금전채무의 이행지체로 인한 손해배상채무로서 이행기의 정함이 없는 채무에 해당하므로, 채무자는 확정된 지연손해금채무에 대하여 채권자로부터 이행청구를 받은 때로부터 지체책임을 부담하게 된다.

⑤ 금전으로 가액을 산정할 수 없는 것이라도 채권의 목적으로 할 수 있다.

> **해설** ① 제374조 → 특정물의 인도가 채권의 목적인 때에는 채무자는 그 물건을 인도하기까지 선량한 관리자의 주의로 보존하여야 한다. / 반면 제695조 → 보수 없이 임치를 받은 자는 임치물을 자기재산과 동일한 주의로 보관하여야 한다.
>
> ② 원본채권이 양도된 경우 이미 변제기에 도달한 이자채권은 원본채권의 양도 당시 그 이자채권도 양도한다는 의사표시가 없는 한 당연히 양도되지는 않는다(대판 1989.3.28, 88다카12803). 즉 이미 변제기에 도달한 지분적 이자채권은 원본채권과 분리하여 양도할 수 있다. 나아가 원본채권과 별도로 변제할 수 있고, 원본채권이 변제 등으로 소멸하더라도 이자채권은 소멸하지 않고 존속한다. 다만, 원본채권이 소멸시효 완성으로 소멸하는 경우에는 소멸시효의 소급효로 인해 함께 소멸한다(제167조, 제183조).

③ 대판(전합) 1991.3.12, 90다2147

④ 대판 2004.7.9, 2004다11582

⑤ 제373조 참조

심화문제 │ 확인·보충·심화문제

채권의 효력

기본문제 | 기본문제의 구성

01 금전채무의 이행지체에 관한 다음 설명 중 가장 옳은 것은?　　　▶ 2021 법무사

① 이행기를 정하지 않은 채권의 양수인이 2021.1.3. 채무자에게 이행을 청구한 후에 2021.1.13. 채권양도사실의 통지가 채무자에게 도달하였다면 채무자는 2021.1.14.부터 이행지체의 책임을 진다.

② 불법행위로 인한 손해배상채무는 기한의 정함이 없는 채무이므로 가해자는 피해자의 이행청구를 받은 때로부터 이행지체의 책임을 진다.

③ 甲이 乙에게 변제기를 정하지 않고 1억원을 대여한 후 2021.5.15. 대여금의 반환을 청구하였다면 乙은 2021.5.16.부터 이행지체의 책임을 진다.

④ 부당이득반환채무의 경우 부당이득한 날부터 지체책임을 부담한다.

⑤ 甲이 乙에게 공사대금채무의 지급을 확보하기 위한 수단으로 약속어음을 발행한 경우 공사대금채무의 변제기가 도래하더라도 乙이 위 약속어음을 반환하지 않는 이상 지체책임을 부담하지 않는다.

해설 ① 채무에 이행기의 정함이 없는 경우에는 채무자가 이행의 청구를 받은 다음 날부터 이행지체의 책임을 지는 것이나, 한편 지명채권이 양도된 경우 채무자에 대한 대항요건이 갖추어질 때까지 채권양수인은 채무자에게 대항할 수 없으므로, 이행기의 정함이 없는 채권을 양수한 채권양수인이 채무자를 상대로 그 이행을 구하는 소를 제기하고 소송 계속 중 채무자에 대한 채권양도통지가 이루어진 경우에는 특별한 사정이 없는 한 채무자는 채권양도통지가 도달된 다음 날부터 이행지체의 책임을 진다(대판 2014.4.10, 2012다29557).
따라서 지문의 경우 2021.1.13. 채권양도사실의 통지가 채무자에게 도달하였으므로, 그 다음 날인 2021.1.14.부터 이행지체의 책임을 진다.

② 불법행위로 인한 손해배상채무는 그 채무의 성립과 동시에 지체책임을 지므로, 채권자의 청구 없이 불법행위 시부터 지체책임을 진다(대판 1975.5.27, 74다1393).

③ 소비대차에서 반환시기의 약정이 없는 경우 대주는 상당한 기간을 정하여 반환을 최고하여야 하므로(제603조 제2항 본문), 그 기간이 경과한 후에 지체책임을 진다. 만약 상당한 기간을 정하지 않고 최고한 경우에도 최고한 때로부터 상당한 기간이 경과하여야 이행지체책임이 발생한다.

④ 부당이득반환채무는 이행의 기한이 없는 채무로서 이행청구를 받은 때로부터 지체책임이 있다(대결 2008.2.1, 2007카기65, 2007다8914).

⑤ 기존채무와 어음, 수표채무가 병존하는 경우 원인채무의 이행과 어음, 수표의 반환이 동시이행의 관계에 있다 하더라도 채권자가 어음, 수표의 반환을 제공을 하지 아니하면 채무자에게 적법한 이행의 최고를 할 수 없다고 할 수는 없고, 채무자는 원인채무의 이행기를 도과하면 원칙적으로

이행지체의 책임을 지고, 채권자로부터 어음, 수표의 반환을 받지 아니하였다 하더라도 이 어음, 수표를 반환하지 않음을 이유로 위와 같은 항변권을 행사하여 그 지급을 거절하고 있는 것이 아닌 한 이행지체의 책임을 면할 수 없다(대판 1993.11.9, 93다11203·11210).

02 다음 설명 중 가장 옳지 않은 것은?

▸ 2021 법무사

① 乙이 甲을 강박하여 그에 따른 하자 있는 의사표시에 의하여 부동산에 관한 소유권이전등기를 마친 다음 타인에게 매도하여 소유권이전등기까지 마친 경우, 그 소유권이전등기는 소송 기타 방법에 따라 말소 환원 여부가 결정될 특별한 사정이 있으므로 乙의 甲에 대한 소유권이전등기의 말소등기의무는 아직 이행불능이 되었다고 할 수 없으나, 甲이 그 부동산의 전득자들을 상대로 제기한 소유권이전등기 말소등기청구소송에서 패소로 확정되면 그때에 乙의 소유권이전등기 말소등기의무가 이행불능상태에 이른다고 할 것이다.

② 계약당사자 일방이 자신이 부담하는 계약상 채무를 이행하는 데 장애가 될 수 있는 사유를 계약을 체결할 당시에 알았거나 예견할 수 있었음에도 이를 상대방에게 고지하지 아니한 경우에는, 비록 그 사유로 말미암아 후에 채무불이행이 되는 것 자체에 대하여는 그에게 어떠한 잘못이 없다고 하더라도, 상대방이 그 장애사유를 인식하고 이에 관한 위험을 인수하여 계약을 체결하였다거나 채무불이행이 상대방의 책임 있는 사유로 인한 것으로 평가되어야 하는 등의 특별한 사정이 없는 한, 그 채무가 불이행된 것에 대하여 귀책사유가 없다고 할 수 없다. 그것이 계약의 원만한 실현과 관련하여 각각의 당사자가 부담하여야 할 위험을 적절하게 분배한다는 계약법의 기본적 요구에 부합한다.

③ 채무의 이행이 불능이라는 것은 단순히 절대적·물리적으로 불능인 경우가 아니라 사회생활에 있어서의 경험법칙 또는 거래상의 관념에 비추어 볼 때 채권자가 채무자의 이행의 실현을 기대할 수 없는 경우를 말하는 것인 바, 매매목적물에 대하여 가압류 또는 처분금지가처분 집행이 되어 있다고 하여 매매에 따른 소유권이전등기가 불가능한 것은 아니며, 이러한 법리는 가압류 또는 가처분집행의 대상이 매매목적물 자체가 아니라 매도인이 매매목적물의 원소유자에 대하여 가지는 소유권이전등기청구권 또는 분양권인 경우에도 마찬가지이다.

④ 계약의 이행불능 여부는 사회통념에 의하여 이를 판정하여야 할 것인 바, 임대차계약상의 임대인의 의무는 목적물을 사용수익케 할 의무로서, 목적물에 대한 소유권 있음을 성립요건으로 하고 있지 아니하여 임대인이 소유권을 상실하였다는 이유만으로 그 의무가 불능하게 된 것이라고 단정할 수 없다.

⑤ 부동산소유권이전등기 의무자가 그 부동산에 관하여 채무담보를 위하여 제3자 앞으로 소유권이전등기를 마친 것이라면, 그 의무자가 채무를 변제할 자력이 없다는 사정이 있다고 하더라도 그 소유권이전등기의무가 이행불능이 되었다고 볼 수 없다.

정답 01 ① 02 ⑤

해설 ① 부동산소유권이전등기 말소등기의무가 이행불능이 됨으로 말미암아 그 권리자가 입는 손해액은 원칙적으로 그 이행불능이 될 당시의 목적물의 시가 상당액이고, 피고(乙)가 원고(甲)를 강박하여 그에 따른 하자 있는 의사표시에 의하여 부동산에 관한 소유권이전등기를 마친 다음 타인(丙)에게 매도하여 소유권이전등기까지 마친 경우, 그 소유권이전등기는 소송 기타 방법에 따라 말소환원 여부가 결정될 특별한 사정이 있으므로 ⅰ) 피고(乙)의 원고(甲)에 대한 소유권이전등기의 말소등기의무는 아직 이행불능이 되었다고 할 수 없으나, ⅱ) 원고(甲)가 그 부동산의 전득자(丙)들을 상대로 제기한 소유권이전등기 말소등기청구소송에서 패소로 확정되면 그때에 피고(乙)의 소유권이전등기 말소등기의무가 이행불능상태에 이른다고 할 것이다(대판 2009.1.15, 2007다51703).

② 계약당사자 일방이 자신이 부담하는 계약상 채무를 이행하는 데 장애가 될 수 있는 사유를 계약을 체결할 당시에 알았거나 예견할 수 있었음에도 이를 상대방에게 고지하지 아니한 경우에는, 비록 그 사유로 말미암아 후에 채무불이행이 되는 것 자체에 대하여는 그에게 어떠한 잘못이 없다고 하더라도, 상대방이 그 장애사유를 인식하고 이에 관한 위험을 인수하여 계약을 체결하였다거나 채무불이행이 상대방의 책임 있는 사유로 인한 것으로 평가되어야 하는 등의 특별한 사정이 없는 한, 그 채무가 불이행된 것에 대하여 귀책사유가 없다고 할 수 없다. 그것이 계약의 원만한 실현과 관련하여 각각의 당사자가 부담하여야 할 위험을 적절하게 분배한다는 계약법의 기본적 요구에 부합한다(대판 2011.8.25, 2011다43778).

③ 채무의 이행이 불능이라는 것은 단순히 절대적·물리적으로 불능인 경우가 아니라 사회생활에 있어서의 경험법칙 또는 거래상의 관념에 비추어 볼 때 채권자가 채무자의 이행의 실현을 기대할 수 없는 경우를 말하는 것인바, 매매목적물에 대하여 가압류 또는 처분금지가처분 집행이 되어 있다고 하여 매매에 따른 소유권이전등기가 불가능한 것은 아니며, 이러한 법리는 가압류 또는 가처분집행의 대상이 매매목적물 자체가 아니라 매도인이 매매목적물의 원소유자에 대하여 가지는 소유권이전등기청구권 또는 분양권인 경우에도 마찬가지이다(대판 2006.6.16, 2005다39211).

→ 매도인의 원소유자에 대하여 가지는 소유권이전등기청구권이 가압류되어 있거나 처분금지가처분이 있는 경우에는 그 가압류 또는 가처분의 해제를 조건으로 하여서만 소유권이전등기절차의 이행을 명받을 수 있는 것이어서, 매도인은 그 가압류 또는 가처분을 해제하지 아니하고서는 매도인 명의의 소유권이전등기를 마칠 수 없고, 따라서 매수인 명의의 소유권이전등기도 경료하여 줄 수 없다고 할 것이므로, 매도인이 그 가압류 또는 가처분 집행을 모두 해제할 수 없는 무자력의 상태에 있다고 인정되는 경우에는 매수인이 매도인이 소유권이전등기의무가 이행불능임을 이유로 매매계약을 해제할 수 있다고 본 사례이다.

④ 계약의 이행불능 여부는 사회통념에 의하여 이를 판정하여야 할 것인바, 임대차계약상의 임대인의 의무는 목적물을 사용수익케 할 의무로서, 목적물에 대한 소유권 있음을 성립요건으로 하고 있지 아니하여 임대인이 소유권을 상실하였다는 이유만으로 그 의무가 불능하게 된 것이라고 단정할 수 없다(대판 1994.5.10, 93다37977).

⑤ 부동산소유권이전등기 의무자가 그 부동산에 관하여 제3자 앞으로 비록 채무담보를 위하여 소유권이전등기를 경료하였다고 할지라도 그 의무자가 채무를 변제할 자력이 없는 경우에는 특단의 사정이 없는 한 그 소유권이전등기의무는 이행불능이 된다(대판 1991.7.26, 91다8104).

03 채무불이행에 관한 다음 설명 중 가장 옳지 않은 것은?

▶ 2022 법무사

① 이행보조자의 행위가 채무자에 의하여 그에게 맡겨진 이행업무와 객관적, 외형적으로 관련을 가지는 경우에는 채무자는 그 행위에 대하여 책임을 져야 하고, 채무의 이행에 관련된 행위이면 가사 이행보조자의 행위가 채권자에 대한 불법행위가 된다고 하더라도 채무자가 면책될 수는 없다.

② 매매나 증여의 대상인 권리가 타인에게 귀속되어 있다는 이유만으로는 채무자의 계약에 따른 이행이 불능이라고 할 수 없고, 매매목적물에 관하여 이중으로 제3자와 매매계약을 체결하였다는 사실만으로 매매계약이 이행불능으로 되었다고 할 수 없다.

③ 소유권이전등기의무의 목적 부동산이 수용되어 그 소유권이전등기의무가 이행불능이 된 경우, 등기청구권자는 대상청구권의 행사로써 등기의무자가 지급받은 수용보상금의 반환을 구하거나 또는 등기의무자가 취득한 수용보상금청구권의 양도를 구할 수 있을 뿐 그 수용보상금청구권 자체가 등기청구권자에게 귀속되는 것은 아니다.

④ 채무불이행에 따른 손해배상청구권의 소멸시효의 기산점은 채무불이행이 생긴 때로부터 진행하고, 소멸시효 기간은 불법행위에 관한 민법 제766조가 준용된다.

⑤ 일반적으로 계약상 채무불이행으로 인하여 재산적 손해가 발생한 경우, 그로 인하여 계약 당사자가 받은 정신적인 고통은 재산적 손해에 대한 배상이 이루어짐으로써 회복된다고 보아야 할 것이므로, 재산적 손해의 배상만으로는 회복될 수 없는 정신적 고통을 입었다는 특별한 사정이 있고, 상대방이 이와 같은 사정을 알았거나 알 수 있었을 경우에 한하여 정신적 고통에 대한 위자료를 인정할 수 있다.

해설 ① 민법 제391조의 이행보조자로서의 피용자라 함은 일반적으로 채무자의 의사관여 아래 그 채무의 이행행위에 속하는 활동을 하는 사람이면 족하고, 반드시 채무자의 지시 또는 감독을 받는 관계에 있어야 하는 것은 아니므로 채무자에 대하여 종속적인가 또는 독립적인 지위에 있는가는 문제되지 않는다. 다만, 이행보조자의 행위가 채무자에 의하여 그에게 맡겨진 이행업무와 객관적, 외형적으로 관련을 가지는 경우에는 채무자는 그 행위에 대하여 책임을 져야 하고, 채무의 이행에 관련된 행위이면 가사 이행보조자의 행위가 채권자에 대한 불법행위가 된다고 하더라도 채무자가 면책될 수는 없다(대판 2008.2.15, 2005다69458).

② 민법이 타인의 권리의 매매를 인정하고 있는 것처럼 타인의 권리의 증여도 가능하며, 이 경우 채무자는 그 권리를 취득하여 채권자에게 이전하여야 하고, 이 같은 사정은 계약 당시부터 예정되어 있는 것이므로, 매매나 증여의 대상인 권리가 타인에게 귀속되어 있다는 이유만으로 채무자의 계약에 따른 이행이 불능이라고 할 수는 없다(대판 2016.5.12, 2016다200729). 또한 이중매매(또는 이중양도)의 경우 매도인이 제2매수인과 매매계약을 체결하였다는 사실만으로 또는 제2매수인으로부터 중도금을 지급받은 것만으로 이행불능이라고 할 수는 없고, 제2매수인 앞으로 소유권이전등기를 해 준 시점에 비로소 다른 매수인에 대해 이행불능이 발생한다(대판 1973.12.26, 73다1516; 대판 1996.7.26, 96다14161 등).

정답 　03 ④

③ 소유권이전등기의무의 목적 부동산이 수용되어 그 소유권이전등기의무가 이행불능이 된 경우, 등기청구권자는 등기의무자에게 대상청구권의 행사로써 등기의무자가 지급받은 수용보상금의 반환을 구하거나 또는 등기의무자가 취득한 수용보상금청구권의 양도를 구할 수 있을 뿐 그 수용보상금청구권 자체가 등기청구권자에게 귀속되는 것은 아니다(대판 1996.10.29, 95다56910).

④ 채무불이행으로 인한 손해배상청구권의 소멸시효는 채무불이행 시로부터 진행하고, 손해배상채권은 본래채권과 동일성이 유지되므로 소멸시효기간도 본래채권과 동일하다(대판 1998.11.10, 98다42141; 대판 2005.1.14, 2002다57119 등). 즉 불법행위에 관한 민법 제766조가 준용되지 않는다.

⑤ 대판 2004.11.12, 2002다53865

04 채무불이행에 관한 다음 설명 중 가장 옳은 것은? ▶ 2024 법무사

① 금전채무의 이행지체로 인하여 발생하는 지연이자는 단기소멸시효에 관한 민법 제163조 제1호가 규정한 '1년 이내의 기간으로 정한 채권'에 해당하여 3년의 단기소멸시효의 대상이 된다.

② 매도인이 매수인으로부터 중도금을 지급받아 원매도인에게 매매잔대금을 지급하지 아니하고서는 토지의 소유권이전등기서류를 갖추어 매수인에게 제공하기 어려운 특별한 사정이 있었고, 매수인도 그러한 사정을 알고 매매계약을 체결하였던 경우라도 매수인의 중도금 지급의무는 당초 계약상의 잔금지급기일을 도과하였다면 매도인의 소유권이전등기서류의 제공과 동시이행의 관계에 있게 된다.

③ 이행기의 정함이 없는 채권을 양수한 채권양수인이 채무자를 상대로 그 이행을 구하는 소를 제기하고 소송 계속 중 채무자에 대한 채권양도통지가 이루어진 경우 특별한 사정이 없는 한 채무자는 소장 부본을 송달받은 다음 날부터 이행지체의 책임을 진다.

④ 소유자가 자신의 소유권에 기하여 실체관계에 부합하지 아니하는 등기의 명의인을 상대로 그 등기말소를 청구하는 경우 그 권리는 물권적 청구권으로서의 방해배제청구권의 성질을 가지므로 소유자가 그 후에 소유권을 상실함으로써 등기말소를 청구할 수 없게 되었다면, 소유자는 등기말소 의무자에 대하여 그 권리의 이행불능을 이유로 한 민법 제390조상의 손해배상청구권을 가진다.

⑤ 채무불이행으로 인한 손해배상청구소송에서 재산적 손해의 발생사실이 인정되나 구체적인 손해의 액수를 증명하는 것이 사안의 성질상 곤란한 경우, 법원은 증거조사의 결과와 변론 전체의 취지에 의하여 밝혀진 당사자들 사이의 관계, 채무불이행과 그로 인한 재산적 손해가 발생하게 된 경위, 손해의 성격, 손해가 발생한 이후의 제반 정황 등의 관련된 모든 간접사실들을 종합하여 적당하다고 인정되는 금액을 손해의 액수로 정할 수 있다.

> **해설** ① 금전채무의 이행지체로 인하여 발생하는 지연이자는 단기소멸시효에 관한 민법 제163조 제1호가 규정한 '1년 이내의 기간으로 정한 채권'에 해당하는 것이 아니기 때문에 3년의 단기소멸시효의 대상이 되는 것은 아니다(대판 1987.10.28, 87다카1409).

② 매도인이 매수인으로부터 중도금을 지급받아 원매도인에게 매매잔대금을 지급하지 아니하고서는 토지의 소유권이전등기서류를 갖추어 매수인에게 제공하기 어려운 특별한 사정이 있었고, 매수인도 그러한 사정을 알고 매매계약을 체결하였던 경우, 매도인의 소유권이전등기절차 서류의 제공의무는 매수인의 중도금 지급이 선행되었을 때에 매수인의 잔대금의 지급과 동시에 이를 이행하기로 약정한 것이라고 할 것이므로, 매수인의 중도금 지급의무는 당초 계약상의 잔금지급기일을 도과하였다고 하여도 매도인의 소유권이전등기서류의 제공과 동시이행의 관계에 있다고 할 수 없다(대판 1997.4.11, 96다31109).

③ 채무에 이행기의 정함이 없는 경우에는 채무자가 이행의 청구를 받은 다음 날부터 이행지체의 책임을 지는 것이나, 한편 지명채권이 양도된 경우 채무자에 대한 대항요건이 갖추어질 때까지 채권양수인은 채무자에게 대항할 수 없으므로, 이행기의 정함이 없는 채권을 양수한 채권양수인이 채무자를 상대로 그 이행을 구하는 소를 제기하고 소송 계속 중 채무자에 대한 채권양도통지가 이루어진 경우에는 특별한 사정이 없는 한 채무자는 채권양도통지가 도달된 다음 날부터 이행지체의 책임을 진다(대판 2014.4.10, 2012다29557).

④ 소유자가 자신의 소유권에 기하여 실체관계에 부합하지 아니하는 등기의 명의인을 상대로 그 등기말소나 진정명의회복 등을 청구하는 경우에, 그 권리는 물권적 청구권으로서의 방해배제청구권(민법 제214조)의 성질을 가진다. 그러므로 소유자가 그 후에 소유권을 상실함으로써 이제 등기말소 등을 청구할 수 없게 되었다면, 이를 위와 같은 청구권의 실현이 객관적으로 불능이 되었다고 파악하여 등기말소 등 의무자에 대하여 그 권리의 이행불능을 이유로 민법 제390조상의 손해배상청구권을 가진다고 말할 수 없다. 위 법규정에서 정하는 채무불이행을 이유로 하는 손해배상청구권은 계약 또는 법률에 기하여 이미 성립하여 있는 채권관계에서 본래의 채권이 동일성을 유지하면서 그 내용이 확장되거나 변경된 것으로서 발생한다. 그러나 위와 같은 등기말소청구권 등의 물권적 청구권은 그 권리자인 소유자가 소유권을 상실하면 이제 그 발생의 기반이 아예 없게 되어 더 이상 그 존재 자체가 인정되지 아니하는 것이다(대판(전합) 2012.5.17, 2010다28604).

⑤ 채무불이행이나 불법행위로 인한 손해배상청구소송에서 재산적 손해의 발생사실이 인정되나 구체적인 손해의 액수를 증명하는 것이 사안의 성질상 곤란한 경우, 법원은 증거조사의 결과와 변론 전체의 취지에 의하여 밝혀진 당사자들 사이의 관계, 채무불이행이나 불법행위와 그로 인한 재산적 손해가 발생하게 된 경위, 손해의 성격, 손해가 발생한 이후의 제반 정황 등 관련된 모든 간접사실들을 종합하여 적당하다고 인정되는 금액을 손해의 액수로 정할 수 있다(대판 2020.3.26, 2010다301336).

정답   04 ⑤

05 손해배상에 관한 다음 설명 중 옳지 않은 것을 모두 고른 것은?

▶ 2023 법무사

ㄱ. 손해배상액의 예정과 위약벌은 그 기능이 유사하므로, 약정의 형식이나 해석 결과에 따라 감액 여부를 달리 취급할 것이 아니라, 위약벌도 손해배상액의 예정과 함께 위약금의 일종으로서 손해배상액의 예정에 관한 민법 제398조 제2항을 유추하여 감액할 수 있다고 해석하는 것이 공평의 관념에 부합한다.

ㄴ. 금전채무 불이행에 관한 특칙을 규정한 민법 제397조는 그 이행지체가 있으면 지연이자 부분만큼의 손해가 있는 것으로 의제하려는 데에 그 취지가 있는 것이므로 지연이자를 청구하는 채권자는 그만큼의 손해가 있었다는 것을 주장 및 증명할 필요가 없다.

ㄷ. 계약 당시 당사자 사이에 손해배상액을 예정하는 내용의 약정이 있는 경우에는 그것은 계약상의 채무불이행으로 인한 손해액에 관한 것이고 이를 그 계약과 관련된 불법행위상의 손해까지 예정한 것이라고는 볼 수 없다.

ㄹ. 채무불이행자 또는 불법행위자는 특별한 사정의 존재를 알았거나 알 수 있었으면 그러한 특별사정으로 인한 손해를 배상하여야 할 의무가 있는 것이고, 그러한 특별한 사정에 의하여 발생한 손해의 액수까지 알았거나 알 수 있었어야 하는 것은 아니다.

ㅁ. 도급인이 그가 분양한 아파트의 하자와 관련하여 구분소유자들로부터 손해배상청구를 당하여 그 하자에 대한 손해배상금 및 이에 대한 지연손해금을 지급한 경우, 그 지연손해금은 수급인의 도급계약상의 채무불이행과 상당인과관계가 있는 손해라고 볼 수 있으므로, 도급인으로서는 수급인을 상대로 위 하자에 대한 손해배상금 및 이에 대한 지연손해금의 지급을 청구할 수 있다.

① ㄱ, ㄴ, ㄷ   ② ㄴ, ㄷ, ㄹ   ③ ㄷ, ㄹ, ㅁ

④ ㄱ, ㄴ, ㄹ   ⑤ ㄱ, ㄴ, ㅁ

해설 ㄱ. 위약벌의 약정은 채무의 이행을 확보하기 위하여 정해지는 것으로서 손해배상의 예정과는 그 내용이 다르므로 **손해배상의 예정에 관한 민법 제398조 제2항을 유추적용하여 그 액을 감액할 수는 없**고, 다만 그 의무의 강제에 의하여 얻어지는 채권자의 이익에 비하여 약정된 벌이 과도하게 무거울 때에는 그 일부 또는 전부가 공서양속에 반하여 무효로 된다(대판 1993.3.23, 92다46905; 대판 2005.10.13, 2005다26277; 대판(전합) 2022.7.21, 2018다248855).

ㄴ. 금전채무 불이행에 관한 특칙을 규정한 민법 제397조는 그 이행지체가 있으면 지연이자 부분만큼의 손해가 있는 것으로 의제하려는 데에 그 취지가 있는 것이므로 **지연이자를 청구하는 채권자는 그만큼의 손해가 있었다는 것을 증명할 필요가 없는 것이나,** 그렇다고 하더라도 채권자가 금전채무의 불이행을 원인으로 손해배상을 구할 때에 **지연이자 상당의 손해가 발생하였다는 취지의 주장은 하여야 하는 것**이지 주장조차 하지 아니하여 그 손해를 청구하고 있다고 볼 수 없는 경우까지 지연이자 부분만큼의 손해를 인용해 줄 수는 없는 것이다(대판 2000.2.11, 99다49644).

ㄷ. 대판 1999.1.15, 98다48033

ㄹ. 대판 1994.11.11, 94다22446; 대판 2002.10.25, 2002다23598

ㅁ. 도급인이 그가 분양한 아파트의 하자와 관련하여 구분소유자들로부터 손해배상청구를 당하여 그 하자에 대한 손해배상금 및 이에 대한 지연손해금을 지급한 경우, **그 지연손해금은 도급인이 '자신의 채무'의 이행을 지체함에 따라 발생한 것에 불과하므로** 특별한 사정이 없는 한 **수급인의 도급계약상**

의 채무불이행과 상당인과관계가 있는 손해라고 볼 수는 없다. 이러한 경우 도급인으로서는 구분소유자들의 손해배상청구와 상관없이 수급인을 상대로 위 하자에 대한 손해배상금(원금)의 지급을 청구하여 그 이행지체에 따른 지연손해금을 청구할 수 있을 뿐이다(대판 2013.11.28, 2012다202383).

06 다음 설명 중 옳지 않은 것을 모두 고른 것은?

▶ 2023 법무사

ㄱ. 민법 제400조 소정의 채권자지체가 성립하기 위해서는 민법 제460조 소정의 채무자의 변제 제공이 있어야 하고, 변제 제공은 원칙적으로 현실 제공으로 하여야 하며, 다만 구두의 제공으로 하더라도 무방한 경우 또는 구두의 제공조차 필요하지 않은 경우도 있지만, 민법 제538조 제1항 제2문 소정의 '채권자의 수령지체 중에 당사자 쌍방의 책임 없는 사유로 이행할 수 없게 된 때'에 해당하기 위해서는 현실 제공이나 구두 제공이 필요하다.

ㄴ. 채무불이행으로 인한 손해배상 예정액의 청구와 채무불이행으로 인한 손해배상액의 청구는 그 청구원인을 달리 하는 별개의 청구이므로 손해배상 예정액의 청구 가운데 채무불이행으로 인한 손해배상액의 청구가 포함되어 있다고 볼 수 없다. 따라서 채무불이행으로 인한 손해배상액의 청구에 있어서 채권자가 손해배상 책임의 발생원인 사실에 관하여는 주장·입증을 하였더라도 손해의 발생 사실에 관한 주장·입증을 하지 아니하였다면 변론주의의 원칙상 법원은 당사자가 주장하지 아니한 손해의 발생 사실을 기초로 하여 손해액을 산정할 수는 없다.

ㄷ. 매수인의 잔금지급 지체로 인하여 계약을 해제하지 아니한 매도인이 지체된 기간 동안 입은 손해 중 그 미지급 잔금에 대한 법정이율에 따른 이자 상당의 금액은 통상손해라고 할 것이고, 그 사이에 매매대상 토지의 개별공시지가가 급등하여 매도인의 양도소득세 부담이 늘었다면 그 손해 또한 사회일반의 관념상 매매계약에서의 잔금지급의 이행지체의 경우 통상 발생하는 것으로 생각되는 범위의 통상손해라고 할 수 있다.

ㄹ. 공동불법행위로 인한 손해배상책임의 범위는 피해자에 대한 관계에서 가해자들 전원의 행위를 전체적으로 함께 평가하여 정하여야 하나, 이는 과실상계를 위한 피해자의 과실을 평가함에 있어서 공동불법행위자 전원에 대한 과실을 전체적으로 평가하여야 한다는 것이지, 공동불법행위자 중에 고의로 불법행위를 행한 자가 있는 경우에는 피해자에게 과실이 없는 것으로 보아야 한다거나 모든 불법행위자가 과실상계의 주장을 할 수 없게 된다는 의미는 아니다.

ㅁ. 실화가 중과실로 인한 것이 아닌 경우 배상의무자는 법원에 손해배상액의 경감을 청구할 수 있고, 이러한 청구가 있을 경우 법원은 배상의무자 및 피해자의 경제상태 등을 고려하여 그 손해배상액을 경감하여야 한다.

① ㄱ, ㄴ   ② ㄷ, ㄹ   ③ ㄱ, ㅁ
④ ㄴ, ㄹ   ⑤ ㄷ, ㅁ

정답   05 ⑤   06 ⑤

 **해설** ㄱ. 대판 2004.3.12, 2001다79013

ㄴ. 대판 2000.2.11, 99다49644

ㄷ. 매수인의 잔금지급 지체로 인하여 계약을 해제하지 아니한 매도인이 지체된 기간 동안 입은 손해 중 그 미지급 잔금에 대한 법정이율에 따른 이자 상당의 금액은 통상손해라고 할 것이지만, 그 사이에 **매매대상 토지의 개별공시지가가 급등하여 매도인의 양도소득세 부담이 늘었다고 하더라도 그 손해는** 사회일반의 관념상 매매계약에서의 잔금지급의 이행지체의 경우 통상 발생하는 것으로 생각되는 범위의 **통상손해라고 할 수는 없고, 이는 특별한 사정에 의하여 발생한 손해에 해당한다**(대판 2006.4.13, 2005다75897).

ㄹ. 대판 2007.6.14, 2006다78336; 대판 2020.2.27, 2019다223747

ㅁ. 실화가 중대한 과실로 인한 것이 아닌 경우 그로 인한 손해의 배상의무자는 법원에 손해배상액의 경감을 청구할 수 있고(실화책임법 제3조 제1항), **법원은** 제1항의 청구가 있을 경우에는 다음 각 호의 사정을 고려하여 **그 손해배상액을 경감할 수 있다**(실화책임법 제3조 제2항).

1. 화재의 원인과 규모
2. 피해의 대상과 정도
3. 연소(延燒) 및 피해 확대의 원인
4. 피해 확대를 방지하기 위한 실화자의 노력
5. 배상의무자 및 피해자의 경제상태
6. 그 밖에 손해배상액을 결정할 때 고려할 사정

07 다음 설명 중 가장 옳지 않은 것은?

▶ 2023 법무사

① 교통사고의 피해자가 사고로 상해를 입은 후에도 계속하여 종전과 같이 직장에 근무하여 종전과 같은 보수를 지급받고 있다 하더라도 이를 손해배상액에서 공제할 수 없다.

② 아파트 건축으로 인근 토지 소유자의 일조권을 침해하여 불법행위로 인한 손해배상책임이 성립한 경우 아파트 건축으로 인하여 그 토지의 지가가 상승하였다고 하더라도 그 이익을 손해배상액에서 공제할 수 없다.

③ 교통사고를 일으켜 개인택시를 운전하는 사람을 사망하게 한 경우 그 망인의 가족들이 망인의 가동연한이 도래하기 전에 미리 개인택시운송사업면허를 다른 사람에게 처분하고 받은 돈에 대한 망인의 가동연한까지의 법정이자 상당 이익을 망인에 대한 손해배상액에서 공제할 수 있다.

④ 공무원연금법상의 퇴직연금을 받던 사람이 다른 사람의 불법행위로 인하여 사망한 경우에 그 유족이 퇴직연금 상당의 손해배상청구권을 상속함과 동시에 유족연금을 지급받게 되었다면, 유족에게 지급할 손해배상액을 산정함에 있어서는 위 망인의 일실퇴직연금액에서 유족연금액을 공제하여야 한다.

⑤ 피해자가 수령한 산업재해보상보험법에 따른 휴업급여금이나 장해급여금이 법원에서 인정된 소극적 손해액을 초과하더라도 그 초과부분을 기간과 성질을 달리하는 손해배상액에서 공제할 것은 아니며, 휴업급여는 휴업기간 중의 일실수입에 대응하는 것이므로 그것이 지급된 휴업기간 중의 일실수입 상당의 손해액에서만 공제되어야 한다.

해설 ① 특별한 사정이 없는 한 피해자가 신체적인 기능의 장애로 인하여 아무런 재산상 손해도 입지 않았다고 단정할 수는 없고, 또한 피해자가 사실심의 변론종결 시까지 종전 직장으로부터 **종전과 같은 보수를 지급받았다고 하더라도** 그것이 **사고와 상당인과관계에 있는 이익이라고는 볼 수 없어 가해자가 배상하여야 할 손해액에서 그 보수액을 공제할 것은 아니다**(대판 1993.7.27, 92다15031).

② 손해배상액의 산정에 있어 손익상계가 허용되기 위해서는 손해배상책임의 원인이 되는 행위로 인하여 피해자가 새로운 이득을 얻었을 뿐만 아니라 그 이득은 배상의무자가 배상하여야 할 손해의 범위에 대응하는 것이어야 한다. (중간생략) 이 사건 **아파트의 건축으로 인하여 이 사건 토지의 지가가 상승하였다고 하더라도** 그것은 이 사건 손해배상책임의 원인이 되는 피고의 **일조방해와는 아무런 관계가 없는 이익으로서 손익상계에 의하여 공제하여야 할 이익으로 볼 수 없다**(대판 2011.4.28, 2009다98652).

③ 불법행위로 사망한 피해자 명의의 **개인택시운송사업면허를 유족들이 다른사람에게 매도함으로써 발생한 그 처분가액에 대한 가동연한까지의 중간이자 상당의 이익은 직접적으로 불법행위로 인하여 발생한 이익이라고는 보기 어려울 뿐 아니라,** 위 망인의 가동연한이 도래한 때에 있어서의 위 개인택시의 처분가액이 유족들의 처분가액과 반드시 같은 것이라고 예측할 수도 없는 것이어서 **불법행위와 상당인과관계가 있는 이익이라고 보기도 어렵다고 할 것이므로 손익상계에 의하여 손해에서 공제할 수 있는 이득이라고 할 수 없다**(대판(전합) 1989.12.26, 88다카16867).

④ 대판 2007.12.13, 2007다54481 → 공제하지 않는다면 유족은 같은 목적의 급부를 이중으로 받는 결과가 되기 때문이다.

⑤ 대판 2020.6.25, 2020다216240

08 채권자대위권에 관한 다음 설명 중 가장 옳지 않은 것은?

▶ 2022 법무사

① 채무자의 적극재산인 부동산에 이미 제3자 명의로 소유권이전청구권보전의 가등기가 경료되어 있는 경우에는 위 가등기가 가등기담보 등에 관한 법률에 정한 담보가등기로서 강제집행을 통한 매각이 가능하다는 등의 특별한 사정이 없는 한 위 부동산은 실질적으로 재산적 가치가 없어 적극재산을 산정함에 있어서 이를 제외하여야 할 것이다.

② 임대인의 동의 없는 임차권의 양도는 당사자 사이에서는 유효하다 하더라도 다른 특약이 없는 한 임내인에게는 대항힐 수 없는 것이고, 임대인에 대항할 수 없는 임차권의 양수인으로서는 임대인의 권한을 대위행사할 수 없다.

③ 민사집행법 제301조에 의하여 가처분절차에도 준용되는 같은 법 제287조 제1항에 따라 가압류·가처분결정에 대한 본안의 제소명령을 신청할 수 있는 권리나 같은 조 제2항 및 제3항에 따라 제소기간의 도과에 의한 가압류·가처분의 취소를 신청할 수 있는 권리는 채권자대위권의 목적이 될 수 있는 권리로 볼 수 없다.

④ 피대위자인 채무자가 실존인물이 아니거나 사망한 사람인 경우 피보전채권인 채권자의 채무자에 대한 권리를 인정할 수 없는 경우에 해당하므로 그러한 채권자대위소송은 당사자적격이 없어 부적법하다.

⑤ 채권자대위권에 기해 청구를 하다가 당해 피대위채권 자체를 양수하여 양수금청구로 소를 변경하더라도 당초의 채권자대위소송으로 인한 시효중단의 효력은 소멸하지 않는다.

정답 ▶ 07 ③ 08 ③

[해설] ① 채권자대위의 요건으로서의 무자력이란 채무자의 변제자력이 없음을 뜻하고 특히 임의 변제를 기대할 수 없는 경우에는 강제집행을 통한 변제가 고려되어야 하므로, 소극재산이든 적극재산이든 위와 같은 목적에 부합할 수 있는 재산인지 여부가 변제자력 유무 판단의 중요한 고려요소가 되어야 한다. 따라서 채무자의 적극재산인 부동산에 이미 제3자 명의로 소유권이전청구권보전의 가등기가 마쳐져 있는 경우에는 강제집행을 통한 변제가 사실상 불가능하므로, 그 가등기가 가등기담보 등에 관한 법률에 정한 담보가등기로서 강제집행을 통한 매각이 가능하다는 등의 특별한 사정이 없는 한, 위 부동산은 실질적으로 재산적 가치가 없어 적극재산을 산정할 때 제외하여야 한다(대판 2009.2.26, 2008다76556).

② 임대인의 동의 없는 임차권의 양도는 당사자 사이에서는 유효하다 하더라도 다른 특약이 없는 한 임대인에게는 대항할 수 없는 것이고 임대인에 대항할 수 없는 임차권의 양수인으로서는 임대인의 권한을 대위행사할 수는 없다(대판 1985.2.8, 84다카188).

③ 민사소송법 제715조에 의하여 가처분절차에도 준용되는 같은 법 제705조 제1항에 따라 가압류ㆍ가처분결정에 대한 본안의 제소명령을 신청할 수 있는 권리나 같은 조 제2항에 따라 제소기간의 도과에 의한 가압류ㆍ가처분의 취소를 신청할 수 있는 권리는 가압류ㆍ가처분신청에 기한 소송을 수행하기 위한 소송절차상의 개개의 권리가 아니라, 제소기간의 도과에 의한 가압류ㆍ가처분의 취소신청권은 가압류ㆍ가처분신청에 기한 소송절차와는 별개의 독립된 소송절차를 개시하게 하는 권리이고, 본안제소명령의 신청권은 제소기간의 도과에 의한 가압류ㆍ가처분의 취소신청권을 행사하기 위한 전제요건으로 인정된 독립된 권리이므로, 본안제소명령의 신청권이나 제소기간의 도과에 의한 가압류ㆍ가처분의 취소신청권은 채권자대위권의 목적이 될 수 있는 권리라고 봄이 상당하다(대결 1993.12.27, 93마1655).

④ 채권자대위소송에서 대위에 의하여 보전될 채권자의 채무자에 대한 권리가 인정되지 아니할 경우에는 채권자가 스스로 원고가 되어 채무자의 제3채무자에 대한 권리를 행사할 당사자적격이 없게 되므로 그 대위소송은 부적법하여 각하할 것인바, 피대위자인 채무자가 실존인물이 아니거나 사망한 사람인 경우 역시 피보전채권인 채권자의 채무자에 대한 권리를 인정할 수 없는 경우에 해당하므로 그러한 채권자대위소송은 당사자적격이 없어 부적법하다(대판 2021.7.21, 2020다300893).

⑤ 원고가 채권자대위권에 기해 청구를 하다가 당해 피대위채권 자체를 양수하여 양수금청구로 소를 변경한 경우, 이는 청구원인의 교환적 변경으로서 채권자대위권에 기한 구 청구는 취하된 것으로 보아야 하나, 그 채권자대위소송의 소송물은 채무자의 제3채무자에 대한 계약금반환청구권인데 위 양수금청구는 원고가 위 계약금반환청구권 자체를 양수하였다는 것이어서 양 청구는 동일한 소송물에 관한 권리의무의 특정승계가 있을 뿐 그 소송물은 동일한 점, 시효중단의 효력은 특정승계인에게도 미치는 점(민법 제169조), 계속 중인 소송에 소송목적인 권리 또는 의무의 전부나 일부를 승계한 특정승계인이 소송참가하거나 소송인수한 경우에는 소송이 법원에 처음 계속된 때에 소급하여 시효중단의 효력이 생기는 점(민사소송법 제80조, 제82조 제3항), 원고는 위 계약금반환채권을 채권자대위권에 기해 행사하다 다시 이를 양수받아 직접 행사한 것이어서 위 계약금반환채권과 관련하여 원고를 '권리 위에 잠자는 자'로 볼 수 없는 점 등에 비추어 볼 때, 당초의 채권자대위소송으로 인한 시효중단의 효력이 소멸하지 않는다(대판 2010.6.24, 2010다17284).

09 채권자대위에 관한 다음 설명 중 가장 옳은 것은?

▶ 2024 법무사

① 채권자대위권은 채무자의 제3채무자에 대한 권리를 행사하는 것이므로, 제3채무자는 채무자에 대해 가지는 모든 항변사유로 채권자에게 대항할 수 있고, 공평의 원칙상 채권자도 채무자 자신이 주장할 수 있는 사유의 범위뿐만 아니라 채권자 자신과 제3채무자 사이의 독자적인 사정에 기한 사유도 함께 주장할 수 있다.

② 채권자대위권은 채무자가 제3채무자에 대한 권리를 행사하지 아니하는 경우에 한하여 채권자가 자기의 채권을 보전하기 위하여 행사할 수 있는 것이기는 하나, 채권자가 대위권을 행사할 당시 이미 채무자가 그 권리를 재판상 행사하였으나 이후 불성실한 소송수행 등으로 패소의 확정판결을 받은 경우라면, 채권자는 채무자를 대위하여 채무자의 권리를 행사할 당사자적격이 있다.

③ 임대인의 임대차계약 해지권은 오로지 임대인의 의사에 행사의 자유가 맡겨져 있어 민법 제404조 제1항 후단에서 정하는 채권자대위권의 소극적 요건 중 하나인 '행사상의 일신전속권'에 해당하는 것으로 볼 수 있으므로, 채권자대위권의 대상이 되지 아니한다.

④ 부동산의 소유자에 대하여 소유권이전등기를 청구할 지위에 있기는 하지만 아직 그 소유권이전등기를 경료하지 않은 상태에서, 제3자가 부동산의 소유자를 상대로 그 부동산에 관한 소유권이전등기절차 이행의 확정판결을 받아 소유권이전등기를 경료한 경우, 그 확정판결이 당연무효이거나 재심의 소에 의하여 취소되지 않았더라도, 종전의 소유권이전등기청구권을 가지는 자가 부동산의 소유자에 대한 소유권이전등기청구권을 보전하기 위하여 부동산의 소유자를 대위하여 제3자 명의의 소유권이전등기가 원인무효임을 내세워 그 등기의 말소를 구할 수 있다.

⑤ 채무자 소유의 부동산을 시효취득한 채권자의 공동상속인이 채무자에 대한 소유권이전등기청구권을 피보전채권으로 하여 제3채무자를 상대로 채무자의 제3채무자에 대한 소유권이전등기의 말소등기청구권을 대위행사하는 경우, 공동상속인은 자신의 지분 범위 내에서만 재무자의 제3채무자에 대한 소유권이전등기의 말소등기청구권을 대위행사할 수 있고, 지분을 초과하는 부분에 관하여는 채무자를 대위할 보전의 필요성이 없다.

> **해설** ① 채권자대위권은 채무자의 제3채무자에 대한 권리를 행사하는 것이므로, 제3채무자는 채무자에 대해 가지는 모든 항변사유로 채권자에게 대항할 수 있으나, 채권자는 채무자 자신이 주장할 수 있는 사유의 범위 내에서 주장할 수 있을 뿐 자기와 제3채무자 사이의 독자적인 사정에 기한 사유를 주장할 수는 없다(대판 2009.5.28, 2009다4787).
> ② 채권자대위권은 채무자가 제3채무자에 대한 권리를 행사하지 아니하는 경우에 한하여 채권자가 자기의 채권을 보전하기 위하여 행사할 수 있는 것이기 때문에 채권자가 대위권을 행사할 당시 이미 채무자가 그 권리를 재판상 행사하였을 때에는 설사 패소의 확정판결을 받았더라도 채권자는 채무자를 대위하여 채무자의 권리를 행사할 당사자적격이 없다(대판 1993.3.26, 92다32876).

정답 **09** ⑤

③ 임대인의 임대차계약 해지권은 오로지 임대인의 의사에 행사의 자유가 맡겨져 있는 행사상의 일신전속권에 해당하는 것으로 볼 수 없으므로 채권자대위권의 목적이 될 수 있다(대판 2007.5.10, 2006다82700·82717).

④ 부동산의 소유자에 대하여 소유권이전등기를 청구할 지위에 있기는 하지만 아직 그 소유권이전등기를 경료하지 않은 상태에서, 제3자가 부동산의 소유자를 상대로 그 부동산에 관한 소유권이전등기절차 이행의 확정판결을 받아 소유권이전등기를 경료한 경우, 그 확정판결이 당연무효이거나 재심의 소에 의하여 취소되지 않는 한, 종전의 소유권이전등기청구권을 가지는 자가 매도인에 대한 소유권이전등기청구권을 보전하기 위하여 매도인을 대위하여 제3자 명의의 소유권이전등기가 원인무효임을 내세워 그 등기의 말소를 구하는 것은 확정판결의 기판력에 저촉되므로 허용될 수 없다(대판 1999.2.24, 97다46955).

⑤ 채무자 소유의 부동산을 시효취득한 채권자의 공동상속인이 채무자에 대한 소유권이전등기청구권을 피보전채권으로 하여 제3채무자를 상대로 채무자의 제3채무자에 대한 소유권이전등기의 말소등기청구권을 대위행사하는 경우, 공동상속인은 자신의 지분 범위 내에서만 채무자의 제3채무자에 대한 소유권이전등기의 말소등기청구권을 대위행사할 수 있고, 지분을 초과하는 부분에 관하여는 채무자를 대위할 보전의 필요성이 없다(대판 2014.10.27, 2013다25217).

10 다음 설명 중 가장 옳지 않은 것은?

▶ 2021 법무사

① 채권자가 사해행위의 취소로서 수익자를 상대로 채무자와의 법률행위의 취소를 구함과 아울러 전득자를 상대로도 전득행위의 취소를 구함에 있어서, 전득자의 악의는 전득행위 당시 채무자와 수익자 사이의 법률행위가 채권자를 해한다는 사실, 즉 사해행위의 객관적 요건을 구비하였다는 것에 대한 인식을 의미한다. 한편 사해행위취소소송에서 채무자의 악의의 점에 대하여는 취소를 주장하는 채권자에게 증명책임이 있으나 수익자 또는 전득자가 악의라는 점에 관하여는 증명책임이 채권자에게 있는 것이 아니고 수익자 또는 전득자 자신에게 선의라는 사실을 증명할 책임이 있으며, 채무자의 재산처분행위가 사해행위에 해당할 경우에 사해행위 또는 전득행위 당시 수익자 또는 전득자가 선의였음을 인정함에 있어서는 객관적이고도 납득할 만한 증거자료 등에 의하여야 하고, 채무자나 수익자의 일방적인 진술이나 제3자의 추측에 불과한 진술 등에만 터 잡아 사해행위 또는 전득행위 당시 수익자 또는 전득자가 선의였다고 선뜻 단정하여서는 아니 된다.

② 상속재산의 분할협의는 상속이 개시되어 공동상속인 사이에 잠정적 공유가 된 상속재산에 대하여 그 전부 또는 일부를 각 상속인의 단독소유로 하거나 새로운 공유관계로 이행시킴으로써 상속재산의 귀속을 확정시키는 것에 불과하므로 사해행위취소권 행사의 대상이 될 수 없다. 따라서 채무자가 자기의 유일한 재산인 부동산을 매각하여 소비하기 쉬운 금전으로 바꾸거나 타인에게 무상으로 이전하여 주는 행위가 채권자에 대하여 사해행위가 되는 것과 달리, 이미 채무초과 상태에 있는 채무자가 상속재산의 분할협의를 하면서 자신의 상속분에 관한 권리를 포기하였다고 하더라도 채권자에 대한 사해행위에 해당한다고 할 수는 없다.

③ 근저당권이 설정되어 있는 부동산에 관하여 사해행위가 이루어진 후 근저당권이 말소되어 그 부동산의 가액에서 근저당권 피담보채무액을 공제한 나머지 금액의 한도에서 사해행위를 취소하고 가액의 배상을 명하는 경우 그 가액의 산정은 사실심 변론종결 시를 기준으로 하여야 하고, 이 경우 사해행위가 있은 후 그 부동산에 관한 권리를 취득한 전득자에 대하여는 사실심 변론종결 시의 부동산 가액에서 말소된 근저당권 피담보채무액을 공제한 금액과 사실심 변론종결 시를 기준으로 한 취소채권자의 채권액 중 적은 금액의 한도 내에서 그가 취득한 이익에 대해서만 가액배상을 명할 수 있다.

④ 부동산에 관한 법률행위가 사해행위에 해당하는 경우에는 채무자의 책임재산을 보전하기 위하여 사해행위를 취소하고 원상회복을 명하여야 한다. 수익자는 채무자로부터 받은 재산을 반환하는 것이 원칙이지만, 그 반환이 불가능하거나 곤란한 사정이 있는 때에는 그 가액을 반환하여야 한다. 사해행위를 취소하여 부동산 자체의 회복을 명하게 되면 당초 일반 채권자들의 공동담보로 되어 있지 않던 부분까지 회복을 명하는 것이 되어 공평에 반하는 결과가 되는 경우에는 그 부동산의 가액에서 공동담보로 되어 있지 않던 부분의 가액을 뺀 나머지 금액 한도에서 가액반환을 명할 수 있다.

⑤ 채권자취소의 소는 채권자가 취소원인을 안 날로부터 1년 내에 제기하여야 한다(민법 제406조 제2항). 여기에서 취소원인을 안다는 것은 단순히 채무자의 법률행위가 있었다는 사실을 아는 것만으로는 부족하고, 그 법률행위가 채권자를 불리하게 하는 행위라는 것, 즉 그 행위에 의하여 채권의 공동담보에 부족이 생기거나 이미 부족상태에 있는 공동담보가 한층 더 부족하게 되어 채권을 완전하게 만족시킬 수 없게 된다는 것까지 알아야 한다.

해설 ① 채권자가 사해행위의 취소로서 수익자를 상대로 채무자와의 법률행위의 취소를 구함과 아울러 전득자를 상대로도 전득행위의 취소를 구함에 있어서, 전득자의 악의는 전득행위 당시 채무자와 수익자 사이의 법률행위가 채권자를 해한다는 사실, 즉 사해행위의 객관적 요건을 구비하였다는 것에 대한 인식을 의미한다. 한편 사해행위취소소송에서 채무자의 악의의 점에 대하여는 취소를 주장하는 채권자에게 증명책임이 있으나, 수익자 또는 전득자가 악의라는 점에 관하여는 증명책임이 채권자에게 있는 것이 아니고 수익자 또는 전득자 자신에게 선의라는 사실을 증명할 책임이 있으며, 채무자의 재산처분행위가 사해행위에 해당할 경우에 사해행위 또는 전득행위 당시 수익자 또는 전득자가 선의였음을 인정함에 있어서는 객관적이고도 납득할 만한 증거자료 등에 의하여야 하고, 채무자나 수익자의 일방적인 진술이나 제3자의 추측에 불과한 진술 등에만 터 잡아 사해행위 또는 전득행위 당시 수익자 또는 전득자가 선의였다고 선뜻 단정하여서는 아니 된다(대판 2015.6.11, 2014다237192).

② 상속재산의 분할협의는 상속이 개시되어 공동상속인 사이에 잠정적 공유가 된 상속재산에 대하여 그 전부 또는 일부를 각 상속인의 단독소유로 하거나 새로운 공유관계로 이행시킴으로써 상속재산의 귀속을 확정시키는 것으로 그 성질상 재산권을 목적으로 하는 법률행위이므로 사해행위 취소권 행사의 대상이 될 수 있다. 다만 채무초과 상태에 있는 채무자가 상속재산의 분할협의를 하면서 상속재산에 관한 권리를 포기함으로써 결과적으로 일반 채권자에 대한 공동담보가 감소

되었다 하더라도, 그 재산분할결과가 위 구체적 상속분에 상당하는 정도에 미달하는 과소한 것이라고 인정되지 않는 한 사해행위로서 취소되어야 할 것은 아니고, 구체적 상속분에 상당하는 정도에 미달하는 과소한 경우에도 사해행위로서 취소되는 범위는 그 미달하는 부분에 한정하여야 한다. 이때 지정상속분이나 기여분, 특별수익 등의 존부 등 구체적 상속분이 법정상속분과 다르다는 사정은 채무자가 주장·입증하여야 할 것이다(대판 2001.2.9, 2000다51797).

③ 근저당권이 설정되어 있는 부동산에 관하여 사해행위가 이루어진 후 근저당권이 말소되어 그 부동산의 가액에서 근저당권 피담보채무액을 공제한 나머지 금액의 한도에서 사해행위를 취소하고 가액의 배상을 명하는 경우 그 가액의 산정은 사실심 변론종결 시를 기준으로 하여야 하고, 이 경우 사해행위가 있은 후 그 부동산에 관한 권리를 취득한 전득자에 대하여는 사실심 변론종결 시의 부동산 가액에서 말소된 근저당권 피담보채무액을 공제한 금액과 사실심 변론종결 시를 기준으로 한 취소채권자의 채권액 중 적은 금액의 한도 내에서 그가 취득한 이익에 대해서만 가액배상을 명할 수 있다(대판 2019.4.11, 2018다203715).

④ 부동산에 관한 법률행위가 사해행위에 해당하는 경우에는 채무자의 책임재산을 보전하기 위하여 사해행위를 취소하고 원상회복을 명하여야 한다. 수익자는 채무자로부터 받은 재산을 반환하는 것이 원칙이지만, 그 반환이 불가능하거나 곤란한 사정이 있는 때에는 그 가액을 반환하여야 한다. 사해행위를 취소하여 부동산 자체의 회복을 명하게 되면 당초 일반 채권자들의 공동담보로 되어 있지 않던 부분까지 회복을 명하는 것이 되어 공평에 반하는 결과가 되는 경우에는 그 부동산의 가액에서 공동담보로 되어 있지 않던 부분의 가액을 뺀 나머지 금액 한도에서 가액반환을 명할 수 있다(대판 2018.9.13, 2018다215756).

⑤ 채권자취소의 소는 채권자가 취소원인을 안 날로부터 1년 내에 제기하여야 한다(민법 제406조 제2항). 여기에서 취소원인을 안다는 것은 단순히 채무자의 법률행위가 있었다는 사실을 아는 것만으로는 부족하고, 그 법률행위가 채권자를 불리하게 하는 행위라는 것, 즉 그 행위에 의하여 채권의 공동담보에 부족이 생기거나 이미 부족상태에 있는 공동담보가 한층 더 부족하게 되어 채권을 완전하게 만족시킬 수 없게 된다는 것까지 알아야 한다(대판 2018.9.13, 2018다215756).

11 **채권자취소권에 관한 다음 설명 중 옳은 것을 모두 고른 것은?** ▶ 2023 법무사

ㄱ. 채권자취소권의 요건을 갖춘 각 채권자는 고유의 권리로서 채무자의 재산처분 행위를 취소하고 그 원상회복을 구할 수 있는 것이므로, 각 채권자가 동시 또는 이시에 채권자취소 및 원상회복소송을 제기한 경우 이들 소송은 중복제소에 해당하지 않는다.

ㄴ. 사해행위 당시에 이미 채권 성립의 기초가 되는 법률관계가 발생되어 있고 가까운 장래에 그 법률관계에 기하여 채권이 성립될 고도의 개연성이 있으며 실제로 가까운 장래에 그 개연성이 현실화되어 채권이 성립된 경우에는 그 채권도 채권자취소권의 피보전채권이 될 수 있으므로, 사해행위 당시 계속적인 물품거래관계가 존재하였다는 사정만으로도 채권 성립의 기초가 되는 법률관계가 발생하여 있었다고 할 수 있다.

ㄷ. 채권자취소소송에서 피보전채권의 존재가 인정되어 사해행위 취소 및 원상회복을 명하는 판결이 확정되었다고 하더라도, 그에 기하여 재산이나 가액의 회복을 마치기 전에 피보전채권이 소멸하여 채권자가 더 이상 채무자의 책임재산에 대하여 강제집행을 할 수 없게 되었다면, 이는 위 판결의 집행력을 배제하는 적법한 청구이의 이유가 된다.

ㄹ. 채권자가 채무자 소유의 부동산에 대한 가압류신청 시 첨부한 등기부등본에 수익자 명의의 근저당권설정등기가 경료되어 있었다면 채권자가 가압류신청 당시 사해행위 취소원인을 알았다고 인정할 수 있다.

ㅁ. 수익자가 채권자취소에 따른 원상회복으로서 가액배상을 할 경우, 수익자 자신도 채무자에 대한 채권자라는 이유로 채무자에 대하여 가지는 자기의 채권과의 상계를 주장할 수는 없다.

① ㄱ, ㄴ, ㄹ　　　　② ㄱ, ㄴ, ㅁ　　　　③ ㄱ, ㄷ, ㅁ
④ ㄴ, ㄷ, ㅁ　　　　⑤ ㄷ, ㄹ, ㅁ

해설　ㄱ. 대판 2003.7.11, 2003다19558 → ※ [참고] : 이는 한 채권자가 동일한 사해행위에 관하여 채권자취소 및 원상회복청구를 하여 승소판결을 받아 그 판결이 확정되었다는 것만으로 그 후에 제기된 다른 채권자의 동일한 청구가 권리보호의 이익이 없어지게 되는 것은 아니고, 그에 기하여 재산이나 가액의 회복을 마친 경우에 비로소 다른 채권자의 채권자취소 및 원상회복청구는 그와 중첩되는 범위 내에서 권리보호의 이익이 없게 된다.

　　ㄴ. 계속적인 물품공급계약에서 대상이 되는 물품의 구체적인 수량, 거래단가, 거래시기 등에 관하여까지 구체적으로 미리 정하고 있다거나, 일정한 한도에서 공급자가 외상으로 물품을 공급할 의무를 규정하고 있지 않은 이상, 계속적 물품공급계약 그 자체에 기하여 거래당사자의 채권이 바로 성립하지는 아니하며, 주문자가 상대방에게 구체적으로 물품의 공급을 의뢰하고 그에 따라 상대방이 물품을 공급하는 별개의 법률관계가 성립하여야만 채권이 성립한다. 따라서 특별한 사정이 없는 한 **사해행위 당시 계속적인 물품거래관계가 존재하였다는 사정만으로 채권 성립의 기초가 되는 법률관계가 발생하여 있었다고 할 수 없다**(대판 2023.3.16, 2022다272046).

　　ㄷ. 대판 2017.10.26, 2015다224469

정답　**11** ③

ㄹ. 채권자취소의 소에서 채권자가 취소원인을 안다고 하는 것은 단순히 채무자의 법률행위가 있었다는 사실을 아는 것만으로는 부족하고, 그 법률행위가 채권자를 해하는 행위라는 것까지 알아야 하므로, 채권자가 채무자의 유일한 재산에 대하여 가등기가 경료된 사실을 알고 채무자의 재산상태를 조사한 결과 다른 재산이 없음을 확인한 후 채무자의 재산에 대하여 가압류를 한 경우에는 채권자는 그 가압류 무렵에는 채무자가 채권자를 해함을 알면서 사해행위를 한 사실을 알았다고 봄이 상당하지만, **채권자가 채무자 소유의 부동산에 대한 가압류신청 시 첨부한 등기부등본에 수익자 명의의 근저당권설정등기가 경료되어 있었다는 사실만으로는 채권자가 가압류신청 당시 취소원인을 알았다고 인정할 수 없다**(대판 2001.2.27, 2000다44348).

ㅁ. 대판 2001.6.1, 99다63183 → 왜냐하면 수익자로 하여금 자기의 채무자에 대한 반대채권으로써 상계를 허용하는 것은 사해행위에 의하여 이익을 받은 수익자를 보호하고 다른 채권자의 이익을 무시하는 결과가 되어 위 제도의 취지에 반하기 때문이다.

12 채권자취소권에 관한 다음 설명 중 가장 옳은 것은?   ▶ 2024 법무사

① 채권자의 채권이 사해행위 이전에 성립되어 있는 이상 그 채권이 양도된 경우에도 그 양수인이 채권자취소권을 행사할 수 있으나, 이 경우 채권양도의 대항요건을 사해행위 이후에 갖추었다면, 채권양수인으로서는 채무자에게 채권양도로 대항할 수 없는 만큼 채권자취소권을 행사할 수 없다.

② 채권자취소권 행사는 채무 이행을 구하는 것이 아니라 총채권자를 위하여 채무자의 자력 감소를 방지하고, 일탈된 채무자의 책임재산을 회수하여 채권의 실효성을 확보하는 데 목적이 있으나, 채무자의 법률행위를 취소하는 법률효과를 부여하는 채권자취소권의 내용에 비추어 볼 때 피보전채권이 사해행위 이전에 이미 성립되어 있다면, 그 액수나 범위가 구체적으로 확정되어야 할 것이다.

③ 어느 부동산에 관한 법률행위가 사해행위에 해당하는 경우에 그 부동산에 관하여 주택임대차보호법 제3조 제1항이 정한 대항력을 갖추고 임대차계약서에 확정일자를 받아 임대차보증금 우선변제권을 가진 임차인 또는 같은 법 제8조에 의하여 임대차보증금 중 일정액을 우선하여 변제받을 수 있는 소액임차인이 있는 때에는 수익자가 배상하여야 할 부동산의 가액에서 그 우선변제권 있는 임차보증금 반환채권 금액을 공제하여서는 아니 된다.

④ 저당권이 이미 설정되어 있는 부동산에 관하여 사해행위가 이루어진 경우에 그 사해행위는 부동산의 가액에서 저당권의 피담보채권액을 공제한 잔액의 범위 내에서만 성립한다고 보아야 하므로, 사해행위 후 변제 등에 의하여 저당권설정등기가 말소된 경우, 사해행위를 취소하여 그 부동산 자체의 회복을 명하는 것은 당초 일반 채권자들의 공동담보로 되어 있지 아니하던 부분까지 회복을 명하는 것이 되어 공평에 반하는 결과가 되므로, 그 부동산의 가액에서 저당권의 피담보채무액을 공제한 잔액의 한도에서 사해행위를 취소하고 그 가액의 배상을 구할 수 있을 뿐이고, 그와 같은 가액 산정은 변제 등에 의하여 저당권설정등기가 말소될 당시를 기준으로 하여야 한다.

⑤ 처분행위 당시에는 채권자를 해하는 것이었다고 하더라도 그 후 채무자가 자력을 회복하여 사해행위취소권을 행사하는 사실심의 변론종결 시에는 채권자를 해하지 않게 된 경우에는 책임재산 보전의 필요성이 없어지게 되어 채권자취소권이 소멸하는 것으로 보아야 할 것인바, 그러한 사정변경이 있다는 사실은 채권자취소소송의 상대방이 증명하여야 한다.

해설 ① 사해행위라고 볼 수 있는 행위가 행하여지기 전에 발생한 채권은 원칙적으로 채권자취소권에 의하여 보호될 수 있는 채권이 될 수 있고, 채권자의 채권이 사해행위 이전에 성립한 이상 사해행위 이후에 양도되었다고 하더라도 양수인은 채권자취소권을 행사할 수 있으며, 채권 양수일에 채권자취소권의 피보전채권이 새로이 발생되었다고 할 수 없다(대판 2012.2.9, 2011다77146).

② 채권자취소권 행사는 채무 이행을 구하는 것이 아니라 총채권자를 위하여 채무자의 자력 감소를 방지하고, 일탈된 채무자의 책임재산을 회수하여 채권의 실효성을 확보하는 데 목적이 있으므로, 피보전채권이 사해행위 이전에 성립되어 있는 이상 액수나 범위가 구체적으로 확정되지 않은 경우라고 하더라도 채권자취소권의 피보전채권이 된다(대판 2018.6.28, 2016다1045).

③ 부동산에 저당권 이외에 우선변제권 있는 임차인이 있는 경우에는 부동산 가액 중 임차보증금에 해당하는 부분이 일반 채권자의 공동담보에 제공되었다고 볼 수 없으므로 수익자가 반환할 부동산 가액에서 우선변제권 있는 임차보증금 반환채권액을 공제하여야 한다(대판 2018.9.13, 2018다215756).

④ 저당권이 설정되어 있는 부동산에 관하여 사해행위가 이루어진 경우에 그 사해행위는 부동산의 가액에서 저당권의 피담보채권액을 공제한 잔액의 범위 내에서만 성립한다고 보아야 하므로, 사해행위 후 변제 등에 의하여 저당권설정등기가 말소된 경우, 사해행위를 취소하여 그 부동산의 자체의 회복을 명하는 것은 당초 일반 채권자들의 공동담보로 되어 있지 아니하던 부분까지 회복을 명하는 것이 되어 공평에 반하는 결과가 되므로, 그 부동산의 가액에서 저당권의 피담보채무액을 공제한 잔액의 한도에서 사해행위를 취소하고 그 가액의 배상을 구할 수 있을 뿐이고, 그와 같은 가액 산정은 사실심변론 종결 시를 기준으로 하여야 한다(대판 1999.9.7, 98다41490).

⑤ 사해성의 요건은 행위 당시는 물론 채권자가 취소권을 행사할 당시(사해행위취소소송의 사실심 변론종결 시)에도 갖추고 있어야 하므로, 처분행위 당시에는 채권자를 해하는 것이었더라도 그 후 채무자가 자력을 회복하거나 채무가 감소하여 취소권 행사 시에 채권자를 해하지 않게 되었다면, 채권자취소권에 의하여 책임재산을 보전할 필요성이 없으므로 채권자취소권은 소멸한다(대판 2009.3.26, 2007다63102). 처분행위 당시에는 채권자를 해하는 것이었다고 하더라도 그 후 채무자가 자력을 회복하여 사해행위취소권을 행사하는 사실심의 변론종결 시에는 채권자를 해하지 않게 된 경우에는 책임재산 보전의 필요성이 없어지게 되어 채권자취소권이 소멸하는 것으로 보아야 할 것인바, 그러한 사정변경이 있다는 사실은 채권자취소소송의 상대방이 증명하여야 한다(대판 2007.11.29, 2007다54849).

정답 ▶ **12** ⑤

심화문제 | 확인 · 보충 · 심화문제

01 채권자취소권에 관한 다음 설명 중 옳은 것을 모두 고른 것은? (다툼이 있는 경우 판례에 따르고 전원합의체 판결의 경우 다수 의견에 의함.) ▶ 2025 법무사

> ㄱ. 사해행위가 채권자에 의하여 취소되기 전에 이미 수익자 또는 전득자가 배당금을 현실로 지급받은 경우, 채권자는 원상회복방법으로 수익자 또는 전득자를 상대로 배당으로 수령한 금원 중 자신의 채권액 상당의 지급을 가액배상의 방법으로 청구할 수 있다.
>
> ㄴ. 수익자가 채무초과 상태에 있는 채무자의 부동산에 관하여 설정된 선순위 근저당권의 피담보채무를 변제 하여 근저당권설정등기를 말소하는 대신 동일한 금액을 피담보채무로 하는 새로운 근저당권설정등기를 설정하면 사해행위가 성립한다.
>
> ㄷ. 채권자가 전득자를 상대로 하여 사해행위취소의 소를 제기하는 경우, 취소의 대상이 되는 사해행위는 채무자와 수익자 사이에서 행하여진 법률행위에 국한될 뿐 수익자와 전득자 사이의 법률행위는 그 대상이 되지 않는다.
>
> ㄹ. 원고의 피고에 대한 청구의 원인행위가 사해행위라는 이유로 원고에 대하여 사해행위취소를 청구하면서 독립당사자참가신청을 하는 경우, 독립당사자참가인의 청구가 그대로 받아들여진다 하더라도 원고와 피고 사이의 법률관계에는 아무런 영향이 없고, 따라서 그러한 참가신청은 사해방지참가의 목적을 달성할 수 없으므로 부적법하다.
>
> ㅁ. 가등기에 기하여 본등기가 경료된 경우 가등기의 원인인 법률행위와 본등기의 원인인 법률행위가 명백히 다른 경우가 아닌 한 사해행위 요건의 구비 여부는 본등기 경료 당시를 기준으로 하여 판단하여야 한다.

① ㄱ, ㄷ, ㄹ ② ㄱ, ㄷ, ㅁ ③ ㄱ, ㄹ, ㅁ
④ ㄴ, ㄷ, ㅁ ⑤ ㄴ, ㄷ, ㄹ

해설 ㄱ. (○) 채권자의 사해행위취소 및 원상회복청구가 인정되면 수익자 또는 전득자는 원상회복으로서 사해행위의 목적물을 채무자에게 반환할 의무를 지게 되고 원물반환이 불가능하거나 현저히 곤란한 경우에는 원상회복의무의 이행으로서 사해행위 목적물의 가액 상당을 배상하여야 한다. 그리고 사해행위가 채권자에 의하여 취소되기 전에 이미 수익자 또는 전득자가 배당금을 지급받은 경우에는, 채권자는 원상회복방법으로 수익자 또는 전득자를 상대로 배당으로 수령한 금전의 지급을 가액배상의 방법으로 청구할 수 있다. 한편 사해행위취소의 소는 수익자나 전득자 중 일부만을 상대로 하거나 수익자와 전득자를 공동피고로 하여 제기할 수 있고, 사해행위취소소송에 있어서 수익자 또는 전득자가 악의라는 점에 관하여는 채권자에게 입증책임이 있는 것이 아니라 수익자 또는 전득자 자신에게 선의라는 사실을 입증할 책임이 있다(대판 2014.12.11, 2011다49783).

ㄴ. (×) 저당권이 설정되어 있는 목적물의 경우 목적물 중에서 일반채권자들의 공동담보에 제공되는 책임재산은 피담보채권액을 공제한 나머지 부분만이므로, 수익자가 채무초과 상태에 있는 채무자의 부동산에 관하여 설정된 선순위 근저당권의 피담보채무를 변제하여 근저당권설정등기를 말소하는 대신 동일한 금액을 피담보채무로 하는 새로운 근저당권설정등기를 설정하는 것은 채무

자의 공동담보를 부족하게 하는 것이라고 볼 수 없어 사해행위가 성립하지 아니한다. 이때 수 개의 부동산에 공동저당권이 설정되어 있는 경우 책임재산을 산정할 때에 각 부동산이 부담하는 피담보채권액은 특별한 사정이 없는 한 민법 제368조의 규정 취지에 비추어 공동저당권의 목적으로 된 각 부동산 가액에 비례하여 공동저당권의 피담보채권액을 안분한 금액이라고 보아야 한다(대판 2012.1.12, 2010다64792).

ㄷ. (○) 채권자가 전득자를 상대로 하여 사해행위의 취소와 함께 책임재산의 회복을 구하는 사해행위취소의 소를 제기한 경우에 그 취소의 효과는 채권자와 전득자 사이의 상대적인 관계에서만 생기는 것이고 채무자 또는 채무자와 수익자 사이의 법률관계에는 미치지 않는 것이므로, 이 경우 취소의 대상이 되는 사해행위는 채무자와 수익자 사이에서 행하여진 법률행위에 국한되고, 수익자와 전득자 사이의 법률행위는 취소의 대상이 되지 않는다(대판 2004.8.30, 2004다21923).

ㄹ. (○) 채권자가 사해행위의 취소와 함께 수익자 또는 전득자로부터 책임재산의 회복을 명하는 사해행위취소의 판결을 받은 경우 취소의 효과는 채권자와 수익자 또는 전득자 사이에만 미치므로, 수익자 또는 전득자가 채권자에 대하여 사해행위의 취소로 인한 원상회복 의무를 부담하게 될 뿐, 채권자와 채무자 사이에서 취소로 인한 법률관계가 형성되거나 취소의 효력이 소급하여 채무자의 책임재산으로 복구되는 것은 아니다. 이러한 사해행위취소의 상대적 효력에 의하면, 원고의 피고에 대한 청구의 원인행위가 사해행위라는 이유로 원고에 대하여 사해행위취소를 청구하면서 독립당사자참가신청을 하는 경우, 독립당사자참가인의 청구가 그대로 받아들여진다 하더라도 원고와 피고 사이의 법률관계에는 아무런 영향이 없고, 따라서 그러한 참가신청은 사해방지참가의 목적을 달성할 수 없으므로 부적법하다(대판 2014.6.12, 2012다47548).

ㅁ. (×) 가등기에 기하여 본등기가 경료된 경우 가등기의 원인인 법률행위와 본등기의 원인인 법률행위가 명백히 다른 것이 아닌 한, 사해행위 요건의 구비 여부는 가등기의 원인된 법률행위 당시를 기준으로 하여 판단하여야 한다(대판 1999.4.9, 99다2515).

02 채권자대위권에 관한 다음 설명 중 가장 옳지 않은 것은?   ▶ 2025 법무사

① 채권자가 채무자를 대위하여 제3채무자에 대하여 보전행위 이외의 권리를 행사한 때에는 채무자에게 통지하여야 하고, 채무자가 그 통지를 받은 후에는 그 권리를 처분하여도 이로써 채권자에게 대항하지 못한다.

② 민법상 조합원의 조합탈퇴권은 그 성질상 조합계약의 해지권으로서 그의 일반재산을 구성하는 재산권의 일종이라 할 것이고 채권자대위가 허용되지 않는 일신전속적 권리라고는 할 수 없다.

③ 이혼으로 인한 재산분할청구권은 이혼을 한 당사자의 일방이 다른 일방에 대하여 재산분할을 청구할 수 있는 권리로서 청구인의 재산에 영향을 미치는 재산법적 행위이므로 채권자대위권의 목적이 될 수 있다.

④ 채권자대위소송에서 피대위자인 채무자가 실존인물이 아니거나 사망한 사람인 경우 피보전채권인 채권자의 채무자에 대한 권리를 인정할 수 없는 경우에 해당하므로 그러한 채권자대위소송은 당사자적격이 없어 부적법하다.

정답 01 ① 02 ③

⑤ 피보전채권이 특정채권이라 하여 반드시 순차매도 또는 임대차에 있어 소유권이전등기청구권이나 인도청구권 등의 보전을 위한 경우에만 한하여 채권자대위권이 인정되는 것은 아니며, 물권적 청구권에 대하여도 채권자대위권에 관한 규정과 법리가 적용될 수 있다.

해설 ① 채권자대위권행사의 통지 : 채권자가 전조 제1항의 규정에 의하여 보전행위 이외의 권리를 행사한 때에는 채무자에게 통지하여야 한다. 채무자가 전항의 통지를 받은 후에는 그 권리를 처분하여도 이로써 채권자에게 대항하지 못한다(민법 제405조).

② 민법상 조합원은 조합의 존속기간이 정해져 있는 경우 등을 제외하고는 원칙적으로 언제든지 조합에서 탈퇴할 수 있고(민법 제716조 참조), 조합원이 탈퇴하면 그 당시의 조합재산상태에 따라 다른 조합원과 사이에 지분의 계산을 하여 지분환급청구권을 가지게 되는바(민법 제719조 참조), 조합원이 조합을 탈퇴할 권리는 그 성질상 조합계약의 해지권으로서 그의 일반재산을 구성하는 재산권의 일종이라 할 것이고 채권자대위가 허용되지 않는 일신전속적 권리라고는 할 수 없다(대결 2007.11.30, 2005마1130).

③ 이혼으로 인한 재산분할청구권은 이혼을 한 당사자의 일방이 다른 일방에 대하여 재산분할을 청구할 수 있는 권리로서 청구인의 재산에 영향을 미치지만, 순전한 재산법적 행위와 같이 볼 수는 없다. 오히려 이혼을 한 경우 당사자는 배우자, 자녀 등과의 관계 등을 종합적으로 고려하여 재산분할청구권 행사 여부를 결정하게 되고, 법원은 청산적 요소뿐만 아니라 이혼 후의 부양적 요소, 정신적 손해(위자료)를 배상하기 위한 급부로서의 성질 등도 고려하여 재산을 분할하게 된다. 또한 재산분할청구권은 협의 또는 심판에 의하여 구체적 내용이 형성되기까지는 그 범위 및 내용이 불명확·불확정하기 때문에 구체적으로 권리가 발생하였다고 할 수 없어 채무자의 책임재산에 해당한다고 보기 어렵고, 채권자의 입장에서는 채무자의 재산분할청구권 불행사가 그의 기대를 저버리는 측면이 있다고 하더라도 채무자의 재산을 현재의 상태보다 악화시키지 아니한다. 이러한 사정을 종합하면, 이혼으로 인한 재산분할청구권은 그 행사 여부가 청구인의 인격적 이익을 위하여 그의 자유로운 의사결정에 전적으로 맡겨진 권리로서 행사상의 일신전속성을 가지므로, 채권자대위권의 목적이 될 수 없고 파산재단에도 속하지 않는다고 보아야 한다(대판 2023.9.21, 2023므10861).

④ 채권자대위소송에서 대위에 의하여 보전될 채권자의 채무자에 대한 권리가 인정되지 아니할 경우에는 채권자가 스스로 원고가 되어 채무자의 제3채무자에 대한 권리를 행사할 당사자적격이 없게 되므로 그 대위소송은 부적법하여 각하할 것인바, 피대위자인 채무자가 실존인물이 아니거나 사망한 사람인 경우 역시 피보전채권인 채권자의 채무자에 대한 권리를 인정할 수 없는 경우에 해당하므로 그러한 채권자대위소송은 당사자적격이 없어 부적법하다(대판 2021.7.21, 2020다300893).

⑤ 채권자는 채무자에 대한 채권을 보전하기 위하여 채무자를 대위해서 채무자의 권리를 행사할 수 있는바, 채권자가 보전하려는 권리와 대위하여 행사하려는 채무자의 권리가 밀접하게 관련되어 있고 채권자가 채무자의 권리를 대위하여 행사하지 않으면 자기 채권의 완전한 만족을 얻을 수 없게 될 위험이 있어 채무자의 권리를 대위하여 행사하는 것이 자기 채권의 현실적 이행을 유효·적절하게 확보하기 위하여 필요한 경우에는 채권자대위권의 행사가 채무자의 자유로운 재산관리행위에 대한 부당한 간섭이 된다는 등의 특별한 사정이 없는 한 채권자는 채무자의 권리를 대위하여 행사할 수 있어야 하고, 피보전채권이 특정채권이라 하여 반드시 순차매도 또는 임대차에 있어 소유권이전등기청구권이나 인도청구권 등의 보전을 위한 경우에만 한하여 채권자대위권이 인정되는 것은 아니며, 물권적 청구권에 대하여도 채권자대위권에 관한 민법 제404조의 규정과 위와 같은 법리가 적용될 수 있다(대판 2007.5.10, 2006다82700).

채권의 양도와 채무인수

기본문제 | 기본문제의 구성

01 다음 설명 중 가장 옳은 것은? ▶ 2021 법무사

① 채권은 양도할 수 있는 것이 원칙이나, 채권의 성질이 양도를 허용하지 않는 경우 및 당사자가 양도 반대의 의사표시를 한 경우에는 양도할 수 없다.

② 당사자가 양도 반대의 의사표시를 한 경우에, 선의 및 중과실이 아닌 제3자에게는 대항하지 못한다.

③ 지명채권의 양도는 양도인이 채무자에게 통지하여야 하고, 채무자가 승낙하지 아니하면 채무자 기타 선의의 제3자에게 대항하지 못한다.

④ 채무자가 이의를 보류하고 승낙을 한 때에도 양도인에게 대항할 수 있는 사유로써 양수인에게 대항하지 못한다.

⑤ 채무자가 채무를 소멸하게 하기 위하여 양도인에게 급여한 것이 있으면 이를 회수할 수 있으나, 양도인에 대하여 부담한 채무가 있으면 그 성립되지 아니함을 주장할 수 없다.

 ①,②

> 제449조 【채권의 양도성】 ① 채권은 양도할 수 있다. 그러나 채권의 성질이 양도를 허용하지 아니하는 때에는 그러하지 아니하다.
> ② 채권은 당사자가 반대의 의사를 표시한 경우에는 양도하지 못한다. 그러나 그 의사표시로써 선의의 제3자에게 대항하지 못한다.

다만 판례는 "민법 제449조 제2항이 채권양도 금지의 특약은 선의의 제3자에게 대항할 수 없다고만 규정하고 있어서 그 문언상 제3자의 과실이 유무를 문제삼고 있지는 아니하지만, 제3자의 중대한 과실은 악의와 같이 취급되어야 하므로, 양도금지 특약의 존재를 알지 못하고 채권을 양수한 경우에 있어서 그 알지 못함에 중대한 과실이 있는 때에는 악의의 양수인과 같이 양도에 의한 채권을 취득할 수 없다(채권 이전의 효과가 생기지 아니한다)고 해석하는 것이 상당하다. (이 경우) 제3자의 악의 내지 중과실은 채권양도 금지의 특약으로 양수인에게 대항하려는 자가 이를 주장·입증하여야 한다."는 입장이다(대판(전) 2019.12.19, 2016다24284).

③
> 제450조 제1항 【지명채권양도의 대항요건】 지명채권의 양도는 양도인이 채무자에게 통지하거나 채무자가 승낙하지 아니하면 채무자 기타 제3자에게 대항하지 못한다.

④,⑤
> 제451조 제1항 【승낙, 통지의 효과】 채무자가 이의를 보류하지 아니하고 전조의 승낙을 한 때에는 양도인에게 대항할 수 있는 사유로써 양수인에게 대항하지 못한다. 그러나 채무자가 채무를 소멸하게 하기 위하여 양도인에게 급여한 것이 있으면 이를 회수할 수 있고 양도인에 대하여 부담한 채무가 있으면 그 성립되지 아니함을 주장할 수 있다.

정답 **01** ①

02 **채권양도에 관한 다음 설명 중 가장 옳지 않은 것은?** ▸ 2022 법무사

① 지명채권의 양도통지를 한 후 그 양도계약이 해제된 경우에, 양도인이 그 해제를 이유로 다시 원래의 채무자에 대하여 양도채권으로 대항하려면 양도인이 채무자에게 위와 같은 해제사실을 통지하여야 한다.

② 채권양도에 관한 채무자의 승낙이라 함은 채무자가 채권양도 사실에 관한 인식을 표명하는 것으로서 이른바 관념의 통지에 해당하고, 대리인에 의하여도 위와 같은 승낙을 할 수 있다.

③ 채권가압류의 처분금지의 효력은 본안소송에서 가압류채권자가 승소하여 집행권원을 얻는 등으로 피보전권리의 존재가 확정되는 것을 조건으로 하여 발생하는 것이므로 채권가압류 결정의 채권자가 본안소송에서 승소하는 등으로 집행권원을 취득하는 경우에는 가압류에 의하여 권리가 제한된 상태의 채권을 양수받는 양수인에 대한 채권양도는 무효가 된다.

④ 집합채권의 양도가 양도금지특약에 위반해서 무효인 경우 채무자는 일부 개별 채권을 특정하여 추인하는 것이 가능하고, 이 경우 다른 약정이 없는 한 소급효가 인정되지 않고 양도의 효과는 추인 시부터 발생한다고 할 것이다.

⑤ 소송행위를 하게 하는 것을 주된 목적으로 채권양도가 이루어진 경우 그 채권양도가 신탁 법상의 신탁에 해당하지 않는다고 하여도 신탁법 제6조가 유추적용되므로 이는 무효이다.

(해설) ① 지명채권의 양도통지를 한 후 그 양도계약이 해제된 경우에, 양도인이 그 해제를 이유로 다시 원래의 채무자에 대하여 양도채권으로 대항하려면 양수인이 채무자에게 위와 같은 해제사실을 통지하여야 한다(대판 1993.8.27. 93다17379).

② 대판 2013.6.28. 2011다83110

③ 대판 2002.4.26. 2001다59033

④ 당사자의 양도금지의 의사표시로써 채권은 양도성을 상실하며 양도금지의 특약에 위반해서 채권 을 제3자에게 양도한 경우에 악의 또는 중과실의 채권양수인에 대하여는 채권 이전의 효과가 생기지 아니하나, 악의 또는 중과실로 채권양수를 받은 후 채무자가 그 양도에 대하여 승낙을 한 때에는 채무자의 사후승낙에 의하여 무효인 채권양도행위가 추인되어 유효하게 되며 이 경우 다른 약정이 없는 한 소급효가 인정되지 않고 양도의 효과는 승낙 시부터 발생한다. 이른바 집합 채권의 양도가 양도금지특약을 위반하여 무효인 경우 채무자는 일부 개별 채권을 특정하여 추인 하는 것이 가능하다(대판 2009.10.29. 2009다47685).

⑤ 소송행위를 하게 하는 것을 주된 목적으로 채권양도가 이루어진 경우 그 채권양도가 신탁법상의 신탁에 해당하지 않는다고 하여도 신탁법 제6조가 유추적용되므로 이는 무효이다. 소송행위를 하게 하는 것이 주된 목적인지는 채권양도계약이 체결된 경위와 방식, 양도계약이 이루어진 후 제소에 이르기까지의 시간적 간격, 양도인과 양수인의 신분관계 등 제반 상황에 비추어 판단하여 야 한다(대판 2018.10.25. 2017다272103).

03   채권양도에 관한 다음 설명 중 가장 옳지 않은 것은?   ▶ 2022 법무사

① 민법 제666조에서 정한 수급인의 저당권설정청구권은 공사대금채권을 담보하기 위하여 인정되는 채권적 청구권으로서 공사대금채권에 부수하여 인정되는 권리이므로, 당사자 사이에 공사대금채권만을 양도하고 저당권설정청구권은 이와 함께 양도하지 않기로 약정하였다는 등의 특별한 사정이 없는 한, 공사대금채권이 양도되는 경우 저당권설정청구권도 이에 수반하여 함께 이전된다고 봄이 타당하다.

② 채무자가 양도되는 채권의 성립이나 소멸에 영향을 미치는 사정에 관하여 양수인에게 알려야 할 신의칙상 주의의무가 있다고 볼 만한 특별한 사정이 없는 한, 채무자가 그러한 사정을 알리지 아니하였다고 하여 불법행위가 성립한다고 볼 수 없다.

③ 제3채무자가 질권설정 사실을 승낙한 후 질권설정계약이 합의해지된 경우에, 만일 질권자가 제3채무자에게 질권설정계약의 해지 사실을 통지하였다면, 설사 아직 해지가 되지 아니하였다고 하더라도 선의인 제3채무자는 질권설정자에게 대항할 수 있는 사유로 질권자에게 대항할 수 있다고 봄이 타당하다.

④ 채무자의 채권양도인에 대한 자동채권이 발생하는 기초가 되는 원인이 양도 전에 이미 성립하여 존재하고 그 자동채권이 수동채권인 양도채권과 동시이행의 관계에 있다 하더라도, 양도통지가 채무자에게 도달하여 채권양도의 대항요건이 갖추어진 후에 자동채권이 발생하였다면, 채무자는 동시이행의 항변권을 주장할 수 없고, 따라서 그 채권에 의한 상계로 양수인에게 대항할 수도 없다.

⑤ 양도금지특약부 채권에 대한 전부명령이 유효한 이상, 그 전부채권자로부터 다시 그 채권을 양수한 자가 그 특약의 존재를 알았거나 중대한 과실로 알지 못하였다 하더라도 채무자는 위 특약을 근거로 삼아 채권양도의 무효를 주장할 수 없다.

해설 ① 대판 2018.11.29, 2015다19827 → ※ [참고] : 신축건물의 수급인으로부터 공사대금채권을 양수받은 자의 저당권설정청구에 의하여 신축건물의 도급인이 그 건물에 저당권을 설정하는 행위 역시 다른 특별한 사정이 없는 한 사해행위에 해당하지 아니한다.

② 대판 2015.12.24, 2014다49241 → 왜냐하면 채권의 내용이나 양수인의 권리 확보에 위험을 초래할 만한 사정을 조사, 확인할 책임은 원칙적으로 양수인 자신에게 있기 때문이다.

③ 대판 2014.4.10, 2013다76192

④ 채권양도에 의하여 채권은 그 동일성을 유지하면서 양수인에게 이전되고, 채무자는 양도통지를 받은 때까지 양도인에 대하여 생긴 사유로써 양수인에게 대항할 수 있다(민법 제451조 제2항). 따라서 채무자의 채권양도인에 대한 자동채권이 발생하는 **기초가 되는 원인이** 양도 전에 **이미 성립**하여 **존재하고** 자동채권이 수동채권인 양도채권과 **동시이행의 관계에 있는 경우**에는, **양도통지가 채무자에게 도달하여 채권양도의 대항요건이 갖추어진 후에 자동채권이 발생하였다고 하더라도 채무자는 동시이행의 항변권을 주장할 수 있고,** 따라서 그 채권에 의한 **상계로 양수인에게 대항할 수 있다**(대판 2015.4.9, 2014다80945).

정답 02 ① 03 ④

⑤ 대판 2003.12.11, 2001다3771 → ※ [참고] : 당사자 사이에 <u>양도금지의 특약이 있는 채권이라도</u> <u>압류 및 전부명령에 의하여 이전할 수 있고, 양도금지의 특약이 있는 사실에 관하여 압류채권자가</u> <u>선의인가 악의인가는 전부명령의 효력에 영향을 미치지 못한다</u>(대판 1976.10.29, 76다1623).

04 채권양도에 관한 다음 설명 중 가장 옳지 않은 것은?

▸ 2024 법무사

① 양도인이 지명채권을 제1양수인에게 1차로 양도한 다음 제1양수인이 그에 따라 확정일자 있는 증서에 의한 대항요건을 적법하게 갖추었다면 이로써 채권이 제1양수인에게 이전하고 양도인은 채권에 대한 처분권한을 상실하므로, 그 후 양도인이 동일한 채권을 제2양수인에게 양도하였더라도 제2양수인은 채권을 취득할 수 없다. 다만, 제2차 양도계약 후 양도인과 제1양수인이 제1차 양도계약을 합의해지한 다음 제1양수인이 그 사실을 채무자에게 통지함으로써 채권이 다시 양도인에게 귀속하게 되었다면, 양도인이 처분권한 없이 한 제2차 양도계약이 채권양도로서 유효하게 될 수 있다.

② 당사자의 의사표시에 의한 채권양도금지 특약은 제3자가 악의인 경우는 물론 제3자가 채권양도금지 특약을 알지 못한 데에 중대한 과실이 있는 경우에도 채권양도금지 특약으로써 대항할 수 있고, 제3자의 악의 내지 중과실은 채권양도금지 특약으로 양수인에게 대항하려는 자가 이를 주장·증명하여야 한다.

③ 민법 제449조 제2항 단서는 채권양도금지 특약으로써 대항할 수 없는 자를 '선의의 제3 자'라고만 규정하고 있어 채권자로부터 직접 양수한 자만을 가리키는 것으로 해석할 이유는 없으므로, 악의의 양수인으로부터 다시 선의로 양수한 전득자도 위 조항에서의 선의의 제3자에 해당한다.

④ 지명채권양도에 있어서 확정일자 있는 증서에 의한 통지나 승낙은 제3자에 대한 대항요건에 불과하고 채권양도의 유효요건은 아니며, 여기서 채무자 이외의 제3자라 함은 당해 채권에 관하여 양수인의 지위와 양립할 수 없는 법률상 지위를 취득한 자를 말하는 것이므로, 당해 채권을 양수한 양수인에게까지 확정일자 있는 증서에 의한 통지나 승낙이 대항요건으로 필요한 것은 아니라고 할 것이다.

⑤ 채권양도의 통지는 채무자에게 도달됨으로써 효력이 발생하는 것이고, 여기서 도달이라 함은 사회통념상 상대방이 통지의 내용을 알 수 있는 객관적 상태에 놓여졌다고 인정되는 상태를 가리킨다. 이와 같이 도달은 보다 탄력적인 개념으로서 송달장소나 수송달자 등의 면에서 민사소송법상의 송달에서와 같은 엄격함은 요구되지 아니하며, 이에 따라 송달장소 등에 관한 민사소송법의 규정을 유추적용할 것이 아니다.

> **해설** ① 양도인이 지명채권을 제1양수인에게 1차로 양도한 다음 제1양수인이 그에 따라 확정일자 있는 증서에 의한 대항요건을 적법하게 갖추었다면 이로써 채권이 제1양수인에게 이전하고 양도인은 채권에 대한 처분권한을 상실하므로, 그 후 양도인이 동일한 채권을 제2양수인에게 양도하였더라도 제2양수인은 채권을 취득할 수 없다. 이 경우 양도인이 다른 채무를 담보하기 위하여 제1차 양도계약을 하였더라도 대외적으로 채권이 제1양수인에게 이전되어 제1양수인이 채권을 취득하

게 되므로 그 후에 이루어진 제2차 양도계약에 따라 제2양수인이 채권을 취득하지 못하게 됨은
마찬가지이다. 또한 제2차 양도계약 후 양도인과 제1양수인이 제1차 양도계약을 합의해지한 다
음 제1양수인이 그 사실을 채무자에게 통지함으로써 채권이 다시 양도인에게 귀속하게 되었더라
도 특별한 사정이 없는 한 양도인이 처분권한 없이 한 제2차 양도계약이 채권양도로서 유효하게
될 수는 없으므로, 그로 인하여 제2양수인이 당연히 채권을 취득하게 된다고 볼 수는 없다(대판
2016.7.14, 2015다46119).

② 당사자의 의사표시에 의한 채권양도금지 특약은 제3자가 악의인 경우는 물론 제3자가 채권양도
금지 특약을 알지 못한 데에 중대한 과실이 있는 경우에도 채권양도금지 특약으로써 대항할 수
있고, 제3자의 악의 내지 중과실은 채권양도금지 특약으로 양수인에게 대항하려는 자가 이를 주
장·증명하여야 한다(대판 2010.5.13, 2010다8310, 대판(전) 2019.12.19, 2016다24284).

③ 당사자의 의사표시에 의한 채권양도금지 특약은 제3자가 악의인 경우는 물론 제3자가 채권양도금
지 특약을 알지 못한 데에 중대한 과실이 있는 경우에도 채권양도금지 특약으로써 대항할 수 있
고, 제3자의 악의 내지 중과실은 채권양도금지 특약으로 양수인에게 대항하려는 자가 이를 주장
·증명하여야 한다. 그리고 민법 제449조 제2항 단서는 채권양도금지 특약으로써 대항할 수 없는
자를 '선의의 제3자'라고만 규정하고 있어 채권자로부터 직접 양수한 자만을 가리키는 것으로 해
석할 이유는 없으므로, 악의의 양수인으로부터 다시 선의로 양수한 전득자도 위 조항에서의 선의
의 제3자에 해당한다. 또한 선의의 양수인을 보호하고자 하는 위 조항의 입법 취지에 비추어 볼
때, 이러한 선의의 양수인으로부터 다시 채권을 양수한 전득자는 선의·악의를 불문하고 채권을
유효하게 취득한다(대판 2015.4.9, 2012다118020).

④ 지명채권양도에 있어서 확정일자 있는 증서에 의한 통지나 승락은 제3자에 대한 대항요건에 불
과하고 채권양도의 유효요건은 아니며, 여기서 채무자 이외의 제3자라 함은 당해 채권에 관하여
양수인의 지위와 양립할 수 없는 법률상 지위를 취득한 자를 말하는 것이므로 당해 채권을 양수
한 양수인에게까지 확정일자 있는 증서에 의한 통지나 승락이 대항요건으로 필요한 것은 아니라
고 할 것이다(대판 1983.2.22, 81다134·135·136).

⑤ 대판 2011.1.13, 2010다77477

05 채무인수에 관한 다음 설명 중 가장 옳지 않은 것은? ▸ 2021 법무사

① 면책적 채무인수는 채무자와 인수인 사이의 계약으로도 할 수 있으며, 이 경우 채권자의
승낙이 있어야 그 효력이 발생한다.

② 면책적 채무인수에서 채권자가 승낙을 거절하면 그 이후에는 채권자가 다시 승낙하여도
채무인수로서의 효력이 생기지 않는다.

③ 채무자와 인수인 사이의 면책적 채무인수약정에 대해 채권자의 승낙이 있는 경우 채무자
가 자신의 채무를 담보하기 위해 설정하였던 저당권은 원칙적으로 소멸한다.

④ 부동산의 매수인이 매매목적물에 관한 임대차보증금 반환채무를 인수하는 한편 그 채무
액을 매매대금에서 공제하기로 약정한 경우 이에 대해 채권자인 임차인의 승낙이 있다면
면책적 채무인수로 볼 수 있다.

정답 ▸ 04 ① 05 ③

⑤ 중첩적 채무인수에서 인수인이 채무자의 부탁 없이 채권자와의 계약으로 채무를 인수하는 것은 매우 드문 일이므로 채무자와 인수인은 원칙적으로 주관적 공동관계가 있는 연대채무관계에 있고, 인수인이 채무자의 부탁을 받지 아니하여 주관적 공동관계가 없는 경우에는 부진정연대관계에 있는 것으로 보아야 한다.

해설 ① 제454조 제1항【채무자와의 계약에 의한 채무인수】제3자가 채무자와의 계약으로 채무를 인수한 경우에는 채권자의 승낙에 의하여 그 효력이 생긴다.

② 채권자의 승낙에 의하여 채무인수의 효력이 생기는 경우, 채권자가 승낙을 거절하면 그 이후에는 채권자가 다시 승낙하여도 채무인수로서의 효력이 생기지 않는다(대판 1998.11.24, 98다33765).

③ 채무자가 스스로 담보물을 제공한 경우에는 인수계약이 채무자와 인수인 사이에 의해 체결된 것이면 제459조 단서를 유추적용하여 소멸하지 않는다(통설). 참고할 판례도 면책적 채무인수라 함은 채무의 동일성을 유지하면서 이를 종래의 채무자로부터 제3자인 인수인에게 이전하는 것을 목적으로 하는 계약을 말하는바, 채무인수로 인하여 인수인은 종래의 채무자와 지위를 교체하여 새로이 당사자로서 채무관계에 들어서서 종래의 채무자와 동일한 채무를 부담하고 동시에 종래의 채무자는 채무관계에서 탈퇴하여 면책되는 것일 뿐 종래의 채무가 소멸하는 것이 아니므로, 채무인수로 종래의 채무가 소멸하였으니 저당권의 부종성으로 인하여 당연히 소멸한 채무를 담보하는 저당권도 소멸한다는 법리는 성립하지 않는다고 하였다(대판 1996.10.11, 96다27476).

④ 부동산의 매수인이 매매 목적물에 관한 임대차보증금 반환채무 등을 인수하는 한편, 그 채무액을 매매대금에서 공제하기로 약정한 경우, 그 인수는 특별한 사정이 없는 이상 매도인을 면책시키는 면책적 채무인수가 아니라 이행인수로 보아야 하고, 면책적 채무인수로 보기 위하여는 이에 대한 채권자 즉, 임차인의 승낙이 있어야 한다(대판 2001.4.27, 2000다69026).

⑤ 중첩적 채무인수에서 인수인이 채무자의 부탁 없이 채권자와의 계약으로 채무를 인수하는 것은 매우 드문 일이므로 채무자와 인수인은 원칙적으로 주관적 공동관계가 있는 연대채무관계에 있고, 인수인이 채무자의 부탁을 받지 아니하여 주관적 공동관계가 없는 경우에는 부진정연대관계에 있는 것으로 보아야 한다(대판 2009.8.20, 2009다32409).

01 채권양도에 관한 다음 설명 중 가장 옳은 것은?

▶ 2025 법무사

① 채권의 양수인이 채권양도의 대항요건을 갖추지 못하여 채무자에게 대항하지 못하는 상태에서 채무자를 상대로 재판상의 청구를 하였다면 이는 소멸시효 중단사유인 재판상의 청구에 해당한다고 볼 수 없다.

② 주채무자에 대한 채권이 이전되면 당사자 사이에 별도의 특약이 없는 한 보증인에 대한 채권도 함께 이전하지만, 채권양도의 대항요건은 주채무자와 별도로 보증인에 대하여도 구비하여야 보증인에게 대항할 수 있게 된다.

③ 매매로 인한 소유권이전등기청구권 같은 지명채권의 양도는 양도인이 채무자에게 통지하거나 채무자가 승낙하지 아니하면 채무자 기타 제3자에게 대항하지 못한다.

④ 양도금지의 특약이 붙은 채권이 양도된 경우에 양수인의 악의 또는 중과실에 관한 증명책임은 채무자가 부담하므로 채무자는 특별한 사정이 없는 한 민법 제487조 후단의 채권자 불확지를 원인으로 하여 변제공탁을 할 수 없다.

⑤ 계약인수는 개별 채권·채무의 이전을 목적으로 하는 것이 아니라 다수의 채권·채무를 포함한 계약당사자로서의 지위의 포괄적 이전을 목적으로 하는 것으로서, 채무자 보호를 위해 개별 채권양도에서 요구되는 대항요건은 계약 인수에서는 별도로 요구되지 않는다.

> **해설** ① 채권양도는 구 채권자인 양도인과 신 채권자인 양수인 사이에 채권을 그 동일성을 유지하면서 전자로부터 후자에게로 이전시킬 것을 목적으로 하는 계약을 말한다 할 것이고, 채권양도에 의하여 채권은 그 동일성을 잃지 않고 양도인으로부터 양수인에게 이전되며, 이러한 법리는 채권양도의 대항요건을 갖추지 못하였다고 하더라도 마찬가지인 점, 민법 제149조의 "조건의 성취가 미정한 권리의무는 일반규정에 의하여 처분, 상속, 보존 또는 담보로 할 수 있다."는 규정은 대항요건을 갖추지 못하여 채무자에게 대항하지 못한다고 하더라도 채권양도에 의하여 채권을 이전받은 양수인의 경우에도 그대로 준용될 수 있는 점, 채무자를 상대로 재판상의 청구를 한 채권의 양수인을 '권리 위에 잠자는 자'라고 할 수 없는 점 등에 비추어 보면, 비록 대항요건을 갖추지 못하여 채무자에게 대항하지 못한다고 하더라도 채권의 양수인이 채무자를 상대로 재판상의 청구를 하였다면 이는 소멸시효 중단사유인 재판상의 청구에 해당한다고 보아야 한다(대판 2005.11.10, 2005다41818).
>
> ② 보증채무는 주채무에 대한 부종성 또는 수반성이 있어서 주채무자에 대한 채권이 이전되면 당사자 사이에 별도의 특약이 없는 한 보증인에 대한 채권도 함께 이전하고, 이 경우 채권양도의 대항요건도 주채권의 이전에 관하여 구비하면 족하고, 별도로 보증채권에 관하여 대항요건을 갖출 필요는 없다(대판 2002.9.10, 2002다21509).
>
> ③ 부동산의 매매로 인한 소유권이전등기청구권은 물권의 이전을 목적으로 하는 매매의 효과로서 매도인이 부담하는 재산권이전의무의 한 내용을 이루는 것이고, 매도인이 물권행위의 성립요건을 갖추도록 의무를 부담하는 경우에 발생하는 채권적 청구권으로 그 이행과정에 신뢰관계가 따르므로, 소유권이전등기청구권을 매수인으로부터 양도받은 양수인은 매도인이 그 양도에 대하여 동

정답 ▶ **01 ⑤**

의하지 않고 있다면 매도인에 대하여 채권양도를 원인으로 하여 소유권이전등기절차의 이행을 청구할 수 없고, 따라서 매매로 인한 소유권이전등기청구권은 특별한 사정이 없는 이상 그 권리의 성질상 양도가 제한되고 그 양도에 채무자의 승낙이나 동의를 요한다고 할 것이므로 통상의 채권양도와 달리 양도인의 채무자에 대한 통지만으로는 채무자에 대한 대항력이 생기지 않으며 반드시 채무자의 동의나 승낙을 받아야 대항력이 생긴다(대판 2005.3.10, 2004다67653).

④ 채권양도금지특약에 반하여 채권양도가 이루어진 경우, 그 양수인이 양도금지특약이 있음을 알았거나 중대한 과실로 알지 못하였던 경우에는 채권양도는 효력이 없게 되고, 반대로 양수인이 중대한 과실 없이 양도금지특약의 존재를 알지 못하였다면 채권양도는 유효하게 되어 채무자로서는 양수인에게 양도금지특약을 가지고 그 채무이행을 거절할 수 없게 되어 양수인의 선의, 악의 등에 따라 양수채권의 채권자가 결정되는바, 이와 같이 양도금지의 특약이 붙은 채권이 양도된 경우에 양수인의 악의 또는 중과실에 관한 입증책임은 채무자가 부담하지만, 그러한 경우에도 채무자로서는 양수인의 선의 등의 여부를 알 수 없어 과연 채권이 적법하게 양도된 것인지에 관하여 의문이 제기될 여지가 충분히 있으므로 특별한 사정이 없는 한 민법 제487조 후단의 채권자 불확지를 원인으로 하여 변제공탁을 할 수 있다(대판 2000.12.22, 2000다55904).

⑤ 계약인수는 개별 채권·채무의 이전을 목적으로 하는 것이 아니라 다수의 채권·채무를 포함한 계약당사자로서의 지위의 포괄적 이전을 목적으로 하는 것으로서 계약당사자 3인의 관여에 의해 비로소 효력을 발생하는 반면, 개별 채권의 양도는 채권양도인과 양수인 2인만의 관여로 성립하고 효력을 발생하는 등 양자가 법적인 성질과 요건을 달리하므로, 채무자 보호를 위해 개별 채권 양도에서 요구되는 대항요건은 계약인수에서는 별도로 요구되지 않는다(대판 2020.12.10, 2020다245958).

채권의 소멸

기본문제 | **기본문제의 구성**

01 대위변제에 관한 다음 설명 중 가장 옳지 않은 것은?　　　　▶ 2022 법무사

① 보증인은 피보증인의 채무를 변제할 정당한 이익이 있는 자로서 그 변제로 인하여 당연히 채권자를 대위할 법정대위권이 있는 것이므로 다른 특단의 사정이 없는 한 채권자가 고의나 과실로 담보를 상실하게 하거나 감소되게 한 때에는 보증인의 대위권을 침해한 것이 되어 보증인은 민법 제485조에 의하여 그 상실 또는 감소로 인하여 상환을 받을 수 없는 한도에서 그 면책주장을 할 수 있다.

② 변제할 정당한 이익이 있는 사람이 채무자를 위하여 채권의 일부를 대위변제할 경우에 대위변제자는 변제한 가액의 범위 내에서 종래 채권자가 가지고 있던 채권 및 담보에 관한 권리를 취득하므로, 채권자가 부동산에 대하여 저당권을 가지고 있는 경우에는 채권자는 대위변제자에게 일부 대위변제에 따른 저당권 일부 이전의 부기등기를 할 의무를 진다.

③ 제3자가 유효하게 채무자가 부담하는 채무를 변제한 경우에 채무자와 계약관계가 있으면 그에 따라 구상권을 취득하고, 그러한 계약관계가 없으면 특별한 사정이 없는 한 민법 제734조 제1항에서 정한 사무관리가 성립하여 민법 제739조에 정한 사무관리비용의 상환청구권에 따라 구상권을 취득한다.

④ 변제할 정당한 이익이 있는 수인이 시기를 달리하여 근저당권의 피담보채권의 일부씩을 대위변제한 경우 그들은 각 일부 대위변제자로서 그 변제한 가액에 비례하여 근저당권을 준공유하고 있다고 보아야 하고, 그 근저당권을 실행하여 배당함에 있어서는 다른 특별한 사정이 없는 한 먼저 대위변제한 순서대로 배당하여야 한다.

⑤ 근저당권은 계속적인 거래관계로부터 발생·소멸하는 불특정다수의 채권 중 그 결산기에 잔존하는 채권을 일정한 한도액의 범위 내에서 담보하는 것으로서 그 거래가 종료하기까지 그 피담보채권은 계속적으로 증감·변동하는 것이므로, 근저당 거래관계가 계속되는 관계로 근저당권의 피담보채권이 확정되지 아니하는 동안에는 그 채권의 일부가 대위변제되었다 하더라도 그 근저당권이 대위변제자에게 이전될 수 없다.

> **해설**　① 보증인은 피보증인의 채무를 변제할 정당한 이익이 있는 자로서 그 변제로 인하여 당연히 채권자를 대위할 법정대위권이 있는 것이므로 다른 특단의 사정이 없는 한 채권자가 고의나 과실로 담보를 상실하게 하거나 감소되게 한 때에는 보증인의 대위권을 침해한 것이 되어 보증인은 민법 제485조에 의하여 그 상실 또는 감소로 인하여 상환을 받을 수 없는 한도에서 그 면책주장을 할 수 있다(대판 1996.12.6, 96다35774).

정답　**01** ④

② 변제할 정당한 이익이 있는 자가 채무자를 위하여 채권의 일부를 대위변제할 경우에 대위변제자는 변제한 가액의 범위 내에서 종래 채권자가 가지고 있던 채권 및 담보에 관한 권리를 취득하게 되고 따라서 채권자가 부동산에 대하여 저당권을 가지고 있는 경우에는 채권자는 대위변제자에게 일부 대위변제에 따른 저당권의 일부이전의 부기등기를 경료해 주어야 할 의무가 있다 할 것이나, 이 경우에도 채권자는 일부 대위변제자에 대하여 우선변제권을 가지고 있다(대판 1988.9.27, 88다카1797).

③ 제3자가 유효하게 채무자가 부담하는 채무를 변제한 경우에 채무자와 계약관계가 있으면 그에 따라 구상권을 취득하고, 그러한 계약관계가 없으면 특별한 사정이 없는 한 민법 제734조 제1항에서 정한 사무관리가 성립하여 민법 제739조에 정한 사무관리비용의 상환청구권에 따라 구상권을 취득한다(대판 2022.3.17, 2021다276539).

④ 수인이 시기를 달리하여 채권의 일부씩을 대위변제한 경우 그들은 각 일부 대위변제자로서 그 변제한 가액에 비례하여 근저당권을 준공유하고 있다고 보아야 하고, 그 근저당권을 실행하여 배당함에 있어서는 다른 특별한 사정이 없는 한 각 변제채권액에 비례하여 안분 배당하여야 한다(대판 2006.2.10, 2004다2762).

⑤ 대판 2000.12.26, 2000다54451

02 변제에 관한 다음 설명 중 가장 옳지 않은 것은?

▶ 2023 법무사

① 채무담보 목적의 가등기가 경료되어 있는 부동산을 시효취득하여 소유권이전등기청구권을 취득한 자가 그 등기를 경료하지 못하던 중에 채권자가 청산절차를 거치지 아니하고 위 가등기에 기하여 본등기를 경료하였다면 그는 부동산 소유자에 대한 소유권이전등기청구권을 보전하기 위하여 위 소유자를 대위하여 그의 채권자에게 위 채무를 변제할 법률상의 권한이 있어 이해관계 있는 제3자에 해당한다.

② 확정판결에 대한 청구이의 사유는 그 확정판결의 변론 종결 후에 생긴 것이어야 하므로, 확정판결의 변론 종결 전에 이루어진 일부이행을 채권자가 변론 종결 후 수령함으로써 변제의 효력이 발생한 경우 그 한도 내에서도 청구 이의 사유가 될 수는 없다.

③ 효력규정인 강행법규에 위반되는 계약을 체결한 자가 그 약정의 효력이 부인된다는 사실을 알지 못한 탓에 그 약정에 따라 변제수령권을 갖는 것처럼 외관을 갖게 된 자에게 변제를 한 경우에는, 특별한 사정이 없는 한 과실에 기인한 변제이므로 채권의 준점유자에 대한 변제로서 유효하다고 볼 수 없다.

④ 채무자(乙)가 제3채무자(丙)에 대하여 가지고 있던 채권에 관하여 제3자(丁) 앞으로 대항력 있는 채권양도가 이루어진 후 乙이 丁의 승낙 없이 임의로 丙에게 채권양도철회의 통지를 한 상태에서 乙에 대한 채권자(甲)가 위 채권에 대하여 채권압류 및 전부명령을 받고 이어 甲이 제기한 전부금소송에서 丙이 패소판결을 받고 甲에게 그 금원을 지급한 경우, 법률전문가가 아닌 丙이 甲이 유효하게 채권을 전부받은 채권자인 것으로 오인한 데 대하여 과실이 있다고 볼 수 없으므로 丙의 甲에 대한 변제는 채권의 준점유자에 대한 변제로서 유효하다.

⑤ 채무자는 변제의 제공이 있는 때로부터 채무불이행의 책임을 면하지만, 금전채무의 경우 현실제공은 특별한 사정이 없는 한 채권자가 급부를 즉시 수령할 수 있는 상태에 있어야만 인정될 수 있다. 따라서 채무자가 채무내용에 좇은 급부를 제공하면서도 채권자가 그 급부를 즉시 수령하기 어려운 장애요인을 형성·유지한 경우에는 현실제공이 있다고 할 수 없다.

해설 ① 대판 1991.7.12, 90다17774

② 확정판결에 대한 청구이의 사유는 그 확정판결의 변론 종결 후에 생긴 것이어야 한다. 그러나 **확정판결의 변론 종결 전에 이루어진 일부이행을 채권자가 변론 종결 후 수령함으로써 변제의 효력이 발생한 경우**에는 **그 한도 내에서 청구이의 사유가 될 수 있다**고 보아야 한다(대판 2009.10.29, 2008다51359).

③ 대판 2004.6.11, 2003다1601

④ 대판 1997.3.11, 96다44747 → 법률전문가가 아닌 丙으로서는 乙의 채권양도철회통지로 인하여 채권양도가 없었던 것과 같이 되었다고 믿을 수밖에 없었고, 더욱이 甲이 제기한 전부금청구의 소에서 전부명령의 효력을 적극 다투었다가 패소판결을 선고받았다면, 丙은 甲이 유효하게 임대보증금반환채권을 전부받은 채권자인 것으로 오인한 데 대하여 과실이 있다고 볼 수 없고, 따라서 丙의 甲에 대한 변제는 유효하다고 본 사례이다.

⑤ 대판 2012.10.11, 2011다17403

03 변제공탁에 관한 다음 설명 중 가장 옳지 않은 것은?

▸ 2023 법무사

① 변제공탁의 목적인 채무는 현존하는 확정채무여야 하지만, 그 의미는 장래의 채무나 불확정채무는 원칙적으로 변제공탁의 목적이 되지 못한다는 것일 뿐, 채무자에 대한 각 채권자의 채권이 동일한 채권이어야 한다는 의미는 아니다.

② 변제공탁이 적법한 경우에는 채권자가 공탁물 출급청구를 하였는지 여부와는 관계없이 공탁을 한 때에 변제의 효력이 발생하나, 피공탁자를 포함한 제3자가 공탁자에 대하여 가지는 별도 채권의 집행권원으로써 공탁자의 공탁물 회수청구권에 대하여 압류 및 추심명령을 받아 그 집행으로 공탁물을 회수한 경우 채권소멸의 효력은 소급하여 없어진다.

③ 채권자에게 반대급부 기타 조건의 이행의무가 없음에도 불구하고 채무자가 그와 같은 조건으로 변제공탁을 한 때에는 채권자가 이를 수락하였다고 하더라도 그 변제공탁은 무효이다.

④ 채권자의 태도로 보아 채무자가 설령 채무의 이행제공을 하였더라도 그 수령을 거절하였을 것이 명백한 경우에는 채무자는 이행의 제공을 하지 않고 바로 변제공탁할 수 있다.

⑤ 채무자가 채무액의 일부만을 변제공탁하였으나 그 후 부족분을 추가로 공탁하였다면 그 때부터는 전 채무액에 대하여 유효한 공탁이 이루어진 것으로 볼 수 있고, 이 경우 채권자가 공탁물수령의 의사표시를 하기 전이라면 추가공탁을 하면서 제1차 공탁 시에 지정된 공탁의 목적인 채무의 내용을 변경하는 것도 허용될 수 있다.

정답 02 ② 03 ③

해설 ① 대판 2014.12.24, 2014다207245

② 대판 2020.5.22, 2018마5697

③ 변제공탁에 있어서 채권자에게 반대급부 기타 조건의 이행의무가 없음에도 불구하고 채무자가 이를 조건으로 공탁한 때에는 **채권자가 이를 수락하지 않는 한 그 변제공탁은 무효이다**(대판 2002.12.6, 2001다2846). → ※ [참고] : 반대급부의 이행의무 없는 채권자에 대한 조건부 변제공탁의 효력 : 채권자의 승낙이 없는 한 무효(대판 1970.9.22, 70다1061)

④ 대판 1981.9.8, 80다2851

⑤ 대판 1991.12.27, 91다35670

04 다음 설명 중 가장 옳은 것은?

▶ 2022 법무사

① 채권의 일부에 대한 대위변제가 있는 때에는 채권자는 채권증서에 그 대위를 기입한 후 그 채권증서 및 점유한 담보물을 대위자에게 교부하여야 한다.

② 변제공탁은 제3자를 위한 계약의 일종이므로, 채권자의 수익의 의사표시가 있는 때에 공탁의 효력이 발생한다.

③ 경개로 인한 신채무가 원인의 불법 또는 당사자가 알지 못한 사유로 인하여 성립되지 아니하거나 취소된 때에는 구채무는 소멸되지 아니한다.

④ 경개계약은 신채권을 성립시키고 구채권을 소멸시키는 처분행위로서 신채권이 성립되면 그 효과는 완결되고 경개계약 자체의 이행의 문제는 발생할 여지가 없으므로 경개에 의하여 성립된 신채무의 불이행을 이유로 경개계약을 해제할 수는 없고, 경개계약의 성립 후에 그 계약을 합의해제하여 구채권을 부활시키는 것은 당사자 사이에서도 불가능하다.

⑤ 부적법한 변제공탁으로 변제의 효력이 발생하지 않았다면 피공탁자는 이를 수락하여 공탁물 출급청구를 할 수도 없고, 공탁자에 대한 다른 채권에 기하여 공탁자의 공탁물 회수 청구권에 대하여 압류 및 추심명령을 받아 그 집행으로 공탁물을 회수할 수도 없다.

해설 ① 제484조【대위변제와 채권증서, 담보물】① 채권전부의 대위변제를 받은 채권자는 그 채권에 관한 증서 및 점유한 담보물을 대위자에게 교부하여야 한다.

② 채권의 일부에 대한 대위변제가 있는 때에는 채권자는 채권증서에 그 대위를 기입하고 자기가 점유한 담보물의 보존에 관하여 대위자의 감독을 받아야 한다.

② 변제공탁은 제3자를 위한 임치계약으로 보아 제3자를 위한 계약의 일종으로 본다. 그러나 공탁을 한 때에 변제의 효력이 발생하고, 제3자의 수익의 의사표시는 필요하지 않다고 본다.

③ 제504조【구채무불소멸의 경우】경개로 인한 신채무가 원인의 불법 또는 당사자가 알지 못한 사유로 인하여 성립되지 아니하거나 취소된 때에는 구채무는 소멸되지 아니한다.

④ 경개계약은 신채권을 성립시키고 구채권을 소멸시키는 처분행위로서 신채권이 성립되면 그 효과는 완결되고 경개계약 자체의 이행의 문제는 발생할 여지가 없으므로 경개에 의하여 성립된 신채무의 불이행을 이유로 경개계약을 해제할 수는 없다. (그러나) 계약자유의 원칙상 경개계약의 성립 후에 그 계약을 합의해제하여 구채권을 부활시키는 것은 적어도 당사자 사이에서는 가능하다(대판 2003.2.11, 2002다62333).

⑤ 부적법한 변제공탁으로 변제의 효력이 발생하지 않았다고 하더라도, 피공탁자는 이를 수락하여 공탁물 출급청구를 할 수 있고, 그 대신 공탁자에 대한 다른 채권에 기하여 공탁자의 공탁물 회수청구권에 대하여 압류 및 추심명령을 받아 그 집행으로 공탁물을 회수할 수도 있다(대결 2020.5.22, 2018마5697).

05 다음 설명 중 가장 옳지 않은 것은?

▶ 2023 법무사

① 경개계약은 신채권을 성립시키고 구채권을 소멸시키는 처분행위로서 신채권이 성립되면 그 효과는 완결되고 경개계약 자체의 이행의 문제는 발생할 여지가 없으므로 경개에 의하여 성립된 신채무의 불이행을 이유로 경개계약을 해제할 수는 없다.

② 기존의 채권이 제3자에게 이전된 경우 이를 채권의 양도로 볼 것인가 또는 경개로 볼 것인가는 일차적으로 당사자의 의사에 의하여 결정되고, 만약 당사자의 의사가 명백하지 아니할 때에는 일반적으로 채권의 양도로 볼 것이다.

③ 기존채무와 관련하여 새로운 약정을 체결한 경우에 그러한 약정이 경개에 해당하는 것인지 아니면 단순히 기존채무의 변제기나 변제방법 등을 변경한 것인지는 당사자의 의사에 의하여 결정되고, 만약 당사자의 의사가 명백하지 아니할 때에는 의사해석의 문제로 귀착되는 것으로서, 이러한 당사자의 의사를 해석함에 있어서는 새로운 약정이 이루어지게 된 동기 및 경위, 당사자가 그 약정에 의하여 달성하려고 하는 목적과 진정한 의사 등을 종합적으로 고찰하여 사회정의와 형평의 이념에 맞도록 논리와 경험의 법칙, 그리고 사회일반의 상식과 거래의 통념에 따라 합리적으로 해석하여야 한다.

④ 채무자가 부담한 구채무의 일부가 이자제한법 위반으로 무효라고 하더라도 경개계약을 체결한 경우 그 부분에 관하여 효력이 발생하지 않는다고 할 수 없다.

⑤ 현실적인 자금의 수수 없이 형식적으로만 신규대출을 하여 기존채무를 변제하는 이른바 대환은 특별한 사정이 없는 한 형식적으로는 별도의 대출에 해당하나 실질적으로는 기존채무의 변제기의 연장에 불과하여 경개라고 할 수 없다.

해설 ① 대판 2003.2.11, 2002다62333

② 대판 1996.7.9, 96다16612

③ 대판(전합) 2019.10.23, 2012다46170

④ 계약상의 이자로서 **이자제한법 소정의 제한이율을 초과하는 부분은 무효이고** 이러한 제한초과의 이자에 대하여 준소비대차계약 또는 경개계약을 체결하더라도 **그 초과 부분에 대하여는 효력이 생기지 아니한다**(대판 1998.10.13, 98다17046).

⑤ 대판 2012.2.23, 2011다76426 → 대환의 법적 성질 = 준소비대차

정답 04 ④ 05 ④

06 다음 설명 중 가장 옳지 않은 것은?

▶ 2021 법무사

① 상계는 당사자 쌍방이 서로 같은 종류를 목적으로 한 채무를 부담한 경우에 서로 같은 종류의 급부를 현실로 이행하는 대신 어느 일방 당사자의 의사표시로 그 대등액에 관하여 채권과 채무를 동시에 소멸시키는 것이고, 이러한 상계제도의 취지는 서로 대립하는 두 당사자 사이의 채권·채무를 간이한 방법으로 원활하고 공평하게 처리하려는 데 있다. 따라서 수동채권으로 될 수 있는 채권은 상대방이 상계자에 대하여 가지는 채권에 한정되지 않고, 상대방이 제3자에 대하여 가지는 채권과도 상계할 수 있다고 보아야 한다.

② 타인의 채무를 담보하기 위하여 그 소유의 부동산에 저당권을 설정한 물상보증인이 타인의 채무를 변제하거나 저당권의 실행으로 저당물의 소유권을 잃은 때에는 채무자에 대하여 구상권을 취득한다(민법 제370조, 제341조). 그런데 구상권 취득의 요건인 '채무의 변제'라 함은 채무의 내용인 급부가 실현되고 이로써 채권이 그 목적을 달성하여 소멸하는 것을 의미하므로, 기존 채무가 동일성을 유지하면서 인수 당시의 상태로 종래의 채무자로부터 인수인에게 이전할 뿐 기존 채무를 소멸시키는 효력이 없는 면책적 채무인수는 설령 이로 인하여 기존 채무자가 채무를 면한다고 하더라도 이를 가리켜 채무가 변제된 경우에 해당한다고 할 수 없다. 따라서 채무인수의 대가로 기존 채무자가 물상보증인에게 어떤 급부를 하기로 약정하였다는 등의 사정이 없는 한 물상보증인이 기존 채무자의 채무를 면책적으로 인수하였다는 것만으로 물상보증인이 기존 채무자에 대하여 구상권 등의 권리를 가진다고 할 수 없다.

③ 일반적으로 당사자 사이에 상계적상이 있는 채권이 병존하고 있는 경우에는 이를 상계할 수 있는 것이 원칙이고, 이러한 상계의 대상이 되는 채권은 상대방과 사이에서 직접 발생한 채권에 한하는 것이 아니라 제3자로부터 양수 등을 원인으로 하여 취득한 채권도 포함한다. 또한 당사자가 상계의 대상이 되는 채권이나 채무를 취득하게 된 목적과 경위, 상계권을 행사함에 이른 구체적·개별적 사정에 비추어, 그것이 상계 제도의 목적이나 기능을 일탈하고, 법적으로 보호받을 만한 가치가 없는 경우에는, 그 상계권의 행사는 신의칙에 반하거나 상계에 관한 권리를 남용하는 것으로서 허용되지 않는다고 함이 상당하고, 상계권 행사를 제한하는 위와 같은 근거에 비추어 볼 때 일반적인 권리 남용의 경우에 요구되는 주관적 요건을 필요로 하는 것은 아니다.

④ 민법 제496조는 "채무가 고의의 불법행위로 인한 것인 때에는 그 채무자는 상계로 채권자에게 대항하지 못한다."라고 정하고 있다. 고의에 의한 불법행위의 발생을 방지함과 아울러 고의의 불법행위로 인한 피해자에게 현실의 변제를 받게 하려는 데 이 규정의 취지가 있다. 이 규정은 고의의 불법행위로 인한 손해배상채권을 수동채권으로 한 상계에 관한 것이고 고의의 채무불이행으로 인한 손해배상채권에는 적용되지 않는다. 다만 고의에 의한 행위가 불법행위를 구성함과 동시에 채무불이행을 구성하여 불법행위로 인한 손해배상채권과 채무불이행으로 인한 손해배상채권이 경합하는 경우에는 이 규정을 유추적용할 필요가 있다.

⑤ 당사자 쌍방의 채무가 서로 상계적상에 있다 하더라도, 별도의 의사표시 없이도 상계된 것으로 한다는 특약이 없는 한, 그 자체만으로 상계로 인한 채무 소멸의 효력이 생기는 것은 아니고 상계의 의사표시를 기다려 비로소 상계로 인한 채무소멸의 효력이 생긴다.

해설 ① 상계는 당사자 쌍방이 서로 같은 종류를 목적으로 한 채무를 부담한 경우에 서로 같은 종류의 급부를 현실로 이행하는 대신 어느 일방 당사자의 의사표시로 그 대등액에 관하여 채권과 채무를 동시에 소멸시키는 것이고, 이러한 상계제도의 취지는 서로 대립하는 두 당사자 사이의 채권·채무를 간이한 방법으로 원활하고 공평하게 처리하려는 데 있으므로, 수동채권으로 될 수 있는 채권은 상대방이 상계자에 대하여 가지는 채권이어야 하고, 상대방이 제3자에 대하여 가지는 채권과는 상계할 수 없다고 보아야 한다(대판 2011.4.28, 2010다101394).

② 타인의 채무를 담보하기 위하여 그 소유의 부동산에 저당권을 설정한 물상보증인이 타인의 채무를 변제하거나 저당권의 실행으로 저당물의 소유권을 잃은 때에는 채무자에 대하여 구상권을 취득한다(민법 제370조, 제341조). 그런데 구상권 취득의 요건인 '채무의 변제라 함은 채무의 내용인 급부가 실현되고 이로써 채권이 그 목적을 달성하여 소멸하는 것을 의미하므로, 기존 채무가 동일성을 유지하면서 인수 당시의 상태로 종래의 채무자로부터 인수인에게 이전할 뿐 기존 채무를 소멸시키는 효력이 없는 면책적 채무인수는 설령 이로 인하여 기존 채무자가 채무를 면한다고 하더라도 이를 가리켜 채무가 변제된 경우에 해당한다고 할 수 없다. 따라서 채무인수의 대가로 기존 채무자가 물상보증인에게 어떤 급부를 하기로 약정하였다는 등의 사정이 없는 한 물상보증인이 기존 채무자의 채무를 면책적으로 인수하였다는 것만으로 물상보증인이 기존 채무자에 대하여 구상권 등의 권리를 가진다고 할 수 없다(대판 2019.2.14, 2017다274703).

③ 일반적으로 당사자 사이에 상계적상이 있는 채권이 병존하는 경우 이를 상계할 수 있는 것이 원칙이다. 이러한 상계권자의 지위가 법률상 보호를 받는 것은 상계제도가 서로 대립하는 채권, 채무를 간이한 방법으로 결제함으로써 양자의 채권관계를 원활하고 공평하게 처리함을 목적으로 하고, 상계권을 행사하려고 하는 자에 대하여는 수동채권의 존재가 사실상 자동채권에 대한 담보로서의 기능을 하는 것이어서 그 담보적 기능에 대한 당사자의 합리적 기대가 법적으로 보호받을 만한 가치가 있음에 근거하는 것이다. 따라서 당사자가 상계의 대상이 되는 채권을 취득하거나 채무를 부담하게 된 목적과 경위, 상계권을 행사함에 이른 구체적, 개별적 사정에 비추어, 그것이 위와 같은 상계제도의 목적이나 기능을 일탈하고 법적으로 보호받을 만한 가치가 없는 경우에는 상계권의 행사는 신의칙에 반하거나 상계에 관한 권리를 남용하는 것으로서 허용되지 않는다고 하여야 하고, 상계권의 행사를 제한하는 위와 같은 근거에 비추어 일반적인 권리 남용의 경우에 요구되는 주관적 요건을 필요로 하는 것은 아니다(대판 2013.4.11, 2012다105888).

④ 민법 제496조는 "채무가 고의의 불법행위로 인한 것인 때에는 그 채무자는 상계로 채권자에게 대항하지 못한다."라고 정하고 있다. 고의의 불법행위로 인한 손해배상채권에 대하여 상계를 허용한다면 고의로 불법행위를 한 사람까지도 상계권 행사로 현실적으로 손해배상을 지급할 필요가 없게 되어 보복적 불법행위를 유발하게 될 우려가 있다. 또 고의의 불법행위로 인한 피해자가 가해자의 상계권 행사로 현실의 변제를 받을 수 없는 결과가 됨은 사회적 정의관념에 맞지 않는다. 따라서 고의에 의한 불법행위의 발생을 방지함과 아울러 고의의 불법행위로 인한 피해자에게 현실의 변제를 받게 하려는 데 이 규정의 취지가 있다. ⅰ) 이 규정은 고의의 불법행위로 인한 손해배상채권을 수동채권으로 한 상계에 관한 것이고 고의의 채무불이행으로 인한 손해배상채권에는 적용되지 않는다. ⅱ) 다만 고의에 의한 행위가 불법행위를 구성함과 동시에 채무불이행을 구성하여 불법행위로 인한 손해배상채권과 채무불이행으로 인한 손해배상채권이 경합하는 경우에는 이

규정을 유추적용할 필요가 있다. 이러한 경우에 고의의 채무불이행으로 인한 손해배상채권을 수동채권으로 한 상계를 허용하면 이로써 고의의 불법행위로 인한 손해배상채권까지 소멸하게 되어 고의의 불법행위에 의한 손해배상채권은 현실적으로 만족을 받아야 한다는 이 규정의 입법 취지가 몰각될 우려가 있기 때문이다. 따라서 이러한 예외적인 경우에는 민법 제496조를 유추적용하여 고의의 채무불이행으로 인한 손해배상채권을 수동채권으로 하는 상계를 한 경우에도 채무자가 상계로 채권자에게 대항할 수 없다고 보아야 한다(대판 2017.2.15, 2014다19776·19783).

⑤ 당사자 쌍방의 채무가 서로 상계적상에 있다 하더라도, 별도의 의사표시 없이도 상계된 것으로 한다는 특약이 없는 한, 그 자체만으로 상계로 인한 채무 소멸의 효력이 생기는 것은 아니고 상계의 의사표시를 기다려 비로소 상계로 인한 채무 소멸의 효력이 생긴다(대판 2000.9.8, 99다6524).

07 상계에 관한 다음 설명 중 가장 옳지 않은 것은?

▶ 2022 법무사

① 상계에 따른 양 채권의 차액 계산 또는 상계 충당은 상계적상의 시점을 기준으로 하므로, 그 시점 이전에 수동채권에 대하여 이자나 지연손해금이 발생한 경우 상계적상 시점까지 수동채권의 이자나 지연손해금을 계산한 다음 자동채권으로써 먼저 수동채권의 이자나 지연손해금을 소각하고 잔액을 가지고 원본을 소각하여야 한다.

② 채권압류명령을 받은 제3채무자가 압류채무자에 대한 반대채권을 가지고 있는 경우에 상계로써 압류채권자에게 대항하기 위하여는, 압류의 효력 발생 당시에 대립하는 양 채권이 상계적상에 있거나, 그 당시 반대채권(자동채권)의 변제기가 도래하지 아니한 경우에는 그것이 피압류채권(수동채권)의 변제기와 동시에 또는 그보다 먼저 도래하여야 한다.

③ 채무자가 채권양도 통지를 받은 경우 채무자는 그때까지 양도인에 대하여 생긴 사유로써 양수인에게 대항할 수 있고, 당시 이미 상계할 수 있는 원인이 있었던 경우에는 아직 상계적상에 있지 않더라도 그 후에 상계적상에 이르면 채무자는 양수인에 대하여 상계로 대항할 수 있다.

④ 채권자가 주채무자에 대하여 상계적상에 있는 자동채권을 상계하지 않았다고 하여 이를 이유로 보증채무자가 보증한 채무의 이행을 거부할 수 없으며 나아가 보증채무자의 책임이 면책되는 것도 아니다.

⑤ 소멸시효가 완성된 채권이 그 완성 전에 상계할 수 있었던 것이면 그 채권자는 상계할 수 있으나, 매도인이나 수급인의 담보책임을 기초로 한 매수인이나 도급인의 손해배상채권의 제척기간이 지난 경우에는 위 법리가 적용되지 않으므로 매수인이나 도급인은 위 손해배상채권을 자동채권으로 하여 상대방의 채권과 상계할 수 없다.

해설 ① 대판 2005.7.8, 2005다8125; 대판 2021.5.7, 2018다25946

② 채권압류명령을 받은 제3채무자가 압류채무자에 대한 반대채권을 가지고 있는 경우에 상계로써 압류채권자에게 대항하기 위하여는, 압류의 효력 발생 당시에 대립하는 양 채권이 상계적상에 있거나, 그 당시 반대채권(자동채권)의 변제기가 도래하지 아니한 경우에는 그것이 피압류채권(수동채권)의 변제기와 동시에 또는 그보다 먼저 도래하여야 한다. 이러한 법리는 채권압류명령을 받은 제3채무자이자 보증채무자인 사람이 압류 이후 보증채무를 변제함으로써 담보제공청구의 항변권

을 소멸시킨 다음, 압류채무자에 대하여 압류 이전에 취득한 사전구상권으로 피압류채권과 상계하려는 경우에도 적용된다고 봄이 타당하다(대판 2019.2.14, 2017다274703).

③ 지명채권의 양도는 양도인이 채무자에게 통지하거나 채무자가 승낙하지 않으면 채무자에게 대항하지 못한다(민법 제450조 제1항). 채무자가 채권양도 통지를 받은 경우 채무자는 그때까지 양도인에 대하여 생긴 사유로써 양수인에게 대항할 수 있고(제451조 제2항), 당시 이미 상계할 수 있는 원인이 있었던 경우에는 아직 상계적상에 있지 않더라도 그 후에 상계적상에 이르면 채무자는 양수인에 대하여 상계로 대항할 수 있다(대판 2019.6.27, 2017다222962).

④ 상계는 단독행위로서 상계를 할지는 채권자의 의사에 따른 것이고 상계적상에 있는 자동채권이 있다고 하여 반드시 상계를 해야 할 것은 아니다. 따라서 채권자가 주채무자에 대하여 상계적상에 있는 자동채권을 상계하지 않았다고 하여 이를 이유로 보증채무자가 보증한 채무의 이행을 거부할 수 없으며 나아가 보증채무자의 책임이 면책되는 것도 아니다(대판 2018.9.13, 2015다209347).

⑤ 민법 제495조는 "소멸시효가 완성된 채권이 그 완성 전에 상계할 수 있었던 것이면 그 채권자는 상계할 수 있다."라고 정하고 있다. 이는 당사자 쌍방의 채권이 상계적상에 있었던 경우에 당사자들은 채권·채무관계가 이미 정산되어 소멸하였거나 추후에 정산될 것이라고 생각하는 것이 일반적이라는 점을 고려하여 당사자들의 신뢰를 보호하기 위한 것이다. 매도인의 담보책임을 기초로 한 매수인의 손해배상채권 또는 수급인의 담보책임을 기초로 한 도급인의 손해배상채권이 각각 상대방의 채권과 상계적상에 있는 경우에 당사자들은 채권·채무관계가 이미 정산되었거나 정산될 것으로 기대하는 것이 일반적이므로, 그 신뢰를 보호할 필요가 있다. 이러한 손해배상채권의 제척기간이 지난 경우에도 그 기간이 지나기 전에 상대방에 대한 채권·채무관계의 정산 소멸에 대한 신뢰를 보호할 필요성이 있다는 점은 소멸시효가 완성된 채권의 경우와 아무런 차이가 없다. 따라서 매도인이나 수급인의 담보책임을 기초로 한 손해배상채권의 제척기간이 지난 경우에도 제척기간이 지나기 전 상대방의 채권과 상계할 수 있었던 경우에는 매수인이나 도급인은 민법 제495조를 유추적용해서 위 손해배상채권을 자동채권으로 해서 상대방의 채권과 상계할 수 있다고 봄이 타당하다(대판 2019.3.14, 2018다255648).

08 상계에 관한 다음 설명 중 가장 옳지 않은 것은? ▶ 2024 법무사

① 상속채권자가 상속이 개시된 후 한정승인 이전에 피상속인에 대한 채권을 자동채권으로 하여 상속인에 대한 채무에 대하여 상계하였더라도, 그 이후 상속인이 한정승인을 하는 경우에는 민법 제1031조의 취지에 따라 상계가 소급하여 효력을 상실하고, 상계의 자동채권인 상속채권자의 피상속인에 대한 채권과 수동채권인 상속인에 대한 채무는 모두 부활한다.

② 채권양도가 사해행위에 해당하는 경우 불법행위로 인한 손해배상채권의 채무자가 채권양도인에 대한 별도의 채권자 지위에서 채권양수인에게 채권자취소권을 행사하여 채권양도의 취소를 구함과 아울러 취소에 따른 원상회복 방법으로 직접 자신 앞으로 가액배상의 지급을 구하는 것 자체는 민법 제496조에 반하지 않으므로 허용된다.

③ 수탁보증인이 주채무자에 대하여 가지는 민법 제442조의 사전구상권에는 민법 제443조의 담보제공청구권이 항변권으로 부착되어 있으므로 이를 자동채권으로 하는 상계는 원칙적으로 허용될 수 없다.

정답   07 ⑤   08 ④

④ 대항요건을 갖춘 채권양수인이 양수채권을 자동채권으로 하여 그 채무자가 채권양수인에 대해 가지고 있던 기존 채권과 상계한 경우, 채권양도 전에 이미 양 채권의 변제기가 도래하였다면 상계의 효력은 변제기로 소급한다.

⑤ 민법 제492조 제1항에 따르면 쌍방이 서로 같은 종류를 목적으로 한 채무를 부담한 경우 쌍방 채무의 이행기가 도래한 때에는 각 채무자는 대등액에 관하여 상계할 수 있는데, 위 조항에서 정한 '채무의 이행기가 도래한 때'는 채권자가 채무자에게 이행의 청구를 할 수 있는 시기가 도래하였음을 의미하고 채무자가 이행지체에 빠지는 시기를 말하는 것이 아니다.

해설 ① 상속인이 한정승인을 하는 경우에도, 피상속인의 채무와 유증에 대한 책임 범위가 한정될 뿐 상속인은 상속이 개시된 때부터 피상속인의 일신에 전속한 것을 제외한 피상속인의 재산에 관한 포괄적인 권리·의무를 승계하지만(민법 제1005조), 피상속인의 상속재산을 상속인의 고유재산으로부터 분리하여 청산하려는 한정승인 제도의 취지에 따라 상속인의 피상속인에 대한 재산상 권리·의무는 소멸하지 아니한다(민법 제1031조). 그러므로 상속채권자가 피상속인에 대하여는 채권을 보유하면서 상속인에 대하여는 채무를 부담하는 경우, 상속이 개시되면 위 채권 및 채무가 모두 상속인에게 귀속되어 상계적상이 생기지만, 상속인이 한정승인을 하면 상속이 개시된 때부터 민법 제1031조에 따라 피상속인의 상속재산과 상속인의 고유재산이 분리되는 결과가 발생하므로, 상속채권자의 피상속인에 대한 채권과 상속인에 대한 채무 사이의 상계는 제3자의 상계에 해당하여 허용될 수 없다. 즉, 상속채권자가 상속이 개시된 후 한정승인 이전에 피상속인에 대한 채권을 자동채권으로 하여 상속인에 대한 채무에 대하여 상계하였더라도, 그 이후 상속인이 한정승인을 하는 경우에는 민법 제1031조의 취지에 따라 상계가 소급하여 효력을 상실하고, 상계의 자동채권인 상속채권자의 피상속인에 대한 채권과 수동채권인 상속인에 대한 채무는 모두 부활한다(대판 2022.10.27, 2022다254154).

② 고의의 불법행위로 인한 손해배상채권의 채무자는 그 채권을 수동채권으로 한 상계로 채권자에게 대항하지 못하고(민법 제496조), 그 결과 채권이 양도된 경우에 양수인에게도 상계로 대항할 수 없게 되나(민법 제451조 제2항 참조), 채권양도가 사해행위에 해당하는 경우 불법행위로 인한 손해배상채권의 채무자가 채권양도인에 대한 별도의 채권자 지위에서 채권양수인에게 채권자취소권을 행사하여 채권양도의 취소를 구함과 아울러 취소에 따른 원상회복 방법으로 직접 자신 앞으로 가액배상의 지급을 구하는 것 자체는 민법 제496조에 반하지 않으므로 허용된다(대판 2011.6.10, 2011다8980·8997).

③ 대판 2001.11.13, 2001다55222

④ 민법 **제493조 제2항**은 "상계의 의사표시는 각 채무가 상계할 수 있는 때에 대등액에 관하여 소멸한 것으로 본다."라고 정하고 있으므로 **상계의 효력**은 상계적상 시로 소급하여 **발생**한다. 상계적상은 자동채권과 수동채권이 상호 대립하는 때에 비로소 생긴다. **채권양수인이 양수채권을 자동채권으로 하여 그 채무자가 채권양수인에 대해 가지고 있던 기존 채권과 상계한 경우**, 채권양수인은 채권양도의 대항요건이 갖추어진 때 비로소 자동채권을 행사할 수 있으므로 채권양도 전에 이미 양 채권의 변제기가 도래하였다고 하더라도 **상계의 효력은 변제기로 소급하는 것이 아니라 채권양도의 대항요건이 갖추어진 시점으로 소급한다**(대판 2022.6.30, 2022다200089).

⑤ 쌍방이 서로 같은 종류를 목적으로 한 채무를 부담한 경우 쌍방 채무의 이행기가 도래한 때에는 각 채무자는 대등액에 관하여 상계할 수 있다(제492조 제1항). 민법 제492조 제1항에서 정한 '채무의 이행기가 도래한 때'는 채권자가 채무자에게 이행의 청구를 할 수 있는 시기가 도래하였음을 의미하고 채무자가 이행지체에 빠지는 시기를 말하는 것이 아니다(대판 2021.5.7, 2018다25946).

심화문제 │ 확인 · 보충 · 심화문제

01 상계에 관한 다음 설명 중 가장 옳지 않은 것은? ▸ 2025 법무사

① 주채무자가 수탁보증인에 대해 사전에 민법 제443조의 담보제공청구권 등의 항변권을 포기한 경우, 그 수탁보증인은 주채무자에 대하여 가지는 민법 제442조의 사전구상권을 자동채권으로 하여 주채무자가 수탁보증인에 대하여 가지는 채권과 상계할 수 있다.

② 근로자가 일정 기간 동안의 미지급 법정수당을 청구하는 경우에 사용자가 같은 기간 동안 법정수당의 초과 지급 부분이 있음을 이유로 상계나 그 충당을 주장하는 것은 허용된다.

③ 임대인인 甲이 임차인인 乙을 상대로 임대차계약 종료 후에도 임대목적물인 건물 부분을 불법점유하고 있다며 건물 부분의 인도와 함께 임대차계약에서 정한 손해배상 예정액의 지급을 구하자, 乙이 준비서면의 송달로 부속물매수청구권을 행사한다는 의사표시를 하고, 甲도 준비서면의 송달로 乙의 불법점유로 인한 甲의 손해배상채권을 자동 채권으로 하여 乙의 부속물 매매대금 채권과 대등액에서 상계한다는 의사표시를 한 사안에서, 甲의 상계 의사표시로 그 의사표시 이전까지 존재하였던 甲의 부속물 매매대금 지급의무와 乙의 건물 부분 인도의무 사이의 동시이행 관계는 상계적상이 있었던 시기로 소급하여 소멸하고 이로 인해 乙의 점유는 소급하여 불법점유가 된다.

④ 유치권이 인정되는 아파트를 경매로 매수한 자가 아파트 일부를 점유·사용하고 있는 유치권자에 대한 임료 상당의 부당이득금 반환채권을 자동채권으로 하고 유치권자가 종전 소유자에 대하여 가지는 유익비상환채권을 수동채권으로 하여 상계할 수는 없다.

⑤ 제3채무자의 압류채무자에 대한 자동채권이 수동채권인 피압류채권과 동시이행의 관계에 있는 경우에는, 압류명령이 제3채무자에게 송달되어 압류의 효력이 생긴 후에 자동채권이 발생하였다고 하더라도, 제3채무자는 그 채권에 의한 상계로 압류채권자에게 대항할 수 있다.

해설 ① 특히 수탁보증인이 주채무자에 대하여 가지는 민법 제442조의 사전구상권에는 민법 제443조의 담보제공청구권이 항변권으로 부착되어 있는 만큼 이를 자동채권으로 하는 상계는 허용될 수 없으며, 다만 민법 제443조는 임의규정으로서 주채무자가 사전에 담보제공청구권의 항변권을 포기한 경우에는 보증인은 사전구상권을 자동채권으로 하여 주채무자에 대한 채무와 상계할 수 있다(대판 2004.5.28, 2001다81245).

② 임금은 직접 근로자에게 전액을 지급하여야 하는 것이므로 사용자가 근로자에 대하여 가지는 채권으로써 근로자의 임금채권과 상계를 하지 못하는 것이 원칙이지만, 계산의 착오 등으로 임금이 초과 지급되었을 때 그 행사의 시기가 초과 지급된 시기와 임금의 정산, 조정의 실질을 잃지 않을 만큼 합리적으로 밀접되어 있고 금액과 방법이 미리 예고되는 등 근로자의 경제생활의 안정을 해할 염려가 없는 경우나 근로자가 퇴직한 후에 그 재직 중 지급되지 아니한 임금이나 퇴직금을 청구할 경우에는, 사용자가 초과 지급된 임금의 반환청구권을 자동채권으로 하여 상계하는 것은

정답 01 ③

허용되므로, 근로자가 일정기간 동안의 미지급 시간외수당, 휴일근로수당, 월차휴가수당 등 법정수당을 청구하는 경우에 사용자가 같은 기간 동안 법정수당의 초과 지급 부분이 있음을 이유로 상계나 충당을 주장하는 것도 허용된다(대판 1998.6.26, 97다14200).

③ 甲 시설관리공단이 乙 주식회사를 상대로 임대차계약이 종료 후에도 임대목적물인 건물 부분을 불법점유하고 있다며 건물 부분의 인도와 함께 임대차계약에서 월 차임의 1.3배로 정한 손해배상 예정액의 지급을 구하자, 乙 회사가 준비서면의 송달로 부속물매수청구권을 행사한다는 의사표시를 하고, 甲 공단도 준비서면의 송달로 乙 회사의 불법점유로 인한 甲 공단의 손해배상채권을 자동채권으로 하여 乙 회사의 부속물 매매대금 채권과 대등액에서 상계한다는 의사표시를 한 사안에서, 乙 회사가 준비서면 송달로 부속물매수청구권을 행사하여 甲 공단과 乙 회사 사이에 부속물에 관한 매매계약이 체결되었고, 이에 따라 甲 공단이 乙 회사에 대해 부속물 매매대금 지급의무를 부담하게 되었으므로, 甲 공단이 부속물 매매대금 지급의무를 이행하거나 적법하게 이행의 제공을 하는 등으로 동시이행항변권을 상실시키지 않는 한 을 회사가 부속물매수청구권 행사 후 건물 부분을 계속 점유하는 것을 불법점유라고 할 수 없고, 乙 회사의 부속물매수청구권 행사 후에 甲 공단이 乙 회사의 부속물 매매대금 채권을 乙 회사의 불법점유로 인한 甲 공단의 손해배상채권과 상계하는 의사를 표시하여 乙 회사의 부속물 매매대금 채권이 소멸된다고 하더라도, 양 채권을 정산하는 기준시기가 상계적상이 있었던 때인 부속물 매매대금 채권 발생 시점으로 소급하는 것일 뿐, 상계의 의사표시 이전까지 존재하였던 甲 공단의 부속물 매매대금 지급의무와 乙 회사의 건물 부분 인도의무 사이의 동시이행관계가 상계적상이 있었던 시기로 소급하여 소멸되고 이로 인해 을 회사의 건물 부분 인도의무가 그때부터 이행지체에 빠지게 된다거나 건물 부분에 대한 을 회사의 점유가 소급하여 불법점유가 된다고 할 수 없는데도, 상계의 소급효에 의해 동시이행관계 내지 점유권원이 소급하여 상실됨을 전제로 하여 乙 회사의 부속물매수청구권 행사 의사가 표시된 준비서면이 甲 공단에 송달된 날부터 甲 공단의 상계의 의사가 표시된 준비서면이 乙 회사에 송달된 날까지 乙 회사의 건물 부분에 대한 점유를 불법점유로 보아 乙 회사는 甲 공단에 위 기간 동안 월 차임 상당의 부당이득을 초과하여 임대차계약에서 정한 월 차임의 1.3배 상당의 손해배상 예정액을 지급할 의무가 있다고 본 원심판단에 법리오해의 잘못이 있다고 한 사례이다(대판 2025.5.15, 2024다317332).

④ 유치권이 인정되는 아파트를 경락·취득한 자가 아파트 일부를 점유·사용하고 있는 유치권자에 대한 임료 상당의 부당이득금 반환채권을 자동채권으로 하고 유치권자의 종전 소유자에 대한 유익비상환채권을 수동채권으로 하여 상계의 의사표시를 한 사안에서, 상대방이 제3자에 대하여 가지는 채권을 수동채권으로 하여 상계할 수 없음에도, 그러한 상계가 허용됨을 전제로 위 상계의 의사표시로 부당이득금 반환채권과 유익비상환채권이 대등액의 범위 내에서 소멸하였다고 본 원심판결에 법리오해의 위법이 있다고 한 사례이다(대판 2011.4.28, 2010다101394).

⑤ 제3채무자의 압류채무자에 대한 자동채권이 수동채권인 피압류채권과 동시이행의 관계에 있는 경우에는, 비록 압류명령이 제3채무자에게 송달되어 압류의 효력이 생긴 후에 비로소 자동채권이 발생하였다고 하더라도 동시이행의 항변권을 주장할 수 있는 제3채무자로서는 그 채권에 의한 상계로써 압류채권자에게 대항할 수 있는 것으로서, 이 경우 자동채권이 발생한 기초가 되는 원인은 수동채권이 압류되기 전에 이미 성립하여 존재하고 있었던 것이므로 그 자동채권은 민법 제498조에 규정된 '지급을 금지하는 명령을 받은 제3채무자가 그 후에 취득한 채권'에 해당하지 않는다(대판 2005.11.10, 2004다37676).

02 **변제자대위에 관한 다음 설명 중 가장 옳지 않은 것은?** ▸ 2025 법무사

① 채권의 일부에 대하여 대위변제가 있는 때에는 대위자는 그 변제한 가액에 비례하여 채권자와 함께 그 권리를 행사한다.

② 변제할 정당한 이익이 있는 사람이 채무자를 위하여 채권의 일부를 대위변제할 경우에 대위변제자는 변제한 가액의 범위 내에서 종래 채권자가 가지고 있던 채권 및 담보에 관한 권리를 취득하므로, 채권자가 부동산에 대하여 저당권을 가지고 있는 경우에는 채권자는 대위변제자에게 일부 대위변제에 따른 저당권 일부 이전의 부기등기를 할 의무를 진다.

③ 변제로 채권자를 대위하는 경우에 채권 및 그 담보에 관한 권리가 변제자에게 이전될 뿐 계약당사자의 지위가 이전되는 것은 아니다.

④ 대위변제자와 채무자 사이에 구상금에 관한 지연손해금 약정이 있으면 이 약정은 변제자대위권을 행사하는 경우에도 적용된다.

⑤ 채무자를 위하여 변제한 자는 변제와 동시에 채권자의 승낙을 얻어 채권자를 대위할 수 있는바(민법 제480조 제1항), 여기에서 채권자의 승낙은 반드시 명시적일 필요가 없고, 변제의 동기 내지 이유와 그 과정, 변제받음에 있어 채권자가 보인 태도, 변제 후의 사정 등 여러 사정을 두루 참작하여 그 승낙이 있은 것으로 추단될 수 있으면 된다.

해설 ① 채권의 일부에 대하여 대위변제가 있는 때에는 대위자는 민법 제483조 제1항에 의하여 그 변제한 가액에 비례하여 채권자의 권리를 행사할 수 있으므로, 수인이 시기를 달리하여 채권의 일부씩을 대위변제하고 근저당권 일부이전의 부기등기를 각 경료한 경우 그들은 각 일부대위자로서 그 변제한 가액에 비례하여 근저당권을 준공유하고 있다고 보아야 하고, 그 근저당권을 실행하여 배당함에 있어서는 다른 특별한 사정이 없는 한 각 변제채권액에 비례하여 안분배당하여야 한다(대판 2001.1.19, 2000다37319).

② 변제할 정당한 이익이 있는 자가 채무자를 위하여 채권의 일부를 대위변제할 경우에 대위변제자는 변제한 가액의 범위 내에서 종래 채권자가 가지고 있던 채권 및 담보에 관한 권리를 취득하게 되고 따라서 채권자가 부동산에 대하여 저당권을 가지고 있는 경우에는 채권자는 대위변제자에게 일부 대위변제에 따른 저당권의 일부이전의 부기등기를 경료해 주어야 할 의무가 있다 할 것이나 이 경우에도 채권자는 일부 대위변제자에 대하여 우선변제권을 가지고 있다(대판 1988.9.27, 88다카1797).

③ 변제로 채권자를 대위하는 경우에 '채권 및 그 담보에 관한 권리'가 변제자에게 이전될 뿐 계약당사자의 지위가 이전되는 것은 아니다(대판 2017.7.18, 2015다206874).

④ 채무를 변제할 이익이 있는 자가 채무를 대위변제한 경우에 통상 채무자에 대하여 구상권을 가짐과 동시에 민법 제481조에 의하여 당연히 채권자를 대위하나, 위 구상권과 변제자 대위권은 그 원본, 변제기, 이자, 지연손해금의 유무 등에 있어서 그 내용이 다른 별개의 권리이므로, 대위변제자와 채무자 사이에 구상금에 관한 지연손해금 약정이 있더라도 이 약정은 구상금을 청구하는 경우에 적용될 뿐, 변제자대위권을 행사하는 경우에는 적용될 수 없다(대판 2009.2.26, 2005다32418).

⑤ 채무자를 위하여 변제한 자는 변제와 동시에 채권자의 승낙을 얻어 채권자를 대위할 수 있는바(민법 제480조 제1항), 여기에서 채권자의 승낙은 반드시 명시적일 필요가 없고, 변제의 동기 내지 이유와 그 과정, 변제받음에 있어 채권자가 보인 태도, 변제 후의 사정 등 여러 사정을 두루 참작하여 그 승낙이 있은 것으로 추단될 수 있으면 된다(대결 2011.4.15, 2010마1447).

정답 **02 ④**

03 채권의 소멸에 관한 다음 설명 중 가장 옳지 않은 것은? ▸2025 법무사

① 부진정연대채무자 중 1인이 자신의 채권자에 대한 반대채권으로 상계를 한 경우 그 상계로 인한 채무소멸의 효력은 소멸한 채무 전액에 관하여 다른 부진정연대채무자에 대하여도 미친다.

② 법정변제충당과 관련하여 특별한 사정이 없는 한 변제자가 타인의 채무에 대한 연대보증인으로서 부담하는 채무는 변제자 자신의 채무에 비하여 변제 이익이 적다.

③ 검사 작성의 피의자신문조서는 검사가 피의자를 신문하여 그 진술을 기재한 조서로서 당해 신문과정에서 다른 피의자나 참고인과 대질이 이루어진 경우라고 할지라도 피의자 진술은 어디까지나 검사를 상대로 이루어지는 것이므로 그 진술기재 가운데 채무면제의 의사가 표시되어 있다고 하더라도 그 부분이 곧바로 채무면제의 처분문서에 해당한다고 보기 어렵다.

④ 변제할 정당한 이익이 있는 자가 채무자를 위하여 채권의 일부를 대위변제할 경우에 대위변제자는 변제한 가액의 범위 내에서 종래 채권자가 가지고 있던 채권 및 담보에 관한 권리를 취득하게 되고 따라서 채권자가 부동산에 대하여 저당권을 가지고 있는 경우에는 채권자는 대위변제자에게 일부 대위변제에 따른 저당권의 일부이전의 부기 등기를 경료해 주어야 할 의무가 있으므로 일부 대위변제자는 채권자에 대하여 우선변제권을 가지게 된다.

⑤ 변제공탁이 유효하려면 채무 전부에 대한 변제의 제공 및 채무 전액에 대한 공탁이 있어야 하고, 채무 전액이 아닌 일부에 대한 공탁은 일부의 제공이 유효한 제공이라고 볼 수 있거나 변제자의 공탁금액이 채무의 총액에 비하여 아주 근소하게 부족하여 해당 변제공탁을 신의칙상 유효한 것이라고 볼 수 있는 등의 특별한 사정이 있는 경우를 제외하고는 채권자가 이를 수락하지 않는 한 그 공탁 부분에 관하여서도 채무소멸의 효과가 발생하지 않는다.

> **해설** ① 부진정연대채무자 중 1인이 자신의 채권자에 대한 반대채권으로 상계를 한 경우에도 채권은 변제, 대물변제, 또는 공탁이 행하여진 경우와 동일하게 현실적으로 만족을 얻어 그 목적을 달성하는 것이므로, 그 상계로 인한 채무소멸의 효력은 소멸한 채무 전액에 관하여 다른 부진정연대채무자에 대하여도 미친다고 보아야 한다(대판 2019.4.25, 2018다47694).
>
> ② 특별한 사정이 없는 한 변제자가 타인의 채무에 대한 보증인으로서 부담하는 보증채무(연대보증채무도 포함)는 변제자 자신의 채무에 비하여 변제자에게 그 변제의 이익이 적다고 보아야 한다(대판 2002.7.12, 99다68652).
>
> ③ 민법상 채무면제는 채권을 무상으로 소멸시키는 채권자의 채무자에 대한 단독행위이고 다만 계약에 의하여도 동일한 법률효과를 발생시킬 수 있는 것인 반면, 검사 작성의 피의자신문조서는 검사가 피의자를 신문하여 그 진술을 기재한 조서로서 그 작성형식은 원칙적으로 검사의 신문에 대하여 피의자가 응답하는 형태를 취하므로, 비록 당해 신문과정에서 다른 피의자나 참고인과 대질이 이루어진 경우라고 할지라도 피의자 진술은 어디까지나 검사를 상대로 이루어지는 것이므로 그 진술기재 가운데 채무면제의 의사가 표시되어 있다고 하더라도 그 부분이 곧바로 채무면제의 처분문서에 해당한다고 보기 어렵다(대판 1998.10.13, 98다17046).

④ 변제할 정당한 이익이 있는 자가 채무자를 위하여 채권의 일부를 대위변제할 경우에 대위변제자는 변제한 가액의 범위 내에서 종래 채권자가 가지고 있던 채권 및 담보에 관한 권리를 취득하게 되고 따라서 채권자가 부동산에 대하여 저당권을 가지고 있는 경우에는 채권자는 대위변제자에게 일부 대위변제에 따른 저당권의 일부이전의 부기등기를 경료해 주어야 할 의무가 있으나 이 경우에도 채권자는 일부 대위변제자에 대하여 우선변제권을 가진다(대판 2009.11.26, 2009다57545).

⑤ 변제공탁이 유효하려면 채무 전부에 대한 변제의 제공 및 채무 전액에 대한 공탁이 있어야 하고, 채무 전액이 아닌 일부에 대한 공탁은 일부의 제공이 유효한 제공이라고 볼 수 있거나 변제자의 공탁금액이 채무의 총액에 비하여 아주 근소하게 부족하여 해당 변제공탁을 신의칙상 유효한 것이라고 볼 수 있는 등의 특별한 사정이 있는 경우를 제외하고는 채권자가 이를 수락하지 않는 한 그 공탁 부분에 관하여서도 채무소멸의 효과가 발생하지 않는다(대판 2022.11.30, 2017다232167).

04 변제충당에 관한 다음 설명 중 가장 옳은 것은? ▶ 2025 법무사

① 담보권 실행을 위한 경매에서 배당된 배당금이 담보권자가 가지는 수개의 피담보채권 전부를 소멸시키기에 부족한 경우에는 민법 제477조의 규정에 의한 법정변제충당의 방법에 따라 충당하여야 하나, 채권자와 채무자 사이에 변제충당에 관한 합의가 있었다면 그 합의에 따른 변제충당은 허용된다.

② 변제자가 주채무자인 경우 보증인이 있는 채무와 보증인이 없는 채무 사이에 전자가 후자에 비하여 변제이익이 더 많고, 물상보증인이 제공한 물적 담보가 있는 채무와 그러한 담보가 없는 채무 사이에는 전자가 후자에 비하여 변제이익이 더 많다.

③ 변제자와 변제수령자는 변제로 소멸한 채무에 관한 보증인 등 이해관계있는 제3자의 이익을 해하지 않는 이상 이미 급부를 마친 뒤에도 기존의 충당방법을 배제하고 제공된 급부를 어느 채무에 어떤 방법으로 다시 충당할 것인가를 약정할 수 있다.

④ 가집행선고로 인한 강제집행을 면하기 위하여 채무자가 채권자에게 금원을 지급하였으나 그 가지급금의 액수가 채무자가 채권자에게 지급하여야 할 정당한 금원(최종적으로 확정된 금원)인 원본 및 지연손해금 합계액에 미치지 못하였다면, 그 가지급금으로는 특별한 사정이 없는 한, 민법 소정의 변제충당의 법리에 따라 채무자가 채권자에게 지급하여야 할 정당한 금원에 관하여 지연손해금, 원본의 순서로 변제에 충당되어야 하나, 이러한 법리는 가집행의 근거가 된 판결의 소송물이 복수의 금전청구가 객관적으로 병합된 경우에는 적용되지 아니한다.

⑤ 비용, 이자, 원본에 대한 변제충당에 있어서는 민법 제479조에 그 충당 순서가 법정되어 있고 지정 변제충당에 관한 민법 제476조는 준용되지 않으므로 원칙적으로 비용, 이자, 원본의 순서로 충당하여야 하고, 채무자는 물론 채권자라 할지라도 위 법정 순서와 다르게 일방적으로 충당의 순서를 지정할 수는 없으며, 당사자 간 합의로도 법정충당의 순서와 달리 충당의 순서를 정할 수 없다.

해설 ① 담보권 실행을 위한 경매에서 배당된 배당금이 담보권자가 가지는 수개의 피담보채권 전부를 소멸시키기에 부족한 경우에는 민법 제476조에 의한 지정변제충당은 허용될 수 없고, 채권자와 채무자 사이에 변제충당에 관한 합의가 있었다고 하여 그 합의에 따른 변제충당도 허용될 수 없으며, 획일적으로 가장 공평타당한 충당방법인 민법 제477조 및 제479조의 규정에 의한 법정변제충당의 방법에 따라 충당하여야 하는 것이고, 이러한 법정변제충당은 이자 혹은 지연손해금과 원본 간에는 이자 혹은 지연손해금과 원본의 순으로 이루어지고, 원본 상호 간에는 그 이행기의 도래 여부와 도래 시기, 그리고 이율의 고저와 같은 변제이익의 다과에 따라 순차적으로 이루어지나, 다만 그 이행기나 변제이익의 다과에 있어 아무런 차등이 없을 경우에는 각 원본 채무액에 비례하여 안분하게 되는 것이다(대판 2000.12.8, 2000다51339).

② 변제자가 주채무자인 경우 보증인이 있는 채무와 보증인이 없는 채무 사이에 전자가 후자에 비하여 변제이익이 더 많다고 볼 근거는 전혀 없으므로 양자는 변제이익의 점에서 차이가 없다고 보아야 한다. 마찬가지로 변제자가 채무자인 경우 물상보증인이 제공한 물적 담보가 있는 채무와 그러한 담보가 없는 채무 사이에도 변제이익의 점에서 차이가 없다(대판 2014.4.30, 2013다8250).

③ 변제자(채무자)와 변제수령자(채권자)는 변제로 소멸한 채무에 관한 보증인 등 이해관계있는 제3자의 이익을 해하지 않는 이상 이미 급부를 마친 뒤에도 기존의 충당방법을 배제하고 제공된 급부를 어느 채무에 어떤 방법으로 다시 충당할 것인가를 약정할 수 있다(대판 2013.9.12, 2012다118044).

④ 가집행선고로 인한 강제집행을 면하기 위하여 채무자가 채권자에게 금원을 지급하였으나 그 가지급금의 액수가 채무자가 채권자에게 지급하여야 할 정당한 금원(최종적으로 확정된 금원)인 원본 및 지연손해금 합계액에 미치지 못하였다면, 그 가지급금으로는 특별한 사정이 없는 한, 민법 소정의 변제충당의 법리에 따라 채무자가 채권자에게 지급하여야 할 정당한 금원에 관하여 지연손해금, 원본의 순서로 변제에 충당되어야 한다. 이러한 법리는 가집행의 근거가 된 판결의 소송물이 복수의 금전청구가 객관적으로 병합된 것인 경우에도 마찬가지로 적용된다(대판 2024.10.31, 2024다257812).

⑤ 비용, 이자, 원본에 대한 변제충당에 있어서는 민법 제476조는 준용되지 아니하므로 당사자 사이에 특별한 합의가 없는 한 비용, 이자, 원본의 순서로 충당하여야 할 것이고 채무자는 물론 채권자라도 위 법정순서와 다르게 일방적으로 충당의 순서를 지정할 수는 없다(대판 1981.5.26, 80다3009).

05 상계에 관한 다음 설명 중 가장 옳지 않은 것은? ▸ 2025 법무사

① 상계의 의사표시에 의하여 각 채무는 상계할 수 있는 때에 대등액에 관하여 소멸한 것으로 보게 되지만, 이러한 상계의 소급효는 양 채권 및 이에 관한 이자나 지연손해금 등을 정산하는 기준시기를 소급하는 것일 뿐이고 특별한 사정이 없는 한 상계의 의사표시 전에 이미 발생한 사실을 복멸시키지는 아니한다.

② 어느 연대채무자가 채권자에 대하여 채권이 있는 경우에 그 채무자가 상계한 때에는 채권은 모든 연대채무자의 이익을 위하여 소멸한다.

③ 상계는 상대방에 대한 의사표시로 한다. 이 의사표시에는 조건 또는 기한을 붙이지 못한다.

④ 부당이득반환채권은 이행기의 정함이 없는 채권으로서 그 이행 청구일에 상계적상에서 의미하는 이행기가 도래한 것으로 볼 수 있다.

⑤ 채권양수인이 양수채권을 자동채권으로 하여 그 채무자가 채권양수인에 대해 가지고 있던 기존 채권과 상계한 경우, 채권양수인은 채권양도의 대항요건이 갖추어진 때 비로소 자동채권을 행사할 수 있으므로 채권양도 전에 이미 양 채권의 변제기가 도래하였다고 하더라도 상계의 효력은 변제기로 소급하는 것이 아니라 채권양도의 대항요건이 갖추어진 시점으로 소급한다.

해설 ① 상계의 의사표시에 의하여 각 채무는 상계할 수 있는 때에 대등액에 관하여 소멸한 것으로 보게 되지만(민법 제493조 제2항), 이러한 상계의 소급효는 양 채권 및 이에 관한 이자나 지연손해금 등을 정산하는 기준시기를 소급하는 것일 뿐이고 특별한 사정이 없는 한 상계의 의사표시 전에 이미 발생한 사실을 복멸시키지는 아니한다(대판 2025.5.15, 2024다317332).

② 상계의 절대적 효력 : 어느 연대채무자가 채권자에 대하여 채권이 있는 경우에 그 채무자가 상계한 때에는 채권은 모든 연대채무자의 이익을 위하여 소멸한다(민법 제418조 제1항).

③ 상계의 방법, 효과 : 상계는 상대방에 대한 의사표시로 한다. 이 의사표시에는 조건 또는 기한을 붙이지 못한다(민법 제493조 제1항).

④ 이행기의 정함이 없는 채권의 경우 그 성립과 동시에 이행기에 놓이게 되고, 부당이득반환채권은 이행기의 정함이 없는 채권으로서 채권의 성립과 동시에 언제든지 이행을 청구할 수 있으므로, 그 채권의 성립일에 상계적상에서 의미하는 이행기가 도래한 것으로 볼 수 있다(대판 2022.3.17, 2021다287515).

⑤ 채권양수인이 양수채권을 자동채권으로 하여 그 채무자가 채권양수인에 대해 가지고 있던 기존 채권과 상계한 경우, 채권양수인은 채권양도의 대항요건이 갖추어진 때 비로소 자동채권을 행사할 수 있으므로 채권양도 전에 이미 양 채권의 변제기가 도래하였다고 하더라도 상계의 효력은 변제기로 소급하는 것이 아니라 채권양도의 대항요건이 갖추어진 시점으로 소급한다(대판 2022.6.30, 2022다200089).

정답 **05 ④**

수인의 채권자 및 채무자

기본문제 │ 기본문제의 구성

01 다수당사자의 채권관계에 관한 다음 설명 중 가장 옳지 않은 것은?　▶ 2022 법무사

① 공동불법행위자 중 1인에 대하여 구상의무를 부담하는 다른 공동불법행위자가 수인인 경우, 구상권자인 공동불법행위자측에 과실이 있든 없든 그에 대한 수인의 구상의무 사이의 관계를 부진정연대관계로 봄이 상당하다.

② 채권자의 신청에 의한 경매개시결정에 따라 연대채무자 1인의 소유 부동산이 압류된 경우, 이로써 위 채무자에 대한 채권의 소멸시효는 중단되지만, 압류에 의한 시효중단의 효력은 다른 연대채무자에게 미치지 않는다.

③ 금융기관이 회사 임직원의 대규모 분식회계로 인하여 회사의 재무구조를 잘못 파악하고 회사에 대출을 해 준 경우, 회사의 금융기관에 대한 대출금채무와 회사 임직원의 분식회계 행위로 인한 금융기관에 대한 손해배상채무는 부진정연대의 관계에 있다.

④ 부진정연대채무의 관계에 있는 채무자들을 공동피고로 하여 이행의 소가 제기된 경우 공동피고에 대한 각 청구는 법률상 양립할 수 없는 것이 아니므로 그 소송은 민사소송법 제70조 제1항에 규정한 본래 의미의 예비적·선택적 공동소송이라고 할 수 없다.

⑤ 4인의 매도인이 4인의 매수인에게 임야를 매도하기로 하는 계약을 체결한 후 매매계약의 무효를 원인으로 부당이득으로서 계약금의 반환을 구하는 경우, 특별한 사정이 없으면 매도인 중의 1인이 매수인 중의 1인에게 위 계약금 전액을 반환할 의무가 있다고 할 수 없다.

해설 ① 공동불법행위자 중 1인에 대하여 구상의무를 부담하는 다른 공동불법행위자가 수인인 경우에는 특별한 사정이 없는 이상 그들의 구상권자에 대한 채무는 각자의 부담부분에 따른 분할채무로 봄이 상당하지만, 구상권자인 공동불법행위자 측에 과실이 없는 경우, 즉 내부적인 부담부분이 전혀 없는 경우에는 이와 달리 그에 대한 수인의 구상의무 사이의 관계를 부진정연대관계로 봄이 상당하다(대판 2005.10.13, 2003다24147).

② 채권자의 신청에 의한 경매개시결정에 따라 연대채무자 1인의 소유 부동산이 압류된 경우, 이로써 위 채무자에 대한 채권의 소멸시효는 중단되지만, 압류에 의한 시효중단의 효력은 다른 연대채무자에게 미치지 아니하므로, 경매개시결정에 의한 시효중단의 효력을 다른 연대채무자에 대하여 주장할 수 없다(대판 2001.8.21, 2001다22840).

③ 금융기관이 회사 임직원의 대규모 분식회계로 인하여 회사의 재무구조를 잘못 파악하고 회사에 대출을 해 준 경우, 회사의 금융기관에 대한 대출금채무와 회사 임직원의 분식회계 행위로 인한 금융기관에 대한 손해배상채무는 서로 동일한 경제적 목적을 가진 채무로서 서로 중첩되는 부분에 관하여는 일방의 채무가 변제 등으로 소멸하면 타방의 채무도 소멸하는 이른바 부진정연대의 관계에 있다(대판 2008.1.18, 2005다65579).

④ 부진정연대채무 관계는 서로 별개의 원인으로 발생한 독립된 채무라 하더라도 동일한 경제적 목적을 가지고 있고 서로 중첩되는 부분에 관하여 일방의 채무가 변제 등으로 소멸할 경우 타방의 채무도 소멸하는 관계에 있으면 성립할 수 있고, 반드시 양 채무의 발생원인, 채무의 액수 등이 서로 동일할 것을 요한다고 할 수는 없다. 그리고 부진정연대채무의 관계에 있는 채무자들을 공동피고로 하여 이행의 소가 제기된 경우 그 공동피고에 대한 각 청구가 서로 법률상 양립할 수 없는 것이 아니므로 그 소송을 민사소송법 제70조 제1항 소정의 예비적·선택적 공동소송이라고 할 수 없다(대판 2009.3.26. 2006다47677).

⑤ 채권자나 채무자가 여러 사람인 경우에 특별한 의사표시가 없으면 각 채권자 또는 각 채무자는 균등한 비율로 권리가 있고 의무를 부담한다고 할 것이므로, 피고를 포함한 4인의 매도인이 원고를 포함한 4인의 매수인에게 임야를 매도하기로 하는 계약을 체결한 경우 매매계약의 무효를 원인으로 부당이득으로서 계약금의 반환을 구하는 채권은 특별한 사정이 없으면 불가분채권채무관계가 될 수 없으므로 매도인 중의 1인에 불과한 피고가 매수인 중의 1인에 불과한 원고에게 위 계약금 전액을 반환할 의무가 있다고 할 수 없다(대판 1993.8.14. 91다41316).

02 보증에 관한 다음 설명 중 가장 옳은 것은?

▶ 2021 법무사

① 보증은 그 의사가 보증인의 기명날인 또는 서명이 있는 서면으로 표시되어야 효력이 발생하므로 작성된 서면에 최소한 '보증인' 또는 '보증한다'라는 문언의 기재가 있어야 한다.

② 보증서의 보증금액은 보증인이 보증책임을 지게 될 주채무에 관한 한도액을 정한 것으로서 그 한도액에는 주채무의 원금 및 이에 대한 이자, 지연손해금과 보증채무 자체의 이행지체로 인한 지연손해금이 모두 포함되므로 그 합계액이 보증의 한도액을 초과해서는 안된다.

③ 채권자와 주채무자 사이의 확정판결에 의하여 상사채무인 주채무가 확정되어 그 소멸시효기간이 10년으로 연장되었다면 채권자와 연대보증인 사이에 있어서 연대보증채무의 소멸시효기간도 10년으로 연장된다.

④ 채권자가 보증인에게 채무의 이행을 청구한 때에는 보증인은 주채무자의 변제자력이 있다는 점 및 그 집행이 용이하다는 점을 증명하여 먼저 주채무자에게 청구할 것과 그 재산에 대하여 집행할 것을 항변할 수 있고, 단순히 주채무자에게 먼저 청구할 것을 항변할 수는 없다.

⑤ 보증채무의 연체이율에 관하여 특별한 약정이 없으면 주채무에 관하여 약정된 연체이율이 적용된다.

해설 ① '보증인 보호를 위한 특별법' 제3조 제1항은 "보증은 그 의사가 보증인의 기명날인 또는 서명이 있는 서면으로 표시되어야 효력이 발생한다."고 정한다. 이와 같이 보증의 의사표시에 보증인의 기명날인 또는 서명이 있는 서면을 요구하는 것은, 한편으로 그 의사가 명확하게 표시되어서 보증의 존부 및 내용에 관하여 보다 분명한 확인수단이 보장되고, 다른 한편으로 보증인으로 하여금 가능한 한 경솔하게 보증에 이르지 아니하고 숙고의 결과로 보증을 하도록 하려는 취지에서 나온 것이다. 따라서 보증의 의사표시에 관하여 법률행위의 해석에 관한 일반 법리가 적용됨은 물론이나, 거기에서 더 나아가 위의 법규정이 정하는 방식이 준수되었는지 여부는 위와 같은 취지를 충족하는지 여부에 좇아 판단할 것이다. 그리고 이를 판단함에 있어서는 작성된 서면의 내용 및 그 체제 또는 형식, 보증에 이르게 된 경위, 주채무의 종류 또는 내용, 당사자 사이의 관계, 종전 거래의 내용이나 양상 등을 종합적으로 고려할 것이다. 그렇다면 위 법규정이 '보증의 의사'가 일정한 서면으로 표시되는 것을 정할 뿐이라는 점 등을 고려할 때, 작성된 서면에 반드시 '보증인' 또는 '보증한다'라는 문언의 기재가 있을 것이 요구되지는 아니한다고 봄이 상당하다(대판 2013.6.27, 2013다23372).

② 보증서의 보증금액은 보증인이 보증책임을 지게 될 주채무에 관한 한도액을 정한 것으로서 한도액에는 주채무자의 채권자에 대한 원금과 이자 및 지연손해금이 모두 포함되고 합계액이 보증의 한도액을 초과할 수 없지만, 보증채무는 주채무와는 별개의 채무이기 때문에 보증채무 자체의 이행지체로 인한 지연손해금은 보증의 한도액과는 별도로 부담하여야 하고, 이때 보증채무의 연체이율에 관하여 특별한 약정이 없는 경우라면 거래행위의 성질에 따라 상법 또는 민법에서 정한 법정이율에 따라야 한다(대판 2016.1.28, 2013다74110).

③ 채권자와 주채무자 사이의 확정판결에 의하여 주채무가 확정되어 그 소멸시효기간이 10년으로 연장되었다 할지라도 그 보증채무까지 당연히 단기소멸시효의 적용이 배제되어 10년의 소멸시효기간이 적용되는 것은 아니고, 채권자와 연대보증인 사이에 있어서 연대보증채무의 소멸시효기간은 여전히 종전의 소멸시효기간에 따른다(대판 2006.8.24, 2004다26287·26294).

④ 민법 제437조 본문에 의하면 채권자가 보증인에게 채무의 이행을 청구한 때에는 보증인은 주채무자의 변제자력이 있는 사실 및 그 집행이 용이할 것을 증명하여 먼저 주채무자에게 청구할 것과 그 재산에 대하여 집행할 것을 항변할 수 있다고 규정하므로, 보증인의 최고와 검색의 항변권은 보증인이 주채무자에게 변제자력이 있고 집행이 용이한 사실을 입증할 때에 성립될 수 있고, 단순히 주채무자에게 먼저 청구할 것을 항변할 수 없다고 할 것이다(대판 1968.9.24, 68다1271).

⑤ 보증채무는 주채무와는 별개의 채무이기 때문에 보증채무 자체의 이행지체로 인한 지연손해금은 보증한도액과는 별도로 부담하고, 이 경우 보증채무의 연체이율에 관하여 특별한 약정이 있으면 그에 따르고, 특별한 약정이 없는 경우라면 그 거래행위의 성질에 따라 상법 또는 민법에서 정한 법정이율에 따라야 할 것이고, 주채무에 관하여 약정된 연체이율이 당연히 여기에 적용되는 것은 아니다(대판 2003.6.13, 2001다29803).

03

甲에 대한 乙의 3,000만원의 금전채무에 대하여 丙과 丁이 연대보증인(각 전액보증, 내부적 부담부분 각 1,500만원)이 된 경우에 관한 다음 설명 중 가장 옳은 것은? ▸ 2022 법무사

① 甲의 丙에 대한 채권포기는 乙에게는 그 효력이 미치지 않지만 丁에게는 미친다.

② 丙이 甲으로부터 청구를 받은 경우, 丙이 乙에게 변제자력이 있는 사실 및 그 집행이 용이할 것을 증명하면 甲은 우선 乙에게 청구하여야 한다.

③ 丙이 3,000만원을 甲에게 변제한 경우 丙은 乙에 대하여는 구상할 수 있지만 丁에 대하여 구상할 수는 없다.

④ 甲이 丙에 대한 연대보증채권을 피보전권리로 하여 丙 소유의 부동산에 가압류를 하더라도 乙에 대한 채권의 소멸시효는 중단되지 않는다.

⑤ 丙은 乙이 甲에 대하여 가지는 채권에 의한 상계를 가지고 甲에게 대항할 수 없다.

해설 ① ⅰ) 연대보증인이라고 할지라도 주채무자에 대하여는 보증인에 불과하므로 연대채무에 관한 면제의 절대적 효력을 규정한 민법 제419조의 규정은 주채무자와 보증인 사이에는 적용되지 아니하는 것이니, 채권자가 연대보증인에 대하여 그 채무의 일부 또는 전부를 면제하였다 하더라도 그 면제의 효력은 주채무자에 대하여 미치지 아니한다. 또한 ⅱ) 수인의 연대보증인이 있는 경우, 연대보증인들 사이에 연대관계의 특약이 있는 경우가 아니면 채권자가 연대보증인의 1인에 대하여 채무의 전부 또는 일부를 면제하더라도 다른 연대보증인에 대하여는 그 효력이 미치지 아니한다(대판 1992.9.25, 91다37553). → 甲의 丙에 대한 채권포기는 乙에게 그 효력이 미치지 않고 丁에게도 미치지 않는다.

② 연대보증의 경우에는 보충성이 없다. 따라서 연대보증인은 최고·검색의 항변권을 갖지 못한다(제437조 단서). → 甲은 丙의 최고·검색의 항변에 따라 乙에게 우선 청구해야 하는 것이 아니다.

③ 주채무자와 연대로 채무를 부담한 경우에 어느 보증인이 자기의 부담부분을 넘은 변제를 한 때에는 제425조 내지 제427조(= 연대채무의 구상)의 규정을 준용한다(제448조 제2항). → 丙은 丁에 대하여도 구상할 수 있다.

④ 보증채무에 대한 소멸시효가 중단되었다고 하더라도 이로써 주채무에 대한 소멸시효가 중단되는 것은 아니고, 주채무가 소멸시효 완성으로 소멸된 경우에는 보증채무도 그 채무 자체의 시효중단에 불구하고 부종성에 따라 당연히 소멸된다(대판 2002.5.14, 2000다62476). → 연대보증인 丙에 대한 소멸시효가 중단되었더라도 주채무자 乙에 대한 소멸시효는 중단되지 않는다.

⑤ 보증인은 주채무자의 채권에 의한 상계로 채권자에게 대항할 수 있다(제434조). → 연대보증인 丙은 주채무자 乙이 甲에 대하여 가지는 채권에 의한 상계를 가지고 甲에게 대항할 수 있다.

04 보증에 관한 다음 설명 중 가장 옳지 않은 것은?

▸ 2024 법무사

① 주채무에 대한 소멸시효가 완성되어 보증채무가 소멸된 상태에서 보증인이 보증채무를 이행하거나 승인하였다고 하더라도, 주채무자가 아닌 보증인의 행위에 의하여 주채무에 대한 소멸시효 이익의 포기 효과가 발생된다고 할 수 없다.

② 채권자와 주채무자 사이의 확정판결에 의하여 주채무가 확정되어 그 소멸시효기간이 10년으로 연장되었다면, 그 보증채무까지도 당연히 단기소멸시효의 적용이 배제되어 10년의 소멸시효기간이 적용된다고 보는 것이 보증채무의 성질에 부합한다.

③ 민법 제440조는 "주채무자에 대한 시효의 중단은 보증인에 대하여 그 효력이 있다."라고 규정하고 있는바, 민법 제440조는 시효중단에 관한 민법 제169조의 예외 규정으로서 이는 채권자 보호 내지 채권담보의 확보를 위하여 주채무자에 대한 시효중단의 사유가 발생하였을 때는 그 보증인에 대한 별도의 중단조치가 이루어지지 아니하여도 동시에 시효중단의 효력이 생기도록 한 것이고, 그 시효중단사유가 압류, 가압류 및 가처분이라고 하더라도 이를 보증인에게 통지하여야 비로소 시효중단의 효력이 발생하는 것은 아니다.

④ 수탁보증인의 사전구상권과 사후구상권은 종국적 목적과 사회적 효용을 같이하는 공통성을 가지고 있으나, 그 발생원인을 달리하고 법적 성질도 달리하는 별개의 독립된 권리이므로, 사후구상권이 발생한 이후에도 사전구상권은 소멸하지 아니하고 병존하며, 다만 목적달성으로 일방이 소멸하면 타방도 소멸하는 관계에 있을 뿐이다.

정답 03 ④ 04 ②

⑤ 어느 연대채무자나 어느 불가분채무자를 위하여 보증인이 된 자의 다른 연대채무자나 다른 불가분채무자에 대한 구상권에 관한 규정인 민법 제447조는 연대채무자 모두를 위하여 물상보증인이 된 자가 그 연대채무자의 1인에 대하여 구상권을 행사하는 경우에는 적용될 여지가 없다.

해설 ① 보증채무에 대한 소멸시효가 중단되는 등의 사유로 완성되지 아니하였다고 하더라도 주채무에 대한 소멸시효가 완성된 경우에는 시효완성 사실로써 주채무가 당연히 소멸되므로 보증채무의 부종성에 따라 보증채무 역시 당연히 소멸된다. 그리고 주채무에 대한 소멸시효가 완성되어 보증채무가 소멸된 상태에서 보증인이 보증채무를 이행하거나 승인하였다고 하더라도, 주채무자가 아닌 보증인의 행위에 의하여 주채무에 대한 소멸시효 이익의 포기 효과가 발생된다고 할 수 없으며, 주채무의 시효소멸에도 불구하고 보증채무를 이행하겠다는 의사를 표시한 경우 등과 같이 부종성을 부정하여야 할 다른 특별한 사정이 없는 한 보증인은 여전히 주채무의 시효소멸을 이유로 보증채무의 소멸을 주장할 수 있다고 보아야 한다(대판 2012.7.12, 2010다51192).

② 채권자와 주채무자 사이의 확정판결에 의하여 주채무가 확정되어 그 소멸시효기간이 10년으로 연장되었다 할지라도 그 보증채무까지 당연히 단기소멸시효의 적용이 배제되어 10년의 소멸시효기간이 적용되는 것은 아니고, 채권자와 연대보증인 사이에 있어서 연대보증채무의 소멸시효기간은 여전히 종전의 소멸시효기간에 따른다(대판 2006.8.24, 2004다26287・26294).

③ 민법 제169조는 '시효의 중단은 당사자 및 그 승계인 간에만 효력이 있다.'고 규정하고 있고, 한편 민법 제440조는 '주채무자에 대한 시효의 중단은 보증인에 대하여 그 효력이 있다.'라고 규정하고 있는바, 민법 제440조는 민법 제169조의 예외 규정으로서 이는 채권자 보호 내지 채권담보의 확보를 위하여 주채무자에 대한 시효중단의 사유가 발생하였을 때는 그 보증인에 대한 별도의 중단조치가 이루어지지 아니하여도 동시에 시효중단의 효력이 생기도록 한 것이고, 그 시효중단 사유가 압류, 가압류 및 가처분이라고 하더라도 이를 보증인에게 통지하여야 비로소 시효중단의 효력이 발생하는 것은 아니다(대판 2005.10.27, 2005다35554).

④ 수탁보증인의 사전구상권과 사후구상권은 종국적 목적과 사회적 효용을 같이하는 공통성을 가지고 있으나, 사후구상권은 보증인이 채무자에 갈음하여 변제 등 자신의 출연으로 채무를 소멸시켰다고 하는 사실에 의하여 발생하는 것이고, 이에 대하여 사전구상권은 그 외의 민법 제442조 제1항 소정의 사유나 약정으로 정한 일정한 사실에 의하여 발생하는 등 발생원인을 달리하고 법적 성질도 달리하는 별개의 독립된 권리이므로, 사후구상권이 발생한 이후에도 사전구상권은 소멸하지 아니하고 병존하며, 다만 목적달성으로 일방이 소멸하면 타방도 소멸하는 관계에 있을 뿐이다(대판 2019.2.14, 2017다274703).

⑤ 민법 제447조(어느 연대채무자나 어느 불가분채무자를 위하여 보증인이 된 자는 다른 연대채무자나 다른 불가분채무자에 대하여 그 부담부분에 한하여 구상권이 있다)는 어느 연대채무자나 어느 불가분채무자를 위하여 보증인이 된 자의 다른 연대채무자나 다른 불가분채무자에 대한 구상권에 관한 규정에 불과하므로 연대채무자 모두를 위하여 물상보증인이 된 자가 그 연대채무자의 1인에 대하여 구상권을 행사하는 경우에는 적용될 여지가 없다(대판 1990.11.13, 90다카26065).

→ 결국 어느 연대채무자에게나 출연액 전부에 대하여 구상권을 갖는다.

05 **수인의 채권자 및 채무자에 관한 다음 설명 중 가장 옳지 않은 것은?** ▶ 2024 법무사

① 공유물 무단 점유자에 대한 차임 상당 부당이득반환청구권은 특별한 사정이 없는 한 각 공유자에게 지분 비율만큼 귀속된다.

② 민법 제428조의2 제1항 전문은 "보증은 그 의사가 보증인의 기명날인 또는 서명이 있는 서면으로 표시되어야 효력이 발생한다."라고 규정하고 있는데, '보증인의 서명'은 원칙적으로 보증인이 직접 자신의 이름을 쓰는 것을 의미하므로 타인이 보증인의 이름을 대신 쓰는 것은 이에 해당하지 않지만, '보증인의 기명날인'은 타인이 이를 대행하는 방법으로 하여도 무방하다.

③ 부진정연대채무자 중 1인이 자신의 채권자에 대한 반대채권으로 상계를 한 경우, 채권자가 상계 내지 상계계약이 이루어질 당시 다른 부진정연대채무자의 존재를 알았던 경우에 한하여 그 상계로 인한 채무소멸의 효력이 소멸한 채무 전액에 관하여 다른 부진정연대채무자에 대하여도 미친다고 보아야 한다.

④ 여러 사람이 공동임대인으로서 임차인과 하나의 임대차계약을 체결한 경우에는 민법 제547조 제1항의 적용을 배제하는 특약이 있다는 등의 특별한 사정이 없는 한 공동임대인 전원의 해지의 의사표시에 따라 임대차계약 전부를 해지하여야 하고, 이러한 법리는 임대차계약의 체결 당시부터 공동임대인이었던 경우뿐만 아니라 임대차목적물 중 일부가 양도되어 그에 관한 임대인의 지위가 승계됨으로써 공동임대인으로 되는 경우에도 마찬가지로 적용된다.

⑤ 어느 연대채무자가 다른 연대채무자에게 통지하지 아니하고 변제 기타 자기의 출재로 공동면책이 된 경우에 다른 연대채무자가 채권자에게 대항할 수 있는 사유가 있었을 때에는 그 부담부분에 한하여 이 사유로 면책행위를 한 연대채무자에게 대항할 수 있고, 그 대항사유가 상계인 때에는 상계로 소멸할 채권은 그 연대채무자에게 이전된다.

> **해설** ① 공유물 무단 점유자에 대한 차임 상당 부당이득반환청구권은 특별한 사정이 없는 한 각 공유자에게 지분 비율만큼 귀속된다(대판 2021.12.16, 2021다257255). → ※ [보충] : 토지공유자는 특별한 사정이 없는 한 그 지분에 대응하는 비율의 범위 내에서만 그 차임상당의 부당이득금반환의 청구권을 행사할 수 있다(대판 1979.1.30, 78다2088).
>
> ② 민법 제428조의2 제1항 전문은 "보증은 그 의사가 보증인의 기명날인 또는 서명이 있는 서면으로 표시되어야 효력이 발생한다."라고 규정하고 있는데, 보증인의 서명은 원칙적으로 보증인이 직접 자신의 이름을 쓰는 것을 의미하므로 타인이 보증인의 이름을 대신 쓰는 것은 이에 해당하지 않지만, 보증인의 기명날인은 타인이 이를 대행하는 방법으로 하여도 무방하다(대판 2019.3.14, 2018다282473).

③ 부진정연대채무자 중 1인이 자신의 채권자에 대한 반대채권으로 상계를 한 경우에도 채권은 변제, 대물변제, 또는 공탁이 행하여진 경우와 동일하게 현실적으로 만족을 얻어 그 목적을 달성하는 것이므로, 그 상계로 인한 채무소멸의 효력은 소멸한 채무 전액에 관하여 다른 부진정연대채무자에 대하여도 미친다고 보아야 한다. 이는 부진정연대채무자 중 1인이 채권자와 상계계약을 체결한 경우에도 마찬가지이다. 나아가 이러한 법리는 채권자가 상계 내지 상계계약이 이루어질 당시 다른 부진정연대채무자의 존재를 알았는지 여부에 의하여 좌우되지 아니한다(대판(전합) 2010.9.16, 2008다97218).

④ 민법 제547조 제1항은 "당사자의 일방 또는 쌍방이 수인인 경우에는 계약의 해지나 해제는 그 전원으로부터 또는 전원에 대하여 하여야 한다."라고 규정하고 있으므로, 여러 사람이 공동임대인으로서 임차인과 하나의 임대차계약을 체결한 경우에는 민법 제547조 제1항의 적용을 배제하는 특약이 있다는 등의 특별한 사정이 없는 한 공동임대인 전원의 해지의 의사표시에 따라 임대차계약 전부를 해지하여야 한다. 이러한 법리는 임대차계약의 체결 당시부터 공동임대인이었던 경우뿐만 아니라 임대차목적물 중 일부가 양도되어 그에 관한 임대인의 지위가 승계됨으로써 공동임대인으로 되는 경우에도 마찬가지로 적용된다(대판 2015.10.29, 2012다5537).

⑤ 제426조 제1항

심화문제 | 확인 · 보충 · 심화문제

PART
03
채권각론

계약총칙

기본문제 | 기본문제의 구성

제1절 **계약의 성립**

01 다음 설명 중 가장 옳지 않은 것은? ▸ 2022 법무사

① 계약이 의사의 불합치로 성립하지 아니한 경우 그로 인하여 손해를 입은 당사자는 상대방이 계약이 성립되지 아니할 수 있다는 것을 알았거나 알 수 있었음을 이유로 민법 제535조를 유추적용하여 계약체결상의 과실로 인한 손해배상청구를 할 수 있다.

② 당사자 간에 동일한 내용의 청약이 상호교차된 경우에는 양청약이 상대방에게 도달한 때에 계약이 성립하고, 승낙자가 청약에 대하여 조건을 붙이거나 변경을 가하여 승낙한 때에는 그 청약의 거절과 동시에 새로 청약한 것으로 본다.

③ 명예퇴직의 신청은 근로계약에 대한 합의해지의 청약에 불과하여 이에 대한 사용자의 승낙이 있어 근로계약이 합의해지되기 전에는 근로자가 임의로 그 청약의 의사표시를 철회할 수 있다.

④ 무효인 약관조항에 의거하여 계약이 체결되었다면 그 후 상대방이 계약의 이행을 지체하는 과정에서 약관작성자로부터 채무의 이행을 독촉받고 종전 약관에 따른 계약내용의 이행 및 약정내용을 재차 확인하는 취지의 각서를 작성하여 교부하였다 하여 무효인 약관의 조항이 유효한 것으로 된다고 할 수 없다.

⑤ 약관상 매매계약 해제 시 매도인을 위한 손해배상액의 예정조항은 있는 반면 매수인을 위한 손해배상액의 예정조항은 없는 경우, 매도인 일방만을 위한 손해배상액의 예정조항을 두었다는 사정만으로는 약관의 규제에 관한 법률에 위배되어 무효라 할 수는 없다.

> **해설** ① 계약이 의사의 불합치로 성립하지 아니한 경우, 그로 인하여 손해를 입은 당사자가 상대방에게 부당이득반환청구 또는 불법행위로 인한 손해배상청구를 할 수 있는지는 별론으로 하고, 상대방이 계약이 성립되지 아니할 수 있다는 것을 알았거나 알 수 있었음을 이유로 민법 제535조를 유추적용하여 계약체결상의 과실로 인한 손해배상청구를 할 수는 없다(대판 2017.11.14, 2015다10929).
> ② 제533조, 제534조
> ③ 명예퇴직은 근로자가 명예퇴직의 신청(청약)을 하면 사용자가 요건을 심사한 후 이를 승인(승낙)함으로써 합의에 의하여 근로관계를 종료시키는 것으로, 명예퇴직의 신청은 근로계약에 대한 합의해지의 청약에 불과하여 이에 대한 사용자의 승낙이 있어 근로계약이 합의해지되기 전에는 근로자가 임의로 그 청약의 의사표시를 철회할 수 있다(대판 2003.4.25, 2002다11458). → ※ [보충]
> : ① 사용자의 승낙의 의사표시가 근로자에게 도달하기 전까지 근로자가 사직의 의사표시를 철

회할 수 있다고 하는 것은 민법 제527조 "계약의 청약은 이를 철회하지 못한다."라는 규정에 배치되는 해석이므로, 이와 같이 해석하는 근거가 무엇인지 문제된다. 이와 관련하여 우선 민법 제527조는 지금까지 계약관계가 없었던 당사자 사이에 새로운 계약관계를 창설하는 경우, 즉 계약성립의 경우에 전형적으로 타당한 것이고, 이와는 달리 지금까지 계속적으로 인적 결합관계에 있는 근로계약의 당사자 사이에서의 계약관계 종료를 위한 합의해약의 청약에 있어서는 그 철회를 자유로이 허용하더라도 상대방의 보호에 흠이 되는 것은 아니므로 위 법조의 적용을 부정하여도 지장이 없다는 이유로 수긍되고 있다. 또한 노·사 간의 계약관계는 형식상으로는 대등·평등한 것 같지만 실질적으로는 사용자가 우월적 지위에 있음을 부인할 수 없고, 이것은 근로자가 퇴직원 등에 의하여 퇴직의 의사표시를 하기까지 사이의 경위, 동기 형성에 있어 사용자의 압력이 유형·무형으로 작용할 가능성이 크기 때문에 근로자의 진의를 존중하여 퇴직 의사표시의 철회를 허용함으로써 근로계약관계의 유지·계속을 인정하는 것이 요망된다는 점도 이러한 해석의 근거가 되고 있다. ② 참고로 대법원은 근로자의 퇴직의 의사표시와 관련하여 철회가 문제되는 경우를 크게 해약의 고지(근로계약의 해지통고)와 합의해지의 청약으로 나누어서 판단하고 있다. 후자의 경우라면 위 ①과 같이 판단하지만, 전자의 경우로서 단순히 해약의 고지인 경우에는 사직의 의사표시가 도달한 이상 임의로 사직의 의사표시를 철회할 수 없다. 그리고 사직의 의사표시는 특별한 사정이 없는 한 당해 근로계약을 종료시키는 취지의 해약고지로 본다.
④ 무효인 약관조항에 의거하여 계약이 체결되었다면 그 후 상대방이 계약의 이행을 지체하는 과정에서 약관작성자로부터 채무의 이행을 독촉받고 종전 약관에 따른 계약내용의 이행 및 약정내용을 재차 확인하는 취지의 각서를 작성하여 교부하였다 하여 무효인 약관의 조항이 유효한 것으로 된다거나, 위 각서의 내용을 새로운 개별약정으로 보아 약관의 유·무효와는 상관없이 위 각서에 따라 채무의 이행 및 원상회복의 범위 등이 정하여진다고 할 수 없다(대판 2000.1.18, 98다18506).
⑤ 약관상 매매계약 해제 시 매도인을 위한 손해배상액의 예정조항은 있는 반면 매수인을 위한 손해배상액의 예정조항은 없는 경우, 매도인 일방만을 위한 손해배상액의 예정조항을 두었다고 하여 곧 그 조항이 약관의 규제에 관한 법률에 위배되어 무효라 할 수는 없다. (또한) 그 약관조항이 매수인에 대하여 부당하게 불리하다거나 신의성실의 원칙에 반하여 불공정하다고 볼 수 없다(대판 2000.9.22, 99다53759).

02 계약교섭의 부당파기에 관한 다음 설명 중 가장 옳지 않은 것은? (다툼이 있는 경우 판례에 따르고 전원합의체 판결의 경우 다수의견에 의함. 이하 같음) ▶ 2021 법무사

① 어느 일방이 교섭단계에서 계약이 확실하게 체결되리라는 정당한 기대 내지 신뢰를 부여하여 상대방이 그 신뢰에 따라 행동하였음에도 상당한 이유 없이 계약의 체결을 거부하여 손해를 입혔다면 이는 신의성실의 원칙에 비추어 볼 때 계약자유원칙의 한계를 넘는 위법한 행위로서 불법행위를 구성한다.
② 계약교섭의 부당한 중도파기가 불법행위를 구성하는 경우 그러한 불법행위로 인한 손해는 일방이 신의에 반하여 상당한 이유 없이 계약교섭을 파기함으로써 계약체결을 신뢰한 상대방이 입게 된 상당인과관계 있는 손해로서 계약이 유효하게 체결된다고 믿었던 것에 의하여 입었던 손해 즉 신뢰손해에 한정된다.

정답 ▶ 01 ① 02 ③

③ 아직 계약체결에 관한 확고한 신뢰가 부여되기 이전 상태에서 계약교섭의 당사자가 계약체결이 좌절되더라도 어쩔 수 없다고 생각하고 지출한 비용, 예컨대 경쟁입찰에 참가하기 위하여 지출한 제안서, 견적서 작성비용 등도 원칙적으로 민법상 손해배상의 범위에 포함된다.

④ 침해행위와 피해법익의 유형에 따라서 계약교섭의 파기로 인한 불법행위가 인격적 법익을 침해함으로써 상대방에게 정신적 고통을 초래하였다고 인정되는 경우라면 그러한 정신적 고통에 대한 손해에 대하여는 별도로 배상을 구할 수 있다.

⑤ 계약교섭 단계에서 당사자 중 일방이 이행에 착수하는 것은 이례적이라고 할 것이므로 설령 이행에 착수하였다고 하더라도 이는 자기의 위험 판단과 책임에 의한 것이라고 평가할 수 있지만 만일 이행의 착수가 상대방의 적극적인 요구에 따른 것이고, 그 이행에 들인 비용의 지급에 관하여 이미 계약교섭이 진행되고 있었다는 등의 특별한 사정이 있는 경우에는 당사자 중 일방이 계약의 성립을 기대하고 이행을 위하여 지출한 비용 상당의 손해가 상당인과관계있는 손해에 해당한다.

> **해설** ①,②,③,④ 대판 2003.4.11, 2001다53059 : 어느 일방이 교섭단계에서 계약이 확실하게 체결되리라는 정당한 기대 내지 신뢰를 부여하여 상대방이 그 신뢰에 따라 행동하였음에도 상당한 이유 없이 계약의 체결을 거부하여 손해를 입혔다면 이는 신의성실의 원칙에 비추어 볼 때 계약자유원칙의 한계를 넘는 위법한 행위로서 불법행위를 구성한다. 계약교섭의 부당한 중도파기가 불법행위를 구성하는 경우 그러한 불법행위로 인한 손해는 일방이 신의에 반하여 상당한 이유 없이 계약교섭을 파기함으로써 계약체결을 신뢰한 상대방이 입게 된 상당인과관계있는 손해로서 계약이 유효하게 체결된다고 믿었던 것에 의하여 입었던 손해 즉 신뢰손해에 한정된다고 할 것이고, 이러한 신뢰손해란 예컨대, 그 계약의 성립을 기대하고 지출한 계약준비비용과 같이 그러한 신뢰가 없었더라면 통상 지출하지 아니하였을 비용상당의 손해라고 할 것이며, 아직 계약체결에 관한 확고한 신뢰가 부여되기 이전 상태에서 계약교섭의 당사자가 계약체결이 좌절되더라도 어쩔 수 없다고 생각하고 지출한 비용, 예컨대 경쟁입찰에 참가하기 위하여 지출한 제안서, 견적서 작성비용 등은 여기에 포함되지 아니한다. 침해행위와 피해법익의 유형에 따라서는 계약교섭의 파기로 인한 불법행위가 인격적 법익을 침해함으로써 상대방에게 정신적 고통을 초래하였다고 인정되는 경우라면 그러한 정신적 고통에 대한 손해에 대하여는 별도로 배상을 구할 수 있다.
>
> ⑤ 계약교섭의 부당한 중도파기가 불법행위를 구성하는 경우, 상대방에게 배상책임을 지는 것은 계약체결을 신뢰한 상대방이 입게 된 상당인과관계있는 손해이고, 한편 계약교섭 단계에서는 아직 계약이 성립된 것이 아니므로 당사자 중 일방이 계약의 이행행위를 준비하거나 이를 착수하는 것은 이례적이라고 할 것이므로, 설령 이행에 착수하였다고 하더라도 이는 자기의 위험 판단과 책임에 의한 것이라고 평가할 수 있지만, 만일 이행의 착수가 상대방의 적극적인 요구에 따른 것이고, 바로 위와 같은 이행에 들인 비용의 지급에 관하여 이미 계약교섭이 진행되고 있었다는 등의 특별한 사정이 있는 경우에는, 당사자 중 일방이 계약의 성립을 기대하고 이행을 위하여 지출한 비용 상당의 손해가 상당인과관계있는 손해에 해당한다(대판 2004.5.28, 2002다32301).

03 불능에 관한 다음 설명 중 가장 옳지 않은 것은?

▶ 2025 법무사

① 구분건물의 소유권 취득을 목적으로 하는 매매계약에서 매도인의 소유권이전의무가 원시적 불능이어서 계약이 무효라고 하기 위해서는 매매 목적물이 '매매계약 당시' 구분 건물로서 구조상, 이용상 독립성을 구비하지 못했다는 정도에 이르면 되고, '그 후로도' 매매 목적물이 당사자 사이에 약정된 내용에 따른 구조상, 이용상 독립성을 갖추는 것이 사회통념상 불가능하다고 평가될 정도에 이를 것까지 요구되지는 않는다.

② 계약의 내용이 된 채무를 이행하는 것이 계약 당시부터 이미 사실상·법률상 불가능한 상태였다면 그 계약은 원시적으로 불능이어서 무효이다. 채무의 이행이 불가능하다는 것은 절대적·물리적으로 불가능한 경우만이 아니라 사회생활상 경험칙이나 거래상의 관념에 비추어 볼 때 채권자가 채무자의 이행 실현을 기대할 수 없는 경우도 포함한다.

③ 토지의 일부를 특정하여 매수하고 토지를 분할하여 그 특정부분에 대한 소유권이전등기를 넘겨받기로 약정하였으나 그 매수인이 불법증축한 부분으로 인하여 인근지번과의 인동거리가 건축법규상 제한거리에 미달하기 때문에 분할이전등기를 못한 경우 그러한 공법상 제한은 불법증축한 부분만 철거한다면 얼마든지 해제될 수 있는 것이어서 분할약정에 따른 상대방의 분할등기이전의무는 원시적 불능에 속하는 것이라고 할 수 없다.

④ 당사자 일방의 채무가 원시적 이행불능이면 계약은 무효이므로 상대방은 계약체결에 있어서의 과실을 이유로 하는 신뢰이익 손해배상을 구할 수 있을지언정 이행에 대신 하는 전보배상을 구할 수는 없다. 한편, 후발적 이행불능의 경우 이행에 대신하는 전보배상은 이행불능이 된 시기의 손해액이다.

⑤ 목적이 불능한 계약을 체결할 때에 그 불능을 알았거나 알 수 있었을 자는 상대방이 그 계약의 유효를 믿었음으로 인하여 받은 손해를 배상하여야 한다. 그러나 그 배상액은 계약이 유효함으로 인하여 생길 이익액을 넘지 못한다.

해설 ① 구분건물의 소유권 취득을 목적으로 하는 매매계약에서 매도인의 소유권이전의무가 원시적 불능이어서 그 계약이 무효라고 하기 위해서는, 단지 매매 목적물이 '매매계약 당시' 구분건물로서 구조상, 이용상 독립성을 구비하지 못했다는 정도를 넘어서, '그 후로도' 매매 목적물이 당사자 사이에 약정된 내용에 따른 구조상, 이용상 독립성을 갖추는 것이 사회관념상 불가능하다고 평가되어야 한다(대판 2017.12.22, 2017다242522).

② 계약의 내용이 된 채무를 이행하는 것이 계약 당시부터 이미 사실상·법률상 불가능한 상태였다면 그 계약은 원시적으로 불능이어서 무효이다. 채무의 이행이 불가능하다는 것은 절대적·물리적으로 불가능한 경우만이 아니라 사회생활상 경험칙이나 거래상의 관념에 비추어 볼 때 채권자가 채무자의 이행 실현을 기대할 수 없는 경우도 포함한다(대판 2020.12.10, 2019다201785).

③ 토지의 일부를 특정하여 매수하고 토지를 분할하여 그 특정부분에 대한 소유권이전등기를 넘겨받기로 약정하였으나 그 매수인이 불법증축한 부분으로 인하여 인근지번과의 인동거리가 건축법규상 제한거리에 미달하기 때문에 분할이전등기를 못한 경우 그러한 공법상 제한은 불법증축한 부분만 철거한다면 얼마든지 해제될 수 있는 것이어서 분할약정에 따른 상대방의 분할등기이전의무는 원시적 불능에 속하는 것이라고 할 수 없다(대판 1992.7.24, 91다38341).

정답 03 ①

④ 당사자 일반의 채무가 원시적 이행불능이면 계약은 무효이므로 상대방은 계약체결에 있어서의 과실을 이유로 하는 신뢰이익 손해배상을 구할 수 있을지언정 이행에 대신하는 전보배상을 구할 수는 없고 또 후발적 이행불능의 경우에 이행에 대신하는 전보배상은 이행불능이 된 시기의 손해액이다(대판 1975.2.10, 74다584).

⑤ 계약체결상의 과실 : 목적이 불능한 계약을 체결할 때에 그 불능을 알았거나 알 수 있었을 자는 상대방이 그 계약의 유효를 믿었음으로 인하여 받은 손해를 배상하여야 한다. 그러나 그 배상액은 계약이 유효함으로 인하여 생길 이익액을 넘지 못한다(민법 제535조 제1항).

제2절 계약의 효력

01 동시이행의 항변권에 관한 다음 설명 중 가장 옳지 않은 것은?

▶ 2022 법무사

① 동시이행의 관계에 있는 쌍방의 채무 중 어느 한 채무가 이행불능이 됨으로 인하여 발생한 손해배상채무도 여전히 다른 채무와 동시이행의 관계에 있다.

② 매매계약에서 대가적 의미가 있는 매도인의 소유권이전의무와 매수인의 대금지급의무는 다른 약정이 없는 한 동시이행의 관계에 있다. 설령 어느 의무가 선이행의무라고 하더라도 이행기가 지난 때에는 이행기가 지난 후에도 여전히 선이행하기로 약정하는 등의 특별한 사정이 없는 한 그 의무를 포함하여 매도인과 매수인 쌍방의 의무는 동시이행관계에 놓이게 된다.

③ 매수인이 매도인을 상대로 매매목적 부동산 중 일부에 대해서만 소유권이전등기의무의 이행을 구하고 있는 경우에는, 매도인은 특별한 사정이 없는 한 그 매매잔대금 일부에 대하여 동시이행의 항변권을 행사할 수 있다.

④ 일반적으로 동시이행의 관계가 인정되는 경우에 그러한 항변권을 행사하는 자의 상대방이 그 동시이행의 의무를 이행하기 위하여 과다한 비용이 소요되거나 또는 그 의무의 이행이 실제적으로 어려운 반면 그 의무의 이행으로 인하여 항변권자가 얻는 이득은 별달리 크지 아니하여 동시이행의 항변권의 행사가 주로 자기 채무의 이행만을 회피하기 위한 수단이라고 보여지는 경우에는 그 항변권의 행사는 권리남용으로서 배척되어야 할 것이다.

⑤ 동시이행의 항변권은 당사자가 행사하지 않는 이상 법원으로서는 이를 고려할 필요가 없지만, 이행지체책임은 동시이행의 항변권을 행사하지 않아도 발생하지 않는다.

 ① 동시이행의 관계에 있는 쌍방의 채무 중 어느 한 채무가 이행불능이 됨으로 인하여 발생한 손해배상채무도 여전히 다른 채무와 동시이행의 관계에 있다(대판 2014.4.30, 2010다11323).

② 매매계약에서 대가적 의미가 있는 매도인의 소유권이전의무와 매수인의 대금지급의무는 다른 약정이 없는 한 동시이행의 관계에 있으며, 또한 설령 어느 의무가 선이행의무라고 하더라도 이행

기가 도과된 경우에는 이행기 도과에 불구하고 여전히 선이행하기로 약정하는 등의 특별한 사정이 없는 한 그 의무를 포함하여 매도인과 매수인 쌍방의 의무는 동시이행관계에 놓이게 된다(대판 2013.6.13, 2011다73472).

③ 부동산매매계약에서 발생하는 매도인의 소유권이전등기의무와 매수인의 매매잔대금지급의무는 동시이행관계에 있고, 동시이행의 항변권은 상대방의 채무이행이 있기까지 자신의 채무이행을 거절할 수 있는 권리이므로, 매수인이 매도인을 상대로 매매목적 부동산 중 일부에 대해서만 소유권이전등기의무의 이행을 구하고 있는 경우에도 매도인은 특별한 사정이 없는 한 그 매매잔대금 전부에 대하여 동시이행의 항변권을 행사할 수 있다고 할 것이다(대판 2006.2.23, 2005다53187).

④ 대판 1992.4.28, 91다29972

⑤ 대판 1990.11.27, 90다카25222; 대판 2001.7.10, 2001다3764 → 청구저지효는 항변권을 행사해야만 그 효력이 발생하고, 항변권자의 원용이 없으면 법원은 항변권의 존재를 고려하지 않으므로 법원은 원고승소판결을 하게 된다. 반면 지체저지효는 이행지체의 책임이 없다고 주장하는 자가 반드시 동시이행의 항변권을 행사하여야만 발생하는 것은 아니다.

02 동시이행항변에 관한 다음 설명 중 가장 옳지 않은 것은? (다툼이 있는 경우 판례에 따르고 전원합의체 판결의 경우 다수의견에 의함. 이하 같음) ▶ 2022 법무사

① 완성된 목적물에 하자가 있어 도급인이 하자의 보수에 갈음하여 손해배상을 청구한 경우에 도급인의 손해배상 채권과 동시이행관계에 있는 수급인의 공사대금 채권은 공사잔대금 채권 중 위 손해배상 채권액과 동액의 채권에 한한다.

② 제3채무자의 압류채무자에 대한 자동채권이 수동채권인 피압류채권과 동시이행의 관계에 있다 하더라도, 압류명령이 제3채무자에게 송달되어 압류의 효력이 생긴 후에 자동채권이 발생하였다면 그 자동채권은 민법 제498조의 '지급을 금지하는 명령을 받은 제3채무자가 그 후에 취득한 채권'에 해당하므로, 제3채무자는 동시이행의 항변권을 주장할 수 없다.

③ 계속적 거래관계에 있어서 재화나 용역을 먼저 공급한 후 일정기간마다 거래대금을 정산하여 일정기일 후에 지급받기로 약정한 경우에, 공급자가 선이행의 자기 채무를 이행하였으나 이미 정산이 완료되어 이행기가 지난 전기의 대금을 지급받지 못한 경우에는, 공급자는 이미 이행기가 지난 전기의 대금을 지급받을 때까지 선이행의무가 있는 다음 기간의 자기 채무의 이행을 거절할 수 있다고 해석할 것이다.

④ 부동산 매매계약에 있어 매수인이 부가가치세를 부담하기로 약정한 경우, 부가가치세를 매매대금과 별도로 지급하기로 했다는 등의 특별한 사정이 없는 한 부가가치세를 포함한 매매대금 전부와 부동산의 소유권이전등기의무가 동시이행의 관계에 있다고 봄이 상당하다.

⑤ 근저당권설정등기가 되어 있는 부동산을 매매하는 경우, 매수인이 근저당권의 피담보채무를 인수하여 그 채무금 상당을 매매잔대금에서 공제하기로 하는 특약을 하는 등 특별한 사정이 없는 한, 매도인의 근저당권말소 및 소유권이전등기의무와 매수인의 잔대금지급의무는 동시이행의 관계에 있는 것이다.

정답 ▶ 01 ③ 02 ②

해설 ① 완성된 목적물에 하자가 있어 도급인이 하자의 보수에 갈음하여 손해배상을 청구한 경우에, **도급인은 수급인이 그 손해배상청구에 관하여 채무이행을 제공할 때까지 그 손해배상액에 상응하는 보수액에 관하여만 자기의 채무이행을 거절할 수 있을 뿐이고 그 나머지 보수액은 지급을 거절할 수 없다고 할 것이므로,** 도급인의 손해배상 채권과 동시이행관계에 있는 수급인의 공사대금 채권은 공사잔대금 채권 중 위 손해배상 채권액과 동액의 채권에 한하고, 그 **나머지 공사잔대금 채권은 위 손해배상 채권과 동시이행관계에 있다고 할 수 없다**(대판 1996.6.11, 95다12798).

② 금전채권에 대한 압류 및 전부명령이 있는 때에는 압류된 채권은 동일성을 유지한 채로 압류채무자로부터 압류채권자에게 이전되고, 제3채무자는 채권이 압류되기 전에 압류채무자에게 대항할 수 있는 사유로써 압류채권자에게 대항할 수 있는 것이므로, **제3채무자의 압류채무자에 대한 자동채권이 수동채권인 피압류채권과 동시이행의 관계에 있는 경우**에는, **압류명령이 제3채무자에게 송달되어 압류의 효력이 생긴 후에 자동채권이 발생하였다고 하더라도 제3채무자는 동시이행의 항변권을 주장할 수 있다.** 이 경우에 자동채권이 발생한 기초가 되는 원인은 수동채권이 압류되기 전에 이미 성립하여 존재하고 있었던 것이므로, 그 자동채권은 민법 제498조의 '지급을 금지하는 명령을 받은 제3채무자가 그 후에 취득한 채권'에 해당하지 않는다고 봄이 상당하고, 제3채무자는 그 자동채권에 의한 상계로 압류채권자에게 대항할 수 있다(대판 2010.3.25, 2007다35152).

③ 계속적 거래관계에 있어서 재화나 용역을 먼저 공급한 후 일정 기간마다 거래대금을 정산하여 일정 기일 후에 지급받기로 약정한 경우에 공급자가 선이행의 자기 채무를 이행하고 이미 정산이 완료되어 이행기가 지난 전기의 대금을 지급받지 못하였거나 후이행의 상대방의 채무가 아직 이행기가 되지 아니하였지만 이행기의 이행이 현저히 불안한 사유가 있는 경우에는 민법 제536조 제2항 및 신의성실의 원칙에 비추어 볼 때 **공급자는 이미 이행기가 지난 전기의 대금을 지급받을 때 또는 전기에 대한 상대방의 이행기 미도래채무의 이행불안사유가 해소될 때까지 선이행의무가 있는 다음 기간의 자기 채무의 이행을 거절할 수 있다.** 민법 제536조 제2항에서의 '상대방의 채무이행이 곤란할 현저한 사유'라 함은 계약 성립 후 상대방의 신용불안이나 재산상태의 악화 등 사정으로 반대급부를 이행받을 수 없게 될지도 모를 사정변경이 생기고 이로 인하여 당초의 계약 내용에 따른 선이행의무를 이행하게 하는 것이 공평의 관념과 신의칙에 반하게 되는 경우를 말한다(대판 2002.9.4, 2001다1386).

④ 대판 2006.2.24, 2005다58656

⑤ 대판 1991.11.26, 91다23103

03 동시이행항변에 관한 다음 설명 중 가장 옳지 않은 것은?

▶ 2024 법무사

① 기존의 원인채권과 어음채권이 병존하는 경우에 채권자가 원인채권을 행사함에 있어서 채무자는 원칙적으로 어음과 상환으로 지급하겠다고 하는 항변으로 채권자에게 대항할 수 있다. 따라서 어음상 권리가 시효완성으로 소멸하여 채무자에게 이중지급의 위험이 없고 채무자가 다른 어음상 채무자에 대하여 권리를 행사할 수도 없는 경우이더라도 채권자의 원인채권 행사에 대하여 채무자에게 어음상환의 동시이행항변을 인정할 필요가 있다.

② 토지 임차인의 매수청구권 행사로 지상 건물에 대하여 시가에 의한 매매 유사의 법률관계가 성립된 경우에는 임차인의 건물명도 및 그 소유권이전등기의무와 토지 임대인의 건물대금지급의무는 서로 대가관계에 있는 채무가 되므로, 임차인이 임대인에게 매수청구권이 행사된 건물들에 대한 명도와 소유권이전등기를 마쳐주지 아니하였다면 임대인에게 그 매매대금에 대한 지연손해금을 구할 수 없다.

③ 매수인이 매매의 목적이 된 부동산을 명도받기 전에 잔대금을 먼저 지급하기로 약정한 매매의 경우에, 매수인이 잔대금지급채무를 이행하지 아니하였다고 하더라도 매매계약이 해제되지 아니한 상태에서 부동산의 명도기일이 지날 때까지 부동산이 명도되지 아니하였다면, 그때부터는 매수인의 잔대금지급채무와 매도인의 부동산명도의무는 동시이행의 관계에 있게 된다.

④ 동시이행의 항변권은 상대방의 채무이행이 있기까지 자신의 채무이행을 거절할 수 있는 권리이므로, 매수인이 매도인을 상대로 매매목적 부동산 중 일부에 대해서만 소유권이전등기의무의 이행을 구하고 있는 경우에도 매도인은 특별한 사정이 없는 한 그 매매잔대금 전부에 대하여 동시이행의 항변권을 행사할 수 있다고 할 것이다.

⑤ 항변권이 부착되어 있는 채권을 자동채권으로 하여 타의 채무와의 상계를 허용한다면 상계가 일방의 의사표시에 의하여 상대방의 항변권행사의 기회를 상실케 하는 결과가 되므로 이와 같은 상계는 그 성질상 허용할 수 없다.

> **해설** ① 본래 기존의 원인채권과 어음채권이 병존하는 경우에 채권자가 원인채권을 행사함에 있어서 채무자는 원칙적으로 어음과 상환으로 지급하겠다고 하는 항변으로 채권자에게 대항할 수 있다. 그러나 어음상 권리가 시효완성으로 소멸하여 채무자에게 이중지급의 위험이 없고 채무자가 다른 어음상 채무자에 대하여 권리를 행사할 수도 없는 경우에는 채권자의 원인채권 행사에 대하여 채무자에게 어음상환의 동시이행항변을 인정할 필요가 없으므로 결국 채무자의 동시이행항변권은 부인된다(대판 2010.7.29, 2009다69692).
> ② 토지 임차인의 매수청구권 행사로 지상 건물에 대하여 시가에 의한 매매 유사의 법률관계가 성립된 경우에는 임차인의 건물명도 및 그 소유권이전등기의무와 토지 임대인의 건물대금지급의무는 서로 대가관계에 있는 채무가 되므로, 임차인이 임대인에게 매수청구권이 행사된 건물들에 대한 명도와 소유권이전등기를 마쳐주지 아니하였다면 임대인에게 그 매매대금에 대한 지연손해금을 구할 수 없다(대판 1998.5.8, 98다2389).

정답 ▶ **03 ①**

③ 매수인이 매매의 목적이 된 부동산을 명도받기 전에 잔대금을 먼저 지급하기로 약정한 매매의 경우에, 매수인이 잔대금지급채무를 이행하지 아니하였다고 하더라도 매매계약이 해제되지 아니한 상태에서 부동산의 명도기일이 지날 때까지 부동산이 명도되지 아니하였다면, 그때부터는 매수인의 잔대금지급채무와 매도인의 부동산명도의무는 동시이행의 관계에 있게 된다(대판 1991.8.13, 91다13144).

④ 부동산매매계약에서 발생하는 매도인의 소유권이전등기의무와 매수인의 매매잔대금지급의무는 동시이행관계에 있고, 동시이행의 항변권은 상대방의 채무이행이 있기까지 자신의 채무이행을 거절할 수 있는 권리이므로, 매수인이 매도인을 상대로 매매목적 부동산 중 일부에 대해서만 소유권이전등기의무의 이행을 구하고 있는 경우에도 매도인은 특별한 사정이 없는 한 그 매매잔대금 전부에 대하여 동시이행의 항변권을 행사할 수 있다고 할 것이다(대판 2006.2.23, 2005다53187).

⑤ 대판 2002.8.23, 2002다25242 → ※ [보충] : 수탁보증인이 주채무자에 대하여 가지는 민법 제442조의 사전구상권에는 민법 제443조 소정의 이른바 면책청구권이 항변권으로 부착되어 있는 만큼 이를 자동채권으로 하는 상계는 허용될 수 없다(대판 2001.11.13, 2001다55222·55239).

04 제3자를 위한 계약에 관한 다음 설명 중 가장 옳지 않은 것은?

▶ 2023 법무사

① 어떤 계약이 제3자를 위한 계약에 해당하는지 여부는 당사자의 의사가 그 계약에 의하여 제3자에게 직접 권리를 취득하게 하려는 것인지에 관한 의사 해석의 문제로서, 이는 계약 체결의 목적, 계약에 있어서의 당사자의 행위의 성질, 계약으로 인하여 당사자 사이 또는 당사자와 제3자 사이에 생기는 이해득실, 거래 관행, 제3자를 위한 계약 제도가 갖는 사회적 기능 등 제반 사정을 종합하여 계약 당사자의 합리적 의사를 해석함으로써 판별할 수 있다.

② 제3자를 위한 계약이 성립하기 위하여는 일반적으로 그 계약의 당사자가 아닌 제3자로 하여금 직접 권리를 취득하게 하는 조항이 있어야 할 것이지만, 계약의 당사자가 제3자에 대하여 가진 채권에 관하여 그 채무를 면제하는 계약도 제3자를 위한 계약에 준하는 것으로서 유효하다.

③ 낙약자는 요약자와 수익자 사이의 법률관계에 기한 항변으로 수익자에게 대항하지 못하고, 요약자도 요약자와 제3자(수익자) 사이의 법률관계의 부존재나 효력의 상실을 이유로 자신이 낙약자 사이의 법률관계에 기하여 낙약자에게 부담하는 채무의 이행을 거부할 수 없다.

④ 채무자와 인수인의 계약으로 체결되는 병존적 채무인수는 채권자로 하여금 인수인에 대하여 새로운 권리를 취득하게 하는 것으로 제3자를 위한 계약에 해당한다.

⑤ 제3자를 위한 계약에 있어서 수익의 의사표시를 한 수익자는 낙약자에게 직접 그 이행을 청구할 수 있으나, 요약자가 낙약자와의 계약을 해제한 경우에는 수익자는 낙약자에게 자기가 입은 손해의 배상을 청구할 수는 없다.

해설 ①,④ 대판 1997.10.24, 97다28698

② 대판 2004.9.3, 2002다37405

③ 대판 2003.12.11, 2003다49771

⑤ 제3자를 위한 계약에 있어서 수익의 의사표시를 한 **수익자는 낙약자에게 직접 그 이행을 청구할 수 있을 뿐만 아니라 요약자가 계약을 해제한 경우에는 낙약자에게 자기가 입은 손해의 배상을 청구할 수 있다**(대판 1994.8.12, 92다41559). → ※ [참고] : 제3자를 위한 계약의 당사자가 아닌 수익자는 계약의 해제권이나 해제를 원인으로 한 원상회복청구권이 있다고 볼 수 없다.

제3절	계약의 해지 · 해제

01 다음 설명 중 가장 옳지 않은 것은?

▶ 2021 법무사

① 매수인이 매도인과 사이의 매매계약에 의한 잔대금지급기일에 잔대금을 지급하지 못한 것은 물론 그 지급의 연기를 수차 요청하였다면 그 채무를 이행하지 아니할 의사를 명백히 한 것으로 볼 수 있다.

② 채무불이행에 의한 계약해제에 있어 미리 이행하지 아니할 의사를 표시한 경우로서 이른바 '이행거절'로 인한 계약해제의 경우에는 상대방의 최고 및 동시이행관계에 있는 자기 채무의 이행제공을 요하지 아니하여 이행지체시의 계약해제와 비교할 때 계약해제의 요건이 완화되어 있는 바, 명시적으로 이행거절의사를 표명하는 경우 외에 계약 당시나 계약 후의 여러 사정을 종합하여 묵시적 이행거절의사를 인정하기 위하여는 그 거절의사가 정황상 분명하게 인정되어야 한다.

③ 계약의 합의해제는 명시적으로뿐만 아니라 당사자 쌍방의 묵시적인 합의에 의하여도 할 수 있으나, 묵시적인 합의해제를 한 것으로 인정되려면 계약이 체결되어 그 일부가 이행된 상태에서 당사자 쌍방이 장기간에 걸쳐 나머지 의무를 이행하지 아니함으로써 이를 방치한 것만으로는 부족하고, 당사자 쌍방에게 계약을 실현할 의사가 없거나 계약을 포기할 의사가 있다고 볼 수 있을 정도에 이르러야 한다. 이 경우에 당사자 쌍방이 계약을 실현할 의사가 없거나 포기할 의사가 있었는지 여부는 계약이 체결된 후의 여러 가지 사정을 종합적으로 고려하여 판단하여야 한다.

④ 계약의 합의해제 또는 해제계약은 해제권의 유무를 불문하고 계약당사자 쌍방이 합의에 의하여 기존의 계약의 효력을 소멸시켜 당초부터 계약이 체결되지 않았던 것과 같은 상태로 복귀시킬 것을 내용으로 하는 새로운 계약으로서, 계약이 합의해제되기 위하여는 계약이 성립과 마찬가지로 계약의 청약과 승낙이라는 서로 대립하는 의사표시가 합치될 것을 요건으로 하는 바, 이와 같은 합의가 성립하기 위하여는 쌍방당사자의 표시행위에 나타난 의사의 내용이 객관적으로 일치하여야 한다.

⑤ 쌍무계약에서 서로 대가관계에 있는 당사자 쌍방의 의무는 원칙적으로 동시이행의 관계에 있고, 나아가 하나의 계약으로 둘 이상의 민법상의 전형계약을 포괄하는 내용의 계약을 체결한 경우에 당사자 일방의 여러 의무가 포괄하여 상대방의 여러 의무와 대가관계에 있다고 인정되면, 이러한 당사자 일방의 여러 의무와 상대방의 여러 의무는 동시이행의 관계에 있다.

> **해설** ① 매수인이 매도인과 사이의 매매계약에 의한 잔대금지급기일에 잔대금을 지급하지 못하여 그 지급의 연기를 수차 요청하였다는 것만으로는 그 채무를 이행하지 아니할 의사를 명백히 한 것으로는 볼 수 없다(대판 2020.7.23, 2019다277911).

정답 ▶ 04 ⑤ / 01 ①

② 채무불이행에 의한 계약해제에서 미리 이행하지 아니할 의사를 표시한 경우로서 이른바 '이행거절'로 인한 계약해제의 경우에는 상대방의 최고 및 동시이행관계에 있는 자기 채무의 이행제공을 요하지 아니하여 이행지체 시의 계약해제와 비교할 때 계약해제의 요건이 완화되어 있는바, 명시적으로 이행거절의사를 표명하는 경우 외에 계약 당시나 계약 후의 여러 사정을 종합하여 묵시적 이행거절의사를 인정하기 위하여는 그 거절의사가 정황상 분명하게 인정되어야 한다(대판 2011.2.10, 2010다77385).

③ 계약의 합의해제는 명시적으로뿐만 아니라 당사자 쌍방의 묵시적인 합의에 의하여도 할 수 있으나, 묵시적인 합의해제를 한 것으로 인정되려면 계약이 체결되어 그 일부가 이행된 상태에서 당사자 쌍방이 장기간에 걸쳐 나머지 의무를 이행하지 아니함으로써 이를 방치한 것만으로는 부족하고, 당사자 쌍방에게 계약을 실현할 의사가 없거나 계약을 포기할 의사가 있다고 볼 수 있을 정도에 이르러야 한다. 이 경우에 당사자 쌍방이 계약을 실현할 의사가 없거나 포기할 의사가 있었는지 여부는 계약이 체결된 후의 여러 가지 사정을 종합적으로 고려하여 판단하여야 한다(대판 2011.2.10, 2010다77385).

④ 계약의 합의해제 또는 해제계약이라 함은 해제권의 유무를 불구하고 계약당사자 쌍방이 합의에 의하여 기존의 계약의 효력을 소멸시켜 당초부터 계약이 체결되지 않았던 것과 같은 상태로 복귀시킬 것을 내용으로 하는 새로운 계약으로서, 계약이 합의해제되기 위하여는 일반적으로 계약이 성립하는 경우와 마찬가지로 계약의 청약과 승낙이라는 서로 대립하는 의사표시가 합치될 것을 그 요건으로 하는바, 이와 같은 합의가 성립하기 위하여는 쌍방 당사자의 표시행위에 나타난 의사의 내용이 객관적으로 일치하여야 되는 것이다(대판 1994.9.13, 94다17093).

⑤ 쌍무계약에서 서로 대가관계에 있는 당사자 쌍방의 의무는 원칙적으로 동시이행의 관계에 있고, 나아가 하나의 계약으로 둘 이상의 민법상의 전형계약을 포괄하는 내용의 계약을 체결한 경우에 당사자 일방의 여러 의무가 포괄하여 상대방의 여러 의무와 대가관계에 있다고 인정되면, 이러한 당사자 일방의 여러 의무와 상대방의 여러 의무는 동시이행의 관계에 있다(대판 2011.2.10, 2010다77385).

02 계약의 해제에 관한 다음 설명 중 가장 옳지 않은 것은? ▸ 2022 법무사

① 계약이 합의에 따라 해제되거나 해지된 경우에는 상대방에게 손해배상을 하기로 특약하거나 손해배상청구를 유보하는 의사표시를 하는 등 다른 사정이 없는 한 채무불이행으로 인한 손해배상을 청구할 수 없다.

② 계약의 해제는 제3자의 권리를 해하지 못하는데, 여기에서 제3자란 일반적으로 계약이 해제되는 경우 그 해제된 계약으로부터 생긴 법률효과를 기초로 하여 해제 전에 새로운 이해관계를 가지게 된 자로서, 계약상 채권을 양수한 자와 등기·인도 등으로 완전한 권리를 취득한 자를 말한다.

③ 매도인의 매매계약상의 소유권이전등기의무가 이행불능이 되어 이를 이유로 매매계약을 해제함에 있어서는 상대방의 잔대금지급의무가 매도인의 소유권이전등기의무와 동시이행관계에 있다고 하더라도 그 이행의 제공을 필요로 하는 것이 아니다.

④ 일방 당사자의 계약위반을 이유로 한 상대방의 계약해제 의사표시에 의하여 계약이 해제되었음에도 상대방이 계약이 존속함을 전제로 계약상 의무의 이행을 구하는 경우 계약을 위반한 당사자도 당해 계약이 상대방의 해제로 소멸되었음을 들어 그 이행을 거절할 수 있다.

⑤ 매수인이 계약의 이행에 착수하기 전에는 매도인이 계약금의 배액을 상환하고 계약을 해제할 수 있으나, 이때 계약 해제 통고로서 바로 해제 효과가 발생하는 것이 아니라 매도인이 수령한 계약금의 배액을 매수인에게 상환하거나 적어도 그 이행제공을 하지 않으면 계약을 해제할 수 없다.

해설 ① 계약이 합의해제된 경우에는 그 해제 시에 당사자 일방이 상대방에게 손해배상을 하기로 특약하거나 손해배상청구를 유보하는 의사표시를 하는 등 다른 사정이 없는 한 채무불이행으로 인한 손해배상을 청구할 수 없다(대판 1989.4.25, 86다카1147).

② 민법 제548조 제1항 단서에서 규정하고 있는 제3자란 일반적으로 계약이 해제되는 경우 그 해제된 계약으로부터 생긴 법률효과를 기초로 하여 해제 전에 새로운 이해관계를 가졌을 뿐 아니라 등기·인도 등으로 완전한 권리를 취득한 자를 말하고, 계약상의 채권을 양수한 자는 여기서 말하는 제3자에 해당하지 않는다(대판 2003.1.24, 2000다22850).

③ 매도인의 매매계약상의 소유권이전등기의무가 이행불능이 되어 이를 이유로 매매계약을 해제함에 있어서는, 상대방의 잔대금지급의무가 매도인의 소유권이전등기의무와 동시이행관계에 있다고 하더라도 그 이행의 제공을 필요로 하는 것이 아니다(대판 2003.1.24, 2000다22850).

④ 계약의 해제권은 일종의 형성권으로서 당사자의 일방에 의한 계약해제의 의사표시가 있으면 그 효과로서 새로운 법률관계가 발생하고 각 당사자는 그에 구속되는 것이므로, 일방 당사자의 계약위반을 이유로 한 상대방의 계약해제 의사표시에 의하여 계약이 해제되었음에도 상대방이 계약이 존속함을 전제로 계약상 의무의 이행을 구하는 경우 계약을 위반한 당사자도 당해 계약이 상대방의 해제로 소멸되었음을 들어 그 이행을 거절할 수 있다(대판 2001.6.29, 2001다21441·21458).

⑤ 매수인이 계약의 이행에 착수하기 전에는 매도인이 계약금의 배액을 상환하고 계약을 해제할 수 있으나, 이 해제는 통고로써 즉시 효력을 발생하고 나중에 계약금 배액의 상환의무만 지는 것이 아니라 매도인이 수령한 계약금의 배액을 매수인에게 상환하거나 적어도 그 이행제공을 하지 않으면 계약을 해제할 수 없다(대판 1992.7.28, 91다33612).

03 계약의 해제에 관한 다음 설명 중 가장 옳지 않은 것은? ▶ 2024 법무사

① 매매계약의 일방 당사자가 사망하였고 그에게 여러 명의 상속인이 있는 경우에 그 상속인들이 위 계약을 해제하려면, 상대방과 사이에 다른 내용의 특약이 있다는 등의 특별한 사정이 없는 한 상속인들 전원이 해제의 의사표시를 하여야 한다.

② 매매계약이 해제된 후에도 매도인이 별다른 이의 없이 일부 변제를 수령한 경우 특별한 사정이 없는 한 당사자 사이에 해제된 계약을 부활시키는 약정이 있었다고 해석함이 상당하고, 이러한 경우 매도인으로서는 새로운 이행의 최고 없이 바로 해제권을 행사할 수 없다.

③ 민법 제548조 제1항 단서에서 규정하는 해제의 효과에도 보호받는 제3자는 일반적으로 그 해제된 계약으로부터 생긴 법률효과를 기초로 하여 해제 전에 새로운 이해관계를 가졌을 뿐 아니라 등기·인도 등으로 완전한 권리를 취득한 자를 의미하므로, 계약이 해제되기 이전에 계약상의 채권을 양수하여 이를 피보전권리로 하여 처분금지가처분결정을 받은 경우 그 채권자는 민법 제548조 제1항 단서 소정의 해제의 소급효가 미치지 아니하는 '제3자'에 해당한다.

정답 02 ② 03 ③

④ 계약 해제의 효과로서 원상회복의무를 규정하는 민법 제548조 제1항 본문은 부당이득에 관한 특별규정의 성격을 가지는 것으로서, 그 이익 반환의 범위는 이익의 현존 여부나 청구인의 선의·악의를 불문하고 특단의 사유가 없는 한 받은 이익의 전부이다.

⑤ 계약의 해제로 인한 원상회복청구권에 대하여 해제자가 해제의 원인이 된 채무불이행에 관하여 '원인'의 일부를 제공하였다는 등의 사유를 내세워 신의칙 또는 공평의 원칙에 기하여 일반적으로 손해배상에 있어서의 과실상계에 준하여 권리의 내용이 제한될 수 있다고 하는 것은 허용되지 않는다.

해설 ① 계약해제의 불가분성을 말한다(제547조). 따라서 매매계약의 일방 당사자가 사망하였고 그에게 여러 명의 상속인이 있는 경우에 그 상속인들이 위 계약을 해제하려면, 상대방과 사이에 다른 내용의 특약이 있다는 등의 특별한 사정이 없는 한, 상속인들 전원이 해제의 의사표시를 하여야 한다(대판 2013.11.28, 2013다22812).

② 계약이 해제된 후에 계약당사자의 일방이 이의 없이 그 계약목적물을 받거나 대금에 대한 약정이자나 일부변제를 수령한 경우, 당사자 간에 해제된 계약을 부활시키는 (묵시적인) 약정이 있는 것으로 봄이 상당하고, 이러한 경우 매도인으로서는 새로운 이행의 최고 없이 바로 해제권을 행사할 수 없다(대판 1980.7.8, 80다1077; 대판 1992.10.27, 91다483).

③ 계약이 해제되기 이전에 계약상의 채권을 양수하여 이를 피보전권리로 하여 처분금지가처분결정을 받은 경우, 그 권리는 채권에 불과하고 대세적 효력을 갖는 완전한 권리가 아니라는 이유로 그 채권자는 민법 제548조 제1항 단서 소정의 해제의 소급효가 미치지 아니하는 '제3자'에 해당하지 아니한다(대판 2000.8.22, 2000다23433).

④,⑤ 대판 2014.3.13, 2013다34143

04 해제에 관한 다음 설명 중 가장 옳지 않은 것은?

▸ 2025 법무사

① 계약이 합의에 따라 해제되거나 해지된 경우에는 상대방에게 손해배상을 하기로 특약하거나 손해배상청구를 유보 하는 의사표시를 하는 등 다른 사정이 없는 한 채무불이행으로 인한 손해배상을 청구할 수 없다.

② 계약의 합의해제는 묵시적으로 이루어질 수도 있으나, 계약이 묵시적으로 합의해제되었다고 하려면 계약의 성립 후에 당사자 쌍방의 계약실현 의사의 결여 또는 포기로 인하여 당사자 쌍방의 계약을 실현하지 아니할 의사가 일치되어야 한다.

③ 해제권자의 고의나 과실로 인하여 계약의 목적물이 현저히 훼손되거나 이를 반환할 수 없게 된 때 또는 가공이나 개조로 인하여 다른 종류의 물건으로 변경된 때에는 해제권은 소멸한다.

④ 채무자가 이행해야 할 본래 채무가 이행불능이라는 이유로 계약을 해제하려고 할 때, 그 이행불능의 대상이 되는 채무자의 본래 채무가 유효하게 존속할 필요는 없다.

⑤ 민법 제548조 제2항은 계약해제로 인한 원상회복의무의 이행으로서 반환하는 금전에는 그 받은 날로부터 이자를 가산하여야 한다고 하고 있는바, 위 이자의 반환은 원상회복의무의 범위에 속하는 것으로 일종의 부당이득반환의 성질을 가지는 것이지 반환의무의 이행지체로 인한 손해배상은 아니라고 할 것이다.

PART · 03

해설 ① 계약이 합의에 따라 해제되거나 해지된 경우에는 상대방에게 손해배상을 하기로 특약하거나 손해배상청구를 유보하는 의사표시를 하는 등 다른 사정이 없는 한 채무불이행으로 인한 손해배상을 청구할 수 없다. 그와 같은 손해배상의 특약이 있었다거나 손해배상청구를 유보하였다는 점은 이를 주장하는 당사자가 증명할 책임이 있다(대판 2021.5.7, 2017다220416).

② 계약의 합의해제는 당사자가 이미 체결한 계약을 체결하지 않았던 것과 같은 효과를 발생시킬 것을 내용으로 하는 또 다른 계약으로서, 당사자 사이의 합의로 성립한 계약을 합의해제하기 위하여서는 계약이 성립하는 경우와 마찬가지로 기존 계약의 효력을 소멸시키기로 하는 내용의 해제계약의 청약과 승낙이라는 서로 대립하는 의사표시가 합치될 것을 그 요건으로 하는 것이고, 이러한 합의가 성립하기 위하여는 쌍방 당사자의 표시행위에 나타난 의사의 내용이 서로 객관적으로 일치하여야 하며, 계약의 합의해제는 묵시적으로 이루어질 수도 있으나, 계약이 묵시적으로 합의해제되었다고 하려면 계약의 성립 후에 당사자 쌍방의 계약실현의사의 결여 또는 포기로 인하여 당사자 쌍방의 계약을 실현하지 아니할 의사가 일치되어야만 한다(대판 2010.1.28, 2009다73011).

③ 훼손 등으로 인한 해제권의 소멸 : 해제권자의 고의나 과실로 인하여 계약의 목적물이 현저히 훼손되거나 이를 반환할 수 없게 된 때 또는 가공이나 개조로 인하여 다른 종류의 물건으로 변경된 때에는 해제권은 소멸한다(민법 제553조).

④ 이행불능 또는 이행지체를 이유로 한 법정해제권은 채무자의 채무불이행에 대한 구제수단으로 인정되는 권리이다. 따라서 채무자가 이행해야 할 본래 채무가 이행불능이라는 이유로 계약을 해제하려면 그 이행불능의 대상이 되는 채무자의 본래 채무가 유효하게 존속하고 있어야 한다(대판 2022.9.29, 2019다204593).

⑤ 민법 제548조 제2항은 계약해제로 인한 원상회복의무의 이행으로서 반환하는 금전에는 받은 날로부터 이자를 가산하여야 한다고 정하였는데, 위 이자의 반환은 원상회복의무의 범위에 속하는 것으로 일종의 부당이득반환의 성질을 가지는 것이지 반환의무의 이행지체로 인한 손해배상은 아니고, 소송촉진 등에 관한 특례법(이하 '소송촉진법'이라 한다) 제3조 제1항은 금전채무의 전부 또는 일부의 이행을 명하는 판결을 선고할 경우에 있어서 금전채무불이행으로 인한 손해배상액 산정의 기준이 되는 법정이율에 관한 특별규정이므로, 위 이자에는 소송촉진법 제3조 제1항에서 정한 이율을 적용할 수 없다(대판 2024.2.29, 2023다289720).

05 동시이행에 관한 다음 설명 중 가장 옳지 않은 것은? ▸ 2025 법무사

① 임차인이 불이행한 원상회복의무가 사소한 부분이고 그로 인한 손해배상액 역시 근소한 금액인 경우에까지 임대인이 그를 이유로, 임차인이 그 원상회복의무를 이행할 때까지 혹은 임대인이 현실로 목적물의 명도를 받을 때까지 원상회복의무 불이행으로 인한 손해배상액 부분을 넘어서서 거액의 잔존 임대차보증금 전액에 대하여 그 반환을 거부할 수 있다고 하는 것은 오히려 공평의 관념에 반하는 것이 되어 부당하고, 그와 같은 임대인의 동시이행의 항변은 신의칙에 반하는 것이 되어 허용할 수 없다.

② 가압류등기 등이 있는 부동산의 매매계약에 있어 매도인의 소유권이전등기 의무와 아울러 가압류등기의 말소의무도 매수인의 대금지급의무와 동시이행 관계에 있다.

정답 04 ④ 05 ③

③ 양 채무가 동일한 법률요건으로부터 생겨서 공평의 관점에서 보아 견련적으로 이행시킴이 마땅한 경우에는 동시이행관계가 인정되므로, 채무담보를 위하여 경료된 근저당권설정등기의 말소와 채무의 변제는 동시이행의 관계에 있다.

④ 매도인의 매매계약상의 소유권이전등기의무가 이행불능이 되어 이를 이유로 매매계약을 해제함에 있어서는 상대방의 잔대금지급의무가 매도인의 소유권이전등기의무와 동시이행관계에 있다고 하더라도 그 이행의 제공을 필요로 하는 것이 아니다.

⑤ 임대인과 임차인이 임대차계약을 체결하면서 임대차보증금을 전세금으로 하는 전세권설정등기를 경료한 경우 임대차보증금은 전세금의 성질을 겸하게 되므로, 당사자 사이에 다른 약정이 없는 한 임대차보증금 반환의무는 민법 제317조에 따라 전세권설정등기의 말소의무와도 동시이행 관계에 있다.

해설 ① 동시이행의 항변권은 근본적으로 공평의 관념에 따라 인정되는 것인데, 임차인이 불이행한 원상회복의무가 사소한 부분이고 그로 인한 손해배상액 역시 근소한 금액인 경우에까지 임대인이 그를 이유로, 임차인이 그 원상회복의무를 이행할 때까지 혹은 임대인이 현실로 목적물의 명도를 받을 때까지 원상회복의무 불이행으로 인한 손해배상액 부분을 넘어서서 거액의 잔존 임대차보증금 전액에 대하여 그 반환을 거부할 수 있다고 하는 것은 오히려 공평의 관념에 반하는 것이 되어 부당하고, 그와 같은 임대인의 동시이행의 항변은 신의칙에 반하는 것이 되어 허용할 수 없다(대판 1999.11.12, 99다34697).

② 부동산의 매매계약이 체결된 경우에는 매도인의 소유권이전등기의무, 인도의무와 매수인의 잔대금 지급의무는 동시이행의 관계에 있는 것이 원칙이고, 이 경우 매도인은 특별한 사정이 없는 한 제한이나 부담이 없는 소유권이전등기의무를 지는 것이므로 매매목적 부동산에 지상권이 설정되어 있고 가압류등기가 되어 있는 경우에는 비록 매매가액에 비하여 소액인 금원의 변제로써 언제든지 말소할 수 있는 것이라 할지라도 매도인은 이와 같은 등기를 말소하여 완전한 소유권이전등기를 해 주어야 한다(대판 1991.9.10, 91다6368).

③ 소비대차 계약에 있어서 채무의 담보목적으로 저당권 설정등기를 경료한 경우에 채무자의 채무변제는 저당권설정등기 말소등기에 앞서는 선행의무이며 채무의 변제와 동시이행 관계에 있는 것이 아니다(대판 1969.9.30, 69다1173).

④ 매도인의 매매계약상의 소유권이전등기의무가 이행불능이 되어 이를 이유로 매매계약을 해제함에 있어서는 상대방의 잔대금지급의무가 매도인의 소유권이전등기의무와 동시이행관계에 있다고 하더라도 그 이행의 제공을 필요로 하는 것이 아니다(대판 2003.1.24, 2000다22850).

⑤ 임대인과 임차인이 임대차계약을 체결하면서 임대차보증금을 전세금으로 하는 전세권설정등기를 경료한 경우 임대차보증금은 전세금의 성질을 겸하게 되므로, 당사자 사이에 다른 약정이 없는 한 임대차보증금 반환의무는 민법 제317조에 따라 전세권설정등기의 말소의무와도 동시이행 관계에 있다(대판 2011.3.24, 2010다95062).

심화문제 | 확인 · 보충 · 심화문제

계약각론

제1절 증여

기본문제 │ 기본문제의 구성

---

01 **증여에 관한 다음 설명 중 가장 옳지 않은 것은?** ▸ 2024 법무사

① 상대부담 있는 증여에 대하여는 증여자는 그 전체 부분에 대해 매도인과 같은 담보의 책임이 있다.

② 증여의 의사가 서면으로 표시되지 아니한 경우에는 각 당사자는 이를 해제할 수 있으나, 이미 이행한 부분에 대하여는 영향을 미치지 아니한다.

③ 증여계약이 서면에 의하지 아니하였음을 이유로 한 해제에 대하여는 10년의 제척기간이 적용되지 아니한다.

④ 정기의 급여를 목적으로 한 증여는 증여자 또는 수증자의 사망으로 인하여 그 효력을 잃는다.

⑤ 민법 제104조가 규정하는 현저히 공정을 잃은 법률행위라 함은 자기의 급부에 비하여 현저하게 균형을 잃은 반대급부를 하게 하여 부당한 재산적 이익을 얻는 행위를 의미하는 것이므로, 증여계약과 같이 아무런 대가관계 없이 당사자 일방이 상대방에게 일방적인 급부를 하는 법률행위는 그 공정성 여부를 논의할 수 있는 성질의 법률행위가 아니다.

해설 ① 제559조 제2항 참조 → 증여자는 증여의 목적인 물건 또는 권리의 하자나 흠결에 대하여 책임을 지지 아니한다. 그러나 증여자가 그 하자나 흠결을 알고 수증자에게 고지하지 아니한 때에는 그러하지 아니하고, 상대부담 있는 증여에 대하여는 증여자는 그 '부담의 한도'에서 매도인과 같은 담보의 책임이 있다.

② 제555조와 제558조 참조

③ 민법 제555조에서 말하는 증여계약의 해제는 민법 제543조 이하에서 규정한 본래 의미의 해제와는 달리 형성권의 제척기간의 적용을 받지 않는 특수한 철회로서, 10년이 경과한 후에 이루어졌다 하더라도 원칙적으로 적법하다(대판 2009.9.24, 2009다37831).

④ 정기의 급여를 목적으로 한 증여는 증여자 또는 수증자의 사망으로 인하여 그 효력을 잃는다(제560조). 따라서 상속인에게 정기증여의 권리의무는 승계되지 않는다.

⑤ 대판 2000.2.11, 99다56833

정답 ▸ **01** ①

심화문제 | 확인 · 보충 · 심화문제

01 **증여에 관한 다음 설명 중 가장 옳지 않은 것은?** ▸2025 법무사

① 송금 등 금전지급행위가 증여에 해당하기 위해서는 객관적으로 채무자와 수익자 사이에 금전을 무상으로 수익자 에게 종국적으로 귀속시키는 데에 의사의 합치가 있어야 한다. 다른 사람의 예금계좌에 금전을 이체하는 등으로 송금하는 경우 다양한 원인이 있을 수 있는데, 과세 당국 등의 추적을 피하기 위하여 일정한 인적 관계에 있는 사람이 그 소유의 금전을 자신의 예금계좌로 송금한다는 사실을 알면서 그에게 자신의 예금계좌로 송금할 것을 승낙 또는 양해하였다거나 그러한 목적으로 자신의 예금계좌를 사실상 지배하도록 용인하였다는 것만으로는 특별한 사정이 없는 한 송금인과 계좌명의인 사이에 송금액을 계좌명의인에게 무상으로 증여한다는 의사의 합치가 있었다고 쉽사리 추단할 수 없다.

② 민법 제555조는 "증여의 의사가 서면으로 표시되지 아니한 경우에는 각 당사자는 이를 해제할 수 있다."고 함으로써 서면에 의한 증여의 해제를 제한하고 있는바, 법적 안정성을 추구하고자 하는 위 규정의 취지상 서면에 의한 증여가 이루어졌다면 증여자가 착오에 기한 의사표시라는 이유로 민법 총칙규정에 따라 증여의 의사표시를 취소할 수도 없다.

③ 상대부담 있는 증여에 대하여는 민법 제561조에 의하여 쌍무계약에 관한 규정이 준용되어 부담의무 있는 상대방이 자신의 의무를 이행하지 아니할 때에는 비록 증여계약이 이미 이행되어 있다 하더라도 증여자는 계약을 해제할 수 있다.

④ 민법 제562조는 사인증여에 관하여는 유증에 관한 규정을 준용하도록 규정하고 있지만, 유증의 방식에 관한 민법 제1065조 내지 제1072조는 그것이 단독행위임을 전제로 하는 것이어서 계약인 사인증여에는 적용되지 아니한다.

⑤ 민법 제562조가 사인증여에 관하여 유증에 관한 규정을 준용하도록 규정하고 있다고 하여, 이를 근거로 포괄적 유증을 받은 자는 상속인과 동일한 권리의무가 있다고 규정하고 있는 민법 제1078조가 포괄적 사인증여에도 준용된다고 해석할 수는 없다.

해설 ① 송금 등 금전지급행위가 증여에 해당하기 위해서는 객관적으로 채무자와 수익자 사이에 금전을 무상으로 수익자에게 종국적으로 귀속시키는 데에 의사의 합치가 있어야 한다. 다른 사람의 예금계좌에 금전을 이체하는 등으로 송금하는 경우 다양한 원인이 있을 수 있는데, 과세 당국 등의 추적을 피하기 위하여 일정한 인적 관계에 있는 사람이 그 소유의 금전을 자신의 예금계좌로 송금한다는 사실을 알면서 그에게 자신의 예금계좌로 송금할 것을 승낙 또는 양해하였다거나 그러한 목적으로 자신의 예금계좌를 사실상 지배하도록 용인하였다는 것만으로는 특별한 사정이 없는 한 송금인과 계좌명의인 사이에 송금액을 계좌명의인에게 무상으로 증여한다는 의사의 합치가 있었다고 쉽사리 추단할 수 없다. 이는 금융실명제 아래에서 실명확인절차를 거쳐 개설된 예금계좌의 경우에 특별한 사정이 없는 한 명의인이 예금계약의 당사자로서 예금반환청구권을 가진다고 해도, 이는 계좌가 개설된 금융회사에 대한 관계에 관한 것으로서 그 점을 들어 곧바로 송금인과 계좌명의인 사이의 법률관계를 달리 볼 것이 아니다(대판 2018.12.27, 2017다290057).

② 민법 제47조 제1항에 의하여 생전처분으로 재단법인을 설립하는 때에 준용되는 민법 제555조는 "증여의 의사가 서면으로 표시되지 아니한 경우에는 각 당사자는 이를 해제할 수 있다."고 함으로써 서면에 의한 증여(출연)의 해제를 제한하고 있으나, 그 해제는 민법 총칙상의 취소와는 요건과 효과가 다르므로 서면에 의한 출연이더라도 민법 총칙규정에 따라 출연자가 착오에 기한 의사표시라는 이유로 출연의 의사표시를 취소할 수 있고, 상대방 없는 단독행위인 재단법인에 대한 출연행위라고 하여 달리 볼 것은 아니다(대판 1999.7.9, 98다9045).

③ 상대부담 있는 증여에 대하여는 민법 제561조에 의하여 쌍무계약에 관한 규정이 준용되어 부담의무 있는 상대방이 자신의 의무를 이행하지 아니할 때에는 비록 증여계약이 이미 이행되어 있다 하더라도 증여자는 계약을 해제할 수 있고, 그 경우 민법 제555조와 제558조는 적용되지 아니한다(대판 1997.7.8, 97다2177).

④ 민법 제562조는 사인증여에 관하여는 유증에 관한 규정을 준용하도록 규정하고 있지만, 유증의 방식에 관한 민법 제1065조 내지 제1072조는 그것이 단독행위임을 전제로 하는 것이어서 계약인 사인증여에는 적용되지 아니한다(대판 1996.4.12, 94다37714).

⑤ 민법 제562조가 사인증여에 관하여 유증에 관한 규정을 준용하도록 규정하고 있다고 하여, 이를 근거로 포괄적 유증을 받은 자는 상속인과 동일한 권리의무가 있다고 규정하고 있는 민법 제1078조가 포괄적 사인증여에도 준용된다고 해석하면 포괄적 사인증여에도 상속과 같은 효과가 발생하게 된다. 그러나 포괄적 사인증여는 낙성·불요식의 증여계약의 일종이고, 포괄적 유증은 엄격한 방식을 요하는 단독행위이며, 방식을 위배한 포괄적 유증은 대부분 포괄적 사인증여로 보여질 것인바, 포괄적 사인증여에 민법 제1078조가 준용된다면 양자의 효과는 같게 되므로, 결과적으로 포괄적 유증에 엄격한 방식을 요하는 요식행위로 규정한 조항들은 무의미하게 된다. 따라서 민법 제1078조가 포괄적 사인증여에 준용된다고 하는 것은 사인증여의 성질에 반하므로 준용되지 아니한다고 해석함이 상당하다(대판 1996.4.12, 94다37714).

정답   01 ②

제2절　매매

기본문제 │ 기본문제의 구성

제1관 총칙

제2관 매매의 효력

01 **매매에 관한 다음 설명 중 가장 옳지 않은 것은?**　　　　　▶ 2022 법무사

① 이행기의 약정이 있는 경우라 하더라도 당사자가 채무의 이행기 전에는 착수하지 아니하기로 하는 특약을 하는 등 특별한 사정이 없는 한 이행기 전에 이행에 착수할 수 있다.

② 유상계약을 체결함에 있어서 계약금 등 금원이 수수되었다고 하더라도 이를 위약금으로 하기로 하는 특약이 있는 경우에 한하여 민법 제398조 제4항에 의하여 손해배상액의 예정으로서의 성질을 가진 것으로 볼 수 있을 뿐이고, 그와 같은 특약이 없는 경우에는 그 계약금 등을 손해배상액의 예정으로 볼 수 없다.

③ 매수인은 민법 제565조 제1항에 따라 본인 또는 매도인이 이행에 착수할 때까지는 계약금을 포기하고 계약을 해제할 수 있는바, 매도인이 매수인에 대하여 매매계약의 이행을 최고하고 매매잔대금의 지급을 구하는 소송을 제기하였다면 이행에 착수하였다고 볼 수 있다.

④ 매매계약 있은 후에도 인도하지 아니한 목적물로부터 생긴 과실은 매도인에게 속한다. 매수인은 목적물의 인도를 받은 날로부터 대금의 이자를 지급하여야 한다. 그러나 대금의 지급에 대하여 기한이 있는 때에는 그러하지 아니하다.

⑤ 매매의 목적물을 종류로 지정한 경우에도 그 후 특정된 목적물에 하자가 있는 때에는 매수인은 계약의 해제 또는 손해배상의 청구를 하지 아니하고 하자 없는 물건을 청구할 수도 있다.

> **해설** ① 대판 2006.2.10, 2004다11599
> ② 대판 1996.6.14, 95다11429
> ③ 매수인은 민법 제565조 제1항에 따라 본인 또는 매도인이 이행에 착수할 때까지는 계약금을 포기하고 계약을 해제할 수 있는바, 여기에서 이행에 착수한다는 것은 객관적으로 외부에서 인식할 수 있는 정도로 채무의 이행행위의 일부를 하거나 또는 이행을 하기 위하여 필요한 전제행위를 하는 경우를 말하는 것으로서 단순히 이행의 준비를 하는 것만으로는 부족하고, 그렇다고 반드시 계약내용에 들어맞는 이행제공의 정도에까지 이르러야 하는 것은 아니지만, 매도인이 매수인에 대하여 매매계약의 이행을 최고하고 매매잔대금의 지급을 구하는 소송을 제기한 것만으로는 이행에 착수하였다고 볼 수 없다(대판 2008.10.23, 2007다72274 · 72281).
> ④ 제587조
> ⑤ 제581조

02 매도인의 담보책임에 관한 다음 설명 중 가장 옳지 않은 것은? ▸ 2022 법무사

① 타인의 권리를 매매의 목적으로 한 경우에 있어서 그 권리를 취득하여 매수인에게 이전하여야 할 매도인의 의무가 매도인의 귀책사유로 인하여 이행불능이 되었다면 매수인이 매도인의 담보책임에 관한 민법 제570조 단서의 규정에 의해 손해배상을 청구할 수 없더라도 채무불이행 일반의 규정에 좇아서 계약을 해제하고 손해배상을 청구할 수 있다.

② 매매의 목적물이 지상권, 지역권, 전세권, 질권 또는 유치권의 목적이 된 경우에 매수인이 이를 알지 못한 때에는 이로 인하여 계약의 목적을 달성할 수 없는 경우에 한하여 매수인은 계약을 해제할 수 있고, 그렇지 않은 경우에는 손해배상만을 청구할 수 있는데, 그와 같은 권리는 매수인이 그 사실을 안 날로부터 1년 또는 매매계약이 있었던 날로부터 3년 내에 행사하여야 한다.

③ 성토작업을 기화로 다량의 폐기물을 은밀히 매립한 토지의 매도인이 정상적인 토지임을 전제로 협의취득절차를 통하여 공공사업시행자에게 이를 매도함으로써 매수인에게 토지의 폐기물처리비용 상당의 손해를 입게 한 경우, 채무불이행책임과 하자담보책임이 경합적으로 인정된다.

④ 매매의 목적이 된 권리의 일부가 타인에게 속함으로 인하여 매도인이 그 권리를 취득하여 매수인에게 이전할 수 없게 된 때에는 선의의 매수인은 매도인에게 담보책임을 물어 이로 인한 손해배상을 청구할 수 있는바, 이 경우에 매도인이 매수인에 대하여 배상하여야 할 손해액은 원칙적으로 매도인이 매매의 목적이 된 권리의 일부를 취득하여 매수인에게 이전할 수 없게 된 때의 이행불능이 된 권리의 시가, 즉 이행이익 상당액이다.

⑤ 매매의 목적이 된 권리의 전부가 타인에게 속하는 경우 매도인이 그 권리를 취득하여 매수인에게 이전할 수 없는 때에는 매수인은 매도인의 귀책사유를 불문하고 계약을 해제할 수 있고, 선의의 매수인은 해제와 동시에 손해배상도 청구할 수 있다.

해설 ① 대판 1993.11.23, 93다37328

② 제575조 → 매수인이 그 사실을 안 날로부터 1년 내에 행사하여야 하고, 매매계약이 있었던 날로부터 3년 내에 행사해야 하는 제한은 없다.

③ 대판 2004.7.22, 2002다51586; 대판 2021.4.8, 2017다202050

④ 대판 1993.1.19, 92다37727

⑤ 제569조, 제570조

정답 ▸ 01 ③ 02 ②

03 매매에 관한 다음 설명 중 가장 옳지 않은 것은?

▶ 2023 법무사

① 자동차관리법령의 문언·내용과 체계 등에 비추어 보면, 자동차 양수인이 양도인으로부터 자동차를 인도받고서도 등록명의의 이전을 하지 않는 경우 양도인은 자동차관리법 제12조 제4항에 따라 양수인을 상대로 소유권이전등록의 인수절차 이행을 구할 수 있다.

② 상가집합건물의 구분점포에 대한 매매는 특별한 사정이 없다면 원칙적으로 실제 이용현황과 관계없이 집합건축물 대장 등 공부에 따라 구조, 위치, 면적이 확정된 구분점포를 매매의 대상으로 삼았다고 보아야 할 것이다.

③ 선시공·후분양의 방식으로 분양되는 아파트 등의 경우에는 완공된 아파트 등 그 자체가 분양계약의 목적물로 된다고 봄이 상당하고, 완공된 아파트 등의 현황과 달리 분양광고 등에만 표현되어 있는 아파트 등의 외형·재질 등에 관한 사항은 특별한 사정이 없는 한 이를 분양계약의 내용으로 하기로 하는 묵시적 합의가 있었다고 보기는 어렵다.

④ 부동산매도인이 매매대금을 다 지급받지 아니한 상태에서 매수인에게 소유권이전등기를 경료하여 목적물의 소유권을 매수인에게 이전한 경우에는, 매도인의 목적물인도의무에 관하여 위와 같은 동시이행의 항변권과 물권적 권리인 유치권이 인정된다.

⑤ 계약 체결 후에 채무의 이행이 불가능하게 된 경우에는 채권자가 이행을 청구하지 못하고 채무불이행을 이유로 손해배상을 청구하거나 계약을 해제할 수 있다. 그러나 계약 당시에 이미 채무의 이행이 불가능했다면 특별한 사정이 없는 한 채권자가 이행을 구하는 것은 허용되지 않고, 민법 제535조에서 정한 계약체결상의 과실책임을 추궁하는 등으로 권리를 구제받을 수밖에 없다.

> **해설** ① 대판 2020.12.10, 2020다9244 → ※ [참고] : 그러나 자동차가 전전 양도된 경우 중간생략등록의 합의가 없는 한 양도인은 전전 양수인에 대하여 직접 양수인 명의로 소유권이전등록의 인수절차 이행을 구할 수 없다.
>
> ② 집합건물의 소유 및 관리에 관한 법률 제1조의2는 1동의 상가건물이 일정한 요건을 갖추어 이용상 구분된 구분점포를 소유권의 목적으로 할 수 있도록 하고 있는데, 구분점포의 번호, 종류, 구조, 위치, 면적은 특별한 사정이 없는 한 건축물대장의 등록 및 그에 근거한 등기에 의해 특정된다. 따라서 **구분점포의 매매당사자**가 집합건축물대장 등에 의하여 구조, 위치, 면적이 특정된 구분점포를 매매할 의사가 아니라고 인정되는 등 **특별한 사정이 없다면, 점포로서 실제 이용현황과 관계없이 집합건축물대장 등 공부에 의해 구조, 위치, 면적에 의하여 확정된 구분점포를 매매의 대상으로 하는 것**으로 보아야 하고, 매매당사자가 매매계약 당시 구분점포의 실제 이용현황이 집합건축물대장 등 공부와 상이한 것을 모르는 상태에서 점포로서 이용현황대로 위치 및 면적을 매매목적물의 그것으로 알고 매매하였다고 해서 매매당사자들이 건축물대장 등 공부상 위치와 면적을 떠나 이용현황대로 매매목적물을 특정하여 매매한 것이라고 볼 수 없고, 이러한 법리는 교환계약의 목적물 특정에 있어서도 마찬가지로 적용된다(대판 2012.5.24, 2012다105).
>
> ③ 대판 2014.11.13, 2012다29601
>
> ④ **부동산 매도인이 매매대금을 다 지급받지 아니한 상태에서 매수인에게 소유권이전등기를 마쳐주어 목적물의 소유권을 매수인에게 이전한 경우에는, 매도인의 목적물인도의무에 관하여 동시이행의 항변권 외에 물권적 권리인 유치권까지 인정할 것은 아니다.** 왜냐하면 법률행위로 인한 부동산 물권변동의 요건으로 등기를 요구함으로써 물권관계의 명확화 및 거래의 안전·원활을 꾀하는 우

리 민법의 기본정신에 비추어 볼 때, 만일 이를 인정한다면 매도인은 등기에 의하여 매수인에게 소유권을 이전하였음에도 매수인 또는 그의 처분에 기하여 소유권을 취득한 제3자에 대하여 소유권에 속하는 대세적인 점유의 권능을 여전히 보유하게 되는 결과가 되어 부당하기 때문이다. 또한 매도인으로서는 자신이 원래 가지는 동시이행의 항변권을 행사하지 아니하고 자신의 소유권이전의무를 선이행함으로써 매수인에게 소유권을 넘겨 준 것이므로 그에 필연적으로 부수하는 위험은 스스로 감수하여야 한다. 따라서 매도인이 부동산을 점유하고 있고 소유권을 이전받은 매수인에게서 매매대금 일부를 지급받지 못하고 있다고 하여 **매매대금채권을 피담보채권으로 매수인이나 그에게서 부동산 소유권을 취득한 제3자를 상대로 유치권을 주장할 수 없다**(대결 2012.1.12, 2011마2380).

⑤ 대판 2017.8.29, 2016다212524

04 매매에 관한 다음 설명 중 가장 옳지 않은 것은? ▶ 2024 법무사

① 민법 제564조가 정하고 있는 매매예약에서 예약자의 상대방이 매매예약 완결의 의사표시를 하여 매매의 효력을 생기게 하는 권리, 즉 매매예약의 완결권은 일종의 형성권으로서 당사자 사이에 행사기간을 약정한 때에는 그 기간 내에, 약정이 없는 때에는 예약이 성립한 때부터 10년 내에 이를 행사하여야 하고, 그 기간이 지난 때에는 예약완결권은 제척기간의 경과로 소멸한다.

② 상대방인 매도인이 매매계약의 이행에는 전혀 착수한 바가 없는 경우에는 매수인이 중도금을 지급하여 이미 이행에 착수하였더라도 상대방인 매도인으로서는 필요한 비용을 지출하는 등 예측하지 못한 손해를 입게 될 우려가 없다고 할 것이므로, 매수인은 민법 제565조에 의하여 계약금을 포기하고 매매계약을 해제할 수 있다.

③ 매매예약이 성립한 이후 상대방의 매매예약 완결의 의사표시 전에 목적물이 멸실 기타의 사유로 이전할 수 없게 되어 예약 완결권의 행사가 이행불능이 된 경우에는 예약 완결권을 행사할 수 없고, 이행불능 이후에 상대방이 매매예약 완결의 의사표시를 하여도 매매의 효력이 생기지 아니한다.

④ 매매계약에서 계약금의 일부만 지급된 경우 수령자가 매매계약을 해제할 수 있다고 하더라도 해약금의 기준이 되는 금원은 '실제 교부받은 계약금'이 아니라 '약정 계약금'이라고 봄이 타당하므로, 매도인이 계약금의 일부로서 지급받은 금원의 배액을 상환하는 것으로는 매매계약을 해제할 수 없다.

⑤ 민법 제565조가 해제권 행사의 시기를 당사자의 일방이 이행에 착수할 때까지로 제한한 것은 당사자의 일방이 이미 이행에 착수한 때에는 그 당사자는 그에 필요한 비용을 지출하였을 것이고, 또 그 당사자는 계약이 이행될 것으로 기대하고 있는데 만일 이러한 단계에서 상대방으로부터 계약이 해제된다면 예측하지 못한 손해를 입게 될 우려가 있으므로 이를 방지하고자 함에 있고, 이행기의 약정이 있는 경우라 하더라도 당사자가 채무의 이행기 전에는 착수하지 아니하기로 하는 특약을 하는 등 특별한 사정이 없는 한 이행기 전에 이행에 착수할 수 있다.

정답 03 ④ 04 ②

해설 ① 대판 2003.1.10. 2000다26425 등

② 민법 제565조 제1항에서 말하는 당사자의 일방이라는 것은 매매 쌍방 중 어느 일방을 지칭하는 것이고, 상대방이라 국한하여 해석할 것이 아니므로, 비록 상대방인 매도인이 매매계약의 이행에는 전혀 착수한 바가 없다 하더라도 매수인이 중도금을 지급하여 이미 이행에 착수한 이상 매수인은 민법 제565조에 의하여 계약금을 포기하고 매매계약을 해제할 수 없다(대판 2000.2.11. 99다62074).

③ 매매예약이 성립한 이후 상대방의 매매예약 완결의 의사표시 전에 목적물이 멸실 기타의 사유로 이전할 수 없게 되어 예약 완결권의 행사가 이행불능이 된 경우에는 예약 완결권을 행사할 수 없고, 이행불능 이후에 상대방이 매매예약 완결의 의사표시를 하여도 매매의 효력이 생기지 아니한다. 그리고 채무의 이행이 불능이라는 것은 단순히 절대적·물리적으로 불능인 경우가 아니라 사회생활의 경험법칙 또는 거래상의 관념에 비추어 볼 때 채권자가 채무자의 이행의 실현을 기대할 수 없는 경우를 말한다(대판 2015.8.27. 2013다28247).

④ 대판 2015.4.23. 2014다231378

⑤ 대판 2006.2.10. 2004다11599

제3관 환매

심화문제 | 확인·보충·심화문제

제3절 교환

제4절 소비대차

01 소비대차, 준소비대차에 관한 다음 설명 중 가장 옳지 않은 것은? ▶ 2024 법무사

① 준소비대차계약이 성립하려면 당사자 사이에 금전 기타의 대체물의 급부를 목적으로 하는 기존 채무가 존재하여야 하고, 기존 채무가 존재하지 않거나 또는 존재하고 있더라도 그것이 무효가 된 때에는 준소비대차계약은 효력이 없으며, 준소비대차계약의 채무자가 기존 채무의 부존재를 주장하는 이상 채권자로서는 기존 채무의 존재를 증명할 책임이 있다.

② 민법상 소비대차는 이른바 낙성계약이므로, 차주가 현실로 금전 등을 수수하거나 현실의 수수가 있은 것과 같은 경제적 이익을 취득하여야만 소비대차가 성립하는 것은 아니고, 반대로 당사자 일방이 상대방에게 현실로 금전 기타 대체물의 소유권을 이전하였다고 하더라도 상대방이 같은 종류, 품질 및 수량으로 반환할 것을 약정한 경우가 아니라면 이들 사이의 법률행위를 소비대차라 할 수 없다.

③ 반환시기에 관하여 약정이 없는 소비대차에 있어서 반환의 최고는 소장의 송달로도 할 수 있다.

④ 당사자 사이에 부동산에 관한 대물반환의 예약 내지는 양도담보의 약정을 맺은 경우, 채무자는 채권자에게 그 피담보채무를 변제함으로써 약정에 따른 소유권이전등기절차 이행의무 자체를 소멸시킬 수 있고, 나아가 채권자 앞으로 소유권이전등기가 경료된 후에는 채권자로부터 청산금 채권을 변제받을 때까지 채권자 앞으로 경료된 소유권이전등기의 말소를 청구할 수는 있으나, 한편 채무자는 채권자에게 소유권이전등기절차 이행의무를 부담하므로 채무자의 그 부동산에 관한 근저당권설정등기 말소청구가 허용될 수는 없다.

⑤ 금전소비대차계약이 성립된 이후에 차주의 신용불안이나 재산상태의 현저한 변경이 생겨 장차 대주의 대여금반환청구권 행사가 위태롭게 되는 등 사정변경이 생기고 이로 인하여 당초의 계약내용에 따른 대여의무를 이행케 하는 것이 공평과 신의칙에 반하게 되는 경우에 대주는 대여의무의 이행을 거절할 수 있다고 보아야 한다.

정답 **01** ④

[해설] ① 준소비대차계약이 성립하려면 당사자 사이에 금전 기타의 대체물의 급부를 목적으로 하는 기존 채무가 존재하여야 하고, 기존 채무가 존재하지 않거나 또는 존재하고 있더라도 그것이 무효가 된 때에는 준소비대차계약은 효력이 없다. 준소비대차계약의 채무자가 기존 채무의 부존재를 주장하는 이상 채권자로서는 기존 채무의 존재를 증명할 책임이 있다(대판 2024.4.25, 2022다254024).

② 민법상 소비대차는 당사자 일방이 금전 기타 대체물의 소유권을 상대방에게 이전할 것을 약정하고 상대방은 그와 같은 종류, 품질 및 수량으로 반환할 것을 약정함으로써 효력이 생기는 이른바 낙성계약이므로, 차주가 현실로 금전 등을 수수하거나 현실의 수수가 있는 것과 같은 경제적 이익을 취득하여야만 소비대차가 성립하는 것은 아니다. 반대로 당사자 일방이 상대방에게 현실로 금전 기타 대체물의 소유권을 이전하였다고 하더라도 상대방이 같은 종류, 품질 및 수량으로 반환할 것을 약정한 경우가 아니라면 이들 사이의 법률행위를 소비대차라 할 수 없다(대판 2018.12.27, 2015다73098).

③ 반환시기에 관하여 약정이 없는 소비대차에 있어서 반환의 최고는 소장의 송달로서도 이를 할 수 있다(대판 1969.1.28, 68다2313).

④ 당사자 사이에 부동산에 관한 대물반환의 예약 내지는 양도담보의 약정을 맺은 경우, 채무자는 채권자에게 그 피담보채무를 변제함으로써 약정에 따른 소유권이전등기절차 이행의무 자체를 소멸시킬 수도 있고, 나아가 채권자 앞으로 소유권이전등기가 경료된 후에는 채권자로부터 청산금채권을 변제받을 때까지 채권자 앞으로 경료된 소유권이전등기의 말소를 청구할 수 있으므로(가등기담보 등에 관한 법률 제11조), 채무자가 채권자에게 소유권이전등기절차 이행의무를 부담한다는 이유만으로 채무자의 그 부동산에 관한 근저당권설정등기 말소청구가 허용될 수 없다고 단정할 수는 없다(대판 1996.5.10, 94다35565).

⑤ 금전소비대차계약이 성립된 이후에 차주의 신용불안이나 재산상태의 현저한 변경이 생겨 장차 대주의 대여금반환청구권 행사가 위태롭게 되는 등 사정변경이 생기고 이로 인하여 당초의 계약 내용에 따른 대여의무를 이행케 하는 것이 공평과 신의칙에 반하게 되는 경우에 대주는 대여의무의 이행을 거절할 수 있다고 보아야 한다(대판 2021.10.28, 2017다224302).

제5절 사용대차

제6절 임대차

기본문제 | 기본문제의 구성

01 다음 설명 중 가장 옳지 않은 것은?　　　▸ 2021 법무사

① 등기된 임차권에는 용익권적 권능 외에 임차보증금반환채권에 대한 담보권적 권능이 있고, 임대차기간이 종료되면 용익권적 권능은 임차권등기의 말소등기 없이도 곧바로 소멸하나 담보권적 권능은 곧바로 소멸하지 않는다고 할 것이어서, 임차권자는 임대차기간이 종료한 후에도 임차보증금을 반환받기까지는 임대인이나 그 승계인에 대하여 임차권등기의 말소를 거부할 수 있다고 할 것이고, 따라서 임차권등기가 원인 없이 말소된 때에는 그 방해를 배제하기 위한 청구를 할 수 있다.

② 임대차계약에 있어서 목적물을 사용·수익하게 할 임대인의 의무와 임차인의 차임지급의무는 상호 대응관계에 있으므로 임대인이 목적물을 사용·수익하게 할 의무를 불이행하여 임차인이 목적물을 전혀 사용할 수 없을 경우에는 임차인은 차임 전부의 지급을 거절할 수 있으나, 목적물의 사용·수익이 부분적으로 지장이 있는 상태인 경우에는 그 지장의 한도 내에서 차임의 지급을 거절할 수 있을 뿐 그 전부의 지급을 거절할 수는 없다.

③ 임대차계약이 중도에 해지되어 종료하면 임차인은 목적물을 원상으로 회복하여 반환하여야 하는 것이나, 임대인의 귀책사유로 임대차계약이 해지되었다면 임차인은 원상회복의무를 부담하지 않는다.

④ 임대차계약의 종료에 의하여 발생된 임차인의 임차목적물 반환의무와 임대인의 연체차임 등을 공제한 나머지 임대차보증금의 반환의무는 동시이행관계에 있으므로, 임대인이 나머지 임대차보증금의 반환의무를 이행하거나 적법한 이행제공을 하여 임차인의 동시이행항변권을 상실시키지 아니한 이상, 임차인이 임차목적물반환의무를 이행하지 아니하고 임차목적물을 계속 점유하고 있다고 하더라도, 임차인은 임대인에 대하여 임차목적물반환의무의 이행지체로 인한 손해배상책임을 지지 아니한다.

정답　**01** ③

⑤ 임대차는 당사자 일방이 상대방에게 목적물을 사용·수익하게 할 것을 약정하고 상대방이 이에 대하여 차임을 지급할 것을 약정함으로써 성립하는 것으로서 임대인이 그 목적물에 대한 소유권 기타 이를 임대할 권한이 있을 것을 성립요건으로 하고 있지 아니하므로, 임대차계약이 성립된 후 그 존속기간 중에 임대인이 임대차 목적물에 대한 소유권을 상실한 사실 그 자체만으로 바로 임대차에 직접적인 영향을 미친다고 볼 수는 없지만, 임대인이 임대차 목적물의 소유권을 제3자에게 양도하고 그 소유권을 취득한 제3자가 임차인에게 그 임대차 목적물의 인도를 요구하여 이를 인도하였다면 임대인이 임차인에게 임대차 목적물을 사용·수익케 할 의무는 이행불능이 되었다고 할 것이고, 이러한 이행불능이 일시적이라고 볼 만한 특별한 사정이 없다면 임대차는 당사자의 해지 의사표시를 기다릴 필요 없이 당연히 종료되었다고 볼 것이지, 임대인의 채무가 손해배상 채무로 변환된 상태로 채권·채무관계가 존속한다고 볼 수 없다.

해설 ① 등기된 임차권에는 용익권적 권능 외에 임차보증금반환채권에 대한 담보권적 권능이 있고, 임대차기간이 종료되면 용익권적 권능은 임차권등기의 말소등기 없이도 곧바로 소멸하나 담보권적 권능은 곧바로 소멸하지 않는다고 할 것이어서, 임차권자는 임대차기간이 종료한 후에도 임차보증금을 반환받기까지는 임대인이나 그 승계인에 대하여 임차권등기의 말소를 거부할 수 있다고 할 것이고, 따라서 임차권등기가 원인 없이 말소된 때에는 그 방해를 배제하기 위한 청구를 할 수 있다(대판 2002.2.26, 99다67079).

② 임대차계약에 있어서 목적물을 사용·수익케 할 임대인의 의무와 임차인의 차임지급의무는 상호 대응관계에 있으므로 임대인이 목적물에 대한 수선의무를 불이행하여 임차인이 목적물을 전혀 사용할 수 없을 경우에는 임차인은 차임전부의 지급을 거절할 수 있으나, 수선의무불이행으로 인하여 부분적으로 지장이 있는 상태에서 그 사용수익이 가능할 경우에는 그 지장이 있는 한도 내에서만 차임의 지급을 거절할 수 있을 뿐 그 전부의 지급을 거절할 수는 없다(대판 1997.4.25, 96다44778·44785).

③ 임대차계약이 중도에 해지되어 종료하면 임차인은 목적물을 원상으로 회복하여 반환하여야 하는 것이고, 임대인의 귀책사유로 임대차계약이 해지되었다고 하더라도 임차인은 그로 인한 손해배상을 청구할 수 있음은 별론으로 하고 원상회복의무를 부담하지 않는다고 할 수는 없다(대판 2002.12.6, 2002다42278).

④ 임대차계약의 종료에 의하여 발생된 임차인의 임차목적물 반환의무와 임대인의 연체차임 등을 공제한 나머지 임대차보증금의 반환의무는 동시이행관계에 있으므로, 임대인이 나머지 임대차보증금의 반환의무를 이행하거나 적법한 이행제공을 하여 임차인의 동시이행항변권을 상실시키지 아니한 이상, 임차인이 임차목적물반환의무를 이행하지 아니하고 임차목적물을 계속 점유하고 있다고 하더라도, 임차인은 임대인에 대하여 임차목적물반환의무의 이행지체로 인한 손해배상책임을 지지 아니한다(대판 2006.10.13, 2006다39720).

⑤ 임대차는 당사자 일방이 상대방에게 목적물을 사용·수익하게 할 것을 약정하고 상대방이 이에 대하여 차임을 지급할 것을 약정함으로써 성립하는 것으로서 <u>임대인이 그 목적물에 대한 소유권 기타 이를 임대할 권한이 있을 것을 성립요건으로 하고 있지 아니하므로, 임대차계약이 성립된 후 그 존속기간 중에 임대인이 임대차 목적물에 대한 소유권을 상실한 사실 그 자체만으로 바로 임대차에 직접적인 영향을 미친다고 볼 수는 없지만,</u> 임대인이 임대차 목적물의 소유권을 제3자에게 양도하고 그 소유권을 취득한 제3자가 임차인에게 그 임대차 목적물의 인도를 요구하여 이를 인도하였다면 임대인이 임차인에게 임대차 목적물을 사용·수익케 할 의무는 이행불능이 되었다

고 할 것이고, 이러한 이행불능이 일시적이라고 볼 만한 특별한 사정이 없다면 임대차는 당사자의 해지 의사표시를 기다릴 필요 없이 당연히 종료되었다고 볼 것이지, 임대인의 채무가 손해배상 채무로 변환된 상태로 채권·채무관계가 존속한다고 볼 수 없다(대판 1996.3.8, 95다15087).

02 임대차계약에 관한 다음 설명 중 가장 옳지 않은 것은?

▶ 2022 법무사

① 임대차계약에 있어 임대차보증금은 임대차계약 종료 후 목적물을 임대인에게 인도할 때까지 발생하는, 임대차에 따른 임차인의 모든 채무를 담보하는 것으로서, 그 피담보채무 상당액은 임대차관계의 종료 후 목적물이 반환될 때에, 특별한 사정이 없는 한, 별도의 의사표시 없이 보증금에서 당연히 공제된다.

② 건물 소유를 목적으로 하는 토지임대차계약을 체결한 임차인이 그 지상건물을 등기하기 전에 제3자가 그 토지에 관하여 물권취득의 등기를 한 때에는 임차인이 그 지상건물을 등기하더라도 그 제3자에 대하여 임대차의 효력이 생기지 않는다.

③ 임대차계약 종료 후에도 임차인이 동시이행의 항변권을 행사하여 임차목적물을 계속 점유하여 온 것이라면 임차인의 그 건물에 대한 점유는 불법점유라고 할 수 없으므로, 임차인이 임차목적물을 계속 점유하였다고 하여 바로 불법점유로 인한 손해배상책임이 발생하는 것은 아니다.

④ 임차인이 임대차계약종료 이후에도 동시이행의 항변권을 행사하는 방법으로 목적물의 반환을 거부하기 위하여 임차건물부분을 계속 점유하기는 하였으나 이를 본래의 임대차 계약상의 목적에 따라 사용·수익하지 아니하여 실질적인 이득을 얻은 바 없는 경우에는 그로 인하여 임대인에게 손해가 발생하였다 하더라도 임차인의 부당이득반환의무는 성립되지 않는다.

⑤ 임차인이 임대인의 동의를 얻어 임차물을 전대한 경우 임차인과 전차인 사이에는 별개의 새로운 전대차계약이 성립하며, 임대인과 전차인 사이에는 직접적인 법률관계가 형성되지 않으므로 전차인은 임대인에 대하여 지접 의무를 부담하지 않는다.

해설 ① 대판 2005.9.28, 2005다8323·8330

② 대판 2003.2.28, 2000다65802·65819

③ 대판 1998.7.10, 98다15545

④ 임차인이 임대차계약 종료 이후에도 동시이행의 항변권을 행사하는 방법으로 목적물의 반환을 거부하기 위하여 임차건물부분을 계속 점유하기는 하였으나 이를 본래의 임대차계약상의 목적에 따라 사용·수익하지 아니하여 실질적인 이득을 얻은 바 없는 경우에는 그로 인하여 임대인에게 손해가 발생하였다 하더라도 임차인의 부당이득반환의무는 성립되지 않는다(대판 1992.4.14, 91다45202·45219).

⑤ 임차인이 임대인의 동의를 얻어 임차물을 전대한 경우, 임대인과 임차인 사이의 종전 임대차계약은 계속 유지되고(민법 제630조 제2항), 임차인과 전차인 사이에는 별개의 새로운 전대차계약이 성립한다. 한편 임대인과 전차인 사이에는 직접적인 법률관계가 형성되지 않지만, 임대인의 보호를 위하여 전차인이 임대인에 대하여 직접 의무를 부담한다(민법 제630조 제1항). 이 경우 전차

정답 ▶ 02 ⑤

인은 전대차계약으로 전대인에 대하여 부담하는 의무 이상으로 임대인에게 의무를 지지 않고 동시에 임대차계약으로 임차인이 임대인에 대하여 부담하는 의무 이상으로 임대인에게 의무를 지지 않는다(대판 2018.7.11, 2018다200518).

03 다음 설명 중 가장 옳지 않은 것은?

▶ 2023 법무사

① 채권자와 채무자 모두가 기한의 이익을 갖는 이자부 금전소비 대차계약 등에 있어서, 채무자가 변제기로 인한 기한의 이익을 포기하고 변제기 전에 변제하는 경우 변제기까지의 약정이자 등 채권자의 손해를 배상하여야 하고, 이러한 약정이자 등 손해액을 함께 제공하지 않으면 채무의 내용에 따른 변제제공이라고 볼 수 없으므로, 채권자는 수령을 거절할 수 있다.

② 공동상속인들 사이에 협의가 이루어지지 않는 경우에는 제사주재자의 지위를 인정할 수 없는 특별한 사정이 있지 않는 한 피상속인의 직계비속 중 남녀, 적서를 불문하고 최근친의 연장자가 제사주재자로 우선한다.

③ 유언증서가 성립한 후에 멸실되거나 분실되었다는 사유만으로 유언이 실효되는 것은 아니고 이해관계인은 유언증서의 내용을 증명하여 유언의 유효를 주장할 수 있다. 이는 녹음에 의한 유언이 성립한 후에 녹음테이프나 녹음파일 등이 멸실 또는 분실된 경우에도 마찬가지이다.

④ 지상권의 존속기간 만료 후 지체 없이 지상권갱신청구권을 행사하지 아니하여 지상권갱신청구권이 소멸한 경우에는, 지상권자의 적법한 갱신청구권의 행사와 지상권설정자의 갱신거절을 요건으로 하는 지상물매수청구권은 발생하지 않는다.

⑤ 임대차계약에서 임대차기간을 영구로 설정한 것은 채권인 임차권의 성질로 보아 허용되지 않고, 사용·수익 권능을 영구적으로 포기함으로써 처분 권능만이 남는 새로운 유형의 소유권을 창출하는 것이어서 무효이다.

해설 ① 대판 2023.4.13, 2021다305338

② 대판(전합) 2023.5.11, 2018다248626 → 제사주재자는 우선적으로 망인의 공동상속인들 사이의 협의에 의해 정하되, 협의가 이루어지지 않는 경우에는 제사주재자의 지위를 유지할 수 없는 특별한 사정이 있지 않는 한 망인의 장남(장남이 이미 사망한 경우에는 장손자)이 제사주재자가 되고, 공동상속인들 중 아들이 없는 경우에는 망인의 장녀가 제사주재자가 된다고 본 대법원 2008.11.20. 선고 2007다27670 전원합의체 판결은 더 이상 조리에 부합하지 아니한다는 이유로 폐기하였다.

③ 대판 2023.6.1, 2023다217534; 대판 1996.9.20, 96다21119

④ 대판 2023.4.27, 2022다306642

⑤ 민법 제619조에서 처분능력, 권한 없는 자의 단기임대차의 경우에만 임대차기간의 최장기를 제한하는 규정만 있을 뿐, 민법상 임대차기간이 영구인 임대차계약의 체결을 불허하는 규정은 없다. 소유자가 소유권의 핵심적 권능에 속하는 사용·수익의 권능을 대세적으로 포기하는 것은 특별한 사정이 없는 한 허용되지 않으나, 특정인에 대한 관계에서 채권적으로 사용·수익권을 포기하는 것까지 금지되는 것은 아니다. 따라서 임대차기간이 영구인 임대차계약을 인정할 실제의 필요

성도 있고, 이러한 임대차계약을 인정한다고 하더라도 사정변경에 의한 차임증감청구권이나 계약해지 등으로 당사자들의 이해관계를 조정할 수 있는 방법이 있을 뿐만 아니라, 임차인에 대한 관계에서만 사용·수익권이 제한되는 외에 임대인의 소유권을 전면적으로 제한하는 것도 아닌 점 등에 비추어 보면, **당사자들이 자유로운 의사에 따라 임대차기간을 영구로 정한 약정은** 이를 무효로 볼 만한 특별한 사정이 없는 한 **계약자유의 원칙에 의하여 허용된다**고 보아야 한다(대판 2023.6.1, 2023다209045). → ※ [참고] : 임차인으로서는 언제라도 그 권리를 포기할 수 있고, 임대차계약은 임차인에게 기간의 정함이 없는 임대차가 된다.

04 지상물매수청구권 및 부속물매수청구권에 관한 다음 설명 중 가장 옳지 않은 것은?

▶ 2023 법무사

① 국가로부터 국유 토지의 관리를 위탁받은 甲 주식회사와 사용수익계약을 체결하여 그 토지 위에 건물을 건축한 乙 주식회사가 계약기간 만료 후 甲 회사를 상대로 지상물매수청구권을 행사한 경우에, 甲 회사는 국유 토지의 관리를 위탁받아 乙 회사와 사용수익계약을 체결한 자일뿐 토지소유자가 아니므로 지상물매수청구권의 상대방이 될 수 없다고 보아야 한다.

② 건물 기타 공작물의 임차인이 적법하게 전대한 경우에 전차인이 그 사용의 편익을 위하여 임대인의 동의를 얻어 임차인으로부터 매수한 부속물이 있는 때에는 전대차의 종료 시에 임대인에 대하여 그 부속물의 매수를 청구할 수 있다.

③ 임야 상태의 토지를 임차하여 대지로 조성한 후 건물을 건축하여 음식점을 경영할 목적으로 임대차계약을 체결한 경우, 비록 임대차계약서에서는 필요비 및 유익비의 상환청구권은 그 비용의 용도를 묻지 않고 이를 전부 포기하는 것으로 기재되었다고 하더라도 대지조성비는 그 상환청구권 포기의 대상으로 삼지 아니한 취지로 약정한 것이라고 해석하는 것이 합리적이다.

④ 건물의 소유를 목적으로 한 토지의 임대차에 있어서 임차인의 차임연체로 임대차계약이 해지되었을 때에는 임차인에게 그 지상건물에 관한 매수청구권이 발생하지 아니한다.

⑤ 기간의 정함이 없는 건물의 소유를 목적으로 하는 토지임대차에 있어서 임대인에 의한 해지통고에 의하여 그 임차권이 소멸한 경우에도 토지 임차인이 지상물매수청구권을 행사하기 위해서는 계약갱신 청구가 선행되어야 한다.

해설 ① 건물의 소유를 목적으로 하는 토지 임차인의 지상물매수청구권 행사의 상대방은 원칙적으로 임차권 소멸 당시의 토지 소유자인 임대인이다. 토지 소유자가 아닌 제3자가 토지를 임대한 경우에 임대인은 특별한 사정이 없는 한 지상물매수청구권의 상대방이 될 수 없다(대판 2022.4.14, 2020다254228).

② 제647조 제1항

③ 임대차계약서는 처분문서로서 특별한 사정이 없는 한 그 문언에 따라 의사표시의 내용을 해석하여야 한다고 하더라도, 그 계약 체결의 경위와 목적, 임대차기간, 임대보증금 및 임료의 액수 등의 여러 사정에 비추어 볼 때 당사자의 의사가 계약서의 문언과는 달리 명시적·묵시적으로 일정한

정답 ▶ **03** ⑤ **04** ⑤

범위 내의 비용에 대하여만 유익비 상환청구권을 포기하기로 약정한 취지라고 해석하는 것이 합리적이라고 인정되는 경우에는 당사자의 의사에 따라 그 약정의 적용 범위를 제한할 수 있다(대판 1998.10.20, 98다31462). → 임야 상태의 토지를 임차하여 대지로 조성한 후 건물을 건축하여 음식점을 경영할 목적으로 임대차계약을 체결한 경우, 비록 **임대차계약서에서는 필요비 및 유익비의 상환청구권은 그 비용의 용도를 묻지 않고 이를 전부 포기하는 것으로 기재되었다고 하더라도** 계약 당사자의 의사는 임대차 목적 토지를 대지로 조성한 후 이를 **임차 목적에 따라 사용할 수 있는 상태에서 새로이 투입한 비용만에 한정하여** 임차인이 그 **상환청구권을 포기한 것이고 대지조성비는 그 상환청구권 포기의 대상으로 삼지 아니한 취지로 약정한 것이라고 해석하는 것이 합리적**이라고 본 사례이다.

④ 대판 1994.2.22, 93다44104; 대판 1990.1.23, 88다카7245

⑤ 건물의 소유를 목적으로 하는 토지 임대차에 있어서, 토지 임차인의 **지상물매수청구권은** 기간의 정함이 없는 임대차에 있어서 **임대인에 의한 해지통고에 의하여** 그 **임차권이 소멸한 경우에도, 임차인의 계약갱신 청구의 유무에 불구하고 인정된다**(대판 1995.12.26, 95다42195).

05 임대차에 관한 다음 설명 중 가장 옳지 않은 것은?

▶ 2023 법무사

① 상가건물 임대차보호법이 적용되는 상가건물에 해당하는지는 공부상 표시가 아닌 건물의 현황·용도 등에 비추어 영업용으로 사용하느냐에 따라 실질적으로 판단하여야 하고, 단순히 상품의 보관·제조·가공 등 사실행위만이 이루어지는 공장·창고 등은 영업용으로 사용하는 경우라고 할 수 없다.

② 건물 내구연한 등에 따른 철거·재건축의 필요성이 객관적으로 인정되지 않거나 그 계획·단계가 구체화되지 않았음에도 임대인이 신규 임차인이 되려는 사람에게 짧은 임대 가능기간만 확정적으로 제시·고수하는 경우 또는 임대인이 신규 임차인이 되려는 사람에게 고지한 내용과 모순되는 정황이 드러나는 등의 특별한 사정이 없는 한, 임대인이 신규 임차인이 되려는 사람과 임대차계약 체결을 위한 협의 과정에서 철거·재건축 계획 및 그 시점을 고지하였다는 사정만으로는 상가건물 임대차보호법 제10조의4 제1항 제4호에서 정한 '권리금 회수 방해행위'에 해당한다고 볼 수 없다.

③ 차임지급채무는 그 지급에 확정된 기일이 있는 경우에는 그 지급기일 다음 날부터 지체책임이 발생하고 보증금에서 공제되었을 때 비로소 그 채무 및 그에 따른 지체책임이 소멸되는 것이므로, 연체차임에 대한 지연손해금의 발생종기는 다른 특별한 사정이 없는 한 목적물이 반환되는 때가 아니라 임대차계약의 해지 시라고 할 것이다.

④ 임차인이 임대인의 동의를 받지 않고 제3자에게 임차권을 양도하거나 전대하는 등의 방법으로 임차물을 사용·수익하게 하더라도, 임대인이 이를 이유로 임대차계약을 해지 하거나 그 밖의 다른 사유로 임대차계약이 적법하게 종료되지 않는 한 임대인은 임차인에 대하여 여전히 차임청구권을 가지므로, 임대차계약이 존속하는 한도 내에서는 제3자에게 불법점유를 이유로 한 차임상당 손해배상청구나 부당이득반환청구를 할 수 없다 할 것이다.

⑤ 상가건물의 임대차에 이해관계가 있는 자는 관할 세무서장에게 해당 상가건물의 확정일자 부여일, 차임 및 보증금등 정보의 제공을 요청할 수 있고, 이 경우 요청을 받은 관할 세무서장은 정당한 사유 없이 이를 거부할 수 없다.

> **해설** ① 상가건물 임대차보호법이 적용되는 **상가건물에 해당하는지**는 **공부상 표시가 아닌** 건물의 현황·용도 등에 비추어 **영업용으로 사용**하느냐에 따라 **실질적으로 판단**하여야 하고, **단순히 상품의 보관·제조·가공 등 사실행위만이 이루어지는 공장·창고 등은 영업용으로 사용하는 경우라고 할 수 없으**나, 그곳에서 그러한 사실행위와 더불어 영리를 목적으로 하는 활동이 함께 이루어진다면 상가건물 임대차보호법 적용대상인 상가건물에 해당한다(대판 2011.7.28, 2009다40967).
> ② 대판 2022.8.31, 2022다233607
> ③ 부동산 임대차에 있어서 수수된 보증금은 차임채무, 목적물의 멸실·훼손 등으로 인한 손해배상채무 등 임대차에 따른 임차인의 모든 채무를 담보하는 것으로서 그 피담보채무 상당액은 임대차관계의 종료 후 목적물이 반환될 때에 특별한 사정이 없는 한 별도의 의사표시 없이 보증금에서 당연히 공제되는데(대판 1999.12.7, 99다50729 등 참조), 보증금에 의하여 담보되는 채권에는 연체차임 및 그에 대한 지연손해금도 포함된다고 할 것이다. 한편 **차임지급채무는 그 지급에 확정된 기일이 있는 경우**에는 **그 지급기일 다음 날부터 지체책임이 발생하고 보증금에서 공제되었을 때 비로소 그 채무 및 그에 따른 지체책임이 소멸되는 것이므로**, 연체차임에 대한 지연손해금의 발생종기는 다른 특별한 사정이 없는 한 **임대차계약의 해지 시가 아니라 목적물이 반환되는 때**라고 할 것이다(대판 2014.2.27, 2009다39233).
> ④ 대판 2008.2.28, 2006다10323
> ⑤ 상가임대차보호법 제4조 제3항

06 다음 설명 중 옳지 않은 것을 모두 고른 것은?

▶ 2023 법무사

> ㄱ. 준소비대차는 소비대차에 의하지 아니하고 금전 기타의 대체물을 지급할 의무가 있는 경우에 당사자가 그 목적물을 소비대차의 목적물로 할 것을 약정함으로써 당사자 사이에 소비대차의 효력이 생기는 것을 말하는 것이므로, 준소비대차계약의 당사자는 반드시 기초가 되는 기존 채무의 당사자일 필요는 없다.
> ㄴ. 임대차종료로 인한 임차인의 원상회복의무에는 임차인이 사용하고 있던 부동산의 점유를 임대인에게 이전하는 것은 물론 임대인이 임대 당시의 부동산 용도에 맞게 다시 사용할 수 있도록 협력할 의무도 포함한다고 할 것이므로, 임대인 또는 그 승낙을 받은 제3자가 임차건물 부분에서 다시 영업허가를 받는 데에 방해되지 않도록 임차인은 임차건물 부분에서의 영업허가에 관하여 폐업신고절차를 이행할 의무가 있다.

ㄷ. 임차인이 임차물을 전대하여 그 임대차 기간 및 전대차 기간이 모두 만료된 경우에는 그 전대차가 임대인의 동의를 얻은 여부와 상관없이 임대인으로서는 전차인에 대하여 소유권에 기한 반환청구권에 터 잡아 목적물을 자신에게 직접 반환해 줄 것을 요구할 수 있고, 전차인으로서도 목적물을 임대인에게 직접 명도함으로써 임차인(전대인)에 대한 목적물 명도의무를 면한다.

ㄹ. 제작물공급계약의 당사자들이 보수의 지급시기에 관하여 "수급인이 공급한 목적물을 도급인이 검사하여 합격하면, 도급인은 수급인에게 그 보수를 지급한다"는 내용으로 한 약정은 법률행위의 효력 발생을 장래의 불확실한 사실의 성부에 의존하게 하는 법률행위의 부관인 조건이며 그중에서도 순수수의조건에 해당한다.

ㅁ. 공사도급계약에서 선급금을 지급한 후 계약이 해제 또는 해지되는 등의 사유로 수급인이 도중에 선급금을 반환하여야 할 사유가 발생하였다면, 특별한 사정이 없는 한 별도의 상계 의사표시 없이도 그때까지의 기성고에 해당하는 공사대금 중 미지급액은 선급금으로 충당되고 도급인은 나머지 공사대금이 있는 경우 그 금액에 한하여 지급할 의무를 부담하게 된다.

① ㄱ, ㄴ   ② ㄱ, ㄷ   ③ ㄱ, ㄹ
④ ㄱ, ㄴ, ㄹ   ⑤ ㄴ, ㄷ, ㅁ

 ㄱ. 준소비대차는 소비대차에 의하지 아니하고 금전 기타의 대체물을 지급할 의무가 있는 경우에 당사자가 그 목적물을 소비대차의 목적물로 할 것을 약정함으로써 당사자 사이에 소비대차의 효력이 생기는 것을 말하는 것으로서 기존 채무의 당사자가 그 채무의 목적물을 소비대차의 목적물로 한다는 합의를 할 것을 요건으로 하므로 **준소비대차계약의 당사자는 기초가 되는 기존 채무의 당사자이어야 한다**(대판 2002.12.6, 2001다2846).

ㄴ. 대판 2008.10.9, 2008다34903

ㄷ. 대판 1995.12.12, 95다23996

ㄹ. 제작물공급계약의 당사자들이 보수의 지급시기에 관하여 "수급인이 공급한 목적물을 도급인이 검사하여 합격하면, 도급인은 수급인에게 그 보수를 지급한다"는 내용으로 한 약정은 **도급인의 수급인에 대한 보수지급의무와 동시이행관계에 있는 수급인의 목적물 인도의무를 확인한 것에 불과하므로,** 법률행위의 효력 발생을 장래의 불확실한 사실의 성부에 의존하게 하는 법률행위의 부관인 **조건에 해당하지 아니할 뿐만 아니라, 조건에 해당한다 하더라도 검사에의 합격 여부는 도급인의 일방적인 의사에만 의존하지 않고** 그 목적물이 계약내용대로 제작된 것인지 여부에 따라 **객관적으로 결정되므로 순수수의조건에 해당하지 않는다**(대판 2006.10.13, 2004다21862).

ㅁ. 대판 2021.7.8, 2016다267067

07 임차인의 매수청구권에 관한 다음 설명 중 가장 옳지 않은 것은? (다툼이 있는 경우 판례에 따르고 전원합의체 판결의 경우 다수의견에 의함. 이하 같음) ▸ 2024 법무사

① 건물매수청구권의 대상이 되는 건물은 그것이 토지의 임대 목적에 반하여 축조되고 임대인이 예상할 수 없을 정도의 고가의 것이라는 등의 특별한 사정이 없는 한, 비록 행정관청의 허가를 받은 적법한 건물이 아니더라도 임차인의 건물매수청구권의 대상이 될 수 있다.

② 건물매수청구권 행사로 인하여 토지 소유자가 임차인에게 지급하여야 할 건물의 시가를 산정함에 있어서 그 건물에서 임차인이 영업을 하면서 얻고 있었던 수익까지 고려하여야 할 것은 아니다.

③ 건물임차인의 채무불이행으로 인하여 임대차가 해지된 경우 건물임차인은 민법 제646조에 의한 부속물매수청구권이 없으나, 민법 제643조에 의한 건물매수청구권은 국민경제적 관점에서 건물의 잔존가치를 보호하고 토지소유자의 배타적 소유권 행사로 인하여 희생당하기 쉬운 임차인을 보호하기 위한 제도이므로, 토지임차인의 채무불이행을 이유로 임대차계약이 해지되는 경우라면 토지임차인으로서는 토지임대인에 대하여 지상건물의 매수를 청구할 수 있다.

④ 일시사용을 위한 임대차인 것이 명백한 경우에는 부속물매수청구권의 규정이 적용되지 않는다.

⑤ 건물 자체의 수선 내지 증·개축부분이 건물자체의 구성부분을 이루고 독립된 물건이라고 보이지 않는 경우 임차인의 부속물 매수청구권의 대상이 될 수 없다.

해설 ① 지상물매수청구권은 임대차계약 종료 시에 경제적 가치가 잔존하고 있는 건물은 그것이 토지의 임대목적에 반하여 축조되고 임대인이 예상할 수 없을 정도의 고가의 것이라는 등의 특별한 사정이 없는 한, 비록 행정관청의 허가를 받은 적법한 건물이 아니더라도 그 대상이 된다(대판 1997.12.23, 97다37753). 따라서 甲과 乙 사이의 토지임대차계약이 기간만료로 종료되는 경우, 甲이 乙에 대하여 지상물매수청구권을 행사하기 위해서는 토지 위에 신축된 건물이 행정관청의 허가를 받은 적법한 건물이 아니어도 무관하다.

② 건물매수청구권 행사로 인하여 토지 소유자가 임차인에게 지급하여야 할 건물의 시가를 산정함에 있어서 그 건물에서 임차인이 영업을 하면서 얻고 있었던 수익까지 고려하여야 할 것은 아니다(대판 1997.12.23, 97다37753).

③ 토지 임대차에 있어서 토지 임차인의 차임 연체 등 채무불이행을 이유로 그 임대차계약이 해지되는 경우, 토지 임차인으로서는 토지 임대인에 대하여 그 지상 건물의 매수를 청구할 수는 없다(대판 1996.2.27, 95다29345).

④ 제653조 참조 → 일시사용을 위한 임대차인 것이 명백한 경우에는 제646조의 부속물매수청구권의 규정이 적용되지 않는다.

⑤ 대판 1983.2.22, 80다589 → 기존 건물과 분리되어 독립한 물건으로 볼 수 없는 증·개축부분이나 또는 임대인의 소유에 속하기로 한 부속물은 부속물매수청구권의 대상이 될 수 없고, 다만 비용상환청구권의 대상이 될 수 있을 뿐이다.

정답 07 ③

08 임대차에 관한 다음 설명 중 가장 옳지 않은 것은?

▶ 2024 법무사

① 임대차기간을 2019.3.10.부터 2021.3.9.까지로 정한 주택임대차보호법 적용 사안에서, 임차인의 갱신요구 통지가 2021.1.5. 임대인에게 도달하였고, 그 후 임차인의 갱신된 임대차계약에 대한 해지 취지가 기재된 통지서가 2021.1.29. 임대인에게 도달하였다면, 그로부터 3개월이 지난 2021.4.29. 갱신된 임대차계약의 해지 효력이 발생하였다고 보아야 한다.

② 주택임대차보호법 제3조의3에서 정한 임차권등기명령에 따른 임차권등기에는 민법 제168조 제2호에서 정하는 소멸시효 중단사유인 압류 또는 가압류, 가처분에 준하는 효력이 있다고 볼 수 없다.

③ 주택임대차보호법 제6조의3 제1항 제8호에서 정한 "임대인(임대인의 직계존속·직계비속을 포함한다)이 목적 주택에 실제 거주하려는 경우"에 해당한다는 점에 대한 증명책임은 임대인에게 있고, '실제 거주하려는 의사'의 존재는 임대인이 단순히 그러한 의사를 표명하였다는 사정이 있다고 하여 곧바로 인정될 수는 없다.

④ 주택임대차보호법 제3조 제3항에서 말하는 '직원'은, 해당 법인이 주식회사라면 그 법인에서 근무하는 사람 중 법인등기사항증명서에 대표이사 또는 사내이사로 등기된 사람을 제외한 사람을 의미한다고 보아야 한다. 다만 위와 같은 범위의 임원을 제외한 직원이 법인이 임차한 해당 주택을 인도받아 주민등록을 마치고 그곳에서 거주하고 있다고 하더라도 업무관련성, 임대료의 액수, 지리적 근접성 등 제반 사정을 고려하여 위 조항에서 정한 대항력을 갖추었는지 여부를 판단하여야 한다.

⑤ 임대인의 필요비상환의무는 특별한 사정이 없는 한 임차인의 차임지급의무와 서로 대응하는 관계에 있으므로, 임차인은 지출한 필요비 금액의 한도에서 차임의 지급을 거절할 수 있다.

> **해설** ① 주택임대차보호법 제6조의3 제1항은 "임대인은 임차인이 제6조 제1항 전단의 기간 이내에 계약갱신을 요구할 경우 정당한 사유 없이 거절하지 못한다."라고 하여 임차인의 계약갱신요구권을 규정하고, 같은 조 제4항은 "제1항에 따라 갱신되는 임대차의 해지에 관하여는 제6조의2를 준용한다."라고 규정한다. 한편 주택임대차보호법 제6조의2 제1항은 "제6조 제1항에 따라 계약이 갱신된 경우 같은 조 제2항에도 불구하고 임차인은 언제든지 임대인에게 계약해지를 통지할 수 있다."라고 규정하고, 제2항은 "제1항에 따른 해지는 임대인이 그 통지를 받은 날부터 3개월이 지나면 그 효력이 발생한다."라고 규정한다. 이러한 주택임대차보호법 규정을 종합하여 보면, 임차인이 주택임대차보호법 제6조의3 제1항에 따라 임대차계약의 갱신을 요구하면 임대인에게 갱신거절 사유가 존재하지 않는 한 임대인에게 갱신요구가 도달한 때 갱신의 효력이 발생한다. 갱신요구에 따라 임대차계약에 갱신의 효력이 발생한 경우 임차인은 제6조의2 제1항에 따라 언제든지 계약의 해지통지를 할 수 있고, 해지통지 후 3개월이 지나면 그 효력이 발생하며, 이는 계약해지의 통지가 갱신된 임대차계약 기간이 개시되기 전에 임대인에게 도달하였더라도 마찬가지이다(대판 2024.2.11. 2023다258672).

② 주택임대차보호법 제3조의3에서 정한 임차권등기명령에 따른 임차권등기는 특정 목적물에 대한 구체적 집행행위나 보전처분의 실행을 내용으로 하는 압류 또는 가압류, 가처분과 달리 어디까지나 주택임차인이 주택임대차보호법에 따른 대항력이나 우선변제권을 취득하거나 이미 취득한 대항력이나 우선변제권을 유지하도록 해 주는 담보적 기능을 주목적으로 한다. 비록 주택임대차보호법이 임차권등기명령의 신청에 대한 재판절차와 임차권등기명령의 집행 등에 관하여 민사집행법상 가압류에 관한 절차규정을 일부 준용하고 있지만 이는 일방 당사자의 신청에 따라 법원이 심리·결정한 다음 그 등기를 촉탁하는 일련의 절차가 서로 비슷한 데서 비롯된 것일 뿐 이를 이유로 임차권등기명령에 따른 임차권등기가 본래의 담보적 기능을 넘어서 채무자의 일반재산에 대한 강제집행을 보전하기 위한 처분의 성질을 가진다고 볼 수는 없다. 그렇다면 임차권등기명령에 따른 임차권등기에는 민법 제168조 제2호에서 정하는 소멸시효 중단사유인 압류 또는 가압류, 가처분에 준하는 효력이 있다고 볼 수 없다(대판 2019.5.16, 2017다226629).

③ 임대인(임대인의 직계존속·직계비속을 포함한다. 이하 같다)이 목적 주택에 실제 거주하려는 경우에 해당한다는 점에 대한 증명책임은 임대인에게 있다. '실제 거주하려는 의사'의 존재는 임대인이 단순히 그러한 의사를 표명하였다는 사정이 있다고 하여 곧바로 인정될 수는 없지만, 임대인의 내심에 있는 장래에 대한 계획이라는 위 거절사유의 특성을 고려할 때 임대인의 의사가 가공된 것이 아니라 진정하다는 것을 통상적으로 수긍할 수 있을 정도의 사정이 인정된다면 그러한 의사의 존재를 추인할 수 있을 것이다(대판 2023.12.7, 2022다279795).

④ 주택임대차보호법 제3조 제3항에 따라 법인인 임차인이 주택임대차보호법이 정한 임차인에 해당된다고 보려면, 임차인인 법인의 '직원'인 사람이 법인이 임차한 주택을 인도받고 주민등록을 마쳐야 한다. 여기에서 말하는 '직원'은, 해당 법인이 주식회사라면 그 법인에서 근무하는 사람 중 법인등기사항증명서에 대표이사 또는 사내이사로 등기된 사람을 제외한 사람을 의미한다고 보아야 한다. 다만 위와 같은 범위의 임원을 제외한 직원이 법인이 임차한 해당 주택을 인도받아 주민등록을 마치고 그곳에서 거주하고 있다면 이로써 위 조항에서 정한 대항력을 갖추었다고 보아야 하고, 그 밖에 업무관련성, 임대료의 액수, 지리적 근접성 등 다른 사정을 고려하여 그 요건을 갖추었는지를 판단할 것은 아니다(대판 2023.12.14, 2023다226866).

⑤ 임대차계약에서 임대인은 목적물을 계약존속 중 사용·수익에 필요한 상태를 유지하게 할 의무를 부담하고, 이러한 의무와 관련한 임차물의 보존을 위한 비용도 임대인이 부담해야 하므로, 임차인이 필요비를 지출하면, 임대인은 이를 상환할 의무가 있다. 임대인의 필요비상환의무는 특별한 사정이 없는 한 임차인의 차임지급의무와 서로 대응하는 관계에 있으므로, 임차인은 지출한 필요비 금액의 한도에서 차임의 지급을 거절할 수 있다(대판 2019.11.14, 2016다227694).

09 주택임대차에 관한 다음 설명 중 가장 옳지 않은 것은?

▸ 2022 법무사

① 주택의 소유자는 아니지만 주택에 관하여 적법하게 임대차계약을 체결할 수 있는 권한을 가진 명의신탁자와 임대차계약이 체결된 경우, 임차인은 등기기록상 주택의 소유자인 명의수탁자에 대한 관계에서도 적법한 임대차임을 주장할 수 있다.

② 주택임대차보호법에 의하면 임대인이 임대차가 끝나기 6개월 전부터 2개월 전까지의 기간에 임차인에게 갱신거절의 통지를 하지 않거나 계약조건을 변경하지 않으면 갱신하지 않겠다는 뜻의 통지를 하지 않은 경우에는, 그 기간이 끝난 때에 전(前) 임대차와 동일한 조건으로 다시 임차한 것으로 본다. 이때 임차인은 임대인에 대하여 언제든지 계약해지를 통지할 수 있고, 임대인이 그 통지를 받은 날로부터 2개월이 지나면 효력이 발생한다.

③ 임대인은 임차인이 임대차기간이 끝나기 6개월 전부터 2개월 전까지의 기간 이내에 계약갱신을 요구하면 정당한 사유 없이 거절하지 못하는데, 임차인은 이 계약갱신요구권을 1회에 한하여 행사할 수 있다.

④ 임대인이 목적 주택에서의 실거주를 이유로 임차인의 계약갱신요구를 거절하였음에도 그 계약갱신요구가 거절되지 아니하였더라면 갱신되었을 기간이 만료되기 전에 정당한 사유 없이 제3자에게 목적 주택을 임대한 경우 임대인은 갱신거절로 인하여 임차인이 입은 손해를 배상하여야 한다.

⑤ 주택임대차보호법 제3조 제1항에 의한 대항력 취득의 요건인 주민등록은 임차인 본인뿐 아니라 배우자나 자녀 등 가족의 주민등록도 포함되고, 이는 재외국민이 임차인인 경우에도 마찬가지로 적용되므로, 재외국민이 임대차계약을 체결하고 동거가족인 외국인 또는 외국국적동포가 외국인등록이나 국내거소신고 등을 한 경우에도 대항력을 취득한다.

해설 ① 주택임대차보호법이 적용되는 임대차는 반드시 임차인과 주택의 소유자인 임대인 사이에 임대차계약이 체결된 경우에 한정된다고 할 수는 없고, 주택의 소유자는 아니지만 주택에 관하여 적법하게 임대차계약을 체결할 수 있는 권한(적법한 임대권한)을 가진 명의신탁자 사이에 임대차계약이 체결된 경우도 포함된다고 할 것이고, 이 경우 임차인은 등기부상 주택의 소유자인 명의수탁자에 대한 관계에서도 적법한 임대차임을 주장할 수 있는 반면 명의수탁자는 임차인에 대하여 그 소유자임을 내세워 명도를 구할 수 없다(대판 1999.4.23, 98다49753).

② 주택임대차보호법 제6조와 제6조의2 → 임대인이 그 통지를 받은 날로부터 3개월이 지나면 효력이 발생한다.

③ 주택임대차보호법 제6조의3 제1항과 제2항

④ 주택임대차보호법 제6조의3 제1항 8호와 제5항

⑤ 대판 2016.10.13, 2014다218030 · 218047

01 임대차에 관한 다음 설명 중 가장 옳지 않은 것은?　　　　▸ 2025 법무사

① 임대차계약에 있어서 임대인은 목적물을 계약 존속 중 그 사용·수익에 필요한 상태를 유지하게 할 의무를 부담하는 것이므로, 목적물에 파손 또는 장해가 생긴 경우 그것이 임차인이 별 비용을 들이지 아니하고도 손쉽게 고칠 수 있을 정도의 사소한 것이어서 임차인의 사용·수익을 방해할 정도의 것이 아니라면 임대인은 수선의무를 부담하지 않지만, 그것을 수선하지 아니하면 임차인이 계약에 의하여 정해진 목적에 따라 사용·수익할 수 없는 상태로 될 정도의 것이라면 임대인은 그 수선의무를 부담한다.

② 임대차는 당사자 일방이 상대방에게 목적물을 사용·수익하게 할 것을 약정하고 상대방이 이에 대하여 차임을 지급할 것을 약정함으로써 성립하는 것으로, 임대인이 임대차 목적물에 대한 소유권 기타 이를 임대할 권한이 없다고 하더라도 임대차계약은 유효하게 성립한다.

③ 주택임대차보호법이 적용되는 임대차가 되기 위해서는 임차인과 주택의 소유자인 임대인 사이에 임대차계약이 체결된 경우로 한정되는 것도 아니고, 그 주택에 관하여 적법하게 임대차계약을 체결할 수 있는 권한을 가진 임대인이 임대차 계약을 체결할 것이 요구되지도 않는다.

④ 임차인의 임차목적물 반환의무는 임대차계약의 종료에 의하여 발생하나, 임대인의 권리금 회수 방해로 인한 손해배상의무는 상가건물 임대차보호법에서 정한 권리금 회수기회 보호의무 위반을 원인으로 하고 있으므로 양 채무는 동일한 법률요건이 아닌 별개의 원인에 기하여 발생한 것일 뿐 아니라 공평의 관점에서 보더라도 그 사이에 이행상 견련관계를 인정하기 어렵다.

⑤ 건물이 소유를 목적으로 한 토지임대차계약의 기간이 만료함에 따라 지상건물 소유자가 임대인에 대하여 행사하는 민법 제643조 소정의 매수청구권은 매수청구의 대상이 되는 건물에 근저당권이 설정되어 있는 경우에도 인정된다. 이 경우에 그 건물의 매수가격은 건물 자체의 가격 외에 건물의 위치, 주변 토지의 여러 사정 등을 종합적으로 고려하여 매수청구권 행사 당시 건물이 현존하는 대로의 상태에서 평가된 시가 상당액을 의미하고, 여기에서 근저당권의 채권최고액이나 피담보채무액을 공제한 금액을 매수가격으로 정할 것은 아니다.

정답 ▸ **09 ② / 01 ③**

해설 ① 임대차계약에서 임대인은 목적물을 계약 존속 중 사용·수익에 필요한 상태를 유지할 의무를 부담하므로, 목적물에 파손 또는 장해가 생긴 경우 그것이 임차인이 별비용을 들이지 아니하고도 손쉽게 고칠 수 있을 정도의 사소한 것이어서 임차인의 사용·수익을 방해할 정도의 것이 아니라면 임대인은 수선의무를 부담하지 않지만, 그것을 수선하지 아니하면 임차인이 계약에 의하여 정해진 목적에 따라 사용·수익할 수 없는 상태로 될 정도의 것이라면 임대인은 수선의무를 부담한다(대판 2012.6.14, 2010다89876).

② 임대차는 당사자 일방이 상대방에게 목적물을 사용·수익하게 할 것을 약정하고 상대방이 이에 대하여 차임을 지급할 것을 약정함으로써 성립하는 것으로서(민법 제618조 참조), 임대인이 그 목적물에 대한 소유권 기타 이를 임대할 권한이 없다고 하더라도 임대차계약은 유효하게 성립한다(대판 2012.1.27, 2010다59660).

③ 주택임대차보호법 제3조 제1항이 적용되는 임대차는 반드시 임차인과 주택의 소유자인 임대인 사이에 임대차계약이 체결된 경우에 한정되지는 않고, 주택의 소유자는 아니지만 주택에 관하여 적법하게 임대차계약을 체결할 수 있는 권한(적법한 임대권한)을 가진 임대인과 사이에 임대차계약이 체결된 경우도 포함된다(대판 2019.3.28, 2018다44879).

④ 임차인의 임차목적물 반환의무는 임대차계약의 종료에 의하여 발생하나, 임대인의 권리금 회수 방해로 인한 손해배상의무는 상가건물 임대차보호법에서 정한 권리금 회수기회 보호의무 위반을 원인으로 하고 있으므로 양 채무는 동일한 법률요건이 아닌 별개의 원인에 기하여 발생한 것일 뿐 아니라 공평의 관점에서 보더라도 그 사이에 이행상 견련관계를 인정하기 어렵다(대판 2019.7.10, 2018다242727).

⑤ 건물의 소유를 목적으로 한 토지임대차계약의 기간이 만료함에 따라 지상건물 소유자가 임대인에 대하여 행사하는 민법 제643조 소정의 매수청구권은 매수청구의 대상이 되는 건물에 근저당권이 설정되어 있는 경우에도 인정된다. 이 경우에 그 건물의 매수가격은 건물 자체의 가격 외에 건물의 위치, 주변 토지의 여러 사정 등을 종합적으로 고려하여 매수청구권 행사 당시 건물이 현존하는 대로의 상태에서 평가된 시가 상당액을 의미하고, 여기에서 근저당권의 채권최고액이나 피담보채무액을 공제한 금액을 매수가격으로 정할 것은 아니다. 다만, 매수청구권을 행사한 지상건물 소유자가 위와 같은 근저당권을 말소하지 않는 경우 토지소유자는 민법 제588조에 의하여 위 근저당권의 말소등기가 될 때까지 그 채권최고액에 상당한 대금의 지급을 거절할 수 있다(대판 2008.5.29, 2007다4356).

PART · 03

제7절 도급

기본문제 │ 기본문제의 구성

01 도급에 관한 다음 설명 중 옳은 것을 모두 고른 것은? ▸ 2022 법무사

> 가. 도급계약에서 수급인이 자기의 노력과 재료를 들여 건물을 완성하더라도 도급인과 수급인 사이에 도급인 명의로 건축허가를 받아 소유권보존등기를 하기로 하는 등 완성된 건물의 소유권을 도급인에게 귀속시키기로 합의한 것으로 보여질 경우에는 그 건물의 소유권은 도급인에게 원시적으로 귀속된다.
>
> 나. 민법 제673조에 따라 수급인이 일을 완성하기 전에는 도급인은 손해를 배상하고 계약을 해제할 수 있고 특별한 사정이 없는 한 도급인은 이러한 해제로 인한 손해배상에 대하여 과실상계나 손해배상예정액 감액을 주장할 수 있다.
>
> 다. 도급계약에서 목적물의 주요구조부분이 약정된 대로 시공되어 사회통념상 일반적으로 요구되는 성능을 갖추었고 당초 예정된 최후의 공정까지 마쳤다면 일이 완성되었다고 보아야 하고, 목적물이 완성되었다면 목적물의 하자는 하자담보책임에 관한 민법 규정에 따라 처리하도록 하는 것이 당사자의 의사와 법률의 취지에 부합하는 해석이다.
>
> 라. 완성된 목적물 또는 완성전의 성취된 부분에 하자가 있는 때에는 도급인은 수급인에 대하여 상당한 기간을 정하여 그 하자의 보수를 청구할 수 있고, 하자보수에 갈음하여 또는 보수와 함께 손해배상을 청구할 수 있다.
>
> 마. 수급인이 도급인에 대하여 가지는 공사대금채권은 상사채권이므로 특별한 사정이 없는 한 5년의 소멸시효가 적용된다.

① 가, 나, 라   ② 가, 다, 마   ③ 나, 라, 마

④ 가, 다, 라   ⑤ 나, 다, 마

해설 가. 대판 1992.3.27, 91다34790

나. 민법 제673조에서 도급인으로 하여금 자유로운 해제권을 행사할 수 있도록 하는 대신 수급인이 입은 손해를 배상하도록 규정하고 있는 것은 도급인의 일방적인 의사에 기한 도급계약 해제를 인정하는 대신, 도급인의 일방적인 계약해제로 인하여 수급인이 입게 될 손해, 즉 수급인이 이미 지출한 비용과 일을 완성하였더라면 얻었을 이익을 합한 금액을 전부 배상하게 하는 것이라 할 것이므로, 위 규정에 의하여 도급계약을 해제한 이상은 특별한 사정이 없는 한 도급인은 수급인에 대한 손해배상에 있어서 과실상계나 손해배상예정액 감액을 주장할 수는 없다(대판 2002.5.10, 2000다37296 · 37302).

다. 대판 2019.9.10, 2017다272486 · 272493

 **정답**   **01** ④

라. 제667조

마. 도급받은 공사의 공사대금채권은 민법 제163조 제3호에 따라 3년의 단기소멸시효가 적용되고, 그 공사에 부수되는 채권도 마찬가지이다(대판 2016.10.27, 2014다211978).

02 도급에 대한 다음 설명 중 가장 옳지 않은 것은?

▶ 2024 법무사

① 완성된 목적물 또는 완성 전의 성취된 부분에 하자가 있는 때에는 도급인은 수급인에 대하여 상당한 기간을 정하여 그 하자의 보수를 청구할 수 있다. 그러나 하자가 중요하지 아니한 경우에 그 보수에 과다한 비용을 요할 때에는 그러하지 아니하다.

② 신축건물의 수급인으로부터 공사대금채권을 양수받은 자의 저당권설정청구에 의하여 신축건물의 도급인이 그 건물에 저당권을 설정하는 행위는 다른 특별한 사정이 없는 한 사해행위에 해당하지 아니한다.

③ 제작물공급계약은 그 제작의 측면에서는 도급의 성질이 있고 공급의 측면에서는 매매의 성질이 있어 대체로 매매와 도급의 성질을 함께 가지고 있으므로, 그 적용 법률은 계약에 의하여 제작 공급하여야 할 물건이 대체물인 경우에는 매매에 관한 규정이 적용되지만, 부대체물인 경우에는 도급의 성질을 띠게 된다.

④ 수급인의 담보책임에 관한 민법 제667조는 법이 특별히 인정한 무과실책임으로서 민법 제396조의 과실상계 규정이 준용될 수는 없다 하더라도 담보책임이 민법의 지도이념인 공평의 원칙에 입각한 것인 이상 하자발생 및 그 확대에 가공한 도급인의 잘못을 참작하여 손해배상의 범위를 정함이 상당하다.

⑤ 민법 제666조에 따른 수급인의 목적부동산에 대한 저당권설정청구권은 10년간 행사하지 않으면 소멸시효가 완성된다.

> **해설**
> ① 제667조 참조
> ② 대판 2018.11.29, 2015다19827
> ③ 대판 2006.10.13, 2004다21862
> ④ 대판 2004.8.20, 2001다70337
> ⑤ 도급받은 공사의 공사대금채권은 민법 제163조 제3호에 따라 3년의 단기소멸시효가 적용되고, 그 공사에 부수되는 채권도 마찬가지라고 할 것인데, 민법 제666조에 따른 수급인의 목적부동산에 대한 저당권설정청구권은 공사대금채권을 담보하기 위하여 저당권설정등기절차의 이행을 구하는 채권적 청구권으로서 공사에 부수되는 채권에 해당하므로 그 소멸시효기간 역시 3년이라고 보아야 한다(대판 2016.10.27, 2014다211978).

심화문제 | 확인 · 보충 · 심화문제

제7-2절 │ 여행계약

기본문제 │ 기본문제의 구성

01 여행계약에 관한 다음 설명 중 가장 옳지 않은 것은? ▶ 2024 법무사

① 여행자는 여행을 시작하기 전에는 언제든지 계약을 해제할 수 있다. 다만, 여행자는 상대방에게 발생한 손해를 배상하여야 한다.

② 여행자가 해외 여행계약에 따라 여행하는 도중 여행업자의 고의 또는 과실로 상해를 입은 경우 계약상 여행업자의 여행자에 대한 국내로의 귀환운송의무가 예정되어 있고, 현지에서 당초 예정한 여행기간 내에 치료를 완료하기 어렵거나, 계속적·전문적 치료가 요구되어 사회통념상 여행자가 국내로 귀환할 필요성이 있었다고 인정된다면, 이로 인하여 발생하는 귀환운송비 등 추가적인 비용은 여행업자의 고의 또는 과실로 인하여 발생한 통상손해의 범위에 포함된다.

③ 민법 제674조의6(여행주최자의 담보책임)과 민법 제674조의7(여행주최자의 담보책임과 여행자의 해지권)에 따른 권리는 여행 기간 중에도 행사할 수 있으며, 계약에서 정한 여행 종료일부터 1년 내에 행사하여야 한다.

④ 기획여행업자는 통상 여행 일반은 물론 목적지의 자연적·사회적 조건에 관하여 전문적 지식을 가진 자로서 우월적 지위에서 행선지나 여행시설 이용 등에 관한 계약 내용을 일방적으로 결정하는 반면, 여행자는 안전성을 신뢰하고 기획여행업자가 제시하는 조건에 따라 여행계약을 체결하는 것이 일반적이므로, 기획여행업자는 여행자에게 여행계약 내용의 실시 도중에 여행자가 부딪칠지 모르는 위험을 고지함으로써 여행자 스스로 위험을 수용할지에 관하여 신댁할 기회를 주는 등 합리직 조치를 취힐 신의칙싱 안진배러의무를 부딤한다.

⑤ 부득이한 사유가 있는 경우에는 각 당사자는 여행계약을 해지할 수 있고, 그 해지로 인하여 발생하는 추가 비용은 그 해지 사유가 어느 당사자의 사정에 속하는 경우에는 그 당사자가 부담하고, 누구의 사정에도 속하지 아니하는 경우에는 각 당사자가 절반씩 부담한다.

해설 ① 제674조의3

② 여행자가 해외 여행계약에 따라 여행하는 도중 여행업자의 고의 또는 과실로 상해를 입은 경우 계속적·전문적 치료가 요구되어 사회통념상 여행자가 국내로 귀환할 필요성이 있었다고 인정된다면, 이로 인하여 발생하는 귀환운송비 등 추가적인 비용은 여행업자의 고의 또는 과실로 인하여 발생한 통상손해의 범위에 포함되고, 이 손해가 특별한 사정으로 인한 손해라고 하더라도 예견가능성이 있었다고 보아야 한다(대판 2019.4.3, 2018다286550).

③ 제674조의8 → 제674조의6과 제674조의7에 따른 권리는 여행 기간 중에도 행사할 수 있으며, 계약에서 정한 여행 종료일부터 6개월 내에 행사하여야 한다.

정답 02 ⑤ / 01 ③

④ 기획여행업자는 통상 여행 일반은 물론 목적지의 자연적·사회적 조건에 관하여 전문적 지식을 가진 자로서 우월적 지위에서 행선지나 여행시설의 이용 등에 관한 계약 내용을 일방적으로 결정하는 반면, 여행자는 그 안전성을 신뢰하고 기획여행업자가 제시하는 조건에 따라 여행계약을 체결하는 것이 일반적이다. 이러한 점을 감안할 때 기획여행업자가 여행자와 여행계약을 체결할 경우에는 다음과 같은 내용의 안전배려의무를 부담한다고 봄이 타당하다. 기획여행업자는 여행자의 생명·신체·재산 등의 안전을 확보하기 위하여 여행목적지·여행일정·여행행정·여행서비스기관의 선택 등에 관하여 미리 충분히 조사·검토하여 전문업자로서의 합리적인 판단을 하여야 한다. 그에 따라 기획여행업자는 여행을 시작하기 전 또는 그 이후라도 여행자가 부딪칠지 모르는 위험을 예견할 수 있을 경우에는 여행자에게 그 뜻을 알려 여행자 스스로 그 위험을 수용할지를 선택할 기회를 주어야 하고, 그 여행계약 내용의 실시 도중에 그러한 위험 발생의 우려가 있을 때는 미리 그 위험을 제거할 수단을 마련하는 등의 합리적 조치를 하여야 한다(대판 2017.12.13, 2016다6293).

⑤ 제674조의4

제8절 │ 위임

기본문제 │ 기본문제의 구성

01 **다음 설명 중 가장 옳지 않은 것은?** ▸ 2021 법무사

① 수임인은 위임인의 승낙이나 부득이한 사유 없이 제3자로 하여금 자기에 갈음하여 위임사무를 처리하게 하지 못한다.

② 위임계약의 각 당사자는 민법 제689조 제1항에 의하여 특별한 이유 없이도 언제든지 위임계약을 해지할 수 있다.

③ 위임계약의 일방 당사자가 타방 당사자의 채무불이행을 이유로 위임계약을 해지한다는 의사표시를 하였으나 실제로는 채무불이행을 이유로 한 계약 해지의 요건을 갖추지 못한 경우에는, 특별한 사정이 없는 한 위 의사표시에는 민법 제689조 제1항에 기한 임의해지로서의 효력도 인정되지 아니한다.

④ 수임인이 위임받은 사무를 처리하던 중 사무처리를 완료하지 못한 상태에서 위임계약을 해지함으로써 위임인이 그 사무처리의 완료에 따른 성과를 이전받거나 이익을 얻지 못하게 되었다 하더라도, 별도로 특약을 하는 등 특별한 사정이 없는 한 위임계약에서는 시기 여하를 불문하고 사무처리 완료 이전에 계약이 해지되면 당연히 위임인이 그 사무처리의 완료에 따른 성과를 이전받거나 이익을 얻지 못하는 것으로 계약 당시에 예정되어 있으므로, 수임인이 사무처리를 완료하기 전에 위임계약을 해지한 것만으로 위임인에게 불리한 시기에 해지한 것이라고 볼 수는 없다.

⑤ 민법상의 위임계약은 유상계약이든 무상계약이든 당사자 쌍방의 특별한 대인적 신뢰관계를 기초로 하는 위임계약의 본질상 각 당사자는 언제든지 해지할 수 있고 그로 말미암아 상대방이 손해를 입는 일이 있어도 그것을 배상할 의무를 부담하지 않는 것이 원칙이며, 다만 상대방이 불리한 시기에 해지한 때에는 해지가 부득이한 사유에 의한 것이 아닌 한 그로 인한 손해를 배상하여야 하나, 배상의 범위는 위임이 해지되었다는 사실로부터 생기는 손해가 아니라 적당한 시기에 해지되었더라면 입지 아니하였을 손해에 한한다.

해설

① 제682조 제1항【복임권의 제한】수임인은 위임인의 승낙이나 부득이한 사유 없이 제3자로 하여금 자기에 갈음하여 위임사무를 처리하게 하지 못한다.

②③ 위임계약의 각 당사자는 민법 제689조 제1항에 따라 특별한 이유 없이도 언제든지 위임계약을 해지할 수 있다. 따라서 위임계약의 일방 당사자가 타방 당사자의 채무불이행을 이유로 위임계약을 해지한다는 의사표시를 하였으나 실제로는 채무불이행을 이유로 한 계약 해지의 요건을 갖추지 못한 경우라도, 특별한 사정이 없는 한 의사표시에는 민법 제689조 제1항에 따른 임의해지로서의 효력이 인정된다(대판 2015.12.23, 2012다71411).

④ 수임인이 위임받은 사무를 처리하던 중 사무처리를 완료하지 못한 상태에서 위임계약을 해지함으로써 위임인이 사무처리의 완료에 따른 성과를 이전받거나 이익을 얻지 못하게 되더라도, 별도로 특약을 하는 등 특별한 사정이 없는 한 위임계약에서는 시기를 불문하고 사무처리 완료 전에 계약이 해지되면 당연히 위임인이 사무처리의 완료에 따른 성과를 이전받거나 이익을 얻지 못하는 것으로 계약 당시에 예정되어 있으므로, 수임인이 사무처리를 완료하기 전에 위임계약을 해지한 것만으로 위임인에게 불리한 시기에 해지한 것이라고 볼 수는 없다(대판 2015.12.23, 2012다71411).

⑤ 민법상의 위임계약은 유상계약이든 무상계약이든 당사자 쌍방의 특별한 대인적 신뢰관계를 기초로 하는 위임계약의 본질상 각 당사자는 언제든지 해지할 수 있고 그로 말미암아 상대방이 손해를 입는 일이 있어도 그것을 배상할 의무를 부담하지 않는 것이 원칙이며, 다만 상대방이 불리한 시기에 해지한 때에는 해지가 부득이한 사유에 의한 것이 아닌 한 그로 인한 손해를 배상하여야 하나, 배상의 범위는 위임이 해지되었다는 사실로부터 생기는 손해가 아니라 적당한 시기에 해지되었더라면 입지 아니하였을 손해에 한한다(대판 2015.12.23, 2012다71411).

정답 01 ③

02 위임에 관한 다음 설명 중 가장 옳지 않은 것은?

▸ 2023 법무사

① 민법 제684조 제2항은 "수임인이 위임인을 위하여 자기의 명의로 취득한 권리는 위임인에게 이전하여야 한다."라고 규정하고 있는데, 이때 그 이전 시기는 당사자 간에 특약이 있거나 위임의 본뜻에 반하는 경우 등과 같은 특별한 사정이 없는 한 위임계약이 종료된 때이다. 따라서 위임사무로 수임인 명의로 취득한 권리에 관한 위임인의 이전청구권의 소멸시효는 위임계약이 종료된 때부터 진행한다.

② 위임계약에서 보수액에 관하여 약정한 경우에 수임인은 원칙적으로 약정보수액을 전부 청구할 수 있는 것이 원칙이지만, 위임업무 처리의 경과와 난이도, 투입한 노력의 정도 등 제반 사정을 고려할 때 약정보수액이 부당하게 과다하여 신의성실의 원칙이나 형평의 원칙에 반한다고 볼만한 특별한 사정이 있는 때에는 예외적으로 상당하다고 인정되는 범위 내의 보수액만을 청구할 수 있다.

③ 소송위임계약으로 성공보수를 약정하였을 경우 심급대리의 원칙에 따라 수임한 소송사무가 종료하는 시기인 해당 심급의 판결을 송달받은 때로부터 그 소멸시효기간이 진행되나, 당사자 사이에 보수금의 지급시기에 관한 특약이 있다면 그에 따라 보수채권을 행사할 수 있는 때로부터 소멸시효가 진행한다.

④ 위임계약의 각 당사자는 민법 제689조 제1항에 따라 특별한 이유 없이도 언제든지 위임계약을 해지할 수 있다. 그러나 위임계약의 일방 당사자가 타방 당사자의 채무불이행을 이유로 위임계약을 해지한다는 의사표시를 하였으나 실제로는 채무불이행을 이유로 한 계약 해지의 요건을 갖추지 못한 경우에는, 특별한 사정이 없는 한 그와 같은 의사표시에 민법 제689조 제1항에 따른 임의해지로서의 효력을 인정할 수는 없다.

⑤ 민법상 위임계약의 당사자는 언제든지 계약을 해지할 수 있고 그로 말미암아 상대방이 손해를 입는 일이 있어도 그것을 배상할 의무를 부담하지 않는 것이 원칙이다. 다만 상대방이 불리한 시기에 해지한 때에는 해지가 부득이한 사유에 의한 것이 아닌 한 그로 인한 손해를 배상하여야 하나, 배상의 범위는 위임이 해지되었다는 사실로부터 생기는 손해가 아니라 적당한 시기에 해지되었더라면 입지 아니하였을 손해에 한한다.

> **해설** ① 대판 2022.9.7, 2022다217117
> ② 대판 2012.4.12, 2011다107900
> ③ 대판 2023.2.2, 2022다276307
> ④ 위임계약의 각 당사자는 민법 제689조 제1항에 따라 특별한 이유 없이도 언제든지 위임계약을 해지할 수 있다. 따라서 위임계약의 일방 당사자가 타방 당사자의 **채무불이행을 이유로 위임계약을 해지한다는 의사표시를 하였으나 실제로는 채무불이행을 이유로 한 계약 해지의 요건을 갖추지 못한 경우라도** 특별한 사정이 없는 한 의사표시에는 민법 제689조 제1항에 따른 **임의해지로서의 효력**이 **인정**된다(대판 2015.12.23, 2012다71411).
> ⑤ 대판 2015.12.23, 2012다71411

제9절 임치

01 **예금계약에 관한 다음 설명 중 가장 옳지 않은 것은?** ▶ 2021 법무사

① 예금계약은 예금자가 예금의 의사를 표시하면서 금융기관에 돈을 제공하고 금융기관이 그 의사에 따라 돈을 받아 확인하면 그로써 성립하며, 금융기관의 직원이 그 돈을 금융기관에 입금하지 아니하고 이를 횡령하였다고 하더라도 예금계약의 성립 여부에 아무런 영향이 없다.

② '계좌이체가 되는 경우에는 예금원장에 입금의 기록이 된 때에 예금이 된다'고 예금거래 기본약관에 정하여져 있더라도 송금의뢰인과 수취인 사이에 계좌이체의 원인인 법률관계가 존재하지 아니함에도 착오로 수취인의 예금계좌에 이체를 하였다면 수취인이 수취은행에 대하여 이체된 금액 상당의 예금채권을 취득하는 것은 아니다.

③ 송금의뢰인과 수취인 사이에 계좌이체의 원인인 법률관계가 존재하지 아니함에도 착오로 수취인의 예금계좌에 이체를 한 위와 같은 경우에는 수취인이 법률상 원인 없이 예금채권을 취득하는 이익을 얻은 것이므로 송금의뢰인은 수취인에 대하여 부당이득반환청구권을 가지게 된다.

④ 甲이 배우자인 乙을 대리하여 금융기관과 乙의 실명확인 절차를 거쳐 乙 명의의 예금계약을 체결한 경우에 명의자인 乙이 아닌 실제로 자금을 출연한 甲을 예금계약의 당사자라고 보기 위해서는, 甲과 금융기관과의 사이에 예금명의자인 乙의 예금반환청구권을 배제하고 출연자인 甲과 예금계약을 체결하여 甲에게 예금반환청구권을 귀속시키겠다는 명확한 의사의 합치가 있는 극히 예외적인 경우여야 한다.

⑤ 은행에 공동명의로 예금을 하고 은행에 대하여 그 권리를 함께 행사하기로 한 경우에 만일 동업자금을 공동명의로 예금한 경우라면 채권의 준합유관계에 있지만, 공동명의 예금채권자들 각자가 분담하여 출연한 돈을 동업 이외의 특정 목적을 위하여 공동명의로 예치해 둠으로써 그 목적이 달성되기 전에는 공동명의 예금채권자가 단독으로 예금을 인출할 수 없도록 방지·감시하고자 하는 등의 목적으로 공동명의로 예금을 개설한 경우라면 하나의 예금채권이 분량적으로 분할되어 각 공동명의 예금채권자들에게 귀속된다.

> **해설** ① 예금계약은 예금자가 예금의 의사를 표시하면서 금융기관에 돈을 제공하고 금융기관이 그 의사에 따라 그 돈을 받아 확인을 하면 그로써 성립하며, 금융기관의 직원이 그 받은 돈을 금융기관에 입금하지 아니하고 이를 횡령하였다고 하더라도 예금계약의 성립에는 아무런 소장이 없다(대판 1996.1.26, 95다26919).
>
> ②,③ 현금으로 계좌송금 또는 계좌이체가 된 경우에는 예금원장에 입금의 기록이 된 때에 예금이 된다고 예금거래기본약관에 정하여져 있을 뿐이고, 수취인과 은행 사이의 예금계약의 성립 여부를 송금의뢰인과 수취인 사이에 계좌이체의 원인인 법률관계가 존재하는지 여부에 의하여 좌우되도록 한다고 별도로 약정하였다는 등의 특별한 사정이 없는 경우에는, 송금의뢰인이 수취인의 예금구좌에 계좌이체를 한 때에는, 송금의뢰인과 수취인 사이에 계좌이체의 원인인 법률관계가 존재하

정답   **02 ④ / 01 ②**

는지 여부에 관계없이 수취인과 수취은행 사이에는 계좌이체금액 상당의 예금계약이 성립하고, 수취인이 수취은행에 대하여 위 금액 상당의 예금채권을 취득한다. 이때, 송금의뢰인과 수취인 사이에 계좌이체의 원인이 되는 법률관계가 존재하지 않음에도 불구하고, 계좌이체에 의하여 수취인이 계좌이체금액 상당의 예금채권을 취득한 경우에는, 송금의뢰인은 수취인에 대하여 위 금액 상당의 부당이득반환청구권을 가지게 되지만, 수취은행은 이익을 얻은 것이 없으므로 수취은행에 대하여는 부당이득반환청구권을 취득하지 아니한다(대판 2007.11.29, 2007다51239 등).

④ 본인인 예금명의자의 의사에 따라 예금명의자의 실명확인 절차가 이루어지고 예금명의자를 예금주로 하여 예금계약서를 작성하였음에도 불구하고, 예금명의자가 아닌 출연자 등을 예금계약의 당사자라고 볼 수 있으려면, 금융기관과 출연자 등과 사이에서 실명확인 절차를 거쳐 서면으로 이루어진 예금명의자와의 예금계약을 부정하여 예금명의자의 예금반환청구권을 배제하고 출연자 등과 예금계약을 체결하여 출연자 등에게 예금반환청구권을 귀속시키겠다는 명확한 의사의 합치가 있는 극히 예외적인 경우로 제한되어야 한다(대판(전) 2009.3.19, 2008다45828).

⑤ 은행에 공동명의로 예금을 하고 은행에 대하여 그 권리를 함께 행사하기로 한 경우에 만일 ⅰ) 동업자금을 공동명의로 예금한 경우라면 채권의 준합유관계에 있다고 볼 것이나, ⅱ) 공동명의 예금채권자들 각자가 분담하여 출연한 돈을 동업 이외의 특정 목적을 위하여 공동명의로 예치해 둠으로써 그 목적이 달성되기 전에는 공동명의 예금채권자가 단독으로 예금을 인출할 수 없도록 방지·감시하고자 하는 목적으로 공동명의로 예금을 개설한 경우라면, 하나의 예금채권이 분량적으로 분할되어 각 공동명의 예금채권자들에게 공동으로 귀속되고, 각 공동명의 예금채권자들이 예금채권에 대하여 갖는 각자의 지분에 대한 관리처분권은 각자에게 귀속된다(대판 2004.10.14, 2002다55908).

02 예금계약에 관한 다음 설명 중 가장 옳지 않은 것은? ▸ 2024 법무사

① 예금계약은 예금자가 예금의 의사를 표시하면서 금융기관에 돈을 제공하고 금융기관이 그 의사에 따라서 그 돈을 받아 확인을 하면 그로써 성립하며, 금융기관의 직원이 그 받은 돈을 금융기관에 입금하지 아니하고 이를 횡령하였다고 하더라도 예금계약의 성립에는 아무런 영향이 없다.

② 예금거래기본약관에 따라 송금의뢰인이 수취인의 예금계좌에 자금이체를 하여 예금원장에 입금의 기록이 된 때에는 특별한 사정이 없는 한 송금의뢰인과 수취인 사이에 자금이체의 원인인 법률관계가 존재하는지에 관계없이 수취인과 수취은행 사이에는 입금액 상당의 예금계약이 성립하고, 수취인은 수취은행에 대하여 입금액 상당의 예금채권을 취득한다.

③ 출금계좌의 예금주가 수취인 앞으로의 계좌이체에 대하여 지급지시를 하거나 수취인의 추심이체에 관하여 출금 동의 등을 한 바가 없는데도, 은행이 그와 같은 지급지시나 출금 동의가 있는 것으로 착오를 일으켜 출금계좌에서 예금을 인출한 다음 이를 수취인의 예금계좌에 입금하여 그 기록이 완료된 때에도 수취인과 수취은행 사이에는 입금액 상당의 예금계약이 성립하고, 수취인은 수취은행에 대하여 입금액 상당의 예금채권을 취득한다.

④ 송금의뢰인이 착오송금임을 이유로 거래은행을 통하여 혹은 수취은행에 직접 송금액의 반환을 요청하고 수취인도 송금의뢰인의 착오송금에 의하여 수취인의 계좌에 금원이 입금된 사실을 인정하고 수취은행에 그 반환을 승낙하고 있는 경우, 수취은행이 수취인에 대한 대출채권 등을 자동채권으로 하여 수취인의 계좌에 착오로 입금된 금원 상당의 예금채권과 상계하는 것은 원칙적으로 가능하다.

⑤ 만기가 정해진 예금계약에 따른 금융기관의 예금 반환채무는 만기가 도래하더라도 임치인이 미리 만기 후 예금 수령방법을 지정한 경우와 같은 특별한 사정이 없는 한 임치인의 적법한 지급 청구가 있어야 비로소 이행할 수 있으므로, 예금계약의 만기가 도래한 것만으로 금융기관인 수치인이 임치인에 대하여 예금 반환 지연으로 인한 지체책임을 부담한다고 볼 수는 없다.

해설 ① 대판 1996.1.26, 95다26919

②.③ 예금거래기본약관에 따라 송금의뢰인이 수취인의 예금계좌에 자금이체를 하여 예금원장에 입금의 기록이 된 때에는 특별한 사정이 없는 한 송금의뢰인과 수취인 사이에 자금이체의 원인인 법률관계가 존재하는지에 관계없이 수취인과 수취은행 사이에는 입금액 상당의 예금계약이 성립하고, 수취인은 수취은행에 대하여 입금액 상당의 예금채권을 취득한다. 이와 같은 법리는 출금계좌의 예금주가 수취인 앞으로의 계좌이체에 대하여 지급지시를 하거나 수취인의 추심이체에 관하여 출금 동의 등을 한 바가 없는데도, 은행이 그와 같은 지급지시나 출금 동의가 있는 것으로 착오를 일으켜 출금계좌에서 예금을 인출한 다음 이를 수취인의 예금계좌에 입금하여 그 기록이 완료된 때에도 동일하게 적용된다고 봄이 타당하므로, 수취인은 이러한 은행의 착오에 의한 자금이체의 경우에도 입금액 상당의 예금채권을 취득한다(대판 2012.10.25, 2010다47117).

④ 송금의뢰인이 착오송금임을 이유로 거래은행을 통하여 혹은 수취은행에 직접 송금액의 반환을 요청하고, 수취인도 송금의뢰인의 착오송금에 의하여 수취인의 계좌에 금원이 입금된 사실을 인정하여 수취은행에 그 반환을 승낙하고 있는 경우, 수취은행이 수취인에 대한 대출채권 등을 자동채권으로 하여 수취인의 계좌에 착오로 입금된 금원 상당의 예금채권과 상계하는 것은 수취은행이 선의인 상태에서 수취인의 예금채권을 담보로 대출을 하여 그 자동채권을 취득한 것이라거나 그 예금채권이 이미 제3자에 의하여 압류되었다는 등의 특별한 사정이 없는 한, 공공성을 지닌 자금이체시스템의 운영자가 그 이용자인 송금의뢰인의 실수를 기화로 그의 희생하에 당초 기대하지 않았던 채권회수의 이익을 취하는 행위로서 상계제도의 목적이나 기능을 일탈하고 법적으로 보호받을 만한 가치가 없으므로, 송금의뢰인에 대한 관계에서 신의칙에 반하거나 상계에 관한 권리를 남용하는 것이다(대판 2022.7.14, 2020다212958).

⑤ 예금계약은 은행 등 법률이 정하는 금융기관을 수치인으로 하는 금전의 소비임치 계약으로서 수치인은 임치물인 금전 등을 보관하고 그 기간 중 이를 소비할 수 있고 임치인의 청구에 따라 동종 동액의 금전을 반환할 것을 약정함으로써 성립하는 것이므로 소비대차에 관한 민법의 규정이 준용되나 사실상 그 계약의 내용은 약관에 따라 정해진다고 보아야 한다. 또한 만기가 정해진 예금계약에 따른 금융기관의 예금 반환채무는 만기가 도래하더라도 임치인이 미리 만기 후 예금 수령방법을 지정한 경우와 같은 특별한 사정이 없는 한 임치인의 적법한 지급 청구가 있어야 비로소 이행할 수 있으므로, 예금계약의 만기가 도래한 것만으로 금융기관인 수치인이 임치인에 대하여 예금 반환 지연으로 인한 지체책임을 부담한다고 볼 수는 없고, 정당한 권한이 있는 임치인의 지급 청구에도 불구하고 수치인이 예금 반환을 지체한 경우에 지체책임을 물을 수 있다고 보아야 한다(대판 2023.6.29, 2023다218353).

제10절 | 조합

기본문제 | 기본문제의 구성

01 조합에 관한 다음 설명 중 가장 옳지 않은 것은?　▶ 2022 법무사

① 민법상의 조합계약은 2인 이상이 상호 출자하여 공동으로 사업을 경영할 것을 약정하는 계약으로서 특정한 사업을 공동 경영하는 약정에 한하여 이를 조합계약이라고 할 수 있고, 공동의 목적달성이라는 정도만으로는 조합의 성립요건을 갖추었다고 할 수 없다.

② 동업계약과 같은 조합계약에 있어서는 조합의 해산청구를 하거나 조합으로부터 탈퇴를 하거나 또는 다른 조합원을 제명할 수 있을 뿐이지 일반계약에 있어서처럼 조합계약을 해제하고 상대방에게 그로 인한 원상회복의 의무를 부담지울 수는 없다.

③ 조합계약으로 조합원 중 일부 또는 제3자를 업무집행자로 정하지 않은 경우에는 모든 조합원이 원칙적으로 업무집행권을 가진다.

④ 2인으로 구성된 조합에서 한 사람이 탈퇴하면 조합관계는 종료되고 특별한 사정이 없는 한 조합 역시 해산 및 청산이 된다.

⑤ 조합에서 조합원이 탈퇴하는 경우, 탈퇴자와 잔존자 사이의 탈퇴로 인한 계산은 특별한 사정이 없는 한 민법 제719조 제1항, 제2항에 따라 '탈퇴 당시의 조합재산상태'를 기준으로 평가한 조합재산 중 탈퇴자의 지분에 해당하는 금액을 금전으로 반환하여야 한다.

[해설] ① 대판 2005.11.10, 2003다18876

② 대판 1994.5.13, 94다7157

③ 조합계약으로 조합원 중 일부 또는 제3자를 업무집행자로 정하지 않은 경우에는 모든 조합원이 원칙적으로 업무집행권을 가진다(대판 2018.8.30, 2016다46338・46345 참고). 만약 조합원 간에 의견이 일치하지 않는 때에는 조합원의 과반수로써 결정한다(제706조 제2항).

④ 조합의 탈퇴란 특정 조합원이 장래에 향하여 조합원으로서의 지위를 벗어나는 것으로서, 이 경우 조합 그 자체는 나머지 조합원에 의해 동일성을 유지하며 존속하는 것이므로 결국 탈퇴는 잔존 조합원이 동업사업을 계속 유지・존속함을 전제로 한다. 2인으로 구성된 조합에서 한 사람이 탈퇴하면 조합관계는 종료되나 특별한 사정이 없는 한 조합은 해산이나 청산이 되지 않고, 다만 조합원의 합유에 속한 조합 재산은 남은 조합원의 단독소유에 속하여 탈퇴 조합원과 남은 조합원 사이에는 탈퇴로 인한 계산을 해야 한다. 탈퇴한 조합원은 탈퇴 당시의 조합재산을 계산한 결과 조합의 재산상태가 적자가 아닌 경우에 지분을 환급받을 수 있다. 따라서 탈퇴 조합원의 지분을 계산할 때 지분을 계산하는 방법에 관해서 별도 약정이 있다는 등 특별한 사정이 없는 한 지분의 환급을 주장하는 사람에게 조합재산의 상태를 증명할 책임이 있다(대판 2021.7.29, 2019다207851).

⑤ 조합에서 조합원이 탈퇴하는 경우, 탈퇴자와 잔존자 사이의 탈퇴로 인한 계산은 특별한 사정이 없는 한 민법 제719조 제1항, 제2항에 따라 '탈퇴 당시의 조합재산상태'를 기준으로 평가한 조합재산 중 탈퇴자의 지분에 해당하는 금액을 금전으로 반환하여야 하고, 조합원의 지분비율은 '조합 내부

의 손익분배 비율'을 기준으로 계산하여야 하나, 당사자가 손익분배의 비율을 정하지 아니한 때에는 민법 제711조에 따라 각 조합원의 출자가액에 비례하여 이를 정하여야 한다(대판 2008.9.25, 2008다41529).

02 다음 중 민법상 조합에 관한 설명으로 가장 옳지 않은 것은? ▸ 2024 법무사

① 동업계약과 같은 조합계약에 있어서는 조합의 해산청구를 하거나 조합으로부터 탈퇴를 하거나 또는 다른 조합원을 제명할 수 있을 뿐이지 일반계약에 있어서처럼 조합계약을 해제하고 상대방에게 그로 인한 원상회복의 의무를 부담지울 수는 없는 것이다.

② 일부 조합원이 동업계약에 따라 동업자금을 출자하였는데 업무집행 조합원이 본연의 임무에 위배되거나 혹은 권한을 넘어선 행위를 자행함으로써 끝내 동업체의 동업 목적을 달성할 수 없게끔 만들고, 조합원이 출자한 동업자금을 모두 허비한 경우에 그로 인하여 손해를 입은 주체는 동업자금을 상실하여 버린 조합, 즉 조합원들로 구성된 동업체라 할 것이고, 이로 인하여 결과적으로 동업자금을 출자한 조합원에게 손해가 발생하였다 하더라도 이는 조합과 무관하게 개인으로서 입은 손해가 아니므로, 결국 피해자인 조합원으로서는 조합관계를 벗어난 개인의 지위에서 그 손해의 배상을 구할 수는 없다.

③ 민법 제706조에서는 조합원 3분의 2 이상의 찬성으로 조합의 업무집행자를 선임하고 조합원 과반수의 찬성으로 조합의 업무집행방법을 결정하도록 규정하고 있는바, 여기서 말하는 조합원은 조합원의 인원수가 아닌 조합원의 출자가액이나 지분을 뜻한다.

④ 조합원은 다른 조합원 전원의 동의가 있으면 그 지분을 처분할 수 있으나 조합의 목적과 단체성에 비추어 조합원으로서의 자격과 분리하여 그 지분권만을 처분할 수는 없다고 할 것이므로, 조합원이 지분을 양도하면 그로써 조합원의 지위를 상실하게 되며 이와 같은 조합원 지위의 변동은 조합지분의 양도양수에 관한 약정으로써 바로 효력이 생긴다.

⑤ 조합계약에 '동업지분은 제3자에게 양도할 수 있다'는 약정을 두고 있는 것과 같이 조합계약에서 개괄적으로 조합원 지분의 양도를 인정하고 있는 경우 조합원은 다른 소합원 전원의 동의가 없더라도 자신의 지분 전부를 일체로써 제3자에게 양도할 수 있으나, 그 지분의 일부를 제3자에게 양도하는 경우까지 당연히 허용되는 것은 아니다.

해설 ① 대판 1994.5.13, 94다7157

② 대판 1999.6.8, 98다60484

③ 민법 제706조에서는 조합원 3분의 2 이상의 찬성으로 조합의 업무집행자를 선임하고 조합원 과반수의 찬성으로 조합의 업무집행방법을 결정하도록 규정하고 있는바, 여기서 말하는 조합원은 조합원의 출자가액이나 지분이 아닌 조합원의 인원수를 뜻한다. 다만, 위와 같은 민법의 규정은 임의규정이므로, 당사자 사이의 약정으로 업무집행자의 선임이나 업무집행방법의 결정을 조합원의 인원수가 아닌 그 출자가액 내지 지분의 비율에 의하도록 하는 등 그 내용을 달리 정할 수 있고, 그와 같은 약정이 있는 경우에는 그 정한 바에 따라 업무집행자를 선임하거나 업무집행방

정답 01 ④ 02 ③

법을 결정하여야만 유효하다(대판 2009.4.23, 2008다4247).
④ 조합원은 다른 조합원 전원의 동의가 있으면 그 지분을 처분할 수 있으나 조합의 목적과 단체성에 비추어 조합원으로서의 자격과 분리하여 그 지분권만을 처분할 수는 없으므로, 조합원이 지분을 양도하면 그로써 조합원의 지위를 상실하게 되며, 이와 같은 조합원 지위의 변동은 조합지분의 양도양수에 관한 약정으로써 바로 효력이 생긴다(대판 2009.3.12, 2006다28454).
⑤ 조합계약에 '동업지분은 제3자에게 양도할 수 있다'는 약정을 두고 있는 것과 같이 조합계약에서 개괄적으로 조합원 지분의 양도를 인정하고 있는 경우 조합원은 다른 조합원 전원의 동의가 없더라도 자신의 지분 전부를 일체로써 제3자에게 양도할 수 있으나, 그 지분의 일부를 제3자에게 양도하는 경우까지 당연히 허용되는 것은 아니다(대판 2009.4.23, 2008다4247).

심화문제 | 확인 · 보충 · 심화문제

제11절 화해 등

Chapter 03

법정채권관계

제1절 사무관리

기본문제 | 기본문제의 구성

제2절 부당이득

기본문제 | 기본문제의 구성

01 부당이득반환청구에 관한 다음 설명 중 가장 옳지 않은 것은? ▶ 2021 법무사

① 부동산에 관하여 과반수 공유지분을 가진 자는 공유자 사이에 공유물의 관리방법에 관하여 협의가 미리 없었다 하더라도 공유물의 관리에 관한 사항을 단독으로 결정할 수 있으므로 공유토지에 관하여 과반수지분권을 가진 자가 그 공유토지의 특정된 한 부분을 배타적으로 사용·수익하더라도 다른 공유자와의 관계에서 부당이득이 성립하지 않는다.

② 토지의 매수인이 아직 소유권이전등기를 마치지 않았더라도 매매계약의 이행으로 토지를 인도받은 때에는 매매계약의 효력으로서 이를 점유·사용할 권리가 있으므로, 매도인이 매수인에 대하여 그 점유·사용을 법률상 원인이 없는 이익이라고 하여 부당이득반환청구를 할 수는 없다.

③ 부동산에 대한 취득시효가 완성되면 점유자는 소유명의자에 대하여 취득시효완성을 원인으로 한 소유권이전등기절차의 이행을 청구할 수 있고 소유명의자는 이에 응할 의무가 있으므로 점유자가 그 명의로 소유권이전등기를 경료하지 아니하여 아직 소유권을 취득하지 못하였다고 하더라도 소유명의자는 점유자에 대하여 점유로 인한 부당이득반환청구를 할 수 없다.

④ 법률상 원인 없이 타인의 재산 또는 노무로 인하여 이익을 얻고 그로 인하여 타인에게 손해를 가한 경우, 그 취득한 것이 금전상의 이득인 때에는 그 금전은 이를 취득한 자가 소비하였는가의 여부를 불문하고 현존하는 것으로 추정된다.

⑤ 타인 소유의 토지 위에 권한 없이 건물을 소유하는 자는 그 자체로써 건물 부지가 된 토지를 점유하고 있는 것이므로 특별한 사정이 없는 한 법률상 원인 없이 타인의 재산으로 인하여 토지의 차임에 상당하는 이익을 얻고 이로 인하여 타인에게 동액 상당의 손해를 주고 있는 것이다.

해설 ① 과반수 지분의 공유자는 공유자와 사이에 미리 공유물의 관리방법에 관하여 협의가 없었다 하더라도 공유물의 관리에 관한 사항을 단독으로 결정할 수 있으므로 과반수 지분의 공유자는 그 공유물의 관리방법으로서 그 공유토지의 특정된 한 부분을 배타적으로 사용·수익할 수 있으나, 그로 말미암아 지분은 있되 그 특정 부분의 사용·수익을 전혀 하지 못하여 손해를 입고 있는 소수지분권자에 대하여 그 지분에 상응하는 임료 상당의 부당이득을 하고 있다 할 것이므로 이를 반환할 의무가 있다(대판 2002.5.14, 2002다9738).

② 토지의 매수인이 아직 소유권이전등기를 마치지 않았더라도 매매계약의 이행으로 토지를 인도받은 때에는 매매계약의 효력으로서 이를 점유·사용할 권리가 있으므로, 매도인이 매수인에 대하여 그 점유·사용을 법률상 원인이 없는 이익이라고 하여 부당이득반환청구를 할 수는 없다. 이러

한 법리는 대물변제 약정 등에 의하여 매매와 같이 부동산의 소유권을 이전받게 되는 사람이 이미 부동산을 점유·사용하고 있는 경우에도 마찬가지로 적용된다(대판 2016.7.7, 2014다2662).

③ 부동산에 대한 취득시효가 완성되면 점유자는 소유명의자에 대하여 취득시효완성을 원인으로 한 소유권이전등기절차의 이행을 청구할 수 있고 소유명의자는 이에 응할 의무가 있으므로 점유자가 그 명의로 소유권이전등기를 경료하지 아니하여 아직 소유권을 취득하지 못하였다고 하더라도 소유명의자는 점유자에 대하여 점유로 인한 부당이득반환청구를 할 수 없다(대판 1993.5.25, 92다51280).

④ 법률상 원인 없이 타인의 재산 또는 노무로 인하여 이익을 얻고 그로 인하여 타인에게 손해를 가한 경우, 그 취득한 것이 금전상의 이득인 때에는 그 금전은 이를 취득한 자가 소비하였는가의 여부를 불문하고 현존하는 것으로 추정된다(대판 1996.12.10, 96다32881).

⑤ 타인 소유의 토지 위에 권한 없이 건물을 소유하고 있는 자는 그 자체로써 특별한 사정이 없는 한 법률상 원인 없이 타인의 재산으로 인하여 토지의 차임에 상당하는 이익을 얻고 이로 인하여 타인에게 동액 상당의 손해를 주고 있다고 보아야 한다(대판 1998.5.8, 98다2389).

02 부당이득에 관한 다음 설명 중 가장 옳지 않은 것은?

▶ 2022 법무사

① 채무자 아닌 자가 착오로 인하여 타인의 채무를 변제한 경우에 채권자가 선의로 증서를 훼멸하거나 담보를 포기하거나 시효로 인하여 그 채권을 잃은 때에는 변제자는 그 반환을 청구하지 못한다.

② 불법행위로 인한 인신손해에 대한 손해배상청구소송에서 판결이 확정된 후 피해자가 그 판결에서 손해배상액 산정의 기초로 인정된 기대여명보다 일찍 사망한 경우라도 그 판결이 재심의 소 등으로 취소되지 않는 한 그 판결에 기하여 지급받은 손해배상금 중 일부를 법률상 원인 없는 이득이라 하여 반환을 구하는 것은 그 판결의 기판력에 저촉되어 허용될 수 없다.

③ 불법원인급여 후 급부를 이행받은 자가 급부의 원인행위와 별도의 약정으로 급부 그 자체 또는 그에 갈음한 대가물의 반환을 특약하는 것은 불법원인급여를 한 자가 그 부당이득의 반환을 청구하는 경우와는 달리 그 반환약정 자체가 사회질서에 반하여 무효가 되지 않는 한 유효하다.

④ 토지의 매수인이 매매계약의 이행으로 그 토지를 인도받았으나 아직 소유권이전등기를 경료받지 아니하였다면 그 매수인으로부터 위 토지를 다시 매수한 자에 대하여 매도인은 그 점유·사용을 법률상 원인이 없는 이익이라고 하여 부당이득반환청구를 할 수 있다.

⑤ 무권한자의 변제수령을 채권자가 추인한 경우에 채권자는 무권한자에게 부당이득으로서 그 변제받은 것의 반환을 청구할 수 있다.

해설 ① 제745조

② 확정판결이 실체적 권리관계와 다르다 하더라도 그 판결이 재심의 소 등으로 취소되지 않는 한 그 판결의 기판력에 저촉되는 주장을 할 수 없어 그 판결의 집행으로 교부받은 금원을 법률상

원인 없는 이득이라 할 수 없는 것이므로, 불법행위로 인한 인신손해에 대한 손해배상청구소송에서 판결이 확정된 후 피해자가 그 판결에서 손해배상액 산정의 기초로 인정된 기대여명보다 일찍 사망한 경우라도 그 판결이 재심의 소 등으로 취소되지 않는 한 그 판결에 기하여 지급받은 손해배상금 중 일부를 법률상 원인 없는 이득이라 하여 반환을 구하는 것은 그 판결의 기판력에 저촉되어 허용될 수 없다(대판 2009.11.12, 2009다56665).

③ 대판 2010.5.27, 2009다12580

④ 토지의 매수인이 아직 소유권이전등기를 경료받지 아니하였다 하여도 매매계약의 이행으로 그 토지를 인도받은 때에는 매매계약의 효력으로서 이를 점유·사용할 권리가 생기게 된 것으로 보아야 하고, 또 매수인으로부터 위 토지를 다시 매수한 자는 위와 같은 토지의 점유사용권을 취득한 것으로 봄이 상당하므로 매도인은 매수인으로부터 다시 위 토지를 매수한 자에 대하여 토지소유권에 기한 물권적 청구권을 행사하거나 그 점유·사용을 법률상 원인이 없는 이익이라고 하여 부당이득반환청구를 할 수는 없다고 할 것인바, 이러한 법리는 대물변제 약정에 의하여 매매와 같이 부동산의 소유권을 이전받게 되는 자가 이미 당해 부동산을 점유·사용하고 있거나, 그로부터 다시 이를 임차하여 점유·사용하고 있는 경우에도 마찬가지로 적용된다(대판 2001.12.11, 2001다45355).

⑤ 민법 제472조는 불필요한 연쇄적 부당이득반환의 법률관계가 형성되는 것을 피하기 위하여 변제받을 권한 없는 자에 대한 변제의 경우에도 채권자가 이익을 받은 한도에서 효력이 있다고 규정하고 있는데, 여기에서 말하는 '채권자가 이익을 받은' 경우에는 변제의 수령자가 진정한 채권자에게 채무자의 변제로 받은 급부를 전달한 경우는 물론이고, 그렇지 않더라도 무권한자의 변제수령을 채권자가 사후에 추인한 때와 같이 무권한자의 변제수령을 채권자의 이익으로 돌릴 만한 실질적 관련성이 인정되는 경우도 포함된다. 그리고 무권한자의 변제수령을 채권자가 추인한 경우에 채권자는 무권한자에게 부당이득으로서 변제받은 것의 반환을 청구할 수 있다(대판 2012.10.25, 2010다32214).

03 사무관리, 부당이득에 관한 다음 설명 중 가장 옳지 않은 것은?

▸ 2024 법무사

① 임차인이 임대차계약관계가 소멸한 다음에도 임대차 목적물을 계속 점유하기는 하였지만 이를 본래의 임대차계약상 목적에 따라 사용·수익하지 않아 이익을 얻은 적이 없는 경우에는 그로 말미암아 임대인에게 손해가 발생하였더라도 임차인의 부당이득반환의무는 성립하지 않는다.

② 부당이득제도는 이득자의 재산상 이득이 법률상 원인을 갖지 못한 경우에 공평·정의의 이념에 근거하여 이득자에게 반환의무를 부담시키는 것이므로, 이득자에게 실질적으로 이득이 귀속된 바 없다면 반환의무를 부담시킬 수 없다.

③ 사무관리가 성립하기 위하여는 우선 그 사무가 타인의 사무이고 타인을 위하여 사무를 처리하는 의사, 즉 관리의 사실상의 이익을 타인에게 귀속시키려는 의사가 있어야 하며, 나아가 그 사무의 처리가 본인에게 불리하거나 본인의 의사에 반한다는 것이 명백하지 아니할 것을 요한다. 여기에서 '타인을 위하여 사무를 처리하는 의사'는 관리자 자신의 이익을 위한 의사와 병존할 수 있으나, 외부적으로 표시되어야 하며 사무를 관리할 당시에 확정되어 있어야 한다.

④ 의무 없이 타인의 사무를 처리한 자는 그 타인에 대하여 민법상 사무관리 규정에 따라 비용상환 등을 청구할 수 있으나, 제3자와의 약정에 따라 타인의 사무를 처리한 경우에는 의무 없이 타인의 사무를 처리한 것이 아니므로 이는 원칙적으로 그 타인과의 관계에서는 사무관리가 된다고 볼 수 없다.

⑤ 민법 제742조 소정의 비채변제에 관한 규정은 변제자가 채무 없음을 알면서도 변제를 한 경우에 적용되는 것이고, 채무 없음을 알지 못한 경우에는 그 과실 유무를 불문하고 적용되지 아니하며, 변제자가 채무 없음을 알았다는 점에 대한 입증책임은 반환청구권을 부인하는 측에 있다고 할 것이다.

해설 ① 법률상의 원인 없이 이득하였음을 이유로 한 부당이득의 반환에 있어 이득이라 함은 실질적인 이익을 의미하므로, 임차인이 임대차계약관계가 소멸된 이후에도 임차목적물을 계속 점유하기는 하였으나 이를 본래의 임대차계약상의 목적에 따라 사용·수익하지 아니하여 실질적인 이득을 얻은 바 없는 경우에는 그로 인하여 임대인에게 손해가 발생하였다 하더라도 임차인의 부당이득 반환의무는 성립되지 않는다(대판 1992.4.14, 91다45202; 대판 1998.5.29, 98다6497).

② 계약상 채무의 이행으로 당사자가 상대방에게 급부를 행하였는데 계약이 무효이거나 취소되는 등으로 효력을 가지지 못하는 경우에 당사자들은 각기 상대방에 대하여 계약이 없었던 상태의 회복으로 자신이 행한 급부의 반환을 청구할 수 있는데, 이러한 경우의 원상회복의무를 법적으로 뒷받침하는 것이 민법 제741조 이하에서 정하는 부당이득법이 수행하는 핵심적인 기능의 하나이다. 이러한 부당이득제도는 이득자의 재산상 이득이 법률상 원인을 갖지 못한 경우에 공평·정의의 이념에 근거하여 이득자에게 반환의무를 부담시키는 것이므로, 이득자에게 실질적으로 이득이 귀속된 바 없다면 반환의무를 부담시킬 수 없다(대판 2017.6.29, 2017다213838).

③ 사무관리가 성립하기 위하여는 우선 그 사무가 타인의 사무이고 타인을 위하여 사무를 처리하는 의사, 즉 관리의 사실상의 이익을 타인에게 귀속시키려는 의사가 있어야 하며, 나아가 그 사무의 처리가 본인에게 불리하거나 본인의 의사에 반한다는 것이 명백하지 아니할 것을 요한다. 여기에서 '타인을 위하여 사무를 처리하는 의사'는 관리자 자신의 이익을 위한 의사와 병존할 수 있고, 반드시 외부적으로 표시될 필요가 없으며, 사무를 관리할 당시에 확정되어 있을 필요가 없다(대판 2013.8.22, 2013다30882).

④ 의무 없이 타인의 사무를 처리한 자는 그 타인에 대하여 민법상 사무관리 규정에 따라 비용상환 등을 청구할 수 있으나, 제3자와의 약정에 따라 타인의 사무를 처리한 경우에는 의무 없이 타인의 사무를 처리한 것이 아니므로 이는 원칙적으로 그 타인과의 관계에서는 사무관리가 된다고 볼 수 없다(대판 2013.9.26, 2012다43539).

⑤ 민법 제742조 소정의 비채변제에 관한 규정은 변제자가 채무 없음을 알면서도 변제를 한 경우에 적용되는 것이고, 채무 없음을 알지 못한 경우에는 그 과실 유무를 불문하고 적용되지 아니하며, 변제자가 채무 없음을 알았다는 점에 대한 입증책임은 반환청구권을 부인하는 측에 있다고 할 것이다(대판 2008.11.13, 2008다41857; 대판 2012.11.15, 2010다68237).

정답 03 ③

심화문제 │ 확인 · 보충 · 심화문제

01 부당이득에 관한 다음 설명 중 가장 옳지 않은 것은? ▸ 2025 법무사

① 계약의 일방당사자가 상대방의 지시 등으로 상대방과 또 다른 계약관계를 맺고 있는 제3자에게 직접 급부한 경우(이른바 삼각관계에서의 급부가 이루어진 경우), 계약의 일방당사자는 제3자를 상대로 법률상 원인 없이 급부를 수령하였다는 이유로 부당이득반환청구를 할 수 없다.

② 이른바 삼각관계에서의 급부가 이루어진 경우, 제3자가 급부를 수령함에 있어 계약의 일방당사자가 상대방에 대하여 급부를 한 원인관계인 법률관계에 무효 등의 흠이 있었다는 사실을 알고 있었다면 계약의 일방당사자는 제3자를 상대로 법률상 원인 없이 급부를 수령하였다는 이유로 부당이득반환청구를 할 수 있다.

③ 계약상 금전채무를 지는 이가 채권자 甲의 지시에 좇아 甲에 대한 채권자에게 직접 금전을 지급하였는데 계약의 효력이 불발생하였으면, 그와 같이 적법한 이행을 한 계약당사자는 다른 특별한 사정이 없는 한 그 제3자가 아니라 계약의 상대방당사자에 대하여 계약의 효력불발생으로 인한 부당이득을 이유로 자신의 급부 또는 그 가액의 반환을 청구하여야 한다.

④ 제3자를 위한 계약관계에서 낙약자와 요약자 사이의 법률관계(이른바 기본관계)를 이루는 계약이 해제된 경우 그 계약관계의 청산은 계약의 당사자인 낙약자와 요약자 사이에 이루어져야 하므로, 특별한 사정이 없는 한 낙약자가 이미 제3자에게 급부한 것이 있더라도 낙약자는 계약해제에 기한 원상회복 또는 부당이득을 원인으로 제3자를 상대로 그 반환을 구할 수 없다.

⑤ 회사가 임원이나 근로자를 피보험자 및 수익자로 하여 퇴직보험에 가입한 경우, 임원이나 근로자가 퇴직보험에 의하여 수령한 금원 중에서 위 퇴직금을 초과하는 금원은 회사가 출연한 보험료를 기초로 하여 법률상 원인 없이 이득을 얻은 것이 되어 회사에게 반환할 의무가 있다.

> **해설** ①,② 계약의 일방당사자가 상대방의 지시 등으로 상대방과 또 다른 계약관계를 맺고 있는 제3자에게 직접 급부한 경우(이른바 삼각관계에서의 급부가 이루어진 경우), 그 급부로써 급부를 한 당사자의 상대방에 대한 급부가 이루어질 뿐 아니라 그 상대방의 제3자에 대한 급부도 이루어지는 것이므로 계약의 일방당사자는 제3자를 상대로 법률상 원인 없이 급부를 수령하였다는 이유로 부당이득반환청구를 할 수 없다. 이러한 경우에 계약의 일방당사자가 상대방에 대하여 급부를 한 원인관계인 법률관계에 무효 등의 흠이 있다는 이유로 제3자를 상대로 직접 부당이득반환청구를 할 수 있다고 보면 자기 책임하에 체결된 계약에 따른 위험부담을 제3자에게 전가하는 것이 되어 계약법의 원리에 반하는 결과를 초래할 뿐만 아니라 수익인인 제3자가 상대방에 대하여 가지는 항변권 등을 침해하게 되어 부당하기 때문이다. 이와 같이 삼각관계에서의 급부가 이루어진 경우에, 제3자가 급부를 수령함에 있어 계약의 일방당사자가 상대방에 대하여 급부를 한 원인관계인 법

률관계에 무효 등의 흠이 있었다는 사실을 알고 있었다 할지라도 계약의 일방당사자는 제3자를 상대로 법률상 원인 없이 급부를 수령하였다는 이유로 부당이득반환청구를 할 수 없다(대판 2008.9.11, 2006다46278; 대판 2017.7.11, 2013다55447).

③ 계약상 금전채무를 지는 이가 채권자 갑의 지시에 좇아 갑에 대한 채권자 또는 갑이 증여하고자 하는 이에게 직접 금전을 지급한 경우 또는 남의 경사를 축하하기 위하여 꽃을 산 사람이 경사의 당사자에게 직접 배달시킨 경우와 같이, 계약상 급부가 실제적으로는 제3자에게 행하여졌다고 하여도 그것은 계약상 채무의 적법한 이행(이른바 '제3자방 이행')이라고 할 것이다. 이때 계약의 효력이 불발생하였으면, 그와 같이 적법한 이행을 한 계약당사자는 다른 특별한 사정이 없는 한 그 제3자가 아니라 계약의 상대방당사자에 대하여 계약의 효력불발생으로 인한 부당이득을 이유로 자신의 급부 또는 그 가액의 반환을 청구하여야 한다(대판 2010.3.11, 2009다98706).

④ 제3자를 위한 계약관계에서 낙약자와 요약자 사이의 법률관계(이른바 기본관계)를 이루는 계약이 해제된 경우 그 계약관계의 청산은 계약의 당사자인 낙약자와 요약자 사이에 이루어져야 하므로, 특별한 사정이 없는 한 낙약자가 이미 제3자에게 급부한 것이 있더라도 낙약자는 계약해제에 기한 원상회복 또는 부당이득을 원인으로 제3자를 상대로 그 반환을 구할 수 없다(대판 2005.7.22, 2005다7566).

⑤ 회사가 임원이나 근로자를 피보험자 및 수익자로 하여 퇴직보험에 가입하였더라도, 이는 임원이나 근로자가 퇴직할 경우 회사가 퇴직금 관련 규정에 따라 지급하여야 할 퇴직금을 보험금 또는 해약환급금에서 직접 지급받도록 함으로써 회사의 재무 사정에 영향을 받지 않고 퇴직금 지급이 보장되도록 하기 위한 것일 뿐 그 퇴직금을 넘는 금원을 임원이나 근로자에게 지급하기 위한 것은 아니다. 따라서 비록 임원이나 근로자가 퇴직보험에서 정한 바에 따라 직접 보험금 또는 해약환급금을 수령하였다고 하더라도, 회사에 대한 관계에서는 회사가 지급하여야 하는 퇴직금의 범위 내에서만 보험금 또는 해약환급금을 보유할 수 있는 권리를 가질 뿐이며, 임원이나 근로자가 퇴직보험에 의하여 수령한 금원 중에서 위 퇴직금을 초과하는 금원은 회사가 출연한 보험료를 기초로 하여 법률상 원인 없이 이득을 얻은 것이 되어 회사에게 반환할 의무가 있다(대판 2010.3.11, 2007다71271).

정답 ▶ 01 ②

제3절 불법행위

기본문제 │ 기본문제의 구성

01 다음 설명 중 가장 옳지 않은 것은? ▸ 2022 법무사

① 계약해제의 효과로서 원상회복의무를 규정하는 민법 제548조 제1항 본문은 부당이득에 관한 특별규정의 성격을 가지는 것으로서, 그 이익 반환의 범위는 이익의 현존 여부나 청구인의 선의·악의를 불문하고 특단의 사유가 없는 한 받은 이익의 전부이다.

② 과실상계는 본래 채무불이행 또는 불법행위로 인한 손해배상책임에 대하여 인정되는 것이고, 매매계약이 해제되어 소급적으로 효력을 잃은 결과 매매당사자에게 당해 계약에 기한 급부가 없었던 것과 동일한 재산상태를 회복시키기 위한 원상회복의무의 이행으로서 이미 지급한 매매대금 기타의 급부의 반환을 구하는 경우에는 적용되지 아니한다.

③ 계약의 해제로 인한 원상회복청구권에 대하여 해제자가 해제의 원인이 된 채무불이행에 관하여 '원인'의 일부를 제공하였다는 등의 사유를 내세워 신의칙 또는 공평의 원칙에 기하여 일반적으로 손해배상에 있어서의 과실상계에 준하여 권리의 내용이 제한될 수 있다고 하는 것은 허용되어서는 아니 된다.

④ 사용자가 피용자의 과실에 의한 불법행위로 인한 사용자책임을 부담하는 경우, 피해자에게 그 손해의 발생과 확대에 기여한 과실이 있다 하더라도 사용자책임의 범위를 정함에 있어서 이러한 피해자의 과실을 고려하여 그 책임을 제한할 수는 없다.

⑤ 불법행위로 인하여 건물이 훼손된 경우 그 손해는 수리가 가능하다면 그 수리비, 수리가 불가능하다면 그 교환가치(시가)가 통상의 손해이고, 사용 및 수리가 불가능한 경우 통상 불법행위로 인한 손해배상액의 기준이 되는 건물의 시가에는 건물의 철거비용은 포함되지 않는다.

> **해설** ① 대판 2014.3.13. 2013다34143
>
> ② 과실상계는 본래 채무불이행 또는 불법행위로 인한 손해배상책임에 대하여 인정되는 것이고, 매매계약이 해제되어 소급적으로 효력을 잃은 결과 매매당사자에게 당해 계약에 기한 급부가 없었던 것과 동일한 재산상태를 회복시키기 위한 원상회복의무의 이행으로서 이미 지급한 매매대금 기타의 급부의 반환을 구하는 경우에는 적용되지 아니한다(대판 2014.3.13. 2013다34143).
>
> ③ 계약의 해제로 인한 원상회복청구권에 대하여 해제자가 해제의 원인이 된 채무불이행에 관하여 '원인'의 일부를 제공하였다는 등의 사유를 내세워 신의칙 또는 공평의 원칙에 기하여 일반적으로 손해배상에 있어서의 과실상계에 준하여 권리의 내용이 제한될 수 있다고 하는 것은 허용되어서는 아니 된다(대판 2014.3.13. 2013다34143).
>
> ④ 사용자가 피용자의 과실에 의한 불법행위로 인한 사용자책임을 부담하는 경우와 마찬가지로 피용자의 고의에 의한 불법행위로 인하여 사용자책임을 부담하는 경우에도 피해자에게 그 손해의

발생과 확대에 기여한 과실이 있다면 사용자책임의 범위를 정함에 있어서 이러한 피해자의 과실을 고려하여 그 책임을 제한할 수 있다(대판 2002.12.26, 2000다56952).

⑤ 불법행위로 인하여 건물이 훼손된 경우 그 손해는 수리가 가능하다면 그 수리비, 수리가 불가능하다면 그 교환가치(시가)가 통상의 손해이고, 사용 및 수리가 불가능한 경우 통상 불법행위로 인한 손해배상액의 기준이 되는 건물의 시가에는 건물의 철거비용은 포함되지 않는다(대판 1995.7.28, 94다19129).

02 다음 설명 중 옳은 것(○)과 옳지 않은 것(×)을 올바르게 조합한 것은?

▶ 2023 법무사

> ㄱ. 어떤 토지가 개설경위를 불문하고 일반 공중의 통행에 공용되는 도로, 즉 공로가 되면 그 부지의 소유권 행사는 제약을 받게 되며, 이는 소유자가 수인하여야 하는 재산권의 사회적 제약에 해당한다. 따라서 공로 부지의 소유자가 이를 점유·관리하는 지방자치단체를 상대로 공로로 제공된 도로의 철거, 점유 이전 또는 통행금지를 청구하는 것은 법질서상 원칙적으로 허용될 수 없는 '권리남용'이라고 보아야 한다.
>
> ㄴ. 매수인이 매도인 등의 기망행위로 인하여 부동산을 고가에 매수하게 됨으로써 입게 된 손해는 그 부동산의 매수 당시 시가와 매수가격과의 차액이지만, 그 후 매수인이 그 부동산 중 일부에 대하여 보상금을 수령하였다거나 부동산 시가가 상승하여 매수가격을 상회하게 되었다면 매수인에게 손해가 발생하지 않았다고 볼 수 있다.
>
> ㄷ. 채무불이행으로 인한 손해배상을 규정하고 있는 민법 제394조는 다른 의사표시가 없는 한 금전으로 배상하여야 한다고 규정하고 있는바, 위 법조 소정의 금전이라 함은 우리나라의 통화를 가리키는 것이어서, 채무불이행으로 인한 손해배상을 구하는 채권은 당사자가 외국통화로 지급하기로 약정하였다는 등의 특별한 사정이 없는 한 채권액이 외국통화로 지정된 외화채권이라고 할 수 없다.
>
> ㄹ. 판결이 확정되면 기판력에 의하여 그 대상이 된 청구권의 존재가 확정되고 그 내용에 따라 집행력이 발생하는 것이므로, 확정판결의 내용이 실체적 권리관계에 배치되어 부당하고 또한 그 확정판결에 기한 집행채권자가 이를 알고 있었다면 그 집행행위에 대하여 불법행위가 성립한다고 할 수 있다.
>
> ㅁ. 어떠한 건물 신축이 건축 당시의 건축법 등 관계 법령의 일조방해에 관한 직접적인 단속법규에 위반하지 않는다면 현실적인 일조방해의 정도가 현저하게 커 사회통념상 수인한도를 넘은 경우라도 위법행위로 평가될 수는 없다.

① ㄱ(○), ㄴ(×), ㄷ(○), ㄹ(×), ㅁ(×)
② ㄱ(○), ㄴ(○), ㄷ(○), ㄹ(×), ㅁ(×)
③ ㄱ(○), ㄴ(×), ㄷ(×), ㄹ(○), ㅁ(○)
④ ㄱ(×), ㄴ(○), ㄷ(×), ㄹ(×), ㅁ(○)
⑤ ㄱ(×), ㄴ(×), ㄷ(○), ㄹ(○), ㅁ(×)

정답 01 ④ 02 ①

 **해설** ㄱ. 대판 2021.10.14, 2021다242154

ㄴ. 불법행위로 인한 재산상 손해는 위법한 가해행위로 인하여 발생한 재산상 불이익, 즉 그 위법행위가 없었더라면 존재하였을 재산상태와 그 위법행위가 가해진 현재의 재산상태의 차이를 말하는 것이며, 그 손해액은 원칙적으로 불법행위 시를 기준으로 산정하여야 한다. 즉 여기에서 '현재'는 '불법행위 시'를 뜻하는 것이지 '사실심 변론종결 시'를 뜻하는 것은 아니다. (따라서) **매수인이 매도인의 기망행위로 인하여 부동산을 고가에 매수하게 됨으로써 입게 된 손해는 부동산의 매수 당시 시가와 매수가격과의 차액이고,** 그 후 **매수인이 위 부동산 중 일부에 대하여 보상금을 수령하였다거나 부동산 시가가 상승하여 매수가격을 상회하게 되었다고 하여** 매수인에게 **손해가 발생하지 않았다고 할 수 없다**(대판 2010.4.29, 2009다91828).

ㄷ. 대판 2007.8.23, 2007다26455

ㄹ. 판결이 확정되면 기판력에 의하여 대상이 된 청구권의 존재가 확정되고 그 내용에 따라 집행력이 발생하는 것이므로, 그에 따른 **집행이 불법행위를 구성하기 위하여는 소송당사자가 상대방의 권리를 해할 의사로** 상대방의 소송 관여를 방해하거나 허위의 주장으로 **법원을 기망하는 등 부정한 방법으로 실체의 권리관계와 다른 내용의 확정판결을 취득하여 집행을 하는 것과 같은 특별한 사정이 있어야 하고, 그와 같은 사정이 없이 확정판결의 내용이 단순히 실체적 권리관계에 배치되어 부당하고 또한 확정판결에 기한 집행채권자가 이를 알고 있었다는 것만으로는** 그 집행행위가 **불법행위를 구성한다고 할 수 없다**(대판 2007.5.31, 2006다85662).

ㅁ. 건축법 등 관계 법령에 일조방해에 관한 직접적인 단속법규가 있다면 그 법규에 적합한지 여부가 사법상 위법성을 판단함에 있어서 중요한 판단자료가 될 것이지만, 이러한 공법적 규제에 의하여 확보하고자 하는 일조는 원래 사법상 보호되는 일조권을 공법적인 면에서도 가능한 한 보장하려는 것으로서 특별한 사정이 없는 한 일조권 보호를 위한 최소한도의 기준으로 봄이 상당하고, 구체적인 경우에 있어서는 **어떠한 건물 신축이 건축 당시의 공법적 규제에 형식적으로 적합하다고 하더라도 현실적인 일조방해의 정도가 현저하게 커서 사회통념상 수인한도를 넘은 경우에는 위법행위로 평가될 수 있다**(대판 2014.2.27, 2009다40462).

03 불법행위에 관한 다음 설명 중 가장 옳지 않은 것은?

▶ 2023 법무사

① 위법행위가 있었다 하더라도 그로 인한 재산상태와 그 위법행위가 없었더라면 존재하였을 재산상태 사이에 차이가 없다면 다른 특별한 사정이 없는 한 위법행위로 인한 손해가 발생하였다고 할 수 없다.

② 배우자 있는 부녀와 간통행위를 하고, 이로 인하여 그 부녀가 배우자와 별거하거나 이혼하는 등으로 혼인관계를 파탄에 이르게 한 경우 그 부녀와 간통행위를 한 제3자(상간자)는 그 부녀의 자녀에 대한 관계에서 불법행위책임을 부담하므로 그가 입은 정신상의 고통을 위자할 의무가 있다고 할 것이다.

③ 손해배상의무자는 그 손해가 고의 또는 중대한 과실에 의한 것이 아니고 그 배상으로 인하여 배상자의 생계에 중대한 영향을 미치게 될 경우에는 법원에 그 배상액의 경감을 청구할 수 있다.

④ 불법행위로 상해를 입었지만 후유증 등으로 인하여 불법행위 당시에는 전혀 예상할 수 없었던 후발손해가 새로이 발생한 경우와 같이, 사회통념상 후발손해가 판명된 때에 현실적으로 손해가 발생한 것으로 볼 수 있는 경우에는 후발손해 판명 시점에 불법행위로 인한 손해배상채권이 성립하고, 지연손해금 역시 그때부터 발생한다고 봄이 상당하다. 이 경우 후발손해가 판명된 때가 불법행위 시이자 그로부터 장래의 구체적인 소극적·적극적 손해에 대한 중간이자를 공제하는 현가산정의 원칙적인 기준시기가 된다고 보아야 하고, 그보다 앞선 시점이 현가산정의 기준시기나 지연손해금의 기산일이 될 수는 없다.

⑤ 환자가 병원에 입원하여 치료를 받는 경우에 있어서, 병원은 진료뿐만 아니라 환자에 대한 숙식의 제공을 비롯하여 간호, 보호 등 입원에 따른 포괄적 채무를 지므로, 병원은 병실에의 출입자를 통제·감독하든가 그것이 불가능하다면 최소한 입원환자에게 휴대품을 안전하게 보관할 수 있는 시정장치가 있는 사물함을 제공하는 등으로 입원환자의 휴대품 등의 도난을 방지함에 필요한 적절한 조치를 강구하여 줄 신의칙상의 보호의무가 있다고 할 것이다.

해설 ① 대판 2009.9.10, 2009다30762

② 배우자 있는 부녀와 간통행위를 하고, 이로 인하여 그 부녀가 배우자와 별거하거나 이혼하는 등으로 혼인관계를 파탄에 이르게 한 경우 그 부녀와 간통행위를 한 제3자(상간자)는 그 부녀의 배우자에 대하여 불법행위를 구성하고, 따라서 그로 인하여 그 부녀의 배우자가 입은 정신상의 고통을 위자할 의무가 있다고 할 것이나, **이러한 경우라도** 간통행위를 한 부녀 자체가 그 자녀에 대하여 불법행위책임을 부담한다고 할 수는 없고, 또한 **간통행위를 한 제3자(상간자)** 역시 해의를 가지고 부녀의 그 자녀에 대한 양육이나 보호 내지 교양을 적극적으로 저지하는 등의 **특별한 사정이 없는 한 그 자녀에 대한 관계에서 불법행위책임을 부담한다고 할 수는 없다**(대판 2005.5.13, 2004다1899).

③ 제765조 제1항

④ 대판 2022.6.16, 2017다289538 → ※ 후유증 등으로 인하여 불법행위 당시에는 전혀 예상할 수 없었던 후발손해가 새로이 발생한 경우 불법행위로 인한 손해배상채권이 성립하는 시점 및 지연손해금이 발생하는 시전 - 후발손해 판명 시점

⑤ 대판 2003.4.11, 2002다63275 → 이를 소홀히 하여 입원환자와는 아무런 관련이 없는 자가 입원환자의 병실에 무단출입하여 입원환자의 휴대품 등을 절취하였다면 병원은 그로 인한 손해배상책임을 면하지 못한다.

정답 03 ②

심화문제 | 확인 · 보충 · 심화문제

01 **공동불법행위책임에 관한 다음 설명 중 가장 옳지 않은 것은?** ▶ 2025 법무사

① 공동불법행위자 중의 1인과 보험계약을 체결한 보험자가 피해자에게 손해배상금을 보험금으로 모두 지급한 경우 다른 공동불법행위자들의 보험자들에 대하여 직접 구상권을 가짐과 동시에 상법 제682조에 따라 피보험자의 다른 공동불법행위자들의 보험자들에 대한 구상권을 대위 취득하게 되나, 이러한 '구상권'과 '보험자대위권'은 내용이 전혀 다른 별개의 권리이다.

② 제3자가 부부의 일방과 부정행위를 함으로써 그 배우자에게 부담하는 불법행위책임은 부정행위를 한 부부의 일방이 배우자에 대하여 부담하는 불법행위책임과 공동불법행위책임으로서 부진정연대채무 관계에 있지만, 부정행위를 한 부부의 일방이 이혼과정에서 배우자에게 금원을 지급하였으나 그 금원에 위자료뿐만 아니라 재산분할금이나 양육비 등 다른 성격의 금원이 포함되어 있어 공동불법행위로 인한 위자료를 구분·특정하기 어려운 특별한 경우에는, 그러한 금원 지급으로 인한 변제의 효과가 부진정연대채무자인 제3자에게 미치지 아니한다.

③ 공동불법행위책임은 가해자 각 개인의 행위에 대하여 개별적으로 그로 인한 손해를 구하는 것이 아니라 가해자들이 공동으로 가한 불법행위에 대하여 그 책임을 추궁하는 것이므로, 법원이 피해자의 과실을 들어 과실상계를 함에 있어서는 피해자의 공동불법행위자 각인에 대한 과실비율이 서로 다르더라도 피해자의 과실을 공동불법행위자 각인에 대한 과실로 개별적으로 평가할 것이 아니고 그들 전원에 대한 과실로 전체적으로 평가하여야 한다.

④ 공동불법행위자 중 1인이 피해자에게 전부 변제하여 면책된 경우 그 공동불법행위자에게 과실이 없다면, 그에 대한 다른 공동불법행위자들의 구상의무는 부진정연대관계에 있다.

⑤ 환자가 수혈로 인하여 에이즈에 감염된 경우, 에이즈에 감염된 혈액을 수혈한 대한적십자사의 과실과 수혈로 인한 에이즈 바이러스 감염 위험 등의 설명의무를 다하지 아니한 의사들의 과실은 공동불법행위를 구성하지 아니한다.

해설 ① 공동불법행위자 중의 1인과 보험계약을 체결한 보험자가 피해자에게 손해배상금을 보험금으로 모두 지급한 경우 다른 공동불법행위자들의 보험자들에 대하여 직접 구상권을 가짐과 동시에 상법 제682조에 따라 피보험자의 다른 공동불법행위자들의 보험자들에 대한 구상권을 대위 취득하게 되나, 이러한 '구상권'과 '보험자대위권'은 내용이 전혀 다른 별개의 권리이다(대판 2024.9.27, 2024다249729).

② 제3자가 부부의 일방과 부정행위를 함으로써 혼인의 본질에 해당하는 부부공동생활을 침해하거나 그 유지를 방해하고 그에 대한 배우자로서의 권리를 침해하여 배우자에게 정신적 고통을 가하는 행위는 원칙적으로 불법행위를 구성한다. 그리고 이에 따라 제3자가 부담하는 불법행위책임은

부정행위를 한 부부의 일방이 배우자에 대하여 부담하는 불법행위책임과 공동불법행위책임으로서 부진정연대채무 관계에 있다. 부진정연대채무자 상호 간에 채권의 목적을 달성시키는 변제와 같은 사유는 채무자 전원에 대하여 절대적 효력을 발생하므로, 부정행위를 한 부부의 일방이 배우자에게 공동불법행위로 인한 손해배상금을 지급한 경우 그 변제의 효과는 부진정연대채무자인 제3자에 대하여도 효력이 있다. 부정행위를 한 부부의 일방이 이혼과정에서 배우자에게 위자료 등의 명목으로 금원을 지급하였는데 그 금원에 위자료뿐만 아니라 재산분할금이나 양육비 등 다른 성격의 금원이 포함되어 있고, 그러한 이유로 그 금원 중 공동불법행위로 인한 위자료를 구분·특정하기 어려운 경우가 있다. 이러한 경우 법원은 부부의 일방이 배우자에게 위자료의 일부로서 금원을 지급한 사정을 제3자가 부담하는 위자료 액수를 산정할 때 참작할 수 있다(대판 2024.6.27, 2023므12782).

③ 공동불법행위책임은 가해자 각 개인의 행위에 대하여 개별적으로 그로 인한 손해를 구하는 것이 아니라 그 가해자들이 공동으로 가한 불법행위에 대하여 그 책임을 추궁하는 것으로, 법원이 피해자의 과실을 들어 과실상계를 함에 있어서는 피해자의 공동불법행위자 각인에 대한 과실비율이 서로 다르더라도 피해자의 과실을 공동불법행위자 각인에 대한 과실로 개별적으로 평가하지 않고 그들 전원에 대한 과실로 전체적으로 평가하는 것이 원칙이다(대판 2022.7.28, 2017다16747).

④ 공동불법행위자 중 1인에 대하여 구상의무를 부담하는 다른 공동불법행위자가 수인인 경우에는 특별한 사정이 없는 이상 그들의 구상권자에 대한 채무는 각자의 부담 부분에 따른 분할채무로 봄이 상당하지만, 구상권자인 공동불법행위자 측에 과실이 없는 경우, 즉 내부적인 부담 부분이 전혀 없는 경우에는 이와 달리 그에 대한 수인의 구상의무 사이의 관계를 부진정연대관계로 봄이 상당하다(대판 2005.10.13, 2003다24147).

⑤ 에이즈 바이러스에 감염된 혈액을 환자가 수혈받음으로써 에이즈에 감염될 위험을 배제할 의무 및 그와 같은 결과를 회피할 의무를 다하지 아니하여 감염된 혈액을 수혈받은 환자로 하여금 에이즈 바이러스 감염이라는 치명적인 건강 침해를 입게 한 대한적십자사의 과실 및 위법행위는 신체상해 자체에 대한 것인 데 비하여, 수혈로 인한 에이즈 바이러스 감염 위험 등의 설명의무를 다하지 아니한 의사들의 과실 및 위법행위는 신체상해의 결과 발생 여부를 묻지 아니하는 수혈 여부와 수혈 혈액에 대한 환자의 자기결정권이라는 인격권의 침해에 대한 것이므로, 대한적십자사와 의사의 양 행위가 경합하여 단일한 결과를 발생시킨 것이 아니고 각 행위의 결과 발생을 구별할 수 있으니, 이와 같은 경우에는 공동불법행위가 성립한다고 할 수 없다(대판 1998.2.13, 96다7854).

02 불법원인급여에 관한 다음 설명 중 옳지 않은 것을 모두 고른 것은?

▸ 2025 법무사

ㄱ. 급여자와 수익자의 불법성을 비교하여 수익자의 불법성이 급여자의 그것에 비하여 현저히 큰 경우에는 급여자는 수익자에 대하여 이익의 반환을 청구할 수 있다.

ㄴ. 불법원인급여가 성립한 경우, 수익자가 그 불법의 원인에 가공하였다면 특별한 사정이 없는 한 급여자는 수익자의 불법행위를 이유로 그 재산의 급여로 말미암아 발생한 자신의 손해의 배상을 구할 수 있다.

ㄷ. 구 수산업법 제33조에서 정한 어업권 임대차 금지를 위반하는 행위는 그 금지의 취지 등에 비추어 선량한 풍속 기타 사회질서에 반하는 행위에 해당하므로, 어업권을 임대한 어업권자로서는 임차인이 양식어장을 점유·사용함으로써 얻은 이익을 부당이득으로 반환을 구할 수 없다.

ㄹ. 불법의 원인으로 소유권을 이전한 경우에 급여자는 부당이득을 이유로 하여 그 반환을 청구할 수는 없으나 특별한 사정이 없는 한 소유권에 기한 반환청구는 가능하다.

ㅁ. 부동산 실권리자명의 등기에 관한 법률을 위반하여 무효인 명의신탁약정에 따라 명의수탁자 명의로 등기를 한 경우, 명의신탁자가 명의수탁자를 상대로 그 등기의 말소를 구하는 것이 불법원인급여를 이유로 금지된다고 할 수 없고, 이는 해당 명의신탁약정이 농지법에 따른 제한을 회피하고자 체결된 경우에도 마찬가지이다.

① ㄱ, ㄷ, ㄹ   ② ㄱ, ㄷ, ㅁ   ③ ㄴ, ㄷ, ㅁ

④ ㄴ, ㄷ, ㄹ   ⑤ ㄴ, ㄹ, ㅁ

해설 ㄱ. (○) 수익자의 불법성이 급여자의 그것보다 현저히 크고, 그에 비하면 급여자의 불법성은 미약한 경우에도 급여자의 반환청구가 허용되지 않는다고 하는 것은 공평에 반하고 신의성실의 원칙에도 어긋난다고 할 것이므로, 이러한 경우에는 민법 제746조 본문의 적용이 배제되어 급여자의 반환청구는 허용된다고 해석함이 상당하다(대판 1993.12.10, 93다12947).

ㄴ. (×) 불법의 원인으로 재산을 급여한 사람은 상대방 수령자가 그 '불법의 원인'에 가공하였다고 하더라도 상대방에게만 불법의 원인이 있거나 그의 불법성이 급여자의 불법성보다 현저히 크다고 평가되는 등으로 제반 사정에 비추어 급여자의 손해배상청구를 인정하지 아니하는 것이 오히려 사회상규에 명백히 반한다고 평가될 수 있는 특별한 사정이 없는 한 상대방의 불법행위를 이유로 그 재산의 급여로 말미암아 발생한 자신의 손해를 배상할 것을 주장할 수 없다고 할 것이다(대판 2013.8.22, 2013다35412).

ㄷ. (×) 구 수산업법(2007.4.11. 법률 제8377호로 전부 개정되기 전의 것) 제33조가 어업권의 임대차를 금지하고 있는 취지 등에 비추어 보면, 위 규정에 위반하는 행위가 무효라고 하더라도 그것이 선량한 풍속 기타 사회질서에 반하는 행위라고 볼 수는 없다. 따라서 어업권의 임대차를 내용으로 하는 임대차계약이 구 수산업법 제33조에 위반되어 무효라고 하더라도 그것이 부당이득의 반환이 배제되는 '불법의 원인'에 해당하는 것으로 볼 수는 없으므로, 어업권을 임대한 어업권자로서는 그 임대차계약에 기해 임차인에게 한 급부로 인하여 임차인이 얻은 이익, 즉 임차인이 양식어장(어업권)을 점유·사용함으로써 얻은 이익을 부당이득으로 반환을 구할 수 있다(대판 2010.12.9, 2010다57626).

ㄹ. (×) 민법 제746조는 단지 부당이득제도만을 제한하는 것이 아니라 동법 제103조와 함께 사법의 기본이념으로서, 결국 사회적 타당성이 없는 행위를 한 사람은 스스로 불법한 행위를 주장하여 복구를 그 형식 여하에 불구하고 소구할 수 없다는 이상을 표현한 것이므로, 급여를 한 사람은 그 원인행위가 법률상 무효라 하여 상대방에게 부당이득반환청구를 할 수 없음은 물론 급여한 물건의 소유권은 여전히 자기에게 있다고 하여 소유권에 기한 반환청구도 할 수 없고 따라서 급여한 물건의 소유권은 급여를 받은 상대방에게 귀속된다(대판(전합) 1979.11.13, 79다483).

ㅁ. (○) 부동산 실권리자명의 등기에 관한 법률(이하 '부동산실명법'이라 한다) 규정의 문언, 내용, 체계와 입법 목적 등을 종합하면, 부동산실명법을 위반하여 무효인 명의신탁약정에 따라 명의수탁자 명의로 등기를 하였다는 이유만으로 그것이 당연히 불법원인급여에 해당한다고 단정할 수는 없다. 이는 농지법에 따른 제한을 회피하고자 명의신탁을 한 경우에도 마찬가지이다(대판(전합) 2019.6.20, 2013다218156).

03 지연손해금에 관한 다음 설명 중 가장 옳지 않은 것은? ▸ 2025 법무사

① 불법행위로 인한 손해배상채무는 손해발생과 동시에 이행기에 있는 것으로, 공평의 관념상 별도의 이행최고가 없더라도 불법행위 당시부터 지연손해금이 발생하는 것이 원칙이다.

② 매매계약이 해제되면 그 효력이 소급적으로 소멸함에 따라 각 당사자는 상대방에 대하여 원상회복의무가 있으므로 이미 그 계약상 의무에 기하여 이행된 급부는 원상회복을 위하여 부당이득으로 반환되어야 하고, 그 원상회복의 대상에는 매매대금은 물론 이와 관련하여 그 매매계약의 존속을 전제로 수령한 지연손해금도 포함된다.

③ 금전채무의 지연손해금채무는 금전채무의 이행지체로 인한 손해배상채무로서 이행기의 정함이 없는 채무에 해당하므로, 채무자는 확정된 지연손해금채무에 대하여 채권자로부터 이행청구를 받은 때부터 지체책임을 부담하게 된다.

④ 금전채무에 관하여 이행지체에 대비한 지연손해금 비율을 따로 약정한 경우에 이는 일종의 손해배상액의 예정으로서 민법 제398조 제2항에 의한 감액의 대상이 된다.

⑤ 상계적상 시점 이전에 수동채권에 대하여 이자나 지연손해금이 발생한 경우 상계적상 시점까지 수동채권의 이자나 지연손해금을 계산한 다음 자동채권으로써 먼저 수동채권의 원본을 소각하고 잔액을 가지고 이자나 지연손해금을 소각하여야 한다.

해설 ① 불법행위로 인한 손해배상채무는 손해발생과 동시에 이행기에 있는 것으로, 공평의 관념상 별도의 이행최고가 없더라도 불법행위 당시부터 지연손해금이 발생하는 것이 원칙이고, 불법행위 시점과 손해발생 시점 사이에 시간적 간격이 있는 경우에는 불법행위로 인한 손해배상채권의 지연손해금은 손해발생 시점을 기산일로 하여 발생한다. 이때 현실적으로 손해가 발생하여 불법행위로 인한 손해배상채권이 성립하게 되는 시점은 사회통념에 비추어 객관적이고 합리적으로 판단하여야 한다(대판 2022.6.16, 2017다289538).

정답 02 ④ 03 ⑤

② 매매계약이 해제되면 그 효력이 소급적으로 소멸함에 따라 각 당사자는 상대방에 대하여 원상회복의무가 있으므로 이미 그 계약상 의무에 기하여 이행된 급부는 원상회복을 위하여 부당이득으로 반환되어야 하고, 그 원상회복의 대상에는 매매대금은 물론 이와 관련하여 그 매매계약의 존속을 전제로 수령한 지연손해금도 포함된다 할 것인데, 그 지연손해금에 관한 약정이 그것을 발생시키는 계약의 무효, 취소, 해제 등으로 효력을 상실하는지는 그 약정의 내용, 약정이 이루어지게 된 동기 및 경위, 당사자가 이로써 달성하려는 목적, 거래의 관행 등을 종합적으로 고려하여 당사자의 의사를 합리적으로 해석하여 판단하여야 한다(대판 2022.4.28, 2017다284236).

③ 금전채무의 지연손해금채무는 금전채무의 이행지체로 인한 손해배상채무로서 이행기의 정함이 없는 채무에 해당하므로, 채무자는 확정된 지연손해금채무에 대하여 채권자로부터 이행청구를 받은 때부터 지체책임을 부담하게 된다(대판 2021.5.7, 2018다259213).

④ 금전채무에 관하여 이행지체에 대비한 지연손해금 비율을 따로 약정한 경우에 이는 일종의 손해배상액의 예정으로서 민법 제398조 제2항에 의한 감액의 대상이 된다(대판 2017.7.18, 2017다206922).

⑤ 상계의 의사표시가 있는 경우, 채무는 상계적상 시에 소급하여 대등액에서 소멸한 것으로 보게 되므로, 상계에 의한 양 채권의 차액 계산 또는 상계충당은 상계적상의 시점을 기준으로 하게 된다. 따라서 그 시점 이전에 수동채권의 변제기가 이미 도래하여 지체가 발생한 경우에는 상계적상 시점까지의 수동채권의 약정이자 및 지연손해금을 계산한 다음 자동채권으로 그 약정이자 및 지연손해금을 먼저 소각하고 잔액을 가지고 원본을 소각하여야 한다(대판 2013.2.28, 2012다94155).

04 제3자의 채권침해에 관한 다음 설명 중 가장 옳지 않은 것은? ▶ 2025 법무사

① 제3자가 채권자를 해한다는 사정을 알면서도 법규에 위반하거나 선량한 풍속 또는 사회질서에 위반하는 등 위법한 행위를 함으로써 채권자의 이익을 침해하였다면 이로써 불법행위가 성립한다고 하지 않을 수 없다.

② 제3자가 위법한 행위를 함으로써 다른 사람 사이의 계약체결을 방해하거나 유효하게 존속하던 계약의 갱신을 하지 못하게 하여 그 다른 사람의 정당한 법률상 이익이 침해되기에 이른 경우에도 제3자의 채권침해에 의한 불법행위가 성립한다.

③ 채권침해의 위법성은 침해되는 채권의 내용, 침해행위의 태양, 침해자의 고의 내지 해의의 유무 등을 참작하여 구체적, 개별적으로 판단하되, 거래자유 보장의 필요성, 경제·사회정책적 요인을 포함한 공공의 이익, 당사자 사이의 이익균형 등을 종합적으로 고려하여야 한다.

④ 채무자가 다른 채권자들에게 채무를 변제한 행위가 정당한 법률행위인 이상 이를 요청한 행위 또한 위법성이 없어서 제3자의 채권침해에 의한 불법행위가 될 수 없다.

⑤ 일반적으로 채권에 대하여는 배타적 효력이 부인되고 채권자 상호 간 및 채권자와 제3자 사이에 자유경쟁이 허용되는 것이지만 제3자에 의하여 채권이 침해되었으면 그 자체로 곧바로 불법행위가 성립한다고 볼 것이다.

해설 ① 제3자의 행위가 채권을 침해하는 것으로서 불법행위에 해당한다고 할 수 있으려면, 그 제3자가 채권자를 해한다는 사정을 알면서도 법규를 위반하거나 선량한 풍속 기타 사회질서를 위반하는 등 위법한 행위를 함으로써 채권자의 이익을 침해하였음이 인정되어야 하고, 이때 그 행위가 위법한 것인지 여부는 침해되는 채권의 내용, 침해행위의 태양, 침해자의 고의 내지 해의의 유무 등을 참작하여 구체적·개별적으로 판단하되, 거래자유 보장의 필요성, 경제·사회정책적 요인을 포함한 공공의 이익, 당사자 사이의 이익균형 등을 종합적으로 고려하여 판단하여야 한다(대판 2013.3.14, 2011다91876).

② 일반적으로 채권에 대하여는 배타적 효력이 부인되고 채권자 상호 간 및 채권자와 제3자 사이에 자유경쟁이 허용되는 것이어서 제3자에 의하여 채권이 침해되었다는 사실만으로 바로 불법행위로 되지는 않는 것이지만, 거래에 있어서의 자유경쟁의 원칙은 법질서가 허용하는 범위 내에서의 공정하고 건전한 경쟁을 전제로 하는 것이므로, 제3자가 채권자를 해한다는 사정을 알면서도 법규를 위반하거나 선량한 풍속 또는 사회질서를 위반하는 등 위법한 행위를 함으로써 채권자의 이익을 침해하였다면 이로써 불법행위가 성립하고, 여기에서 채권침해의 위법성은 침해되는 채권의 내용, 침해행위의 태양, 침해자의 고의 내지 해의의 유무 등을 참작하여 구체적, 개별적으로 판단하되, 거래자유 보장의 필요성, 경제·사회정책적 요인을 포함한 공공의 이익, 당사자 사이의 이익균형 등을 종합적으로 고려하여야 하는바, 이러한 법리는 제3자가 위법한 행위를 함으로써 다른 사람 사이의 계약체결을 방해하거나 유효하게 존속하던 계약의 갱신을 하지 못하게 하여 그 다른 사람의 정당한 법률상 이익이 침해되기에 이른 경우에도 적용된다(대판 2007.5.11, 2004다11162).

③ 일반적으로 채권에 대하여는 배타적 효력이 부인되고 채권자 상호 간 및 채권자와 제3자 사이에 자유경쟁이 허용되는 것이어서 제3자에 의하여 채권이 침해되었다는 사실만으로 바로 불법행위로 되지는 않는 것이지만, 거래에 있어서의 자유경쟁의 원칙은 법질서가 허용하는 범위 내에서의 공정하고 건전한 경쟁을 전제로 하는 것이므로, 제3자가 채권자를 해한다는 사정을 알면서도 법규를 위반하거나 선량한 풍속 또는 사회질서를 위반하는 등 위법한 행위를 함으로써 채권자의 이익을 침해하였다면 이로써 불법행위가 성립하고, 여기에서 <u>채권침해의 위법성</u>은 침해되는 채권의 내용, 침해행위의 태양, 침해자의 고의 내지 해의의 유무 등을 참작하여 <u>구체적, 개별적으로 판단하되</u>, 거래자유 보장의 필요성, 경제·사회정책적 요인을 포함한 공공의 이익, 당사자 사이의 이익균형 등을 종합적으로 <u>고려하여야 하는바</u>, 이러한 법리는 제3자가 위법한 행위를 함으로써 다른 사람 사이의 계약체결을 방해하거나 유효하게 존속하던 계약의 갱신을 하지 못하게 하여 그 다른 사람의 정당한 법률상 이익이 침해되기에 이른 경우에도 적용된다(대판 2007.5.11, 2004다11162).

④ 채무자로 하여금 채권자 갑에게 지급하여야 할 물품대금을 자금사정이 어려운 군소협력업체인 다른 채권자들에게 우선 결제하도록 지시하고 채무자가 이에 따라 그 물품대금을 채권자 갑이 아닌 다른 채권자들에게 지급함으로써 결과적으로 채무자가 채권자 갑에게 물품대금을 지급하지 못하게 된 사안에서, 채무자가 다른 채권자들에게 채무를 변제한 행위가 정당한 법률행위인 이상 이를 요청한 행위 또한 위법성이 없어서 제3자의 채권침해에 의한 불법행위가 될 수 없다고 한 원심의 판단을 수긍한 사례이다(대판 2006.6.15, 2006다13117).

⑤ 일반적으로 채권에 대하여는 배타적 효력이 부인되고 채권자 상호 간 및 채권자와 제3자 사이에 자유경쟁이 허용되는 것이어서 제3자에 의하여 채권이 침해되었다는 사실만으로 바로 불법행위로 되지는 않는 것이지만, 거래에 있어서의 자유경쟁의 원칙은 법질서가 허용하는 범위 내에서의 공정하고 건전한 경쟁을 전제로 하는 것이므로, 제3자가 채권자를 해한다는 사정을 알면서도 법규를 위반하거나 선량한 풍속 또는 사회질서를 위반하는 등 위법한 행위를 함으로써 채권자의 이익을 침해하였다면 이로써 불법행위가 성립하고, 여기에서 채권침해의 위법성은 침해되는 채권의 내

정답 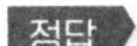 **04** ⑤

용, 침해행위의 태양, 침해자의 고의 내지 해의의 유무 등을 참작하여 구체적, 개별적으로 판단하되, 거래자유 보장의 필요성, 경제·사회정책적 요인을 포함한 공공의 이익, 당사자 사이의 이익균형 등을 종합적으로 고려하여야 하는바, 이러한 법리는 제3자가 위법한 행위를 함으로써 다른 사람 사이의 계약체결을 방해하거나 유효하게 존속하던 계약의 갱신을 하지 못하게 하여 그 다른 사람의 정당한 법률상 이익이 침해되기에 이른 경우에도 적용된다(대판 2007.5.11, 2004다11162).

PART
04
물권법

총칙

01 다음 설명 중 가장 옳지 않은 것은? (다툼이 있는 경우 판례에 따르고 전원합의체 판결의 경우 다수의견에 의함. 이하 같음) ▶ 2021 법무사

① 등기는 물권의 효력발생 요건이고 존속요건은 아니므로 물권에 관한 등기가 원인 없이 말소된 경우에는 그 물권의 효력에 아무런 변동이 없다.

② 근저당권 설정 후 부동산 소유권이 제3자에게 이전된 경우 근저당권을 설정한 종전의 소유자는 근저당권자에게 피담보채무의 소멸을 이유로 하여 그 근저당권설정등기의 말소를 청구할 수 있다.

③ 가등기는 그 성질상 본등기의 순위보전의 효력만이 있고 후일 본등기가 마쳐지면 본등기의 순위가 가등기한 때로 소급함으로써 가등기 후 본등기 전에 이루어진 중간처분이 본등기보다 후순위로 되어 실효될 뿐이고 본등기에 의한 물권변동의 효력이 가등기한 때로 소급하여 발생하는 것은 아니다.

④ 가등기에 기하여 본등기가 마쳐진 경우 가등기의 원인인 법률행위와 본등기의 원인인 법률행위가 명백히 다른 것이 아니면 사해행위 요건의 구비 여부는 가등기의 원인된 법률 행위 당시를 기준으로 판단하여야 한다.

⑤ 매수인 甲이 매도인 乙에 대한 소유권이전등기청구권을 丙에게 양도한 경우 甲이 乙에게 이러한 사실을 통지하였다면 丙은 乙에 대하여 대항력을 취득한다.

해설 ① 등기는 물권의 효력발생요건이고 그 존속요건은 아니므로 물권에 관한 등기가 원인 없이 말소된 경우에는 그 물권의 효력에는 아무런 변동이 없는 것이므로, 등기공무원이 관할지방법원의 명령에 의하여 소유권이전등기를 직권으로 말소하였으나 그 후 동 명령이 취소 확정된 경우에는 위 말소등기는 결국 원인 없이 경료된 등기와 같이 되어 말소된 소유권이전등기는 회복되어야 하고, 회복등기를 마치기 전이라도 등기명의인으로서의 권리를 그대로 보유하고 있다고 할 것이므로 그는 말소된 소유권이전등기의 최종명의인으로서 적법한 권리자로 추정된다(대판 1982.12.28, 81다카870).

② 근저당권이 설정된 후에 그 부동산의 소유권이 제3자에게 이전된 경우에는 현재의 소유자가 자신의 소유권에 기하여 피담보채권의 소멸을 원인으로 그 근저당권설정등기의 말소를 청구할 수 있음은 물론이지만, 소유권양도 전의 소유자도 근저당권설정계약의 당사자로서 근저당권소멸에 따른 원상회복으로 근저당권자에게 근저당권설정등기의 말소를 구할 수 있는 계약상 권리가 있으므로 이러한 계약상 권리에 터잡아 근저당권자에게 피담보채무의 소멸을 이유로 하여 그 근저당권설정등기의 말소를 청구할 수 있다고 봄이 상당하고, 목적물의 소유권을 상실하였다는 이유만으로 그러한 권리를 행사할 수 없다고 볼 것은 아니다(대판(전) 1994.1.25, 93다16338).

③ 가등기는 그 성질상 본등기의 순위보전에 효력만이 있고 후일 본등기가 경료된 때에는 <u>본등기의 순위가 가등기한 때로 소급함으로써</u> 가등기 후 본등기 전에 이루어진 중간처분이 본등기보다 후순위로 되어 실효될 뿐이고 본등기에 의한 물권변동의 효력이 가등기한 때로 소급하여 발생하는 것은 아니다(대판 1982.6.22, 81다1298·1299).

④ 가등기에 기하여 본등기가 경료된 경우, 가등기의 원인인 법률행위와 본등기의 원인인 법률행위가 명백히 다른 것이 아닌 한, 사해행위 요건의 구비 여부는 가등기의 원인인 법률행위 당시를 기준으로 판단하여야 한다(대판 2002.4.12, 2000다43352).

⑤ 부동산의 매매로 인한 소유권이전등기청구권은 물권의 이전을 목적으로 하는 매매의 효과로서 매도인이 부담하는 재산권이전의무의 한 내용을 이루는 것이고, 매도인이 물권행위의 성립요건을 갖추도록 의무를 부담하는 경우에 발생하는 채권적 청구권으로 그 이행과정에 신뢰관계가 따르므로, 소유권이전등기청구권을 매수인으로부터 양도받은 양수인은 매도인이 그 양도에 대하여 동의하지 않고 있다면 매도인에 대하여 채권양도를 원인으로 하여 소유권이전등기절차의 이행을 청구할 수 없고, 따라서 매매로 인한 소유권이전등기청구권은 특별한 사정이 없는 이상 그 권리의 성질상 양도가 제한되고 그 양도에 채무자의 승낙이나 동의를 요한다고 할 것이므로 통상의 채권양도와 달리 양도인의 채무자에 대한 통지만으로는 채무자에 대한 대항력이 생기지 않으며 반드시 채무자의 동의나 승낙을 받아야 대항력이 생긴다(대판 2005.3.10, 2004다67653·67660).

02 등기에 관한 다음 설명 중 가장 옳지 않은 것은?

▸ 2022 법무사

① 부동산 명의신탁자가 명의신탁약정을 해지한 다음 제3자에게 '명의신탁 해지를 원인으로 한 소유권이전등기청구권'을 양도하였으나 명의수탁자가 양도에 대하여 동의하거나 승낙하지 않은 경우, 양수인은 명의수탁자에 대하여 직접 소유권이전등기청구를 할 수 있다.

② 최초 매도인과 중간 매수인, 중간 매수인과 최종 매수인 사이에 순차로 매매계약이 체결되고 이들 간에 중간생략등기의 합의가 있은 후에 최초 매도인과 중간 매수인 간에 매매대금을 인상하는 약정이 체결된 경우, 최초 매도인은 인상된 매매대금이 지급되지 않았음을 이유로 최종 매수인 명의로의 소유권이전등기의무의 이행을 거절할 수 있다.

③ 이미 자기 앞으로 소유권을 표상하는 등기가 되어 있었거나 법률에 의하여 소유권을 취득한 자가 진정한 등기명의를 회복하기 위한 방법으로는 현재의 등기명의인을 상대로 그 등기의 말소를 구하는 외에 "진정한 등기명의의 회복"을 원인으로 한 소유권이전등기절차의 이행을 직접 구하는 것도 허용된다. 이때 현재의 등기명의인을 상대로 하여야 하고 현재의 등기명의인이 아닌 자는 피고적격이 없다.

④ 미등기건물을 등기할 때에는 소유권을 원시취득한 자 앞으로 소유권보존등기를 한 다음 이를 양수한 자 앞으로 이전등기를 함이 원칙이라 할 것이나, 원시취득자와 승계취득자 사이의 합치된 의사에 따라 미등기건물에 관하여 승계취득자 앞으로 직접 소유권보존등기를 경료하게 되었다면, 그 소유권보존등기는 실체적 권리관계에 부합되어 적법한 등기로서의 효력을 가진다.

정답　01 ⑤　02 ①

⑤ 부동산의 매매예약에 기하여 소유권이전등기청구권의 보전을 위한 가등기가 마쳐진 경우에 그 매매예약완결권이 소멸하였다면 그 가등기 또한 효력을 상실하여 말소되어야 할 것이나, 그 부동산의 소유자가 제3자와 사이에 새로운 매매예약을 체결하고 그에 기한 소유권이전등기청구권의 보전을 위하여 이미 효력이 상실된 가등기를 유용하기로 합의하고 실제로 그 가등기 이전의 부기등기를 마쳤다면, 그 가등기 이전의 부기등기를 마친 제3자로서는 언제든지 부동산의 소유자에 대하여 위 가등기 유용의 합의를 주장하여 가등기의 말소청구에 대항할 수 있고, 다만 그 가등기 이전의 부기등기 전에 등기부상 이해관계를 가지게 된 자에 대하여는 위 가등기 유용의 합의 사실을 들어 그 가등기의 유효를 주장할 수는 없다.

해설 ① 부동산 명의신탁자가 명의신탁약정을 해지한 다음 제3자에게 '명의신탁 해지를 원인으로 한 소유권이전등기청구권'을 양도하였다고 하더라도 명의수탁자가 양도에 대하여 동의하거나 승낙하지 않고 있다면 양수인은 위와 같은 소유권이전등기청구권을 양수하였다는 이유로 명의수탁자에 대하여 직접 소유권이전등기청구를 할 수 없다(대판 2021.6.3, 2018다280316).

② 대판 2005.4.29, 2003다66431

③ 진정한 등기명의의 회복을 위한 소유권이전등기청구는 이미 자기 앞으로 소유권을 표상하는 등기가 되어 있었거나 법률에 따라 소유권을 취득한 자가 진정한 등기명의를 회복하기 위한 방법으로서, 현재의 등기명의인을 상대로 하여야 하고 현재의 등기명의인이 아닌 자는 피고적격이 없다(대판 2017.12.5, 2015다240645).

④ 미등기건물을 등기할 때에는 소유권을 원시취득한 자 앞으로 소유권보존등기를 한 다음 이를 양수한 자 앞으로 이전등기를 함이 원칙이라 할 것이나, 원시취득자와 승계취득자 사이의 합치된 의사에 따라 그 주차장에 관하여 승계취득자 앞으로 직접 소유권보존등기를 경료하게 되었다면, 그 소유권보존등기는 실체적 권리관계에 부합되어 적법한 등기로서의 효력을 가진다(대판 1995.12.26, 94다44675).

⑤ 부동산의 매매예약에 기하여 소유권이전등기청구권의 보전을 위한 가등기가 마쳐진 경우에 그 매매예약완결권이 소멸하였다면 그 가등기 또한 효력을 상실하여 말소되어야 할 것이나, 그 부동산의 소유자가 제3자와 사이에 새로운 매매예약을 체결하고 그에 기한 소유권이전등기청구권의 보전을 위하여 이미 효력이 상실된 가등기를 유용하기로 합의하고 실제로 그 가등기 이전의 부기등기를 마쳤다면, 그 가등기 이전의 부기등기를 마친 제3자로서는 ⅰ) 언제든지 부동산의 소유자에 대하여 위 가등기 유용의 합의를 주장하여 가등기의 말소청구에 대항할 수 있고, 다만 ⅱ) 그 가등기 이전의 부기등기 전에 등기부상 이해관계를 가지게 된 자에 대하여는 위 가등기 유용의 합의 사실을 들어 그 가등기의 유효를 주장할 수는 없다(대판 2009.5.28, 2009다4787).

03 등기의 추정력에 관한 다음 설명 중 가장 옳지 않은 것은? ▸2022 법무사

① 부동산에 관하여 소유권이전등기가 마쳐져 있는 경우에는 그 등기명의자는 제3자에 대하여 뿐 아니라 그 전소유자에 대하여서도 적법한 등기원인에 의하여 소유권을 취득한 것으로 추정되는 것이므로 이를 다투는 측에서 그 무효사유를 주장·입증하여야 한다.

② 등기명의자가 전소유자로부터 부동산을 취득함에 있어 등기기록상 기재된 등기원인에 의하지 아니하고 다른 원인으로 적법하게 취득하였다고 하면서 등기원인행위의 태양이나 과정을 다소 다르게 주장한다면, 그 등기의 추정력은 깨어진다.

③ 소유권보존등기의 추정력은 그 보존등기 명의인 이외의 자가 당해 토지를 사정받은 것으로 밝혀지면 깨어지는 것이어서, 등기명의인이 그 구체적인 승계취득 사실을 주장·입증하지 못하는 한 그 등기는 원인무효로 된다.

④ 등기는 물권의 효력 발생 요건이고 존속 요건은 아니어서 등기가 원인 없이 말소된 경우에는 그 물권의 효력에 아무런 영향이 없고, 그 회복등기가 마쳐지기 전이라도 말소된 등기의 등기명의인은 적법한 권리자로 추정되므로 원인 없이 말소된 등기의 효력을 다투는 쪽에서 그 무효 사유를 주장·입증하여야 한다.

⑤ 부동산등기부에 소유권이전등기를 하면 그 절차와 원인이 정당한 것이라고 추정되고 절차와 원인이 부당하다고 주장하는 당사자에게 이를 증명할 책임이 있다. 그러나 등기 절차나 원인이 부당한 것으로 볼 만한 의심스러운 사정이 있음이 증명되면 그 추정력은 깨어진다.

해설 ① 대판 2014.3.13, 2009다105215 등. 즉 등기의 추정을 법률상 추정으로 보아 증명책임을 전환시킨다.

② 부동산 등기는 현재의 진실한 권리상태를 공시하면 그에 이른 과정이나 태양을 그대로 반영하지 아니하였어도 유효한 것으로서, 등기명의자가 전 소유자로부터 부동산을 취득함에 있어 등기부상 기재된 등기원인에 의하지 아니하고 다른 원인으로 적법하게 취득하였다고 하면서 등기원인행위의 태양이나 과정을 다소 다르게 주장한다고 하여 이러한 주장만 가지고 그 등기의 추정력이 깨어진다고 할 수는 없을 것이므로, 이러한 경우에도 이를 다투는 측에서 등기명의자의 소유권이전등기가 전 등기명의인의 의사에 반하여 이루어진 것으로서 무효라는 주장·입증을 하여야 한다(대판 2001.8.21, 2001다23195).

③ 토지에 관한 소유권보존등기의 추정력은 그 토지를 사정받은 사람이 따로 있음이 밝혀진 경우에는 깨어지고 등기명의인이 구체적으로 그 승계취득 사실을 주장·입증하지 못하는 한 그 등기는 원인무효이다(대판 2005.5.26, 2002다43417).

④ 등기는 물권의 효력 발생 요건이고 존속 요건은 아니어서 등기가 원인 없이 말소된 경우에는 그 물권의 효력에 아무런 영향이 없고, 그 회복등기가 마쳐지기 전이라도 말소된 등기의 등기명의인은 적법한 권리자로 추정되므로 원인 없이 말소된 등기의 효력을 다투는 쪽에서 그 무효 사유를 주장·입증하여야 한다(대판 1997.9.30, 95다39526).

⑤ 부동산등기부에 소유권이전등기를 하면 그 절차와 원인이 정당한 것이라고 추정되고 절차와 원인이 부당하다고 주장하는 당사자에게 이를 증명할 책임이 있다. 그러나 등기 절차나 원인이 부당한 것으로 볼 만한 의심스러운 사정이 있음이 증명되면 그 추정력은 깨어진다(대판 2017.10.31, 2016다27825).

정답 03 ②

04 부동산등기에 관한 다음 설명 중 가장 옳은 것은?

▶ 2021 법무사

① 민법 제187조에 따라 '판결'에 의한 부동산에 관한 물권의 취득은 등기를 요하지 아니하는 바, '피고는 원고에게 ×토지에 관하여 2015.4.2. 매매를 원인으로 한 소유권이전등기절차를 이행하라.'는 판결이 확정되었다면, 원고는 ×토지에 관하여 소유권이전등기를 마치지 않고도 소유권을 취득한다.

② 甲 소유의 토지에 관하여 乙이 서류를 위조하여 자신의 이름으로 소유권이전등기를 마치고 이를 丙에게 매도한 경우 丙이 乙의 소유권등기를 진실한 것으로 믿었고 믿은 데에 과실이 없었다면 丙은 乙로부터 소유권이전등기를 마침으로써 소유권을 취득한다.

③ 선행보존등기로부터 경료된 원고 명의의 소유권이전등기가 원인무효의 등기인 이상 특단의 사정이 없는 한 원고로서는 피고 명의의 후행보존등기에 대하여 그 말소를 청구할 권원이 없다고 할 것이므로, 아무리 후행보존등기가 무효라고 하여도 아무런 권원이 없는 원고의 말소등기청구를 받아들여 그 말소를 명할 수는 없다.

④ 무효인 소유권이전등기에 터 잡아 가압류등기를 마친 채권자가 존재하는 경우 진정한 소유자는 소유명의인에 대하여 소유권이전등기의 말소등기절차만을 구하면 족하고, 그 소유권이전등기를 말소하기 위하여 가압류 채권자에 대한 승낙의 의사표시를 구할 필요는 없다.

⑤ 공유물분할의 소에서 공유부동산의 특정한 일부씩을 각각의 공유자에게 귀속시키는 것으로 현물분할하는 내용의 조정이 성립하였다면, 그 조정조서는 공유물분할판결과 동일한 효력을 가지는 것으로서 민법 제187조 소정의 '판결'에 해당하는 것이므로 조정이 성립한 때 물권변동의 효력이 발생한다.

> **해설** ① 민법 제187조 소정의 판결은 형성판결(사해행위취소의 판결, 공유물분할판결, 상속재산분할판결 등)을 의미하고, 이행·확인판결은 그에 기한 등기이전 시에 변동의 효력이 발생한다. 또한 확정판결과 동일한 효력이 있는 재판상의 화해, 청구의 포기·인락을 조서에 기재하고 그 내용이 법률관계의 형성에 관한 것이면 민법 제187조의 판결에 포함된다(대판 1970.6.30, 70다568). 따라서 매매 등 법률행위를 원인으로 한 소유권이전등기절차 이행의 소에서의 원고승소판결은 부동산물권취득이라는 형성적 효력이 없어 민법 제187조 소정의 판결에 해당하지 않으므로 승소판결에 따른 소유권이전등기 경료 시까지는 부동산의 소유권을 취득한다고 볼 수 없다(대판 2003.9.2, 2001다21717).
>
> ② 현행민법은 부동산등기에 공신력을 인정하지 않는다. 따라서 甲 소유의 토지에 관하여 乙이 서류를 위조하여 자신의 이름으로 소유권이전등기를 마치고 이를 丙에게 매도한 경우 丙이 乙의 소유권등기를 진실한 것으로 믿었고 믿은 데에 과실이 없었다 하더라도 丙은 소유권을 취득할 수 없다. 다만 민법은 의사표시에 있어서 선의의 제3자 보호규정(제107조 내지 제110조), 계약해제 시 원상회복에 관한 규정(제548조 제1항 단서), 선의취득(제249조 – 부동산은 대상이 되지 않는다) 등을 통하여 거래의 안전을 도모하고 있다.
>
> ③ 선행보존등기로부터 경료된 원고 명의의 소유권이전등기가 원인무효의 등기인 이상 특단의 사정이 없는 한 원고로서는 피고 명의의 후행보존등기에 대하여 그 말소를 청구할 권원이 없다고 할 것이므로, 아무리 후행보존등기가 무효라고 하여도 아무런 권원이 없는 원고의 말소등기청구를 받아들여 그 말소를 명할 수는 없다(대판 2007.5.10, 2007다3612).
>
> ④ 원인무효인 소유권이전등기 명의인을 채무자로 한 가압류등기와 그에 터 잡은 경매신청기입등기가 경료된 경우, 그 부동산의 소유자는 원인무효인 소유권이전등기의 말소를 위하여 이해관계에

있는 제3자인 가압류채권자를 상대로 하여 원인무효 등기의 말소에 대한 승낙을 청구할 수 있고, 그 승낙이나 이에 갈음하는 재판이 있으면 등기공무원은 신청에 따른 원인무효 등기를 말소하면서 직권으로 가압류등기와 경매신청기입등기를 말소하여야 할 것인바, 소유자가 원인무효인 소유권이전등기의 말소와 함께 가압류등기 등의 말소를 구하는 경우, 그 청구의 취지는 소유권이전등기의 말소에 대한 승낙을 구하는 것으로 해석할 여지가 있다(대판 1998.11.27, 97다41103). → 대상판결의 취지는 가압류권자를 상대로 소유권이전등기 말소에 대한 승낙을 구하여야 하지, 가압류등기 자체의 말소를 구하여서는 안 된다는 것이다.

⑤ 공유물분할의 소송절차 또는 조정절차에서 공유자 사이에 공유토지에 관한 현물분할의 협의가 성립하여 그 합의사항을 조서에 기재함으로써 조정이 성립하였다고 하더라도, 그와 같은 사정만으로 재판에 의한 공유물분할의 경우와 마찬가지로 그 즉시 공유관계가 소멸하고 각 공유자에게 그 협의에 따른 새로운 법률관계가 창설되는 것은 아니라고 할 것이고, 공유자들이 협의한 바에 따라 토지의 분필절차를 마친 후 각 단독소유로 하기로 한 부분에 관하여 다른 공유자의 공유지분을 이전받아 등기를 마침으로써 비로소 그 부분에 대한 대세적 권리로서의 소유권을 취득하게 된다(대판(전) 2013.11.21, 2011두1917). → 지문은 이와 같은 다수의견에 대한 반대의견이다.

05 다음 설명 중 가장 옳지 않은 것은?

▸ 2021 법무사

① 하천에 인접한 토지가 홍수로 인한 하천류수의 범람으로 침수되어 토지가 황폐화되거나 물밑에 잠기거나 항시 물이 흐르고 있는 상태가 계속되고 원상복구가 사회통념상 불가능하게 되면 소위 포락으로 인하여 소유권은 영구히 소멸되는 것이고, 이와 같은 사정은 사권의 소멸을 주장하는 자가 입증하여야 한다.

② 일단의 증감 변동하는 동산을 하나의 물건으로 보아 이를 채권담보의 목적으로 삼으려는 이른바 집합물에 대한 양도담보설정계약체결은 허용되지 않는다.

③ 1동의 건물에 대하여 구분소유가 성립하기 위해서는 객관적·물리적인 측면에서 1동의 건물이 존재하고, 구분된 건물부분이 구조상·이용상 독립성을 갖추어야 할 뿐 아니라, 1동의 건물 중 물리적으로 구획된 건물부분을 각각 구분소유권의 객체로 하려는 구분행위가 있어야 한다. 여기시 구분행위는 긴물의 물리적 형질에 변경을 가함이 없이 **법률관념상** 건물의 특정 부분을 구분하여 별개의 소유권의 객체로 하려는 일종의 법률행위로서, 그 시기나 방식에 특별한 제한이 있는 것은 아니고 처분권자의 구분의사가 객관적으로 외부에 표시되면 인정된다.

④ 독립된 부동산으로서의 건물이라고 하기 위하여는 최소한의 기둥과 지붕 그리고 주벽이 이루어지면 된다. 신축건물의 경락대금 납부 당시 이미 지하 1층부터 지하 3층까지 기둥, 주벽 및 천장 슬라브공사가 완료된 상태였을 뿐만 아니라 지하 1층의 일부 점포가 일반에 분양되기까지 하였다면, 비록 토지가 경락될 당시 신축건물의 지상층 부분이 골조공사만 이루어진 채 벽이나 지붕 등이 설치된 바가 없다 하더라도, 지하층 부분만으로도 구분소유권의 대상이 될 수 있는 구조라는 점에서 신축건물은 경락 당시 미완성 상태이기는 하지만 독립된 건물로서의 요건을 갖추었다고 봄이 상당하다.

정답   04 ③   05 ②

⑤ 건축주의 사정으로 건축공사가 중단되었던 미완성의 건물을 인도받아 나머지 공사를 마치고 완공한 경우, 그 건물이 공사가 중단된 시점에서 이미 사회통념상 독립한 건물이라고 볼 수 있는 형태와 구조를 갖추고 있었다면 원래의 건축주가 그 건물의 소유권을 원시취득한다.

해설 ① 하천에 인접한 토지가 홍수로 인한 하천류수의 범람으로 침수되어 토지가 황폐화되거나 물밑에 잠기거나 항시 물이 흐르고 있는 상태가 계속되고 원상복구가 사회통념상 불가능하게 되면 소위 포락으로 인하여 소유권은 영구히 소멸되는 것이고, 이와 같은 사정은 사권의 소멸을 주장하는 자가 입증하여야 한다(대판 1992.11.24, 92다11176).

② 일반적으로 일단의 증감 변동하는 동산을 하나의 물건으로 보아 이를 채권담보의 목적으로 삼으려는 이른바 집합물에 대한 양도담보설정계약 체결도 가능하며 이 경우 그 목적 동산이 담보설정자의 다른 물건과 구별될 수 있도록 그 종류, 장소 또는 수량지정 등의 방법에 의하여 특정되어 있으면 그 전부를 하나의 재산권으로 보아 이에 유효한 담보권의 설정이 된 것으로 볼 수 있다(대판 1990.12.26, 88다카20224).

③ 1동의 건물에 대하여 구분소유가 성립하기 위해서는 객관적·물리적인 측면에서 1동의 건물이 존재하고, 구분된 건물부분이 구조상·이용상 독립성을 갖추어야 할 뿐 아니라, 1동의 건물 중 물리적으로 구획된 건물부분을 각각 구분소유권의 객체로 하려는 구분행위가 있어야 한다. 여기서 구분행위는 건물의 물리적 형질에 변동을 가함이 없이 법률관념상 건물의 특정 부분을 구분하여 별개의 소유권의 객체로 하려는 일종의 법률행위로서, 그 시기나 방식에 특별한 제한이 있는 것은 아니고 처분권자의 구분의사가 객관적으로 외부에 표시되면 인정된다. 따라서 구분건물이 물리적으로 완성되기 전에도 건축허가신청이나 분양계약 등을 통하여 장래 신축되는 건물을 구분건물로 하겠다는 구분의사가 객관적으로 표시되면 구분행위의 존재를 인정할 수 있고, 이후 1동의 건물 및 그 구분행위에 상응하는 구분건물이 객관적·물리적으로 완성되면 아직 그 건물이 집합건축물대장에 등록되거나 구분건물로서 등기부에 등기되지 않았더라도 그 시점에서 구분소유가 성립한다(대판(전) 2013.1.17, 2010다71578).

④ 독립된 부동산으로서의 건물이라고 하기 위하여는 최소한의 기둥과 지붕 그리고 주벽이 이루어지면 된다. 신축 건물이 경락대금 납부 당시 이미 지하 1층부터 지하 3층까지 기둥, 주벽 및 천장 슬라브 공사가 완료된 상태이었을 뿐만 아니라 지하 1층의 일부 점포가 일반에 분양되기까지 하였다면, 비록 토지가 경락될 당시 신축 건물의 지상층 부분이 골조공사만 이루어진 채 벽이나 지붕 등이 설치된 바가 없다 하더라도, 지하층 부분만으로도 구분소유권의 대상이 될 수 있는 구조라는 점에서 신축 건물은 경락 당시 미완성 상태이기는 하지만 독립된 건물로서의 요건을 갖추었다(대판 2003.5.30, 2002다21592·21608).

⑤ 건축주의 사정으로 건축공사가 중단되었던 미완성의 건물을 인도받아 나머지 공사를 마치고 완공한 경우, 그 건물이 공사가 중단된 시점에서 이미 사회통념상 독립한 건물이라고 볼 수 있는 형태와 구조를 갖추고 있었다면 원래의 건축주가 그 건물의 소유권을 원시취득한다(대판 2002.4.26, 2000다16350 등).

06 다음 설명 중 가장 옳지 않은 것은?

▶ 2023 법무사

① 동일인 명의로 보존등기가 중복된 경우에 언제나 후(後)등기기록이 무효이다.

② 자기 앞으로 소유권의 등기가 되어 있지 않았고 법률에 의하여 소유권을 취득하지도 않은 사람이 소유권자를 대위하여 현재의 등기명의인을 상대로 그 등기의 말소를 청구할 수 있을 뿐인 경우에는 진정한 등기명의의 회복을 위한 소유권이전등기청구를 할 수 없다.

③ 멸실된 건물의 보존등기를 신축한 건물의 보존등기로 유용하는 것은 허용되지 않는다.

④ 멸실회복등기에 있어 전 등기의 접수연월일, 접수번호 및 원인일자가 각 불명이라고 기재되었다 하여도 별다른 사정이 없는 한 등기관에 의하여 적법하게 수리되고 처리된 것이라고 추정된다.

⑤ 근저당설정등기가 불법말소된 경우 그 회복등기를 구하는 본안소송에서 승소판결을 받으면 후순위 근저당권자가 있더라도 바로 회복등기를 할 수 있다.

> **해설** ① 대판 1981.11.18, 81다1340
> ② 대판 2011.1.27, 2008다2807
> ③ 대판 1980.11.11, 80다441 → 신축된 건물이 멸실된 건물과 동일한 건물이라고는 할 수 없기 때문이다.
> ④ 대판(전합) 1981.11.24, 80다3286
> ⑤ 근저당권설정등기의 불법말소를 이유로 그 회복등기를 구하는 본안소송에서 원고가 승소판결을 받는다고 하더라도 그 후순위 근저당권자가 있는 경우에는 바로 회복등기를 할 수 있는 것은 아니고 부동산등기법 제75조(현재 제59조)에 의하여 이해관계있는 제3자인 후순위 근저당권자의 승낙서 또는 이에 대항할 수 있는 재판의 등본을 첨부하여야 한다(대판 2001.8.24, 2000다12785·12792).

> **심화문제** │ 확인 · 보충 · 심화문제

정답 ▶ 06 ⑤

점유권

기본문제 | 기본문제의 구성

01 **점유에 관한 다음 설명 중 가장 옳지 않은 것은?** ▸ 2023 법무사

① 특별한 사정이 없는 한 소유의 의사 유무는 점유개시 시를 기준으로 판단하며, 나중에 매도자에게 처분권이 없었다는 등의 사유로 그 매매가 무효인 것이 밝혀지더라도 원칙적으로 점유의 성질은 변하지 않는다.

② 점유자의 점유가 소유의 의사 있는 자주점유인지 아니면 소유의 의사 없는 타주점유인지의 여부는 점유자의 내심의 의사에 의하여 결정되는 것이 아니라 점유취득의 원인이 된 권원의 성질이나 점유와 관계가 있는 모든 사정에 의하여 외형적·객관적으로 결정된다.

③ 점유란 물건이 사회통념상 그 사람의 사실적 지배에 속한다고 보이는 객관적 관계에 있는 것을 말하고 사실상의 지배가 있다고 하기 위해서는 반드시 물건을 물리적·현실적으로 지배하는 것만을 의미하는 것이 아니고 물건과 사람과의 시간적·공간적 관계와 본권관계, 타인지배의 배제가능성 등을 고려하여 사회관념에 따라 합목적적으로 판단하여야 한다.

④ 점유자가 스스로 매매 또는 증여와 같이 자주점유의 권원을 주장하였으나 이것이 인정되지 않는 경우에는 점유권원의 성질상 타주점유라고 볼 수 있다.

⑤ 선대의 점유가 타주점유인 경우 선대로부터 상속에 의하여 점유를 승계한 자의 점유도 특단의 사정이 없는 한 자주점유로는 될 수 없고, 그 점유가 자주점유가 되기 위해서는 점유자가 소유자에 대하여 소유의 의사가 있는 것을 표시하거나 새로운 권원에 의하여 다시 소유의 의사로써 점유를 시작하여야 한다.

해설 ① 대판 1996.5.28, 95다40328

② 대판(전합) 1997.8.21, 95다28625

③ 대판 2021.2.4, 2019다202795, 2019다202801

④ 점유자가 스스로 매매 또는 증여와 같이 자주점유의 권원을 주장하였으나 이것이 인정되지 않는 경우에도 원래 자주점유의 권원에 관한 증명책임이 점유자에게 있지 않은 이상 그 주장의 점유권원이 인정되지 않는다는 사유만으로 자주점유의 추정이 번복된다거나 또는 점유권원의 성질상 타주점유라고 볼 수 없다(대판 2002.2.26, 99다72743; 대판 2007.2.8, 2006다28065; 대판 2020.7.9, 2017다241116 등).

⑤ 대판 2008.7.10, 2007다12364

심화문제 | 확인 · 보충 · 심화문제

01 **점유에 관한 다음 설명 중 가장 옳지 않은 것은?** ▶ 2025 법무사

① 점유자가 점유물을 보존하거나 개량하기 위하여 지출한 필요비나 유익비에 관하여 민법 제203조 제1항, 제2항은 점유자가 '점유물을 반환할 때'에 상환을 청구할 수 있도록 규정하고 있으므로, 그 상환청구권은 점유자가 회복자로부터 점유물 반환을 청구받거나 회복자에게 점유물을 반환한 때에 비로소 발생하여 점유자가 이를 행사할 수 있는 상태가 되고 이행기가 도래한다.

② 민법 제203조는 정당한 법률관계가 없는 물건 점유자와 회복자 사이에서 점유물을 반환하는 경우 점유자가 지출한 필요비 또는 유익비의 상환청구 범위와 상환시기에 관하여 규정한 특별규정이다.

③ 민법 제758조 제1항 소정의 공작물 점유자란 공작물을 사실상 지배하면서 그 설치 또는 보존상의 하자로 인하여 발생할 수 있는 각종 사고를 방지하기 위하여 공작물을 보수 · 관리할 권한 및 책임이 있는 자를 말한다.

④ 물건에 대한 점유란 사회관념상 어떤 사람의 사실적 지배에 있다고 보이는 객관적 관계를 말하는 것으로서, 사실상의 지배가 있다고 하기 위하여는 반드시 물건을 물리적, 현실적으로 지배하여야만 하는 것이 아니고, 물건과 사람 사이의 시간적, 공간적 관계와 본권관계, 타인지배의 배제 가능성 등을 고려하여 사회통념에 따라 합목적적으로 판단하여야 한다.

⑤ 물건의 소유자가 적법한 점유 권원 없는 점유자를 상대로 민법 제213조에 따른 물권적 청구권을 행사하여 물건의 반환을 구할 수 있는 경우, 점유자는 물건의 소유자를 상대로 민법 제741조에 따라 해당 비용의 반환을 구할 수 있다.

> **해설** ① 점유자가 점유물을 보존하거나 개량하기 위하여 지출한 필요비나 유익비에 관하여 민법 제203조 제1항, 제2항은 점유자가 '점유물을 반환할 때'에 상환을 청구할 수 있도록 규정하고 있으므로, 그 상환청구권은 점유자가 회복자로부터 점유물 반환을 청구받거나 회복자에게 점유물을 반환한 때에 비로소 발생하여 점유자가 이를 행사할 수 있는 상태가 되고 이행기가 도래한다(대판 2024.12.24, 2020다275744).
>
> ②,⑤ 민법 제203조는 정당한 법률관계가 없는 물건 점유자와 회복자 사이에서 점유물을 반환하는 경우 점유자가 지출한 필요비 또는 유익비의 상환청구 범위와 상환시기에 관하여 규정한 특별규정이므로, 물건의 소유자가 적법한 점유 권원 없는 점유자를 상대로 민법 제213조에 따른 물권적 청구권을 행사하여 물건의 반환을 구할 수 있는 경우 점유자는 물건의 소유자를 상대로 민법 제741조에 따라 해당 비용의 반환을 구할 수는 없고 민법 제203조에 따라 '점유물을 반환할 때' 비로소 비용상환청구권을 행사할 수 있을 뿐이다(대판 2024.12.24, 2020다275744).

정답 **01 ④ / 01 ⑤**

③ 민법 제758조 제1항 소정의 공작물 점유자란 공작물을 사실상 지배하면서 그 설치 또는 보존상의 하자로 인하여 발생할 수 있는 각종 사고를 방지하기 위하여 공작물을 보수·관리할 권한 및 책임이 있는 자를 말한다(대판 2024.2.15, 2019다208724).

④ 물건에 대한 점유란 사회관념상 어떤 사람의 사실적 지배에 있다고 보이는 객관적 관계를 말하는 것으로서, 사실상의 지배가 있다고 하기 위하여는 반드시 물건을 물리적·현실적으로 지배하는 것만을 의미하는 것이 아니고, 물건과 사람과의 시간적·공간적 관계와 본권관계, 타인 지배의 가능성 등을 고려하여 사회관념에 따라 합목적적으로 판단하여야 한다(대판 1999.3.23, 98다58924).

소유권

기본문제 │ 기본문제의 구성

제1절 소유권의 한계

01 다음 설명 중 가장 옳지 않은 것은? ▸ 2021 법무사

① 민법 제211조는 "소유자는 법률의 범위 내에서 그 소유물을 사용, 수익, 처분할 권리가 있다."고 규정하고 있으므로, 소유자가 채권적으로 상대방에 대하여 사용·수익의 권능을 포기하거나 사용·수익권 행사에 제한을 설정하는 것 외에 소유권의 핵심적 권능에 속하는 배타적인 사용·수익 권능이 소유자에게 존재하지 아니한다고 하는 것은 물권법정주의에 반하여 특별한 사정이 없는 한 허용될 수 없다.

② 토지소유자가 그 소유의 토지를 도로, 수도시설의 매설 부지 등 일반 공중을 위한 용도로 제공한 경우에, 소유자가 토지를 소유하게 된 경위와 보유기간, 소유자가 토지를 공공의 사용에 제공한 경위와 그 규모, 토지의 제공에 따른 소유자의 이익 또는 편익의 유무, 해당 토지 부분의 위치나 형태, 인근의 다른 토지들과의 관계, 주위 환경 등 여러 사정을 종합적으로 고찰하고, 토지소유자의 소유권 보장과 공공의 이익 사이의 비교형량을 한 결과, 소유자가 그 토지에 대한 독점적·배타적인 사용·수익권을 포기한 것으로 볼 수 있는 경우에, 타인[사인(私人)뿐만 아니라 국가, 지방자치단체도 이에 해당할 수 있다]이 그 토지를 점유·사용하고 있다면 특별한 사정이 없는 한 토지소유자에게 어떠한 손해가 생긴다고 볼 수 없어 손해배상청구를 할 수는 없으나, 토지소유자는 그 타인을 상대로 부당이득반환을 청구할 수 있다.

③ 점유권에 기인한 소와 본권에 기인한 소는 서로 영향을 미치지 아니하고, 점유권에 기인한 소는 본권에 관한 이유로 재판하지 못하므로 점유회수의 청구에 대하여 점유침탈자가 점유물에 대한 본권이 있다는 주장으로 점유회수를 배척할 수 없다(민법 제208조). 그러므로 점유권에 기한 본소에 대하여 본권자가 본소청구 인용에 대비하여 본권에 기한 예비적 반소를 제기하고 양 청구가 모두 이유 있는 경우, 법원은 점유권에 기한 본소와 본권에 기한 예비적 반소를 모두 인용해야 하고 점유권에 기한 본소를 본권에 관한 이유로 배척할 수 없다.

정답 ▸ 01 ②

④ 타인 소유의 토지에 분묘를 설치한 경우에 20년간 평온, 공연하게 분묘의 기지를 점유하면 지상권과 유사한 관습상의 물권인 분묘기지권을 시효로 취득한다는 점은 오랜 세월 동안 지속되어 온 관습 또는 관행으로서 법적 규범으로 승인되어 왔고, 이러한 법적 규범이 장사 등에 관한 법률(법률 제6158호) 시행일인 2001.1.13. 이전에 설치된 분묘에 관하여 현재까지 유지되고 있다고 보아야 한다.

⑤ 미등기 무허가건물의 양수인이라도 소유권이전등기를 마치지 않는 한 건물의 소유권을 취득할 수 없고, 소유권에 준하는 관습상의 물권이 있다고도 할 수 없으므로, 미등기 무허가건물의 양수인은 소유권에 기한 방해제거청구를 할 수 없다.

해설 ① 민법 제211조는 "소유자는 법률의 범위 내에서 그 소유물을 사용, 수익, 처분할 권리가 있다."고 규정하고 있으므로, 소유자가 채권적으로 상대방에 대하여 사용·수익의 권능을 포기하거나 사용·수익권 행사에 제한을 설정하는 것 외에 소유권의 핵심적 권능에 속하는 배타적인 사용·수익 권능이 소유자에게 존재하지 아니한다고 하는 것은 물권법정주의에 반하여 특별한 사정이 없는 한 허용될 수 없다(대판 2012.6.28, 2010다81049).

② 토지소유자가 그 소유의 토지를 도로, 수도시설의 매설 부지 등 일반 공중을 위한 용도로 제공한 경우에, 소유자가 토지를 소유하게 된 경위와 보유기간, 소유자가 토지를 공공의 사용에 제공한 경위와 그 규모, 토지의 제공에 따른 소유자의 이익 또는 편익의 유무, 해당 토지 부분의 위치나 형태, 인근의 다른 토지들과의 관계, 주위 환경 등 여러 사정을 종합적으로 고찰하고, 토지소유자의 소유권 보장과 공공의 이익 사이의 비교형량을 한 결과, 소유자가 그 토지에 대한 독점적·배타적인 사용·수익권을 포기한 것으로 볼 수 있다면, 타인[사인뿐만 아니라 국가, 지방자치단체도 이에 해당할 수 있다. 이하 같다]이 그 토지를 점유·사용하고 있다 하더라도 특별한 사정이 없는 한 그로 인해 토지소유자에게 어떤 손해가 생긴다고 볼 수 없으므로, 토지소유자는 그 타인을 상대로 부당이득반환을 청구할 수 없고, 토지의 인도 등을 구할 수도 없다(대판(전) 2019.1.24, 2016다264556).

③ 점유권에 기인한 소와 본권에 기인한 소는 서로 영향을 미치지 아니하고, 점유권에 기인한 소는 본권에 관한 이유로 재판하지 못하므로 점유회수의 청구에 대하여 점유침탈자가 점유물에 대한 본권이 있다는 주장으로 점유회수를 배척할 수 없다(민법 제208조). 그러므로 점유권에 기한 본소에 대하여 본권자가 본소청구 인용에 대비하여 본권에 기한 예비적 반소를 제기하고 양 청구가 모두 이유 있는 경우, 법원은 점유권에 기한 본소와 본권에 기한 예비적 반소를 모두 인용해야 하고 점유권에 기한 본소를 본권에 관한 이유로 배척할 수 없다(대판 2021.2.4, 2019다202795·202801).

④ 타인 소유의 토지에 분묘를 설치한 경우에 20년간 평온·공연하게 분묘의 기지를 점유하면 지상권과 유사한 관습상의 물권인 분묘기지권을 시효로 취득한다는 점은 오랜 세월 동안 지속되어 온 관습 또는 관행으로서 법적 규범으로 승인되어 왔고, 이러한 법적 규범이 장사법(법률 제6158호) 시행일인 2001.1.13. 이전에 설치된 분묘에 관하여 현재까지 유지되고 있다고 보아야 한다고 하였다(대판(전) 2017.1.19, 2013다17292).

⑤ 미등기 무허가건물의 양수인이라도 소유권이전등기를 마치지 않는 한 건물의 소유권을 취득할 수 없고, 소유권에 준하는 관습상의 물권이 있다고도 할 수 없으므로, 미등기 무허가건물의 양수인은 소유권에 기한 방해제거청구를 할 수 없다(대판 2016.7.29, 2016다214483·214490).

02 물권적 청구권에 관한 다음 설명 중 가장 옳지 않은 것은?

▶ 2023 법무사

① 소유자가 제3자에 대하여 목적물의 소유권을 이전하기로 하는 매매·증여·교환 기타의 채권계약을 체결하는 것만에 의하여서는 자신의 소유권에 어떠한 물권적 제한을 받지 아니하여서, 그는 다른 특별한 사정이 없는 한 자신의 소유물을 여전히 유효하게 달리 처분할 수 있고, 또한 소유권에 기하여 소유물에 대한 방해 등을 배제할 수 있는 민법 제213조, 제214조의 물권적 청구권을 가진다.

② 자신의 토지에 폐기물을 매립하거나 토양을 오염시켜 토지를 유통시킨 경우는 물론 타인의 토지에 그러한 행위를 하여 토지가 유통된 경우라 하더라도, 행위자가 폐기물을 매립한 자 또는 토양오염을 유발시킨 자라는 이유만으로 자신과 직접적인 거래관계가 없는 토지의 전전 매수인에 대한 관계에서 폐기물 처리비용이나 오염정화비용 상당의 손해에 관한 불법행위책임을 부담한다고 볼 수는 없다.

③ 소유자가 자신의 소유권에 기하여 실체관계에 부합하지 아니하는 등기의 명의인을 상대로 그 등기말소나 진정명의회복 등을 청구하는 경우에, 그 권리는 물권적 청구권으로서의 방해배제청구권(민법 제214조)의 성질을 가진다. 그러므로 소유자가 그 후에 소유권을 상실하면 이제 그 발생의 기반이 아예 없게 되어 더 이상 그 존재 자체가 인정되지 아니하므로, 등기말소 등 의무자에 대하여 그 권리의 이행불능을 이유로 민법 제390조의 손해배상청구권을 가진다고 말할 수 없다.

④ 토지소유권에 기한 물권적 청구권을 원인으로 하는 토지인도소송의 소송물은 토지소유권이 아니라 그 물권적 청구권인 토지인도청구권이므로, 그 소송에서 청구기각된 확정판결의 기판력은 토지인도청구권의 존부 그 자체에만 미치는 것이고 소송물이 되지 아니한 토지소유권의 존부에 관하여는 미치지 않는다. 그러므로 그 토지인도소송의 사실심변론 종결 후에 그 패소자인 토지소유자로부터 토지를 매수하고 소유권이전등기를 마침으로써 그 소유권을 승계한 제3자의 토지소유권의 존부에 관하여는 위 확정판결의 기판력이 미치지 않는다.

⑤ 상속인은 피상속인의 일신에 전속한 것이 아닌 한 상속이 개시된 때로부터 피상속인의 재산에 관한 포괄적 권리·의무를 승계하므로(민법 제1005조), 피상속인이 사망 전에 그 소유 토지를 일반 공중의 이용에 제공하여 독점적·배타적인 사용·수익권을 포기한 것으로 볼 수 있고 그 토지가 상속재산에 해당하는 경우에는, 피상속인의 사망 후 그 토지에 대한 상속인의 독점적·배타적인 사용·수익권의 행사 역시 제한된다고 보아야 한다.

[해설] ① 대판 2014.3.13, 2009다105215

② 헌법 제35조 제1항, 구 환경정책기본법, 구 토양환경보전법 및 구 폐기물관리법의 취지와 아울러 토양오염원인자의 피해배상의무 및 오염토양 정화의무, 폐기물 처리의무 등에 관한 관련 규정들과 법리에 비추어 보면, 토지의 소유자라 하더라도 토양오염물질을 토양에 누출·유출하거나 투기· 방치함으로써 토양오염을 유발하였음에도 오염토양을 정화하지 않은 상태에서 그 오염토양이 포함

[정답] 02 ②

된 토지를 거래에 제공함으로써 유통되게 하거나, 토지에 폐기물을 불법으로 매립하였음에도 이를 처리하지 않은 상태에서 그 해당 토지를 거래에 제공하는 등으로 유통되게 하였다면, 다른 특별한 사정이 없는 한 이는 거래의 상대방 및 위 토지를 전전 취득한 현재의 토지 소유자에 대한 위법행위로서 불법행위가 성립할 수 있다고 봄이 타당하다(대판(전합) 2016.5.19, 2009다66549).

※ 종래 대법원은 자신의 소유 토지에 폐기물을 불법으로 매립한 행위는 제3자에 대한 행위가 아니라 소유자 자신에 대한 행위여서 불법행위가 성립되지 않고, 신 소유자에게 손해가 발생하였다고 볼 수도 없다는 이유로 폐기물을 매립한 전 소유자의 불법행위 책임을 부정하였으나, 불법 폐기물을 매립한 소유자가 오염토양을 정화하지 않고 토지를 거래에 제공하여 유통되게 하였다면, 특별한 사정이 없는 한 거래의 상대방 및 위 토지를 전전 취득한 현재 소유자에 대한 위법행위로서 불법행위가 성립하는 것이고, 신 소유자가 소유권 행사를 위해 폐기물을 처리해야 할 시점에 손해가 현실화되어 불법행위가 완성되는 것이라고 종래 입장을 변경한 판결이다.

③ 대판(전합) 2012.5.17, 2010다28604

④ 대판 1984.9.25, 84다카148 → 이 경우 위 제3자가 가지게 되는 물권적 청구권인 토지인도청구권은 적법하게 승계한 토지소유권의 일반적 효력으로서 발생된 것이고 위 토지인도소송의 소송물인 패소자의 토지인도청구권을 승계함으로써 가지게 된 것이라고는 할 수 없으므로 위 제3자는 위 확정판결의 변론종결후의 승계인에 해당한다고 할 수도 없다.

⑤ 대판(전합) 2019.1.24, 2016다264556

03 말소등기청구에 관한 다음 설명 중 가장 옳지 않은 것은?

▸ 2023 법무사

① 부동산의 진정한 소유자가 원인무효등기의 말소를 청구하는 것은 소유권 그 자체에 터잡아서 방해의 배제나 소유물의 반환을 청구하는 것으로서 소유권이 있는 한 항상 행사할 수 있는 것이므로, 그 소유권을 취득하게 된 원인이 상속이고 그 상대방이 상속인을 참칭하여 등기를 한 사람이라고 하더라도 상속회복의 소라는 이름을 붙이고 그 권리의 행사를 제한하여야 할 이유가 없어, 이러한 경우 상속회복청구에 관한 민법규정은 적용되지 않는다.

② 피고로부터 매매 등의 방법으로 부동산에 대한 권리가 순차적으로 이전되어 최종적으로 소유권이전등기를 마친 제3자가 시효취득을 원인으로 부동산에 대한 소유권을 취득함에 따라 당초 부동산의 소유자인 원고가 소유권을 상실하게 되면, 비록 피고 명의의 소유권이전등기가 원인무효라고 하더라도 원고에게 피고 명의의 소유권이전등기의 말소를 청구할 수 있는 권원이 없으므로, 원고는 피고에 대하여 소유권에 기한 등기말소청구를 할 수 없다.

③ 1필지의 토지의 특정된 일부에 대하여 소유권이전등기의 말소를 명하는 판결을 받은 등기권자는 그 판결에 따로 토지의 분할을 명하는 주문기재가 없더라도 그 판결에 기하여 등기의무자를 대위하여 그 특정된 일부에 대한 분필등기절차를 마친 후 소유권이전등기를 말소할 수 있으므로, 토지의 분할을 명함이 없이 1필지의 토지의 일부에 관하여 소유권이전등기의 말소를 명한 판결을 집행불능의 판결이라 할 수 없다.

④ 채무자와 수익자 사이의 소송절차에서 확정판결 등을 통해 마쳐진 소유권이전등기가 사해행위취소로 인한 원상회복으로써 말소된다고 하더라도, 그것이 확정판결 등의 효력에 반하거나 모순되는 것이라고는 할 수 없다.

⑤ 실체관계상 공유인 부동산에 관하여 단독소유로 소유권보존등기가 마쳐졌거나 단독소유인 부동산에 관하여 공유로 소유권보존등기가 마쳐진 경우에 소유권보존등기 중 진정한 권리자의 소유부분에 해당하는 일부 지분에 관한 등기명의인의 소유권보존등기는 무효이므로 이를 말소하고 그 부분에 관한 진정한 권리자의 소유권보존등기를 하여야 한다. 이 경우 진정한 권리자는 소유권보존등기의 일부말소를 소로써 구하고 법원은 그 지분에 한하여만 말소를 명할 수 있으나, 그 판결의 집행은 단독소유를 공유로 또는 공유를 단독소유로 하는 경정등기의 방식으로 이루어진다.

해설 ① 상속회복의 소는 재산상속권이 참칭재산상속인으로 인하여 침해된 때에 진정한 상속권자가 그 회복을 청구하는 소를 가리키는 것이나, 재산상속에 관하여 진정한 상속인임을 전제로 그 상속으로 인한 소유권 또는 지분권 등 재산권의 귀속을 주장하고, 참칭상속인 또는 자기들만이 재산상속을 하였다는 일부 공동상속인들을 상대로 상속재산인 부동산에 관한 등기의 말소 등을 청구하는 경우에도, 그 소유권 또는 지분권이 귀속되었다는 주장이 상속을 원인으로 하는 것인 이상 그 청구원인 여하에 불구하고 이는 민법 제999조 소정의 상속회복청구의 소라고 해석함이 상당하다. 따라서 제999조 2항의 제척기간을 준수하여야 한다(대판(전합) 1991.12.24, 90다5740).

② 대판 2019.7.10, 2015다249352 → 원고가 피고에 대하여 피고 명의로 마쳐진 소유권이전등기의 말소를 구하려면 먼저 원고에게 말소를 청구할 수 있는 권원이 있음을 적극적으로 주장·증명하여야 하고, 만일 원고에게 그러한 권원이 있음이 인정되지 않는다면 설령 피고 명의의 소유권이전등기가 말소되어야 할 무효의 등기라고 하더라도 원고의 청구를 인용할 수는 없다는 취지이다.

③ 대판 1987.10.13, 87다카1093; 대판 1994.9.27, 94다25032

④ 대판 2017.4.7, 2016다204783 → 채권자가 사해행위의 취소와 함께 수익자 또는 전득자로부터 책임재산의 회복을 명하는 사해행위취소의 판결을 받은 경우 수익자 또는 전득자가 채권자에 대하여 사해행위의 취소로 인한 원상회복 의무를 부담하게 될 뿐, 채권자와 채무자 사이에서 취소로 인한 법률관계가 형성되는 것은 아니기 때문이다.

⑤ 대판 2017.8.18, 2016다6309 → [참고] : 일부말소 의미의 경정등기는 등기설자 내에서만 허용될 뿐 소송절차에서는 일부말소를 구하는 외에 경정등기를 소로써 구하는 것은 허용될 수 없다.

04 물권적 청구권에 관한 다음 설명 중 가장 옳지 않은 것은?

▶ 2024 법무사

① 토지의 매수인이 아직 소유권이전등기를 경료받지 아니하였다 하여도 매매계약의 이행으로 그 토지를 인도받은 때에는 매매계약의 효력으로서 이를 점유·사용할 권리가 생기게 된 것으로 보아야 하고, 또 매수인으로부터 위 토지를 다시 매수한 자는 위와 같은 토지의 점유사용권을 취득한 것으로 봄이 상당하므로 매도인은 매수인으로부터 다시 위 토지를 매수한 자에 대하여 토지 소유권에 기한 물권적 청구권을 행사하거나 그 점유·사용을 법률상 원인이 없는 이익이라고 하여 부당이득반환청구를 할 수는 없다.

② 소유권을 양도함에 있어 소유권에 의하여 발생되는 물상청구권을 소유권과 분리, 소유권 없는 전소유자에게 유보하여 제3자에게 대하여 이를 행사케 한다는 것은 소유권의 절대적 권리인 점에 비추어 허용될 수 없는 것이라 할 것으로서, 이는 양도인인 전소유자가 그 목적물을 양수인에게 인도할 의무 있고 그 의무이행이 매매대금 잔액의 지급과 동시이행관계에 있다거나 그 소유권의 양도가 소송계속 중에 있었다 하여 다를 리 없고, 일단 소유권을 상실한 전소유자는 제3자인 불법점유자에 대하여 물권적 청구권에 의한 방해배제를 청구할 수 없다.

③ 부동산의 양도담보권설정자는 그 부동산의 등기명의가 양도담보권자 앞으로 되어있다 할지라도 그 부동산의 불법점유자인 제3자에 대하여는 그 실질적 소유자임을 주장하여 불법점유의 상태의 배제권을 행사할 수 있다.

④ 건물이 그 존립을 위한 토지사용권을 갖추지 못하여 토지의 소유자가 건물의 소유자에 대하여 당해 건물의 철거 및 그 대지의 인도를 청구할 수 있는 경우에 건물소유자가 아닌 사람이 건물을 점유하고 있다면 토지소유자는 자신의 소유권에 기한 방해배제로서 건물점유자에 대하여 건물로부터의 퇴거를 청구할 수 있다. 다만 그 건물점유자가 건물소유자로부터의 임차인으로서 그 건물임차권이 이른바 대항력을 가지고 있다면 위 퇴거청구에 대항할 수 있게 된다.

⑤ 말소등기에 갈음하여 허용되는 진정명의회복을 원인으로 한 소유권이전등기청구권과 무효등기의 말소청구권은 어느 것이나 진정한 소유자의 등기명의를 회복하기 위한 것으로서 실질적으로 그 목적이 동일하고, 두 청구권 모두 소유권에 기한 방해배제청구권으로서 그 법적 근거와 성질이 동일하다.

> **해설** ① 토지의 매수인이 아직 소유권이전등기를 경료받지 아니하였다 하여도 매매계약의 이행으로 그 토지를 인도받은 때에는 매매계약의 효력으로서 이를 점유·사용할 권리가 생기게 된 것으로 보아야 하므로 매도인이 등기부상 소유명의가 자기에게 있음을 기화로 목적물반환청구권을 행사한 경우 매수인은 제213조 단서의 「점유할 정당한 권원」이 있다는 것으로 그 반환을 거부할 수 있다. 또한 매수인으로부터 위 토지를 다시 매수한 자는 위와 같은 토지의 점유·사용권을 취득한 것으로 봄이 상당하므로 매도인은 매수인으로부터 다시 위 토지를 매수한 자에 대하여도 토지 소유권에 기한 물권적청구권을 행사할 수 없다(대판 1998.6.26. 97다42823 참조). 나아가 부동산의 매수인이 아직 소유권이전등기를 경료받지 않았다고 하더라도 매매계약의 이행으로 그 부동산을 인도받은 때에는 매매계약의 효력으로서 이를 점유·사용할 권리가 생기는 것이고, 매수

인이 그 부동산을 이미 사용하고 있는 상태에서 부동산의 매매계약을 체결한 경우에도 특별한 약정이 없는 한 매수인은 그 매매계약을 이행하는 과정에서 이를 점유·사용할 권리를 가지므로, 매도인은 그 점유·사용을 법률상 원인이 없는 이익이라고 하여 부당이득반환청구를 할 수는 없다(대판 1996.6.25, 95다12682·12699 참조).

② 소유권에 기한 물권적 청구권을 소유권과 분리하여 소유권 없는 전소유자에게 유보하여 행사시킬 수 없는 것이므로 소유권을 상실한 전소유자는 제3자인 불법점유자에 대하여 소유권에 기한 물권적 청구권에 의한 방해배제를 구할 수 없다(대판 1980.9.9, 80다7).

③ 부동산의 양도담보권설정자는 그 부동산의 등기명의가 양도담보권자 앞으로 되어있다 할지라도 그 부동산의 불법점유자인 제3자에 대하여는 그 실질적 소유자임을 주장하여 불법점유의 상태의 배제권을 행사할 수 있다(대판 1988.4.25, 87다카2696).

④ 건물이 그 존립을 위한 토지사용권을 갖추지 못하여 토지의 소유자가 건물의 소유자에 대하여 당해 건물의 철거 및 그 대지의 인도를 청구할 수 있는 경우에라도 건물소유자가 아닌 사람이 건물을 점유하고 있다면 토지소유자는 그 건물 점유를 제거하지 아니하는 한 위의 건물 철거 등을 실행할 수 없다. 따라서 그때 토지소유권은 위와 같은 점유에 의하여 그 원만한 실현을 방해당하고 있다고 할 것이므로, 토지소유자는 자신의 소유권에 기한 방해배제로서 건물점유자에 대하여 건물로부터의 퇴출을 청구할 수 있다. 그리고 이는 건물점유자가 건물소유자로부터의 임차인으로서 그 건물임차권이 이른바 대항력을 가진다고 해서 달라지지 아니한다. 건물임차권의 대항력은 기본적으로 건물에 관한 것이고 토지를 목적으로 하는 것이 아니므로 이로써 토지소유권을 제약할 수 없고, 토지에 있는 건물에 대하여 대항력 있는 임차권이 존재한다고 하여도 이를 토지소유자에 대하여 대항할 수 있는 토지사용권이라고 할 수는 없다. 바꾸어 말하면, 건물에 관한 임차권이 대항력을 갖춘 후에 그 대지의 소유권을 취득한 사람은 민법 제622조 제1항이나 주택임대차보호법 제3조 제1항 등에서 그 임차권의 대항을 받는 것으로 정하여진 '제3자'에 해당한다고 할 수 없다(대판 2010.8.19, 2010다43801).

⑤ 말소등기에 갈음하여 허용되는 진정등기명의회복을 원인으로 한 소유권이전등기청구권과 무효등기의 말소청구권은 어느 것이나 진정한 소유자의 등기명의를 회복하기 위한 것으로서 실질적으로 그 목적이 동일하고, 두 청구권 모두 소유권에 기한 방해배제청구권으로서 그 법적 근거와 성질이 동일하므로, 비록 전자는 이전등기, 후자는 말소등기의 형식을 취하고 있다고 하더라도 그 소송물은 실질상 동일한 것으로 보아야 하고, 따라서 소유권이전등기말소청구소송에서 패소확정판결을 받았다면 그 기판력은 그 후 제기된 진정등기명의회복을 원인으로 한 소유권이전등기청구소송에도 미친다(대판(전) 2001.9.20, 99다37894).

정답　04 ④

05 주위토지통행권에 관한 다음 설명 중 가장 옳지 않은 것은?

▸ 2022 법무사

① 주위토지통행권자가 민법 제219조 제1항 본문에 따라 통로를 개설하는 경우 통행지 소유자는 원칙적으로 통행권자의 통행을 수인할 소극적 의무를 부담할 뿐 통로개설 등 적극적인 작위의무를 부담하는 것은 아니고, 다만 통행지 소유자가 주위토지통행권에 기한 통행에 방해가 되는 담장 등 축조물을 설치한 경우에는 주위토지통행권의 본래적 기능발휘를 위하여 통행지 소유자가 그 철거의무를 부담한다.

② 포위된 토지가 사정변경에 의하여 공로에 접하게 되거나 포위된 토지의 소유자가 주위의 토지를 취득함으로써 주위토지통행권을 인정할 필요성이 없어지게 되었더라도, 통행지 소유자가 주위토지통행권자에게 그와 같은 사실을 통지하고 통지한 때로부터 상당한 기간이 경과한 뒤에야 주위토지통행권은 소멸한다.

③ 주위토지통행권은 그 소유 토지와 공로 사이에 그 토지의 용도에 필요한 통로가 없는 경우에 한하여 인정되는 것이므로, 이미 그 소유 토지의 용도에 필요한 통로가 있는 경우에는 그 통로를 사용하는 것보다 더 편리하다는 이유만으로 다른 장소로 통행할 권리를 인정할 수 없다.

④ 주위토지통행권이 인정된다고 하더라도 통로를 상시적으로 개방하여 제한 없이 이용할 수 있도록 하거나 통행지 소유자의 관리권이 배제되어야만 하는 것은 아니므로, 쌍방 토지의 용도 및 이용 상황, 통행로 이용의 목적 등에 비추어 토지의 용도에 적합한 범위에서 통행 시기나 횟수, 통행방법 등을 제한하여 인정할 수도 있다.

⑤ 통행지의 소유자 이외의 제3자가 일정한 지위나 이해관계에서 통행권을 부인하고 그 행사를 방해할 때에는 그 제3자를 상대로 통행권의 확인 및 방해금지 청구를 하는 것이 통행권자의 지위나 권리를 보전하는 데에 유효·적절한 수단이 될 수 있다.

> **해설** ① 주위토지통행권자가 민법 제219조 제1항 본문에 따라 통로를 개설하는 경우 통행지 소유자는 원칙적으로 통행권자의 통행을 수인할 소극적 의무를 부담할 뿐 통로개설 등 적극적인 작위의무를 부담하는 것은 아니고, 다만 통행지 소유자가 주위토지통행권에 기한 통행에 방해가 되는 담장 등 축조물을 설치한 경우에는 주위토지통행권의 본래적 기능발휘를 위하여 통행지 소유자가 그 철거의무를 부담한다. 그리고 주위토지통행권자는 주위토지통행권이 인정되는 때에도 그 통로개설이나 유지비용을 부담하여야 하고, 민법 제219조 제1항 후문 및 제2항에 따라 그 통로개설로 인한 손해가 가장 적은 장소와 방법을 선택하여야 하며, 통행지 소유자의 손해를 보상하여야 한다(대판 2006.10.26, 2005다30993).
>
> ② 주위토지통행권은 법정의 요건을 충족하면 당연히 성립하고 요건이 없어지게 되면 당연히 소멸한다. 따라서 포위된 토지가 사정변경에 의하여 공로에 접하게 되거나 포위된 토지의 소유자가 주위의 토지를 취득함으로써 주위토지통행권을 인정할 필요성이 없어지게 된 경우에는 통행권은 소멸한다(대판 2014.12.24, 2013다11669).
>
> ③ 대판 1982.6.22, 82다카102; 대판 1991.4.23, 90다15167
>
> ④ 대판 2017.1.12, 2016다39422
>
> ⑤ 통상 주위토지통행권에 관한 분쟁은 통행권자와 피통행지의 소유자 사이에 발생하나, 피통행지의 소유자 이외의 제3자가 일정한 지위나 이해관계에서 통행권을 부인하고 그 행사를 방해할 때

에는 그 제3자를 상대로 통행권의 확인 및 방해금지 청구를 하는 것이 통행권자의 지위나 권리를 보전하는 데에 유효·적절한 수단이 될 수 있다(대판 2005.7.14, 2003다18661).

06 지역권, 주위토지통행권에 관한 다음 설명 중 가장 옳지 않은 것은?

▶ 2024 법무사

① 요역지가 분필되어 그 부분의 소유권이 타인에게 이전되었다 하여도 요역지의 소유자가 아직 지역권설정등기를 이행받지 못하고 있는 이상, 타인소유로 된 대지부분까지를 요역지로 하여 지역권설정등기의 이행을 청구할 수 있다.

② 주위토지통행권은 통행을 위한 지역권과는 달리 그 통행로가 항상 특정한 장소로 고정되어 있는 것은 아니고, 주위토지통행권확인청구는 변론종결 시에 있어서의 민법 제219조에 정해진 요건에 해당하는 토지가 어느 토지인가를 확정하는 것이므로, 주위토지 소유자가 그 용법에 따라 기존 통행로로 이용되던 토지의 사용방법을 바꾸었을 때에는 대지 소유자는 그 주위토지 소유자를 위하여 보다 손해가 적은 다른 장소로 옮겨 통행할 수밖에 없는 경우도 있다.

③ 주위토지통행권의 범위는 현재의 토지의 용법에 따른 이용의 범위뿐만 아니라 장래의 이용상황까지 미리 대비하여 정하여야 한다.

④ 지역권은 계속되고 표현된 것에 한하여 민법 제245조의 규정을 준용하도록 되어 있으므로, 통행지역권은 요역지의 소유자가 승역지 위에 도로를 설치하여 승역지를 사용하는 객관적 상태가 민법 제245조에 규정된 기간 계속된 경우에 한하여 그 시효취득을 인정할 수 있다.

⑤ 지역권은 일정한 목적을 위하여 타인의 토지를 자기의 토지의 편익에 이용하는 용익물권으로서 요역지와 승역지 사이의 권리관계에 터 잡은 것이므로, 어느 토지에 대하여 통행지역권을 주장하려면 그 토지의 통행으로 편익을 얻는 요역지가 있음을 주장·증명하여야 한다.

해설 ① 요역지가 분필되어 그 부분의 소유권이 타인에게 이전되었다 하여도 요역지의 소유자가 아직 지역권설정등기를 이행받지 못하고 있는 이상, 타인소유로 된 대지부분까지를 요역지로 하여 지역권설정등기의 이행을 청구할 수 있다(대판 1971.4.6, 71다249).

② 주위토지통행권은 통행을 위한 지역권과는 달리 통행로가 항상 특정한 장소로 고정되어 있는 것은 아니고, 주위토지의 현황이나 사용방법이 달라졌을 때에는 주위토지 통행권자는 주위토지소유자를 위하여 보다 손해가 적은 다른 장소로 옮겨 통행할 수밖에 없는 경우도 있으므로, 일단 확정판결이나 화해조서 등에 의하여 특정의 구체적 구역이 위 요건에 맞는 통행로로 인정되었더라도 그 이후 그 전제가 되는 포위된 토지나 주위토지 등의 현황이나 구체적 이용상황에 변동이 생긴 경우에는 민법 제219조의 입법 취지나 신의성실의 원칙 등에 비추어 구체적 상황에 맞게 통행로를 변경할 수 있는 것이다(대판 2004.5.13, 2004다10268).

정답 **05** ② **06** ③

③ 주위토지통행권의 범위는 현재의 토지의 용법에 따른 이용의 범위에서 인정되는 것이지 더 나아가 장래의 이용상황까지 미리 대비하여 통행로를 정할 것은 아니다(대판 1996.11.29, 96다33433 등).

④ 지역권은 일정한 목적을 위하여 타인의 토지를 자기 토지의 편익에 이용하는 권리로서 계속되고 표현된 것에 한하여 취득시효에 관한 민법 제245조의 규정을 준용하도록 되어 있다(민법 제294조). 따라서 통행지역권은 요역지의 소유자가 승역지 위에 도로를 설치하여 요역지의 편익을 위하여 승역지를 늘 사용하는 객관적 상태가 민법 제245조에 규정된 기간 계속된 경우에 한하여 그 시효취득을 인정할 수 있다(대판 2015.3.20, 2012다17479 등).

⑤ 지역권은 일정한 목적을 위하여 타인의 토지를 자기의 토지의 편익에 이용하는 용익물권으로서 요역지와 승역지 사이의 권리관계에 터 잡은 것이므로, 어느 토지에 대하여 통행지역권을 주장하려면 그 토지의 통행으로 편익을 얻는 요역지가 있음을 주장 입증하여야 한다(대판 1992.12.8, 92다22725).

제2절 소유권의 취득

01 점유취득시효에 관한 다음 설명 중 가장 옳지 않은 것은? ▶ 2021 법무사

① 부동산에 대한 점유취득시효가 완성된 후 취득시효 완성을 원인으로 한 소유권이전등기를 하지 않고 있는 사이에 그 부동산에 관하여 제3자 명의의 소유권이전등기가 경료된 경우라 하더라도 당초의 점유자가 계속 점유하고 있고 소유자가 변동된 시점을 기산점으로 삼아도 다시 취득시효의 점유기간이 경과한 경우에는 점유자로서는 제3자 앞으로의 소유권 변동 시를 새로운 점유취득시효의 기산점으로 삼아 2차의 취득시효의 완성을 주장할 수 있다.

② 부동산에 관하여 적법·유효한 등기를 마치고 그 소유권을 취득한 사람이 자기 소유의 부동산을 점유하는 경우 특별한 사정이 없는 한 그 점유는 취득시효의 기초가 되는 점유라고 할 수 없다.

③ 토지소유자가 토지의 특정한 일부분을 타인에게 매도하면서 등기부상으로는 전체 토지의 일부 지분에 관한 소유권이전등기를 경료해 준 경우에 매도 대상에서 제외된 나머지 특정 부분을 계속 점유한다고 하더라도 이는 자기 소유의 토지를 점유하는 것이어서 취득시효의 기초가 되는 점유라고 할 수 없다.

④ 취득시효기간이 완성되었다고 하더라도 바로 소유권취득의 효력이 생기는 것이 아니라 이를 원인으로 하여 소유권취득을 위한 등기청구권이 발생하는 것에 불과하지만, 미등기 부동산이라는 특별한 사정이 있는 경우에는 등기 없이도 소유권을 취득한다.

⑤ 취득시효가 완성된 점유자는 소유권이전등기를 마치기 전이라도 점유권에 기하여 등기부상의 명의인을 상대로 점유방해의 배제를 청구할 수 있다.

해설 ① 부동산에 대한 점유취득시효가 완성된 후 취득시효 완성을 원인으로 한 소유권이전등기를 하지 않고 있는 사이에 그 부동산에 관하여 제3자 명의의 소유권이전등기가 경료된 경우라 하더라도 당초의 점유자가 계속 점유하고 있고 소유자가 변동된 시점을 기산점으로 삼아도 다시 취득시효의 점유기간이 경과한 경우에는 점유자로서는 제3자 앞으로의 소유권 변동시를 새로운 점유취득시효의 기산점으로 삼아 2차의 취득시효의 완성을 주장할 수 있다(대판(전) 2009.7.16, 2007다15172 · 15189).

② 부동산에 관하여 적법 · 유효한 등기를 마치고 그 소유권을 취득한 사람이 자기 소유의 부동산을 점유하는 경우에는 특별한 사정이 없는 한 사실상태를 권리관계로 높여 보호할 필요가 없고, 부동산의 소유명의자는 그 부동산에 대한 소유권을 적법하게 보유하는 것으로 추정되어 소유권에 대한 증명의 곤란을 구제할 필요 역시 없으므로, 그러한 점유는 취득시효의 기초가 되는 점유라고 할 수 없다. 다만 그 상태에서 다른 사람 명의로 소유권이전등기가 되는 등으로 소유권의 변동이 있는 때에 비로소 취득시효의 요건인 점유가 개시된다고 볼 수 있을 뿐이다(대판 2016.10.27, 2016다224596).

③ 토지소유자가 토지의 특정한 일부분을 타인에게 매도하면서 등기부상으로는 전체 토지의 일부 지분에 관한 소유권이전등기를 경료해 준 경우에 매도 대상에서 제외된 나머지 특정 부분을 계속 점유한다고 하더라도, 이는 자기 소유의 토지를 점유하는 것이어서 취득시효의 기초가 되는 점유라고 할 수 없다(대판 2001.4.13, 99다62036 · 62043).

④ 민법 제245조 제1항의 취득시효기간의 완성만으로는 소유권취득의 효력이 바로 생기는 것이 아니라, 다만 이를 원인으로 하여 소유권취득을 위한 등기청구권이 발생할 뿐이고, 미등기 부동산의 경우라고 하여 취득시효기간의 완성만으로 등기 없이도 점유자가 소유권을 취득한다고 볼 수 없다(대판 2006.9.28, 2006다22074 · 22081).

⑤ 취득시효가 완성된 점유자는 점유권에 기하여 등기부상의 명의인을 상대로 점유방해의 배제를 청구할 수 있다(대판 2005.3.25, 2004다23899 · 23905).

02 **부동산 점유취득시효에 관한 다음 설명 중 가장 옳지 않은 것은?** ▸ 2023 법무사

① 구분소유적 공유관계에 있는 토지 중 공유자 1인의 특정 구분소유 부분에 관한 점유취득시효가 완성된 경우라면, 다른 공유자의 특정 구분소유 부분이 타에 양도되고 그에 따라 토지 전체에 대한 공유지분에 관한 지분이전등기가 경료되었다 하더라도, 점유자는 취득시효의 기산점을 임의로 선택하여 주장할 수 있다.

② 시효완성 당시의 소유권보존등기 또는 이전등기가 무효라면 원칙적으로 그 등기명의인은 시효취득을 원인으로 한 소유권이전등기청구의 상대방이 될 수 없고, 이 경우 시효취득자는 소유자를 대위하여 위 무효등기의 말소를 구하고 다시 위 소유자를 상대로 취득시효완성을 이유로 한 소유권이전등기를 구하여야 한다.

③ 점유로 인한 소유권취득시효 완성 당시 미등기로 남아 있던 토지에 관하여 소유권을 가지고 있던 자가 취득시효 완성 후에 그 명의로 소유권보존등기를 마쳤다 하더라도 이는 소유권의 변경에 관한 등기가 아니므로 그러한 자를 그 취득시효 완성 후의 새로운 이해관계인으로 볼 수 없다.

정답 ▸ **01 ④ 02 ①**

④ 타인 소유의 토지에 분묘를 설치한 경우에 20년간 평온, 공연하게 분묘의 기지를 점유하면 지상권과 유사한 관습상의 물권인 분묘기지권을 시효로 취득한다는 점은 오랜 세월 동안 지속되어 온 관습 또는 관행으로서 법적 규범으로 승인되어 왔고, 이러한 법적 규범이 장사 등에 관한 법률(법률 제6158호) 시행일인 2001.1.13. 이전에 설치된 분묘에 관하여 현재까지 유지되고 있다고 보아야 한다.

⑤ 점유자가 소유자를 상대로 소유권이전등기 청구소송을 제기하면서 그 청구원인으로 '취득시효 완성'이 아닌 '매매'를 주장함에 대하여, 소유자가 이에 응소하여 원고 청구기각의 판결을 구하면서 원고의 주장 사실을 부인하는 경우에는, 시효중단사유의 하나인 재판상의 청구에 해당한다고 할 수 없다.

> **해설** ① 구분소유적 공유관계에 있는 토지 중 공유자 1인의 특정 구분소유 부분에 관한 점유취득시효가 완성된 경우 다른 공유자의 특정 구분소유 부분이 다른 사람에게 양도되고 그에 따라 토지 전체의 공유지분에 관한 지분이전등기가 경료되었다면 대외적인 관계에서는 점유취득시효가 완성된 특정 구분소유 부분 중 다른 공유자 명의의 지분에 관하여는 소유 명의자가 변동된 경우에 해당하므로, 점유자는 취득시효의 기산점을 임의로 선택하여 주장할 수 없다(대판 2006.10.12, 2006다44753).
> ② 대판 2007.7.26, 2006다64573
> ③ 대판 1995.2.10, 94다28468; 대판 2007.6.14, 2006다84423
> ④ 대판(전합) 2017.1.19, 2013다17292 → 장사 등에 관한 법률(이하 개정 전후를 불문하고 '장사법'이라 한다)의 시행으로 분묘기지권 또는 그 시효취득에 관한 관습법이 소멸되었다거나 그 내용이 변경되었다는 주장은 받아들이기 어렵다는 취지의 판결
> ⑤ 대판 1997.12.12, 97다30288 → 왜냐하면 원고 주장의 매매 사실을 부인하여 원고에게 그 매매로 인한 소유권이전등기청구권이 없음을 주장함에 불과한 것이고 소유자가 자신의 소유권을 적극적으로 주장한 것이라 볼 수 없기 때문이다.

03 부동산에 관한 취득시효에 관한 다음 설명 중 가장 옳지 않은 것은?

▶ 2024 법무사

① 취득시효완성 당시 그 부동산의 등기부상 소유명의자는 취득시효완성으로 인한 권리변동의 당사자이나 그 등기가 실체관계와 부합하지 않는 무효의 등기인 때에는 권리변동의 당사자가 될 수 없는 것이므로, 소유권이전등기가 그 경료 당시에는 실체관계와 부합하지 아니하여 무효의 등기였다가 취득시효완성 후에 적법한 권리자로부터 권리를 양수하여 실체관계에 부합하게 된 것이라면, 그 등기명의자는 취득시효완성 후에 소유권을 취득한 자에 해당하지는 않으므로 그에 대하여 취득시효완성을 주장할 수 있다.

② 진정한 권리자가 아니었던 채무자 또는 물상보증인이 채무담보의 목적으로 채권자에게 부동산에 관하여 저당권설정등기를 경료해 준 후 그 부동산을 시효취득하는 경우에는, 채무자 또는 물상보증인은 피담보채권의 변제의무 내지 책임이 있는 사람으로서 이미 저당권의 존재를 용인하고 점유하여 온 것이므로, 저당목적물의 시효취득으로 저당권자의 권리는 소멸하지 않는다.

③ 양도담보권설정자가 양도담보부동산을 20년간 소유의 의사로 평온, 공연하게 점유하였다고 하더라도, 점유취득시효를 원인으로 하여 담보 목적으로 경료된 소유권이전등기의 말소를 구할 수 없다.

④ 점유자의 취득시효 완성 후 소유자가 토지에 대한 권리를 주장하는 소를 제기하여 승소판결을 받은 사실이 있다고 하더라도 그 판결에 의하여 시효중단의 효력이 발생할 여지는 없고, 점유자가 그 소송에서 그 토지에 대한 시효취득을 주장하지 않았다고 하여 시효이익을 포기한 것이라고도 볼 수 없다.

⑤ 등기부취득시효의 요건으로서의 소유자로 등기한 자라 함은 적법·유효한 등기를 마친 자일 필요는 없고 무효의 등기를 마친 자라도 상관없으며, 등기부취득시효에서의 선의·무과실은 등기에 관한 것이 아니고 점유취득에 관한 것이다.

해설 ① 취득시효완성 당시 그 부동산의 등기부상 소유명의자는 취득시효완성으로 인한 권리변동의 당사자이나 그 등기가 실체관계와 부합하지 않는 무효의 등기인 때에는 권리변동의 당사자가 될 수 없는 것이므로, <u>소유권이전등기가 그 경료 당시에는 실체관계와 부합하지 아니하여 무효의 등기였다가 취득시효완성 후에 적법한 권리자로부터 권리를 양수하여 실체관계에 부합하게 된 것이라면, 그 등기명의자는 취득시효완성 후에 소유권을 취득한 자에 해당하므로 그에 대하여 취득시효완성을 주장할 수 없다</u>(대판 1992.3.10, 91다43329).

②,③ 진정한 권리자가 아니었던 채무자 또는 물상보증인이 채권담보의 목적으로 채권자에게 부동산에 관하여 저당권설정등기를 경료해 준 후 그 부동산을 시효취득하는 경우에는, 채무자 또는 물상보증인은 피담보채권의 변제의무 내지 책임이 있는 사람으로서 이미 저당권의 존재를 용인하고 점유하여 온 것이므로, 저당목적물의 시효취득으로 저당권자의 권리는 소멸하지 않는다. 이러한 법리는 부동산 양도담보의 경우에도 마찬가지이므로, 양도담보권설정자가 양도담보부동산을 20년간 소유의 의사로 평온, 공연하게 점유하였다고 하더라도, 양도담보권자를 상대로 피담보채권의 시효소멸을 주장하면서 담보 목적으로 경료된 소유권이전등기의 말소를 구하는 것은 별론으로 하고, 점유취득시효를 원인으로 하여 담보 목적으로 경료된 소유권이전등기의 말소를 구할 수 없고, 이와 같은 효과가 있는 양도담보권설정자 명의로의 소유권이전등기를 구할 수도 없다(대판 2015.2.26, 2014다21649).

④ 점유자의 취득시효 완성 후 소유자가 토지에 대한 권리(예컨대, 토지인도 및 건물철거청구)를 주장하는 소를 제기하여 승소판결을 받은 사실이 있다고 하더라도 그 판결에 의하여 시효중단의 효력이 발생할 여지는 없고, 점유자가 그 소송에서 그 토지에 대한 시효취득을 주장하지 않았다고 하여 시효이익을 포기한 것이라고도 볼 수 없으며, 그 토지에 대한 점유자의 점유가 평온, 공연한 점유가 아니게 되는 것도 아니다(대판 1996.10.29, 96다23573·23580).

⑤ 등기부취득시효의 요건으로서의 소유자로 등기한 자라 함은 적법 유효한 등기를 마친 자일 필요는 없고, <u>무효의 등기를 마친 자라도 상관없다</u>(대판 1994.2.8, 93다23367). 또한 등기부취득시효에 있어서 <u>선의·무과실은 등기에 관한 것이 아니고 점유취득에 관한 것으로서, 그 무과실에 관한 입증책임은 그 시효취득을 주장하는 사람에게 있다</u>(대판 1995.2.10, 94다22651).

정답 ▶ **03 ①**

04 물건에 관한 다음 설명 중 가장 옳지 않은 것은? (다툼이 있는 경우 판례에 따르고 전원합의체 판결의 경우 다수의견에 의함. 이하 같음) ▶ 2022 법무사

① 종물이 타인의 소유라고 하더라도 그 타인의 권리를 해하지 아니하는 범위에서 민법 제100조가 적용된다고 할 것이고, 따라서 주물이 처분된 경우에 종물의 소유자가 동의 또는 추인하거나, 종물이 동산인 경우에 상대방이 선의취득의 요건을 갖추면 종물의 소유권을 취득하게 되는 것이며, 또한 동산의 선의취득을 주장하는 자는 점유취득 시에 무과실이었다는 점을 주장·입증하여야 한다.

② 토지의 개수는 지적법에 의한 지적공부상의 토지의 필수를 표준으로 하여 결정되는 것으로 1필지의 토지를 수필의 토지로 분할하여 등기하려면 먼저 위와 같이 지적법이 정하는 바에 따라 분할의 절차를 밟아 지적공부에 각 필지마다 등록이 되어야 하고 지적법상의 분할절차를 거치지 아니하는 한 1개의 토지로서 등기의 목적이 될 수 없는 것이며, 설사 등기기록에만 분필의 등기가 실행되었다 하여도 이러한 분필등기는 1부동산 1등기기록의 원칙에 반하는 등기로서 무효라 할 것이다.

③ 민법 제201조 제1항에 의하면 선의의 점유자는 점유물의 과실을 취득한다고 규정하고 있고, 한편 건물을 사용함으로써 얻는 이득은 그 건물의 과실에 준하는 것이므로, 선의의 점유자는 비록 법률상 원인 없이 타인의 건물을 점유·사용하고 이로 말미암아 그에게 손해를 입혔다고 하더라도 그 점유·사용으로 인한 이득을 반환할 의무는 없다.

④ 구분건물의 전유부분에 대한 소유권보존등기만 경료되고 대지지분에 대한 등기가 경료되기 전에 전유부분만에 대해 내려진 가압류결정의 효력은, 대지사용권의 분리처분이 가능하도록 규약으로 정하였다는 등의 특별한 사정이 없는 한, 종물 내지 종된 권리인 그 대지권에까지 미친다.

⑤ 매매당사자가 토지의 실제 경계가 지적공부상의 경계와 상이한 것을 모르는 상태에서 실제의 경계를 대지의 경계로 알고 매매하였다면 매매당사자들이 지적공부상의 경계를 떠나 현실의 경계에 따라 매매목적물을 특정하여 매매한 것이라고 볼 수 있다.

> **해설** ① 민법 제100조는 종물에 관하여 '자기 소유인 다른 물건'이라고 규정하고 있어 종물이 주물 소유자의 소유물인 것을 전제로 하고 있지만, 종물이 타인의 소유라고 하더라도 그 타인의 권리를 해하지 아니하는 범위에서 민법 제100조가 적용된다고 할 것이고, 따라서 주물이 처분된 경우에 종물의 소유자가 동의 또는 추인하거나, 종물이 동산인 경우에 상대방이 선의취득의 요건을 갖추면 종물의 소유권을 취득하게 되는 것이며, 또한 동산의 선의취득을 주장하는 자는 점유취득 시에 무과실이었다는 점을 주장·입증하여야 한다(대판 2002.2.5, 2000다38527).
>
> ② 대판 1990.12.7, 90다카25208
>
> ③ 대판 1996.1.26, 95다44290
>
> ④ 대판 2006.10.26, 2006다29020
>
> ⑤ 매매당사자가 토지의 실제 경계가 지적공부상의 경계와 상이한 것을 모르는 상태에서 실제의 경계를 대지의 경계로 알고 매매하였다고 하여 매매당사자들이 지적공부상의 경계를 떠나 현실의 경계에 따라 매매목적물을 특정하여 매매한 것이라고 볼 수 없다(대판 1993.5.11, 92다48918·48925).

05 부합에 관한 다음 설명 중 가장 옳지 않은 것은? ▸2023 법무사

① 양도담보권의 목적인 주된 동산에 다른 동산이 부합되어 부합된 동산에 관한 권리자가 권리를 상실하는 손해를 입은 경우 주된 동산이 담보물로서 가치가 증가된 데 따른 실질적 이익은 주된 동산에 관한 양도담보권설정자뿐만 아니라 양도담보권자에게도 귀속되는 것이므로, 이 경우 부합으로 인하여 권리를 상실하는 자는 양도담보권자를 상대로 민법 제261조에 따라 보상을 청구할 수 있다.

② 건물의 증축 부분이 기존건물에 부합하여 기존건물과 분리하여서는 별개의 독립물로서의 효용을 갖지 못하는 이상 기존건물에 대한 근저당권은 민법 제358조에 의하여 부합된 증축 부분에도 효력이 미치는 것이므로 기존건물에 대한 경매절차에서 경매목적물로 평가되지 아니하였다고 할지라도 경락인은 부합된 증축 부분의 소유권을 취득한다.

③ 부동산에 부합된 물건이 사실상 분리복구가 불가능하여 거래상 독립된 권리의 객체성을 상실하고 그 부동산과 일체를 이루는 부동산의 구성부분이 된 경우에는 타인의 권원에 의하여 이를 부합시킨 경우에도 그 물건의 소유권은 부동산의 소유자에게 귀속된다.

④ 매도인에게 소유권이 유보된 자재가 제3자와 매수인 사이에 이루어진 도급계약의 이행으로 제3자 소유 건물의 건축에 사용되어 부합된 경우 보상청구를 거부할 법률상 원인이 있다고 할 수 없지만, 제3자가 도급계약에 의하여 제공된 자재의 소유권이 유보된 사실에 관하여 과실 없이 알지 못한 경우라면 선의취득의 경우와 마찬가지로 제3자가 그 자재의 귀속으로 인한 이익을 보유할 수 있는 법률상 원인이 있다고 봄이 상당하므로, 매도인으로서는 그에 관한 보상청구를 할 수 없다.

⑤ 토지 위에 식재된 입목은 토지의 구성부분으로 토지의 일부일 뿐 독립한 물건으로 볼 수 없으므로 특별한 사정이 없는 한 토지에 부합하고, 토지의 소유자는 식재된 입목의 소유권을 취득한다.

해설 ① 양도담보권의 성격에 비추어 보면, 양도담보권의 목적인 주된 동산에 다른 동산이 부합되어 부합된 동산에 관한 권리자가 권리를 상실하는 손해를 입은 경우 주된 동산이 담보물로서 가치가 증가된 데 따른 실질적 이익은 주된 동산에 관한 양도담보권설정자에게 귀속되는 것이므로, 이 경우 부합으로 인하여 권리를 상실하는 자는 양도담보권설정자를 상대로 민법 제261조에 따라 보상을 청구할 수 있을 뿐 양도담보권자를 상대로 보상을 청구할 수는 없다(대판 2016.4.28, 2012다19659).

② 대판 2002.10.25, 2000다63110

③ 대판 1985.12.24, 84다카2428

④ 대판 2009.9.24, 2009다15602

⑤ 대판 2021.8.19, 2020다266375

정답 04 ⑤ 05 ①

06 부동산 점유취득시효에 관한 다음 설명 중 가장 옳은 것은? ▸ 2025 법무사

① 민법 제247조 제2항은 "소멸시효의 중단에 관한 규정은 점유로 인한 부동산소유권의 시효취득기간에 준용한다."고 규정하고, 민법 제168조 제2호는 소멸시효 중단사유로 '압류 또는 가압류, 가처분'을 규정하고 있으므로, 취득시효기간의 완성 전에 부동산에 압류 또는 가압류 조치가 이루어지면 취득시효의 진행이 중단된다.

② 토지 매수인이 매매계약에 의하여 목적 토지의 점유를 취득한 경우 설사 그것이 타인의 토지의 매매에 해당하여 그에 의하여 곧바로 소유권을 취득할 수 없다고 하더라도, 그 사실만으로 바로 그 매수인의 점유가 소유의 의사가 있는 점유라는 추정이 깨어진다고 할 수 없다.

③ 부동산점유취득시효는 원시취득에 해당하므로, 양도담보권설정자가 양도담보부동산을 20년간 소유의 의사로 평온, 공연하게 점유한 경우, 양도담보권자를 상대로 점유취득시효를 원인으로 하여 담보 목적으로 경료된 소유권이전등기의 말소를 구하거나 또는 이와 같은 효과가 있는 양도담보권설정자 명의로의 소유권이전등기를 구할 수도 있다.

④ 부동산 점유권원의 성질이 분명하지 않을 때에는 민법 제197조 제1항에 따라 점유자는 소유의 의사로 선의, 평온 및 공연하게 점유한 것으로 추정되는데, 이러한 추정은 지적공부 등의 관리주체인 국가나 지방자치단체가 점유하는 경우에는 적용되지 아니한다.

⑤ 취득시효의 대상이 미등기 부동산인 경우, 취득시효 기간이 완성되면 점유자는 등기 없이도 그 부동산의 소유권을 취득한다.

해설 ① 민법 제247조 제2항은 '소멸시효의 중단에 관한 규정은 점유로 인한 부동산소유권의 시효취득기간에 준용한다.'고 규정하고, 민법 제168조 제2호는 소멸시효 중단사유로 '압류 또는 가압류, 가처분'을 규정하고 있다. 점유로 인한 부동산소유권의 시효취득에 있어 <u>취득시효의 중단사유는 종래의 점유상태의 계속을 파괴하는 것으로 인정될 수 있는 사유이어야 하는데</u>, 민법 제168조 제2호에서 정하는 '압류 또는 가압류'는 금전채권의 강제집행을 위한 수단이거나 그 보전수단에 불과하여 취득시효기간의 완성 전에 부동산에 압류 또는 가압류 조치가 이루어졌다고 하더라도 이로써 종래의 점유상태의 계속이 파괴되었다고는 할 수 없으므로 이는 취득시효의 중단사유가 될 수 없다(대판 2019.4.3, 2018다296878).

② 현행 우리 민법은 법률행위로 인한 부동산 물권의 득실변경에 관하여 등기라는 공시방법을 갖추어야만 비로소 그 효력이 생긴다는 형식주의를 채택하고 있음에도 불구하고 등기에 공신력이 인정되지 아니하고, 또 현행 민법의 시행 이후에도 법생활의 실태에 있어서는 상당기간 동안 의사주의를 채택한 구 민법에 따른 부동산 거래의 관행이 잔존하고 있었던 점 등에 비추어 보면, <u>토지의 매수인이 매매계약에 의하여 목적 토지의 점유를 취득한 경우 설사 그것이 타인의 토지의 매매에 해당하여 그에 의하여 곧바로 소유권을 취득할 수 없다고 하더라도 그것만으로 매수인이 점유권원의 성질상 소유의 의사가 없는 것으로 보이는 권원에 바탕을 두고 점유를 취득한 사실이 증명되었다고 단정할 수 없을 뿐만 아니라, 매도인에게 처분권한이 없다는 것을 잘 알면서 이를 매수하였다는 등의 다른 특별한 사정이 입증되지 않는 한, 그 사실만으로 바로 그 매수인의 점유가 소유의 의사가 있는 점유라는 추정이 깨어지는 것이라고 할 수 없고, 민법 제197조 제1항이 규정하고 있는 점유자에게 추정되는 소유의 의사는 사실상 소유할 의사가 있는 것으로 충분한 것이지 반드시 등기를 수반하여야 하는 것은 아니므로 등기를 수반하지 아니한 점유임이 밝혀졌다고 하여 이 사실만 가지고 바로 점유권원의 성질상 소유의 의사가 결여된 타주점유라고 할 수 없다</u>(대판(전합) 2000.3.16, 97다37661).

③ 부동산점유취득시효는 원시취득에 해당하므로 특별한 사정이 없는 한 원소유자의 소유권에 가하여진 각종 제한에 의하여 영향을 받지 아니하는 완전한 내용의 소유권을 취득하는 것이지만, 진정한 권리자가 아니었던 채무자 또는 물상보증인이 채권담보의 목적으로 채권자에게 부동산에 관하여 저당권설정등기를 경료해 준 후 그 부동산을 시효취득하는 경우에는, 채무자 또는 물상보증인은 피담보채권의 변제의무 내지 책임이 있는 사람으로서 이미 저당권의 존재를 용인하고 점유하여 온 것이므로, 저당목적물의 시효취득으로 저당권자의 권리는 소멸하지 않는다. 이러한 법리는 부동산 양도담보의 경우에도 마찬가지이므로, 양도담보권설정자가 양도담보부동산을 20년간 소유의 의사로 평온, 공연하게 점유하였다고 하더라도, 양도담보권자를 상대로 피담보채권의 시효소멸을 주장하면서 담보 목적으로 경료된 소유권이전등기의 말소를 구하는 것은 별론으로 하고, 점유취득시효를 원인으로 하여 담보 목적으로 경료된 소유권이전등기의 말소를 구할 수 없고, 이와 같은 효과가 있는 양도담보권설정자 명의로의 소유권이전등기를 구할 수도 없다(대판 2015.2.26, 2014다21649).

④ 부동산의 점유권원의 성질이 분명하지 않을 때에는 민법 제197조 제1항에 의하여 점유자는 소유의 의사로 선의, 평온 및 공연하게 점유한 것으로 추정되는 것이며, 이러한 추정은 지적공부 등의 관리주체인 국가나 지방자치단체가 점유하는 경우에도 마찬가지로 적용된다(대판 2009.11.26, 2009다50421).

⑤ 민법 제245조 제1항의 취득시효기간의 완성만으로는 소유권취득의 효력이 바로 생기는 것이 아니라, 다만 이를 원인으로 하여 소유권취득을 위한 등기청구권이 발생할 뿐이고, 미등기 부동산의 경우라고 하여 취득시효기간의 완성만으로 등기 없이도 점유자가 소유권을 취득한다고 볼 수 없다(대판 2006.9.28, 2006다22074).

07 양도담보에 관한 다음 설명 중 옳지 않은 것을 모두 고른 것은? ▸ 2025 법무사

> ㄱ. 양도담보설정자에게 목적물에 대한 소유권이나 처분권 등 양도담보를 설정할 권한이 없어도 양도담보를 설정할 수 있다.
> ㄴ. 동산 양도담보권자는 양도담보 목적물이 소실되어 양도담보설정자가 보험회사에 대하여 화재보험계약에 따른 보험금청구권을 취득한 경우에도 담보물 가치의 변형물인 위 화재보험금청구권에 대하여 양도담보권에 기한 물상대위권을 행사할 수 있다.
> ㄷ. 동산 양도담보설정자는 여전히 그 물건에 대한 사용·수익권을 가지고, 변제기에 이르러서는 채무 전액을 변제하고 소유권을 되돌려 받을 수 있다.
> ㄹ. 동산 양도담보권자는 양도담보권설정자를 제외한 제3자에 대한 관계에 있어서 자신이 그 동산의 소유자임을 주장하여 권리를 행사할 수는 없다.

① ㄱ, ㄴ   ② ㄱ, ㄷ   ③ ㄱ, ㄹ
④ ㄴ, ㄷ   ⑤ ㄷ, ㄹ

해설 ㄱ. (×) 양도담보를 설정하려면 양도담보설정자에게 목적물에 대한 소유권이나 처분권 등 양도담보를 설정할 권한이 있어야 한다. 양도담보설정자에게 이러한 권한이 없는데도 양도담보설정계약을 체결한 경우에는 특별한 사정이 없는 한 양도담보가 유효하게 성립할 수 없다(대판 2022.1.27, 2019다295568).

ㄴ. (○) 양도담보권자는 양도담보 목적물이 소실되어 양도담보 설정자가 보험회사에 대하여 화재보험계약에 따른 보험금청구권을 취득한 경우에도 담보물 가치의 변형물인 위 화재보험금청구권에 대하여 양도담보권에 기한 물상대위권을 행사할 수 있다(대판 2009.11.26, 2006다37106).

ㄷ. (○) 동산 양도담보 설정자는 담보목적물인 동산의 소유권을 채권자에게 이전해 주지만 이는 채권자의 우선변제권을 확보해 주기 위한 목적에 따른 것으로, 양도담보 설정자는 여전히 그 물건에 대한 사용, 수익권을 가지고 변제기에 이르러서는 채무 전액을 변제하고 소유권을 되돌려 받을 수 있다(대판 2009.11.26, 2006다37106).

ㄹ. (×) 동산에 대하여 양도담보권설정계약이 이루어진 경우에 양도담보권자는 양도담보권설정자를 제외한 제3자에 대한 관계에 있어서는 자신이 그 동산의 소유자임을 주장하여 권리를 행사할 수 있다(대판 1999.9.7, 98다47283).

08 미등기 건물에 관한 다음 설명 중 가장 옳지 않은 것은?　▶ 2025 법무사

① 미등기 무허가건물에 관한 매매계약이 해제되기 전에 매수인으로부터 해당 무허가건물을 다시 매수하고 무허가건물관리대장에 소유자로 등재되었다고 하더라도 건물에 관하여 완전한 권리를 취득한 것으로 볼 수 없으므로 민법 제548조 제1항 단서에서 규정하는 제3자에 해당한다고 할 수 없다.

② 건물 소유를 목적으로 하는 토지 임대차에서 종전 임차인으로부터 미등기 무허가건물을 매수하여 점유하고 있는 임차인은 특별한 사정이 없는 한 비록 소유자로서의 등기명의가 없어 소유권을 취득하지 못하였다 하더라도 임대인에 대하여 지상물매수청구권을 행사할 수 있는 지위에 있다.

③ 소액임차인의 우선변제권에 관한 주택임대차보호법 제8조 제1항은 그 후문에서 ‘임차인은 주택에 대한 경매신청의 등기 전에’ 대항요건을 갖추어야 한다고 규정하고 있으므로, 위 규정에 의해 건물이나 토지의 매각대금에서 우선변제를 받기 위해서는 그 임대차의 목적물인 주택에 관하여 임대차 후에라도 소유권등기가 거쳐져 경매신청의 등기가 되는 경우이어야 한다.

④ 미등기 무허가건물의 양수인이라 할지라도 그 소유권이전 등기를 경료받지 않는 한 건물에 대한 소유권을 취득할 수 없고, 그러한 건물의 취득자에게 소유권에 준하는 관습상의 물권이 있다고 볼 수 없다.

⑤ 건축허가나 신고 없이 건축된 미등기 건물에 대하여는 경매에 의한 공유물분할이 허용되지 않는다.

> **해설** ① 민법 제548조 제1항 단서에서 규정하는 제3자라 함은 해제된 계약으로부터 생긴 법률적 효과를 기초로 하여 새로운 이해관계를 가졌을 뿐 아니라 등기·인도 등으로 완전한 권리를 취득한 사람을 지칭하는 것이다. 그런데 미등기 무허가건물의 매수인은 소유권이전등기를 마치지 않는 한 건물의 소유권을 취득할 수 없고, 소유권에 준하는 관습상의 물권이 있다고도 할 수 없으며, 현행법

상 사실상의 소유권이라고 하는 포괄적인 권리 또는 법률상의 지위를 인정하기도 어렵다. 또한, 무허가건물관리대장은 무허가건물에 관한 관리의 편의를 위하여 작성된 것일 뿐 그에 관한 권리관계를 공시할 목적으로 작성된 것이 아니므로 무허가건물관리대장에 소유자로 등재되었다는 사실만으로는 무허가건물에 관한 소유권 기타의 권리를 취득하는 효력이 없다. 따라서 미등기 무허가건물에 관한 매매계약이 해제되기 전에 매수인으로부터 해당 무허가건물을 다시 매수하고 무허가건물관리대장에 소유자로 등재되었다고 하더라도 건물에 관하여 완전한 권리를 취득한 것으로 볼 수 없으므로 민법 제548조 제1항 단서에서 규정하는 제3자에 해당한다고 할 수 없다(대판 2014.2.13, 2011다64782).

② 민법 제643조가 정하는 건물 소유를 목적으로 하는 토지 임대차에서 임차인이 가지는 지상물매수청구권은 건물의 소유를 목적으로 하는 토지 임대차계약이 종료되었음에도 그 지상 건물이 현존하는 경우에 임대차계약을 성실하게 지켜온 임차인이 임대인에게 상당한 가액으로 그 지상 건물의 매수를 청구할 수 있는 권리로서 국민경제적 관점에서 지상 건물의 잔존 가치를 보존하고, 토지 소유자의 배타적 소유권 행사로 인하여 희생당하기 쉬운 임차인을 보호하기 위한 제도이므로, 특별한 사정이 없는 한 행정관청의 허가를 받은 적법한 건물이 아니더라도 임차인의 지상물매수청구권의 대상이 될 수 있다. 그리고 건물을 매수하여 점유하고 있는 사람은 소유자로서의 등기명의가 없다 하더라도 그 권리의 범위 내에서는 그 점유 중인 건물에 대하여 법률상 또는 사실상의 처분권을 가지고 있다. 위와 같은 지상물매수청구청구권 제도의 목적, 미등기 매수인의 법적 지위 등에 비추어 볼 때, 종전 임차인으로부터 미등기 무허가건물을 매수하여 점유하고 있는 임차인은 특별한 사정이 없는 한 비록 소유자로서의 등기명의가 없어 소유권을 취득하지 못하였다 하더라도 임대인에 대하여 지상물매수청구권을 행사할 수 있는 지위에 있다(대판 2013.11.28, 2013다48364).

③ 대항요건 및 확정일자를 갖춘 임차인과 소액임차인에게 우선변제권을 인정한 주택임대차보호법 제3조의2 및 제8조가 미등기 주택을 달리 취급하는 특별한 규정을 두고 있지 아니하므로, 대항요건 및 확정일자를 갖춘 임차인과 소액임차인의 임차주택 대지에 대한 우선변제권에 관한 법리는 임차주택이 미등기인 경우에도 그대로 적용된다. 이와 달리 임차주택의 등기 여부에 따라 그 우선변제권의 인정 여부를 달리 해석하는 것은 합리적 이유나 근거 없이 그 적용대상을 축소하거나 제한하는 것이 되어 부당하고, 민법과 달리 임차권의 등기 없이도 대항력과 우선변제권을 인정하는 같은 법의 취지에 비추어 타당하지 아니하다. 다만, 소액임차인의 우선변제권에 관한 같은 법 제8조 제1항이 그 후문에서 '이 경우 임차인은 주택에 대한 경매신청의 등기 전에' 대항요건을 갖추어야 한다고 규정하고 있으나, 이는 소액보증금을 배당받을 목적으로 배당절차에 임박하여 가장 임차인을 급조하는 등의 폐단을 방지하기 위하여 소액임차인의 대항요건의 구비시기를 제한하는 취지이지, 반드시 임차주택과 대지를 함께 경매하여 임차주택 자체에 경매신청의 등기가 되어야 한다거나 임차주택에 경매신청의 등기가 가능한 경우로 제한하는 취지는 아니라 할 것이다. 대지에 대한 경매신청의 등기 전에 위 대항요건을 갖추도록 하면 입법 취지를 충분히 달성할 수 있으므로, 위 규정이 미등기 주택의 경우에 소액임차인의 대지에 관한 우선변제권을 배제하는 규정에 해당한다고 볼 수 없다(대판(전합) 2007.6.21, 2004다26133).

④ 미등기 무허가건물의 양수인이라 할지라도 그 소유권이전등기를 경료받지 않는 한 건물에 대한 소유권을 취득할 수 없고, 그러한 건물의 취득자에게 소유권에 준하는 관습상의 물권이 있다고 볼 수 없다(대판 1996.6.14, 94다53006).

⑤ 민사집행법 제81조 제1항 제2호 단서는 등기되지 아니한 건물에 대한 강제경매신청서에는 그 건물에 관한 건축허가 또는 건축신고를 증명할 서류를 첨부하여야 한다고 규정함으로써 적법하게 건축허가나 건축신고를 마친 건물이 사용승인을 받지 못한 경우에 한하여 부동산 집행을 위한

 **08 ③**

보존등기를 할 수 있게 하였고, 같은 법 제274조 제1항은 공유물분할을 위한 경매와 같은 형식적 경매는 담보권 실행을 위한 경매의 예에 따라 실시한다고 규정하며, 같은 법 제268조는 부동산을 목적으로 하는 담보권 실행을 위한 경매절차에는 같은 법 제79조 내지 제162조의 규정을 준용한다고 규정하고 있으므로, 건축허가나 신고 없이 건축된 미등기 건물에 대하여는 경매에 의한 공유물분할이 허용되지 않는다(대판 2013.9.13, 2011다69190).

제3절 공동소유

01 ×토지에 대하여 甲은 4/6 지분을, 乙, 丙은 1/6 지분씩을 각 공유하고 있는데, 乙이 다른 공유자들과 협의 없이 ×토지의 일부에 소나무를 식재하고 이를 독점적으로 점유하고 있다. 이에 대한 다음 설명 중 옳은 것을 모두 고른 것은? ▶ 2021 법무사

> ㄱ. 丙은 공유물의 보존행위로서 乙을 상대로 乙이 점유하는 부분에 대한 인도를 청구할 수 있다.
> ㄴ. 丙은 자신의 공유지분권에 기하여 乙을 상대로 공유물에 대한 방해상태를 제거하거나 방해하는 행위의 금지를 청구할 수 있다.
> ㄷ. 만일 乙이 아닌 甲이 소나무를 식재하고 독점적으로 점유하는 경우라면 다른 공유자들은 보존행위로서 甲을 상대로 공유물의 인도를 청구할 수 있다.
> ㄹ. 만일 乙이 아닌 甲이 소나무를 식재하고 독점적으로 점유하는 경우라면 다른 공유자들은 甲에 대하여 방해상태를 제거하거나 방해하는 행위의 금지를 청구할 수 있다.

① ㄴ ② ㄱ, ㄴ ③ ㄴ, ㄹ
④ ㄱ, ㄴ, ㄹ ⑤ ㄱ, ㄴ, ㄷ, ㄹ

해설 ㄱ. 공유물의 소수지분권자인 피고가 다른 공유자와 협의하지 않고 공유물의 전부 또는 일부를 독점적으로 점유하는 경우 소수지분권자인 원고가 피고를 상대로 공유물의 인도를 청구할 수는 없다(대판(전) 2020.5.21, 2018다287522).

ㄴ. 공유자는 자신의 지분권 행사를 방해하는 행위에 대해서 민법 제214조에 따른 방해배제청구권을 행사할 수 있고, 공유물에 대한 지분권은 공유자 개개인에게 귀속되는 것이므로 공유자 각자가 행사할 수 있다(대판(전) 2020.5.21, 2018다287522).

ㄷ,ㄹ. 공유자 사이에 공유물을 사용·수익할 구체적인 방법을 정하는 것은 공유물의 관리에 관한 사항으로서 공유자의 지분의 과반수로써 결정하여야 할 것이고, 과반수 지분의 공유자는 다른 공유자와 사이에 미리 공유물의 관리방법에 관한 협의가 없었다 하더라도 공유물의 관리에 관한 사항을 단독으로 결정할 수 있으므로, 과반수 지분의 공유자가 그 공유물의 특정 부분을 배타적으로 사용·수익하기로 정하는 것은 공유물의 관리방법으로서 적법하다(대판 2002.5.14, 2002다9738). 따라서 판례에 따르면 소수 지분의 공유자는 과반수 지분의 공유자를 상대로 공유물의 인도나 방해배제를 구할 수 없다.

02 공유에 관한 다음 설명 중 가장 옳지 않은 것은? ▶ 2022 법무사

① 공유지분의 포기는 법률행위로서 상대방 있는 단독행위에 해당하므로, 부동산 공유자의 공유지분 포기의 의사표시가 다른 공유자에게 도달하더라도 이로써 곧바로 공유지분 포기에 따른 물권변동의 효력이 발생하는 것은 아니고, 다른 공유자는 자신에게 귀속될 공유지분에 관하여 소유권이전등기청구권을 취득하며, 이후 민법 제186조에 의하여 등기를 하여야 공유지분 포기에 따른 물권변동의 효력이 발생한다.

② 수인이 공동으로 소유하는 부동산에 관한 멸실회복등기는 공유자 중 1인이 공유자 전원의 이름으로 그 회복등기신청을 할 수 있다.

③ 공유자 사이에 이미 분할에 관한 협의가 성립되었더라도 일부 공유자가 분할에 따른 이전등기에 협조하지 않거나 분할에 관하여 다툼이 있다면 다시 소로써 그 분할을 청구하거나 이미 제기한 공유물분할의 소를 유지함이 허용된다.

④ 공유자는 다른 공유자가 분할로 인하여 취득한 물건에 대하여 그 지분의 비율로 매도인과 동일한 담보책임이 있다.

⑤ 공유자 중 1인이 다른 공유자의 동의 없이 그 공유 토지의 특정부분을 매도하여 타인 명의로 소유권이전등기가 마쳐졌다면, 그 매도 부분 토지에 관한 소유권이전등기는 처분공유자의 공유지분 범위 내에서는 실체관계에 부합하는 유효한 등기라고 보아야 한다.

해설 ① 민법 제267조는 "공유자가 그 지분을 포기하거나 상속인 없이 사망한 때에는 그 지분은 다른 공유자에게 각 지분의 비율로 귀속한다."라고 규정하고 있다. 여기서 공유지분의 포기는 법률행위로서 상대방 있는 단독행위에 해당하므로, 부동산 공유자의 공유지분 포기의 의사표시가 다른 공유자에게 도달하더라도 이로써 곧바로 공유지분 포기에 따른 물권변동의 효력이 발생하는 것은 아니고, 다른 공유자는 자신에게 귀속될 공유지분에 관하여 소유권이전등기청구권을 취득하며, 이후 민법 제186조에 의하여 등기를 하여야 공유지분 포기에 따른 물권변동의 효력이 발생한다. 그리고 부동산 공유자의 공유지분 포기에 따른 등기는 해당 지분에 관하여 다른 공유자 앞으로 소유권이전등기를 하는 형태가 되어야 한다(대판 2016.10.27, 2015다52978).

② 수인이 공동으로 소유하는 부동산에 관한 멸실회복등기는 공유자 중 1인이 공유자 전원의 이름으로 그 회복등기신청을 할 수 있고, 등기권리자가 사망한 경우에는 상속인의 명의가 아니라 피상속인의 이름으로 회복등기를 하여야 하는 것이므로, 회복등기신청 당시 등기명의인이 이미 사망하였다고 하더라도 그 멸실회복등기의 추정력이 깨어지지 아니한다(대판 2003.12.12, 2003다44615·44622).

③ 공유물분할은 협의분할을 원칙으로 하고 협의가 성립되지 아니한 때에는 재판상 분할을 청구할 수 있으므로 공유자 사이에 이미 분할에 관한 협의가 성립된 경우에는 일부 공유자가 분할에 따른 이전등기에 협조하지 않거나 분할에 관하여 다툼이 있더라도 그 분할된 부분에 대한 소유권이전등기를 청구하든가 소유권확인을 구함은 별문제이나 다시 소로써 그 분할을 청구하거나 이미 제기한 공유물분할의 소를 유지함은 허용되지 않는다(대판 1995.1.12, 94다30348·30355).

④ 제270조【분할로 인한 담보책임】공유자는 다른 공유자가 분할로 인하여 취득한 물건에 대하여 그 지분의 비율로 매도인과 동일한 담보책임이 있다.

⑤ 대판 2008.4.24, 2008다5073

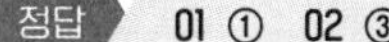

03 공유물의 소수지분권자인 피고가 다른 공유자와 협의하지 않고 공유물의 전부 또는 일부를 독점적으로 점유하는 경우, 다른 소수지분권자인 원고가 피고를 상대로 공유물의 인도를 청구하는 사안과 관련하여 다음 설명 중 옳은 것을 모두 고른 것은? ▸ 2024 법무사

> ㄱ. 공유물의 소수지분권자인 피고가 다른 공유자와 협의하지 않고 공유물의 전부 또는 일부를 독점적으로 점유하는 경우 다른 소수지분권자인 원고가 피고를 상대로 공유물의 보존행위로서 공유물의 인도를 청구할 수는 없다.
> ㄴ. 원고도 피고와 마찬가지로 소수지분권자에 지나지 않으므로 원고가 공유자인 피고를 전면적으로 배제하고 자신만이 단독으로 공유물을 점유하도록 인도해 달라고 청구할 권원은 없다.
> ㄷ. 피고가 다른 공유자를 배제하고 단독 소유자인 것처럼 공유물을 독점하는 것은 위법하므로, 피고의 점유는 지분비율과 무관하게 공유물 전체의 범위에서 위법하다.
> ㄹ. 원고는 위와 같이 공유물의 보존행위로서 그 인도를 청구할 수는 없을 뿐만 아니라 자신의 지분권에 기초하여 공유물에 대한 방해 상태를 제거하거나 공동 점유를 방해하는 행위의 금지 등을 청구할 수도 없다.

① ㄱ
② ㄱ, ㄴ
③ ㄱ, ㄴ, ㄷ
④ ㄱ, ㄴ, ㄹ
⑤ ㄴ, ㄷ, ㄹ

해설 ※ 옳은 지문은 ㄱ, ㄴ이다.

판례는 ① 종래 보존행위를 근거로 공유자 자신의 지분이 과반수에 미달되더라도 배타적으로 공유물을 점유하는 다른 과반수미달의 공유자에게 공유물의 인도를 청구할 수 있다고 하였으나(대판(전) 1994.3.22, 93다9392·9408: 다수의견), ② 최근 입장을 변경하여 보존행위를 근거로는 공유물의 인도를 청구할 수 없고, 공유자는 자신의 지분권 행사를 방해하는 행위에 대해서 민법 제214조에 따른 방해배제청구권을 행사할 수 있으며, 공유물에 대한 지분권은 공유자 각자가 행사할 수 있다고 하였다(대판(전) 2020.5.21, 2018다287522). 그 이유는 ⅰ) 공유자 중 1인인 피고가 공유물을 독점적으로 점유하고 있어 다른 공유자인 원고가 피고를 상대로 공유물의 인도를 청구하는 경우, 그러한 행위는 민법 제265조 단서에서 정한 보존행위라고 보기 어렵다. ⅱ) 피고가 다른 공유자를 배제하고 단독 소유자인 것처럼 공유물을 독점하는 것은 위법하지만, 피고는 적어도 자신의 지분 범위에서는 공유물 전부를 점유하여 사용·수익할 권한이 있으므로 피고의 점유는 지분비율을 초과하는 한도에서만 위법하다고 보아야 한다. 따라서 피고가 공유물을 독점적으로 점유하는 위법한 상태를 시정한다는 명목으로 원고의 인도청구를 허용한다면, 피고의 점유를 전면적으로 배제함으로써 피고가 적법하게 보유하는 '지분비율에 따른 사용·수익권'까지 근거 없이 박탈하는 부당한 결과를 가져온다. ⅲ) 원고 역시 피고와 마찬가지로 소수지분권자에 지나지 않으므로 원고가 공유자인 피고를 전면적으로 배제하고 자신만이 단독으로 공유물을 점유하도록 인도해 달라고 청구할 권원은 없다. ⅳ) 공유물에 대한 인도 판결과 그에 따른 집행의 결과는 원고가 공유물을 단독으로 점유하며 사용·수익할 수 있는 상태가 되어 '일부 소수지분권자가 다른 공유자를 배제하고 공유물을 독점적으로 점유'하는 인도 전의 위법한 상태와 다르지 않다. ⅴ) 원고는 공유물을 독점적으로 점유하면서 원고의 공유지분권을 침해하고 있는 피고를 상대로 지분권에 기한 방해배제청구권을 행사함으로써 피고가 자의적으로 공유물을 독점하고 있는 위법 상태를 충분히 시정할 수 있다.

04 다음 설명 중 가장 옳지 않은 것은?

① 동업을 목적으로 한 조합이 조합체로서 또는 조합재산으로서 부동산의 소유권을 취득하였다면 당연히 그 조합체의 합유물이 되고, 다만 그 조합체가 합유등기를 하지 아니하고 그 대신 조합원들 명의로 각 지분에 관하여 공유등기를 하였다면 이는 그 조합체가 조합원들에게 각 지분에 관하여 명의신탁한 것으로 보아야 한다.

② 부동산의 합유자 중 일부가 사망한 경우 합유자 사이에 특별한 약정이 없는 한 사망한 합유자의 상속인이 그 지분을 승계한다.

③ 은행에 공동명의로 예금을 하고 은행에 대하여 그 권리를 함께 행사하기로 한 경우에 만일 동업 자금을 공동명의로 예금한 경우라면 채권의 준합유관계에 있다고 볼 것이다.

④ 민법상 조합인 공동수급체가 경쟁입찰에 참가하였다가 다른 경쟁업체가 낙찰자로 선정된 경우, 그 공동수급체의 구성원 중 1인이 그 낙찰자 선정이 무효임을 주장하며 무효확인의 소를 제기하는 것은 합유재산의 보존행위에 해당한다.

⑤ 합유재산을 합유자 1인의 단독소유로 소유권보존등기를 한 경우에는 소유권보존등기가 실질관계에 부합하지 않는 원인무효의 등기이므로, 다른 합유자는 등기명의인인 합유자를 상대로 소유권보존등기 말소청구의 소를 제기하는 등의 방법으로 원인무효의 등기를 말소시킨 다음 새로이 합유의 소유권보존등기를 신청할 수 있다.

해설 ① 대판 2002.6.14, 2000다30622 → 이는 부동산 실권리자명의 등기에 관한 법률에 위반되는 명의신탁등기로 무효가 된다.

② 조합에 있어서 <u>조합원의 1인이 사망한 때에는</u> 민법 제717조에 의하여 <u>그 조합관계로부터 당연히 탈퇴하고</u> 특히 조합계약에서 <u>사망한 조합원의 지위를 그 상속인이 승계하기로 약정한 바 없다면</u> 사망한 조합원의 지위는 <u>상속인에게 승계되지 아니한다</u>(대판 1987.6.23, 86다카2951).

③ 대판 2004.10.14, 2002다55908

※ 〈**참조판례**〉 동업자들이 동업자금을 공동명의로 예금한 경우라면 채권의 준합유관계에 있어 합유의 성질상 은행에 대한 예금반환청구가 필요적 공동소송에 해당한다(대판 1994.4.26, 93다31825).

④ 대판 2013.11.28, 2011다80449

⑤ 대판 2017.8.18, 2016다6309

05 공동소유에 관한 다음 설명 중 가장 옳지 않은 것은? ▶ 2024 법무사

① 민법 제265조 단서가 공유물의 보존행위를 각 공유자가 단독으로 할 수 있도록 한 취지는 그 보존행위가 긴급을 요하는 경우가 많고 다른 공유자에게도 이익이 되는 것이 보통이기 때문이므로, 어느 공유자가 보존권을 행사하는 때에 그 행사의 결과가 다른 공유자의 이해와 충돌될 때에는 그 행사는 보존행위로 될 수 없다고 보아야 한다.

② 집합건물의 대지를 집합건물의 구분소유자인 공유자와 구분소유자가 아닌 공유자가 공유하고 있고, 당해 대지를 집합건물의 구분소유자인 공유자에게 취득시키고 구분소유자가 아닌 다른 공유자에게는 그 지분의 가격을 취득시키는 것이 공유자 간의 실질적인 공평을 해치지 않는다고 인정되는 특별한 사정이 있어 그와 같이 공유물을 분할하는 것이 허용되는 경우에는, 그러한 공유물에 대한 분할청구는 집합건물의 소유 및 관리에 관한 법률 제8조의 입법 취지에 비추어 허용된다고 보는 것이 타당하다.

③ 합유물 가운데서도 조합재산의 경우 그 처분·변경에 관한 행위는 조합의 특별사무에 해당하는 업무집행으로서, 이에 대하여는 특별한 사정이 없는 한 민법 제706조 제2항이 민법 제272조에 우선하여 적용되므로, 조합재산의 처분·변경은 업무집행자가 없는 경우에는 조합원의 과반수로 결정하고, 업무집행자가 수인 있는 경우에는 그 업무집행자의 과반수로써 결정하며, 업무집행자가 1인만 있는 경우에는 그 업무집행자가 단독으로 결정한다.

④ 여러 채권자가 같은 기회에 어느 부동산에 관하여 하나의 근저당권을 설정받아 이를 준공유하는 경우 피담보채권이 확정되기 전에는 근저당권에 대한 준공유비율을 정할 수 없으나 피담보채권액이 확정되면 각자 그 확정된 채권액의 비율에 따라 근저당권을 준공유하는 것이 되므로, 준공유자는 각기 그 채권액의 비율에 따라 변제받는 것이 원칙이고, 설령 준공유자 전원의 합의로 피담보채권의 확정 전에 위와 다른 비율을 정하거나 준공유자 중 일부가 먼저 변제받기로 약정하더라도 이는 외관을 신뢰한 제3자의 이익을 해할 수 있으므로, 준공유자들은 위와 같은 약정에 구속되지 않는다.

⑤ 총유물의 보존에 있어서는 공유물의 보존에 관한 민법 제265조의 규정이 적용될 수 없고, 민법 제276조 제1항의 규정에 따른 사원총회의 결의를 거치거나 정관이 정하는 바에 따른 절차를 거쳐야 하므로, 법인 아닌 사단인 교회가 그 총유재산에 대한 보존행위로서 소송을 하는 경우에도 교인 총회의 결의를 거치거나 그 정관이 정하는 바에 따른 절차를 거쳐야 한다.

해설 ① 공유물의 보존행위는 공유물의 멸실·훼손을 방지하고 그 현상을 유지하기 위하여 하는 사실적·법률적 행위이다. 민법 제265조 단서가 이러한 공유물의 보존행위를 각 공유자가 단독으로 할 수 있도록 한 취지는 그 보존행위가 긴급을 요하는 경우가 많고 다른 공유자에게도 이익이 되는 것이 보통이기 때문이므로, 어느 공유자가 보존권을 행사하는 때에 그 행사의 결과가 다른 공유자의 이해와 충돌될 때에는 그 행사는 보존행위로 될 수 없다고 보아야 한다(대판 2024.3.12, 2023다240879).
② 집합건물의 대지를 집합건물의 구분소유자인 공유자와 구분소유자가 아닌 공유자가 공유하고 있고, 당해 대지를 집합건물의 구분소유자인 공유자에게 취득시키고 구분소유자가 아닌 다른 공유자에게는 그 지분의 가격을 취득시키는 것이 공유자 간의 실질적인 공평을 해치지 않는다고 인정되는 특별한 사정이 있어 그와 같이 공유물을 분할하는 것이 허용되는 경우에는, 그러한 공유물에

대한 분할청구는 집합건물법 제8조의 입법 취지에 비추어 허용된다고 보는 것이 타당하다(대판 2023.9.14, 2022다271753).

③ 민법 제272조에 따르면 합유물을 처분 또는 변경함에는 합유자 전원의 동의가 있어야 하나, 합유물 가운데서도 조합재산의 경우 그 처분·변경에 관한 행위는 조합의 특별사무에 해당하는 업무집행으로서, 이에 대하여는 특별한 사정이 없는 한 민법 제706조 제2항이 민법 제272조에 우선하여 적용되므로, 조합재산의 처분·변경은 업무집행자가 없는 경우에는 조합원의 과반수로 결정하고, 업무집행자가 수인 있는 경우에는 그 업무집행자의 과반수로써 결정하며, 업무집행자가 1인만 있는 경우에는 그 업무집행자가 단독으로 결정한다(대판 2010.4.29, 2007다18911).

④ 여러 채권자가 같은 기회에 어느 부동산에 관하여 하나의 근저당권을 설정받아 이를 준공유하는 경우 그 근저당권은 준공유자들의 피담보채권액을 모두 합쳐서 채권최고액까지 담보하게 되고, 피담보채권이 확정되기 전에는 근저당권에 대한 준공유비율을 정할 수 없으나 피담보채권액이 확정되면 각자 그 확정된 채권액의 비율에 따라 근저당권을 준공유하는 것이 되므로, 준공유자는 각기 그 채권액의 비율에 따라 변제받는 것이 원칙이다. 그러나 준공유자 전원의 합의로 피담보채권의 확정 전에 위와 다른 비율을 정하거나 준공유자 중 일부가 먼저 변제받기로 약정하는 것을 금할 이유가 없으므로 그와 같은 약정이 있으면 그 약정에 따라야 하며, 이와 같은 별도의 약정을 등기하게 되면 제3자에 대하여도 효력이 있다(대판 2008.3.13, 2006다31887).

⑤ 총유물의 보존에 있어서는 공유물의 보존에 관한 민법 제265조의 규정이 적용될 수 없고, 민법 제276조 제1항의 규정에 따른 사원총회의 결의를 거치거나 정관이 정하는 바에 따른 절차를 거쳐야 하므로, 법인 아닌 사단인 교회가 총유재산에 대한 보존행위로서 소송을 하는 경우에도 교인 총회의 결의를 거치거나 정관이 정하는 바에 따른 절차를 거쳐야 한다(대판 2014.2.13, 2012다112299).

06 공유물에 관한 다음 설명 중 가장 옳지 않은 것은? ▸ 2025 법무사

① 부동산의 공유자의 1인은 당해 부동산에 관하여 제3자 명의로 원인무효의 소유권이전등기가 마쳐져 있는 경우 공유물에 관한 보존행위로서 제3자에 대하여 그 등기 전부의 말소를 구할 수 있다.

② 공유자가 다른 공유자의 지분권을 대외적으로 주장하는 것을 공유물의 멸실·훼손을 방지하고 공유물의 현상을 유지 하는 사실적·법률적 행위인 공유물의 보존행위에 속한다고 할 수는 없으므로, 자신의 소유지분 범위를 초과하는 부분에 관하여 마쳐진 등기에 대하여 공유물에 관한 보존 행위로서 무효라고 주장하면서 말소를 구할 수는 없다.

③ 공유물에 관한 원인무효의 등기에 대하여 모든 공유자가 항상 공유물의 보존행위로서 말소를 구할 수 있는 것은 아니고, 원인무효의 등기로 인하여 자신의 지분이 침해된 공유자에 한하여 공유물의 보존행위로서 그 등기의 말소를 구할 수 있을 뿐이다.

④ 과반수 지분의 공유자는 다른 공유자와 사이에 미리 공유물의 관리방법에 관한 협의가 없었다면, 공유물의 관리에 관한 사항을 단독으로 결정할 수는 없다.

⑤ 과반수 지분의 공유자가 그 공유물의 특정 부분을 배타적으로 사용·수익하기로 정하는 것은 공유물의 관리방법으로서 적법하다.

정답 ▶ **05 ④   06 ④**

해설 ① 부동산의 공유자의 1인은 당해 부동산에 관하여 제3자 명의로 원인무효의 소유권이전등기가 마쳐져 있는 경우 공유물에 관한 보존행위로서 제3자에 대하여 그 등기 전부의 말소를 구할 수 있다(대판 2023.12.7, 2023다273206).

② 공유자가 다른 공유자의 지분권을 대외적으로 주장하는 것을 공유물의 멸실·훼손을 방지하고 공유물의 현상을 유지하는 사실적·법률적 행위인 공유물의 보존행위에 속한다고 할 수는 없으므로, 자신의 소유지분 범위를 초과하는 부분에 관하여 마쳐진 등기에 대하여 공유물에 관한 보존행위로서 무효라고 주장하면서 말소를 구할 수는 없다(대판 2023.12.7, 2023다273206).

③ 공유물에 관한 원인무효의 등기에 대하여 모든 공유자가 항상 공유물의 보존행위로서 말소를 구할 수 있는 것은 아니고, **원인무효의 등기로 인하여 자신의 지분이 침해된 공유자에 한하여 공유물의 보존행위로서 그 등기의 말소를 구할 수 있을 뿐**이므로, 원인무효의 등기가 특정 공유자의 지분에만 한정하여 마쳐진 경우에는 그로 인하여 지분을 침해받게 된 특정 공유자를 제외한 나머지 공유자들은 공유물의 보존행위로서 위 등기의 말소를 구할 수는 없다(대판 2023.12.7, 2023다273206).

④ 공유자 사이에 공유물을 사용·수익할 구체적인 방법을 정하는 것은 공유물의 관리에 관한 사항으로서 공유자의 지분의 과반수로써 결정하여야 할 것이고, **과반수 지분의 공유자는 다른 공유자와 사이에 미리 공유물의 관리방법에 관한 협의가 없었다 하더라도 공유물의 관리에 관한 사항을 단독으로 결정할 수 있으므로,** 과반수 지분의 공유자가 그 공유물의 특정 부분을 배타적으로 사용·수익하기로 정하는 것은 공유물의 관리방법으로서 적법하다(대판 2019.5.30, 2016다245562).

⑤ 부동산에 관하여 과반수 공유지분을 가진 자는 공유자 사이에 공유물의 관리방법에 관하여 협의가 미리 없었다 하더라도 공유물의 관리에 관한 사항을 단독으로 결정할 수 있으므로 **공유토지에 관하여 과반수지분권을 가진 자가 그 공유토지의 특정된 한 부분을 배타적으로 사용수익할 것을 정하는 것은 공유물의 관리방법으로서 적법하다**(대판 1991.9.24, 88다카33855).

<table><tr><td>제4절</td><td>명의신탁</td></tr></table>

01 다음 설명 중 가장 옳지 않은 것은?

▸ 2021 법무사

① 부동산 실권리자명의 등기에 관한 법률(이하 '부동산실명법'이라 한다)은 부동산에 관한 소유권과 그 밖의 물권을 실체적 권리관계와 일치하도록 실권리자 명의로 등기하게 함으로써 부동산등기제도를 악용한 투기·탈세·탈법행위 등 반사회적 행위를 방지하고 부동산 거래의 정상화와 부동산 가격의 안정을 도모하여 국민경제의 건전한 발전에 이바지함을 목적으로 하고 있다(제1조). 부동산실명법에 의하면, 누구든지 부동산에 관한 물권을 명의신탁약정에 따라 명의수탁자의 명의로 등기하여서는 아니 되고(제3조 제1항), 명의신탁약정과 그에 따른 등기로 이루어진 부동산에 관한 물권변동은 무효가 되며(제4조 제1항, 제2항 본문), 명의신탁약정에 따른 명의수탁자 명의의 등기를 금지하도록 규정한 부동산실명법 제3조 제1항을 위반한 경우 명의신탁자와 명의수탁자 쌍방은 형사처벌된다(제7조).

② 부동산실명법에 의해 양자 간 등기명의신탁의 경우 목적 부동산에 관한 명의수탁자 명의의 소유권이전등기에도 불구하고 그 소유권은 처음부터 이전되지 아니하는 것이어서 원래 그 부동산의 소유권을 취득하였던 명의신탁자가 그 소유권을 여전히 보유하는 것이 되는 이상, 침해부당이득의 성립 여부와 관련하여 명의수탁자 명의로의 소유권이전등기로 인하여 명의신탁자가 어떠한 '손해'를 입게 되거나 명의수탁자가 어떠한 이익을 얻게 된다고 할 수 없다. 결국 양자 간 등기명의신탁에 있어서 그 명의신탁자로서는 명의수탁자를 상대로 소유권에 기하여 원인무효인 소유권이전등기의 말소를 구하거나 진정한 등기명의의 회복을 원인으로 한 소유권이전등기절차의 이행을 구할 수 있다.

③ 甲이 乙과 직접 부동산에 관한 매매계약을 체결하고 그 대금을 모두 지급하였으나 丙에게 명의를 신탁하여 그 앞으로 소유권이전등기를 경료한 경우, 부동산에 관하여 乙로부터 丙 앞으로 이루어진 소유권이진등기의 원인이 된 명의신탁약정은 명의신탁자인 甲이 매매계약의 당사자로 되었으나 등기명의만을 명의수탁자인 丙에게 신탁한 것으로서 명의수탁자가 계약당사자가 된 경우가 아니어서 부동산실명법 제4조 제2항 단서의 규정을 적용할 여지없이 무효라고 봄이 상당하고, 甲으로서는 여전히 乙에 대하여 부동산에 관한 소유권이전등기절차의 이행을 구할 수 있다고 할 것이므로, 乙을 대위하여 丙에게 말소등기절차의 이행을 구할 수 있다.

④ 명의신탁자와 명의수탁자가 이른바 계약명의신탁 약정을 맺고 매매계약을 체결한 소유자도 명의신탁자와 명의수탁자 사이의 명의신탁약정을 알면서 그 매매계약에 따라 명의수탁자 앞으로 당해 부동산의 소유권이전등기를 마친 경우 부동산실명법 제4조 제2항 본문에 의하여 명의수탁자 명의의 소유권이전등기는 무효이므로, 당해 부동산의 소유권은 매매계약을 체결한 소유자에게 그대로 남아 있게 된다.

정답 01 ⑤

⑤ 부동산실명법 규정의 문언, 내용, 체계와 입법 목적 등을 종합하면, 부동산실명법을 위반하여 무효인 명의신탁약정에 따라 명의수탁자 명의로 등기를 하였다면 이는 불법원인급여에 해당한다. 이는 농지법에 따른 제한을 회피하고자 명의신탁을 한 경우에도 마찬가지이다.

해설 ① 부동산실명법 제1조, 제3조 제1항, 제4조 제1항과 제2항 본문, 제7조 참조

② 양자간 등기명의신탁의 경우 '부동산 실권리자명의 등기에 관한 법률'(이하 '부동산실명법'이라고 한다)에 의하여 명의신탁약정과 그에 의한 등기가 무효이므로 목적 부동산에 관한 명의수탁자 명의의 소유권이전등기에도 불구하고 그 소유권은 처음부터 이전되지 아니하는 것이어서 원래 그 부동산의 소유권을 취득하였던 명의신탁자가 그 소유권을 여전히 보유하는 것이 되는 이상, 침해부당이득의 성립 여부와 관련하여 명의수탁자 명의로의 소유권이전등기로 인하여 명의신탁자가 어떠한 '손해'를 입게 되거나 명의수탁자가 어떠한 이익을 얻게 된다고 할 수 없다. 결국 양자 간 등기명의신탁에 있어서 그 명의신탁자로서는 명의수탁자를 상대로 소유권에 기하여 원인무효인 소유권이전등기의 말소를 구하거나 진정한 등기명의의 회복을 원인으로 한 소유권이전등기절차의 이행을 구할 수 있음은 별론으로 하고(대판 2002.9.6, 2002다35157 등 참조), 침해부당이득반환을 원인으로 하여 소유권이전등기절차의 이행을 구할 수는 없다고 할 것이다(대판 2014.2.13, 2012다97864).

③ 매도인과 명의신탁자가 매매계약의 당사자이고, 명의신탁자가 명의수탁자와 명의신탁약정을 맺고 등기를 매도인으로부터 명의수탁자에게 직접 이전하는 경우인 이른바 3자간 등기명의신탁의 경우에 명의신탁자와 매도인 간의 매매계약은 유효하나 수탁자 사이의 명의신탁약정은 무효이다. 또한 물권변동도 무효이므로 소유권은 매도인이 보유한다. 따라서 계약명의신탁의 경우에 적용되는 부동산실명법 제4조 제2항 단서의 규정은 적용될 여지없이 명의신탁자는 매도인에 대하여 매매계약에 기한 소유권이전등기를 청구할 수 있고, 그 소유권이전등기청구권을 보전하기 위하여 매도인을 대위하여 명의수탁자에게 무효인 그 명의 등기의 말소를 구할 수도 있다(대판 2002.3.15, 2001다61654; 대판 2002.11.22, 2002다11496).

④ 명의신탁자와 명의수탁자가 이른바 계약명의신탁 약정을 맺고 매매계약을 체결한 소유자도 명의신탁자와 명의수탁자 사이의 명의신탁약정을 알면서 그 매매계약에 따라 명의수탁자 앞으로 당해 부동산의 소유권이전등기를 마친 경우 부동산 실권리자명의 등기에 관한 법률 제4조 제2항 본문에 의하여 명의수탁자 명의의 소유권이전등기는 무효이므로, 당해 부동산의 소유권은 매매계약을 체결한 소유자에게 그대로 남아 있게 된다(대판 2013.9.12, 2010다95185).

⑤ 부동산 실권리자명의 등기에 관한 법률(이하 '부동산실명법'이라 한다) 규정의 문언, 내용, 체계와 입법 목적 등을 종합하면, 부동산실명법을 위반하여 무효인 명의신탁약정에 따라 명의수탁자 명의로 등기를 하였다는 이유만으로 그것이 당연히 불법원인급여에 해당한다고 단정할 수는 없다. 이는 농지법에 따른 제한을 회피하고자 명의신탁을 한 경우에도 마찬가지이다(대판(전) 2019.6.20, 2013다218156).

02 부동산 명의신탁에 관한 다음 설명 중 가장 옳지 않은 것은?

▶ 2022 법무사

① 부동산 실권리자명의 등기에 관한 법률(이하 '부동산실명법'이라 한다)을 위반하여 무효인 양자 간 명의신탁약정에 따라 명의수탁자 명의로 등기를 한 경우 명의신탁자는 부동산 소유자로서 명의수탁자를 상대로 등기말소를 청구할 수 있다.

② 부동산실명법이 시행되기 전에 명의신탁자와 명의수탁자가 명의신탁 약정을 맺고 이에 따라 명의수탁자가 당사자가 되어 명의신탁 약정이 있다는 사실을 알지 못하는 소유자와 부동산에 관한 매매계약을 체결한 후 그 매매계약에 기하여 당해 부동산의 소유권이전등기를 자신의 명의로 마치는 한편, 장차 위 부동산의 처분대가를 명의신탁자에게 지급하기로 하는 정산약정을 한 경우, 그러한 약정 이후에 부동산실명법이 시행되었거나 그 부동산의 처분이 부동산실명법 시행 이후에 이루어졌다면 위 정산약정도 당연히 무효가 된다.

③ 명의신탁자와 명의수탁자의 명의신탁약정에 기하여 명의수탁자 앞으로 부동산소유권이전등기가 마쳐진 후 명의수탁자가 이를 새로운 이해관계를 가진 제3자에게 처분한 경우에는 그 제3자에 대하여 명의신탁약정의 무효를 이유로 대항하지 못한다.

④ 부동산실명법 시행 이후 부동산을 매수하면서 매수대금의 실질적 부담자와 명의인 간에 명의신탁관계가 성립한 경우, 그들 사이에 매수대금의 실질적 부담자의 요구에 따라 부동산의 소유 명의를 이전하기로 하는 등의 약정을 하였다고 하더라도, 이는 무효인 명의신탁약정을 전제로 명의신탁 부동산 자체 또는 처분대금의 반환을 구하는 범주에 속하는 것이어서 역시 무효이다.

⑤ 계약명의자가 명의수탁자로 되어 있다 하더라도 계약당사자를 명의신탁자로 볼 수 있다면 이는 3자간 등기명의신탁이 되므로, 계약명의자인 명의수탁자가 아니라 명의신탁자에게 계약에 따른 법률효과를 직접 귀속시킬 의도로 매매계약을 체결한 사정이 인정되는 경우, 그 명의신탁관계는 3자간 등기명의신탁으로 보아야 한다.

해설 ① 부동산실명법은 명의신탁약정(제4조 제1항)과 명의신탁약정에 따른 등기로 이루어진 부동산에 관한 물권변동(제4조 제2항 본문)은 무효라고 명시하고 있다. 명의신탁약정에 따라 명의수탁자 잎으로 등기를 하더라도 부동산에 관한 물권변동의 효력이 발생하지 않는다. 그 결과 부동산 소유권은 등기와 상관없이 명의신탁자에게 그대로 남아 있게 되고, 명의신탁자는 부동산 소유자로서 소유물방해배제청구권에 기초하여 명의수탁자를 상대로 등기의 말소를 청구할 수 있다(대판 2002.9.6, 2002다35157; 대판(전) 2019.6.20, 2013다218156; 대판 2021.6.3, 2016다34007).

② 부동산 실권리자명의 등기에 관한 법률(이하 '부동산실명법'이라 한다)이 시행되기 전에 명의신탁자와 명의수탁자가 명의신탁 약정을 맺고 이에 따라 명의수탁자가 당사자가 되어 명의신탁 약정이 있다는 사실을 알지 못하는 소유자와 부동산에 관한 매매계약을 체결한 후 그 매매계약에 기하여 당해 부동산의 소유권이전등기를 자신의 명의로 마치는 한편, 장차 위 부동산의 처분대가를 명의신탁자에게 지급하기로 하는 정산약정을 한 경우, 그러한 약정 이후에 부동산실명법이 시행되었다거나 그 부동산의 처분이 부동산실명법 시행 이후에 이루어졌다고 하더라도 그러한 사정만으로 위 정산약정까지 당연히 무효로 된다고 볼 수 없다(대판 2021.7.21, 2019다266751).

③ 부동산 실권리자명의 등기에 관한 법률 제4조 제3항에 의하면 명의신탁약정 및 이에 따른 등기로 이루어진 부동산에 관한 물권변동의 무효는 제3자에게 대항하지 못한다. 즉 명의신탁자와 명의수탁자의 명의신탁약정에 기하여 명의수탁자 앞으로 부동산소유권이전등기가 마쳐진 후 명의수탁자가 이를 새로운 이해관계를 가진 제3자에게 처분한 경우에는 그 제3자에 대하여 명의신탁약정의 무효를 이유로 대항하지 못한다(대판 2009.6.23, 2008다1132).

④ 부동산경매절차에서 매수대금의 실질적 부담자와 명의인 간에 명의신탁관계가 성립한 경우, 그들 사이에 매수대금의 실질적 부담자의 지시에 따라 부동산의 소유 명의를 이전하거나 그 처분대금을 반환하기로 약정하였다 하더라도, 이는 부동산 실권리자명의 등기에 관한 법률에 의하여 무효인 명의신탁약정을 전제로 명의신탁 부동산 자체 또는 그 처분대금의 반환을 구하는 범주에 속하는 것이어서 역시 무효라고 본 사례(대판 2006.11.9, 2006다35117)

⑤ 대판 2010.10.28, 2010다52799; 대판 2022.4.28, 2019다300422

03 부동산 실권리자명의 등기에 관한 법률(이하 '부동산실명법'이라 한다)의 시행 후에 이루어진 명의신탁에 관한 다음 설명 중 옳지 않은 것을 모두 고른 것은?

▶ 2024 법무사

㉠ 부동산실명법은 부동산등기제도를 악용한 투기·탈세·탈법행위 등 반사회적 행위를 방지하는 것 등을 목적으로 제정되었으므로 위 법률에 위반되어 무효인 명의신탁약정에 기하여 타인 명의의 등기가 마쳐졌다면 그것은 불법원인급여에 해당한다.

㉡ 이른바 3자간 등기명의신탁의 경우 명의신탁약정과 그에 의한 등기가 무효로 되고 그 결과 명의신탁된 부동산은 여전히 매도인의 소유이므로, 매도인은 명의수탁자에게 무효인 그 명의 등기의 말소를 구할 수 있게 되고, 한편 매도인과 명의신탁자 사이의 매매계약은 여전히 유효하므로, 명의신탁자는 매도인에 대하여 매매계약에 기한 소유권이전등기를 청구할 수 있고, 그 소유권이전등기청구권을 보전하기 위하여 매도인을 대위하여 명의수탁자에게 무효인 그 명의 등기의 말소를 구할 수도 있다.

㉢ 양자간 등기명의신탁에서 명의수탁자가 신탁부동산을 처분하여 제3취득자가 유효하게 소유권을 취득하고 이로써 명의신탁자가 신탁부동산에 대한 소유권을 상실하였다면, 명의신탁자의 소유권에 기한 물권적 청구권, 즉 소유권말소등기청구권이나 진정명의회복을 원인으로 한 소유권이전등기청구권도 더 이상 그 존재 자체가 인정되지 않지만, 그 후 명의수탁자가 우연히 신탁부동산의 소유권을 다시 취득하였다면 물권적 청구권도 인정되게 된다.

㉣ 이른바 계약명의신탁약정을 맺고 명의수탁자가 당사자가 되어 명의신탁약정을 알지 못하는 소유자와 부동산에 관한 매매계약을 체결한 뒤 수탁자 명의로 소유권이전등기를 마친 경우, 명의수탁자는 명의신탁자에 대하여 부당이득반환의무를 부담하게 되는데 이때 명의수탁자는 당해 부동산 자체를 부당이득으로 반환해야 한다.

㉤ 위 ㉡의 경우, 명의신탁약정의 목적물인 부동산을 인도받아 점유하고 있는 명의신탁자의 매도인에 대한 소유권이전등기청구권은 소멸시효가 진행되지 않는다.

① ㉠, ㉢, ㉣ 　　② ㉡, ㉢, ㉣ 　　③ ㉠, ㉤

④ ㉡, ㉣, ㉤ 　　⑤ ㉢, ㉣, ㉤

해설 ㉠ 부동산 실권리자명의 등기에 관한 법률(이하 '부동산실명법'이라 한다) 규정의 문언, 내용, 체계와 입법 목적 등을 종합하면, 부동산실명법을 위반하여 무효인 명의신탁약정에 따라 명의수탁자 명의로 등기를 하였다는 이유만으로 그것이 당연히 불법원인급여에 해당한다고 단정할 수는 없다. 이는 농지법에 따른 제한을 회피하고자 명의신탁을 한 경우에도 마찬가지이다(대판(전) 2019.6.20, 2013다218156).

㉡, ㉤ 대판 2013.12.12, 2013다26647

㉢ 양자간 등기명의신탁에서 명의수탁자가 신탁부동산을 처분하여 제3취득자가 유효하게 소유권을 취득하고 이로써 명의신탁자가 신탁부동산에 대한 소유권을 상실하였다면, 명의신탁자의 소유권에 기한 물권적 청구권, 즉 말소등기청구권이나 진정명의회복을 원인으로 한 이전등기청구권도 더 이상 그 존재 자체가 인정되지 않는다. 그 후 명의수탁자가 우연히 신탁부동산의 소유권을 다시 취득하였다고 하더라도 명의신탁자가 신탁부동산의 소유권을 상실한 사실에는 변함이 없으므로, 여전히 물권적 청구권은 그 존재 자체가 인정되지 않는다(대판 2013.2.28, 2010다89814).

㉣ 명의수탁자는 명의신탁자에 대하여 부당이득반환의무를 부담하게 될 뿐인데 계약명의신탁약정이 부동산실명법 시행 후에 이루어진 경우에는 명의신탁자는 애초부터 당해 부동산의 소유권을 취득할 수 없었으므로 위 명의신탁약정의 무효로 명의신탁자가 입은 손해는 당해 부동산 자체가 아니라 명의수탁자에게 제공한 매수자금이고, 따라서 명의수탁자는 당해 부동산 자체가 아니라 명의신탁자로부터 제공받은 매수자금만을 부당이득하게 된다(대판 2014.8.20, 2014다30483).

04 부동산 실권리자명의 등기에 관한 법률(이하 '부동산실명법'이라 한다) 제4조 제3항에 의하면 명의신탁약정 및 이에 따른 등기로 이루어진 부동산에 관한 물권변동의 무효는 제3자에게 대항하지 못한다. 위 조항에 관한 다음 설명 중 가장 옳지 않은 것은? ▸ 2025 법무사

① 명의수탁자가 신탁부동산을 임의로 처분하거나 강제수용이나 공공용지 협의취득 등을 원인으로 제3취득자 명의로 이전등기가 마쳐진 경우, 특별한 사정이 없는 한 제3취득자는 유효하게 소유권을 취득하고 이 경우 명의신탁관계는 당사자의 의사표시 등을 기다릴 필요 없이 당연히 종료되었다고 볼 것이다.

② 여기서 '제3자'는 명의신탁약정의 당사자 및 포괄승계인 이외의 자로서 명의수탁자가 물권자임을 기초로 그와 사이에 직접 새로운 이해관계를 맺은 사람으로서 소유권이나 저당권 등 물권을 취득한 자뿐만 아니라 압류 또는 가압류채권자도 포함하고 그의 선의·악의를 묻지 않는다.

③ 위 ②의 법리는 특별한 사정이 없는 한 명의신탁약정에 따라 형성된 외관을 토대로 다시 명의신탁이 이루어지는 등 연속된 명의신탁관계에서 최후의 명의수탁자가 물권자임을 기초로 그와 사이에 직접 새로운 이해관계를 맺은 사람에게도 적용된다.

④ 사립학교법 제28조 제1항은 학교법인이 기본재산에 대한 처분행위를 하고자 할 때에는 관할청의 허가를 받아야 한다고 규정하고 있다. 부동산실명법 소정의 유예기간 내에 실명등기 등을 하지 아니함으로써 종전의 명의신탁약정 및 그에 따른 등기에 의한 부동산의 물권변동이 무효가 되는 경우 명의신탁자는 명의수탁자를 상대로 원인무효를 이유로 직접 또는 대위하여 등기 말소를 구할 수 있고, 명의신탁자 명의로 소유권을 표상하는 등기가 되어 있었거나 명의신탁자가 법률에 의하여 소유권을 취득한 진정한 소유자라는 사정이 있다면 등기명의를 회복하기 위한 방법으로 진정명의회복을 원인으로 한 소유권이전등기절차 이행을 구할 수도 있는바, 명의신탁자가 학교법인의 기본 재산으로 등기되어 있는 부동산에 관하여 그와 같은 이유로 등기 말소 또는 진정명의회복을 원인으로 한 소유권이전등기절차이행을 구하는 경우에 이는 사립학교법 제28조 제1항에 근거하여 관할청 허가가 필요하다고 보아야 한다.

⑤ 오로지 명의신탁자와 부동산에 관한 물권을 취득하기 위한 계약을 맺고 단지 등기명의만을 명의수탁자로부터 경료받은 것 같은 외관을 갖춘 자는 위 법률조항의 제3자에 해당되지 아니한다고 할 것이므로 이러한 자로서는 자신의 등기가 실체관계에 부합하여 유효라고 주장하는 것은 별론으로 하더라도 부동산실명법 제4조 제3항의 규정을 들어 무효인 명의신탁등기에 터 잡아 경료된 자신의 등기의 유효를 주장할 수는 없다.

[해설] ① 부동산 실권리자명의 등기에 관한 법률 제4조 제3항에 따르면 명의수탁자가 신탁부동산을 임의로 처분하거나 강제수용이나 공공용지 협의취득 등을 원인으로 제3취득자 명의로 이전등기가 마쳐진 경우, 특별한 사정이 없는 한 제3취득자는 유효하게 소유권을 취득한다. 그리고 이 경우 명의신탁관계는 당사자의 의사표시 등을 기다릴 필요 없이 당연히 종료되었다고 볼 것이지, 주택재개발정비사업으로 인해 분양받게 될 대지 또는 건축시설물에 대해서도 명의신탁관계가 그대로 존속한다고 볼 수 없다(대판 2021.7.8, 2021다209225).

② 부동산 실권리자명의 등기에 관한 법률 제4조 제3항에 의하면 명의신탁약정 및 이에 따른 등기로 이루어진 부동산에 관한 물권변동의 무효는 제3자에게 대항하지 못한다. 여기서 '제3자'는 명의신탁약정의 당사자 및 포괄승계인 이외의 자로서 명의수탁자가 물권자임을 기초로 그와 사이에 직접 새로운 이해관계를 맺은 사람으로서 소유권이나 저당권 등 물권을 취득한 자뿐만 아니라 압류 또는 가압류채권자도 포함하고 그의 선의·악의를 묻지 않는다. 이러한 법리는 특별한 사정이 없는 한 명의신탁약정에 따라 형성된 외관을 토대로 다시 명의신탁이 이루어지는 등 연속된 명의신탁관계에서 최후의 명의수탁자가 물권자임을 기초로 그와 사이에 직접 새로운 이해관계를 맺은 사람에게도 적용된다(대판 2021.11.11, 2019다272725).

③ 부동산 실권리자명의 등기에 관한 법률 제4조 제3항에 의하면 명의신탁약정 및 이에 따른 등기로 이루어진 부동산에 관한 물권변동의 무효는 제3자에게 대항하지 못한다. 여기서 '제3자'는 명의신탁약정의 당사자 및 포괄승계인 이외의 자로서 명의수탁자가 물권자임을 기초로 그와 사이에 직접 새로운 이해관계를 맺은 사람으로서 소유권이나 저당권 등 물권을 취득한 자뿐만 아니라 압류 또는 가압류채권자도 포함하고 그의 선의·악의를 묻지 않는다. 이러한 법리는 특별한 사정이 없는 한 명의신탁약정에 따라 형성된 외관을 토대로 다시 명의신탁이 이루어지는 등 연속된 명의신탁관계에서 최후의 명의수탁자가 물권자임을 기초로 그와 사이에 직접 새로운 이해관계를 맺은 사람에게도 적용된다(대판 2021.11.11, 2019다272725).

④ 부동산 실권리자명의 등기에 관한 법률 소정의 유예기간 내에 실명등기 등을 하지 아니함으로써 종전의 명의신탁약정 및 그에 따른 등기에 의한 부동산의 물권변동이 무효가 되는 경우 명의신탁자는 명의수탁자를 상대로 원인무효를 이유로 직접 또는 대위하여 등기 말소를 구할 수 있고, 명의신탁자 명의로 소유권을 표상하는 등기가 되어 있었거나 명의신탁자가 법률에 의하여 소유권을 취득한 진정한 소유자라는 사정이 있다면 등기명의를 회복하기 위한 방법으로 진정명의회복을 원인으로 한 소유권이전등기절차이행을 구할 수도 있는바, 명의신탁자가 학교법인의 기본재산으로 등기되어 있는 부동산에 관하여 그와 같은 이유로 등기 말소 또는 진정명의회복을 원인으로 한 소유권이전등기절차이행을 구하는 경우에 이를 사립학교법 제28조 제1항에서 규정하고 있는 학교법인의 기본재산 처분행위가 있는 경우라고 볼 수 없으므로 관할청 허가가 필요하다고 할 수 없다(대판 2013.8.22, 2013다31403).

⑤ 부동산 실권리자명의 등기에 관한 법률 제4조 제3항에 정한 '제3자'는 명의수탁자가 물권자임을 기초로 그와 새로운 이해관계를 맺은 사람을 말하고, 이와 달리 오로지 명의신탁자와 부동산에 관한 물권을 취득하기 위한 계약을 맺고 단지 등기명의만을 명의수탁자로부터 경료받은 것 같은 외관을 갖춘 자는 위 조항의 제3자에 해당하지 아니하므로, 같은 조항을 들어 무효인 명의신탁등기에 터 잡아 경료된 자신의 등기의 유효를 주장할 수는 없으나, 이러한 자도 자신의 등기가 실체관계에 부합하는 등기로서 유효하다는 주장은 할 수 있다(대판 2008.12.11, 2008다45187).

심화문제 | 확인 · 보충 · 심화문제

지상권

01 다음 설명 중 가장 옳지 않은 것은? ▶ 2021 법무사

① 일반적으로 자기의 노력과 재료를 들여 건물을 건축한 사람이 그 건물의 소유권을 원시취득하는 것이지만, 도급계약에 있어서는 수급인이 자기의 노력과 재료를 들여 건물을 완성하더라도 도급인과 수급인 사이에 도급인 명의로 건축허가를 받아 소유권보존등기를 하기로 하는 등 완성된 건물의 소유권을 도급인에게 귀속시키기로 합의한 것으로 보일 경우에는 그 건물의 소유권은 도급인에게 원시적으로 귀속된다.

② 동일한 소유자에 속하는 대지와 그 지상건물이 매매에 의하여 각기 소유자가 달라지게 된 경우에는 특히 건물을 철거한다는 조건이 없는 한 건물소유자는 대지 위에 건물을 위한 관습상의 법정지상권을 취득하는 것이고, 한편 건물 소유를 위하여 법정지상권을 취득한 자로부터 경매에 의하여 건물의 소유권을 이전받은 경락인은 경락 후 건물을 철거한다는 등의 매각조건하에서 경매되는 경우 등 특별한 사정이 없는 한 건물의 경락취득과 함께 위 지상권도 당연히 취득한다. 이러한 법리는 압류, 가압류나 체납처분압류 등 처분제한의 등기가 된 건물에 관하여 그에 저촉되는 소유권이전등기를 마친 사람이 건물의 소유자로서 관습상의 법정지상권을 취득한 후 경매 또는 공매절차에서 건물이 매각되는 경우에도 마찬가지로 적용된다.

③ 동일인의 소유에 속하고 있던 토지와 지상 건물이 매매 등으로 인하여 소유자가 다르게 된 경우에 건물을 철거한다는 특약이 없는 한 건물소유자는 건물의 소유를 위한 관습상 법정지상권을 취득한다. 나아가 토지와 지상 건물이 함께 양도되었다가 채권자취소권의 행사에 따라 그중 건물에 관하여만 양도가 취소되고 수익자와 전득자 명의의 소유권이전등기가 말소되었다면, 이는 관습상 법정지상권의 성립요건인 '동일인의 소유에 속하고 있던 토지와 지상 건물이 매매 등으로 인하여 소유자가 다르게 된 경우'에 해당한다고 봄이 상당하다.

④ 법정지상권을 취득한 건물소유자가 법정지상권의 설정등기를 경료함이 없이 건물을 양도하는 경우에는 특별한 사정이 없는 한 건물과 함께 지상권도 양도하기로 하는 채권적 계약이 있었다고 할 것이므로 법정지상권자는 지상권설정등기를 한 후에 건물양수인에게 이의 양도등기절차를 이행하여 줄 의무가 있는 것이고 따라서 건물양수인은 건물양도인을 순차대위하여 토지소유자에 대하여 건물소유자였던 최초의 법정지상권자에의 법정지상권설정등기절차 이행을 청구할 수 있다. 그리고 법정지상권을 가진 건물소유자로부터 건물을 양수하면서 지상권까지 양도받기로 한 사람에 대하여 대지소유자가 소유권에

기하여 건물철거 및 대지의 인도를 구하는 것은 지상권의 부담을 용인하고 그 설정등기
절차를 이행할 의무있는 자가 그 권리자를 상대로 한 청구라 할 것이어서 신의성실의
원칙상 허용될 수 없다.
⑤ 동일인의 소유에 속하는 토지 및 그 지상 건물에 관하여 공동저당권이 설정된 후 그 지상
건물이 철거되고 새로 건물이 신축된 경우에는 그 신축건물의 소유자가 토지의 소유자와
동일하고 토지의 저당권자에게 신축건물에 관하여 토지의 저당권과 동일한 순위의 공동저
당권을 설정해 주는 등 특별한 사정이 없는 한 저당물의 경매로 인하여 토지와 그 신축건
물이 다른 소유자에 속하게 되더라도 그 신축건물을 위한 법정지상권은 성립하지 않는다.

해설 ① 일반적으로 자기의 노력과 재료를 들여 건물을 건축한 사람은 그 건물의 소유권을 원시취득하는
것이고, 다만 도급계약에 있어서는 수급인이 자기의 노력과 재료를 들여 건물을 완성하더라도 도
급인과 수급인 사이에 도급인 명의로 건축허가를 받아 소유권보존등기를 하기로 하는 등 완성된
건물의 소유권을 도급인에게 귀속시키기로 합의한 것으로 보여질 경우에는 그 건물의 소유권은
도급인에게 원시적으로 귀속된다(대판 1992.3.27, 91다34790).
② 동일한 소유자에 속하는 대지와 그 지상건물이 매매에 의하여 각기 소유자가 달라지게 된 경우에
는 특히 건물을 철거한다는 조건이 없는 한 건물소유자는 대지 위에 건물을 위한 관습상의 법정
지상권을 취득하는 것이고, 한편 건물 소유를 위하여 법정지상권을 취득한 자로부터 경매에 의하
여 건물의 소유권을 이전받은 경락인은 경락 후 건물을 철거한다는 등의 매각조건하에서 경매되
는 경우 등 특별한 사정이 없는 한 건물의 경락취득과 함께 위 지상권도 당연히 취득한다. 이러한
법리는 압류, 가압류나 체납처분압류 등 처분제한의 등기가 된 건물에 관하여 그에 저촉되는 소
유권이전등기를 마친 사람이 건물의 소유자로서 관습상의 법정지상권을 취득한 후 경매 또는 공
매절차에서 건물이 매각되는 경우에도 마찬가지로 적용된다(대판 2014.9.4, 2011다13463).
③ 동일인의 소유에 속하고 있던 토지와 지상 건물이 매매 등으로 인하여 소유자가 다르게 된 경우
에 건물을 철거한다는 특약이 없는 한 건물소유자는 건물의 소유를 위한 관습상 법정지상권을
취득한다. 그런데 민법 제406조의 채권자취소권의 행사로 인한 사해행위의 취소와 일탈재산의
원상회복은 채권자와 수익자 또는 전득자에 대한 관계에 있어서만 효력이 발생할 뿐이고 채무자
가 직접 권리를 취득하는 것이 아니므로, 토지와 지상 건물이 함께 양도되었다가 채권자취소권의
행사에 따라 그중 건물에 관하여만 양도가 취소되고 수익자의 전득자 명의의 소유권이전등기가
말소되었다고 하더라도, 이는 관습상 법정지상권의 성립요건인 '동일인의 소유에 속하고 있던 토
지와 지상 건물이 매매 등으로 인하여 소유자가 다르게 된 경우'에 해당한다고 할 수 없다(대판
2014.12.24, 2012다73158).
④ 법정지상권을 취득한 건물소유자가 법정지상권의 설정등기를 경료함이 없이 건물을 양도하는 경우
에는 특별한 사정이 없는 한 건물과 함께 지상권도 양도하기로 하는 채권적 계약이 있었다고 할
것이므로, 법정지상권자는 지상권설정등기를 한 후에 건물양수인에게 이의 양도등기절차를 이행하
여줄 의무가 있는 것이고, 따라서 건물양수인은 건물양도인을 순차대위하여 토지소유자에 대하여
건물소유자였던 최초의 법정지상권자에게 법정지상권설정등기절차이행을 청구할 수 있다. (그리고)
법정지상권을 가진 건물소유자로부터 건물을 양수하면서 지상권까지 양도받기로 한 사람에 대하여
대지소유자가 소유권에 기하여 건물철거 및 대지의 인도를 구하는 것은 지상권의 부담을 용인하고
그 설정등기절차를 이행할 의무 있는 자가 그 권리자를 상대로 한 청구라 할 것이어서 신의성실의
원칙상 허용될 수 없다(대판 1988.9.27, 87다카279).

정답 　**01** ③

⑤ 동일인의 소유에 속하는 토지 및 그 지상 건물에 관하여 공동저당권이 설정된 후 그 지상 건물이 철거되고 새로 건물이 신축된 경우에는, 그 신축건물의 소유자가 토지의 소유자와 동일하고 토지의 저당권자에게 신축건물에 관하여 토지의 저당권과 동일한 순위의 공동저당권을 설정해 주는 등 특별한 사정이 없는 한, 저당물의 경매로 인하여 토지와 그 신축건물이 다른 소유자에 속하게 되더라도 그 신축건물을 위한 법정지상권은 성립하지 않는다(대판(전) 2003.12.18, 98다43601).

02 관습법상 법정지상권에 관한 다음 설명 중 가장 옳지 않은 것은? ▸ 2023 법무사

① 대지 소유자가 그 지상 건물을 다른 사람과 공유하면서 대지만을 타인에게 매도한 경우 건물 공유자들은 대지에 관하여 관습법상 법정지상권을 취득한다.

② 관습법상 법정지상권이 성립된 토지에 대하여는 법정지상권자가 지상건물의 유지 및 사용에 필요한 범위를 벗어나지 않은 한 그 토지를 자유로이 사용할 수 있는 것이므로, 지상건물이 증축되었다 하더라도 관습법상 법정지상권자가 점유·사용할 권한이 있는 토지 위에 있는 이상 이를 철거할 의무는 없다.

③ 원소유자로부터 대지와 건물이 한 사람에게 매도되었으나 대지에 관하여만 그 소유권이 전등기가 경료되고 건물의 소유 명의가 매도인 명의로 남아 있게 되어 형식적으로 대지와 건물이 그 소유 명의자를 달리하게 된 경우에 있어서는, 그 대지의 점유·사용 문제는 매매계약 당사자 사이의 계약에 따라 해결할 수 있는 것이므로 양자 사이에 관습법상 법정지상권을 인정할 필요는 없다.

④ 토지와 건물이 동일한 소유자에게 속하였다가 건물 또는 토지가 매매 기타 원인으로 인하여 양자의 소유자가 다르게 되었더라도, 당사자 사이에 그 건물을 철거하기로 하는 합의가 있었던 경우에는 건물 소유자는 토지 소유자에 대하여 그 건물을 위한 관습법상의 법정지상권을 취득할 수 없다.

⑤ 토지공유자의 한 사람이 다른 공유자의 지분 과반수의 동의를 얻어 건물을 건축한 후 토지와 건물의 소유자가 달라진 경우 그와 같은 건물은 공유물인 토지의 관리방법으로서 적법한 사용·수익권에 기초하여 건축된 것이므로, 토지에 관하여 관습법상 법정지상권이 성립한다.

> **해설** ① 대판(전합) 2022.7.21, 2017다236749 ※ 동일인 소유이던 토지와 그 지상 건물이 매매 등으로 인하여 각각 소유자를 달리하게 되었을 때 그 건물 철거 특약이 없는 한 건물 소유자가 법정지상권을 취득한다는 관습법은 현재에도 그 법적 규범으로서의 효력을 여전히 유지하고 있다고 본 판결이다.
> ② 대판 1995.7.28, 95다9075·9082
> ③ 대판 1998.4.24, 98다4798
> ④ 대판 1999.12.10, 98다58467
> ⑤ 토지공유자의 한 사람이 다른 공유자의 지분 과반수의 동의를 얻어 건물을 건축한 후 토지와 건물의 소유자가 달라진 경우, 토지에 관하여 관습법상의 법정지상권이 성립되는 것으로 보게 되면, 이는 토지공유자의 1인으로 하여금 자신의 지분을 제외한 다른 공유자의 지분에 대하여서까지 지상권설정의 처분행위를 허용하는 셈이 되어 부당하다(대판 1993.4.13, 92다55756).

03 **분묘기지권에 관한 다음 설명 중 가장 옳지 않은 것은?** ▸2022 법무사

① 분묘의 기지인 토지가 분묘소유권자 아닌 다른 사람의 소유인 경우에 그 토지소유자가 분묘소유자에 대하여 분묘의 설치를 승낙한 때에는 그 분묘의 기지에 대하여 분묘소유자를 위한 지상권 유사의 물권(분묘기지권)을 설정한 것으로 보아야 한다.

② 토지소유자의 승낙이 없음에도 20년간 평온, 공연한 점유가 있었다는 사실만으로 사실상 영구적이고 무상인 분묘기지권의 시효취득을 인정하는 종전의 관습은 적어도 2001.1.13. 장사 등에 관한 법률이 시행될 무렵에는 법적 규범으로서 효력을 상실하였다고 할 것이므로, 2001.1.13. 당시 아직 20년의 시효기간이 경과하지 아니한 분묘의 경우에는 법적 규범의 효력을 상실한 분묘기지권의 시효취득에 관한 종전의 관습을 가지고 분묘기지권의 시효취득을 주장할 수 없다.

③ 분묘의 부속시설인 비석 등 제구를 설치·관리할 권한은 분묘의 수호·관리권에 포함되어 원칙적으로 제사를 주재하는 자에게 있고, 만약 제사주재자 아닌 다른 후손들이 비석 등 시설물을 설치하였고 그것이 제사주재자의 의사에 반하는 것이라 하더라도, 그 시설물의 규모나 범위가 분묘기지권의 허용범위를 넘지 아니하는 한, 분묘가 위치한 토지의 소유권자가 토지소유권에 기하여 방해배제청구로서 그 철거를 구할 수는 없다.

④ 자기 소유 토지에 분묘를 설치한 사람이 그 토지를 양도하면서 분묘를 이장하겠다는 특약을 하지 않음으로써 분묘기지권을 취득한 경우, 특별한 사정이 없는 한 분묘기지권자는 분묘기지권이 성립한 때부터 토지소유자에게 그 분묘의 기지에 대한 토지사용의 대가로서 지료를 지급할 의무가 있다.

⑤ 甲이 乙과, 乙 소유의 분묘지 중 일부분에 관하여 분묘기지사용계약을 체결하였고 이에 따라 토지를 인도받아 수기의 분묘를 설치하고 20년이 넘도록 평온·공연하게 점유함으로써 분묘기지 중 계약면적을 초과하는 부분의 토지에 관하여 지상권 유사의 관습상 물권인 분묘기지권을 시효취득한 경우, 甲이 초과 토지에 관한 관리비 상당의 이익을 얻은 부분은 부당이득으로서 乙에게 반환되어야 한다.

> **해설** ① 분묘의 기지인 토지가 분묘의 수호·관리권자 아닌 다른 사람의 소유인 경우에 그 <u>토지소유자가 분묘 수호·관리권자에 대하여 분묘의 설치를 승낙한 때에는 그 분묘의 기지에 관하여 분묘기지권을 설정한 것으로 보아야 한다.</u> 이와 같이 승낙에 의하여 성립하는 분묘기지권의 경우 성립 당시 토지소유자와 분묘의 수호·관리자가 지료 지급의무의 존부나 범위 등에 관하여 약정을 하였다면 그 약정의 효력은 분묘 기지의 승계인에 대하여도 미친다(대판 2021.9.16, 2017다271834·271841).
>
> ② <u>타인 소유의 토지에 분묘를 설치한 경우에 20년간 평온·공연하게 분묘의 기지를 점유하면 지상권과 유사한 관습상의 물권인 분묘기지권을 시효로 취득한다</u>는 점은 오래 세월 동안 지속되어 온 관습 또는 관행으로서 법적 규범으로 승인되어 왔고, 이러한 법적 규범이 장사법(법률 제6158호) 시행일인 2001.1.13. 이전에 설치된 분묘에 관하여 현재까지 유지되고 있다고 보아야 한다(대판(전) 2017.1.19, 2013다17292).

③ 대판 2000.9.26, 99다14006

④ 자기 소유 토지에 분묘를 설치한 사람이 그 토지를 양도하면서 분묘를 이장하겠다는 특약을 하지 않음으로써 분묘기지권을 취득한 경우, 특별한 사정이 없는 한 분묘기지권자는 분묘기지권이 성립한 때부터 토지소유자에게 그 분묘의 기지에 대한 토지사용의 대가로서 지료를 지급할 의무가 있다(대판 2021.5.27, 2020다295892).

⑤ 甲이 乙과, 乙 소유의 분묘지 중 일부분에 관하여 분묘기지사용계약을 체결하였고 이에 따라 토지를 인도받아 수기의 분묘를 설치하고 20년이 넘도록 평온·공연하게 점유함으로써 분묘기지 중 계약면적을 초과하는 부분의 토지에 관하여 지상권 유사의 관습상 물권인 분묘기지권을 시효취득한 경우, 乙이 甲에게 위 계약에 따른 관리채무의 내용을 초과하여 초과 토지에 대하여도 급부를 행하였으므로, 이는 甲이 법률상 원인 없이 乙의 급부로 인하여 초과 토지에 관한 관리비 상당의 이익을 얻고 이로 인하여 乙에게 동액 상당의 손해를 가한 것이어서, 甲이 얻은 이익은 부당이득으로서 乙에게 반환되어야 할 것이고, 이러한 결과는 비록 甲이 초과 토지에 관하여 분묘기지권을 시효취득하였다고 하더라도 달라지지 아니한다(대판 2011.11.10, 2011다63017·63024). → ※ [참고] : 장사법 시행일 이전에 타인의 토지에 분묘를 설치한 다음 20년간 평온·공연하게 그 분묘의 기지를 점유함으로써 분묘기지권을 시효로 취득하였더라도, 분묘기지권자는 토지소유자가 분묘기지에 관한 지료를 청구하면 그 청구한 날부터의 지료를 지급할 의무가 있다(대판(전) 2021.4.29, 2017다228007).

01 **지상권에 관한 다음 설명 중 가장 옳은 것은?** ▶ 2025 법무사

① 지상권의 존속기간과 관련하여 민법 제280조에서 석조, 석회조, 연와조 또는 이와 유사한 견고한 건물이나 수목의 소유를 목적으로 하는 때에는 최장 30년의 제한규정을 두고 있다.

② 토지의 공유자 중의 1인이 공유토지 위에 건물을 소유하고 있다가 토지지분만을 전매한 경우 당해 토지에 관하여 건물의 소유를 위한 관습법상의 법정지상권이 성립될 수 있다.

③ 동일인의 소유에 속하고 있던 토지와 지상 건물이 함께 양도되었다가 채권자취소권의 행사에 따라 그중 건물에 관하여만 양도가 취소되고 수익자와 전득자 명의의 소유권이전 등기가 말소된 경우, 관습법상 법정지상권의 성립요건인 '동일인의 소유에 속하고 있던 토지와 지상 건물이 매매 등으로 인하여 소유자가 다르게 된 경우'에 해당한다.

④ 동일인의 소유에 속하는 토지 및 그 지상 건물에 관하여 공동저당권이 설정된 후 그 지상 건물이 철거되고 새로 건물이 신축된 경우에는 그 신축건물의 소유자가 토지의 소유자와 동일하고 토지의 저당권자에게 신축건물에 관하여 토지의 저당권과 동일한 순위의 공동저 당권을 설정해 주는 등 특별한 사정이 없는 한 저당물의 경매로 인하여 토지와 그 신축건 물이 다른 소유자에 속하게 되더라도 그 신축건물을 위한 법정지상권은 성립하지 않는다.

⑤ 수목의 소유를 목적으로 하는 지상권은 수목이 멸실되면 소멸한다.

> **해설** ① 존속기간을 약정한 지상권 : 계약으로 지상권의 존속기간을 정하는 경우에는 그 기간은 석조, 석회조, 연와조 또는 이와 유사한 견고한 건물이나 수목의 소유를 목적으로 하는 때에는 <u>30년보 다 단축하지 못한다</u>(민법 제280조 제1항 제1호).
>
> ② 토지의 공유자 중의 1인이 공유토지 위에 건물을 소유하고 있다가 토지지분만을 전매함으로써 단순히 토지공유자의 1인에 대하여 관습상의 법정지상권이 성립된 것으로 볼 사유가 발생하였다 고 하더라도 당해 토지 자체에 관하여 건물의 소유를 위한 <u>관습상의 법정지상권이 성립된 것으로 보게 된다면 이는 마치 토지공유자의 1인으로 하여금 다른 공유자의 지분에 대하여서까지 지상권 설정의 처분행위를 허용하는 셈이 되어 부당하다 할 것이므로 위와 같은 경우에 있어서는 당해 토지에 관하여 건물의 소유를 위한 관습상의 법정지상권이 성립될 수 없다</u>(대판 1987.6.23, 86다 카2188).
>
> ③ 동일인의 소유에 속하고 있던 토지와 지상 건물이 매매 등으로 인하여 소유자가 다르게 된 경우 에 건물을 철거한다는 특약이 없는 한 건물소유자는 건물의 소유를 위한 관습상 법정지상권을 취득한다. 그런데 민법 제406조의 채권자취소권의 행사로 인한 사해행위의 취소와 일탈재산의 원상회복은 채권자와 수익자 또는 전득자에 대한 관계에 있어서만 효력이 발생할 뿐이고 채무자 가 직접 권리를 취득하는 것이 아니므로, <u>토지와 지상 건물이 함께 양도되었다가 채권자취소권의 행사에 따라 그중 건물에 관하여만 양도가 취소되고 수익자와 전득자 명의의 소유권이전등기가 말소되었다고 하더라도, 이는 관습상 법정지상권의 성립요건인 '동일인의 소유에 속하고 있던 토 지와 지상 건물이 매매 등으로 인하여 소유자가 다르게 된 경우'에 해당한다고 할 수 없다</u>(대판

2014.12.24, 2012다73158).

④ 동일인의 소유에 속하는 토지 및 그 지상 건물에 관하여 공동저당권이 설정된 후 그 지상 건물이 철거되고 새로 건물이 신축된 경우에는 그 신축건물의 소유자가 토지의 소유자와 동일하고 토지의 저당권자에게 신축건물에 관하여 토지의 저당권과 동일한 순위의 공동저당권을 설정해 주는 등 특별한 사정이 없는 한 저당물의 경매로 인하여 토지와 그 신축건물이 다른 소유자에 속하게 되더라도 그 신축건물을 위한 법정지상권은 성립하지 않는다고 해석하여야 하는바, 그 이유는 동일인의 소유에 속하는 토지 및 그 지상 건물에 관하여 공동저당권이 설정된 경우에는, 처음부터 지상 건물로 인하여 토지의 이용이 제한 받는 것을 용인하고 토지에 대하여만 저당권을 설정하여 법정지상권의 가치만큼 감소된 토지의 교환가치를 담보로 취득한 경우와는 달리, 공동저당권자는 토지 및 건물 각각의 교환가치 전부를 담보로 취득한 것으로서, 저당권의 목적이 된 건물이 그대로 존속하는 이상은 건물을 위한 법정지상권이 성립해도 그로 인하여 토지의 교환가치에서 제외된 법정지상권의 가액 상당 가치는 법정지상권이 성립하는 건물의 교환가치에서 되찾을 수 있어 궁극적으로 토지에 관하여 아무런 제한이 없는 나대지로서의 교환가치 전체를 실현시킬 수 있다고 기대하지만, 건물이 철거된 후 신축된 건물에 토지와 동순위의 공동저당권이 설정되지 아니하였는데도 그 신축건물을 위한 법정지상권이 성립한다고 해석하게 되면, 공동저당권자가 법정지상권이 성립하는 신축건물의 교환가치를 취득할 수 없게 되는 결과 법정지상권의 가액 상당 가치를 되찾을 길이 막혀 위와 같이 당초 나대지로서의 토지의 교환가치 전체를 기대하여 담보를 취득한 공동저당권자에게 불측의 손해를 입게 하기 때문이다(대판(전합) 2003.12.18, 98다43601).

⑤ 지상권은 타인의 토지에서 건물 기타의 공작물이나 수목을 소유하는 것을 본질적 내용으로 하는 것이 아니라 타인의 토지를 사용하는 것을 본질적 내용으로 하고 있으므로 지상권 설정계약 당시 건물 기타의 공작물이나 수목이 없더라도 지상권은 유효하게 성립할 수 있고, 또한 기존의 건물 기타의 공작물이나 수목이 멸실되더라도 존속기간이 만료되지 않는 한 지상권이 소멸되지 아니하는 것은 소론이 지적하는 바와 같다(대판 1996.3.22, 95다49318).

지역권

기본문제 | 기본문제의 구성

전세권

기본문제 | 기본문제의 구성

01 다음 설명 중 가장 옳지 않은 것은? ▶ 2023 법무사

① 전세권 소멸 시 목적부동산의 인도 및 전세권설정등기의 말소등기에 필요한 서류의 교부의무와 전세금반환의무는 동시이행의 관계에 있다.

② 전세권자에게 책임 있는 사유로 전세권의 목적인 부동산이 일부 멸실된 경우 전세권설정자는 멸실된 부분만이 아니라 전세권 전부의 소멸을 청구할 수 있다.

③ 건물의 일부에 대하여 전세권이 설정되어 있는 경우 그 전세권자는 전세권의 목적이 아닌 나머지 건물부분에 대하여는 경매신청을 할 수 없다.

④ 전세기간 만료 이후 전세권양도계약 및 전세권이전의 부기등기가 이루어진 경우 전세권이 담보물권적 성격도 가지는 이상 부종성과 수반성이 있는 것이므로 이로써 당연히 전세금반환채권 또한 이전되었다고 할 것이어서 확정일자 있는 증서에 의한 채권양도절차를 거치지 않더라도 전세금반환채권의 압류·전부채권자 등 제3자에게 대항할 수 있다.

⑤ 당사자가 주로 채권담보의 목적으로 전세권을 설정하였고, 그 설정과 동시에 목적물을 인도하지 아니한 경우라 하더라도, 장차 전세권자가 목적물을 사용·수익하는 것을 완전히 배제하는 것이 아니라면 그 전세권의 효력을 부인할 수는 없다.

해설 ① 제317조

② 전세권자의 귀책사유에 의한 일부멸실의 경우 잔존부분만으로 전세권의 목적을 달성할 수 없으면 전세권설정자는 제311조에 의하여 전세권 전부의 소멸을 청구할 수 있다.

③ 건물의 일부에 대하여 전세권이 설정되어 있는 경우 그 전세권자는 민법 제303조 제1항의 규정에 의하여 그 건물 전부에 대하여 후순위권리자 기타 채권자보다 전세금의 우선변제를 받을 권리가 있고, 민법 제318조의 규정에 의하여 전세권설정자가 전세금의 반환을 지체한 때에는 전세권의 목적물의 경매를 청구할 수 있는 것이나, 전세권의 목적물이 아닌 나머지 건물부분에 대하여는 우선변제권은 별론으로 하고 경매신청권은 없으므로, 위와 같은 경우 전세권자는 전세권의 목적이 된 부분을 초과하여 건물 전부의 경매를 청구할 수 없다(대결 2001.7.2, 2001마212).

④ 전세권설정등기를 마친 민법상의 전세권은 그 성질상 용익물권적 성격과 담보물권적 성격을 겸비한 것으로서, 전세권의 존속기간이 만료되면 전세권의 용익물권적 권능은 전세권설정등기의 말소 없이도 당연히 소멸하고 단지 전세금반환채권을 담보하는 담보물권적 권능의 범위 내에서 전세금의 반환 시까지 그 전세권설정등기의 효력이 존속하고 있다 할 것인데, 이와 같이 존속기간의 경과로서 본래의 용익물권적 권능이 소멸하고 담보물권적 권능만 남은 전세권에 대해서도 그 피담보채권인 전세금반환채권과 함께 제3자에게 이를 양도할 수 있다 할 것이지만 이 경우에는 민법 제450조 제2항 소정의 확정일자 있는 증서에 의한 채권양도절차를 거치지 않는 한 위

전세금반환채권의 압류·전부 채권자 등 제3자에게 위 전세보증금반환채권의 양도사실로써 대항할 수 없다(대판 2005.3.25, 2003다35659).
⑤ 대판 1995.2.10, 94다18508

심화문제 │ 확인·보충·심화문제

01 **전세권에 관한 다음 설명 중 가장 옳지 않은 것은?** ▶ 2025 법무사

① 전세권이 소멸한 때에는 전세권설정자는 전세권자로부터 그 목적물의 인도 및 전세권설정등기의 말소등기에 필요한 서류의 교부를 받는 동시에 전세금을 반환하여야 한다.

② 대지와 건물이 동일한 소유자에 속한 경우에 건물에 전세권을 설정한 때에는 그 대지소유권의 특별승계인은 전세권자에 대하여 지상권을 설정한 것으로 본다.

③ 전세권이 담보물권적 성격도 가지는 이상 부종성과 수반성이 있는 것이므로 전세권을 그 담보하는 전세금반환채권과 분리하여 양도하는 것은 허용되지 않는다고 할 것이나, 전세권이 존속기간의 만료로 소멸한 경우이거나 전세 계약의 합의해지 또는 당사자 간의 특약에 의하여 전세권 반환채권의 처분에도 불구하고, 전세권의 처분이 따르지 않는 경우 등의 특별한 사정이 있는 때에는 채권양수인은 담보물권이 없는 무담보의 채권을 양수한 것이 된다.

④ 건물의 일부에 대하여 전세권이 설정되어 있는 경우 그 전세권자는 민법 제303조 제1항, 제318조의 규정에 의하여 그 건물 전부에 대하여 후순위 권리자 기타 채권자보다 전세금의 우선변제를 받을 권리가 있고, 전세권설정자가 전세금의 반환을 지체한 때에는 전세권의 목적물의 경매를 청구할 수 있다 할 것이나, 전세권의 목적물이 아닌 나머지 건물부분에 대하여는 우선변제권은 별론으로 하고 경매신청권은 없다.

⑤ 전세권의 존속기간은 10년을 넘지 못한다. 당사자의 약정 기간이 10년을 넘는 때에는 이를 10년으로 단축한다.

(해설) ① 전세권설정자는 전세권이 소멸한 경우 전세권자로부터 그 목적물의 인도 및 전세권설정등기의 말소등기에 필요한 서류의 교부를 받는 동시에 전세금을 반환할 의무가 있을 뿐이므로, 전세권자가 그 목적물을 인도하였다고 하더라도 전세권설정등기의 말소등기에 필요한 서류를 교부하거나 그 이행의 제공을 하지 아니하는 이상, 전세권설정자는 전세금의 반환을 거부할 수 있고, 이 경우 다른 특별한 사정이 없는 한 그가 전세금에 대한 이자 상당액의 이득을 법률상 원인 없이 얻는다고 볼 수 없다(대판 2002.2.5, 2001다62091).

② 건물의 전세권과 법정지상권 : 대지와 건물이 동일한 소유자에 속한 경우에 건물에 전세권을 설정한 때에는 그 대지소유권의 특별승계인은 전세권설정자에 대하여 지상권을 설정한 것으로 본다. 그러나 지료는 당사자의 청구에 의하여 법원이 이를 정한다(민법 제305조 제1항).

③ 전세권이 담보물권적 성격도 가지는 이상 부종성과 수반성이 있는 것이므로 전세권을 그 담보하는 전세금반환채권과 분리하여 양도하는 것은 허용되지 않는다고 할 것이나, 한편 담보물권의 수반성이란 피담보채권의 처분이 있으면 언제나 담보물권도 함께 처분된다는 것이 아니라, 채권담보라고 하는 담보물권 제도의 존재 목적에 비추어 볼 때 특별한 사정이 없는 한 피담보채권의 처분에는 담보물권의 처분도 포함된다고 보는 것이 합리적이라는 것일 뿐이므로, 전세권이 존속기간의 만료로 소멸한 경우이거나 전세계약의 합의해지 또는 당사자 간의 특약에 의하여 전세권반환채권의 처분에도 불구하고, 전세권의 처분이 따르지 않는 경우 등의 특별한 사정이 있는 때에는 채권양수인은 담보물권이 없는 무담보의 채권을 양수한 것이 된다(대판 1997.11.25, 97다29790).

④ 건물의 일부에 대하여 전세권이 설정되어 있는 경우 그 전세권자는 민법 제303조 제1항, 제318조의 규정에 의하여 그 건물 전부에 대하여 후순위 권리자 기타 채권자보다 전세금의 우선변제를 받을 권리가 있고, 전세권설정자가 전세금의 반환을 지체한 때에는 전세권의 목적물의 경매를 청구할 수 있다 할 것이나, 전세권의 목적물이 아닌 나머지 건물부분에 대하여는 우선변제권은 별론으로 하고 경매신청권은 없다(대결 1992.3.10, 91마256).

⑤ 전세권의 존속기간 : 전세권의 존속기간은 10년을 넘지 못한다. 당사자의 약정기간이 10년을 넘는 때에는 이를 10년으로 단축한다(민법 제312조 제1항).

유치권

01 다음 설명 중 가장 옳지 않은 것은? ▶ 2021 법무사

① 근저당권자에게 담보목적물에 관하여 각 유치권의 부존재 확인을 구할 법률상 이익이 있다고 보는 것은 경매절차에서 유치권이 주장됨으로써 낮은 가격에 입찰이 이루어져 근저당권자의 배당액이 줄어들 위험이 있다는 데에 근거가 있고, 이는 소유자가 그 소유의 부동산에 관한 경매절차에서 유치권의 부존재 확인을 구하는 경우에도 마찬가지이다. 위와 같이 경매절차에서 유치권이 주장되었으나 소유부동산 또는 담보목적물이 매각되어 그 소유권이 이전되어 소유권을 상실하거나 근저당권이 소멸하였다면, 소유자와 근저당권자는 유치권의 부존재 확인을 구할 법률상 이익이 없다.

② 甲 주식회사가 건물신축 공사대금 일부를 지급받지 못하자 건물을 점유하면서 유치권을 행사해 왔는데, 그 후 乙이 경매절차에서 건물 중 일부 상가를 매수하여 소유권이전등기를 마친 다음 甲 회사의 점유를 침탈하여 丙에게 임대한 사안에서, 乙의 점유침탈로 甲 회사가 점유를 상실한 이상 유치권은 소멸하고, 甲 회사가 점유회수의 소를 제기하여 승소판결을 받아 점유를 회복하면 점유를 상실하지 않았던 것으로 되어 유치권이 되살아난다.

③ 유치권은 법정담보물권이기는 하나 채권자의 이익보호를 위한 채권담보의 수단에 불과하므로 이를 포기하는 특약은 유효하고, 유치권을 사전에 포기한 경우 다른 법정요건이 모두 충족되더라도 유치권이 발생하지 않는 것과 마찬가지로 유치권을 사후에 포기한 경우 곧바로 유치권은 소멸한다. 다만, 유치권 포기로 인한 유치권의 소멸은 유치권 포기 의사표시의 상대방 이외의 사람은 주장할 수 없다.

④ 민법 제320조 제1항에서 '그 물건에 관하여 생긴 채권'은 유치권 제도 본래의 취지인 공평의 원칙에 특별히 반하지 않는 한 채권이 목적물 자체로부터 발생한 경우는 물론이고 채권이 목적물의 반환청구권과 동일한 법률관계나 사실관계로부터 발생한 경우도 포함하고, 한편 민법 제321조는 "유치권자는 채권 전부의 변제를 받을 때까지 유치물 전부에 대하여 그 권리를 행사할 수 있다"고 규정하고 있으므로, 유치물은 그 각 부분으로써 피담보채권의 전부를 담보하며, 이와 같은 유치권의 불가분성은 그 목적물이 분할 가능하거나 수개의 물건인 경우에도 적용된다.

정답 ▶ **01** ③

⑤ 채무자가 채무초과의 상태에 이미 빠졌거나 그러한 상태가 임박함으로써 채권자가 원래라면 자기 채권의 충분한 만족을 얻을 가능성이 현저히 낮아진 상태에서 이미 채무자 소유의 목적물에 저당권 기타 담보물권이 설정되어 있어서 유치권의 성립에 의하여 저당권자 등이 그 채권 만족상의 불이익을 입을 것을 잘 알면서 자기 채권의 우선적 만족을 위하여 위와 같이 취약한 재정적 지위에 있는 채무자와의 사이에 의도적으로 유치권의 성립요건을 충족하는 내용의 거래를 일으키고 그에 기하여 목적물을 점유하게 됨으로써 유치권이 성립하였다면, 유치권자가 그 유치권을 저당권자 등에 대하여 주장하는 것은 다른 특별한 사정이 없는 한 신의칙에 반하는 권리행사 또는 권리남용으로서 허용되지 아니한다. 그리고 저당권자 등은 경매절차 기타 채권실행절차에서 위와 같은 유치권을 배제하기 위하여 그 부존재의 확인 등을 소로써 청구할 수 있다고 할 것이다.

해설 ① 근저당권자에게 담보목적물에 관하여 각 유치권의 부존재 확인을 구할 법률상 이익이 있다고 보는 것은 경매절차에서 유치권이 주장됨으로써 낮은 가격에 입찰이 이루어져 근저당권자의 배당액이 줄어들 위험이 있다는 데에 근거가 있고, 이는 소유자가 그 소유의 부동산에 관한 경매절차에서 유치권의 부존재 확인을 구하는 경우에도 마찬가지이다. 위와 같이 경매절차에서 유치권이 주장되었으나 소유부동산 또는 담보목적물이 매각되어 그 소유권이 이전되어 소유권을 상실하거나 근저당권이 소멸하였다면, 소유자와 근저당권자는 유치권의 부존재 확인을 구할 법률상 이익이 없다(대판 2020.1.16, 2019다247385).

② 甲 주식회사가 건물신축 공사대금 일부를 지급받지 못하자 건물을 점유하면서 유치권을 행사해 왔는데, 그 후 乙이 경매절차에서 건물 중 일부 상가를 매수하여 소유권이전등기를 마친 다음 甲 회사의 점유를 침탈하여 丙에게 임대한 경우, 乙의 점유침탈로 甲 회사가 점유를 상실한 이상 유치권은 소멸하고, 甲 회사가 점유회수의 소를 제기하여 승소판결을 받아 점유를 회복하면 점유를 상실하지 않았던 것으로 되어 유치권이 되살아나지만, 위와 같은 방법으로 점유를 회복하기 전에는 유치권이 되살아나는 것이 아니므로, 甲 회사가 점유회수의 소를 제기하여 점유를 회복할 수 있다는 사정만으로 甲 회사의 유치권이 소멸하지 않았다고 볼 수 없다(대판 2012.2.9, 2011다72189).

③ 유치권은 법정담보물권이기는 하나 채권자의 이익보호를 위한 채권담보의 수단에 불과하므로 이를 포기하는 특약은 유효하고, 유치권을 사전에 포기한 경우 다른 법정요건이 모두 충족되더라도 유치권이 발생하지 않는 것과 마찬가지로 유치권을 사후에 포기한 경우 곧바로 유치권은 소멸한다. 그리고 유치권 포기로 인한 유치권의 소멸은 유치권 포기의 의사표시의 상대방뿐 아니라 그 이외의 사람도 주장할 수 있다(대판 2016.5.12, 2014다52087).

④ 민법 제320조 제1항에서 '그 물건에 관하여 생긴 채권'은 유치권 제도 본래의 취지인 공평의 원칙에 특별히 반하지 않는 한 채권이 목적물 자체로부터 발생한 경우는 물론이고 채권이 목적물의 반환청구권과 동일한 법률관계나 사실관계로부터 발생한 경우도 포함하고, 한편 민법 제321조는 "유치권자는 채권 전부의 변제를 받을 때까지 유치물 전부에 대하여 그 권리를 행사할 수 있다"고 규정하고 있으므로, 유치물은 그 각 부분으로써 피담보채권의 전부를 담보하며, 이와 같은 유치권의 불가분성은 그 목적물이 분할 가능하거나 수개의 물건인 경우에도 적용된다(대판 2007.9.7, 2005다16942). → 다세대주택의 창호 등의 공사를 완성한 하수급인이 공사대금채권 잔액을 변제받기 위하여 위 다세대주택 중 한 세대를 점유하여 유치권을 행사하는 경우, 그 유치권은 위 한 세대에 대하여 시행한 공사대금만이 아니라 다세대주택 전체에 대하여 시행한 공사대금채권의 잔액 전부를 피담보채권으로 하여 성립한다고 본 사례이다.

⑤ 채무자가 채무초과의 상태에 이미 빠졌거나 그러한 상태가 임박함으로써 채권자가 원래라면 자기 채권의 충분한 만족을 얻을 가능성이 현저히 낮아진 상태에서 이미 채무자 소유의 목적물에

저당권 기타 담보물권이 설정되어 있어서 유치권의 성립에 의하여 저당권자 등이 그 채권 만족상의 불이익을 입을 것을 잘 알면서 자기 채권의 우선적 만족을 위하여 위와 같이 취약한 재정적 지위에 있는 채무자와의 사이에 의도적으로 유치권의 성립요건을 충족하는 내용의 거래를 일으키고 그에 기하여 목적물을 점유하게 됨으로써 유치권이 성립하였다면, 유치권자가 그 유치권을 저당권자 등에 대하여 주장하는 것은 다른 특별한 사정이 없는 한 신의칙에 반하는 권리행사 또는 권리남용으로서 허용되지 아니한다. 그리고 저당권자 등은 경매절차 기타 채권실행절차에서 위와 같은 유치권을 배제하기 위하여 그 부존재의 확인 등을 소로써 청구할 수 있다고 할 것이다 (대판 2011.12.22, 2011다84298).

02 유치권에 관한 다음 설명 중 가장 옳지 않은 것은? ▸ 2022 법무사

① 공사대금채권에 기하여 유치권을 행사하는 자가 스스로 유치물인 주택에 거주하며 사용하는 것은 유치물인 주택의 보존에 도움이 되는 행위로서 유치물의 보존에 필요한 사용에 해당하므로, 차임 상당의 이득을 소유자에게 반환할 의무가 없다.

② 유치권의 성립요건인 유치권자의 점유는 간접점유도 포함한다.

③ 유치권 배제 특약이 있는 경우 다른 법정요건이 모두 충족되더라도 유치권은 발생하지 않는데, 특약에 따른 효력은 특약의 상대방뿐 아니라 그 밖의 사람도 주장할 수 있다.

④ 근저당권자는 유치권 신고를 한 사람을 상대로 유치권 전부의 부존재뿐만 아니라 경매절차에서 유치권을 내세워 대항할 수 있는 범위를 초과하는 유치권의 부존재 확인을 구할 법률상 이익이 있다.

⑤ 甲이 건물 신축공사 수급인인 乙 주식회사와 체결한 약정에 따라 공사현장에 시멘트와 모래 등의 건축자재를 공급한 경우, 甲의 건축자재대금채권은 매매계약에 따른 매매대금채권에 불과할 뿐 건물 자체에 관하여 생긴 채권이라고 할 수 없으므로 건물에 관한 유치권의 피담보채권이 되지 않는다.

해설 ① 민법 제324조에 의하면, 유치권자는 선량한 관리자의 주의로 유치물을 점유하여야 하고, 소유자의 승낙 없이 유치물을 보존에 필요한 범위를 넘어 사용하거나 대여 또는 담보제공을 할 수 없으며, 소유자는 유치권자가 위 의무를 위반한 때에는 유치권의 소멸을 청구할 수 있다고 할 것인바, 공사대금채권에 기하여 유치권을 행사하는 자가 스스로 유치물인 주택에 거주하며 사용하는 것은 특별한 사정이 없는 한 유치물인 주택의 보존에 도움이 되는 행위로서 유치물의 보존에 필요한 사용에 해당한다고 할 것이다. 그리고 유치권자가 유치물의 보존에 필요한 사용을 한 경우에도 특별한 사정이 없는 한 차임에 상당한 이득을 소유자에게 반환할 의무가 있다(대판 2009.9.24, 2009다40684).

② 대판 2013.10.24, 2011다44788

③ 대판 2018.1.24, 2016다234043

④ 민사집행법 제268조에 의하여 담보권의 실행을 위한 경매절차에 준용되는 같은 법 제91조 제5항에 의하면 유치권자는 경락인에 대하여 피담보채권의 변제를 청구할 수는 없지만 자신의 피담보채권이 변제될 때까지 유치목적물인 부동산의 인도를 거절할 수 있어 경매절차의 입찰인들은 낙찰 후 유치권자로부터 경매목적물을 쉽게 인도받을 수 없다는 점을 고려하여 입찰하게 되고 그에 따라 경매목적 부동산이 그만큼 낮은 가격에 낙찰될 우려가 있다. 이와 같이 저가낙찰로 인해 경매를 신청한

정답 02 ①

근저당권자의 배당액이 줄어들거나 경매목적물 가액과 비교하여 거액의 유치권 신고로 매각 자체
가 불가능하게 될 위험은 경매절차에서 근저당권자의 법률상 지위를 불안정하게 하는 것이므로 위
불안을 제거하는 근저당권자의 이익을 단순한 사실상·경제상의 이익이라고 볼 수는 없다. 따라서
근저당권자는 유치권 신고를 한 사람을 상대로 유치권 전부의 부존재뿐만 아니라 경매절차에서 유
치권을 내세워 대항할 수 있는 범위를 초과하는 유치권의 부존재 확인을 구할 법률상 이익이 있고,
심리 결과 유치권 신고를 한 사람이 유치권의 피담보채권으로 주장하는 금액의 일부만이 경매절차
에서 유치권으로 대항할 수 있는 것으로 인정되는 경우에는 법원은 특별한 사정이 없는 한 그 유치
권 부분에 대하여 일부패소의 판결을 하여야 한다(대판 2016.3.10, 2013다99409).
⑤ 대판 2012.1.26, 2011다96208

03 점유와 유치권에 관한 다음 설명 중 가장 옳지 않은 것은?

▸ 2024 법무사

① 乙의 점유침탈로 甲이 해당 상가에 대한 점유를 상실한 이상 甲의 유치권은 소멸하고,
甲이 점유회수의 소를 제기하여 승소판결을 받아 점유를 회복하면 점유를 상실하지 않았
던 것으로 되어 유치권이 되살아나지만, 위와 같은 방법으로 점유를 회복하기 전에는 유
치권이 되살아나는 것이 아니므로, 점유회수의 소를 제기하여 점유를 회복할 수 있다는
사정만으로 甲의 유치권이 소멸하지 않았다고 판단하여서는 아니 된다.

② 민법 제321조는 "유치권자는 채권 전부의 변제를 받을 때까지 유치물 전부에 대하여 그
권리를 행사할 수 있다."라고 규정하고 있으므로, 유치물은 그 각 부분으로써 피담보채
권의 전부를 담보하며, 이와 같은 유치권의 불가분성은 그 목적물이 분할 가능하거나 수
개의 물건인 경우에도 적용된다.

③ "점유물이 침탈되었을 경우에 부동산일 때에는 점유자는 침탈 후 직시 가해자를 배제하
여 이를 탈환할 수 있다"고 정한 민법 제209조 제2항에서의 점유자의 자력탈환권은 점
유가 침탈되었을 때 시간적으로 좁게 제한된 범위 내에서 자력으로 점유를 회복할 수
있다는 것으로서, 위 규정에서 말하는 "직시"란 '객관적으로 가능한 한 신속히' 또는 '사
회관념상 가해자를 배제하여 점유를 회복하는 데 필요하다고 인정되는 범위 안에서 되도
록 속히'라는 뜻으로 해석할 것이므로, 점유자가 침탈사실을 알고 모르고와는 관계없이
침탈을 당한 후 상당한 시간이 흘렀다면 자력탈환권을 행사할 수 없다.

④ 민법 제320조 제1항에서 '그 물건에 관하여 생긴 채권'은 유치권 제도 본래의 취지인 공
평의 원칙에 특별히 반하지 않는 한 채권이 목적물 자체로부터 발생한 경우는 물론이고
채권이 목적물의 반환청구권과 동일한 법률관계나 사실관계로부터 발생한 경우도 포함
하므로, 이른바 계약명의신탁에서 명의신탁자의 명의수탁자에 대하여 가지는 부동산 매
수자금액 상당의 부당이득반환청구권은 부동산 자체로부터 발생한 채권은 아니더라도
소유권 등에 기한 부동산의 반환청구권과 동일한 법률관계나 사실관계로부터 발생한 채
권이라고 볼 수는 있으므로, 위 부당이득반환청구권은 민법 제320조 제1항의 '그 물건에
관하여 생긴 채권'이라고 볼 것이다.

⑤ 유치권은 타물권인 점에 비추어 볼 때 수급인의 재료와 노력으로 건축되었고 독립한 건물에 해당되는 기성부분은 수급인의 소유라 할 것이므로 수급인은 공사대금을 지급받을 때까지 이에 대하여 유치권을 가질 수 없다.

해설 ① 대판 2012.2.9. 2011다72189

② 대판 2007.9.7. 2005다16942

③ 민법 제209조 제1항에 규정된 점유자의 자력방위권은 점유의 침탈 또는 방해의 위험이 있는 때에 인정되는 것인 한편, 제2항에 규정된 점유자의 자력탈환권은 점유가 침탈되었을 때 시간적으로 좁게 제한된 범위 내에서 자력으로 점유를 회복할 수 있다는 것으로서, 위 규정에서 말하는 "직시"란 "객관적으로 가능한 한 신속히" 또는 "사회관념상 가해자를 배제하여 점유를 회복하는 데 필요하다고 인정되는 범위 안에서 되도록 속히"라는 뜻으로 해석할 것이므로 점유자가 침탈사실을 알고 모르고와는 관계없이 침탈을 당한 후 상당한 시간이 흘렀다면 자력탈환권을 행사할 수 없다(대판 1993.3.26. 91다14116).

④ 명의신탁자와 명의수탁자가 이른바 계약명의신탁약정을 맺고 명의수탁자가 당사자가 되어 명의신탁약정이 있다는 사실을 알지 못하는 소유자와 부동산에 관한 매매계약을 체결한 뒤 수탁자 명의로 소유권이전등기를 마친 경우에는, 명의신탁자와 명의수탁자 사이의 명의신탁약정은 무효이지만 그 명의수탁자는 당해 부동산의 완전한 소유권을 취득하게 되고(부동산 실권리자명의 등기에 관한 법률 제4조 제1항, 제2항 참조), 반면 명의신탁자는 애초부터 당해 부동산의 소유권을 취득할 수 없고 다만 그가 명의수탁자에게 제공한 부동산 매수자금이 무효의 명의신탁약정에 의한 법률상 원인 없는 것이 되는 관계로 명의수탁자에 대하여 동액 상당의 부당이득반환청구권을 가질 수 있을 뿐이다. 명의신탁자의 이와 같은 부당이득반환청구권은 부동산 자체로부터 발생한 채권이 아닐 뿐만 아니라 소유권 등에 기한 부동산의 반환청구권과 동일한 법률관계나 사실관계로부터 발생한 채권이라고 보기도 어려우므로, 결국 민법 제320조 제1항에서 정한 유치권 성립요건으로서의 목적물과 채권 사이의 견련관계를 인정할 수 없다(대판 2009.3.26. 2008다34828).

⑤ 대판 1993.3.26. 91다14116

심화문제 | 확인 · 보충 · 심화문제

질권

01 다음 설명 중 가장 옳지 않은 것은?　　　　　　　　　　　▶ 2021 법무사

① 민법 제361조는 "저당권은 그 담보한 채권과 분리하여 타인에게 양도하거나 다른 채권의 담보로 하지 못한다."라고 정하고 있을 뿐 피담보채권을 저당권과 분리해서 양도하거나 다른 채권의 담보로 하지 못한다고 정하고 있지 않다. 채권담보라고 하는 저당권 제도의 목적에 비추어 특별한 사정이 없는 한 피담보채권의 처분에는 저당권의 처분도 당연히 포함된다고 볼 것이지만, 피담보채권의 처분이 있으면 언제나 저당권도 함께 처분된다고는 할 수 없다.

② 민법 제352조가 질권설정자는 질권자의 동의 없이 질권의 목적된 권리를 소멸하게 하거나 질권자의 이익을 해하는 변경을 할 수 없다고 규정한 것은 질권자가 질권의 목적인 채권의 교환가치에 대하여 가지는 배타적 지배권능을 보호하기 위한 것이므로, 질권설정자와 제3채무자가 질권의 목적된 권리를 소멸하게 하는 행위를 하였다고 하더라도 이는 질권자에 대한 관계에 있어 무효일 뿐이어서 특별한 사정이 없는 한 질권자 아닌 제3자가 그 무효의 주장을 할 수는 없다.

③ 금전채권의 질권자가 민법 제353조 제1항, 제2항에 의하여 자기채권의 범위 내에서 직접청구권을 행사하는 경우 질권자는 질권설정자의 대리인과 같은 지위에서 입질채권을 추심하여 자기채권의 변제에 충당하고 그 한도에서 질권설정자에 의한 변제가 있었던 것으로 보므로, 위 범위 내에서는 제3채무자의 질권자에 대한 금전지급으로써 제3채무자의 질권설정자에 대한 급부가 이루어질 뿐만 아니라 질권설정자의 질권자에 대한 급부도 이루어진다.

④ 제3채무자가 질권자의 동의 없이 질권설정자와 상계합의를 함으로써 질권의 목적인 채무를 소멸하게 한 경우에는 질권자에게 대항할 수 없고, 질권자는 여전히 제3채무자에 대하여 직접 채무의 변제를 청구할 수 있다고 보아야 한다.

⑤ 질권자가 피담보채권을 초과하여 질권의 목적이 된 금전채권을 추심하였다고 하더라도 그중 피담보채권을 초과하는 부분이 법률상 원인이 없는 것으로서 질권설정자에 대한 관계에서 부당이득이 된다고 할 수 없다.

해설 ① 민법 제361조는 '저당권은 그 담보한 채권과 분리하여 타인에게 양도하거나 다른 채권의 담보로 하지 못한다.'고 정하고 있을 뿐 피담보채권을 저당권과 분리해서 양도하거나 다른 채권의 담보로 하지 못한다고 정하고 있지 않다. 채권담보라고 하는 저당권 제도의 목적에 비추어 특별한 사정이 없는 한 피담보채권의 처분에는 저당권의 처분도 당연히 포함된다고 볼 것이지만, 피담보채권의 처분이 있으면 언제나 저당권도 함께 처분된다고는 할 수 없다. 따라서 저당권으로 담보된 채권에 질권을 설정한 경우 원칙적으로는 저당권이 피담보채권과 함께 질권의 목적이 된다고 보는 것이 합리적이지만, 질권자와 질권설정자가 피담보채권만을 질권의 목적으로 하고 저당권은 질권의 목적으로 하지 않는 것도 가능하고 이는 저당권의 부종성에 반하지 않는다. 이는 저당권과 분리해서 피담보채권만을 양도한 경우 양도인이 채권을 상실하여 양도인 앞으로 된 저당권이 소멸하게 되는 것과 구별된다(대판 2020.4.29, 2016다235411).

② 민법 제352조의 규정(질권설정자는 질권자의 동의 없이 질권의 목적된 권리를 소멸하게 하거나 질권자의 이익을 해하는 변경을 할 수 없다)은 질권자가 질권의 목적인 채권의 교환가치에 대하여 가지는 배타적 지배권능을 보호하기 위한 것이므로, 질권설정자와 제3채무자가 질권의 목적된 권리를 소멸하게 하는 행위를 하였다고 하더라도 이는 질권자에 대한 관계에 있어 무효일 뿐이어서 특별한 사정이 없는 한 질권자 아닌 제3자가 그 무효의 주장을 할 수는 없다(대판 1997.11.11, 97다35375).

③ 금전채권의 질권자가 민법 제353조 제1항, 제2항에 의하여 자기채권의 범위 내에서 직접청구권을 행사하는 경우 질권자는 질권설정자의 대리인과 같은 지위에서 입질채권을 추심하여 자기채권의 변제에 충당하고 그 한도에서 질권설정자에 의한 변제가 있었던 것으로 보므로, 위 범위 내에서는 제3채무자의 질권자에 대한 금전지급으로써 제3채무자의 질권설정자에 대한 급부가 이루어질 뿐만 아니라 질권설정자의 질권자에 대한 급부도 이루어진다고 보아야 한다. 이러한 경우 입질채권의 발생원인인 계약관계에 무효 등의 흠이 있어 입질채권이 부존재한다고 하더라도 제3채무자는 특별한 사정이 없는 한 상대방 계약당사자인 질권설정자에 대하여 부당이득반환을 구할 수 있을 뿐이고 질권자를 상대로 직접 부당이득반환을 구할 수 없다(대판 2015.5.29, 2012다92258).

④ 타인에 대한 채무의 담보로 제3채무자에 대한 채권에 대하여 권리질권을 설정한 경우 질권설정자는 질권자의 동의 없이 질권의 목적된 권리를 소멸하게 하거나 질권자의 이익을 해하는 변경을 할 수 없다(민법 제352조). 이는 질권자가 질권의 목적인 채권의 교환가치에 대하여 가지는 배타적 지배권능을 보호하기 위한 것이다. 따라서 질권설정자가 제3채무자에게 질권설정의 사실을 통지하거나 제3채무자가 이를 승낙한 때에는 제3채무자가 질권자의 동의 없이 질권의 목적인 채무를 변제하더라도 이로써 질권자에게 대항할 수 없고, 질권자는 민법 제353조 제2항에 따라 여전히 제3채무자에 대하여 직접 채무의 변제를 청구할 수 있다. 제3채무자가 질권자의 동의 없이 질권설정자와 상계합의를 함으로써 질권의 목적인 채무를 소멸하게 한 경우에도 마찬가지로 질권자에게 대항할 수 없고, 질권자는 여전히 제3채무자에 대하여 직접 채무의 변제를 청구할 수 있다(대판 2018.12.27, 2016다265689).

⑤ 질권자가 피담보채권을 초과하여 질권의 목적이 된 금전채권을 추심하였다면 그중 피담보채권을 초과하는 부분은 특별한 사정이 없는 한 법률상 원인이 없는 것으로서 질권설정자에 대한 관계에서 부당이득이 된다(대판 2011.4.14, 2010다5694).

정답 **01** ⑤

02 질권에 관한 다음 설명 중 가장 옳지 않은 것은?

▶ 2022 법무사

① 질권의 목적인 채권의 양도행위는 민법 제352조 소정의 질권자의 이익을 해하는 변경에 해당하므로 질권자의 동의를 요한다.

② 근질권이 설정된 금전채권에 대하여 제3자의 압류로 강제집행절차가 개시된 경우 근질권의 피담보채권은 근질권자가 위와 같은 강제집행이 개시된 사실을 알게 된 때에 확정된다고 봄이 타당하다.

③ 질권은 원본, 이자, 위약금, 질권실행의 비용, 질물보존의 비용 및 채무불이행 또는 질물의 하자로 인한 손해배상의 채권을 담보한다. 그러나 다른 약정이 있는 때에는 그 약정에 의한다.

④ 민법 제347조는 채권을 질권의 목적으로 하는 경우에 채권증서가 있는 때에는 질권의 설정은 그 증서를 질권자에게 교부함으로써 효력이 생긴다고 규정하고 있는데, 임대차계약서와 같이 계약 당사자 쌍방의 권리의무관계의 내용을 정한 서면은 그 계약에 의한 권리의 존속을 표상하기 위한 것이라고 할 수는 없으므로 위 채권증서에 해당하지 않는다고 할 것이다.

⑤ 보험금청구권의 양도 또는 질권설정에 대한 채무자의 승낙은 별도로 면책사유가 있으면 보험금을 지급하지 않겠다는 취지를 명시하지 않아도 당연히 그것을 전제로 하고 있다고 보아야 하고 그 양수인 또는 질권자도 그러한 사실을 알고 있었다고 보아야 할 것이다.

해설 ① 질권의 목적인 채권의 양도행위는 민법 제352조 소정의 질권자의 이익을 해하는 변경에 해당되지 않으므로 질권자의 동의를 요하지 아니한다(대판 2005.12.22, 2003다55059).

② 근질권의 목적이 된 금전채권에 대하여 근질권자가 아닌 제3자의 압류로 강제집행절차가 개시된 경우, 제3채무자가 그 절차의 전부명령이나 추심명령에 따라 전부금 또는 추심금을 제3자에게 지급하거나 채권자의 경합 등을 사유로 위 금전채권의 채권액을 법원에 공탁하게 되면 그 변제의 효과로서 위 금전채권은 소멸하고 그 결과 바로 또는 그 후의 절차진행에 따라 종국적으로 근질권도 소멸하게 되므로, 근질권자는 위 강제집행절차에 참가하거나 아니면 근질권을 실행하는 방법으로 그 권리를 행사할 것이 요구된다. 이런 까닭에 위 강제집행절차가 개시된 때로부터 위와 같이 근질권이 소멸하게 되기까지의 어느 시점에서인가는 근질권의 피담보채권도 확정된다고 하지 않을 수 없다. 근질권자가 제3자의 압류 사실을 알고서도 채무자와 거래를 계속하여 추가로 발생시킨 채권까지 근질권의 피담보채권에 포함시킨다고 하면 그로 인하여 근질권자가 얻을 수 있는 실익은 별 다른 것이 없는 반면 제3자가 입게 되는 손해는 위 추가된 채권액만큼 확대되고 이는 사실상 채무자의 이익으로 귀속될 개연성이 높아 부당할 뿐 아니라, 경우에 따라서는 근질권자와 채무자가 그러한 점을 남용하여 제3자 등 다른 채권자의 채권 회수를 의도적으로 침해할 수 있는 여지도 제공하게 된다. 따라서 이러한 여러 사정을 적정·공평이란 관점에 비추어 보면, 근질권이 설정된 금전채권에 대하여 제3자의 압류로 강제집행절차가 개시된 경우 근질권의 피담보채권은 근질권자가 위와 같은 강제집행이 개시된 사실을 알게 된 때에 확정된다고 봄이 타당하다(대판 2009.10.15, 2009다43621).

③ 제334조

④ 민법 제347조는 채권을 질권의 목적으로 하는 경우에 채권증서가 있는 때에는 질권의 설정은 그 증서를 질권자에게 교부함으로써 효력이 생긴다고 규정하고 있다. 여기에서 말하는 '채권증서'는 채권의 존재를 증명하기 위하여 채권자에게 제공된 문서로서 특정한 이름이나 형식을 따라야 하는 것은 아니지만, 장차 변제 등으로 채권이 소멸하는 경우에는 민법 제475조에 따라 채무자가 채권자에게 그 반환을 청구할 수 있는 것이어야 한다. 이에 비추어 임대차계약서와 같이 계약 당사자 쌍방의 권리의무관계의 내용을 정한 서면은 그 계약에 의한 권리의 존속을 표상하기 위한 것이라고 할 수는 없으므로 위 채권증서에 해당하지 않는다(대판 2013.8.22, 2013다32574).

⑤ 보험금청구권은 보험자의 면책사유 없는 보험사고에 의하여 피보험자에게 손해가 발생한 경우에 비로소 권리로서 구체화되는 정지조건부권리이고, 그 조건부권리도 보험사고가 면책사유에 해당하는 경우에는 그에 의하여 조건불성취로 확정되어 소멸하는 것이라 할 것이므로, 위와 같은 보험금청구권의 양도 또는 질권설정에 대한 채무자의 승낙은 별도로 면책사유가 있으면 보험금을 지급하지 않겠다는 취지를 명시하지 않아도 당연히 그것을 전제로 하고 있다고 보아야 하고, 그 양수인 또는 질권자도 그러한 사실을 알고 있었다고 보아야 할 것이며, 더구나 보험사고 발생 전의 보험금청구권 양도 또는 질권설정을 승낙함에 있어서 보험자가 위 항변사유가 상당한 정도로 발생할 가능성이 있음을 인식하였다는 등의 사정이 없는 한 존재하지도 아니하는 면책사유 항변을 보류하고 이의하여야 한다고 할 수는 없으므로, 보험자가 비록 위 보험금청구권 양도 승낙 시나 질권설정 승낙 시에 면책사유에 대한 이의를 보류하지 않았다 하더라도 보험계약상의 면책사유를 양수인 또는 질권자에게 주장할 수 있다(대판 2002.3.29, 2000다13887).

정답 ▶ **02** ①

저당권

01 물상보증인에 관한 다음 설명 중 가장 옳지 않은 것은?

▶ 2023 법무사

① 물상보증인이 담보부동산을 제3취득자에게 매도하고 제3취득자가 담보부동산에 설정된 근저당권의 피담보채무의 이행을 인수한 경우, 이후 담보부동산에 대한 담보권이 실행되면 제3취득자가 채무자에 대하여 구상권을 취득한다.

② 공동저당에 제공된 채무자 소유의 부동산과 물상보증인 소유의 부동산 가운데 물상보증인 소유의 부동산이 먼저 경매되어 매각대금에서 선순위공동저당권자가 변제를 받은 때에는 물상보증인은 채무자에 대하여 구상권을 취득함과 동시에 변제자대위에 의하여 채무자 소유의 부동산에 대한 선순위공동저당권을 대위취득한다. 이 경우 물상보증인 소유의 부동산에 대한 후순위저당권자는 물상보증인이 대위취득한 채무자 소유의 부동산에 대한 선순위공동저당권에 대하여 물상대위를 할 수 있다.

③ 공동저당이 설정된 복수의 부동산이 같은 물상보증인의 소유에 속하고 그중 하나의 부동산에 후순위저당권이 설정되어 있는데 그 부동산의 대가만 배당되는 경우, 후순위 저당권자는 선순위 공동저당권자가 민법 제368조 제1항에 따라 공동저당이 설정된 다른 부동산으로부터 변제를 받을 수 있었던 금액에 이르기까지 공동저당이 설정된 다른 부동산에 대한 선순위 공동저당권자의 저당권을 대위 행사할 수 있고, 공동저당이 설정된 부동산이 제3자에게 양도되어 소유자가 다르게 되더라도 마찬가지이다.

④ 물상보증인의 채무자에 대한 구상권은 그들 사이의 물상보증위탁계약의 법적 성질과 관계없이 민법에 의하여 인정된 별개의 독립한 권리이고, 그 소멸시효에 있어서는 민법상 일반채권에 관한 규정이 적용된다.

⑤ 물상보증인이 담보권의 실행으로 타인의 채무를 담보하기 위하여 제공한 부동산의 소유권을 잃은 경우 물상보증인이 채무자에게 구상할 수 있는 범위는 특별한 사정이 없는 한 담보권의 실행으로 부동산의 소유권을 잃게 된 때(매수인이 매각대금을 다 낸 때)의 부동산 시가를 기준으로 하여야 하고, 매각대금을 기준으로 할 것이 아니다.

해설 ① 물상보증인이 담보부동산을 제3취득자에게 매도하고 제3취득자가 담보부동산에 설정된 근저당권의 피담보채무의 이행을 인수한 경우, 그 이행인수는 매매당사자 사이의 내부적인 계약에 불과하여 이로써 물상보증인의 책임이 소멸하지 않는 것이고, 따라서 담보부동산에 대한 담보권이 실행된 경우에도 제3취득자가 아닌 원래의 물상보증인이 채무자에 대한 구상권을 취득한다(대판 1997.5.30. 97다1556).

② 대판 2017.4.26, 2014다221777 · 2014다221784

③ 대판 2021.12.16, 2021다247258

④ 대판 2001.4.24, 2001다6237

⑤ 대판 2018.4.10, 2017다28302 → 경매절차에서 유찰 등의 사유로 소유권 상실 당시의 시가에 비하여 낮은 가격으로 매각되는 경우가 있는데, 이 경우 소유권 상실로 인한 부동산 시가와 매각대금의 차액에 해당하는 손해는 채무자가 채무를 변제하지 못한 데 따른 담보권의 실행으로 물상보증인에게 발생한 손해이므로, 이를 채무자에게 구상할 수 있어야 하기 때문이다.

02 다음 설명 중 가장 옳지 않은 것은?

▶ 2021 법무사

① 당사자 사이에 하나의 기본계약에서 발생하는 동일한 채권을 담보하기 위하여 여러 개의 부동산에 근저당권을 설정하면서 각각의 근저당권 채권최고액을 합한 금액을 우선변제받기 위하여 공동근저당권의 형식이 아닌 개별 근저당권의 형식을 취한 경우, 이러한 근저당권은 민법 제368조가 적용되는 공동근저당권이 아니라 피담보채권을 누적적으로 담보하는 근저당권에 해당한다. 이와 같은 누적적 근저당권은 공동근저당권과 달리 담보의 범위가 중첩되지 않으므로, 누적적 근저당권을 설정받은 채권자는 여러 개의 근저당권을 동시에 실행할 수도 있고, 여러 개의 근저당권 중 어느 것이라도 먼저 실행하여 그 채권최고액의 범위에서 피담보채권의 전부나 일부를 우선변제받은 다음 피담보채권이 소멸할 때까지 나머지 근저당권을 실행하여 그 근저당권의 채권최고액 범위에서 반복하여 우선변제를 받을 수 있다.

② 부동산의 소유자 겸 채무자가 채권자인 저당권자에게 당해 저당권설정등기에 의하여 담보되는 채무를 모두 변제함으로써 저당권이 소멸된 경우 그 저당권설정등기 또한 효력을 상실하여 말소되어야 하고, 부동산의 소유자가 새로운 제3의 채권자로부터 금원을 차용함에 있어 그 제3자와 사이에 새로운 차용금 채무를 담보하기 위하여 잔존하는 종전 채권자 명의의 저당권설정등기를 이용하여 이에 터 잡아 새로운 제3의 채권자에게 저당권이전의 부기등기를 경료하기로 하는 내용의 저당권등기 유용의 합의를 하고 실제로 그 부기등기를 경료하였다고 하더라도, 새로운 제3의 채권자는 부동산의 소유자에 대하여 그 등기 유용의 합의를 주장하여 저당권설정등기의 말소청구에 대항할 수 없다.

③ 근저당권자는 근저당권의 목적이 된 토지의 공용징수 등으로 토지의 소유자가 받을 금전이나 그 밖의 물건에 대하여 물상대위권을 행사할 수 있으나, 다만 그 지급이나 인도 전에 압류하여야 하고(민법 제370조, 제342조), 근저당권자가 금전이나 물건의 인도청구권을 압류하기 전에 토지의 소유자가 인도청구권에 기하여 금전 등을 수령한 경우 근저당권자는 더 이상 물상대위권을 행사할 수 없다.

④ 민법 제365조가 토지를 목적으로 한 저당권을 설정한 후 그 저당권설정자가 그 토지에 건물을 축조한 때에는 저당권자가 토지와 건물을 일괄하여 경매를 청구할 수 있도록 규정한 취지는, 저당권은 담보물의 교환가치의 취득을 목적으로 할 뿐 담보물의 이용을 제한하지 아니하여 저당권설정자로서는 저당권설정 후에도 그 지상에 건물을 신축할 수 있는데, 후에 그 저당권의 실행으로 토지가 제3자에게 경락될 경우에 건물을 철거하여야 한다면 사회경제적으로 현저한 불이익이 생기게 되어 이를 방지할 필요가 있으므로 이러한 이해관계를 조절하고, 저당권자에게도 저당토지상의 건물의 존재로 인하여 생기게 되는 경매의 어려움을 해소하여 저당권의 실행을 쉽게 할 수 있도록 한 데에 있다는 점에 비추어 볼 때, 저당지상의 건물에 대한 일괄경매청구권은 저당권설정자가 건물을 축조한 경우뿐만 아니라 저당권설정자로부터 저당토지에 대한 용익권을 설정받은 자가 그 토지에 건물을 축조한 경우라도 그 후 저당권설정자가 그 건물의 소유권을 취득한 경우에는 저당권자는 토지와 함께 그 건물에 대하여 경매를 청구할 수 있다.

⑤ 저당권자는 저당권 설정 이후 환가에 이르기까지 저당물의 교환가치에 대한 지배권능을 보유하고 있으므로 저당목적물의 소유자 또는 제3자가 저당목적물을 물리적으로 멸실·훼손하는 경우는 물론 그 밖의 행위로 저당부동산의 교환가치가 하락할 우려가 있는 등 저당권자의 우선변제청구권의 행사가 방해되는 결과가 발생한다면 저당권자는 저당권에 기한 방해배제청구권을 행사하여 방해행위의 제거를 청구할 수 있다.

해설 ① 당사자 사이에 하나의 기본계약에서 발생하는 동일한 채권을 담보하기 위하여 여러 개의 부동산에 근저당권을 설정하면서 각각의 근저당권 채권최고액을 합한 금액을 우선변제받기 위하여 공동근저당권의 형식이 아닌 개별 근저당권의 형식을 취한 경우(🗈 각 부동산에 각각의 채권최고액을 정하여 피담보채권을 누적하여 부담시키도록 하는 경우로서 수개의 근저당권은 각각 독립된 근저당권으로서 존재하므로 각 근저당권에 기해 채권최고액 범위에서 반복적으로 우선변제를 받을 수 있는 특징이 있다). 이러한 근저당권은 민법 제368조가 적용되는 공동근저당권이 아니라 피담보채권을 누적적(累積的)으로 담보하는 근저당권에 해당한다. 이와 같은 누적적 근저당권은 공동근저당권과 달리 담보의 범위가 중첩되지 않으므로, 누적적 근저당권을 설정받은 채권자는 여러 개의 근저당권을 동시에 실행할 수도 있고, 여러 개의 근저당권 중 어느 것이라도 먼저 실행하여 그 채권최고액의 범위에서 피담보채권의 전부나 일부를 우선변제 받은 다음 피담보채권이 소멸할 때까지 나머지 근저당권을 실행하여 그 근저당권의 채권최고액 범위에서 반복하여 우선변제를 받을 수 있다(대판 2020.4.9, 2014다51756·51763).

② 부동산의 소유자 겸 채무자가 채권자인 저당권자에게 당해 저당권설정등기에 의하여 담보되는 채무를 모두 변제함으로써 저당권이 소멸된 경우 그 저당권설정등기 또한 효력을 상실하여 말소되어야 할 것이나, 그 부동산의 소유자가 새로운 제3의 채권자로부터 금원을 차용함에 있어 그 제3자와 사이에 새로운 차용금 채무를 담보하기 위하여 잔존하는 종전 채권자 명의의 저당권설정등기를 이용하여 이에 터 잡아 새로운 제3의 채권자에게 저당권 이전의 부기등기를 경료하기로 하는 내용의 저당권등기 유용의 합의를 하고 실제로 그 부기등기를 경료하였다면, 그 저당권 이전등기를 경료받은 새로운 제3의 채권자로서는 언제든지 부동산의 소유자에 대하여 그 등기 유용의 합의를 주장하여 저당권설정등기의 말소청구에 대항할 수 있다고 할 것이고, 다만 그 저당권 이전의 부기등기 이전에 등기부상 이해관계를 가지게 된 자에 대하여는 위 등기 유용의 합

의 사실을 들어 위 저당권설정등기 및 그 저당권 이전의 부기등기의 유효를 주장할 수는 없다(대판 1998.3.24, 97다56242).

③ 근저당권자는 근저당권의 목적이 된 토지의 공용징수 등으로 토지의 소유자가 받을 금전이나 그 밖의 물건에 대하여 물상대위권을 행사할 수 있으나, 다만 그 지급이나 인도 전에 압류하여야 하고(민법 제370조, 제342조), 근저당권자가 금전이나 물건의 인도청구권을 압류하기 전에 토지의 소유자가 인도청구권에 기하여 금전 등을 수령한 경우 근저당권자는 더 이상 물상대위권을 행사할 수 없다(대판 2015.9.10, 2013다216273).

④ 민법 제365조가 토지를 목적으로 한 저당권을 설정한 후 그 저당권설정자가 그 토지에 건물을 축조한 때에는 저당권자가 토지와 건물을 일괄하여 경매를 청구할 수 있도록 규정한 취지는, 저당권은 담보물의 교환가치의 취득을 목적으로 할 뿐 담보물의 이용을 제한하지 아니하여 저당권설정자로서는 저당권설정 후에도 그 지상에 건물을 신축할 수 있는데, 후에 그 저당권의 실행으로 토지가 제3자에게 경락될 경우에 건물을 철거하여야 한다면 사회경제적으로 현저한 불이익이 생기게 되어 이를 방지할 필요가 있으므로 이러한 이해관계를 조절하고, 저당권자에게도 저당토지상의 건물의 존재로 인하여 생기게 되는 경매의 어려움을 해소하여 저당권의 실행을 쉽게 할 수 있도록 한 데에 있다는 점에 비추어 볼 때, 저당지상의 건물에 대한 일괄경매청구권은 저당권설정자가 건물을 축조한 경우뿐만 아니라 저당권설정자로부터 저당토지에 대한 용익권을 설정받은 자가 그 토지에 건물을 축조한 경우라도 그 후 저당권설정자가 그 건물의 소유권을 취득한 경우에는 저당권자는 토지와 함께 그 건물에 대하여 경매를 청구할 수 있다(대판 2003.4.11, 2003다3850).

⑤ 저당권자는 저당권 설정 이후 환가에 이르기까지 저당물의 교환가치에 대한 지배권능을 보유하고 있으므로 저당목적물의 소유자 또는 제3자가 저당목적물을 물리적으로 멸실·훼손하는 경우는 물론 그 밖의 행위로 저당부동산의 교환가치가 하락할 우려가 있는 등 저당권자의 우선변제청구권의 행사가 방해되는 결과가 발생한다면 저당권자는 저당권에 기한 방해배제청구권을 행사하여 방해행위의 제거를 청구할 수 있다(대판 2006.1.27, 2003다58454).

03 근저당권에 관한 다음 설명 중 가장 옳지 않은 것은? ▶ 2022 법무사

① 근저당권에 있어서 채권의 총액이 채권최고액을 초과하는 경우, 적어도 근저당권자와 채무자 겸 근저당권설정자와의 관계에서는 위 채권 전액의 변제가 있을 때까지 근저당권의 효력은 채권최고액과는 관계없이 잔존채무에 여전히 미치는 것이므로 채무자 겸 근저당권설정자는 채무의 일부인 채권최고액과 지연손해금, 집행비용만의 변제공탁으로는 근저당권설정등기의 말소를 청구할 수 없다.

② 공동근저당권자가 목적 부동산 중 일부 부동산에 대하여 제3자가 신청한 경매절차에 소극적으로 참가하여 우선배당을 받은 경우에, 해당 부동산에 관한 근저당권의 피담보채권은 그 근저당권이 소멸하는 시기, 즉 매수인이 매각대금을 지급한 때에 확정되지만, 나머지 목적 부동산에 관한 근저당권의 피담보채권은 기본거래가 종료하거나 채무자나 물상보증인에 대하여 파산이 선고되는 등의 다른 확정사유가 발생하지 아니하는 한 확정되지 아니한다.

③ 근저당권에 의하여 담보되는 피담보채무는 근저당권설정계약에서 근저당권의 존속기간을 정하거나 근저당권으로 담보되는 기본적인 거래계약에서 결산기를 정한 경우에는 원칙적으로 존속기간이나 결산기가 도래한 때에 확정되지만, 이 경우에도 근저당권에 의하여 담보되는 채권이 전부 소멸하고 채무자가 채권자로부터 새로이 금원을 차용하는 등 거래를 계속할 의사가 없는 경우에는, 그 존속기간 또는 결산기가 경과하기 전이라 하더라도 근저당권설정자는 계약을 해제하고 근저당권설정등기의 말소를 구할 수 있고, 존속기간이나 결산기의 정함이 없는 때에는 근저당권설정자가 근저당권자를 상대로 언제든지 해지의 의사표시를 함으로써 피담보채무를 확정시킬 수 있으나, 이러한 계약의 해제 또는 해지에 관한 권한은 계약당사자의 권능이라고 할 것이어서 근저당부동산의 소유권을 취득한 제3자는 원용할 수 없다.

④ 민사집행법 제148조에 따라 배당받을 채권자나 제3취득자가 없는 한 근저당권자의 채권액이 근저당권의 채권최고액을 초과하는 경우에 매각대금 중 그 최고액을 초과하는 금액이 있더라도 이는 근저당권설정자에게 반환할 것은 아니고 근저당권자의 채권최고액을 초과하는 채무의 변제에 충당하여야 한다.

⑤ 근저당권의 피담보채권이 확정되기 전에 그 채권의 일부를 양도하거나 대위변제한 경우 근저당권이 양수인이나 대위변제자에게 이전할 여지는 없으나, 그 근저당권에 의하여 담보되는 피담보채권이 확정되게 되면, 그 피담보채권액이 그 근저당권의 채권최고액을 초과하지 않는 한 그 근저당권 내지 그 실행으로 인한 경락대금에 대한 권리 중 그 피담보채권액을 담보하고 남는 부분은 저당권의 일부이전의 부기등기의 경료 여부와 관계없이 대위변제자에게 법률상 당연히 이전된다.

해설 ① 채무자의 채무액이 근저당 채권최고액을 초과하는 경우에 채무자 겸 근저당권설정자가 그 채무의 일부인 채권최고액과 지연손해금 및 집행비용만을 변제하였다면 채권전액의 변제가 있을 때까지 근저당권의 효력은 잔존채무에 미치는 것이므로 위 채무일부의 변제로써 위 근저당권의 말소를 청구할 수 없다(대판 1981.11.10, 80다2712).

② 공동근저당권자가 목적 부동산 중 일부 부동산에 대하여 제3자가 신청한 경매절차에 소극적으로 참가하여 우선배당을 받은 경우, ⅰ)「해당 부동산」에 관한 근저당권의 피담보채권은 그 근저당권이 소멸하는 시기, 즉 매수인이 매각대금을 지급한 때에 확정되지만, ⅱ)「나머지 목적 부동산」에 관한 근저당권의 피담보채권은 기본거래가 종료하거나 채무자나 물상보증인에 대하여 파산이 선고되는 등의 다른 확정사유가 발생하지 아니하는 한 확정되지 아니한다(대판 2017.9.21, 2015다50637).

③ 근저당권이라 함은 그 담보할 채권의 최고액만을 정하고 채무의 확정을 장래에 유보하여 설정하는 저당권을 말하고, 이 경우 그 피담보채무가 확정될 때까지의 채무의 소멸 또는 이전은 근저당권에 영향을 미치지 아니하므로, 근저당부동산에 대하여 소유권을 취득한 제3자는 피담보채무가 확정된 이후에 그 확정된 피담보채무를 채권최고액의 범위 내에서 변제하고 근저당권의 소멸을 청구할 수 있다고 할 것인바, 피담보채무는 근저당권설정계약에서 근저당권의 존속기간을 정하거나 근저당권으로 담보되는 기본적인 거래계약에서 결산기를 정한 경우에는 원칙적으로 존속기간이나 결산기가 도래한 때에 확정되지만, 이 경우에도 근저당권에 의하여 담보되는 채권이 전부 소멸하고 채무자가 채권자로부터 새로이 금원을 차용하는 등 거래를 계속할 의사가 없는 경우에

는, 그 존속기간 또는 결산기가 경과하기 전이라 하더라도 근저당권설정자는 계약을 해제하고 근저당권설정등기의 말소를 구할 수 있고, 존속기간이나 결산기의 정함이 없는 때에는 근저당권설정자가 근저당권자를 상대로 언제든지 해지의 의사표시를 함으로써 피담보채무를 확정시킬 수 있으며, 이러한 계약의 해제 또는 해지에 관한 권한은 근저당부동산의 소유권을 취득한 제3자도 원용할 수 있다고 할 것이다(대판 2001.11.9, 2001다47528).

④ 민사집행법상 경매절차에 있어 근저당권설정자와 채무자가 동일한 경우에 근저당권의 채권최고액은 민사집행법 제148조에 따라 배당받을 채권자나 저당목적 부동산의 제3취득자에 대한 우선변제권의 한도로서의 의미를 갖는 것에 불과하고, 그 부동산으로써는 그 최고액 범위 내의 채권에 한하여서만 변제를 받을 수 있다는 이른바 책임의 한도라고까지는 볼 수 없다. 그러므로 민사집행법 제148조에 따라 배당받을 채권자나 제3취득자가 없는 한 근저당권자의 채권액이 근저당권의 채권최고액을 초과하는 경우에 매각대금 중 그 최고액을 초과하는 금액이 있더라도 이는 근저당권설정자에게 반환할 것은 아니고 근저당권자의 채권최고액을 초과하는 채무의 변제에 충당하여야 한다(대판 2009.2.26, 2008다4001).

⑤ 근저당권이라고 함은 계속적인 거래관계로부터 발생하고 소멸하는 불특정다수의 장래채권을 결산기에 계산하여 잔존하는 채무를 일정한 한도액의 범위 내에서 담보하는 저당권이어서, 거래가 종료하기까지 채권은 계속적으로 증감변동하는 것이므로, 근저당 거래관계가 계속 중인 경우 즉, 근저당권의 피담보채권이 확정되기 전에 그 채권의 일부를 양도하거나 대위변제한 경우 근저당권이 양수인이나 대위변제자에게 이전할 여지는 없다 할 것이나, 그 근저당권에 의하여 담보되는 피담보채권이 확정되게 되면, 그 피담보채권액이 그 근저당권의 채권최고액을 초과하지 않는 한 그 근저당권 내지 그 실행으로 인한 경락대금에 대한 권리 중 그 피담보채권액을 담보하고 남는 부분은 저당권의 일부이전의 부기등기의 경료 여부와 관계없이 대위변제자에게 법률상 당연히 이전된다(대판 2002.7.26, 2001다53929).

04 다음 설명 중 가장 옳지 않은 것은?

▸ 2023 법무사

① 근저당권자의 경매신청 등의 사유로 인하여 근저당권의 피담보채권이 확정되었을 경우, 확정 이후에 새로운 거래관계에서 발생한 원본채권은 그 근저당권에 의하여 담보되지 않지만, 확정 전에 발생한 원본채권에 관하여 확정 후에 발생하는 이자나 지연손해금 채권은 채권최고액의 범위 내에서 근저당권에 의하여 여전히 담보된다.

② 근저당권은 그 담보할 채무의 최고액만을 정하고, 채무의 확정을 장래에 보류하여 설정하는 저당권으로서, 계속적인 거래관계로부터 발생하는 다수의 불특정채권을 장래의 결산기에서 일정한 한도까지 담보하기 위한 목적으로 설정되는 담보권이므로, 근저당권설정행위와는 별도로 근저당권의 피담보채권을 성립시키는 법률행위가 있어야 한다.

③ 저당권은 원본, 이자, 위약금, 채무불이행으로 인한 손해배상 및 저당권의 실행비용을 담보하는 것이며, 채권최고액의 정함이 있는 근저당권에 있어서 이러한 채권의 총액이 그 채권최고액을 초과하는 경우, 적어도 근저당권자와 채무자 겸 근저당권설정자와의 관계에 있어서는 위 채권 전액의 변제가 있을 때까지 근저당권의 효력은 채권최고액과는 관계없이 잔존채무에 여전히 미친다.

정답 ▸ 04 ④

④ 구분건물의 전유부분만에 관하여 설정된 저당권의 효력은 특별한 사정이 없는 한 그 전유부분의 소유자가 사후에 취득한 대지사용권에까지 미친다고 할 수 없다.

⑤ 공장건물이나 토지에 대하여 공장저당법에 의한 공장저당이 아니라 민법상의 일반저당권이 설정된 경우에 그 저당권의 효력은 민법 제358조에 의하여 당연히 그 공장건물이나 토지의 종물 또는 부합물에까지 미친다.

> **해설** ① 대판 2007.4.26. 2005다38300
> ② 대판 2004.5.28. 2003다70041; 대판 2009.12.24. 2009다72070
> ③ 대판 2001.10.12. 2000다59081
> ④ 구분건물의 전유부분만에 관하여 설정된 저당권의 효력은 대지사용권의 분리처분이 가능하도록 규약으로 정하는 등의 특별한 사정이 없는 한, 그 전유부분의 소유자가 사후에라도 대지사용권을 취득함으로써 전유부분과 대지권이 동일 소유자의 소유에 속하게 되면 그 대지사용권에까지 미치고, 여기의 대지사용권에는 지상권 등 용익권 이외에 대지소유권도 포함되는 것이다(대결 2005.11.14. 2004그31).
> ⑤ 공장저당법에 의한 공장저당을 설정함에 있어서는 공장의 토지, 건물에 설치된 기계, 기구 등은 같은 법 제7조 소정의 기계, 기구 목록에 기재하여야만 공장저당의 효력이 생기나, / 이와는 달리 공장건물이나 토지에 대하여 민법상의 일반저당권이 설정된 경우에는 공장저당법과는 상관이 없으므로 같은 법 제7조에 의한 목록의 작성이 없더라도 그 저당권의 효력은 민법 제358조에 의하여 당연히 그 공장건물이나 토지의 종물 또는 부합물에까지 미친다(대판 1995.6.29. 94다6345).

05 저당권에 관한 다음 설명 중 가장 옳지 않은 것은? ▶ 2024 법무사

① 민법 제365조에 기한 일괄경매청구권은 토지의 저당권자가 토지에 대하여 경매를 신청한 후에도 그 토지상의 건물에 대하여 토지에 관한 경매기일 공고 시까지는 일괄경매의 추가신청을 할 수 있고, 이 경우에 집행법원은 두 개의 경매사건을 병합하여 일괄경매절차를 진행함이 상당하다.

② 공동근저당의 목적 부동산 중 일부에 대한 경매절차에서, 공동근저당권자가 선순위근저당권자로서의 자신의 채권 전액을 청구하였다면 선순위근저당권자가 경매대가로부터 우선하여 변제받고, 후순위근저당권자는 잔액으로부터 변제를 받는 것이며, 이는 선순위근저당권자와 후순위근저당권자가 동일인이라고 하여 달라지는 것은 아니다.

③ 근저당권설정등기상 근저당권자가 다른 사람과 함께 채무자로부터 유효하게 채권을 변제받을 수 있고 채무자도 그들 중 누구에게든 채무를 유효하게 변제할 수 있는 관계, 가령 채권자와 근저당권자가 불가분적 채권자의 관계에 있다고 볼 수 있는 경우에는 그러한 근저당권설정등기도 유효하다고 볼 것이다.

④ 건물에 대한 저당권의 효력은 그 건물에 종된 권리인 건물의 소유를 목적으로 하는 지상권에도 미치게 되므로, 건물에 대한 저당권이 실행되어 경락인이 그 건물의 소유권을 취득하였다면 특별한 사정이 없는 한 경락인은 건물 소유를 위한 지상권도 민법 제187조의 규정에 따라 등기 없이 당연히 취득하게 되나, 이 경우에 경락인이 건물을 제3자에게 양도한 때에는, 별도의 합의가 없는 한 지상권도 양도하기로 한 것으로 볼 수는 없다.

⑤ 공동저당권이 설정되어 있는 수개의 부동산 중 일부는 채무자 소유이고 일부는 물상보증인 소유인 경우 각 부동산의 경매대가를 동시에 배당하는 때에는 민법 제368조 제1항은 적용되지 아니한다.

해설 ① 민법 제365조에 기한 일괄경매청구권은 토지의 저당권자가 토지에 대하여 경매를 신청한 후에도 그 토지상의 건물에 대하여 토지에 관한 경매기일 공고 시까지는 일괄경매의 추가신청을 할 수 있고, 이 경우에 집행법원은 두 개의 경매사건을 병합하여 일괄경매절차를 진행함이 상당하다(대결 2001.6.13, 2001마1632).

② 공동근저당의 목적 부동산 중 일부에 대한 경매절차에서, 공동근저당권자가 선순위근저당권자로서의 자신의 채권 전액을 청구하였다면, 민법 제370조, 제333조, 제368조 제1항 전문의 규정에 따라 선순위근저당권자가 경매대가로부터 우선하여 변제받고, 후순위근저당권자는 잔액으로부터 변제를 받는 것이며, 이는 선순위근저당권자와 후순위근저당권자가 동일인이라고 하여 달라지는 것은 아니다(대판 2018.7.11, 2017다292756).

③ 채권자와 근저당권자 사이에 형성된 법률관계의 실체를 밝히는 것은 단순한 사실인정의 문제가 아니라 의사표시 해석의 영역에 속하는 것일 수밖에 없고, 따라서 그 행위가 가지는 법률적 의미는 채권자와 근저당권자의 관계, 근저당권설정의 동기 및 경위, 당사자들의 진정한 의사와 목적 등을 종합적으로 고찰하여 논리와 경험칙에 따라 합리적으로 해석하여야 한다. 그리고 근저당권설정등기상 근저당권자가 다른 사람과 함께 채무자로부터 유효하게 채권을 변제받을 수 있고 채무자도 그들 중 누구에게든 채무를 유효하게 변제할 수 있는 관계, 가령 채권자와 근저당권자가 불가분적 채권자의 관계에 있다고 볼 수 있는 경우에는 그러한 근저당권설정등기도 유효하다고 볼 것이다(대판 2020.7.9, 2019다212594).

④ 저당권의 효력이 저당부동산에 부합된 물건과 종물에 미친다는 민법 제358조 본문을 유추하여 보면 건물에 대한 저당권의 효력은 그 건물에 종된 권리인 건물의 소유를 목적으로 하는 지상권에도 미치게 되므로, 건물에 대한 저당권이 실행되어 경락인이 그 건물의 소유권을 취득하였다면 경락 후 건물을 철거한다는 등의 매각조건에서 경매되었다는 등 특별한 사정이 없는 한, 경락인은 건물 소유를 위한 지상권도 민법 제187조의 규정에 따라 등기 없이 당연히 취득하게 되고, 한편 이 경우에 경락인이 건물을 제3자에게 양도한 때에는, 특별한 사정이 없는 한 민법 제100조 제2항의 유추적용에 의하여 건물과 함께 종된 권리인 지상권도 양도하기로 한 것으로 봄이 상당하다(대판 1996.4.26, 95다52864).

⑤ 공동저당권이 설정되어 있는 수개의 부동산 중 일부는 채무자 소유이고 일부는 물상보증인 소유인 경우 각 부동산의 경매대가를 동시에 배당하는 때에는 민법 제368조 제1항은 적용되지 아니하고, 채무자 소유 부동산의 경매대가에서 공동저당권자에게 우선적으로 배당을 하고, 부족분이 있는 경우에 한하여 물상보증인 소유 부동산의 경매대가에서 추가로 배당을 하여야 한다. 그리고 이러한 이치는 물상보증인이 채무자를 위한 연대보증인의 지위를 겸하고 있는 경우에도 마찬가지이다(대판 2016.3.10, 2014다231965).

정답 **05** ④

06 가등기담보에 관한 설명으로 가장 옳지 않은 것은?

▶ 2022 법무사

① 가등기담보권 설정 후에 후순위권리자나 제3취득자 등 이해관계 있는 제3자가 생긴 상태에서 새로운 약정으로 기존 가등기담보권에 피담보채권을 추가하거나 피담보채권의 내용을 변경, 확장하는 경우에는 이해관계 있는 제3자의 이익을 침해하게 되므로, 이러한 경우에는 피담보채권으로 추가, 확장한 부분은 이해관계 있는 제3자에 대한 관계에서는 우선변제권 있는 피담보채권에 포함되지 않는다고 보아야 한다.

② 가등기담보부동산에 대한 예약 당시의 시가가 그 피담보채무액에 미치지 못하는 경우에 있어서는 가등기담보 등에 관한 법률이 정하는 청산금평가액의 통지 및 청산금지급 등의 절차를 이행할 여지가 없다.

③ 공동명의로 담보가등기를 마친 수인의 채권자가 각자의 지분별로 별개의 독립적인 매매예약완결권을 가지는 경우, 채권자 중 1인은 단독으로 자신의 지분에 관하여 가등기담보 등에 관한 법률이 정한 청산절차를 이행한 후 소유권이전의 본등기절차 이행청구를 할 수 있다.

④ 가등기담보 등에 관한 법률이 정한 청산절차를 거치지 않고 이루어진 담보가등기에 기한 본등기는 무효이고, 그 본등기는 약한 의미의 양도담보로서의 효력이 있다고 할 수 없다. 나아가 이 경우 나중에 가등기권자가 가등기담보 등에 관한 법률이 정한 청산절차를 마치더라도 무효인 본등기가 실체적 법률관계에 부합하는 유효한 등기로 된다고 할 수도 없다.

⑤ 목적부동산의 가액이 채권액을 넘는 경우에는 가등기담보권자는 그 차액을 청산금으로서 채무자 등에게 지급하여야 하고, 여기의 채권액을 계산함에는 선순위담보권이 있는 때에는 그것에 의하여 담보된 채권액도 합산하여야 한다.

해설 ① 채권자와 채무자가 가등기담보권설정계약을 체결하면서 가등기 이후에 발생할 채권도 후순위권리자에 대하여 우선변제권을 가지는 가등기담보권의 피담보채권에 포함시키기로 약정할 수 있고, 가등기담보권을 설정한 후에 채권자와 채무자의 약정으로 새로 발생한 채권을 기존 가등기담보권의 피담보채권에 추가할 수도 있으나, 가등기담보권 설정 후에 후순위권리자나 제3취득자 등 이해관계 있는 제3자가 생긴 상태에서 새로운 약정으로 기존 가등기담보권에 피담보채권을 추가하거나 피담보채권의 내용을 변경, 확장하는 경우에는 이해관계있는 제3자의 이익을 침해하게 되므로, 이러한 경우에는 피담보채권으로 추가, 확장한 부분은 이해관계있는 제3자에 대한 관계에서는 우선변제권 있는 피담보채권에 포함되지 않는다고 보아야 한다(대판 2011.7.14, 2011다28090).

② 가등기담보 등에 관한 법률은 재산권 이전의 예약에 의한 가등기담보에 있어서 그 재산의 예약 당시의 가액이 차용액 및 이에 붙인 이자의 합산액을 초과하는 경우에 한하여 그 적용이 있다 할 것이므로, 가등기담보부동산에 대한 예약 당시의 시가가 그 피담보채무액에 미치지 못하는 경우에 있어서는 같은 법 제3, 제4조가 정하는 청산금평가액의 통지 및 청산금지급 등의 절차를 이행할 여지가 없다(대판 1993.10.26, 93다27611).

③ 공동명의로 담보가등기를 마친 수인의 채권자가 각자의 지분별로 별개의 독립적인 매매예약완결권을 가지는 경우, 채권자 중 1인은 단독으로 자신의 지분에 관하여 가등기담보 등에 관한 법률이 정한 청산절차를 이행한 후 소유권이전의 본등기절차 이행청구를 할 수 있다(대판(전) 2012.2.16, 2010다82530).

④ 가등기담보 등에 관한 법률 제3조, 제4조는 강행법규에 해당하여 이를 위반하여 담보가등기에 기한 본등기가 이루어진 경우 본등기는 무효라고 할 것이고, 설령 그와 같은 본등기가 가등기권리자와 채무자 사이에 이루어진 특약에 의하여 이루어졌다고 할지라도 만일 특약이 채무자에게 불리한 것으로서 무효라고 한다면 본등기는 여전히 무효일 뿐, 이른바 약한 의미의 양도담보로서 담보의 목적 내에서는 유효하다고 할 것이 아니다. 다만 가등기권리자가 가등기담보법 제3조, 제4조에 정한 절차에 따라 청산금의 평가액을 채무자 등에게 통지한 후 채무자에게 정당한 청산금을 지급하거나 지급할 청산금이 없는 경우에는 채무자가 통지를 받은 날부터 2월의 청산기간이 지나면 위와 같이 무효인 본등기는 실체적 법률관계에 부합하는 유효한 등기로 될 수 있을 뿐이다(대판 2019.6.13, 2018다300661).

⑤ 가등기담보 등에 관한 법률 제4조 제1항 참고

정답 ▶ **06** ④

심화문제 | 확인 · 보충 · 심화문제

01 근저당권에 관한 다음 설명 중 가장 옳지 않은 것은?　▸ 2025 법무사

① 근저당권은 계속되는 거래관계로부터 발생하고 소멸하는 불특정 다수의 장래 채권을 결산기에 계산하여 잔존하는 채무를 일정한 한도액의 범위 내에서 담보하는 저당권이어서 그 거래가 종료하기까지 채권은 계속적으로 증감 변동하나, 근저당권자가 피담보채무의 불이행을 이유로 스스로 담보권의 실행을 위한 경매를 신청한 때에는 그때까지 발생되어 있는 채권으로 피담보채권액이 확정된다.

② 이미 소멸한 근저당권에 기하여 제2차 경매를 신청하여 경매가 개시되고 부동산이 매각되어 매수인이 매각대금을 지급하였더라도 경매가 무효이므로 매수인은 소유권을 취득할 수 없다.

③ 근저당권을 설정한 후에 근저당권설정자와 근저당권자의 합의로 채무의 범위 또는 채무자를 추가하거나 교체하는 등으로 피담보채무를 변경할 수 있다.

④ 근저당권의 피담보채권 중 지연손해금도 근저당권의 채권 최고액 한도에서 전액 담보된다.

⑤ 근저당권은 채권담보를 위한 것이므로 채권자와 근저당권자는 동일인이어야 한다. 따라서 근저당권설정등기상 근저당권자가 다른 사람과 함께 채무자로부터 유효하게 채권을 변제받을 수 있고 채무자도 그들 중 누구에게든 채무를 유효하게 변제할 수 있는 관계, 가령 채권자와 근저당권자가 불가분적 채권자의 관계에 있다고 볼 수 있는 경우라도 그러한 근저당권설정등기는 유효하다고 볼 수 없다.

> **해설** ① 근저당권은 계속되는 거래관계로부터 발생하고 소멸하는 불특정 다수의 장래 채권을 결산기에 계산하여 잔존하는 채무를 일정한 한도액의 범위 내에서 담보하는 저당권이어서 그 거래가 종료하기까지 채권은 계속적으로 증감 변동하나, 근저당권자가 피담보채무의 불이행을 이유로 스스로 담보권의 실행을 위한 경매를 신청한 때에는 그때까지 발생되어 있는 채권으로 피담보채권액이 확정된다(대판 2023.6.29, 2022다300248).
>
> ② 피고는 이 사건 근저당권에 기하여 제1차 경매를 신청하여 피담보채권이 확정되었고 채권 전액을 변제받아 근저당권이 소멸하였다. 피고가 이미 소멸한 이 사건 근저당권에 기하여 제2차 경매를 신청하여 경매가 개시되고 부동산이 매각되어 매수인이 매각대금을 지급하였더라도 경매가 무효이므로 매수인은 소유권을 취득할 수 없다. 이와 같이 경매가 무효인 경우 매수인은 경매 과정에서 피고가 배당받은 금액에 대하여 부당이득반환을 청구할 수 있다(대판(전합) 2022.8.25, 2018다205209).
>
> ③ 근저당권은 피담보채무의 최고액만을 정하고 채무의 확정을 장래에 보류하여 설정하는 저당권이다(민법 제357조 제1항 본문 참조). 근저당권을 설정한 후에 근저당설정자와 근저당권자의 합의로 채무의 범위 또는 채무자를 추가하거나 교체하는 등으로 피담보채무를 변경할 수 있다(대판 2021.12.16, 2021다255648).

④ 저당권의 피담보채권 범위에 관한 민법 제360조 단서는 근저당권에 적용되지 않으므로 근저당권의 피담보채권 중 지연손해금도 근저당권의 채권최고액 한도에서 전액 담보된다(대판 2021.10.14, 2021다240851).

⑤ 채권자와 근저당권자 사이에 형성된 법률관계의 실체를 밝히는 것은 단순한 사실인정의 문제가 아니라 의사표시 해석의 영역에 속하는 것일 수밖에 없고, 따라서 그 행위가 가지는 법률적 의미는 채권자와 근저당권자의 관계, 근저당권설정의 동기 및 경위, 당사자들의 진정한 의사와 목적 등을 종합적으로 고찰하여 논리와 경험칙에 따라 합리적으로 해석하여야 한다. 그리고 근저당권설정등기상 근저당권자가 다른 사람과 함께 채무자로부터 유효하게 채권을 변제받을 수 있고 채무자도 그들 중 누구에게든 채무를 유효하게 변제할 수 있는 관계, 가령 채권자와 근저당권자가 불가분적 채권자의 관계에 있다고 볼 수 있는 경우에는 그러한 근저당권설정등기도 유효하다고 볼 것이다(대판 2020.7.9, 2019다212594).

정답 > 01 ⑤

박문각 법무사

PART
05
친족법

가족법 총칙

혼인

제1절 약혼

01 다음 설명 중 가장 옳지 않은 것은? (다툼이 있는 경우 판례에 따르고 전원합의체 판결의 경우 다수의견에 의함. 이하 같음) ▸ 2023 법무사

① 일반적으로 약혼은 특별한 형식을 거칠 필요 없이 장차 혼인을 체결하려는 당사자 사이에 합의가 있으면 성립한다.

② 약혼을 하는 당사자 일방은 자신의 학력, 경력 및 직업과 같은 혼인의사를 결정하는 데 있어 중대한 영향을 미치는 사항에 관하여 이를 상대방에게 사실대로 고지할 신의성실의 원칙상의 의무가 있다.

③ 약혼예물이 수수된 경우 특별한 사정이 없는 한 일단 부부관계가 성립하고 그 혼인이 상당 기간 지속된 이상 후일 부부 일방의 귀책사유로 혼인이 해소되어도 약혼예물의 반환을 구할 수는 없다.

④ 약혼의 해제에 관하여 과실이 있는 유책자는 상대방에게 자신이 제공한 약혼예물의 반환을 구할 수는 없다.

⑤ 사실혼관계가 단기간에 해소된 경우, 혼인생활에 사용하기 위하여 부부 일방이 자신의 비용으로 구입한 가재도구 등을 상대방이 점유하고 있다면 그 상대방에 대하여 그 구입 비용 상당액의 손해배상을 청구할 수 있다.

해설 ① 대판 1998.12.8, 98므961

② 대판 1995.12.8, 94므1676,1683

③ 대판 1996.5.14, 96다5506 → 약혼예물의 수수는 혼인의 불성립을 해제조건으로 하는 증여와 유사한 성질을 가지기 때문이다.

④ 대판 1976.12.28, 76므41

⑤ 원·피고 사이의 사실혼관계가 불과 1개월만에 파탄된 경우, 혼인생활에 사용하기 위하여 결혼 전후에 원고 자신의 비용으로 구입한 가재도구 등을 피고가 점유하고 있다고 하더라도 이는 여전히 원고의 소유에 속한다고 할 것이어서, 원고가 소유권에 기하여 그 반환을 구하거나 원상회복으로 반환을 구하는 것은 별론으로 하고, 이로 인하여 원고에게 어떠한 손해가 발생하였다고 할 수 없다(대판 2003.11.14, 2000므1257).

정답 **01** ⑤

 **제2절   혼인의 성립**

01   혼인에 관한 다음 설명 중 가장 옳지 않은 것은?   ▶ 2025 법무사

① 사실혼이란 당사자 사이에 주관적으로 혼인의 의사가 있고, 객관적으로도 사회관념상 가족질서적인 면에서 부부공동생활을 인정할 만한 혼인생활의 실체가 있는 경우라야 하고, 법률상 혼인을 한 부부가 별거하고 있는 상태에서 그 다른 한쪽이 제3자와 혼인의 의사로 실질적인 부부생활을 하고 있다고 하더라도, 특별한 사정이 없는 한, 이를 사실혼으로 인정하여 법률혼에 준하는 보호를 할 수는 없는 것이다.

② 중혼적 사실혼관계에 해당한다면, 법률혼인 전 혼인이 사실상 이혼상태에 있다는 등의 특별한 사정이 있더라도, 법률혼에 준하는 보호를 할 필요는 없다.

③ 약혼예물의 수수는 약혼의 성립을 증명하고 혼인이 성립한 경우 당사자 내지 양가의 정리를 두텁게 할 목적으로 수수되는 것으로 혼인의 불성립을 해제조건으로 하는 증여와 유사한 성질을 가진다.

④ 현행 부부재산제도는 부부별산제를 기본으로 하고 있어 부부 각자의 채무는 각자가 부담하는 것이 원칙이므로 부부가 이혼하는 경우 일방이 혼인 중 제3자에게 부담한 채무는 일상가사에 관한 것 이외에는 원칙적으로 그 개인의 채무로서 청산의 대상이 되지 않으나 그것이 공동재산의 형성·유지에 수반하여 부담한 채무인 때에는 청산의 대상이 된다.

⑤ 재산분할에 관한 협의는 혼인 중 당사자 쌍방의 협력으로 이룩한 재산의 분할에 관하여 이미 이혼을 마친 당사자 또는 아직 이혼하지 않은 당사자 사이에 행하여지는 협의를 가리키는 것이다.

해설 ① 사실혼이란 당사자 사이에 주관적으로 혼인의 의사가 있고, 객관적으로도 사회관념상 가족질서적인 면에서 부부공동생활을 인정할 만한 혼인생활의 실체가 있는 경우라야 하고, 법률상 혼인을 한 부부가 별거하고 있는 상태에서 그 다른 한 쪽이 제3자와 혼인의 의사로 실질적인 부부생활을 하고 있다고 하더라도, 특별한 사정이 없는 한, 이를 사실혼으로 인정하여 법률혼에 준하는 보호를 할 수는 없다(대판 2001.4.13, 2000다52943).

② 사실혼은 당사자 사이에 주관적으로 혼인의 의사가 있고, 객관적으로도 사회관념상 가족질서적인 면에서 부부공동생활을 인정할 만한 혼인생활의 실체가 있으면 일단 성립하는 것이고, 비록 우리 법제가 일부일처주의를 채택하여 중혼을 금지하는 규정을 두고 있다 하더라도 이를 위반한 때를 혼인 무효의 사유로 규정하지 않고 단지 혼인 취소의 사유로만 규정하고 있는 까닭에(민법 제816조) 중혼에 해당하는 혼인이라도 취소되기 전까지는 유효하게 존속하는 것이고, 이는 중혼적 사실혼이라 하여 달리 볼 것이 아니다. 또한 비록 중혼적 사실혼관계일지라도 법률혼인 전 혼인이 사실상 이혼상태에 있다는 등의 특별한 사정이 있다면 법률혼에 준하는 보호를 할 필요가 있을 수 있다(대판 2009.12.24, 2009다64161).

③ 약혼예물의 수수는 약혼의 성립을 증명하고 혼인이 성립한 경우 당사자 내지 양가의 정리를 두텁게 할 목적으로 수수되는 것으로 혼인의 불성립을 해제조건으로 하는 증여와 유사한 성질을 가진다(대판 1996.5.14, 96다5506).

④ 현행 부부재산제도는 부부별산제를 기본으로 하고 있어 부부 각자의 채무는 각자가 부담하는 것이 원칙이므로 부부가 이혼하는 경우 일방이 혼인 중 제3자에게 부담한 채무는 일상가사에 관한 것 이외에는 원칙적으로 그 개인의 채무로서 청산의 대상이 되지 않으나 그것이 공동재산의 형성·유지에 수반하여 부담한 채무인 때에는 청산의 대상이 되며, 그 채무로 인하여 취득한 특정 적극재산이 남아있지 않더라도 그 채무부담행위가 부부 공동의 이익을 위한 것으로 인정될 때에는 혼인 중의 공동재산의 형성·유지에 수반하는 것으로 보아 청산의 대상이 된다(대판 2006.9.14, 2005다74900).

⑤ 재산분할에 관한 협의는 혼인중 당사자 쌍방의 협력으로 이룩한 재산의 분할에 관하여 이미 이혼을 마친 당사자 또는 아직 이혼하지 않은 당사자 사이에 행하여지는 협의를 가리키는 것인바, 그중 아직 이혼하지 않은 당사자가 장차 협의상 이혼할 것을 약정하면서 이를 전제로 하여 위 재산분할에 관한 협의를 하는 경우에 있어서는, 특별한 사정이 없는 한, 장차 당사자 사이에 협의상 이혼이 이루어질 것을 조건으로 하여 조건부 의사표시가 행하여지는 것이라 할 것이므로, 그 협의 후 당사자가 약정한대로 협의상 이혼이 이루어진 경우에 한하여 그 협의의 효력이 발생하는 것이지, 어떠한 원인으로든지 협의상 이혼이 이루어지지 아니하고 혼인관계가 존속하게 되거나 당사자 일방이 제기한 이혼청구의 소에 의하여 재판상 이혼(화해 또는 조정에 의한 이혼을 포함한다)이 이루어진 경우에는 위 협의는 조건의 불성취로 인하여 효력이 발생하지 않는다(대판 2000.10.24, 99다33458).

 **제3절** **혼인의 무효와 취소**

 **제4절** **혼인의 효력**

정답 ▶ 01 ②

제5절 이혼

01 다음 설명 중 가장 옳지 않은 것은?   ▶ 2021 법무사

① 협의상 이혼을 하려는 자는 가정법원이 제공하는 이혼에 관한 안내를 받아야 하고, 가정법원은 필요한 경우 당사자에게 상담에 관하여 전문적인 지식과 경험을 갖춘 전문상담인의 상담을 받을 것을 권고할 수 있다.

② 가정법원에 이혼의사의 확인을 신청한 당사자는 위 ①항의 안내를 받은 날부터 다음 각 호의 기간이 지난 후에 이혼의사의 확인을 받을 수 있다.
  1. 양육하여야 할 자(포태 중인 자를 포함한다)가 있는 경우에는 3개월
  2. 제1호에 해당하지 아니하는 경우에는 1개월

③ 가정법원은 폭력으로 인하여 당사자 일방에게 참을 수 없는 고통이 예상되는 등 이혼을 하여야 할 급박한 사정이 있는 경우에 위 ②항의 기간을 단축할 수 있으나, 면제할 수는 없다.

④ 당사자는 그 자의 양육에 관한 사항을 협의에 의하여 정하여야 하는데, 양육자의 결정, 양육비용의 부담, 면접교섭권의 행사 여부 및 그 방법에 관한 사항을 포함하여야 한다.

⑤ 가정법원은 당사자가 협의한 양육비부담에 관한 내용을 확인하는 양육비부담조서를 작성하여야 한다. 이 경우 양육비부담조서의 효력에 대하여는 가사소송법 제41조를 준용한다.

해설 제836조의2【이혼의 절차】

> ① 협의상 이혼을 하려는 자는 가정법원이 제공하는 이혼에 관한 안내를 받아야 하고, 가정법원은 필요한 경우 당사자에게 상담에 관하여 전문적인 지식과 경험을 갖춘 전문상담인의 상담을 받을 것을 권고할 수 있다.

> ② 가정법원에 이혼의사의 확인을 신청한 당사자는 제1항의 안내를 받은 날부터 다음 각 호의 기간이 지난 후에 이혼의사의 확인을 받을 수 있다.
>   1. 양육하여야 할 자(포태 중인 자를 포함한다. 이하 이 조에서 같다)가 있는 경우에는 3개월 → 미성년의 자녀가 있는 경우이다.
>   2. 제1호에 해당하지 아니하는 경우에는 1개월 → 양육하여야 할 자녀가 없는 경우에는 성년 자녀를 포함한다.

> ③ 가정법원은 폭력으로 인하여 당사자 일방에게 참을 수 없는 고통이 예상되는 등 이혼을 하여야 할 급박한 사정이 있는 경우에는 제2항의 기간을 단축 또는 면제할 수 있다.

> ④ 양육하여야 할 자가 있는 경우 당사자는 제837조에 따른 자의 양육과 제909조 제4항에 따른 자의 친권자 결정에 관한 협의서 또는 제837조 및 제909조 제4항에 따른 가정법원의 심판정본을 제출하여야 한다.

> ⑤ 가정법원은 당사자가 협의한 양육비 부담에 관한 내용을 확인하는 양육비부담조서를 작성하여야 한다. 이 경우 양육비부담조서의 효력에 대하여는 가사소송법 제41조를 준용한다.

02 **甲男과 乙女는 혼인하여 현재 미성년자인 아들 丙을 두고 있었는데, 최근 이혼하기로 협의하였다. 이에 관한 다음 설명 중 가장 옳지 않은 것은?** ▸ 2022 법무사

① 甲과 乙은 가정법원이 제공하는 이혼에 관한 안내를 받아야 하고, 가정법원은 필요한 경우 당사자에게 상담에 관하여 전문적인 지식과 경험을 갖춘 전문상담인의 상담을 받을 것을 권고할 수 있다.

② 이혼 후 미성년인 자에 대한 친권을 가지는 사람 및 양육자를 정함에 있어서는 모든 요소를 종합적으로 고려하여 미성년인 자의 성장과 복지에 가장 도움이 되고 적합한 방향으로 판단하여야 하므로, 丙에 대한 친권과 양육권이 항상 같은 사람에게 돌아가도록 하여야 한다.

③ 甲과 乙 중 丙을 직접 양육하지 않는 일방과 丙은 상호 면접교섭할 수 있는 권리를 가진다.

④ 가정법원은 丙의 복리를 위하여 필요하다고 인정하는 경우에는 甲·乙·丙 및 검사의 청구 또는 직권으로 丙의 양육에 관한 사항을 변경하거나 다른 적당한 처분을 할 수 있다.

⑤ 가정법원은 甲과 乙이 협의한 양육비부담에 관한 내용을 확인하는 양육비부담조서를 작성하여야 한다. 이 경우 양육비부담조서는 양육비 이행에 관한 집행권원이 된다.

해설 ①,⑤ 제836조의2 제1항, 제5항 → 가사소송법 제41조를 준용함에 따라 양육비부담조서는 양육비 이행에 관한 집행권원이 된다.

② 민법 제837조, 제909조 제4항, 가사소송법 제2조 제1항 제2호 나목의 3) 및 5) 등이 부부의 이혼 후 그 자의 친권자와 그 양육에 관한 사항을 각기 다른 조항에서 규정하고 있는 점 등에 비추어 보면, 이혼 후 부모와 자녀의 관계에 있어서 친권과 양육권이 항상 같은 사람에게 돌아가야 하는 것은 아니며, 이혼 후 자에 대한 양육권이 부모 중 어느 일방에, 친권이 다른 일방에 또는 부모에 공동으로 귀속되는 것으로 정하는 것은, 비록 신중한 판단이 필요하다고 하더라도, 일정한 기준을 충족하는 한 허용된다고 할 것이다(대판 2012.4.13, 2011므4719).

③ 제837조의2

④ 가정법원은 자(子)의 복리를 위하여 필요하다고 인정하는 경우에는 부·모·자(子) 및 검사의 청구 또는 직권으로 자(子)의 양육에 관한 사항을 변경하거나 다른 적당한 처분을 할 수 있다(제837조 제5항).

03 이혼에 관한 다음 설명 중 가장 옳지 않은 것은?

▶ 2022 법무사

① 협의이혼하는 경우 부모의 협의로 친권자를 정하되, 협의를 할 수 없거나 협의가 이루어지지 않는 때에는 가정법원은 직권 또는 당사자의 청구에 따라 친권자를 지정하여야 한다. 다만 부모의 협의가 있는 경우에 가정법원은 그에 따라 친권자를 지정하여야 한다.

② 부모 중 어느 한 쪽만이 자녀를 양육하게 된 경우에, 양육하는 일방은 상대방에 대하여 현재 및 장래에 있어서의 양육비 중 적정 금액의 분담을 청구할 수 있음은 물론이고, 부모의 자녀양육의무는 특별한 사정이 없는 한 자녀의 출생과 동시에 발생하는 것이므로 과거의 양육비에 대하여도 상대방이 분담함이 상당하다고 인정되는 경우에는 그 비용의 상환을 청구할 수 있으나, 반드시 이행청구 이후의 양육비와 동일한 기준에서 정할 필요는 없고 여러 사정을 고려하여 적절하다고 인정되는 분담의 범위를 정할 수 있다.

③ 재판상 이혼사유에 관한 민법 제840조는 동조가 규정하고 있는 각 호 사유마다 각 별개의 독립된 이혼사유를 구성하는 것이고, 이혼청구를 구하면서 위 각 호 소정의 수개의 사유를 주장하는 경우 법원은 그중 어느 하나를 받아들여 청구를 인용할 수 있다.

④ 상대방 배우자도 혼인을 계속할 의사가 없어 일방의 의사에 따른 이혼 내지 축출이혼의 염려가 없는 경우는 물론, 나아가 이혼을 청구하는 배우자의 유책성을 상쇄할 정도로 상대방 배우자 및 자녀에 대한 보호와 배려가 이루어진 경우, 세월의 경과에 따라 혼인파탄 당시 현저하였던 유책배우자의 유책성과 상대방 배우자가 받은 정신적 고통이 점차 약화되어 쌍방의 책임의 경중을 엄밀히 따지는 것이 더 이상 무의미할 정도가 된 경우 등과 같이 혼인생활의 파탄에 대한 유책성이 이혼청구를 배척해야 할 정도로 남아 있지 아니한 특별한 사정이 있는 경우에는 예외적으로 유책배우자의 이혼청구를 허용할 수 있다.

⑤ 협의이혼에 있어서 이혼의사는 법률상 부부관계를 해소하려는 의사를 말하므로 일시적으로나마 법률상 부부관계를 해소하려는 당사자 간의 합의하에 협의이혼신고가 된 이상 협의이혼에 다른 목적이 있더라도 양자간에 이혼의사가 없다고는 말할 수 없고 따라서 이와 같은 협의이혼은 무효로 되지 않는다.

해설 ① 부모가 (협의상) 이혼하는 경우에는 부모의 협의로 친권자를 정하여야 하고, 협의할 수 없거나 협의가 이루어지지 아니하는 경우에는 가정법원은 직권으로 또는 당사자의 청구에 따라 친권자를 지정하여야 한다. 다만, 부모의 협의가 자의 복리에 반하는 경우에는 가정법원은 보정을 명하거나 직권으로 친권자를 정한다(제909조 제4항).

② 대결(전) 1994.5.13, 92스21

③ 재판상 이혼사유에 관한 민법 제840조는 동조가 규정하고 있는 각 호 사유마다 각 별개의 독립된 이혼사유를 구성하는 것이고, 이혼청구를 구하면서 위 각 호 소정의 수개의 사유를 주장하는 경우 법원은 그중 어느 하나를 받아들여 청구를 인용할 수 있다(대판 2000.9.5, 99므1886).

④ [다수의견] 생략 … 민법 제840조 제6호 이혼사유에 관하여 유책배우자의 이혼청구를 원칙적으로 허용하지 아니하는 종래의 대법원 판례를 변경하는 것이 옳다는 주장은 아직은 받아들이기 어렵다. 유책배우자의 이혼청구를 허용하지 아니하는 것은 혼인제도가 요구하는 도덕성에 배치되고 신의성실의 원칙에 반하는 결과를 방지하려는 데 있으므로, 혼인제도가 추구하는 이상과 신의

성실의 원칙에 비추어 보더라도 책임이 반드시 이혼청구를 배척해야 할 정도로 남아 있지 아니한 경우에는 그러한 배우자의 이혼청구는 혼인과 가족제도를 형해화할 우려가 없고 사회의 도덕관·윤리관에도 반하지 아니하므로 허용될 수 있다. 그리하여 상대방 배우자도 혼인을 계속할 의사가 없어 일방의 의사에 따른 이혼 내지 축출이혼의 염려가 없는 경우는 물론, 나아가 이혼을 청구하는 배우자의 유책성을 상쇄할 정도로 상대방 배우자 및 자녀에 대한 보호와 배려가 이루어진 경우, 세월의 경과에 따라 혼인파탄 당시 현저하였던 유책배우자의 유책성과 상대방 배우자가 받은 정신적 고통이 점차 약화되어 쌍방의 책임의 경중을 엄밀히 따지는 것이 더 이상 무의미할 정도가 된 경우 등과 같이 혼인생활의 파탄에 대한 유책성이 이혼청구를 배척해야 할 정도로 남아 있지 아니한 특별한 사정이 있는 경우에는 예외적으로 유책배우자의 이혼청구를 허용할 수 있다. 유책배우자의 이혼청구를 예외적으로 허용할 수 있는지 판단할 때에는, 유책배우자 책임의 태양·정도, 상대방 배우자의 혼인계속의사 및 유책배우자에 대한 감정, 당사자의 연령, 혼인생활의 기간과 혼인 후의 구체적인 생활관계, 별거기간, 부부간의 별거 후에 형성된 생활관계, 혼인생활의 파탄 후 여러 사정의 변경 여부, 이혼이 인정될 경우의 상대방 배우자의 정신적·사회적·경제적 상태와 생활보장의 정도, 미성년 자녀의 양육·교육·복지의 상황, 그 밖의 혼인관계의 여러 사정을 두루 고려하여야 한다(대판(전) 2015.9.15, 2013므568).

⑤ 협의이혼에 있어서 이혼의사는 법률상 부부관계를 해소하려는 의사를 말하므로 일시적으로나마 법률상 부부관계를 해소하려는 당사자 간의 합의하에 협의이혼신고가 된 이상 협의이혼에 다른 목적이 있더라도 양자간에 이혼의사가 없다고는 말할 수 없고 따라서 이와 같은 협의이혼은 무효로 되지 아니한다(대판 1993.6.11, 93므171).

04 양육에 관한 다음 설명 중 가장 옳지 않은 것은?

▶ 2024 법무사

① 양육자는 인지판결의 확정 전에 발생한 과거의 양육비에 대하여도 상대방이 부담함이 상당한 범위 내에서 그 비용의 상환을 청구할 수 있다고 보아야 한다.

② 가정법원이 민법 제924조의2에 따라 부모의 친권 중 양육권만을 제한하여 미성년후견인으로 하여금 자녀에 대한 양육권을 행사하도록 결정한 경우에 민법 제837조를 유추적용하여 미성년후견인은 비양육친을 상대로 가사소송법 제2조 제1항 제2호 (나)목 3)에 따른 양육비심판을 청구할 수 있다고 봄이 타당하다.

③ 양육자로 지정된 양육친이 비양육친을 상대로 제기한 양육비 청구 사건에서 제1심 가정법원이 자녀가 성년에 이르기 전날을 종기로 삼아 장래양육비의 분담을 정한 경우, 항고심법원이 양육에 관한 사항을 심리한 결과 일정 시점 이후에는 양육자로 지정된 자가 자녀를 양육하지 않고 있는 사실이 확인된다고 하더라도 이를 반영하여 장래양육비의 지급을 명하는 기간을 다시 정할 수는 없다.

④ 종전에 정해진 양육비의 분담이 과다하게 되었다고 주장하며 감액을 청구하는 경우 법원은 자녀들의 성장에도 불구하고 양육비의 감액이 필요할 정도로 청구인의 소득과 재산이 실질적으로 감소하였는지를 심리·판단하여야 한다.

정답 03 ① 04 ③

⑤ 대한민국 국민과 혼인을 한 후 입국하여 체류자격을 취득하고 거주하다가 한국어를 습득하기 충분하지 않은 기간에 이혼에 이르게 된 외국인이 당사자인 경우, 미성년 자녀의 양육에 있어 한국어 소통능력이 부족한 외국인보다는 대한민국 국민인 상대방에게 양육되는 것이 더 적합할 것이라는 추상적이고 막연한 판단으로 해당 외국인 배우자가 미성년 자녀의 양육자로 지정되기에 부적합하다고 평가하는 것은 옳지 않다.

해설 ① 어떠한 사정으로 인하여 부모 중 어느 한 쪽만이 자녀를 양육하게 된 경우에, 그와 같은 일방에 의한 양육이 그 양육자의 일방적이고 이기적인 목적이나 동기에서 비롯한 것이라거나 자녀의 이익을 위하여 도움이 되지 아니하거나 그 양육비를 상대방에게 부담시키는 것이 오히려 형평에 어긋나게 되는 등 특별한 사정이 있는 경우를 제외하고는, 양육하는 일방은 상대방에 대하여 현재 및 장래에 있어서의 양육비 중 적정 금액의 분담을 청구할 수 있음은 물론이고, 부모의 자녀양육의무는 특별한 사정이 없는 한 자녀의 출생과 동시에 발생하는 것이므로 과거의 양육비에 대하여도 상대방이 분담함이 상당하다고 인정되는 경우에는 그 비용의 상환을 청구할 수 있다(대결(전) 1994.5.13, 92스21). → ※ [보충] : 이 경우 반드시 이행청구 이후의 양육비와 동일한 기준에서 정할 필요는 없고, 여러 사정을 고려하여 적절하다고 인정되는 분담의 범위를 정할 수 있다.

② 가사소송법 제2조 제1항 제2호 (나)목 3은 '민법 제837조(동조가 준용되는 경우 포함)에 따른 자녀의 양육에 관한 처분과 그 변경'을 마류 가사비송사건으로 정하고, 민법 제837조는 '양육자의 결정, 양육비용의 부담'을 자의 양육에 관한 사항으로 정하며(제2항), '가정법원은 부·모·자 및 검사의 청구 또는 직권으로 자의 양육에 관한 사항을 변경하거나 다른 적당한 처분을 할 수 있다.'고 정하고 있다(제5항). 또한 민법은 가정법원은 친권 상실사유에 이르지 않더라도 미성년 자녀의 복리를 위해서 친권의 일부를 제한할 수 있다는 규정(제924조의2)을 신설하였고, 가정법원은 미성년 자녀의 보호에 공백이 생기는 것을 막기 위해 친권의 일부 제한 등으로 그 제한된 범위의 친권을 행사할 사람이 없는 경우 미성년후견인을 직권으로 선임하며(제932조 제2항, 제928조), 이 경우 미성년후견인의 임무는 제한된 친권의 범위에 속하는 행위에 한정되는 것으로 정하였다(제946조). 이에 따라 가정법원은 부모가 미성년 자녀를 양육하는 것이 오히려 자녀의 복리에 반한다고 판단한 경우 부모의 친권 중 보호·교양에 관한 권리(민법 제913조), 거소지정권(민법 제914조) 등 자녀의 양육과 관련된 권한(이하 '양육권'이라고 한다)만을 제한하여 미성년후견인이 부모를 대신하여 그 자녀를 양육하도록 하는 내용의 결정도 할 수 있게 되었다. 앞서 본 규정 내용과 체계, 민법의 개정 취지 등에 비추어 보면, 가정법원이 민법 제924조의2에 따라 부모의 친권 중 양육권만을 제한하여 미성년후견인으로 하여금 자녀에 대한 양육권을 행사하도록 결정한 경우에 민법 제837조를 유추적용하여 미성년후견인은 비양육친을 상대로 가사소송법 제2조 제1항 제2호 (나)목 3)에 따른 양육비심판을 청구할 수 있다고 봄이 타당하다(대결 2021.5.27, 2019스621).

③ 제1심 가정법원이 이혼 청구를 받아들이면서 변론종결 당시 비양육친이었던 부모 일방을 양육자로 지정하고 제1심판결 선고일 다음날을 기산점으로 삼아 장래양육비의 분담을 정한 경우, 항소심법원이 양육에 관한 사항을 심리한 결과 여전히 비양육친이 양육하지 않고 있는 사실이 확인된다면 이를 반영하여 장래양육비의 지급을 명하는 기산일을 다시 정하여야 한다. 민법 제843조, 제837조 제4항, 제3항은 이혼 소송에서 당사자 사이에 미성년 자녀의 양육에 관한 사항의 협의가 이루어지지 아니하거나 협의할 수 없는 때에 가정법원이 직권으로 자녀의 의사, 연령과 부모의 재산상황, 그 밖의 사정을 참작하여 양육에 관한 사항을 결정하도록 규정하고 있고, 여기에는 양육자의 결정, 양육비용의 부담, 면접교섭권의 행사 여부 및 그 방법이 포함된다. 가사소송규칙 제93조 제2항은 가정법원이 금전의 지급을 구하는 청구에 대하여는 청구의 취지를 초과하여 의무의 이행을 명할 수 없으나, 자의 복리를 위하여 양육에 관한 사항을 정하는 경우에는 그렇지

않은 것으로 규정하고 있다. 따라서 가정법원은 양육비용의 분담을 정함에 있어 자의 복리를 위하여 청구에 구애받지 않고 직권으로 양육비용의 분담에 관한 기산일을 정할 수 있다(대판 2022.1.14, 2021므15145).

④ 가정법원이 재판 또는 당사자의 협의로 정해진 양육비 부담 내용이 제반 사정에 비추어 부당하게 되었다고 인정되는 때에는 그 내용을 변경할 수 있지만, 종전 양육비 부담이 '부당'한지 여부는 친자법을 지배하는 기본이념인 '자녀의 복리를 위하여 필요한지'를 기준으로 판단하여야 할 것이다. 특히 양육비의 감액은 일반적으로 자녀의 복리를 위하여 필요한 조치라고 보기 어려우므로, 가정법원이 양육비 감액을 구하는 심판청구를 심리할 때에는 양육비 감액이 자녀에게 미치는 영향을 우선적으로 고려하되 종전 양육비가 정해진 경위와 액수, 줄어드는 양육비 액수, 당초 결정된 양육비 부담 외에 혼인관계 해소에 수반하여 정해진 위자료, 재산분할 등 재산상 합의의 유무와 내용, 그러한 재산상 합의와 양육비 부담과의 관계, 쌍방 재산상태가 변경된 경우 그 변경이 당사자의 책임으로 돌릴 사정이 있는지 유무, 자녀의 수, 연령 및 교육 정도, 부모의 직업, 건강, 소득, 자금 능력, 신분관계의 변동, 물가의 동향 등 여러 사정을 종합적으로 참작하여 양육비 감액이 불가피하고 그러한 조치가 궁극적으로 자녀의 복리에 필요한 것인지에 따라 판단하여야 한다. 또한 통상적으로 자녀가 성장함에 따라 양육에 소요되는 비용 또한 증가한다고 봄이 타당하다. 따라서 종전에 정해진 양육비의 분담이 과다하게 되었다고 주장하며 감액을 청구하는 경우 법원은 자녀들의 성장에도 불구하고 양육비의 감액이 필요할 정도로 청구인의 소득과 재산이 실질적으로 감소하였는지 심리·판단하여야 한다(대결 2022.9.29, 2022스646).

⑤ 대한민국 국민과 혼인을 한 후 입국하여 체류자격을 취득하고 거주하다가 한국어를 습득하기 충분하지 않은 기간에 이혼에 이르게 된 외국인이 당사자인 경우, 미성년 자녀의 양육에 있어 한국어 소통능력이 부족한 외국인보다는 대한민국 국민인 상대방에게 양육되는 것이 더 적합할 것이라는 추상적이고 막연한 판단으로 해당 외국인 배우자가 미성년 자녀의 양육자로 지정되기에 부적합하다고 평가하는 것은 옳지 않다. 대한민국은 공교육이나 기타 교육여건이 확립되어 있어 미성년 자녀가 한국어를 습득하고 연습할 기회를 충분히 보장하고 있으므로, 외국인 부모의 한국어 소통능력이 미성년 자녀의 건전한 성장과 복지에 있어 중요한 의미를 가진다고 보기 어렵다(대판 2021.9.30, 2021므12320).

05 이혼 내지 사실혼관계의 해소에 따른 재산분할청구에 관한 다음 설명 중 가장 옳지 않은 것은?

▶ 2024 법무사

① 법률상 혼인관계가 일방 당사자의 사망으로 인하여 종료된 경우에도 생존 배우자에게 재산분할청구권이 인정되지 아니하고 단지 상속에 관한 법률 규정에 따라서 망인의 재산에 대한 상속권만이 인정된다는 점 등에 비추어 보면, 사실혼관계가 일방 당사자의 사망으로 인하여 종료된 경우에는 그 상대방에게 재산분할청구권이 인정된다고 할 수 없다.

② 이혼으로 인한 재산분할청구권은 협의 또는 심판에 의하여 그 구체적 내용이 형성되기까지는 그 범위 및 내용이 불명확·불확정하더라도 협의나 심판절차가 개시된 이상 재산분할청구권의 존재 자체는 분명하다고 할 것이므로 이를 보전하기 위하여 채권자대위권을 행사할 수 있다.

정답 **05** ②

③ 협의이혼을 예정하고 미리 재산분할 협의를 한 경우 협의이혼에 따른 재산분할에 있어 분할의 대상이 되는 재산과 액수는 협의이혼이 성립한 날(이혼신고일)을 기준으로 정하여야 한다. 따라서 재산분할 협의를 한 후 협의이혼 성립일까지의 기간 동안 재산분할 대상인 채무의 일부가 변제된 경우 그 변제된 금액은 원칙적으로 채무액에서 공제되어야 한다.

④ 이혼 당사자 각자가 보유한 적극재산에서 소극재산을 공제하는 등으로 재산상태를 따져 본 결과 재산분할 청구의 상대방이 그에게 귀속되어야 할 몫보다 더 많은 적극재산을 보유하고 있거나 소극재산의 부담이 더 적은 경우에는 적극재산을 분배하거나 소극재산을 분담하도록 하는 재산분할은 어느 것이나 가능하다고 보아야 하고, 후자의 경우라고 하여 당연히 재산분할 청구가 배척되어야 한다고 할 것은 아니다.

⑤ 이혼하지 않은 당사자가 장차 협의상 이혼할 것을 합의하는 과정에서 이를 전제로 재산분할청구권을 포기하는 서면을 작성한 경우, 부부 쌍방의 협력으로 형성된 공동재산 전부를 청산·분배하려는 의도로 재산분할의 대상이 되는 재산액, 이에 대한 쌍방의 기여도와 재산분할 방법 등에 관하여 협의한 결과 부부 일방이 재산분할청구권을 포기하기에 이르렀다는 등의 사정이 없는 한 성질상 허용되지 아니하는 '재산분할청구권의 사전포기'에 불과할 뿐이므로 쉽사리 '재산분할에 관한 협의'로서의 '포기약정'이라고 보아서는 아니 된다.

해설 ① 대판 2006.3.24, 2005두15595

② 이혼으로 인한 재산분할청구권은 협의 또는 심판에 의하여 그 구체적 내용이 형성되기까지는 그 범위 및 내용이 불명확·불확정하기 때문에 구체적으로는 권리가 발생하였다고 할 수 없으므로 이를 보전하기 위하여 채권자대위권을 행사할 수 없다(대판 1999.4.9, 98다58016).

③ 협의이혼을 예정하고 미리 재산분할 협의를 한 경우 <u>협의이혼에 따른 재산분할에 있어 분할의 대상이 되는 재산과 액수는 「협의이혼이 성립한 날(이혼신고일)을 기준」으로 정하여야 한다. 따라서 재산분할 협의를 한 후 협의이혼 성립일까지의 기간 동안 재산분할 대상인 채무의 일부가 변제된 경우 그 변제된 금액은 원칙적으로 채무액에서 공제되어야 한다</u>(대판 2006.9.14, 2005다74900). → ※ [비교] – <u>협의이혼 성립일 이후에 부부 일방이 새로운 채무를 부담하거나, 부부 일방의 채무가 변제된 경우에도 이와 같은 재산변동사항은 재산분할의 대상이 되는 재산과 액수를 정함에 있어 이를 참작할 것이 아니다</u>.

④ 대판(전) 2013.6.20, 2010므4071·4088

⑤ 민법 제839조의2에 규정된 재산분할제도는 혼인 중에 부부 쌍방의 협력으로 이룩한 실질적인 공동재산을 청산·분배하는 것을 주된 목적으로 하는 것이고, 이혼으로 인한 재산분할청구권은 이혼이 성립한 때에 법적 효과로서 비로소 발생하는 것일 뿐만 아니라 협의 또는 심판에 따라 구체적 내용이 형성되기까지는 범위 및 내용이 불명확·불확정하기 때문에 구체적으로 권리가 발생하였다고 할 수 없으므로, <u>협의 또는 심판에 따라 구체화되지 않은 재산분할청구권을 혼인이 해소되기 전에 미리 포기하는 것은 성질상 허용되지 아니한다</u>. 아직 이혼하지 않은 당사자가 장차 협의상 이혼할 것을 합의하는 과정에서 이를 전제로 재산분할청구권을 포기하는 서면을 작성한 경우, 부부 쌍방의 협력으로 형성된 공동재산 전부를 청산·분배하려는 의도로 재산분할의 대상이 되는 재산액, 이에 대한 쌍방의 기여도와 재산분할 방법 등에 관하여 협의한 결과 부부 일방이 재산분할청구권을 포기하기에 이르렀다는 등의 사정이 없는 한 성질상 허용되지 아니하는 '재산분할청구권의 사전포기'에 불과할 뿐이므로 쉽사리 '재산분할에 관한 협의'로서의 '포기약정'이라고 보아서는 아니 된다(대결 2016.1.25, 2015스451).

06 **이혼 당사자의 재산분할청구에 관한 다음 설명 중 가장 옳은 것은?**　▸ 2025 법무사

① 아직 이혼하지 않은 당사자가 장차 협의상 이혼할 것을 합의하는 과정에서 이를 전제로 재산분할청구권을 포기하는 서면을 작성한 경우, 특별한 사정이 없는 한 '재산분할에 관한 협의'로서의 '포기약정'에 해당한다.

② 재산분할재판에서 분할대상인지 여부가 전혀 심리된바 없는 재산이 재판확정 후 추가로 발견된 경우에는 이에 대하여 추가로 재산분할청구를 할 수 있지만, 그러한 추가 재산분할청구 역시 이혼한 날부터 2년 이내라는 제척기간을 준수하여야 한다.

③ 협의이혼에 따른 재산분할에서 분할의 대상이 되는 재산과 액수는 협의이혼이 성립한 날(이혼신고일)을 기준으로 정하여야 하지만, 협의이혼을 예정하고 미리 재산분할 협의를 한 경우에는 해당 재산분할 협의 시점을 기준으로 정하여야 한다.

④ 공무원 퇴직연금은 수급권자의 사망으로 그 지급이 종료되는데 수급권자의 여명을 확정할 수 없으므로 그 자체를 재산분할의 대상으로 할 수 없고, 다만 이를 분할액수와 방법을 정함에 있어서 참작되는 '기타의 사정'으로 삼는 것으로 족하다.

⑤ 재산분할재판에서 법원이 적극재산과 소극재산을 구별하거나, 분할대상 재산들을 개별적으로 구분하여 분할비율을 달리 정하는 것도 원칙적으로 허용된다.

해설 ① 민법 제839조의2에 규정된 재산분할제도는 혼인 중에 부부 쌍방의 협력으로 이룩한 실질적인 공동재산을 청산·분배하는 것을 주된 목적으로 하는 것이고, 이혼으로 인한 재산분할청구권은 이혼이 성립한 때에 법적 효과로서 비로소 발생하는 것일 뿐만 아니라 협의 또는 심판에 따라 구체적 내용이 형성되기까지는 범위 및 내용이 불명확·불확정하기 때문에 구체적으로 권리가 발생하였다고 할 수 없으므로, 협의 또는 심판에 따라 구체화되지 않은 재산분할청구권을 혼인이 해소되기 전에 미리 포기하는 것은 성질상 허용되지 아니한다. 아직 이혼하지 않은 당사자가 장차 협의상 이혼할 것을 합의하는 과정에서 이를 전제로 재산분할청구권을 포기하는 서면을 작성한 경우, 부부 쌍방의 협력으로 형성된 공동재산 전부를 청산·분배하려는 의도로 재산분할의 대상이 되는 재산액, 이에 대한 쌍방의 기여도와 재산분할 방법 등에 관하여 협의한 결과 부부 일방이 재산분할청구권을 포기하기에 이르렀다는 등의 사정이 없는 한 성질상 허용되지 아니하는 '재산분할청구권의 사전포기'에 불과할 뿐이므로 쉽사리 '재산분할에 관한 협의'로서의 '포기약정'이라고 보아서는 아니 된다(대결 2016.1.25, 2015스451).

② 민법 제839조의2 제3항, 제843조에 따르면 재산분할청구권은 협의상 또는 재판상 이혼한 날부터 2년이 지나면 소멸한다. 2년 제척기간 내에 재산의 일부에 대해서만 재산분할을 청구한 경우 청구 목적물로 하지 않은 나머지 재산에 대해서는 제척기간을 준수한 것으로 볼 수 없으므로, 재산분할청구 후 제척기간이 지나면 그때까지 청구 목적물로 하지 않은 재산에 대해서는 청구권이 소멸한다. 재산분할재판에서 분할대상인지 여부가 전혀 심리된 바 없는 재산이 재판확정 후 추가로 발견된 경우에는 이에 대하여 추가로 재산분할청구를 할 수 있다. 다만 추가 재산분할청구 역시 이혼한 날부터 2년 이내라는 제척기간을 준수하여야 한다(대결 2018.6.22, 2018스18).

③ 협의이혼을 예정하고 미리 재산분할 협의를 한 경우 협의이혼에 따른 재산분할에 있어 분할의 대상이 되는 재산과 액수는 협의이혼이 성립한 날(이혼신고일)을 기준으로 정하여야 한다.

정답 ▸ **06** ②

따라서 재산분할 협의를 한 후 협의이혼 성립일까지의 기간 동안 재산분할 대상인 채무의 일부가 변제된 경우 그 변제된 금액은 원칙적으로 채무액에서 공제되어야 한다(대판 2006.9.14, 2005다 74900).

④ 이혼소송의 사실심 변론종결 당시에 부부 중 일방이 공무원 퇴직연금을 실제로 수령하고 있는 경우에, 위 공무원 퇴직연금에는 사회보장적 급여로서의 성격 외에 임금의 후불적 성격이 불가분적으로 혼재되어 있으므로, 혼인기간 중의 근무에 대하여 상대방 배우자의 협력이 인정되는 이상 공무원 퇴직연금수급권 중 적어도 그 기간에 해당하는 부분은 부부 쌍방의 협력으로 이룩한 재산으로 볼 수 있다. 따라서 재산분할제도의 취지에 비추어 허용될 수 없는 경우가 아니라면, 이미 발생한 공무원 퇴직연금수급권도 부동산 등과 마찬가지로 재산분할의 대상에 포함될 수 있다고 봄이 상당하다. 그리고 구체적으로는 연금수급권자인 배우자가 매월 수령할 퇴직연금액 중 일정 비율에 해당하는 금액을 상대방 배우자에게 정기적으로 지급하는 방식의 재산분할도 가능하다(대판(전합) 2014. 7.16, 2012므2888).

⑤ 법원이 합리적인 근거 없이 적극재산과 소극재산을 구별하여 분담비율을 달리 정한다거나, 분할 대상 재산들을 개별적으로 구분하여 분할비율을 달리 정함으로써 분할할 적극재산의 가액을 임의로 조정하는 것은 허용될 수 없다(대판 2002.9.4, 2001므718).

심화문제 | 확인 · 보충 · 심화문제

부모와 자

기본문제 | 기본문제의 구성

제1절 친생자

01 친생부인의 소에 관한 다음 설명 중 가장 옳은 것은? ▸ 2021 법무사

① 친생부인의 소는 남편 또는 아내가 다른 일방 또는 자(子)를 상대로 하여 그 사유가 있은 날로부터 2년 내에 제기하여야 한다.

② 남편이나 아내가 피성년후견인인 경우에는 남편이나 아내가 성년후견감독인의 동의를 받아 친생부인의 소를 제기할 수 있다. 성년후견감독인이 없거나 동의할 수 없을 때에는 가정법원에 그 동의를 갈음하는 허가를 청구할 수 있다.

③ 친생부인의 소의 원고적격이 있는 처(妻)는 자(子)의 생모뿐만 아니라 부(父)와 재혼한 처(妻)도 포함한다.

④ 부(夫)가 자(子)의 출생 전에 사망하거나 부(夫) 또는 처(妻)가 민법 제847조 제1항의 기간 내에 사망한 때에는 부(夫) 또는 처(妻)의 직계존속이나 직계비속에 한하여 그 사망을 안 날부터 2년 내에 친생부인의 소를 제기할 수 있다.

⑤ 친생부인의 조정이 성립되면 친생부인의 효력이 발생한다.

① 제847조 제1항【친생부인이 소】친생부인이 소는 부 또는 처가 다른 일방 또는 자를 상대로 하여 그 사유가 있음을 안 날부터 2년 내에 이를 제기하여야 한다.

② 제848조 제1항【성년후견과 친생부인의 소】남편이나 아내가 피성년후견인인 경우에는 그의 성년후견인이 성년후견감독인의 동의를 받아 친생부인의 소를 제기할 수 있다. 성년후견감독인이 없거나 동의할 수 없을 때에는 가정법원에 그 동의를 갈음하는 허가를 청구할 수 있다.

③ 민법 규정의 입법 취지, 개정 연혁과 체계 등에 비추어 보면, 민법 제846조, 제847조 제1항에서 정한 친생부인의 소의 원고적격이 있는 '처'는 자의 생모에 한정되고, 여기에 친생부인이 주장되는 대상자의 법률상 부와 '재혼한 처'는 포함되지 않는다(대판 2014.12.11, 2013므4591).

④ 제851조【부의 자 출생 전 사망 등과 친생부인】부가 자의 출생 전에 사망하거나 부 또는 처가 제847조 제1항의 기간 내에 사망한 때에는 부 또는 처의 직계존속이나 직계비속에 한하여 그 사망을 안 날부터 2년 내에 친생부인의 소를 제기할 수 있다.

정답 ▸ 01 ④

⑤ 친생부인의 조정이 성립되었다고 하여도, 이는 가사소송법 제59조 제2항 단서 소정의 본인이 임의로 처분할 수 없는 사항에 관한 것(부자관계는 당사자가 임의로 처분할 수 없는 사항으로서 이러한 사항에 대한 조정이 성립하더라도 재판상 화해와 동일한 효력이 생기지 않는다는 점)이라 할 것이므로, 친생부인의 효력은 발생되지 않는다(대판 1968.2.27, 67므34).

02 친자관계 등에 관한 다음 설명 중 가장 옳지 않은 것은? ▸ 2023 법무사

① 민법은 입양의 요건으로 동의와 허가 등에 관하여 규정하고 있을 뿐이고 존속을 제외하고는 혈족의 입양을 금지하고 있지 않으므로, 조부모가 손자녀를 입양하여 부모·자녀 관계를 맺는 것도 가능하다.

② 인지의 소의 확정판결에 의하여 일단 부와 자 사이에 친자관계가 창설된 이상, 확정판결에 반하여 친생자관계부존재확인의 소로써 당사자 사이에 친자관계가 존재하지 않는다고 다툴 수는 없다.

③ 아내가 혼인 중 남편이 아닌 제3자의 정자를 제공받아 인공 수정으로 자녀를 출산한 경우에도 친생추정 규정을 적용하여 인공수정으로 출생한 자녀는 남편의 자녀로 추정된다.

④ 인지청구권은 본인의 일신전속적인 신분관계상의 권리로서 포기할 수 없고, 포기하였더라도 그 효력이 발생할 수 없으며, 이와 같이 인지청구권의 포기가 허용되지 않는 이상 거기에 실효의 법리가 적용될 여지도 없다.

⑤ 성전환자가 미성년자인 자녀가 있는 경우에는, 가족관계등록부에 기재된 성별을 정정하여 미성년자인 자녀의 법적 지위와 그에 대한 사회적 인식에 곤란을 초래하는 것까지 허용할 수는 없으므로, 미성년자인 자녀를 둔 성전환자의 성별정정은 허용되지 않는다.

해설 ① 대결(전) 2021.12.23, 2018스5

② 인지의 소의 확정판결에 의하여 일단 부와 자 사이에 친자관계가 창설된 이상, 재심의 소로 다투는 것은 별론으로 하고, 확정판결에 반하여 친생자관계부존재확인의 소로써 당사자 사이에 친자관계가 존재하지 않는다고 다툴 수는 없다(대판 2015.6.11, 2014므8217).

③ 대판(전) 2019.10.23, 2016므2510

④ 대판 2001.11.27, 2001므1353

⑤ 미성년 자녀를 둔 성전환자도 부모로서 자녀를 보호하고 교양하며(민법 제913조), 친권을 행사할 때에도 자녀의 복리를 우선해야 할 의무가 있으므로(민법 제912조), 미성년 자녀가 있는 성전환자의 성별정정 허가 여부를 판단할 때에는 성전환자의 기본권의 보호와 미성년 자녀의 보호 및 복리와의 조화를 이룰 수 있도록 법익의 균형을 위한 여러 사정들을 종합적으로 고려하여 실질적으로 판단하여야 한다. 따라서 위와 같은 사정들을 고려하여 실질적으로 판단하지 아니한 채 단지 성전환자에게 미성년 자녀가 있다는 사정만을 이유로 성별정정을 불허하여서는 아니된다(대결(전) 2022.11.24, 2020스616). ※ 지문은 2020스616에 의하여 변경된 대결(전) 2011.9.2, 2009스117의 내용이다.

03 다음 설명 중 옳은 것을 모두 고른 것은?

▶ 2024 법무사

ㄱ. 인지청구권은 본인의 일신전속적인 신분관계상의 권리로서 포기할 수도 없으며 포기하였더라도 그 효력이 발생할 수 없는 것이고, 이와 같이 인지청구권의 포기가 허용되지 않는 이상 거기에 실효의 법리가 적용될 여지도 없다.

ㄴ. 혼인 외의 출생자가 부의 사망 후에 인지의 소에 의하여 친생자로 인지받은 경우 피인지자보다 후순위 상속인인 피상속인의 직계존속 또는 형제자매 등은 피인지자의 출현과 함께 자신이 취득한 상속권을 잃게 되므로, 이들은 민법 제860조 단서의 규정에 따라 인지의 소급효 제한에 의하여 보호받게 되는 제3자에 포함된다.

ㄷ. 민법 제865조의 규정에 의하여 이해관계있는 제3자가 친생자관계 부존재확인을 청구하는 경우 친자 쌍방이 다 생존하고 있는 경우는 친자 쌍방을 피고로 삼아야 하고, 친자 중 어느 한편이 사망하였을 때에는 생존자만을 피고로 삼아야 하며, 친자가 모두 사망하였을 경우에는 검사를 상대로 소를 제기할 수 있다. 친생자관계존부확인소송은 소송물이 일신전속적인 것이기는 하나, 제3자가 친자 쌍방을 상대로 제기한 친생자관계부존재확인소송이 계속되던 중 친자 중 어느 한편이 사망하였을 때에는 생존한 사람만 피고가 됨과 동시에 공익적 지위를 갖는 검사가 망인의 소송절차를 수계할 수 있다.

ㄹ. 전 등기명의인이 미성년자이고 당해 부동산을 친권자에게 증여하는 행위가 이해상반행위라 하더라도 일단 친권자에게 이전등기가 경료된 이상, 특별한 사정이 없는 한 그 이전등기에 관하여 필요한 절차를 적법하게 거친 것으로 추정된다.

ㅁ. 친권자가 수인의 미성년자의 법정대리인으로서 상속재산분할협의를 한 것이라면 이는 민법 제921조에 위반된 것으로서 이러한 대리행위에 의하여 성립된 상속재산분할협의는 피대리자 전원에 의한 추인이 없는 한 무효이다.

① ㄱ, ㄹ, ㅁ   ② ㄱ, ㄷ, ㅁ   ③ ㄱ, ㄴ, ㄷ
④ ㄴ, ㄷ, ㄹ   ⑤ ㄴ, ㄹ, ㅁ

 ㄱ. 인지청구권은 본인의 일신전속적인 신분관계상의 권리로서 포기할 수도 없으며 포기하였더라도 그 효력이 발생할 수 없는 것이고, 이와 같이 인지청구권의 포기가 허용되지 않는 이상 거기에 실효의 법리가 적용될 여지도 없다(대판 2001.11.27, 2001므1353).

ㄴ. 민법 제860조는 인지의 소급효는 제3자가 이미 취득한 권리에 의하여 제한받는다는 취지를 규정하면서 민법 제1014조는 상속개시 후의 인지 또는 재판의 확정에 의하여 공동상속인이 된 자는 그 상속분에 상응한 가액의 지급을 청구할 권리가 있다고 규정하여 제860조 소정의 제3자의 범위를 제한하고 있는 취지에 비추어 볼 때, 혼인 외의 출생자가 부의 사망 후에 인지의 소에 의하여 친생자로 인지받은 경우 피인지자보다 후순위 상속인인 피상속인의 직계존속 또는 형제자매 등은 피인지자의 출현과 함께 자신이 취득한 상속권을 소급하여 잃게 되는 것으로 보아야 하고, 그것이 민법 제860조 단서의 규정에 따라 인지의 소급효 제한에 의하여 보호받게 되는 제3자의

기득권에 포함된다고는 볼 수 없다(대판 1993.3.12, 92다48512). → ※ [보충] : 이 경우 선순위 상속권자는 후순위 상속인에 대하여 본조의 가액지급청구가 아닌 상속회복청구를 할 수 있다.

ㄷ. 민법 제865조의 규정에 의하여 이해관계있는 제3자가 친생자관계 부존재확인을 청구하는 경우 친자 쌍방이 다 생존하고 있는 경우는 친자 쌍방을 피고로 삼아야 하고, 친자 중 어느 한편이 사망하였을 때에는 생존자만을 피고로 삼아야 하며, 친자가 모두 사망하였을 경우에는 검사를 상대로 소를 제기할 수 있다. 친생자관계존부 확인소송은 소송물이 일신전속적인 것이므로, 제3자가 친자 쌍방을 상대로 제기한 친생자관계 부존재확인소송이 계속되던 중 친자 중 어느 한편이 사망하였을 때에는 생존한 사람만 피고가 되고, 사망한 사람의 상속인이나 검사가 절차를 수계할 수 없다. 이 경우 사망한 사람에 대한 소송은 종료된다(대판 2018.5.15, 2014므4963).

ㄹ. 대판 2002.2.5, 2001다72029

ㅁ. 대판 1993.4.13, 92다54524

제2절 양자

01 **입양에 관한 다음 설명 중 가장 옳지 않은 것은?** ▶ 2022 법무사

① 친생자 출생신고 당시 입양의 실질적 요건을 갖추지 못하여 입양신고로서의 효력이 생기지 않았더라도 그 후에 입양의 실질적 요건을 갖추게 된 경우에는 무효인 친생자 출생신고는 소급적으로 입양신고로서의 효력을 갖게 된다고 할 것이나, 당사자 간에 무효인 신고행위에 상응하는 신분관계가 실질적으로 형성되어 있지 아니한 경우에는 무효인 신분행위에 대한 추인의 의사표시만으로 그 무효행위의 효력을 인정할 수 없다.

② 조부모가 자녀의 입양허가를 청구하는 경우에 입양의 요건을 갖추고 입양이 자녀의 복리에 부합한다면 이를 허가할 수 있다.

③ 입양으로 인한 친족관계는 입양의 취소 또는 파양으로 인하여 종료하므로, 양부모가 이혼하였을 경우에는 양부자관계는 존속하지만 양모자관계는 소멸한다.

④ 친생자 출생신고가 입양의 효력을 갖는 경우, 양친 부부 중 일방이 사망한 후 생존하는 다른 일방이 사망한 일방과 양자 사이의 양친자관계의 해소를 위하여 재판상 파양에 갈음하는 친생자관계부존재확인청구를 할 수는 없다.

⑤ 입양신고가 형식적으로만 입양한 것처럼 가장하기로 하여 이루어진 것일 뿐 당사자 사이에 실제로 양친자로서의 신분적 생활관계를 형성한다는 의사의 합치가 없었던 것이라면 이는 당사자 간에 입양의 합의가 없는 때에 해당하여 무효이다.

 ① 대판 2020.5.14, 2017므12484

② 입양은 출생이 아니라 법에 정한 절차에 따라 원래는 부모·자녀가 아닌 사람 사이에 부모·자녀 관계를 형성하는 제도이다. 조부모와 손자녀 사이에는 이미 혈족관계가 존재하지만 부모·자녀 관계에 있는 것은 아니다. 민법은 입양의 요건으로 동의와 허가 등에 관하여 규정하고 있을 뿐이고 존속을 제외하고는 혈족의 입양을 금지하고 있지 않다(민법 제877조 참조). 따라서 조부

모가 손자녀를 입양하여 부모·자녀 관계를 맺는 것이 입양의 의미와 본질에 부합하지 않거나 불가능하다고 볼 이유가 없다(대결(전) 2021.12.23, 2018스5).
③ 민법 제776조는 "입양으로 인한 친족관계는 입양의 취소 또는 파양으로 인하여 종료한다."라고 규정하고 있을 뿐 '양부모의 이혼'을 입양으로 인한 친족관계의 종료사유로 들고 있지 않고, 처를 부와 함께 입양당사자로 하는 현행 민법 아래에서는 부부공동입양제가 되어 처도 부와 마찬가지로 입양당사자가 되기 때문에 양부모가 이혼하였다고 하여 양모를 양부와 다르게 취급하여 양모자관계만 소멸한다고 볼 수는 없는 것이다(대판(전) 2001.5.24, 2000므1493).
④ 당사자가 양친자관계를 창설할 의사로 친생자출생신고를 하고 거기에 입양의 실질적 요건이 모두 구비되어 있다면 그 형식에 다소 잘못이 있더라도 입양의 효력이 발생하고, 양친자관계는 파양에 의하여 해소될 수 있는 점을 제외하고는 법률적으로 친생자관계와 똑같은 내용을 갖게 되므로 이 경우의 허위의 친생자출생신고는 법률상의 친자관계인 양친자관계를 공시하는 입양신고의 기능을 발휘하게 되는 것이며, 이와 같은 경우 파양에 의하여 그 양친자관계를 해소할 필요가 있는 등 특별한 사정이 없는 한 그 호적기재 자체를 말소하여 법률상 친자관계의 존재를 부인하게 하는 친생자관계부존재확인청구는 허용될 수 없는 것이다(대판(전) 2001.5.24, 2000므1493).
⑤ 민법 제883조 제1호의 입양무효사유인 '당사자 간에 입양의 합의가 없는 때'라 함은 당사자 간에 실제로 양친자로서의 신분적 생활관계를 형성할 의사를 가지고 있지 아니한 경우를 말하므로, 입양신고가 호적상 형식적으로만 입양한 것처럼 가장하기로 하여 이루어진 것일 뿐 당사자 사이에 실제로 양친자로서의 신분적 생활관계를 형성한다는 의사의 합치가 없었던 것이라면 이는 당사자 간에 입양의 합의가 없는 때에 해당하여 무효라고 보아야 한다(대판 2004.4.9, 2003므2411).

02 친양자 입양에 관한 다음 설명 중 옳은 것을 모두 고른 것은? ▶ 2025 법무사

> ㄱ. 친양자가 될 사람이 15세 이상인 경우에는 법정대리인의 동의를 받아 입양을 승낙하고, 15세 미만인 경우에는 법정대리인이 그를 갈음하여 입양을 승낙하여야 한다.
> ㄴ. 친양자를 입양하려는 사람은 2년 이상 혼인 중인 부부로서 공동으로 입양하여야 하고, 다만 1년 이상 혼인 중인 부부의 한쪽이 그 배우자의 친생자를 친양자로 하는 경우에는 그러하지 않다.
> ㄷ. 친생부모가 자신에게 책임이 있는 사유로 3년 이상 자녀에 대한 부양의무를 이행하지 아니하고 면접교섭을 하지 아니한 경우에는 동의권자 또는 승낙권자의 동의나 승낙이 없더라도 가정법원은 친양자 입양청구를 인용할 수 있다.
> ㄹ. 친양자 입양이 취소된 때에는 친양자 관계는 입양한 때로 소급하여 소멸하고 입양 전의 친족관계는 부활한다.
> ㅁ. 친양자 입양에는 친양자가 될 사람의 친생부모의 동의가 필요하지만, 친생부모의 소재를 알 수 없는 경우에는 그의 동의 없이도 친양자 입양이 가능하다.

① ㄱ, ㄷ 　　② ㄱ, ㅁ 　　③ ㄴ, ㄹ
④ ㄷ, ㄹ 　　⑤ ㄷ, ㅁ

정답 ▶ 01 ③ 02 ⑤

 **해설**

ㄱ. (×) 양자 입양의 요건 등 : 친양자가 될 사람이 13세 이상인 경우에는 법정대리인의 동의를 받아 입양을 승낙하고 친양자가 될 사람이 13세 미만인 경우에는 법정대리인이 그를 갈음하여 입양을 승낙한다(민법 제908조의2 제1항 제4호, 제5호).

ㄴ. (×) 양자 입양의 요건 등 : 친양자를 입양하려는 사람은 3년 이상 혼인 중인 부부로서 공동으로 입양해야 한다. 다만, 1년 이상 혼인 중인 부부의 한쪽이 그 배우자의 친생자를 친양자로 하는 경우에는 그러하지 아니하다(민법 제908조의2 제1항 제1호).

ㄷ. (○) 친양자 입양의 요건 등 : 친생부모가 자신에게 책임이 있는 사유로 3년 이상 자녀에 대한 부양의무를 이행하지 아니하고 면접교섭을 하지 아니한 경우는 동의권자 또는 승낙권자의 동의나 승낙이 없어도 친양자 입양청구를 인용할 수 있다. 이 경우 가정법원은 동의권자 또는 승낙권자를 심문하여야 한다(민법 제908조의2 제2항 제2호).

ㄹ. (×) 친양자 입양의 취소·파양의 효력 : 친양자 입양이 취소되거나 파양된 때에는 친양자관계는 소멸하고 입양 전의 친족관계는 부활한다. 이 경우에 친양자 입양의 취소의 효력은 소급하지 아니한다(민법 제908조의7 제1항, 제2항).

ㅁ. (○) 친양자 입양의 요건 등 : 친양자를 입양 하려는 사람은 친양자가 될 사람의 친생부모가 친양자 입양에 동의를 받아 가정법원에 친양자 입양을 청구하여야 한다. 다만, 부모가 친권상실의 선고를 받거나 소재를 알 수 없거나 그 밖의 사유로 동의할 수 없는 경우에는 그러하지 아니하다(민법 제908조의2 제1항 제3호).

제3절　친권

후견

01 다음 설명 중 가장 옳은 것은? ▸ 2021 법무사

① 성년후견제도의 도입 취지 및 목적, 성년후견인의 임무와 범위, 가정법원의 감독권한 등을 종합하면 성년후견인의 변경사유인 '피성년후견인의 복리를 위하여 후견인을 변경할 필요가 있다고 인정되는 경우'는 가정법원이 성년후견인의 임무수행을 전체적으로 살펴보았을 때 선량한 관리자로서의 주의의무를 게을리하여 후견인으로서 그 임무를 수행하는 데 적당하지 않은 사유가 있는 경우로서 그 부적당한 점으로 피후견인의 복리에 영향이 있는 경우라고 봄이 상당하다. 또한 성년후견인의 임무에는 피성년후견인의 재산관리 임무뿐 아니라 신상보호 임무가 포함되어 있고, 신상보호 임무 역시 재산관리 임무 못지않게 피성년후견인의 복리를 위하여 중요한 의미를 가지기 때문에, 특별한 사정이 없는 한 성년후견인 변경사유를 판단함에 있어서는 재산관리와 신상보호의 양 업무의 측면을 모두 고려하여야 한다.

② 민법 제959조의20 제1항은 "후견계약이 등기되어 있는 경우에는 가정법원은 본인의 이익을 위하여 특별히 필요할 때에만 임의후견인 또는 임의후견감독인의 청구에 의하여 성년후견, 한정후견 또는 특정후견의 심판을 할 수 있다. 이 경우 후견계약은 본인이 성년후견 또는 한정후견 개시의 심판을 받은 때 종료된다."라고 규정하고, 같은 조 제2항은 "본인이 피성년후견인, 피한정후견인 또는 피특정후견인인 경우에 가정법원은 임의후견감독인을 선임함에 있어서 종전의 성년후견, 한정후견 또는 특정후견의 종료 심판을 하여야 한다. 다만 성년후견 또는 한정후견 조치의 계속이 본인의 이익을 위하여 특별히 필요하다고 인정하면 가정법원은 임의후견감독인을 선임하지 아니한다."라고 규정하고 있다. 민법 제959조의20 제1항은 본인에 대해 한정후견개시심판 청구가 제기된 후 심판이 확정되기 전에 후견계약이 등기된 경우에는 적용되지 않는다고 보아야 한다.

③ 민법 제865조 제1항은 "제845조, 제846조, 제848조, 제850조, 제851조, 제862조, 제863조의 규정에 의하여 소를 제기할 수 있는 자는 다른 사유를 원인으로 하여 친생자관계존부확인의 소를 제기할 수 있다."라고 정하고 있으나, 친생자관계존부확인의 소를 제기할 수 있는 자는 민법 제865조 제1항에서 정한 제소권자로 한정된다고 볼 수 없다고 봄이 타당하다.

④ 친족의 범위에 관하여 규정한 민법 제777조에서 정한 친족에 해당하기만 하면 당연히 친생자관계존부확인의 소를 제기할 수 있다.

정답 01 ①

⑤ 제사주재자는 우선적으로 망인의 공동상속인들 사이의 협의에 의해 정하되, 협의가 이루어지지 않는 경우에는 제사주재자의 지위를 유지할 수 없는 특별한 사정이 있지 않은 한 망인의 장남이 제사주재자가 되고, 망인의 장남이 이미 사망한 경우에는 장남의 아들, 즉 장손자가 있다고 하더라도 망인의 차남이 제사주재자가 된다.

해설 ① 가정법원은 직권 또는 친족 등의 청구에 의하여 성년후견인을 변경할 수 있는데(민법 제940조), 그 변경의 요건은 '피성년후견인의 복리를 위하여 후견인을 변경할 필요가 있다고 인정되는 경우' 이다. 성년후견제도의 도입 취지 및 목적, 성년후견인의 임무와 범위, 가정법원의 감독권한 등을 종합하면 성년후견인의 변경사유인 '피성년후견인의 복리를 위하여 후견인을 변경할 필요가 있다고 인정되는 경우'는 가정법원이 성년후견인의 임무수행을 전체적으로 살펴보았을 때 선량한 관리자로서의 주의의무를 게을리하여 후견인으로서 그 임무를 수행하는 데 적당하지 않은 사유가 있는 경우로서 그 부적당한 점으로 피후견인의 복리에 영향이 있는 경우라고 봄이 상당하다. 또한 성년후견인의 임무에는 피성년후견인의 재산관리 임무뿐 아니라 신상보호 임무가 포함되어 있고, 신상보호 임무 역시 재산관리 임무 못지않게 피성년후견인의 복리를 위하여 중요한 의미를 가지기 때문에, 특별한 사정이 없는 한 성년후견인 변경사유를 판단함에 있어서는 재산관리와 신상보호의 양 업무의 측면을 모두 고려하여야 한다(대결 2021.2.4, 2020스647).

② 민법 제959조의20 제1항은 "후견계약이 등기되어 있는 경우에는 가정법원은 본인의 이익을 위하여 특별히 필요할 때에만 임의후견인 또는 임의후견감독인의 청구에 의하여 성년후견, 한정후견 또는 특정후견의 심판을 할 수 있다. 이 경우 후견계약은 본인이 성년후견 또는 한정후견 개시의 심판을 받은 때 종료된다."라고 규정하고, 같은 조 제2항은 "본인이 피성년후견인, 피한정후견인 또는 피특정후견인인 경우에 가정법원은 임의후견감독인을 선임함에 있어서 종전의 성년후견, 한정후견 또는 특정후견의 종료 심판을 하여야 한다. 다만, 성년후견 또는 한정후견 조치의 계속이 본인의 이익을 위하여 특별히 필요하다고 인정하면 가정법원은 임의후견감독인을 선임하지 아니한다."고 규정하고 있다. 이와 같은 민법 규정은 후견계약이 등기된 경우에는 사적자치의 원칙에 따라 본인의 의사를 존중하여 후견계약을 우선하도록 하고, 예외적으로 본인의 이익을 위하여 특별히 필요할 때에 한하여 법정후견에 의할 수 있도록 한 것으로서, 민법 제959조의20 제1항에서 후견계약의 등기 시점에 특별한 제한을 두지 않고 있고, 같은 조 제2항 본문이 본인에 대해 이미 한정후견이 개시된 경우에는 임의후견감독인을 선임하면서 종전 한정후견의 종료 심판을 하도록 한 점 등에 비추어 보면, 위 제1항은 본인에 대해 한정후견개시심판 청구가 제기된 후 그 심판이 확정되기 전에 후견계약이 등기된 경우에도 그 적용이 있다고 보아야 하므로, 그와 같은 경우 가정법원은 본인의 이익을 위하여 특별히 필요하다고 인정할 때에만 한정후견개시심판을 할 수 있다(대결 2017.6.1, 2017스515).

③,④ 종래 판례는 민법 제777조의 규정에 의한 친족은 그와 같은 신분관계를 가졌다는 사실만으로써 당연히 친생자관계존부확인의 소를 제기할 수 있는 원고적격을 가진다는 입장이었으나, 최근 전원합의체판결로 친생자관계존부확인의 소를 제기할 수 있는 자는 민법 제865조 제1항에서 정한 제소권자로 한정되고 민법 제777조에서 정한 친족이라는 사실만으로 당연히 원고적격을 인정하는 것은 아니라고 변경되었다. → 친생자관계에 관하여 민법은 임신과 출산이라는 자연적인 사실에 의하여 그 관계가 명확히 결정되는 모자관계와 달리 부자관계의 성립과 해소에 대하여는 그 관계 확정을 위한 여러 규정을 두고 있다. 아내가 혼인 중에 임신한 자녀를 남편의 자녀로 추정하는 친생추정 규정(제844조 제1항)과 이에 대한 번복방법인 친생부인의 소에 관한 규정(제846조 내지 제851조), 재혼한 여자가 해산한 경우 법원에 의한 부의 결정에 관한 규정(제845조), 혼인 외 출생자의 인지에 관한 규정(제855조 제1항, 제863조), 인지의 취소 및 인지에 대한 이의

의 소에 관한 규정(제861조 및 제862조)이 이에 해당한다. 따라서 법적 친생자관계의 성립과 해소를 구하는 소송절차에서는 위 각 규정에 명시된 제소권자가 해당 규정이 정한 요건을 갖춰 소를 제기하는 것이 원칙이다. 민법 제865조 제1항은 "제845조, 제846조, 제848조, 제850조, 제851조, 제862조, 제863조의 규정에 의하여 소를 제기할 수 있는 자는 다른 사유를 원인으로 하여 친생자관계존부확인의 소를 제기할 수 있다."라고 정한다. 이는 법적 친자관계와 가족관계등록부에 표시된 친자관계가 일치하지 않을 때 이를 바로잡기 위하여 친생자관계존부확인의 소를 제기할 수 있도록 한 것이다. 민법 제865조 제1항이 친생자관계존부확인의 소를 제기할 수 있는 자를 구체적으로 특정하여 직접 규정하는 대신 소송목적이 유사한 다른 소송절차에 관한 규정들을 인용하면서 각 소의 제기권자에게 원고적격을 부여하고 그 사유만을 달리하게 한 점에 비추어 보면, 민법 제865조 제1항이 정한 친생자관계존부확인의 소는 법적 친생자관계의 성립과 해소에 관한 다른 소송절차에 대하여 보충성을 가진다. 이처럼 민법 제865조 제1항의 규정 형식과 문언 및 체계, 위 각 규정들이 정한 소송절차의 특성, 친생자관계존부확인의 소의 보충성 등을 고려하면, 친생자관계존부확인의 소를 제기할 수 있는 자는 민법 제865조 제1항에서 정한 제소권자로 한정된다고 봄이 타당하다(대판(전) 2020.6.18. 2015므8351).

⑤ 공동상속인들 사이에 협의가 이루어지지 않는 경우에는 제사주재자의 지위를 인정할 수 없는 특별한 사정이 있지 않는 한 피상속인의 직계비속 중 남녀, 적서를 불문하고 최근친의 연장자가 제사주재자로 우선한다(대판(전합) 2023.5.11. 2018다248626). → 제사주재자는 우선적으로 망인의 공동상속인들 사이의 협의에 의해 정하되, 협의가 이루어지지 않는 경우에는 제사주재자의 지위를 유지할 수 없는 특별한 사정이 있지 않는 한 망인의 장남(장남이 이미 사망한 경우에는 장손자)이 제사주재자가 되고, 공동상속인들 중 아들이 없는 경우에는 망인의 장녀가 제사주재자가 된다고 본 대법원 2008.11.20. 선고 2007다27670 전원합의체 판결은 더 이상 조리에 부합하지 아니한다는 이유로 폐기하였다.

02 다음 설명 중 가장 옳지 않은 것은? ▸ 2023 법무사

① 한정후견의 개시를 청구한 사건에서 의사의 감정 결과 등에 비추어 성년후견 개시의 요건을 충족하고 본인도 성년 후견의 개시를 희망한다면 법원이 성년후견을 개시할 수 있고, 성년후견 개시를 청구하고 있더라도 필요하다면 한정후견을 개시할 수 있다.

② 피성년후견인 또는 피한정후견인은 의사능력이 있는 한 성년후견인 또는 한정후견인의 동의 없이도 유언을 할 수 있다.

③ 후견심판 사건에서 사전처분으로 후견심판이 확정될 때까지 임시후견인이 선임된 경우, 아직 성년후견이 개시되기 전이라면 의사가 유언서에 심신 회복 상태를 부기하고 서명날인하도록 요구한 민법 제1063조 제2항은 적용되지 않는다.

④ 후견계약이 등기된 경우 본인의 이익을 위한 특별한 필요성이 인정되어 민법 제9조 제1항 등에서 정한 법정후견 청구권자, 임의후견인이나 임의후견감독인의 청구에 따라 법정후견 심판을 한 경우 후견계약은 임의후견감독인의 선임과 관계없이 본인이 성년후견 또는 한정후견 개시의 심판을 받은 때 종료한다.

정답 **02 ⑤**

⑤ 후견계약이 등기되어 있는 경우에는 본인의 이익을 위하여 특별히 필요할 때에만 한정후견 등의 심판을 할 수 있도록 규정한 민법 제959조의20 제1항은 본인에 대해 한정후견 개시심판 청구가 제기된 후 심판이 확정되기 전에 후견계약이 등기된 경우에는 적용되지 않는다.

해설 ① 대결 2021.6.10. 2020스596 → 성년후견이나 한정후견에 관한 심판절차는 가사비송사건이기 때문이다.

②.③ 대판 2022.12.1. 2022다261237 → 피성년후견인과 피한정후견인의 유언에 관하여는 행위능력에 관한 민법 제10조 및 제13조가 적용되지 않기 때문이다(민법 제1062조).

④ 대결 2021.7.15. 2020으547

⑤ 민법 제959조의20 제1항에서 후견계약의 등기 시점에 특별한 제한을 두지 않고 있고, 같은 조 제2항 본문이 본인에 대해 이미 한정후견이 개시된 경우에는 임의후견감독인을 선임하면서 종전 한정후견의 종료 심판을 하도록 한 점 등에 비추어 보면, 위 제1항은 본인에 대해 한정후견개시 심판 청구가 제기된 후 심판이 확정되기 전에 후견계약이 등기된 경우에도 적용이 있다고 보아야 하므로, 그와 같은 경우 가정법원은 본인의 이익을 위하여 특별히 필요하다고 인정할 때에만 한 정후견개시심판을 할 수 있다(대결 2017.6.1. 2017스515).

부양

기본문제 | 기본문제의 구성

PART
06
상속법

01 상속재산의 분할에 관한 다음 설명 중 가장 옳은 것은? ▸ 2021 법무사

① 피상속인으로부터 상속받은 금전채무에 관하여 상속인 중 1인이 법정상속분을 초과하여 채무를 부담하기로 하는 상속재산에 대한 분할협의가 이루어진 경우 이는 상속이 개시된 때에 소급하여 그 효력이 있다.

② 상속재산의 분할협의는 공동상속인 사이에 잠정적 공유가 된 상속재산의 귀속을 확정시키는 것이므로, 그 협의를 통하여 공동상속인 중 무자력인 자가 자신의 상속에 관한 권리를 포기하는 내용으로 분할협의를 하였다고 하더라도 이러한 분할협의가 사해행위취소권 행사의 대상이 될 수는 없다.

③ 상속재산의 분할에 관하여 공동상속인 사이에 협의가 성립되지 아니하거나 협의할 수 없는 경우에는 상속재산에 속하는 개별 재산에 관하여 가정법원에 민법 제268조의 규정에 의한 공유물분할청구의 소를 제기할 수 있다.

④ 상속재산 분할협의는 공동상속인들 사이에 이루어지는 일종의 계약으로서, 공동상속인들은 이미 이루어진 상속재산 분할협의의 전부 또는 일부를 전원의 합의에 의하여 해제한 다음 다시 새로운 분할협의를 할 수 있고, 이는 이미 상속등기를 마친 경우에도 마찬가지이다.

⑤ 공동상속인 중 1인이 신청한 한정승인에 따른 청산절차가 종료되지 않은 경우 다른 상속인들은 상속재산분할청구를 할 수 없다.

해설 ① 금전채무와 같이 급부의 내용이 가분인 채무가 공동상속된 경우. 이는 상속 개시와 동시에 당연히 법정상속분에 따라 공동상속인에게 분할되어 귀속되는 것이므로, 상속재산 분할의 대상이 될 여지가 없다. 또한 상속재산 분할의 대상이 될 수 없는 상속채무에 관하여 공동상속인들 사이에 분할의 협의가 있는 경우라면 이러한 협의는 민법 제1013조에서 말하는 상속재산의 협의분할에 해당하는 것은 아니지만. 위 분할의 협의에 따라 공동상속인 중의 1인이 법정상속분을 초과하여 채무를 부담하기로 하는 약정은 면책적 채무인수의 실질을 가진다고 할 것이어서, 채권자에 대한 관계에서 위 약정에 의하여 다른 공동상속인이 법정상속분에 따른 채무의 일부 또는 전부를 면하기 위하여는 민법 제454조의 규정에 따른 채권자의 승낙을 필요로 하고, 여기에 상속재산 분할의 소급효를 규정하고 있는 민법 제1015조가 적용될 여지는 전혀 없다(대판 1997.6.24, 97다8809).

② 상속재산의 분할협의는 상속이 개시되어 공동상속인 사이에 잠정적 공유가 된 상속재산에 대하여 그 전부 또는 일부를 각 상속인의 단독소유로 하거나 새로운 공유관계로 이행시킴으로써 상속재산의 귀속을 확정시키는 것으로 그 성질상 재산권을 목적으로 하는 법률행위이므로 사해행위취소권 행사의 대상이 될 수 있다. 다만 채무초과 상태에 있는 채무자가 상속재산의 분할협의를

하면서 상속재산에 관한 권리를 포기함으로써 결과적으로 일반 채권자에 대한 공동담보가 감소되었다 하더라도, 그 재산분할결과가 채무자의 구체적 상속분에 상당하는 정도에 미달하는 과소한 것이라고 인정되지 않는 한 사해행위로서 취소되어야 할 것은 아니고, 구체적 상속분에 상당하는 정도에 미달하는 과소한 경우에도 사해행위로서 취소되는 범위는 그 미달하는 부분에 한정하여야 한다. 이때 지정상속분이나 기여분, 특별수익 등의 존부 등 구체적 상속분이 법정상속분과 다르다는 사정은 채무자가 주장·입증하여야 할 것이다(대판 2001.2.9, 2000다51797).

③ 공동상속인은 상속재산의 분할에 관하여 공동상속인 사이에 협의가 성립되지 아니하거나 협의할 수 없는 경우에 가사소송법이 정하는 바에 따라 가정법원에 상속재산분할심판을 청구할 수 있을 뿐이고, 상속재산에 속하는 개별 재산에 관하여 민법 제268조의 규정에 따라 공유물분할청구의 소를 제기하는 것은 허용되지 않는다(대판 2015.8.13, 2015다18367).

④ 상속재산 분할협의는 공동상속인들 사이에 이루어지는 일종의 계약으로서, 공동상속인들은 이미 이루어진 상속재산 분할협의의 전부 또는 일부를 전원의 합의에 의하여 해제한 다음 다시 새로운 분할협의를 할 수 있고, 상속재산 분할협의가 합의해제 되면 그 협의에 따른 이행으로 변동이 생겼던 물권은 당연히 그 분할협의가 없었던 원상태로 복귀하지만, 민법 제548조 제1항 단서의 규정상 이러한 합의해제를 가지고서는, 그 해제 전의 분할협의로부터 생긴 법률효과를 기초로 하여 새로운 이해관계를 가지게 되고 등기·인도 등으로 완전한 권리를 취득한 제3자의 권리를 해하지 못한다(대판 2004.7.8, 2002다73203).

⑤ 우리 민법이 한정승인 절차가 상속재산분할 절차보다 선행하여야 한다는 명문의 규정을 두고 있지 않고, 공동상속인들 중 일부가 한정승인을 하였다고 하여 상속재산분할이 불가능하다거나 분할로 인하여 공동상속인들 사이에 불공평이 발생한다고 보기 어려우며, 상속재산분할의 대상이 되는 상속재산의 범위에 관하여 공동상속인들 사이에 분쟁이 있을 경우에는 한정승인에 따른 청산절차가 제대로 이루어지지 못할 우려가 있는데 그럴 때에는 상속재산분할청구 절차를 통하여 분할의 대상이 되는 상속재산의 범위를 한꺼번에 확정하는 것이 상속채권자의 보호나 청산절차의 신속한 진행을 위하여 필요하다는 점 등을 고려하면, 한정승인에 따른 청산절차가 종료되지 않은 경우에도 상속재산분할청구가 가능하다(대결 2014.7.25, 2011스226).

02 민법 제999조의 상속회복청구권에 관한 다음 설명 중 가장 옳지 않은 것은? ▸ 2021 법무사

① 재산상속에 관하여 진정한 상속인임을 전제로 상속으로 인한 재산권의 귀속을 주장하며 참칭상속인 또는 자기들만이 재산상속을 하였다는 일부 공동상속인들을 상대로 상속재산인 부동산에 관한 등기의 말소 등을 청구하는 것이라면 그 청구원인 여하에 불구하고 민법 제999조 소정의 상속회복청구의 소에 해당하여 10년의 제척기간의 적용을 받는다.

② 동일한 부동산에 관하여 등기명의인을 달리하여 중복된 소유권보존등기가 마쳐져, 선행 보존등기로부터 소유권이전등기를 한 소유자의 상속인이 후행 보존등기나 그에 기하여 순차로 이루어진 소유권이전등기 등 후속등기가 모두 무효라는 이유로 등기의 말소를 구하는 경우 이는 무효인 후행 보존등기로부터 이루어진 소유권이전등기가 참칭상속인에 의한 것이어서 무효이고 따라서 후속등기도 무효임을 이유로 하는 것이 아니라 후행 보존등기 자체가 무효임을 이유로 하는 것이므로 상속회복청구의 소에 해당하지 않는다.

③ 甲의 사망 후 乙이 단독상속인이 되었으나 참칭상속인 丙이 乙의 상속권을 침해한 경우, 상속회복청구권의 행사기간이 경과한 때에는 그 행사기간이 만료한 때로 소급하여 乙은 상속인으로서의 지위를 상실하게 되는 반면, 丙은 상속인으로서 지위를 취득하게 된다.

④ 상속회복청구권은 그 침해를 안 날부터 3년, 상속권의 침해행위가 있은 날부터 10년을 경과하면 소멸하는데, 피상속인의 사망 후 인지되어 공동상속인이 된 혼외 자가 '상속권의 침해를 안 날'이라 함은 그 인지판결이 확정된 날을 말한다.

⑤ 제3자가 특정한 공동상속인의 의사와 아무런 상관 없이 서류를 위조하여 그 특정 상속인의 명의로 상속등기를 마쳤다고 하더라도 그 등기명의인이 참칭상속인이 되는 것은 아니다.

해설 ① 상속회복의 소는 재산상속권이 참칭재산상속인으로 인하여 침해된 때에 진정한 상속권자가 그 회복을 청구하는 소를 가리키는 것이나, 재산상속에 관하여 진정한 상속인임을 전제로 그 상속으로 인한 소유권 또는 지분권 등 재산권의 귀속을 주장하고, 참칭상속인 또는 자기들만이 재산상속을 하였다는 일부 공동상속인들을 상대로 상속재산인 부동산에 관한 등기의 말소 등을 청구하는 경우에도, 그 소유권 또는 지분권이 귀속되었다는 주장이 상속을 원인으로 하는 것인 이상 그 청구원인 여하에 불구하고 이는 민법 제999조 소정의 상속회복청구의 소라고 해석함이 상당하다. 따라서 제999조 2항의 제척기간을 준수하여야 한다(대판(전) 1991.12.24, 90다5740).

② 동일한 부동산에 관하여 등기명의인을 달리하여 중복된 소유권보존등기가 마쳐진 경우 먼저 이루어진 소유권보존등기가 원인무효로 되지 않는 한 뒤에 된 소유권보존등기는 그것이 실체관계에 부합하는지 여부를 가릴 것 없이 1부동산 1등기용지주의의 법리에 비추어 무효라고 할 것인바, 원고가 선행 보존등기로부터 소유권이전등기를 한 소유자의 상속인으로서, 후행 보존등기나 그에 기하여 순차로 이루어진 소유권이전등기 등의 후속등기가 모두 무효라는 이유로 등기의 말소를 구하는 소는, 후행 보존등기로부터 이루어진 소유권이전등기가 참칭상속인에 의한 것이어서 무효이고 따라서 그 후속등기도 무효임을 이유로 하는 것이 아니라 후행 보존등기 자체가 무효임을 이유로 하는 것이므로 상속회복청구의 소에 해당하지 않는다고 할 것이다. 따라서 이 사건 소에는 상속회복청구권의 제척기간이 적용되지 않는다고 보아야 한다(대판 2011.7.14, 2010다107064).

③ 상속회복청구권이 제척기간의 경과로 소멸하게 되면 상속인은 상속인으로서의 지위 즉 상속에 따라 승계한 개개의 권리의무 또한 총괄적으로 상실하게 되고, 그 반사적 효과로서 참칭상속인의 지위는 확정되어 참칭상속인이 상속개시의 시로부터 소급하여 상속인으로서의 지위를 취득한 것으로 봄이 상당하므로, 상속재산은 상속 개시일로 소급하여 참칭상속인의 소유로 된다(대판 1998.3.27, 96다37398).

④
> 제999조 제2항【상속회복청구권】 제1항의 상속회복청구권은 그 침해를 안 날부터 3년, 상속권의 침해행위가 있은 날부터 10년을 경과하면 소멸된다.

민법 제1014조에 의한 피인지자 등의 상속분상당가액지급청구권은 그 성질상 상속회복청구권의 일종이므로 같은 법 제999조 제2항에 정한 제척기간이 적용되고, 같은 항에서 3년의 제척기간의 기산일로 규정한 '그 침해를 안 날'이라 함은 피인지자가 자신이 진정상속인인 사실과 자신이 상속에서 제외된 사실을 안 때를 가리키는 것으로 혼인 외의 자가 법원의 인지판결 확정으로 공동상속인이 된 때에는 그 인지판결이 확정된 날에 상속권이 침해되었음을 알았다고 할 것이다(대판 2007.7.26, 2006므2757 · 2764).

⑤ 등기명의인의 의사에 기하지 않고 제3자에 의하여 상속 참칭의 의도와 무관하게 이루어진 것일 때에는 위 등기명의인을 상속회복청구의 소에서 말하는 참칭상속인이라고 할 수 없다. 따라서 제3자가 특정 공동상속인의 의사와 관계없이 필요한 서류를 위조하여 그 상속인의 단독명의로 소

유권보존등기를 했다는 사유만으로 그 등기명의인이 참칭상속인으로 되는 것은 아니다(대판 1994.3.11. 93다24490).

03 상속인의 한정승인 및 단순승인에 관한 다음 설명 중 가장 옳지 않은 것은? ▸ 2022 법무사

① 상속인은 상속개시 있음을 안 날로부터 3월 내에 단순승인이나 한정승인 또는 포기를 할 수 있는데, 그 기간은 이해관계인 또는 검사의 청구에 의하여 가정법원이 이를 연장할 수 있다.

② 상속인이 미성년인 경우 특별한정승인에 관한 민법 제1019조 제3항이나 그 소급 적용에 관한 민법 부칙(2002.1.14. 개정 법률 부칙 중 2005.12.29. 법률 제7765호로 개정된 것) 제3항, 제4항에서 정한 '상속채무 초과사실을 중대한 과실 없이 제1019조 제1항의 기간 내에 알지 못하였는지'와 '상속채무 초과사실을 안 날이 언제인지'를 판단할 때에는 법정대리인의 인식을 기준으로 삼아야 한다.

③ 특별한정승인에 관한 민법 제1019조 제3항이 규정한 '상속인이 상속채무가 상속재산을 초과하는 사실을 중대한 과실 없이 민법 제1019조 제1항의 기간 내에 알지 못하였다는 점'에 대한 증명책임은 상속인에게 있다.

④ 민법은 한정승인자가 상속재산으로 상속채권자 등에게 변제하는 절차를 규정하고 있으므로, 한정승인에 의하여 상속채권자는 상속재산에 관하여 한정승인자로부터 물권을 취득한 제3자에 대하여 우선적 지위를 부여받는다.

⑤ '상속인이 상속재산에 대한 처분행위를 한 때' 단순승인으로 의제하는 규정인 민법 제1026조 제1호는 상속인이 한정승인 또는 포기를 하기 이전에 상속재산을 처분한 때에만 적용되는 것이고, 상속인이 한정승인 또는 포기를 한 후에 상속재산을 처분한 때에는 그것이 같은 조 제3호에 정한 상속재산의 부정소비에 해당되는 경우에만 상속인이 단순승인을 한 것으로 보아야 하는 것이지, 같은 조 제1호에 의한 단순승인 의제가 되는 것이 아니다.

해설 ① 제1019조 제1항

② 대판(전) 2020.11.19. 2019다232918 → 지문은 2002.1.14. 개정 법률 부칙 중 2005.12.29. 법률 제7765호로 개정된 조문으로 특정하여 묻고 있으므로, 신설된 민법 제1019조 제4항은 고려하지 않는다.

③ 대판 2003.9.26. 2003다30517

④ 법원이 한정승인신고를 수리하게 되면 피상속인의 채무에 대한 상속인의 책임은 상속재산으로 한정되고, 그 결과 상속채권자는 특별한 사정이 없는 한 상속인의 고유재산에 대하여 강제집행을 할 수 없다. 그런데 민법은 한정승인을 한 상속인(이하 '한정승인자'라 한다)에 관하여 그가 상속재산을 은닉하거나 부정소비한 경우 단순승인을 한 것으로 간주하는 것(제1026조 제3호) 외에는 상속재산의 처분행위 자체를 직접적으로 제한하는 규정을 두고 있지 않기 때문에, 한정승인으로 발생하는 위와 같은 책임제한 효과로 인하여 한정승인자의 상속재산 처분행위가 당연히 제한된다고 할 수는 없다. 민법은 한정승인자가 상속재산으로 상속채권자 등에게 변제하는 절차는 규정

하고 있으나(제1032조 이하), 한정승인만으로 상속채권자에게 상속재산에 관하여 한정승인자로부터 물권을 취득한 제3자에 대하여 우선적 지위를 부여하는 규정은 두고 있지 않으며, 민법 제1045조 이하의 재산분리 제도와 달리 한정승인이 이루어진 상속재산임을 등기하여 제3자에 대항할 수 있게 하는 규정도 마련하고 있지 않다. 따라서 한정승인자로부터 상속재산에 관하여 저당권 등의 담보권을 취득한 사람과 상속채권자 사이의 우열관계는 민법상의 일반원칙에 따라야 하고, 상속채권자가 한정승인의 사유만으로 우선적 지위를 주장할 수는 없다. 그리고 이러한 이치는 한정승인자가 그 저당권 등의 피담보채무를 상속개시 전부터 부담하고 있었다고 하여 달리 볼 것이 아니다(대판(전) 2010.3.18, 2007다77781).
⑤ 대판 2004.3.12, 2003다63586

04 상속에 관한 다음 설명 중 가장 옳지 않은 것은?

▶ 2023 법무사

① 피상속인의 배우자는 피상속인에게 직계비속이 있는 경우 직계비속과 공동상속인이 되고, 직계비속인 손자녀가 있는 경우 자녀 모두가 상속을 포기하더라도 상속포기의 소급효에 따라 자녀는 처음부터 상속인이 아니었던 것이 되어 피상속인의 배우자는 손자녀와 공동상속인이 된다.

② 상속재산의 협의분할은 공동상속인 간의 일종의 계약으로서 공동상속인 전원이 참여하여야 하고 일부 상속인만으로 한 협의분할은 무효이나, 반드시 한 자리에서 이루어질 필요는 없고 순차적으로 이루어질 수도 있으며, 상속인 중한 사람이 만든 분할 원안을 다른 상속인이 후에 돌아가며 승인하여도 무방하다.

③ 상속개시 당시에는 상속재산을 구성하던 재산이 그 후 처분되거나 멸실·훼손되는 등으로 상속재산분할 당시 상속재산을 구성하지 아니하게 되었다면 그 재산은 상속재산분할의 대상이 될 수 없다. 다만 상속인이 그 대가로 대상재산을 취득하게 된 경우, 그 대상재산이 상속재산분할의 대상이 될 수 있다.

④ 상속의 포기는 사해행위취소의 대상이 될 수 없으나, 상속 재산의 분할협의는 사해행위취소의 대상이 될 수 있다.

⑤ 상속에 관한 비용은 상속재산 중에서 지급하는 것으로 상속재산의 관리 및 청산에 필요한 비용을 의미하므로, 장례비용도 피상속인이나 상속인의 사회적 지위와 그 지역의 풍속 등에 비추어 합리적인 금액 범위 내라면 이를 상속 비용으로 보아야 한다.

해설 ① 공동상속인인 배우자와 자녀들 중 자녀 일부만 상속을 포기한 경우에는 민법 제1043조에 따라 상속포기자인 자녀의 상속분이 배우자와 상속을 포기하지 않은 다른 자녀에게 귀속된다. 이와 동일하게 공동상속인인 배우자와 자녀들 중 자녀 전부가 상속을 포기한 경우 민법 제1043조에 따라 상속을 포기한 자녀의 상속분은 남아 있는 '다른 상속인'인 배우자에게 귀속되고, 따라서 배우자가 단독상속인이 된다. (중간생략) 상속에 관한 입법례와 민법의 입법 연혁, 민법 조문의 문언 및 체계적·논리적 해석, 채무상속에서 상속포기자의 의사, 실무상 문제 등을 종합하여 보면, 피상속인의 배우자와 자녀 중 자녀 전부가 상속을 포기한 경우에는 배우자가 단독상속인이 된다고 봄이 타당하다. 이와 달리 피상속인의 배우자와 자녀 중 자녀 전부가 상속을 포기한 경우 배우자와 피상속인의 손자녀 또는 직계존속이 공동상속인이 된다는 취지의 종래 판례는 이 판결의 견해에 배치되는 범위 내에서 변경하기로 한다(대결(전합) 2023.3.23. 2020그42).
② 대판 2010.2.25. 2008다96963
③ 대결 2022.6.30. 2017스98
④ ⅰ) 상속의 포기는 민법 제406조 제1항에서 정하는 "재산권에 관한 법률행위"에 해당하지 아니하여 사해행위취소의 대상이 되지 못한다(대판 2011.6.9. 2011다29307). ⅱ) 상속재산의 분할협의는 상속이 개시되어 공동상속인 사이에 잠정적 공유가 된 상속재산에 대하여 그 전부 또는 일부를 각 상속인의 단독소유로 하거나 새로운 공유관계로 이행시킴으로써 상속재산의 귀속을 확정시키는 것으로 그 성질상 재산권을 목적으로 하는 법률행위이므로 사해행위취소권 행사의 대상이 될 수 있다(대판 2001.2.9. 2000다51797).
⑤ 대판 1997.4.25. 97다3996, 대판 2003.11.14. 2003다30968 → 장례비용은 피상속인이나 상속인의 사회적 지위와 그 지역의 풍속 등에 비추어 합리적인 금액 범위 내라면 이를 상속비용으로 보는 것이 옳고, 묘지구입비는 장례비용의 일부라고 볼 것이며, 상속재산의 관리·보존을 위한 소송비용도 상속에 관한 비용에 포함된다.

05 상속회복청구에 관한 다음 설명 중 가장 옳지 않은 것은?

▶ 2024 법무사

① 포괄적 유증을 받은 자도 상속회복청구를 할 수 있다.
② 상속회복청구의 소에 있어 상대방이 되는 참칭상속인이라 함은, 재산상속인인 것을 신뢰케 하는 외관을 갖추고 있는 자나 상속인이라고 참칭하여 상속재산의 전부 또는 일부를 점유하는 자 등을 가리키는 것이므로 상속인으로 오인될 만한 외관을 갖추고 있지 않거나 상속재산을 점유하고 있지도 않은 자가 스스로 상속인이라는 주장만을 하였다 하여 이를 상속회복청구의 소에서 말하는 참칭상속인이라고는 할 수 없다.
③ 진정상속인이 참칭상속인으로부터 상속재산을 양수한 제3자를 상대로 등기말소청구를 하는 경우에는 상속회복청구권의 단기의 제척기간이 적용되지 않는다.
④ 상속회복청구의 소는 진정상속인과 참칭상속인이 주장하는 피상속인이 동일인임을 전제로 하는 것이므로 진정상속인이 주장하는 피상속인과 참칭상속인이 주장하는 피상속인이 다른 사람인 경우에는 진정상속인의 청구원인이 상속에 의하여 소유권을 취득하였음을 전제로 한다고 하더라도 이를 상속회복청구의 소라고 할 수 없다.
⑤ 상속회복청구권이 제척기간의 경과로 소멸하게 되면 상속인은 상속인으로서의 지위 즉 상속에 따라 승계한 개개의 권리의무 또한 총괄적으로 상실하게 되고, 그 반사적 효과로서 참칭상속인의 지위는 확정되어 참칭상속인이 상속개시 시로 소급하여 상속인으로서의 지위를 취득한 것으로 봄이 상당하므로, 상속재산은 상속 개시일로 소급하여 참칭상속인의 소유로 된다.

정답 ▶ 04 ① 05 ③

해설 ① 상속인의 상속회복청구권에 관한 규정은 포괄적 수증의 경우에 유추 적용되고, 상속회복청구권의 제척기간에 관한 규정도 상속에 관한 법률관계의 신속한 확정을 위한 상속회복청구권의 제척기간의 제도적 취지에 비추어 볼 때 포괄적 수증의 경우에 유추 적용된다(대판 2001.10.12, 2000다22942).

② 대판 1992.5.22, 92다7955

③ 진정상속인이 참칭상속인으로 부터 상속재산을 양수한 제3자를 상대로 등기말소청구를 하는 경우에도 상속회복청구권의 단기의 제척기간이 적용된다(대판(전) 1981.1.27, 79다854).

④ 대판 1998.4.10, 97다54345

⑤ 대판 1998.3.27, 96다37398

심화문제 | 확인 · 보충 · 심화문제

01 **상속회복청구의 행사기간에 관한 다음 설명 중 가장 옳지 않은 것은?** ▸2025 법무사

① 상속회복청구권은 그 침해를 안 날부터 3년, 상속권의 침해행위가 있은 날부터 10년을 경과하면 소멸된다.

② 위 ①의 기간은 제소기간이 아니므로, 재판 외에서도 위 기간 내에 상속회복청구를 하였다면 상속회복청구권은 소멸하지 않는다.

③ 상속회복청구권의 제척기간 기산점이 되는 '상속권의 침해를 안 날'이라 함은 자기가 진정한 상속인임을 알고 또 자기가 상속에서 제외된 사실을 안 때를 가리키는 것으로서, 단순히 상속권 침해의 추정이나 의문만으로는 충분하지 않다.

④ 상속회복청구권의 제척기간의 기산점이 되는 '상속권의 침해행위가 있은 날'이라 함은 참칭상속인이 상속재산의 전부 또는 일부를 점유하거나 상속재산인 부동산에 관하여 소유권이전등기를 마치는 등의 방법에 의하여 진정한 상속인의 상속권을 침해하는 행위를 한 날을 의미한다.

⑤ 상속재산의 일부에 대한 상속회복청구의 제소기간을 준수 하였다고 하여 그로써 다른 상속재산에 대한 소송에 그 기간준수의 효력이 생기지 아니한다.

해설 ① 상속회복청구권 : 제1항의 상속회복청구권은 그 침해를 안 날부터 3년, 상속권의 침해행위가 있은 날부터 10년을 경과하면 소멸된다(민법 제999조 제2항).

② 상속회복의 소는 상속권의 침해를 안 날로부터 3년, 상속개시된 날로부터 10년 내에 제기하도록 제척기간을 정하고 있는바, 이 기간은 제소기간으로 볼 것이므로, 상속회복청구의 소에 있어서는 법원이 제척기간의 준수 여부에 관하여 직권으로 조사한 후 기간도과 후에 제기된 소는 부적법한 소로서 흠결을 보정할 수 없으므로 각하하여야 할 것이다(대판 1993.2.26, 92다3083).

③ 상속회복청구권의 제척기간 기산점이 되는 민법 제999조 제2항 소정의 '상속권의 침해를 안 날'이라 함은 자기가 진정한 상속인임을 알고 또 자기가 상속에서 제외된 사실을 안 때를 가리키는 것으로서, 단순히 상속권 침해의 추정이나 의문만으로는 충분하지 않으며, 언제 상속권의 침해를 알았다고 볼 것인지는 개별적 사건에 있어서 여러 객관적 사정을 참작하고 상속회복청구가 사실상 가능하게 된 상황을 고려하여 합리적으로 인정하여야 한다(대판 2007.10.25, 2007다36223).

④ 민법 제999조 제2항은 "상속회복청구권은 그 침해를 안 날부터 3년, 상속권의 침해행위가 있은 날부터 10년을 경과하면 소멸한다."고 규정하고 있는바, 여기서 그 제척기간의 기산점이 되는 '상속권의 침해행위가 있은 날'이라 함은 참칭상속인이 상속재산의 전부 또는 일부를 점유하거나 상속재산인 부동산에 관하여 소유권이전등기를 마치는 등의 방법에 의하여 진정한 상속인의 상속권을 침해하는 행위를 한 날을 의미한다(대판 2009.10.15, 2009다42321).

⑤ 상속재산의 일부에 대한 상속회복청구의 제소기간을 준수하였다고 하여 그로써 다른 상속재산에 대한 소송에 그 기간준수의 효력이 생기지 아니한다(대판 1981.6.9, 80므84).

정답 ▸ 01 ②

Chapter 02

유언

기본문제 | 기본문제의 구성

유류분

기본문제 | 기본문제의 구성

01 **다음 설명 중 가장 옳지 않은 것은?** ▶ 2021 법무사

① 태아는 상속순위에 관하여 이미 출생한 것으로 보므로 대습상속 및 유류분권이 인정된다.

② 상속포기의 효력은 피상속인의 사망으로 개시된 상속에 미칠 뿐만 아니라, 그 후 피상속 인을 피대습자로 하여 개시된 대습상속에까지 미친다.

③ 공동상속인 중에 상당한 기간 동거·간호 그 밖의 방법으로 피상속인을 특별히 부양하 거나 피상속인의 재산의 유지 또는 증가에 특별히 기여한 사람이 있을지라도 공동상속인 의 협의 또는 가정법원의 심판으로 기여분이 결정되지 않은 이상 유류분반환청구소송에 서 기여분을 주장할 수 없다.

④ 공동상속인의 협의 또는 가정법원의 심판으로 기여분이 결정되었다고 하더라도 유류분 을 산정함에 있어 기여분을 공제할 수 없고, 기여분으로 유류분에 부족이 생겼다고 하여 기여분에 대하여 반환을 청구할 수도 없다.

⑤ 유류분반환청구권은 그 행사 여부가 유류분권리자의 인격적 이익을 위하여 그의 자유로 운 의사결정에 전적으로 맡겨진 권리로서 행사상의 일신전속성을 가진다고 보아야 하므 로, 유류분권리자에게 그 권리행사의 확정적 의사가 있다고 인정되는 경우가 아니라면 채권자대위권의 목적이 될 수 없다.

해설 ① 태아는 상속순위에 관하여 이미 출생한 것으로 보며(제1000조 제3항), 상속과 관련하여 발생하 는 대습상속(제1001조)·유류분반환청구권(제1118조)에 있어서도 태아의 권리능력을 인정한다.

② 피상속인의 사망으로 상속이 개시된 후 상속인이 상속을 포기하면 상속이 개시된 때에 소급하여 그 효력이 생긴다(민법 제1042조). 따라서 제1순위 상속권자인 배우자와 자녀들이 상속을 포기 하면 제2순위에 있는 사람이 상속인이 된다. 이러한 상속포기의 효력은 피상속인의 사망으로 개 시된 상속에만 미치는 것이고, 그 후 피상속인을 피대습자로 하여 개시된 대습상속에까지 미치지 는 않는다. 대습상속은 상속과는 별개의 원인으로 발생하는 것인데다가 대습상속이 개시되기 전 에는 이를 포기하는 것이 허용되지 않기 때문이다. 이는 종전에 상속인의 상속포기로 피대습자의 직계존속이 피대습자를 상속한 경우에도 마찬가지이다. 또한 피대습자의 직계존속이 사망할 당 시 피대습자로부터 상속받은 재산 외에 적극재산이든 소극재산이든 고유재산을 소유하고 있었는 지 여부에 따라 달리 볼 이유도 없다. 따라서 피상속인의 사망 후 상속채무가 상속재산을 초과하 여 상속인인 배우자와 자녀들이 상속포기를 하였는데, 그 후 피상속인의 직계존속이 사망하여 민법 제1001조, 제1003조 제2항에 따라 대습상속이 개시된 경우에 대습상속인이 민법이 정한 절차와 방식에 따라 한정승인이나 상속포기를 하지 않으면 단순승인을 한 것으로 간주된다. 위와

정답 01 ②

같은 경우에 이미 사망한 피상속인의 배우자와 자녀들에게 피상속인의 직계존속의 사망으로 인한 대습상속도 포기하려는 의사가 있다고 볼 수 있지만, 그들이 상속포기의 절차와 방식에 따라 피상속인의 직계존속에 대한 상속포기를 하지 않으면 그 효력이 생기지 않는다. 이와 달리 피상속인에 대한 상속포기를 이유로 대습상속 포기의 효력까지 인정한다면 상속포기의 의사를 명확히 하고 법률관계를 획일적으로 처리함으로써 법적 안정성을 꾀하고자 하는 상속포기제도가 잠탈될 우려가 있다(대판 2017.1.12, 2014다39824).

③,④ 민법 제1008조의2, 제1112조, 제1113조 제1항, 제1118조에 비추어 보면, 기여분은 상속재산 분할의 전제 문제로서의 성격을 가지는 것으로서, 상속인들의 상속분을 일정 부분 보장하기 위하여 피상속인의 재산처분의 자유를 제한하는 유류분과는 서로 관계가 없다. 따라서 공동상속인 중에 상당한 기간 동거·간호 그 밖의 방법으로 피상속인을 특별히 부양하거나 피상속인의 재산의 유지 또는 증가에 특별히 기여한 사람이 있을지라도 공동상속인의 협의 또는 가정법원의 심판으로 기여분이 결정되지 않은 이상 유류분반환청구소송에서 기여분을 주장할 수 없음은 물론이거니와, 설령 공동상속인의 협의 또는 가정법원의 심판으로 기여분이 결정되었다고 하더라도 유류분을 산정함에 있어 기여분을 공제할 수 없고, 기여분으로 유류분에 부족이 생겼다고 하여 기여분에 대하여 반환을 청구할 수도 없다(대판 2015.10.29, 2013다60753).

⑤ 유류분반환청구권은 그 행사 여부가 유류분권리자의 인격적 이익을 위하여 그의 자유로운 의사결정에 전적으로 맡겨진 권리로서 행사상의 일신전속성을 가진다고 보아야 하므로, 유류분권리자에게 그 권리행사의 확정적 의사가 있다고 인정되는 경우가 아니라면 채권자대위권의 목적이 될 수 없다(대판 2010.5.27, 2009다93992).

02 유류분에 관한 다음 설명 중 가장 옳지 않은 것은? ▸ 2022 법무사

① 유류분반환의 범위는 상속개시 당시 피상속인의 순재산과 문제된 증여재산을 합한 재산을 평가하여 그 재산액에 유류분청구권자의 유류분비율을 곱하여 얻은 유류분액을 기준으로 산정하는데, 그 유류분액을 산정함에 있어 반환의무자가 증여받은 재산의 시가는 상속개시 당시가 아닌 유류분반환청구권 행사 당시를 기준으로 산정한다.

② 유류분권리자가 유류분반환청구권을 행사한 경우 그의 유류분을 침해하는 범위 내에서 유증 또는 증여는 소급적으로 효력을 상실하고, 상대방은 그와 같이 실효된 범위 내에서 유증 또는 증여의 목적물을 반환할 의무를 부담한다.

③ 유류분반환청구권의 단기소멸시효기간의 기산점인 '유류분권리자가 상속의 개시와 반환하여야 할 증여 또는 유증을 한 사실을 안 때'는 유류분권리자가 상속이 개시되었다는 사실과 증여 또는 유증이 있었다는 사실 및 그것이 반환하여야 할 것임을 안 때를 뜻한다.

④ 유류분 제도가 생기기 전에 피상속인이 상속인이나 제3자에게 재산을 증여하고 그 이행을 완료하여 소유권이 수증자에게 이전된 때에는 피상속인이 1977.12.31. 법률 제3051호로 개정된 민법 시행 이후에 사망하여 상속이 개시되더라도 소급하여 그 증여재산이 유류분 제도에 의한 반환청구의 대상이 되지는 않는다.

⑤ 유류분반환청구권의 행사는 재판상 또는 재판 외에서 상대방에 대한 의사표시의 방법으로 할 수 있고, 이 경우 그 의사표시는 침해를 받은 유증 또는 증여행위를 지정하여 이에 대한 반환청구의 의사를 표시하면 그것으로 족하며, 그 반환목적물을 구체적으로 특정하여야 하는 것은 아니다.

해설 ① 유류분반환범위는 상속개시 당시 피상속인의 순재산과 문제된 증여재산을 합한 재산을 평가하여 그 재산액에 유류분청구권자의 유류분비율을 곱하여 얻은 유류분액을 기준으로 하는 것인바, 그 유류분액을 산정함에 있어 반환의무자가 증여받은 재산의 시가는 상속개시 당시를 기준으로 하여 산정하여야 한다(대판 2009.7.23, 2006다28126).

② 유류분권리자가 유류분반환청구권을 행사한 경우 그의 유류분을 침해하는 범위 내에서 유증 또는 증여는 소급적으로 효력을 상실하고, 상대방은 그와 같이 실효된 범위 내에서 유증 또는 증여의 목적물을 반환할 의무를 부담한다(대판 2013.3.14, 2010다42624 참조). 유류분반환청구권을 행사함으로써 발생하는 목적물의 이전등기청구권 등은 유류분반환청구권과는 다른 권리이므로, 그 이전등기청구권 등에 대하여는 민법 제1117조 소정의 유류분반환청구권에 대한 소멸시효가 적용될 여지가 없고, 그 권리의 성질과 내용 등에 따라 별도로 소멸시효의 적용 여부와 기간 등을 판단하여야 한다(대판 2015.11.12, 2011다55092・55108).

③ 민법 제1117조가 규정하는 유류분반환청구권의 단기소멸시효기간의 기산점인 '유류분권리자가 상속의 개시와 반환하여야 할 증여 또는 유증을 한 사실을 안 때'는 유류분권리자가 상속이 개시되었다는 사실과 증여 또는 유증이 있었다는 사실 및 그것이 반환하여야 할 것임을 안 때를 뜻한다(대판 2006.11.10, 2006다46346).

④ 유류분 제도가 생기기 전에 피상속인이 상속인이나 제3자에게 재산을 증여하고 이행을 완료하여 소유권이 수증자에게 이전된 때에는 피상속인이 1977.12.31. 법률 제3051호로 개정된 민법(이하 '개정 민법'이라 한다) 시행 이후에 사망하여 상속이 개시되더라도 소급하여 증여재산이 유류분 제도에 의한 반환청구의 대상이 되지는 않는다. 개정 민법의 유류분 규정을 개정 민법 시행 전에 이루어지고 이행이 완료된 증여에까지 적용한다면 수증자의 기득권을 소급입법에 의하여 제한 또는 침해하는 것이 되어 개정 민법 부칙 제2항의 취지에 반하기 때문이다. 개정 민법 시행 전에 이미 법률관계가 확정된 증여재산에 대한 권리관계는 유류분 반환청구자이든 반환의무자이든 동일하여야 하므로, 유류분 반환청구자가 개정 민법 시행 전에 피상속인으로부터 증여받아 이미 이행이 완료된 경우에는 그 재산 역시 유류분산정을 위한 기초재산에 포함되지 아니한다고 보는 것이 타당하다(대판 2018.7.12, 2017다278422).

⑤ 유류분반환청구권의 행사는 재판상 또는 재판 외에서 상대방에 대한 의사표시의 방법으로 할 수 있고, 이 경우 그 의사표시는 침해를 받은 유증 또는 증여행위를 지정하여 이에 대한 반환청구의 의사를 표시하면 그것으로 족하고 그로 인하여 생긴 목적물의 이전등기청구권이나 인도청구권 등을 행사하는 것과는 달리 그 목적물을 구체적으로 특정하여야 하는 것은 아니며, 민법 제1117조 소정의 소멸시효의 진행도 위 의사표시로 중단된다(대판 1995.6.30, 93다11715).

정답 02 ①

가족관계의 등록 등에 관한 법률

PART 01

총설

등록사무의 처리 · 감독

01 가족관계등록사무의 처리에 관한 다음 설명 중 가장 옳지 않은 것은?　▶ 2022 법무사

① 등록사건 처리에 관하여 시(구)·읍·면의 장을 대리하는 사람은 등록에 관한 증명서 발급사무를 제외하고 자기 또는 자기와 4촌 이내의 친족에 관한 등록사건에 관하여는 그 직무를 행할 수 없다.

② 등록사건 처리에 관하여 시(구)·읍·면의 장을 대리하는 사람이 자기 또는 자기와 4촌 이내의 친족에 관한 등록사건에 대하여 직무를 행한 경우라도 기록사항에 잘못이 없으면 가족관계등록부의 정정을 할 필요가 없다.

③ 시(구)·읍·면의 장이 신고를 수리하지 아니한 때에는 그 사유를 지체 없이 신고인에게 서면으로 통지하여야 하나, 대법원규칙으로 정하는 가족관계등록에 관한 신고는 전산정보처리조직을 이용하여 전자문서로 할 수 있고 그에 따른 신고의 불수리 통지는 전산정보처리조직을 이용하여 전자문서로 할 수 있다.

④ 시(구)·읍·면을 달리하여 동일한 사건에 수개의 신고가 수리된 경우에, 뒤에 수리된 신고에 따라 가족관계등록부에 기록한 때에는 먼저 수리한 시(구)·읍·면의 장이 먼저 수리된 신고에 맞추어 가족관계등록부의 기록을 정정하여야 한다.

⑤ 시(구)에 있어서 출생·사망의 신고는 그 신고의 장소가 신고사건 본인의 주민등록지 또는 주민등록을 할 지역과 같은 경우에는 신고사건 본인의 주민등록지 또는 주민등록을 할 지역을 관할하는 동을 거쳐 할 수 있고, 이 경우 동장은 소속 시장 또는 구청장을 대행하여 신고서를 수리한다.

> **해설** ① 법 제5조(직무의 제한)
> ① 시·읍·면의 장은 등록에 관한 증명서 발급사무를 제외하고 자기 또는 자기와 4촌 이내의 친족에 관한 등록사건에 관하여는 그 직무를 행할 수 없다.
>
> ② **例規** 제405호[가족관계등록사무처리자의 직무 제한]
> **제2조(직무가 제한된 사람의 직무집행의 효력)**
> 시(구)·읍·면의 장 또는 이를 대리하는 사람이 자기 또는 자기와 4촌 이내의 친족에 관한 가족관계등록사건에 대하여 직무를 행한 경우라도 기록사항에 잘못이 없으면 가족관계등록부의 정정을 할 필요가 없다.
>
> ③ 법 제23조의2(전자문서를 이용한 신고)
> ① 제23조에도 불구하고 대법원규칙으로 정하는 등록에 관한 신고는 전산정보처리조직을 이용하여 전자문서로 할 수 있다.
> ⑥ 제1항에 따른 신고의 불수리 통지는 제43조에도 불구하고 전산정보처리조직을 이용하여 전자문서로 할 수 있다.
> **법 제43조(신고불수리의 통지)**
> 시·읍·면의 장이 신고를 수리하지 아니한 때에는 그 사유를 지체 없이 신고인에게 서면으로

(**불수리**) 통지하여야 한다.

④ 규칙 제57조(신고가 경합된 경우)
  ① 동일한 사건에 수개의 신고가 수리된 경우에는 먼저 수리된 신고에 따라 등록부에 기록하여야 한다.
  ② 제1항의 경우에 뒤에 수리된 신고에 따라 등록부에 (**잘못**) 기록한 때에는 먼저 수리된 신고에 맞추어 등록부의 기록을 (**직권**) 정정하여야 한다.
  ③ 제2항의 신고가 시·읍·면을 달리하여 수리된 때에는 뒤에 수리한 시·읍·면의 장이 이를 정정하되, 먼저 수리된 신고서류사본을 팩시밀리 등의 방법으로 받아서 직권정정서에 첨부한 후 가족관계등록신고서류편철장에 편철하여야 한다.

⑤ 법 제21조(출생·사망의 동 경유 신고 등)
  ① 시(**구**)에 있어서 출생·사망의 신고는 그 신고의 장소가 신고사건 본인의 (**사망자의**) 주민등록지 또는 (**출생자의**) 주민등록을 할 지역과 같은 경우에는 신고사건 본인의 주민등록지 또는 주민등록을 할 지역을 관할하는 동을 거쳐 할 수 있다.
  ② 제1항의 경우 동장은 소속 시장을 대행하여 신고서를 수리하고, 동이 속하는 시(**구**)의 장에게 신고서를 송부하며, 그 밖에 대법원규칙으로 정하는 등록사무를 처리한다.

02 동장 및 동사무소에 관한 다음 설명 중 가장 옳은 것은? ▸ 2025 법무사

① 동사무소에는 가족관계등록신고서류편철장을 비치하여야 하고, 그 보존기간은 3년으로 한다.
② 동장은 신고를 게을리 한 사람을 안 때에는 상당한 기간을 정하여 신고의무자에 대하여 그 기간 내에 신고할 것을 최고하여야 한다.
③ 증서의 등본은 신분행위 당사자 1명이 동장에게 우편의 방법을 이용하거나 직접 제출할 수 있다.
④ 사망장소의 동장은 사망신고를 할 수 없다.
⑤ 동장은 수리한 신고서류의 부본을 접수순서에 따라 편철한 후 각 장마다 장수를 기재하고 3개월마다 목록을 붙여 보존한다.

해설
① 규칙 제82조(시·읍·면의 부책과 서류)
  ④ 재외공관 및 동사무소에는 다음과 같은 장부를 비치하여야 하고, 그 보존기간에 관하여는 제1항을 준용한다. 다만, 제10호 장부의 보존기간은 3년(**改前** 2년)으로 하고, 제8호의 장부는 동사무소에 비치하지 아니한다. 〈개정 2022.4.29. 시행 2022.5.1.〉
    10. 가족관계등록신고서류편철장
② 법 제38조(신고의 최고)
  ① 시·읍·면의 장은 신고를 게을리 한 사람을 안 때에는 상당한 기간을 정하여 신고의무자에 대하여 그 기간 내에 신고할 것을 최고하여야 한다.
③ **例規** **제486호**[외국에 거주하고 있는 한국인의 가족관계등록신고절차 등에 관한 사무처리지침] 나. 증서의 등본 제출방식에 의한 가족관계등록부의 기록절차

정답 ▸ 01 ④ 02 ①

⑴ 증서의 등본 제출방식에 의하여 가족관계등록부에 기록을 할 수 있는 경우는 외국에 거주하고 있는 한국인이 그 거주지 나라 방식에 의하여 실체적인 창설적 신분행위(**혼인, 입양, 인지, 이혼과 파양 등**)를 하여 신분행위가 성립된 경우에만 가능하다.

⑵ 외국에 거주하고 있는 한국인 사이 또는 한국인과 외국인 사이에 그 거주지 나라의 방식에 의하여 신분행위를 할 수 있는 것은 「국제사법」상 그 신분행위 방식의 준거법으로 행위지법을 적용할 수 있는 경우를 말한다.

⑶ 증서의 방식은 나라에 따라 상이하고 다양하나 관공서 등 일정한 권한을 가진 사람이 그 신분행위가 성립된 사실을 증명한 서면이면 그 명칭에도 불구하고 인정된다.

⑷ 증서의 등본은 신분행위 당사자 1명이 그 지역을 관할하는 재외공관의 장이나 사건본인인 한국인의 등록기준지 시(구)·읍·면의 장 또는 가족관계등록관에게 우편의 방법을 이용하거나 직접 제출할 수 있다. (🔢 출생·사망 신고에 한하여 동을 거쳐 할 수 있다.)

④ 법 제85조(사망신고의무자)

① 사망의 신고는 동거하는 친족이 하여야 한다. (신고의무자)

② 친족·동거자 또는 사망장소를 관리하는 사람, 사망장소의 동장 또는 통·이장도 사망의 신고를 할 수 있다.

⑤ 규칙 제68조(신고서류의 정리와 송부)

④ 동사무소 또는 재외공관에서 수리한 신고서류는 그 부본을 접수순서에 따라 편철한 후 각 장마다 장수를 기재하고 1개월마다 목록을 붙여 연도별로 제82조 제4항 제10호의 장부에 편철하여 보존한다. 다만 필요에 따라 분책하거나 합철할 수 있다.

등록사무에 관한 각종 부책과 서류

01 특종신고에 관한 다음 설명 중 가장 옳지 않은 것은?　▶ 2021 법무사

① 부(父)의 추정이 경합하여 부 미정의 출생신고가 접수된 때에는 이를 특종신고서류편철장에 편철하여 두었다가, 부를 정하는 판결의 확정 후, 추후보완신고에 의하여 부 또는 모의 성과 본을 따라 가족관계등록부를 작성하여야 한다.

② 출생신고를 한 부 또는 모와 친생자관계부존재확인판결이 확정되어 가족관계등록부가 폐쇄된 사건본인에 대하여, 이후 그 판결 확정 전 국적상실을 이유로 한 국적상실신고 또는 국적상실통보가 있다고 하더라도 사건본인의 폐쇄된 가족관계등록부에 국적상실과 관련된 어떠한 기록도 할 수 없으며, 그 신고서류 또는 통보서류는 특종신고서류편철장에 편철하여 보존해야 한다.

③ 한국인과 외국인 사이의 가족관계등록신고 중 혼인, 입양, 인지신고는 한국인의 가족관계등록부에 기록한 후 신고서류의 원본을 감독법원에 송부하고, 그 등본을 별도로 특종신고서류편철장에 편철하여 보존하지 아니한다.

④ 인지된 태아의 사산신고가 제출되는 경우 그 신고서는 특종신고서류편철장에 편철하여 보존하고, 특종신고서류 등 접수장에도 접수에 관한 기록을 하여야 한다.

⑤ 외국인 부모가 대한민국에서 자녀를 출산한 경우 외국인 부모는 그 외국인 자녀에 대하여 출생증명서를 첨부하여 출생신고를 할 수 있으며, 그 출생신고서류는 특종신고서류편철장에 편철하여 보존한다.

해설 ① **例規** **제412호**[출생신고에 관한 사무처리지침]

제10조(부 미정의 출생신고가 있는 경우의 처리) (父 '未定'의 출생신고)

부(父) 미정(未定)의 출생신고란, 부(父)를 알 수 없는 경우가 아니고 부(父)의 추정이 경합된 경우이므로, 여자가 혼인관계종료의 날로부터 100일 내에 재혼하였고, 새혼 성립의 닐로부터 200일 후, 전혼관계종료의 날로부터 300일 내에 자녀가 출생하여, ⅰ) 부(父) 미정의 출생신고가 접수된 때에는, 부(父)가 확정될 때까지 가족관계등록부에 기록을 할 수 없는 신고로 보아 이를 ⅱ) 특종신고서류편철장에 편철하여 두었다가, ⅲ) 부(父)를 정하는 판결의 확정 후, ⅳ) 추후보완신고에 의하여 부(父) 또는 모(母)의 성과 본을 따라 ⅴ) 가족관계등록부를 작성하여야 한다.

② **先例** 제201602-2호[등록부상 부 갑남 및 모 을녀(**출생신고인 : 모**)와 친생자관계부존재확인 판결이 확정(**판결확정일 : 2014.7.5.**)되어 사건본인 병남(**그 배우자 및 자녀 없음**)의 등록부가 폐쇄된 후, 법무부장관이 병남에 대한 국적상실통보(**국적상실일 : 2003.10.23. 국적상실통보일 : 2015.7.7.**)를 한 경우의 업무처리방법]

1. 출생신고를 한 부 또는 모와 친생자관계부존재확인판결이 확정된 경우, 시(구)·읍·면의 장은 사건본인의 등록부를 폐쇄하고 그의 제적을 말소하게 되는데, 이후 그 판결 확정 전 국적상실을 이유로 한 국적상실신고 또는 국적상실통보가 있다고 하더라도 사건본인 병남의 등록부

정답 **01 ④**

    는 처음부터 위법하게 작성된 것이므로 사건본인 병남의 폐쇄등록부(제적부)에 국적상실과 관련된 어떠한 기록(기재)도 할 수 없다.

2. 한편, 이때의 국적상실신고 또는 국적상실통보는 가족관계등록이 되어 있지 아니한 사람에 대한 신고서류 그 밖의 가족관계등록을 할 수 없는 신고서류로 보아 시(구)·읍·면의 장이 접수순서에 따라 특종신고서류편철장에 편철하여 보존해야 할 것이다(2016.2.19. 가족관계등록과–627 질의회답).

③ 例規 **제303호**[한국인과 외국인 사이의 가족관계등록 신고서류의 처리절차 예규]
제2조(신고서류의 관리)
한국인과 외국인 사이의 가족관계등록신고 중 혼인, 입양, 인지신고는 한국인의 가족관계등록부에 기록한 후 신고서류의 원본을 감독법원에 송부하고, 그 등본을 별도로 「특종신고서류편철장」에 편철하여 보존하지 아니한다. / 다만, 외국인 사이의 신고서류 원본은 「특종신고서류편철장」에 보존한다.

④ 例規 **제125호**[인지신고된 태아가 사산한 경우의 사무처리지침] **(태아인지신고도 마찬가지)**
인지신고를 한 태아의 사산에 대하여는 「가족관계의 등록 등에 관한 법률」 제60조에 따라 출생신고의무자로부터 사산신고를 하게 하여야 한다. 이 경우 시(구)·읍·면의 장은 이 사산신고를 수리할지라도 가족관계등록부에 기록을 요하지 아니하므로 특종신고서류편철장에 편철하여야 한다.
규칙 제69조(가족관계등록을 할 수 없는 신고서류의 보존)
③ (ⅰ) 태아인지신고, (ⅱ) 이혼의사 철회신고, (ⅲ) 혼인신고수리불가신고 및 (ⅳ) 혼인신고를 하는 때에 자녀의 성과 본을 모의 성과 본으로 따르기로 한 협의서를 제출하는 경우에는 특종신고서류 등 접수장에도 접수에 관한 기록을 하여야 한다. (**cf** 인지된 태아의 사산신고 ⇒ 특종신고서류 등 접수장에 접수×)

⑤ 외국인 부모가 대한민국에서 자녀를 출산한 경우 외국인 부모는 그 외국인 자녀에 대하여 출생증명서를 첨부하여 출생신고를 할 수 있으며, 그 신고서류를 특종신고서류편철장에 편철하여 보존하게 된다.

02 다음 중 특종신고서류 등 접수장에 접수에 관한 기록을 해야 하는 신고나 경우가 아닌 것은?

▶ 2022 법무사

① 태아인지신고
② 이혼의사 철회신고
③ 부 미정의 출생신고
④ 혼인신고를 하는 때에 자녀의 성과 본을 모의 성과 본으로 따르기로 한 협의서를 제출하는 경우
⑤ 혼인신고수리불가신고

해설 ③ **규칙 제69조(가족관계등록을 할 수 없는 신고서류의 보존)**
③ (ⅰ) 태아인지신고, (ⅱ) 이혼의사 철회신고, (ⅲ) 혼인신고수리불가신고 및 (ⅳ) 혼인신고를 하는 때에 자녀의 성과 본을 모의 성과 본으로 따르기로 한 협의서를 제출하는 경우에는 특종신고서류 등 접수장에도 접수에 관한 기록을 하여야 한다.

정답 **02** ③

등록부 · 폐쇄등록부

01 가족관계등록부의 폐쇄에 관한 다음 설명 중 가장 옳지 않은 것은? ▸ 2023 법무사

① 본인이 사망하거나 실종선고 · 부재선고를 받은 때, 국적을 이탈하거나 상실한 때, 가족관계등록부가 이중으로 작성된 경우, 가족관계등록부가 착오 또는 부적법하게 작성된 경우, 정정된 가족관계등록부가 이해관계인에게 현저히 부당하다고 인정되어 재작성하는 경우에는 가족관계등록부를 폐쇄한다.

② 동일한 사람이 성명이나 출생연월일의 일부 또는 전부를 달리하여 2개 이상의 가족관계등록부가 있음이 명백히 밝혀진 경우에는 시(구) · 읍 · 면의 장은 가족관계의 등록 등에 관한 법률 제18조에 따른 감독법원의 허가를 받아 직권으로 그 등록부를 폐쇄할 수 있다.

③ 가족관계등록부가 이중으로 작성되어 폐쇄하는 경우에는 착오로 작성된 가족관계등록부를 폐쇄하여야 하고, 폐쇄할 가족관계등록부를 당사자가 임의로 선택할 수 없다.

④ 적법한 출생신고에 의하여 가족관계등록부가 작성된 사람이 가족관계등록창설을 하여 이중으로 가족관계등록부가 작성된 경우, 가족관계등록창설에 의하여 작성된 가족관계등록부에 그 기록사항이 적법하게 기록된 경우에는 등록부정정에 의하여 가족관계등록창설에 의하여 작성된 가족관계등록부를 폐쇄함과 동시에 적법한 가족관계등록부에 그 기록사항을 이기하는 정정절차를 거쳐 정리할 수 있다.

⑤ 시(구) · 읍 · 면의 장이 가족관계등록부를 폐쇄하는 때에는 가족관계등록부사항란 및 특정등록사항란에 그 취지와 사유를 기록하고, 등록사항별 증명서를 발급하는 경우에는 증명서의 우측상단에 "폐쇄"라고 표시한다.

해설 ① 법 제11조(전산정보처리조직에 의한 등록사무의 처리 등) (등록적격상실)

② 본인이 사망하거나 실송선고 · 부재선고를 받은 때, 국적을 이달히거나 상실한 때 또는 그 밖에 대법원규칙으로 정한 사유가 발생한 때에는 등록부를 폐쇄한다.

규칙 제17조(등록부의 작성과 폐쇄) (1국민 2등록부)

② 등록부가 법 제11조 제2항에 규정된 사유 이외에 다음 각 호의 어느 하나에 해당하는 경우에는 이를 폐쇄한다.

1. 이중으로 작성된 경우
2. 착오 또는 부적법하게 작성된 경우
3. 정정된 등록부가 이해관계인에게 현저히 부당하다고 인정되어 재작성하는 경우

② **규칙 제59조(이중등록부의 정리)**

동일한 사람이 성명이나 출생연월일의 일부 또는 전부를 달리하여 2개 이상의 등록부가 있음이 명백히 밝혀진 경우에는 시 · 읍 · 면의 장은 법 제18조에 따른 감독법원의 허가를 받아 직권으로 그 등록부를 폐쇄할 수 있다.

정답 01 ⑤

③ 例規 **제425호**[이중가족관계등록부의 정정에 관한 사무처리지침]

　　1. 이중가족관계등록부의 정정

　　　　이중가족관계등록부의 폐쇄는 착오된 가족관계등록부를 폐쇄하여야 하고 당사자가 임의로 택일할 수 없다.

④ 例規 **제247호**[이중가족관계등록부의 폐쇄와 동 가족 관계등록부상에 기록되어 있는 등록사항의 이기]

　　적법한 출생신고에 의하여 가족관계등록부가 작성된 사람이 가족관계등록창설을 하여 이중으로 가족관계등록부가 작성된 경우, 가족관계등록창설에 의하여 작성된 가족관계등록부에 그 기록사항이 적법하게 기록된 경우에는 등록부정정에 의하여 가족관계등록창설에 의하여 작성된 가족관계등록부를 폐쇄함과 동시에 적법한 가족관계등록부에 그 기록사항을 이기하는 정정절차를 거쳐 정리할 수 있다.

⑤ **규칙 제65조(폐쇄의 방법)**

　　시·읍·면의 장이 제17조 제2항에 따라 등록부를 폐쇄하는 때에는 가족관계등록부사항란 및 일반등록사항란에 그 취지와 사유를 기록하고, 등록사항별 증명서를 발급하는 경우에는 증명서의 우측상단에 "폐쇄"라고 표시한다.

01 **등록사항별 증명서에 관한 다음 설명 중 가장 옳지 않은 것은?** ▸ 2021 법무사

① 특정증명서는 가족관계증명서, 기본증명서, 혼인관계증명서 및 친양자입양관계증명서에 대하여 발급한다.

② 가족관계증명서에 대한 특정증명서는 부모, 배우자 및 자녀 중 신청인이 선택한 사람의 성명, 성별, 출생연월일 및 주민등록번호를 기재하며, 신청인은 사람을 복수로 선택할 수 있다.

③ 혼인관계증명서에 대한 특정증명서는 일반등록사항란의 기록 중에서 신청인이 선택한 과거의 배우자 한 사람과의 혼인에 관한 사항을 현출하고, 현재의 혼인에 관한 사항은 현출하지 아니한다. 한편 같은 배우자와 두 번 이상 혼인한 기록이 있는 때에는 신청인이 선택한 하나의 혼인에 관한 사항을 현출한다.

④ 가족관계증명서에 대한 일반증명서는 특정등록사항란 중 혼인 외의 자녀, 전혼 중의 자녀, 사망한 자녀를 제외하고 작성한다.

⑤ 영문으로 작성되는 등록사항별 증명서의 경우 본인의 등록부가 폐쇄되거나 본인이 여권을 발급받은 사실이 없는 경우 그 발급이 제한될 수 있다.

> **해설** ①,② 규칙 제21조의2(특정증명서의 발급) 〈전문개정 2020.11.26. 시행 2020.12.28.〉
>
> ① 법 제15조 제4항에 따라 다음 각 호의 등록사항별 증명서를 특정증명서로 발급한다.
>   1. 가족관계증명서
>   2. 기본증명서
>   3. 혼인관계증명서
> ② 가족관계증명서에 대한 특정증명서의 기재사항은 다음 각 호와 같다. 다만, 제3호, 제4호는 신청인이 기재사항으로 선택한 경우에 한한다.
>   1. 본인의 성명·성별·출생연월일 및 주민등록번호
>   2. 부모, 배우자 및 자녀 중 신청인이 선택한 사람의 성명·성별·출생연월일 및 주민등록번호(사람을 복수로 선택할 수 있다)
>   3. 본인의 등록기준지
>   4. 본인 및 제2호에 따라 신청인이 선택한 사람 전부의 본
> ③ 기본증명서에 대한 특정증명서의 기재사항은 다음 각 호와 같다. 다만, 제3호, 제4호는 신청인이 기재사항으로 선택한 경우에 한한다.
>   1. 본인의 성명·성별·출생연월일 및 주민등록번호
>   2. 다음 각 목 중 신청인이 선택한 어느 하나에 관한 사항
>   가. 출생, 사망과 실종
>   나. 인지와 친생자관계 정정

정답 ▶ 01 ①

　다. 친권과 미성년후견(다만, 현재의 사항만을 선택할 수도 있다)

　라. 개명과 성·본 변경

　마. 국적의 취득과 상실

　바. 성별 등의 정정

　3. 본인의 등록기준지

　4. 본인의 본

④ 혼인관계증명서에 대한 특정증명서의 기재사항은 다음 각 호와 같다. 다만, 제3호, 제4호는 신청인이 기재사항으로 선택한 경우에 한한다.

　1. 본인의 성명·성별·출생연월일 및 주민등록번호

　2. 신청인이 선택한 과거의 혼인에 관한 사항

　3. 본인의 등록기준지

　4. 본인의 본

⑤ 제1항부터 제4항까지에도 불구하고 교부제한대상자 또는 공시제한대상자 본인등의 경우에는 제25조의3에 따라 교부 등의 범위가 제한될 수 있다. 〈제5항 신설 2021.12.31, 시행 2022.1.1.〉

⑥ 특정증명서의 작성과 발급, 그 밖에 필요한 사항은 대법원예규로 정한다.

④ 例規 제498호[일반증명서의 작성 및 등록부의 정정방법에 관한 업무처리지침]

제3조(가족관계증명서 중 제외사항)

가족관계증명서(일반)는 다음의 기록사항을 제외하고 작성한다.

1. 특정등록사항란의 혼인 외의 자녀 또는 전혼 중의 자녀

2. 특정등록사항란의 사망한 자녀

⑤ 例規 제541호[영문증명서의 작성과 발급에 관한 업무처리지침]

제5조(발급제한)

다음 각 호의 어느 하나에 해당하는 사유가 있으면 영문증명서 발급이 제한될 수 있다.

1. 본인이 여권을 발급받은 사실이 없는 경우

2. 본인이 「혼인신고특례법」에 따른 혼인신고를 한 경우

3. 본인의 등록부가 폐쇄된 경우

4. 부, 모 또는 배우자의 등록부가 폐쇄된 경우[다만, 사망(실종선고 및 부재선고를 포함한다. 이하 같다)하거나 국적을 상실(이탈을 포함한다. 이하 같다)하여 등록부가 폐쇄된 경우는 예외로 한다]

5. 등록부에 부, 모 또는 배우자가 2명 이상 기록된 경우

6. 외국인인 부, 모 또는 배우자의 외국여권상 로마자성명이 소명되지 아니한 경우

7. 등록부의 기록이 법률상 무효인 것이거나 그 기록에 착오 또는 누락이 있는 경우

02 가족관계등록사항별 증명서의 종류와 기록사항에 관한 다음 설명 중 가장 옳은 것은?

▸ 2023 법무사

① 기본증명서와 마찬가지로 다른 증명서에도 등록기준지의 지정, 변경 또는 정정에 관한 사항이나 등록부의 작성, 폐쇄에 관한 사항을 기재하기 위하여 가족관계등록부사항란을 두었다.

② 입양의 경우 양자인 본인의 가족관계증명서에는 부모란에 친생부모와 양부모를 모두 기록한다. 다만, 단독입양한 양부가 친생모와 혼인관계에 있는 때에는 양부와 친생모를, 단독입양한 양모가 친생부와 혼인관계에 있는 때에는 양모와 친생부를 각각 부모로 기록한다.

③ 영문증명서에는 본인, 부모, 배우자 및 자녀의 성명·성별·출생연월일 및 주민등록번호가 기재된다.

④ 가족관계등록부에 가족으로 기록될 자가 외국인인 경우에는 성명·성별·출생연월일·국적 및 외국인등록번호가 기재된다.

⑤ 혼인관계증명서의 특정증명서에는 신청인이 선택한 현재 및 과거의 혼인사항이 기재된다.

해설

① 기본증명서에는 다른 4종류의 증명서에 없는 '가족관계등록부사항란'이 있다(규칙 제2조 제3호). '등록기준지란' 아래에 있는 부분으로서 여기에는 가족관계등록부의 작성 또는 폐쇄에 관한 사항이나 등록기준지의 지정·변경 또는 정정에 관한 사항이 기록된다(규칙 제2조 제3호).

② 입양의 경우 양부모를 부모로 기록한다. 다만, 단독입양한 양부가 친생모와 혼인관계에 있는 때에는 양부와 친생모를, 단독입양한 양모가 친생부와 혼인관계에 있는 때에는 양모와 친생부를 각각 부모로 기록한다(법 제15조 제2항 제1호).

③ 영문증명서에는 본인, 부모 및 배우자의 성명·성별·출생연월일 및 주민등록번호가 기재된다(규칙 제21조의3). 자녀는 기록되지 않는다.

④ 외국인의 기록사항에 관하여는 성명·성별·출생연월일·국적 및 외국인등록번호를 기재하여 증명서를 발급하여야 한다. 외국인의 기록사항에 관하여는 성명·성별·출생연월일·국적 및 외국인등록번호를 기재하여 증명서를 발급하여야 한다(법 제9조 제2항 제4호).

⑤ **例規** **제561호**[특정증명서의 작성과 발급에 관한 업무처리지침]

제4조(혼인관계증명서)

① 혼인관계증명서에 대한 특정증명서는 일반등록사항란의 기록 중에서 신청인이 선택한 과거의 배우자 한 사람과의 혼인에 관한 사항을 현출하고, 현재의 혼인에 관한 사항은 현출하지 아니한다.

03 등록사항별 증명서 발급 등에 관한 다음 설명 중 가장 옳지 않은 것은?   ▶ 2022 법무사

① 본인 또는 배우자, 직계혈족(이하 '본인등'이라 함)은 수수료를 납부하고 등록사항별 증명서의 교부를 청구할 수 있다.

② 본인이 등록사항별 증명서 발급(영문증명서는 제외한다)을 신청하는 경우에는 신청서를 작성하지 아니할 수 있다.

③ 본인등의 대리인이 증명서 발급을 청구하는 경우에는 신청서에 본인등이 서명 또는 날인한 위임장과 신분증명서 사본을 제출하여야 하며, 여기서 위임장은 원본이어야 하므로 변호사가 등록사항별 증명서의 교부청구의 위임취지가 명확하게 기재된 소송위임장의 사본을 제출하더라도 증명서를 교부할 수 없다.

④ 등록사항별 증명서의 교부를 청구하는 경우에는 대상자의 성명과 등록기준지를 정확하게 기재하여야 한다. 다만, 본인등과 그 대리인의 경우에는 대상자의 성명과 주민등록번호로도 교부를 청구할 수 있다.

⑤ 국가 또는 지방자치단체, 공공기관이 전자정부법에 따라 전자문서를 이용하여 근거법령과 사유를 기재한 공문을 송부한 경우에는 신청서 작성과 신분증 제출을 생략할 수 있다.

해설 ③ **例規** **제641호**[등록사항별 증명서의 발급 등에 관한 사무처리지침]

제2조(등록사항별 증명서의 교부청구 등)

① 법 제14조와 규칙 제19조에 따라 본인 또는 배우자, 직계혈족(**改前 형제자매**)(다음부터 "본인등"이라 한다)은 수수료를 납부하고 등록사항별 증명서의 교부를 청구할 수 있다.

② 신청인은 「가족관계등록사무의 문서 양식에 관한 예규」 별지 제11호 또는 제11-1호 서식의 등록부 등의 기록사항 등에 관한 증명신청서(다음부터 "신청서"라 한다)에 그 사유를 기재하여 제출하여야 한다. 다만, 본인이 등록사항별 증명서(영문증명서는 제외한다) 발급을 신청하는 경우에는 신청서를 작성하지 아니할 수 있다.

③ 본인 등의 대리인이 청구하는 경우에는 신청서에 「가족관계등록사무의 문서 양식에 관한 예규」 별지 제12호 서식에 따라 본인 등이 서명 또는 날인한 위임장과(**改前 인감증명서 또는**) 신분증명서(주민등록증, 운전면허증, 여권, 외국인등록증, 국내거소신고증, 주민등록번호 및 주소가 기재된 장애인등록증 등을 말한다. 다음부터 이 예규에서 같다) 사본을 제출하여야 한다. 위임장은 원본을 제출하되, 변호사의 경우 등록사항별 증명서의 교부청구의 위임취지가 명확하게 기재된 소송위임장의 사본을 제출할 수 있다.

④ 등록사항별 증명서의 교부를 청구하는 경우에는 대상자의 성명과 등록기준지를 정확하게 기재하여야 한다. 다만, 본인 등(**改前 본인, 배우자, 직계혈족**)과 그 대리인의 경우에는 대상자의 성명과 주민등록번호로도 교부를 청구할 수 있다.

제7조(신청인의 신분확인 등)

⑤ 국가, 지방자치단체, 공공기관이 전자정부법에 따라 전자문서를 이용하여 근거법령과 사유를 기재한 공문을 송부한 경우에는 신청서 작성과 신분증 제출을 생략할 수 있다.

04 친양자입양관계증명서 교부청구의 특례에 관한 다음 설명 중 가장 옳지 않은 것은?

▶ 2022 법무사

① 친양자입양관계증명서는 친양자가 성년이 되어 신청하는 경우에 교부를 청구할 수 있다.

② 혼인당사자가 민법 제809조(근친혼 등의 금지)에 관한 친족관계를 파악하고자 하는 경우에 친양자입양관계증명서의 교부를 청구할 수 있다.

③ 법원의 사실조회촉탁이 있거나 수사기관이 수사상 필요에 따라 문서로 신청하는 경우에 친양자입양관계증명서의 교부를 청구할 수 있다.

④ 친양자입양관계증명서 교부청구에 대한 제한은 교부청구 대상 가족관계등록부의 본인이 친양자로 입양된 경우에 한하여 적용된다.

⑤ 채권·채무 등 재산권의 상속과 관련하여 상속인의 범위를 확인하기 위해서 사망한 사람의 친양자입양관계증명서가 필요한 경우 소명자료를 첨부하면 교부청구가 가능하다.

해설 ④ **例規** **제641호**[등록사항별 증명서의 발급 등에 관한 사무처리지침]

제3조(친양자입양관계증명서 교부청구의 특례)

① 제2조 제1항 및 제5항에도 불구하고 친양자입양관계증명서는 다음 각 호의 어느 하나에 해당하는 경우에 한하여 교부를 청구할 수 있다.

1. 성년자가 본인의 친양자 입양관계증명서를 신청하는 경우로서 성년자임을 신분증명서에 의하여 소명하는 경우

2. 친양자의 친생부모·양부모가 본인의 친양자입양관계증명서를 신청하는 경우에는 친양자가 성년자임을 소명하는 경우

3. 혼인당사자가 「민법」 제809조의 친족관계를 파악하고자 하는 경우로서 출석한 양당사자 및 그 신분증명서에 의하여 가족관계등록사무담당 공무원이 혼인의사 및 혼인적령임을 확인한 경우

4. 법원의 사실조회촉탁이 있거나 수사기관이 규칙 제23조 제5항에 따라 문서로 신청하는 경우

5. 「민법」 제908조의4에 따라 친양자 입양의 취소를 하거나 같은 법 제908조의5에 따라 친양자의 파양을 할 경우로서 이에 관한 법원의 접수증명원이 첨부된 경우

6. 「국내입양에 관한 특별법」 제28조 제1항 또는 「국제입양에 관한 법률」 제25조 제1항 본문에 따라 입양의 취소를 할 경우로서 이에 관한 법원의 접수증명원이 첨부된 경우

7. 친양자의 양부모가 친양자입양관계증명서를 신청하는 다음 각 목의 경우
〈개정 2022.4.21, 시행 2022.4.27.〉

가. 친양자입양으로 인하여 친양자의 인적사항(예금·보험계약 등의 명의)을 변경하고자 하는 경우로서 다음 중 하나의 소명자료를 첨부하여 친양자입양 전후 친양자의 동일성을 주민등록번호 등으로 증명하는 경우

1) 은행·보험회사 등 그 기관 명의로 작성된 변경의 필요성을 소명하는 자료

2) 친양자입양 전 친양자의 인적사항이 기록된 통장·보험증서 등 변경의 필요성을 소명하는 자료

나. 그 밖에 친양자의 복리를 위하여 필요함을 구체적으로 소명자료를 첨부하여 신청하는 경우

정답 **03** ③ **04** ④

8. 친양자입양관계증명서가 소송, 비송, 민사집행·보전의 각 절차에서 필요한 경우로서 소명자료를 첨부하여 신청하는 경우

9. 채권·채무 등 재산권의 상속과 관련하여 상속인의 범위를 확인하기 위해서 사망한 사람의 친양자입양관계증명서가 필요한 경우로서 소명자료를 첨부하여 신청하는 경우

10. 가족관계등록부가 작성되지 않은 채로 사망한 사람의 상속인의 친양자입양관계증명서가 필요한 경우로서 법률상의 이해관계에 대한 소명자료를 첨부하여 신청하는 경우

11. 법률상의 이해관계를 소명하기 위하여 친양자의 친생부모·양부모의 친양자입양관계증명서를 신청하는 경우로서 그 해당 법령과 그에 따른 구체적인 소명자료 및 필요이유를 제시하여 신청하는 경우

② 제1항의 친양자입양관계증명서 교부청구에 대한 제한은 교부청구 대상 가족관계등록부의 본인이 친양자로 입양되었는지에 관계없이 적용한다.

05 등록사항별 증명서의 발급 등에 관한 다음 설명 중 가장 옳지 않은 것은? ▸ 2024 법무사

① 인터넷에 의한 등록사항별 증명서의 발급은 본인 또는 배우자, 부모, 자녀가 신청할 수 있다. 다만, 친양자입양관계증명서의 발급은 친양자가 성년이 되어 신청하는 경우에 한한다.

② 가정폭력범죄의 처벌 등에 관한 특례법 제2조 제5호에 따른 가정폭력피해자 또는 그 대리인은 그 피해자의 배우자 또는 직계혈족을 교부제한대상자로 지정하여 시(구)·읍·면의 장에게 그 피해자 본인의 등록사항별 증명서의 교부를 제한하도록 신청할 수 있다. 이 경우 교부제한대상자는 가정폭력피해자의 배우자, 부모 또는 자녀에 해당하더라도 인터넷에 의한 가정폭력피해자 본인의 등록사항별 증명서를 발급받을 수 없다.

③ 인터넷에 의한 등록사항별 증명서의 발급 수수료는 무료로 한다.

④ 무인증명서발급기에 의한 등록사항별 증명서의 발급은 본인 또는 배우자, 부모, 자녀가 신청할 수 있다.

⑤ 우편으로 등록사항별 증명서의 송부를 청구하는 경우에는, 신청서에 정해진 사항을 기재하고 법률상 정당한 청구권자의 신분증명서 사본을 첨부하여야 하며, 본인이 신청하는 경우에도 신청대상자의 성명과 등록기준지를 기재하여야 한다.

해설 ① **例規** **제636호**[인터넷에 의한 등록부등의 기록사항 열람 및 등록사항별 증명서 발급 등에 관한 업무처리지침]

제5조(열람·발급 범위 등)

① 인터넷에 의한 등록부등의 기록사항 열람 및 등록사항별 증명서의 발급은 본인 또는 배우자, **(직계혈족×)** 부모, 자녀(제적부 열람 및 제적 등·초본의 발급은 본인)가 신청할 수 있다. 다만 친양자입양관계에 관한 기록사항 열람 및 증명서의 발급은 친양자가 성년이 되어 신청하는 경우에 한한다.

② **법 제14조(증명서의 교부 등)**

⑧ 「가정폭력범죄의 처벌 등에 관한 특례법」 제2조 제5호에 따른 피해자(이하 "가정폭력피해자"라 한다) 또는 그 대리인은 가정폭력피해자의 배우자 또는 직계혈족을 지정(이하 "교부제한대상자"라 한다)하여 시·읍·면의 장에게 제1항 및 제2항에 따른 가정폭력피해자 본인의 등록사항별 증명서의 교부를 제한하거나 그 제한을 해지하도록 신청할 수 있다.

⑨ 시·읍·면의 장은 제8항에 따른 신청을 받은 때에는 제1항 및 제2항에도 불구하고 교부제한대상자 또는 그 대리인에게 가정폭력피해자 본인의 등록사항별 증명서를 교부하지 아니할 수 있다.

법 제14조의2(인터넷에 의한 증명서 발급)

③ 제1항 및 제2항에도 불구하고 제14조 제9항에 따른 교부제한대상자에게는 가정폭력피해자 본인의 등록사항별 증명서를 발급하지 아니한다.

③ **규칙 제28조(증명서등의 수수료)**

② 등록사항별 증명서 및 제적등본의 수수료는 통당 1,000원으로 하고, 제적초본의 수수료는 통당 500원으로 한다. 다만, 무인증명서발급기를 이용하여 발급되는 등록사항별 증명서 및 제적등본의 수수료는 통당 500원, 제적초본의 수수료는 통당 300원으로 하고, 인터넷에 의한 등록부등의 기록사항 열람, 등록사항별 증명서 발급, 제적부의 열람 및 제적 등·초본 발급 수수료는 무료로 한다.

④ **법 제14조의3(무인증명서발급기에 의한 증명서 발급)**

① 시·읍·면의 장은 신청인 스스로 입력하여 등록사항별 증명서를 발급받을 수 있는 장치를 이용하여 증명서의 발급사무를 처리할 수 있다.

② 제1항에 따른 발급은 본인에게만 할 수 있다.

③ 제1항에 따른 발급의 범위, 절차 및 방법 등 필요한 사항은 대법원규칙으로 정한다.

⑤ **例規 제641호**[등록사항별 증명서의 발급 등에 관한 사무처리지침]

제8조(우편에 의한 청구 등)

① 우편으로 등록사항별 증명서의 송부를 청구하는 경우에는, 신청서에 정해진 사항을 기재하고 법률상 정당한 청구권자의 신분증명서 사본을 첨부하여야 하며, 제2조 제4항 단서에도 불구하고 대상자의 등록기준지를 기재하여야 한다.

정답 ▶ **05 ④**

06 가족관계등록부상 주민등록번호의 기록, 정정 및 공시제한 등에 관한 다음 설명 중 가장 옳지 않은 것은?

▸ 2022 법무사

① 가족관계등록부의 주민등록번호의 기록은 주민등록법 제7조의2 및 제15조에 따른 주민등록번호 부여 통보에 의하여야 한다.

② 가족관계등록부상 주민등록번호의 기록이 누락되었을 경우 본인 또는 동거하는 친족이 주민등록표 등·초본을 첨부하여 그 기록을 신청하는 때에는 가족관계등록공무원은 감독법원의 허가 없이 직권으로 이를 기록한다. 다만, 본인이 신청하는 경우에는 주민등록표 등·초본의 첨부 없이 주민등록증을 제시받아 가족관계등록공무원이 그 내용을 확인한 후 주민등록증을 복사하여 신청서에 첨부하고 기록의 절차를 취하여야 한다.

③ 주민등록법에 따른 신고사항과 가족관계의 등록 등에 관한 법률에 따른 신고사항이 같으면 가족관계의 등록 등에 관한 법률에 따른 신고로써 주민등록법에 따른 신고를 갈음하는데, 주민등록신고사항 중 출생, 사망 또는 실종, 등록기준지의 변경, 성명·생년월일 또는 성별의 변경이 이에 해당한다.

④ 주민등록 신고대상자의 가족관계등록 신고지와 주민등록지가 다를 경우에 가족관계등록 신고지의 시(구)·읍·면의 장이 가족관계등록신고를 받아 가족관계등록부의 기록사항을 변경하면 지체 없이 그 신고사항을 주민등록지의 시장·군수 또는 구청장에게 통보하여야 한다.

⑤ 주민등록법 제7조의4에 따라 주민등록번호를 변경한 사람 또는 변경하고자 하는 사람은 변경되었거나 변경될 주민등록번호의 공시가 제한될 대상자를 지정하여 공시제한을 신청할 수 있고, 신청인은 공시제한 신청서를 신청사건 본인의 등록기준지 또는 신청인의 주소지나 현재지의 시(구)·읍·면의 사무소에 출석하여 제출하여야 하고, 신청인의 주소지나 현재지의 동사무소에는 제출할 수 없다.

해설 ①,② **例規** **제508호**[가족관계등록부상 주민등록번호의 기록 및 정정·변경절차] ☆

제정 2007.12.10 예규 제45호 개정 2017.05.25 예규 제508호

제1조(주민등록번호 기록)

① 가족관계등록부의 주민등록번호의 기록은 「주민등록법」 제7조의2 및 제15조에 따른 주민등록번호 부여 통보에 의하여야 한다.

② 가족관계등록부상 주민등록번호의 기록이 누락되었을 경우 본인 또는 동거하는 친족이 주민등록표 등·초본을 첨부하여 그 기록을 신청하는 때에는 가족관계등록공무원은 감독법원의 허가 없이 직권으로 이를 기록한다. 다만, 본인이 신청하는 경우에는 주민등록표 등·초본의 첨부 없이 주민등록증을 제시받아 가족관계등록공무원이 그 내용을 확인한 후 주민등록증을 복사하여 신청서에 첨부하고 기록의 절차를 취하여야 한다.

제2조(주민등록번호 정정)

① 「주민등록법」 제7조의3 및 제15조에 따라 주민등록번호 정정 통보가 있는 경우 가족관계등록공무원은 이를 정정한다.

② 가족관계등록부상 주민등록번호가 잘못 기록된 경우 그 정정절차에 관하여는 제1조 제2항을 준용한다.

제3조(주민등록번호 변경)

「주민등록법」제7조의4 및 같은 법 시행령 제12조의6에 따라 주민등록번호 변경 통보가 있는 경우 가족관계등록공무원은 이를 변경한다.

③,④ 주민등록법 제14조(가족관계등록신고 등에 따른 주민등록의 정리)

① 이 법에 따른 신고사항과 「가족관계의 등록 등에 관한 법률」에 따른 신고사항이 같으면 「가족관계의 등록 등에 관한 법률」에 따른 신고로써 이 법에 따른 신고를 갈음한다.

② 주민등록지의 시장·군수 또는 구청장은 제1항에 따라 이 법에 따른 신고에 갈음되는 「가족관계의 등록 등에 관한 법률」에 따른 신고를 받으면 그에 따라 주민등록을 하거나 등록사항을 정정 또는 말소하여야 한다.

③ 신고대상자의 「가족관계의 등록 등에 관한 법률」 제4조 및 제4조의2에 따른 신고지(이하 "가족관계등록 신고지"라 한다)와 주민등록지가 다를 경우에 가족관계등록 신고지의 시장·구청장 또는 읍·면장(같은 법 제4조의2 제1항에 따른 가족관계등록관을 포함한다. 이하 같다)이 같은 법에 따른 신고를 받아 가족관계등록부의 기록사항을 변경하면 지체 없이 그 신고사항을 주민등록지의 시장·군수 또는 구청장에게 통보하여야 하며, 그 통보를 받은 주민등록지의 시장·군수 또는 구청장은 이에 따라 주민등록을 하거나 등록사항을 정정 또는 말소하여야 한다.

④ 제1항에 따라 「가족관계의 등록 등에 관한 법률」에 따른 신고로써 이 법에 따른 신고에 갈음되는 신고사항은 대통령령으로 정한다.

주민등록법 시행령 제21조(가족관계등록신고 등에 따른 주민등록표의 정리)

② 법 제14조 제4항에 따라 「가족관계의 등록 등에 관한 법률」에 따른 신고로써 갈음되는 주민등록신고사항은 다음 각 호와 같다.

1. 출생
2. 사망 또는 실종
3. 등록기준지의 변경
4. 성명·생년월일 또는 성별의 변경

⑤ 例規 제612호[변경된 주민등록번호의 공시제한에 관한 사무처리지침]

제2조(공시제한 등 신청)

① 「주민등록법」 제7조의4에 따라 주민등록번호를 변경한 사람 또는 변경하고자 하는 사람은 변경되었거나 변경될 주민등록번호의 공시가 제한될 대상자(이하 "비공시 대상자"라 한다)를 지정하여 공시제한을 신청할 수 있다.

② 제1항의 신청 후에 비공시 대상자를 추가하거나 공시제한 해지를 신청할 수 있다.

제4조(신청서의 제출)

① 신청인은 다음 각 호의 신청서를 신청사건 본인의 등록기준지 또는 신청인의 주소지나 현재지의 시(구)·읍·면의 사무소에 출석하여 제출하여야 한다.

1. 공시제한 또는 비공시 대상자 추가를 신청할 경우에는 별지 제1호 서식
2. 공시제한 해지를 신청할 경우에는 별지 제2호 서식

② 신청인은 전항 각 호의 신청서를 신청인의 주소지나 현재지의 동사무소에 출석하여 제출할 수 있다.

정답 06 ⑤

07 다음 중 이해관계인이 신청 또는 청구할 수 있는 것을 모두 고른 것은?

▸ 2023 법무사

> 가. 신고의 수리 또는 불수리의 증명서
> 나. 법원에 보관되어 있는 신고서류에 대한 열람
> 다. 가족관계등록부의 기록이 법률상 허가될 수 없는 것 또는 그 기재에 착오나 누락이 있다고 인정한 때에 사건 본인의 등록기준지를 관할하는 가정법원의 허가를 받아 가족관계등록부의 정정을 신청하는 절차
> 라. 가족관계등록사건에 관하여 시(구)·읍·면의 장의 위법 또는 부당한 처분이 있는 경우 관할 가정법원에 불복을 신청하는 절차

① 가, 나, 다, 라   ② 나, 다   ③ 나, 라
④ 나, 다, 라   ⑤ 다, 라

해설 가. – 신고인 // 나, 다, 라. – 이해관계인

가. 법 제42조(수리, 불수리증명서와 서류의 열람)
① 신고인은 신고의 수리 또는 불수리의 증명서를 청구할 수 있다.

나. 법 제42조(수리, 불수리증명서와 서류의 열람)
④ 이해관계인은 법원에 보관되어 있는 신고서류에 대한 열람을 청구할 수 있다.

다. 법 제104조(위법한 가족관계 등록기록의 정정)
① 등록부의 기록이 법률상 허가될 수 없는 것 또는 그 기재에 착오나 누락이 있다고 인정한 때에는 이해관계인은 사건 본인의 등록기준지를 관할하는 가정법원의 허가를 받아 등록부의 정정을 신청할 수 있다.

라. 법 제109조(불복의 신청)
① 등록사건에 관하여 이해관계인은 시·읍·면의 장의 위법 또는 부당한 처분에 대하여 관할 가정법원에 불복의 신청을 할 수 있다.

정답 **07** ④

등록사무처리절차

총칙

제1절　등록부 기록절차의 개시원인

01 다음 중 가족관계의 등록 등에 관한 법률 제16조에 따른 등록부의 기록절차가 아닌 것끼리 고른 것은?

▸2025 법무사

> ㄱ. 통보　　　　　　　　　　　ㄴ. 재판서
> ㄷ. 촉탁　　　　　　　　　　　ㄹ. 항해일지의 등본
> ㅁ. 보고

① ㄱ, ㄴ　　　　　② ㄴ, ㄹ　　　　　③ ㄴ, ㅁ
④ ㄷ, ㄹ　　　　　⑤ ㄷ, ㅁ

해설 ⑤ 법 제16조(등록부의 기록절차)

등록부는 신고, 통보, 신청, 증서의 등본, 항해일지의 등본 또는 재판서에 의하여 기록한다. (⊞ 친권 또는 미성년후견 등에 관한 심판이 있는 경우 가정법원의 촉탁에 의하여 등록부가 기록될 수 있으나(가사소송법 제9조, 가사소송규칙 제5조), 문제에서는 **법 제16조에 따른 기록절차로 한** 정하였으므로 '촉탁은 이에 해당하지 않는다.)

제2절 신고(신고의 종류, 신고인 등, 신고능력, 신고의 대리, 신고의 방법, 신고의 장소, 신고기간)

01 다음 중 가족관계의 등록 등에 관한 법률에 따라 소의 상대방도 신고할 수 있는 경우는 모두 몇 개인가?

▶ 2025 법무사

> ㄱ. 친양자 파양의 재판이 확정된 경우
> ㄴ. 사실상 혼인관계 존재확인의 재판이 확정된 경우
> ㄷ. 혼인취소의 재판이 확정된 경우
> ㄹ. 입양취소의 재판이 확정된 경우
> ㅁ. 미성년후견인의 선임재판이 확정된 경우

① 1개 ② 2개 ③ 3개
④ 4개 ⑤ 5개

해설 소의 상대방도 신고할 수 있는 경우 ⇒ ㄱ, ㄷ, ㄹ

ㄱ. 법 제69조(친양자의 파양신고)
① 「민법」 제908조의5에 따라 친양자 파양의 재판이 확정된 경우 소를 제기한 사람은 재판의 확정일부터 1개월 이내에 재판서의 등본 및 확정증명서를 첨부하여 제63조의 신고를 하여야 한다.
② 제1항의 신고서에는 재판확정일을 기재하여야 한다.
③ 제1항의 경우에는 그 소의 상대방도 재판서의 등본 및 확정증명서를 첨부하여 친양자 파양의 재판이 확정된 취지를 신고할 수 있다. 이 경우 제2항을 준용한다.

ㄴ. 법 제72조(재판에 의한 혼인)
사실상 혼인관계 존재확인의 재판이 확정된 경우에는 소를 제기한 사람은 재판의 확정일부터 1개월 이내에 재판서의 등본 및 확정증명서를 첨부하여 제71조의 신고를 하여야 한다. (🔢 상대방 신고 할 수 없다)

ㄷ, ㄹ. 법 제73조(준용규정)
제58조는 혼인취소의 재판이 확정된 경우에 준용한다.
법 제65조(준용규정)
② 제58조(재판에 의한 인지)는 입양취소의 재판이 확정된 경우에 준용한다.
법 제58조(재판에 의한 인지) (제58조 準用 : 입양취소, 재판상 파양, **혼인취소**, 재판상 이혼등)
① 인지의 재판이 확정된 경우에 소를 제기한 사람은 재판의 확정일부터 1개월 이내에 재판서의 등본 및 확정증명서를 첨부하여 그 취지를 신고하여야 한다. (신고의무자)
② 제1항의 신고서에는 재판확정일을 기재하여야 한다.
③ 제1항의 경우에는 그 소의 상대방도 재판서의 등본 및 확정증명서를 첨부하여 인지의 재판이 확정된 취지를 신고할 수 있다. 이 경우 제2항을 준용한다. (신고적격자)

ㅁ. 법 제80조(미성년후견 개시신고의 기재사항)
① 미성년후견 개시의 신고는 미성년후견인이 그 취임일부터 1개월 이내에 하여야 한다.

정답 01 ⑤ / 01 ③

02 다음 중 가족관계등록신고와 그 신고의무자에 대한 연결이 잘못된 것은 모두 몇 개인가?

▸ 2023 법무사

> 가. 사망신고 – 친족
> 나. (강제)인지신고 – 인지청구의 소를 제기한 사람의 상대방
> 다. 혼인 중 출생자 출생신고 – 부 또는 모
> 라. 혼인 외 출생자 출생신고 – 모
> 마. (재판상)이혼신고 – 이혼소송을 제기하거나 조정을 신청한 자

① 1개   ② 2개   ③ 3개
④ 4개   ⑤ 5개

해설 가. 나. – 신고적격자 // 다. 라. 마. – 신고의무자

가. **법 제85조(사망신고의무자)**

① 사망의 신고는 동거하는 친족이 하여야 한다. **(신고의무자)**

② 친족·동거자 또는 사망장소를 관리하는 사람, 사망장소의 동장 또는 통·이장도 사망의 신고를 할 수 있다. **(신고적격자)**

나. **법 제58조(재판에 의한 인지)**

① 인지의 재판이 확정된 경우에 소를 제기한 사람은 재판의 확정일부터 1개월 이내에 재판서의 등본 및 확정증명서를 첨부하여 그 취지를 신고하여야 한다. **(신고의무자)**

② 제1항의 신고서에는 재판확정일을 기재하여야 한다.

③ 제1항의 경우에는 그 소의 상대방도 재판서의 등본 및 확정증명서를 첨부하여 인지의 재판이 확정된 취지를 신고할 수 있다. 이 경우 제2항을 준용한다. **(신고적격자)**

다. 라. **법 제46조(신고의무자)**

① 혼인 중 출생자의 출생의 신고는 부 또는 모가 하여야 한다. **(1순위 신고의무자)**

② 혼인 외 출생자의 신고는 모가 하여야 한다. **(1순위 신고의무자)**

③ 제1항 및 제2항에 따라 신고를 하여야 할 사람이 신고를 할 수 없는 경우에는 다음 각 호의 어느 하나에 해당하는 사람이 각 호의 순위에 따라 신고를 하여야 한다.

   1. 동거하는 친족 **(2순위 신고의무자)**

   2. 분만에 관여한 의사·조산사 또는 그 밖의 사람 **(3순위 신고의무자)**

④ 신고의무자가 제44조 제1항에 따른 기간 내에 신고를 하지 아니하여 자녀의 복리가 위태롭게 될 우려가 있는 경우에는 검사 또는 지방자치단체의 장이 출생의 신고를 할 수 있다. **(신고적격자)**

마. **법 제78조(준용규정)**

제58조는 이혼의 재판이 확정된 경우에 준용한다.

準用 법 제58조(재판에 의한 인지)

① 인지(이혼)의 재판이 확정된 경우에 소를 제기한 사람**(=이혼소송을 제기하거나 조정을 신청한 자)**은 재판의 확정일부터 1개월 이내에 재판서의 등본 및 확정증명서를 첨부하여 그 취지를 신고하여야 한다. **(신고의무자)**

② 제1항의 신고서에는 재판확정일을 기재하여야 한다.

③ 제1항의 경우에는 그 소의 상대방도 재판서의 등본 및 확정증명서를 첨부하여 인지(이혼)의 재판이 확정된 취지를 신고할 수 있다. 이 경우 제2항을 준용한다. **(신고적격자)**

03 **다음 설명 중 가장 옳지 않은 것은?** ▸ 2025 법무사

① 가족관계의 등록 등에 관한 법률에 따른 신고는 신고사건 본인의 등록기준지 또는 신고인의 주소지나 현재지에서 할 수 있으므로, 당사자가 등록기준지를 새롭게 변경하고자 하는 경우 현재지 시·읍·면의 장에게 변경신고를 할 수 있다.

② 가족관계등록창설허가의 재판을 얻은 사람이 등록창설의 신고를 하지 아니한 때에는 배우자 또는 직계혈족이 할 수 있으며, 가족관계등록창설허가를 받았으나 그 신고 전에 사망한 사람에 대한 가족관계등록창설신고는 배우자 또는 직계혈족이 이를 하여야 한다.

③ 이혼이 무효이거나 취소된 경우에 그 이혼당사자 사이에서 출생한 미성년의 자녀에 대하여 친권자가 지정·신고 되어 있다면 그에 관한 가족관계등록부의 기록도 따로 정정허가를 받을 필요 없이 이혼무효 또는 이혼취소의 판결(심판)에 의하여 말소할 수 있다.

④ 가족관계등록부상 한자 성의 한글표기 정정의 효력은 사건본인에게만 미친다. 다만, 직계비속이 있음에도 사건본인만이 한자 성의 한글표기 정정 신청을 하여 가족관계등록부상 한자 성의 한글표기가 정정된 경우에는 가족관계의 등록 등에 관한 규칙 제55조 제3항, 제60조 제2항 제4호를 준용하여 시(구)·읍·면의 장은 그 직계비속의 가족관계등록부상 한자 성의 한글표기도 직권으로 정정한다.

⑤ 가족관계등록부를 정정할 때는 그 사항이 기재된 제적부를 정정하되, 가족관계등록부가 현재의 공부이므로 제적부의 정정은 필요최소한으로 하며, 가족관계등록부 정정허가결정만으로 제적부를 정정할 수는 없다.

해설 ① 규칙 제4조(등록기준지의 결정)

> ③ 당사자는 등록기준지를 자유롭게 변경할 수 있다. 이 경우, <u>새롭게 변경하고자 하는 등록기준지 시·읍·면의 장에게 변경신고를 하여야 한다.</u>

② 법 제102조(직계혈족에 의한 등록창설신고)

등록창설허가의 재판을 얻은 사람이 등록창설의 신고를 하지 아니한 때에는 배우자 또는 직계혈족이 할 수 있다.

③ **例規** **제254호**[이혼이 무효이거나 취소된 경우의 가족관계등록부정정방법]

1. 1990.12.31. 이전에 이혼이 무효이거나 취소된 경우에도 1991.1.1. 이후에는 이혼무효 또는 이혼취소의 신고를 할 수 없고 등록부정정의 방법으로 가족관계등록부를 정리하여야 한다.
2. 이혼이 무효이거나 취소된 경우에는 양 당사자의 가족관계등록부 중 이혼에 관한 사항의 기록을 모두 말소한다.
3. 이혼이 무효이거나 취소된 경우에 그 이혼당사자 사이에서 출생한 미성년의 자녀에 대하여 친권자가 지정·신고 되어 있다면 그에 관한 가족관계등록부의 기록도 따로 정정허가를 받을 필요 없이 이혼무효 또는 이혼취소의 판결(심판)에 의하여 말소할 수 있다.

④ **例規** **제588호**[성(姓)의 표기 정정에 관한 사무처리지침]

제6조(등록부정정허가의 효력)

가족관계등록부상 한자 성의 한글표기 정정의 효력은 사건본인에게만 미친다. 다만, 직계비속이 있음에도 사건본인만이 제2조의 신청을 하여 가족관계등록부상 한자 성의 한글표기가 정정된 경

정답 **02** ② **03** ①

우에는 「가족관계의 등록 등에 관한 규칙」 제55조 제3항, 제60조 제2항 제4호를 준용하여 시
(구)·읍·면의 장은 그 직계비속의 가족관계등록부상 한자 성의 한글표기도 직권으로 정정한다.

⑤ [例規] **제297호**[제적부 기재의 정정방법 예규]

제2조(원 칙)

① 가족관계등록부를 정정할 때는 그 사항이 기재된 제적부를 정정하되, 가족관계등록부가 현재
의 공부이므로 제적부의 정정은 필요최소한으로 하며, 가족관계등록부 정정허가결정만으로
제적부를 정정할 수는 없다.

04 다음은 가족관계의 등록 등에 관한 법률 중 일부 조문들을 열거한 것이다. 다음 괄호 안에 들어갈 내용이 '그 사실을 안 날'인 경우를 모두 고른 것은?

▶ 2025 법무사

> ㄱ. 국적상실의 신고는 배우자 또는 4촌 이내의 친족이 (　　)부터 1개월 이내에 하여야
> 한다.
> ㄴ. 인지된 태아가 사체로 분만된 경우에 출생의 신고의무자는 (　　)부터 1개월 이내에
> 그 사실을 신고하여야 한다. 다만, 유언집행자가 제59조의 신고를 하였을 경우에는
> 유언집행자가 그 신고를 하여야 한다.
> ㄷ. 등록되어 있는지가 분명하지 아니한 사람 또는 등록되어 있지 아니하거나 등록할 수
> 없는 사람에 관한 신고가 수리된 후 그 사람에 관하여 등록되어 있음이 판명된 때 또
> 는 등록할 수 있게 된 때에는 신고인 또는 신고사건의 본인은 (　　)부터 1개월 이내
> 에 수리된 신고사건을 표시하여 처음 그 신고를 수리한 시·읍·면의 장에게 그 사실
> 을 신고하여야 한다.
> ㄹ. 유언에 의한 인지의 경우에는 유언집행자는 (　　)부터 1개월 이내에 인지에 관한
> 유언서등본 또는 유언녹음을 기재한 서면을 첨부하여 제55조 또는 제56조에 따라 신
> 고를 하여야 한다.

① ㄱ, ㄹ 　　② ㄴ, ㄷ 　　③ ㄷ, ㄹ
④ ㄱ, ㄴ, ㄷ 　　⑤ ㄱ, ㄴ, ㄹ

[해설] ㄱ. 법 제97조(국적상실신고의 기재사항)
① 국적상실의 신고는 배우자 또는 4촌 이내의 친족이 그 사실을 안 날부터 1개월 이내에 하여
야 한다.

ㄴ. 법 제60조(인지된 태아의 사산)
인지된 태아가 사체로 분만된 경우에 출생의 신고의무자는 그 사실을 안 날부터 1개월 이내에
그 사실을 신고하여야 한다. 다만, 유언집행자가 제59조의 신고를 하였을 경우에는 유언집행자가
그 신고를 하여야 한다.

ㄷ. 법 제22조(신고 후 등록되어 있음이 판명된 때 등)
등록되어 있는지가 분명하지 아니한 사람(**등록불명자**) 또는 등록되어 있지 아니하거나 등록할 수

없는 사람(**무등록자**)에 관한 신고가 수리된 후 그 사람에 관하여 등록되어 있음이 판명된 때 또는 등록할 수 있게 된 때에는 신고인 또는 신고사건의 본인은 그 사실을 안 날부터 1개월 이내에 수리된 신고사건을 표시하여 처음 그 신고를 수리한 시·읍·면의 장에게 그 사실을 신고하여야 한다.

ㄹ. 법 제59조(유언에 의한 인지)

유언에 의한 인지의 경우에는 유언집행자는 그 취임일부터 1개월 이내에 인지에 관한 유언서등 본 또는 유언녹음을 기재한 서면을 첨부하여 제55조 또는 제56조에 따라 신고를 하여야 한다.

05 다음 신고 중 가족관계의 등록 등에 관한 법률상 유언녹음을 기재한 서면 첨부가 가능한 경우는?

▸ 2024 법무사

① 친권자 지정 신고
② 인지신고
③ 친양자의 입양신고
④ 사망신고
⑤ 입양신고

해설 ② 법 제59조(유언에 의한 인지)

유언에 의한 인지의 경우에는 유언집행자는 그 취임일부터 1개월 이내에 인지에 관한 유언서등 본 또는 유언녹음을 기재한 서면을 첨부하여 제55조(**인지신고의 기재사항**) 또는 제56조(**태아의 인지**)에 따라 신고를 하여야 한다.

06 증인이 필요한 가족관계등록신고에 관한 다음 설명 중 가장 옳지 않은 것은?

▸ 2024 법무사

① 혼인은 가족관계의 등록 등에 관한 법률에 정한 바에 의하여 신고함으로써 그 효력이 생기며, 그 신고는 당사자 쌍방과 성년자인 증인 2인의 연서한 서면으로 하여야 한다.

② 협의상 이혼은 가정법원의 확인을 받아 가족관계의 등록 등에 관한 법률의 정한 바에 의하여 신고함으로써 그 효력이 생기며, 그 신고는 당사자 쌍방과 성년자인 증인 2인의 연서한 서면으로 하여야 하나, 그 신고서에 가정법원의 이혼의사확인서등본을 **첨부한** 경우에는 증인 2인의 연서가 있는 것으로 본다.

③ 입양은 가족관계의 등록 등에 관한 법률에서 정한 바에 따라 신고함으로써 그 효력이 생기며, 그 신고는 당사자 쌍방과 성년자인 증인 2인의 연서한 서면으로 하여야 한다.

④ 증인을 필요로 하는 사건의 신고에 있어서는 증인은 신고서에 주민등록번호 및 주소를 기재하고 서명하거나 기명날인하여야 한다. 다만, 증인은 신고서에 서명 또는 기명날인을 할 수 없을 때에는 무인할 수 있고, 이 경우 담당공무원은 본인의 무인임을 증명한다는 문구를 기재하고 기명날인하여야 한다.

⑤ 혼인신고는 성년자인 증인 2인의 연서가 있어야 수리할 수 있는바, 이에 위반하였다 하더라도 민법상 혼인무효 또는 취소사유에 해당하지 아니하므로 혼인은 유효하게 성립된 것이나, 수리 당시에 발견하였다면 민법 제813조에 따라 수리를 거부하여야 한다.

정답 04 ④ 05 ② 06 ③

해설 ① 「민법」 제812조(혼인의 성립)

① 혼인은 「가족관계의 등록 등에 관한 법률」에 정한 바에 의하여 신고함으로써 그 효력이 생긴다.

② 전항의 신고는 당사자 쌍방과 성년자인 증인 2인의 연서한 서면으로 하여야 한다.

② 「민법」 제836조(이혼의 성립과 신고방식)

① 협의상 이혼은 가정법원의 확인을 받아 「가족관계의 등록 등에 관한 법률」의 정한 바에 의하여 신고함으로써 그 효력이 생긴다.

② 전항의 신고는 당사자쌍방과 성년자인 증인 2인의 연서한 서면으로 하여야 한다.

법 제76조(간주규정)

협의이혼신고서에 가정법원의 이혼의사확인서등본을 첨부한 경우에는 「민법」 제836조 제2항에서 정한 증인 2인의 연서가 있는 것으로 본다.

③ 「민법」 제878조(입양의 성립) (성년 증인 2인 연서×)

입양은 「가족관계의 등록 등에 관한 법률」에서 정한 바에 따라 신고함으로써 그 효력이 생긴다.

④ 법 제28조(증인을 필요로 하는 신고)

증인을 필요로 하는 사건의 신고에 있어서는 증인은 신고서에 주민등록번호 및 주소를 기재하고 서명하거나 기명날인하여야 한다.

규칙 제33조(서명 또는 기명날인을 갈음하는 방법)

신고인, 증인, 동의자 등은 신고서에 서명하거나 기명날인할 수 있고, 서명 또는 기명날인을 할 수 없을 때에는 무인할 수 있다. 이 경우 담당공무원은 본인의 무인임을 증명한다는 문구를 기재하고 기명날인하여야 한다.

⑤ 例規 **제144호**[성년증인 2명의 연서(連書)와 날인이 없는 혼인신고서의 수리 가부]

혼인신고서에 「민법」 제812조 제2항 및 제813조에 따라 성년증인 2명의 연서가 있어야 수리할 수 있는바 이에 위반하였다 하더라도 민법상 혼인무효 또는 취소사유에 해당하지 아니하므로 혼인은 유효하게 성립된 것이다. 그러나 수리당시에 발견했으면 같은 법 제813조에 따라 수리를 거부해야 한다.

제3절 직권 기록 · 정정

01 다음 중 시(구) · 읍 · 면의 장이 감독법원의 허가 없이 가족관계등록부의 기록을 직권으로 정정 또는 기록할 수 있는 경우에 해당하는 것을 모두 고른 것은? ▶ 2024 법무사

> ㄱ. 한쪽 배우자의 가족관계등록부에 혼인의 기록이 있으나 다른 배우자의 가족관계등록부에는 혼인의 기록이 누락된 때
> ㄴ. 신고서류에 의하여 이루어진 가족관계등록부의 기록에 오기나 누락된 부분이 있음이 해당 신고서류에 비추어 명백한 때
> ㄷ. 도로명 또는 건물번호에 관한 가족관계등록부의 기록이 잘못 기재되었거나 빠뜨리게 된 것이 명백한 때
> ㄹ. 외국의 국호와 지명에 관한 가족관계등록부의 기록이 외래어 표기법에 맞지 않는 때
> ㅁ. 귀화 또는 국적회복한 외국인의 인명이 우리나라 방식의 성명 배열이 아닌 해당 외국 방식에 의하여 가족관계등록부에 기록된 때

① ㄱ, ㄴ, ㄷ 　　　　② ㄱ, ㄴ, ㄹ 　　　　③ ㄱ, ㄴ, ㄷ, ㄹ
④ ㄱ, ㄴ, ㄹ, ㅁ 　　　⑤ ㄱ, ㄴ, ㄷ, ㄹ, ㅁ

해설 ㄱ. ㄴ. **규칙 제60조(등록부의 정정)**
　　② 시 · 읍 · 면의 장이 법 제18조 제2항 단서에 따라 감독법원의 허가 없이 직권으로 정정 또는 기록할 수 있는 사항은 다음 각 호와 같다. **(간이직권정정 · 기록사항)**
　　1. 등록부의 기록이 오기되었거나 누락되었음이 법 시행 전의 호적(제적)이나 그 등본에 의하여 명백한 때
　　2. 제54조 또는 제55조에 의한 기록이 누락되었음이 신고서류 등에 의하여 명백한 때
　　3. 한쪽 배우자의 등록부에 혼인 또는 이혼의 기록이 있으나 다른 배우자의 등록부에는 혼인 또는 이혼의 기록이 누락된 때
　　4. 부 또는 모의 본이 정정되거나 변경되었음이 등록사항별 증명서에 의하여 명백함에도 그 자녀의 본란이 정정되거나 변경되지 아니한 때
　　5. 신고서류에 의하여 이루어진 등록부의 기록에 오기나 누락된 부분이 있음이 해당 신고서류에 비추어 명백한 때
　　6. 그 밖의 정정 또는 기록할 사유가 있음이 명백하여 대법원예규로 정한 경우
　　　〈제6호 신설 2009.6.26〉
ㄷ. **例規** **제567호**[행정구역, 토지의 명칭, 지번, 도로명 또는 건물번호의 변경에 따른 경정방법]
　5. 행정구역, 토지의 명칭, 지번, 도로명 또는 건물번호에 관한 가족관계등록부의 기록이 잘못 기재되었거나 빠뜨리게 된 것이 명백한 때에는 시(구) · 읍 · 면장이 「가족관계의 등록 등에 관한 규칙」 제60조에 따라 직권정정으로 기록한다.

정답 **01** ⑤

ㄹ. ㅁ. **例規** **제621호**[외국의 국호, 지명 및 인명의 표기에 관한 사무처리지침]

제11조(외국의 국호와 지명의 정정)

외국의 국호와 지명에 관한 가족관계등록부의 기록이 외래어 표기법에 맞지 아니하는 경우에, 이해관계인은 외래어 표기법에 맞는 한글표기를 기재하여 시(구)·읍·면의 장에게 직권정정을 신청할 수 있고, 시(구)·읍·면의 장은 규칙 제60조를 준용하여 간이직권정정절차에 의하여 이를 정정하여야 한다.

제12조(성명 배열의 정정)

귀화 또는 국적회복한 외국인의 인명이 해당 외국 방식에 의하여 가족관계등록부에 기록된 경우 (우리나라 방식의 성명 배열이 아닌 경우)에, 이해관계인은 우리나라 방식의 성명 배열에 맞는 한글표기를 기재하여 시(구)·읍·면의 장에게 직권정정을 신청할 수 있고, 시(구)·읍·면의 장은 규칙 제60조 제2항 제5호를 준용하여 간이직권정정절차에 의하여 정정하여야 한다.

제4절 신고의 철회, 경합 및 추후보완

01 **다음 중 추후보완신고의 대상으로 볼 수 없는 것은?** ▶ 2023 법무사

① 부 미정의 출생신고를 한 후 부를 정하는 판결이 확정되어 출생신고를 하는 경우

② 신고에 필요한 부모 기타의 사실상 동의가 있었으나 이를 증명하는 서면의 첨부 또는 신고서의 기재만 유탈한데 지나지 않는 경우

③ 신고서에 가족관계등록부의 기록사항인 '성과 본'이 누락된 경우

④ 외국인 부의 성을 따라 외국식 이름으로 기록된 가족관계등록부를 후에 한국인 모의 성과 한국식 이름으로 변경하고자 하는 경우

⑤ 인명용 한자 추가에 따라 이름에 한자를 기재하고자 하는 경우

해설 ① **例規** **제412호**[출생신고에 관한 사무처리지침]

제10조(부 미정의 출생신고가 있는 경우의 처리) (父 '未定'의 출생신고)

부(父) 미정(未定)의 출생신고란, 부(父)를 알 수 없는 경우가 아니고 부(父)의 추정이 경합된 경우이므로, 여자가 혼인관계종료의 날로부터 100일 내에 재혼하였고, 재혼 성립의 날로부터 200일 후, 전혼관계종료의 날로부터 300일 내에 자녀가 출생하여, ⅰ) 부(父) 미정의 출생신고가 접수된 때에는, 부(父)가 확정될 때까지 가족관계등록부에 기록을 할 수 없는 신고로 보아 이를 ⅱ) 특종신고서류편철장에 편철하여 두었다가, ⅲ) 부(父)를 정하는 판결의 확정 후, ⅳ) 추후보완신고에 의하여 부(父) 또는 모(母)의 성과 본을 따라 ⅴ) 가족관계등록부를 작성하여야 한다.

②,③ **例規** **제633호**[신고서류 접수에 관한 사무처리지침]

제9조(가족관계등록부의 기록사항 등이 신고서에 기재되지 않은 경우의 추후보완)

가족관계등록사건의 신고에 의하여 가족관계등록부를 작성할 경우, 신고서에 가족관계등록부의 기록사항인 성과 본 또는 출생사유 등의 기재가 없거나 가족관계등록부에 기록하여야 할 사항을 명확하게 함에 특히 필요한 것은 법 제30조에 따라 신고서에 이를 기재하게 하여 가족관계등록부에 기

록하여야 한다. 만일 이것을 신고서에 빠뜨린 때에는 추후보완신고를 하게 하여 기록하여야 한다.

제10조(동의를 빠뜨린 신고의 추후보완)

가족관계등록사건의 신고에 부모 그 밖의 사람의 동의를 필요로 하는 경우, 신고서에 그 동의가 흠결이 있음에도 불구하고 이를 수리한 것을 발견하였을 때에도 그 신고사건에 사실상 동의하였으나 이를 증명하는 서면의 첨부 또는 신고서의 기재만을 빠뜨린데 지나지 아니하는 경우에는 법 제39조에 따라 이를 추후보완하게 할 수 있다.

④ 例規 **제573호**[외국인 부와 한국인 모 사이에 출생한 혼인중의 자의 성과 이름 표기 및 가족관계등록부에 기록하는 절차]

  바. 외국인 부의 성을 따라 외국식 이름으로 기록된 가족관계등록부를 후에 한국인 모의 성과 한국식 이름으로 변경하기 위해서는(예 도요토미이에야스 ⇒ 최한국(崔韓國)), 성·본변경절차(改前 창성절차 = 창성·창본절차 = 국적취득자의 성·본창설절차)와 개명절차를 거쳐야 하고, 추후보완신고 또는 등록부의 정정절차를 통해서는 이를 할 수 없다.

⑤ 例規 **제322호**[인명용한자 추가에 따른 가족관계등록사무 처리지침]

  1. 인명용한자 추가에 따른 경과조치

    1991. 4. 1. 이후에 출생신고된 자녀의 이름이 출생신고시에는 인명용한자가 아닌 한자로 신고된 관계로 가족관계등록부의 성명란에 출생자의 이름이 한글로 기록되었으나 그 신고된 한자가 종전 「호적법 시행규칙」 및 「가족관계의 등록 등에 관한 규칙」의 개정으로 추가된 인명용한자에 포함된 경우에는 출생신고인(신고인에게 사고가 있을 때에는 다른 출생신고의무자)의 추후보완신고에 의해 종전에 한글로 기록된 이름을 한글과 한자로 함께 기록한다.

02 다음은 가족관계의 등록 등에 관한 법률 제39조이다. 다음 괄호 안에 들어갈 내용으로 옳은 것은?

▸ 2025 법무사

> **제39조(신고의 추후 보완)**
> 시·읍·면의 장은 신고를 수리한 경우에 흠이 있어 등록부에 기록을 할 수 없을 때에는 (   ) 하여금 보완하게 하여야 한다. 이 경우 제38조를 준용한다.

① 신고인으로   ② 신고사건의 본인으로
③ 신고의무자로   ④ 신고인 또는 신고의무자로
⑤ 신고인 또는 신고사건의 본인으로

해설 ④ 법 제39조(신고의 추후 보완)

시·읍·면의 장은 신고를 수리한 경우에 흠이 있어 등록부에 기록을 할 수 없을 때에는 신고인 또는 신고의무자로 하여금 보완하게 하여야 한다. 이 경우 제38조를 준용한다.

정답   **01** ④   **02** ④

제5절 등록부의 기록 · 정정 · 폐쇄, 제적부의 정정

01 **등록기준지에 관한 다음 설명 중 가장 옳지 않은 것은?** ▶ 2023 법무사

① 등록기준지 변경신고는 가족관계의 등록 등에 관한 법률 제23조의2에 따라 전산정보처리조직을 이용하여 전자문서로 할 수 있다.

② 가족관계등록부의 등록기준지란에 도로명주소가 기록되어 있는 경우, 신고서의 등록기준지가 지번방식의 주소로 기재된 때에도 가족관계등록정보시스템의 검색화면을 통하여 해당 도로명주소에 대한 지번방식의 주소임이 인정되면, 그 신고를 수리한다.

③ 가족관계등록부의 등록기준지란에 지번방식의 주소가 기록되어 있는 경우, 신고서의 등록기준지가 도로명주소로 기재된 때에도 가족관계등록정보시스템의 검색화면을 통하여 해당 지번방식의 주소에 대한 도로명주소임이 인정되면, 그 신고를 수리한다.

④ 등록기준지를 새로 지정하거나 변경하는 신고의 경우 도로명주소로 기재된 신고를 수리한다. 다만, 해당 등록기준지에 대한 도로명주소가 없는 때에는 지번방식의 주소로 등록기준지를 지정하거나 변경하는 신고도 이를 수리한다.

⑤ 행정구역, 토지의 명칭, 지번, 도로명 또는 건물번호의 부여·변경이 있는 경우, 시(구)·읍·면의 장은 가족관계등록부의 등록기준지란과 일반등록사항란에 기록된 해당 행정구역, 토지의 명칭, 지번, 도로명 또는 건물번호를 경정하여야 하고, 등록기준지란의 경정사유는 일반등록사항란에 기록한다.

해설 ① **例規 제631호**[전자문서를 이용한 신고에 관한 사무처리지침]

제2조(전자신고의 종류) (기준지변경신고, 출생신고, 가족관계등록비송사건-취·개·창·정)

규칙 제36조의2에 따라 다음 각 호의 신고는 전자신고로 할 수 있다.

1. 법 제10조 제2항에 따른 등록기준지 변경신고
2. 법 제44조 제4항 본문 및 제46조 제1항, 제2항에 따른 부 또는 모의 출생신고
3. 법 제96조에 따른 국적취득자의 성과 본의 창설 신고
4. 법 제99조에 따른 개명 신고
5. 법 제101조에 따른 가족관계등록 창설 신고
6. 법 제104조 및 제105조에 따른 등록부정정 신청

②,③ **例規 제566호**[도로명주소 도입에 따른 등록기준지란의 기록을 위한 업무처리지침]

3. 각종 신고의 수리 여부

　가. 가족관계등록부의 등록기준지란에 도로명주소가 기록되어 있는 경우

　　(1) 가족관계등록사무에 관한 각종 신고서(이하 '신고서'라 한다)의 등록기준지가 도로명주소로 기재된 경우 그 신고를 수리한다.

　　(2) 신고서의 등록기준지가 지번방식의 주소로 기재된 때에도 가족관계등록정보시스템의 검색화면을 통하여 해당 도로명주소에 대한 지번방식의 주소임이 인정되면, 그 신고를 수리한다.

　나. 가족관계등록부의 등록기준지란에 지번방식의 주소가 기록되어 있는 경우

     (1) 신고서의 등록기준지가 지번방식의 주소로 기재된 경우 그 신고를 수리한다.

     (2) 신고서의 등록기준지가 도로명주소로 기재된 때에도 가족관계등록정보시스템의 검색 화면을 통하여 해당 지번방식의 주소에 대한 도로명주소임이 인정되면, 그 신고를 수리한다.

④ **4. 등록기준지의 지정·변경 신고의 처리방법**

등록기준지를 새로 지정하거나 변경하는 신고의 경우 도로명주소로 기재된 신고를 수리한다. 다만, 해당 등록기준지에 대한 도로명주소가 없는 때에는 지번방식의 주소로 등록기준지를 지정하거나 변경하는 신고도 이를 수리한다.

⑤ 등록기준지변경신고가 있거나 등록기준지란에 기록된 행정구역, 토지의 명칭, 지번, 도로명 또는 건물번호를 경정하는 경우에는 등록기준지란에 새로운 사항을 기록하고, 정전 전의 사항과 그 사유를 가족관계등록부사항란에 기록한다(규칙 § 66①).

02 다음 중 가족관계등록부에 기록될 수 없는 것끼리 고른 것은? ▶ 2024 법무사

> ㄱ. 등록사건을 처리한 시·읍·면의 명칭
> ㄴ. 통보자의 성명
> ㄷ. 가족관계등록에 관한 촉탁을 한 법원
> ㄹ. 신고인이 사건본인과 다른 때에는 신고인의 자격
> ㅁ. 협의이혼의사의 확인일

① ㄱ, ㄴ   ② ㄱ, ㄷ   ③ ㄴ, ㄹ

④ ㄷ, ㅁ   ⑤ ㄴ, ㅁ

해설 ㄱ, ㄴ, ㄷ, ㄹ. **규칙 제51조(기록근거의 기록)**

① 등록부에 기록할 때에는 법 제9조 제2항이 규정한 사항 외에 다음 사항도 기록하여야 한다.

  1. 신고 또는 기록의 연월일

  2. 신고인 또는 신청인이 사건본인과 다른 때에는 신고인 또는 신청인의 지격과 성명

  3. 재외공관의 장이나 관공서로부터 신고서류의 송부가 있는 때에는 송부연월일과 송부자의 직명

  4. 통보일자와 통보자의 직명 (성명×)

  5. 증서·항해일지 등본 작성자의 직명과 제출 연월일

  6. 가족관계등록에 관한 재판·허가·촉탁을 한 법원과 그 연월일

  7. 등록사건을 처리한 시·읍·면의 명칭

② 제1항 제2호의 신고인 또는 신청인이 사건본인의 부 또는 모인 때에는 그 성명의 기록을 생략할 수 있다. 다만, 다음 각 호의 어느 하나에 해당하는 경우에는 그 성명의 기록을 생략하여야 한다.

  1. 출생신고인이 부 또는 모인 경우

  2. 출생신고인이 법 제46조 제4항에 따른 검사 또는 지방자치단체의 장인 경우

ㅁ. 협의이혼의사의 확인일은 등록부의 기록 사항이 아니다.

정답 ▶ **01** ⑤   **02** ⑤

03 가족관계등록부 기록 및 제적부 기재의 정정 등에 관한 다음 설명 중 가장 옳지 않은 것은?

▶ 2022 법무사

① 폐쇄된 가족관계등록부를 정정할 때에는 부활 없이 정정하나, 그 가족관계등록부가 위법한 것이어서 폐쇄된 경우에는 기록을 정정할 수 없다.

② 가족관계등록부를 정정할 때는 그 사항이 기재된 제적부를 정정하되, 가족관계등록부의 정정허가결정만으로 제적부를 정정할 수는 없다.

③ 제적부의 정정은 본적지 관할 가족관계등록관서에서 한다.

④ 가족관계등록부에 기록된 외국인인 가족에 관한 기록사항 중 출생연월일, 외국인등록번호, 국적 또는 성별이 기록되지 않은 경우 이해관계인은 해당 가족관계등록부의 등록기준지의 시(구)·읍·면의 장에게 직권기록을 신청하여야 하고, 등록기준지의 시(구)·읍·면의 장은 간이직권절차에 의하여 기록한다.

⑤ 가족관계등록부에 기록된 외국인인 가족이 외국에서 사망한 경우 이해관계인은 해당 가족관계등록부의 등록기준지와 무관하게 전국 시(구)·읍·면의 장에게 사망사실을 증명하는 서면을 제출하여 직권기록을 신청할 수 있고, 시(구)·읍·면의 장은 간이직권절차에 의하여 기록한다.

해설 ① **例規** 제304호[폐쇄된 가족관계등록부 기록의 정정]

제1조(정정의 원칙)

폐쇄된 가족관계등록부를 정정할 때에는 부활 없이 정정한다. 그러나, 그 가족관계등록부가 위법한 것이어서 폐쇄된 경우에는 기록을 정정할 수 없다.

②,③ **例規** 제297호[제적부 기재의 정정방법 예규]

제2조(원 칙)

① 가족관계등록부를 정정할 때는 그 사항이 기재된 제적부를 정정하되, 가족관계등록부가 현재의 공부이므로 제적부의 정정은 필요최소한으로 하며, 가족관계등록부 정정허가결정만으로 제적부를 정정할 수는 없다.

제9조(관 할)

① 제적부의 정정은 본적지 관할 등록관서에서 한다.

④,⑤ **例規** 제618호[기록대상자가 외국인인 경우의 기록방법에 관한 예규]

제7조(간이직권기록)

① 가족관계등록부에 기록된 외국인인 가족에 관한 기록사항 중 출생연월일, 외국인등록번호, 국적 또는 성별이 기록되지 않은 경우 이해관계인은 해당 등록부의 등록기준지와 무관하게 전국 시(구)·읍·면의 장에게 별지 양식 신청서를 작성하여 직권기록을 신청할 수 있고, 시(구)·읍·면의 장은 간이직권절차에 의하여 기록한다.

② 외국인등록번호의 기록을 위한 소명자료는 외국인등록증으로 한다.

③ 가족관계등록부에 기록된 출생연월일이 외국인등록번호와 일치하지 않는 경우에 외국인등록번호를 기록하기 위하여는 법 제18조 또는 제104조에 따라 출생연월일의 정정절차를 먼저 거쳐야 한다.

제10조(외국인인 가족의 사망기록)

① 가족관계등록부에 기록된 외국인인 가족이 국내에서 사망한 경우 법 제85조에 기재된 사람의 사망신고에 따라 가족관계등록부에 사망사실을 기록하고, 그 신고서류는 특종신고서류편철장에 편철한다.

② 가족관계등록부에 기록된 외국인인 가족이 외국에서 사망한 경우 이해관계인은 해당 등록부의 등록기준지와 무관하게 전국 시(구)·읍·면의 장에게 사망사실을 증명하는 서면을 제출하여 직권기록을 신청할 수 있고, 시(구)·읍·면의 장은 간이직권절차에 의하여 기록한다.

01 친생자관계 존부 확인의 소에 관한 다음 설명 중 가장 옳지 않은 것은? (다툼이 있는 경우 판례·예규 및 선례에 의함. 이하 같음)　▸ 2021 법무사

① 부부의 일방이 장기간에 걸쳐 해외에 나가 있거나 사실상의 이혼으로 부부가 별거하고 있는 경우 등 부부의 동거가 없어 모가 법률상 남편의 자를 포태할 수 없는 외관상 명백한 사정이 있는 경우에는 친생자 추정이 미치지 않고 부자관계(父子關係) 다툼은 친생자관계부존재확인의 소에 의하여 가능하다.

② 혼인 외 출생자와 사망한 부 사이에 친생자관계존재확인판결이 확정되면 그들 사이에 친생자관계가 형성되므로, 혼인 외 출생자가 자신과 사망한 부의 사이에 친생자관계존재확인판결의 등본과 그 확정증명원을 첨부하여 자신의 가족관계등록부상 부란에 사망한 부의 성명을 기재하여 달라는 취지의 등록부정정신청을 하는 경우 시(구)·읍·면의 장은 이를 수리하여야 한다.

③ 민법 제844조의 친생추정을 번복하기 위하여는 친생부인의 소를 제기하여 그 확정판결을 받아야 하고, 이러한 친생부인의 소가 아닌 민법 제865조 소정의 친생자관계부존재확인의 소에 의하여 그 친생자관계의 부존재확인을 구하는 것은 부적법하다.

④ 부가 출생신고한 자녀가 가족관계등록부상 모와 친생자관계부존재확인판결이 확정된 경우 소를 제기한 자 또는 상대방이 판결등본과 확정증명서를 첨부하여 가족관계등록부 정정신청을 하면 자녀의 가족관계등록부에 모의 특정등록사항을 말소한다.

⑤ 허위의 친생자출생신고를 한 것이 입양신고로서의 기능을 발휘하여 입양의 효력이 발생하였다면 파양에 의하여 양친자관계를 해소할 필요가 있는 등의 특별한 사정이 없는 한, 친생자관계부존재확인의 소는 확인의 이익이 없는 것으로서 부적법하다.

> **해설** ① **判例** 대판 1983.7.12, 82므59 전원합의체 판결
> 「민법」 제844조는 부부가 동거하여 처가 부의 자를 포태할 수 있는 상태에서 자를 포태한 경우에 적용되는 것이고 부부의 한쪽이 장기간에 걸쳐 해외에 나가 있거나 사실상의 이혼으로 부부가 별거하고 있는 경우등 동서의 결여로 처가 부의 자를 포태할 수 없는 것이 외관상 명백한 사정이 있는 경우에는 그 추정이 미치지 아니하므로 이 사건에 있어서 처가 가출하여 부와 별거한지 약 2년 2개월 후에 자를 출산하였다면 이에는 동조의 추정이 미치지 아니하여 부는 친생부인의 소에 의하지 않고 친자관계부존재확인소송을 제기할 수 있다.
>
> ② **先例** 제201111-1호[혼인 외 출생자가 제척기간의 도과로 사망한 친생부와 인지판결을 받을 수 없는 상황에서 친생자관계존재확인판결을 받은 후, 친생자관계존재확인판결을 근거로 관할 가정법원의 '친생부를 기록하라'는 등록부정정허가결정이 있었다면 인지절차없이 친생부를 등록부에 기록하는 것이 가능한지(소극)]
> 혼인 외 출생자가 사망한 부의 친생자 신분을 취득하려면 사망한 부가 생전에 혼인 외 출생자를 인지하였거나 그 사망을 안 날로부터 2년 이내에 검사를 상대로 인지청구의 소를 제기하여야 하

고 이와 같은 인지가 없는 한 비록 혼인 외 출생자와 사망한 부 사이에 친생자관계존재확인판결이 확정되었다고 하여도 그들 사이에 친생자관계가 형성될 수는 없으므로, 혼인 외 출생자가 자신과 사망한 부의 사이에 친생자관계존재확인판결의 등본과 그 확정증명원을 첨부하여 자신의 가족관계등록부상 부란에 사망한 부의 성명을 기재하여 달라는 취지의 등록부정정신청을 하거나, 나아가 친생자관계존재확인판결의 등본과 그 확정증명원에 기하여 「가족관계의 등록 등에 관한 법률」 제104조의 절차에 따른 등록부정정허가결정을 받아 그 허가결정의 등본을 첨부하여 자신의 가족관계등록부상 부(父)란에 사망한 부의 성명을 기재하여 달라는 취지의 등록부정정신청을 하더라도 시(구)·읍·면의 장이 이를 수리할 수는 없다(2011.11.23. 가족관계등록과-3393 질의회답).

③ 判例 대판 1997.2.25. 96므1663

「민법」 제844조 제1항의 친생추정은 다른 반증을 허용하지 않는 강한 추정이므로, 처가 혼인 중에 포태한 이상 그 부부의 한쪽이 장기간에 걸쳐 해외에 나가 있거나 사실상의 이혼으로 부부가 별거하고 있는 경우 등 동서의 결여로 처가 부의 자를 포태할 수 없는 것이 외관상 명백한 사정이 있는 경우에만 그러한 추정이 미치지 않을 뿐이고 이러한 예외적인 사유가 없는 한 아무도 그 자가 부의 친생자가 아님을 주장할 수 없는 것이어서, 이와 같은 추정을 번복하기 위하여는 부가 민법 제846조, 제847조에서 규정하는 친생부인의 소를 제기하여 그 확정판결을 받아야 하고, 이러한 친생부인의 소의 방법이 아닌 민법 제865조 소정의 친생자관계부존재확인의 소의 방법에 의하여 그 친생자관계의 부존재확인을 소구하는 것은 부적법하다.

④ 例規 제605호[친자관계의 판결에 의한 가족관계등록부 정정절차 예규]

제4조(모와 친생자관계가 부존재한 경우)

① 부가 출생신고한 자녀가 등록부상 모와 친생자관계부존재 확인판결이 확정된 경우 소를 제기한 자 또는 상대방이 판결등본과 확정증명서를 첨부하여 가족관계등록부 정정신청을 하면 자녀의 가족관계등록부에 모의 특정등록사항을 말소한다. 친생자관계가 부존재하는 모의 가족관계등록부에는 사건본인에 관한 특정등록사항을 말소한다.

⑤ 判例 대판 1994.5.24. 93므119 전원합의체 판결

라. 친생자로 출생신고를 한 것이 입양신고로서의 기능을 발휘하여 입양의 효력이 발생하였다면 파양에 의하여 양친자관계를 해소할 필요가 있는 등의 특별한 사정이 없는 한, 호적의 기재를 말소하여 법률상 친자관계의 존재를 부정하게 되는 친생자관계부존재확인의 소는 확인의 이익이 없는 것으로서 부적법하다.

정답 ▶ **01** ②

02 자녀의 성과 본에 관한 다음 설명 중 가장 옳지 않은 것은?

▶ 2023 법무사

① 부모가 혼인신고 시 민법 제781조 제1항 단서에 따라 자가 모의 성과 본을 따르기로 협의한 경우에 자녀는 모의 성과 본을 따르며, 혼인신고 시 협의하지 아니하였던 부부가 이혼 후 동일한 당사자끼리 다시 혼인하는 경우에도 민법 제781조 제1항 단서에 따른 협의를 할 수 있다.

② 혼인 외의 자가 인지된 경우에는 부의 성과 본을 따른다. 다만, 인지신고 시 부모의 협의에 의하여 종전의 성과 본을 계속 사용하기로 하는 협의서를 제출한 경우에는 종전의 성과 본을 그대로 사용할 수 있으며, 이 경우 자녀의 가족관계등록부에는 종전 성과 본을 유지한다는 취지를 기록하여야 한다.

③ 부가 인지하지 아니한 혼인 외의 출생자라도 부의 성과 본을 알 수 있는 경우에는 부의 성과 본을 따를 수 있으며, 부의 성명을 그 자녀의 일반등록사항란 및 특정등록사항란의 부란에 기록한다.

④ 혼인중 출생자의 부가 외국인이고 모가 대한민국 국민인 경우 민법 제781조 제2항에 따라 그 자녀는 모의 성과 본을 따를 수 있으며, 혼인외 출생자의 부가 외국인이고 모가 대한민국 국민인 경우 그 자녀는 모의 성과 본을 따른다.

⑤ 외국인인 부가 한국인인 혼인 외의 자를 인지하는 경우에 혼인 외의 자가 부의 성을 따를 때 외국인 부의 성이 외국어로서 한자인 경우, 그 자녀의 성 표기에 대하여는 그 한자에 대한 한국식 발음의 한글 및 한자를 병기하는 방법으로도 이를 표기할 수 있다. 다만, 그 한자는 그에 대응하는 한국통용의 한자가 소명되어야 하며 외국인 부가 그의 나라에서 발행한 공문서에 의하여 이를 소명하여야 한다.

해설 ①.②.③.④.⑤ **例規** **제616호**[자녀의 성과 본에 관한 가족관계등록사무 처리지침]

제2조(자녀의 성과 본의 원칙)

③ 제2항의(「민법」 제781조 제3항의) 부를 알 수 없는 자녀란 모가 부라고 인정할 사람을 알 수 없는 자녀를 말하므로, 혼인외의 자라도 부(**한국인 부에 한한다**)의 성과 본을 알 수 있는 경우에는 부의 성과 본을 따라 가족관계등록을 할 수 있다. 그러나 그 자녀가 인지되기 전에는 가족관계등록부상 부란에 부의 성명을 기록할 수 없다.

제3조(부모가 혼인신고시 협의한 경우)

① 부모(부 또는 모가 외국인인 경우 를 포함한다)가 혼인신고시 「민법」 제781조 제1항 단서에 따라 자가 모의 성과 본을 따르기로 협의한 경우에는, 제2조 제1항에도 불구하고 자녀는 모의 성과 본을 따른다. 혼인신고시 협의하지 아니하였던 부부가 이혼 후 동일한 당사자끼리 다시 혼인하는 경우에도 민법 제781조 제1항 단서에 따른 협의를 할 수 있다.

제8조(혼인 외의 자가 인지된 경우)

① 혼인 외의 자가 인지된 경우에는 부의 성과 본을 따른다. 다만, 인지신고시 부모의 협의에 의하여 종전의 성과 본을 계속 사용하기로 하는 별지2양식의 협의서를 제출한 경우에는 종전의 성과 본을 그대로 사용할 수 있으며, 이 경우, 자녀의 가족관계등록부에는 종전 성과 본을 유지한다는 취지를 기록하여야 한다.

제11조(부가 외국인인 경우)

③ 혼인중 출생자의 부(父)가 외국인이고 모(母)가 대한민국 국민인 경우, 제2조 제1항에도 불구하고 제3조에 따르지 아니하고, 「민법」 제781조 제2항에 따라 그 자녀는 (외국인 부의 성 또는 한국인) 모의 성과 본을 따를 수 있다.

제12조(외국인 부가 혼인외 자를 인지한 경우)

① 외국인인 부가 한국인인 혼인 외의 자를 인지한 경우에 그 자녀의 성과 본에 관하여는 제8조부터 제10조까지의 규정을 준용한다.

② 제1항에 의하여 혼인 외의 자가 부의 성을 따를 때 외국인 부의 성이 외국어로서 한자인 경우, 그 자녀의 성 표기에 대하여는 다음 각호의 방법 중 하나를 선택할 수 있다. 다만 제2호의 방법을 선택할 경우 그 한자는 그에 대응하는 한국통용의 한자가 소명되어야 하고, 외국인 부가 그의 나라에서 발행한 공문서에 의하여 이를 소명하여야 한다.

　1. 외국식 발음의 성을 원지음대로 한글로만 표기하는 방법

　2. 그 한자에 대한 한국식 발음의 한글 및 한자를 병기하는 방법〈제2항 신설 2021.12.10, 시행 2021.12.15.〉

③ 제2항의 제1호 및 제2호의 경우, 제1호 및 제2호 사이의 변경은 등록부의 정정 절차에 의한다. 〈제3항 신설 2022.3.21, 시행 2022.3.28.〉

03 출생신고에 관한 다음 설명 중 가장 옳은 것은?

▶ 2022 법무사

① 출생자에 대한 부와 모의 가족관계증명서에 드러나는 사람과 동일한 이름을 기재한 출생신고도 수리하여야 한다.

② 모가 특정됨에도 불구하고 부가 혼인 외의 자녀에 대하여 친생자 출생신고를 할 때 모의 소재불명 또는 모가 정당한 사유 없이 출생신고에 필요한 서류 제출에 협조하지 아니하는 등의 장애가 있는 경우에는 부의 등록기준지 또는 주소지를 관할하는 가정법원의 확인을 받아 신고할 수 있다.

③ 부 또는 모가 기아를 찾아 출생신고와 더불어 시(구)·읍·면의 장에게 종전 기아의 등록부를 폐쇄하기 위해서는 반드시 법원의 허가를 받아 등록부의 정정을 신청해야 한다.

④ 중혼으로 취소할 수 있는 혼인당사자 사이에서의 출생한 자녀는 혼인 외의 자로 출생신고해야 한다.

⑤ 외국에서 출생한 우리나라 국민으로서 가족관계등록부상 특정등록사항란의 출생연월일이 한국시각으로 환산된 일자로 기록된 자가 현지 출생연월일로 정정하고자 하는 때에는 간이직권정정을 통해 정정할 수 있다.

해설　① 例規 제509호[이름의 기재문자와 관련된 가족관계등록사무처리지침]

　　2. 출생자에 대한 부와 모의 가족관계증명서에 드러나는 가족과 동일한 이름을 기재한 출생신고의 수리 가부

　　　가. 출생자에 대한 부와 모의 가족관계증명서에 드러나는 사람((외)조부모, (계)부모, 형제자매)과 동일한 이름을 기재한 출생신고는 이름을 특정하기 곤란한 것이므로 이를 수리해서는 안 된다.

정답　02 ③　03 ②

② 법 제57조(친생자출생의 신고에 의한 인지)

① 부가 혼인 외의 자녀에 대하여 친생자출생의 신고를 한 때에는 그 신고는 인지의 효력이 있다. 다만, 모가 특정됨에도 불구하고 부가 본문에 따른 신고를 함에 있어 모의 소재불명 또는 모가 정당한 사유 없이 출생신고에 필요한 서류 제출에 협조하지 아니하는 등의 장애가 있는 경우에는 부의 등록기준지 또는 주소지를 관할하는 가정법원의 확인을 받아 신고를 할 수 있다.

③ 例規 제413호[기아에 관한 가족관계등록사무 처리지침]

제5조(부모가 기아를 찾은 때)

① 부 또는 모가 기아를 찾아 법 제44조 제2항에 따라 출생신고를 할 때에는 기아발견조서에 따라 작성된 가족관계등록부의 등록사항별 증명서를 첨부하게 하고, 출생신고서 양식(「가족관계등록사무의 문서 양식에 관한 예규」 별지양식 제1호) 중 "기타사항란"에 부 또는 모가 기아를 찾아 법 제53조 제1항에 따라 기아의 출생신고를 한다는 뜻을 기재하게 하여 수리한다.

② 기아의 출생신고를 수리한 시(구)·읍·면의 장이 법 제53조 제1항에 따른 등록부정정신청을 받은 때에는, 「가족관계의 등록 등에 관한 규칙」 제58조에 따라 동일인 여부를 확인한 후 동일인이 틀림없으면 기아발견조서에 따른 가족관계등록부를 폐쇄한다.

③ 제2항의 등록부정정신청을 할 때에는 법원의 허가를 요하지 아니한다.

④ 例規 제412호[출생신고에 관한 사무처리지침]

제5조(중혼 중의 출생자의 출생신고)

중혼은 취소원인이나 그 취소의 효력은 이전으로 소급하지 아니하므로, 중혼으로 취소할 수 있는 혼인당사자 사이에서의 출생한 자녀는 혼인중의 자로 출생신고를 하여야 한다.

⑤ 例規 제538호[우리나라 국민이 외국에서 출생한 경우, 가족관계등록부에 출생일시를 기록하는 방법]

1. 가족관계등록부[3] 특정등록사항란의 "출생연월일"란에는 현지 출생연월일을 서기 및 태양력으로 기록하고,[4] 일반등록사항란에는 현지 출생시각을 기록하여야 한다.

4. 외국에서 출생한 우리나라 국민으로서 가족관계등록부상 특정등록사항란의 출생연월일이 한국시각으로 환산된 일자로 기록된 자가 현지 출생연월일로 정정하고자 하는 때에는 가족관계의 등록 등에 관한 법률 제104조에 따라 사건 본인의 등록기준지를 관할하는 가정법원에 등록부정정허가신청을 하여 그 허가를 받아야 한다. 일반등록사항란의 출생시각이 한국시각으로 기록된 자가 현지시각으로 정정하고자 하는 때에도 또한 같다. **(간이직권×)**

04 출생신고에 관한 다음 설명 중 가장 옳은 것은?

▸ 2024 법무사

① 친생부인의 소를 제기한 때에는 그 재판의 확정일부터 1개월 이내에 출생신고를 하여야 한다.

② 출생신고 전에 자녀가 사망한 때에는 출생신고 없이 사망신고를 하여야 한다.

③ 부 또는 모가 기아를 찾은 때에는 3개월 이내에 출생의 신고를 하고 등록부의 정정을 신청하여야 한다.

④ 시·읍·면의 장이 출생신고서류를 수리한 때에는 그 신고사건에 무효사유가 있더라도 즉시 등록부에 기록을 하여야 한다.

⑤ 출생신고의 수리 증명서를 청구할 때에는 수수료를 납부하여야 한다.

해설 ① 법 제47조(친생부인의 소를 제기한 때)

친생부인의 소를 제기한 때에도 (🖐 출생일부터 1개월 이내에) 출생신고를 하여야 한다.

② 법 제51조(출생신고 전에 사망한 때)

출생의 신고 전에 자녀가 사망한 때에는 출생의 신고와 동시에 사망의 신고를 하여야 한다.

③ 법 제53조(부모가 기아를 찾은 때)

① 부 또는 모가 기아를 찾은 때에는 1개월 이내에 출생의 신고를 하고 등록부의 정정을 신청하여야 한다.

② 제1항의 경우에는 시·읍·면의 장이 확인하여야 한다.

④ 규칙 제45조(신고사건 수리 및 기록)

① 시·읍·면의 장이 신고서류 등을 수리한 때에는 그 신고사건에 무효사유가 없으면, 즉시 등록부에 기록을 하여야 한다.

⑤ 법 제42조(수리, 불수리증명서와 서류의 열람)

① 신고인은 신고의 수리 또는 불수리의 증명서를 청구할 수 있다.

② 이해관계인은 시·읍·면의 장에게 신고서나 그 밖에 수리한 서류의 열람 또는 그 서류에 기재한 사항에 관하여 증명서를 청구할 수 있다.

③ 증명서를 청구할 때에는 수수료를 납부하여야 한다.

④ 이해관계인은 법원에 보관되어 있는 신고서류에 대한 열람을 청구할 수 있다.

05 다음은 가족관계의 등록 등에 관한 법률조항의 내용이다. 괄호 안에 들어갈 내용이 알맞게 열거된 것은?

▶ 2024 법무사

> ㄱ. 의료기관의 장은 출생일부터 (A) 이내에 출생정보를 국민건강보험법 제62조에 따른 건강보험심사평가원에 제출하여야 한다.
>
> ㄴ. 시·읍·면의 장은 제44조 제1항에 따른 신고기간이 지나도록 제44조의3 제3항에 따라 통보받은 출생자에 대한 출생신고가 되지 아니한 경우에는 즉시 제46조 제1항 및 제2항에 따른 신고의무자에게 (B) 이내에 출생신고를 할 것을 최고하여야 한다.
>
> ㄷ. 시·읍·면의 장이 제38조 또는 제108조에 따라 기간을 정하여 신고 또는 신청의 최고를 한 경우에 정당한 사유 없이 그 기간 내에 신고 또는 신청을 하지 아니한 사람에게는 (C)의 과태료를 부과한다.

	A	B	C
①	10일	5일	5만 원 이하
②	10일	5일	10만 원 이하
③	10일	7일	5만 원 이하
④	14일	5일	5만 원 이하
⑤	14일	7일	10만 원 이하

정답 04 ⑤ 05 ⑤

[해설] ㄱ. 법 제44조의3(출생사실의 통보)

② 의료기관의 장은 출생일부터 14일 이내에 출생정보를 「국민건강보험법」 제62조에 따른 건강보험심사평가원(이하 "심사평가원"이라 한다)에 제출하여야 한다. 이 경우 보건복지부장관이 출생사실의 통보 및 관리를 목적으로 구축하여 심사평가원에 위탁 운영하는 전산정보시스템을 이용하여 제출하여야 한다.

ㄴ. 법 제44조의4(출생신고의 확인·최고 및 직권 출생 기록)

② 시·읍·면의 장은 제44조 제1항에 따른 신고기간이 지나도록 제44조의3 제3항에 따라 통보받은 출생자에 대한 출생신고가 되지 아니한 경우에는 즉시 제46조 제1항 및 제2항에 따른 신고의무자에게 7일 이내에 출생신고를 할 것을 최고하여야 한다.

ㄷ. 법 제121조(과태료)

시·읍·면의 장이 제38조 또는 제108조에 따라 기간을 정하여 신고 또는 신청의 최고를 한 경우에 정당한 사유 없이 그 기간 내에 신고 또는 신청을 하지 아니한 사람에게는 10만원 이하의 과태료를 부과한다.

06 다음 설명 중 가장 옳지 않은 것은?

▶ 2022 법무사

① 혼인신고가 위법하여 무효인 경우에도 그 무효의 혼인 중의 출생자를 부가 출생신고하여 그 등록부를 작성한 이상 그 사람에 대한 인지의 효력이 있다.

② 외국인 부와 한국인 모 사이에서 출생한 혼인 외의 자, 즉 한국인 자녀에 대해서 모가 출생신고한 후 혼인외 자의 생모와 외국인 부가 혼인을 하더라도 그것만으로는 외국인 부와 혼인 외의 자 사이에 친자관계가 발생하는 것은 아니다.

③ 한국인 생부와 일본인 모 사이의 혼인 외의 자가 일본에서 출생한 경우에는 한국인의 생부는 인지신고 또는 친생자 출생신고(가족관계의 등록 등에 관한 법률 제57조)를 할 수 있다.

④ 혼인 중의 여자가 다른 남자와의 사이에서 출생한 자녀는 친자관계에 관한 재판을 거치지 않고 다른 남자의 자녀로 출생신고를 할 수 없다.

⑤ 모의 혼인 외의 자로 등록부가 작성된 자가 가족관계등록이 되어 있지 않은 채 사망한 부를 상대(검사를 피고로 한다)로 인지재판을 청구하여 그 판결이 확정된 경우에는 피인지자의 등록부 일반등록사항란에 인지사유를 기록하고 부란에 부의 성명을 기록하여야 한다.

[해설] ① **[例規]** **제122호**[무효인 혼인중의 출생자에 대한 출생신고의 효력]

혼인신고가 위법하여 무효인 경우에도 그 무효의 혼인 중 출생한 자녀를 부(父)가 출생신고 하여 그 가족관계등록부를 작성한 이상 그 사람에 대한 인지의 효력이 있다.

② **[例規]** **제644호**[한국인 모와 외국인 부 사이에 출생한 혼인외 자에 대한 인지 및 부모의 혼인에 따른 가족관계등록사무 처리지침]

4. 유의사항

혼인외 자의 생모와 외국인 부가 후에 혼인을 하더라도 그것만으로는 외국인 부와 혼인외 자 사이에 친자관계가 발생하는 것은 아니다.

③ **判例** 제201806-3**호**[한국인 생부와 일본인 모 사이의 혼인 외의 자가 일본에서 출생한 경우, 한국인 생부가 인지신고가 아닌 「가족관계의 등록 등에 관한 법률」 제57조의 친생자 출생신고를 할 수 있는지 여부]

4. 따라서 한국인 생부와 일본인 모 사이의 혼인 외의 자가, 1) 국내에서 출생한 경우에는 대한민국 영토 내에서 출생한 외국인이므로, 한국인 생부는 인지의 방식으로 인지신고나 친생자 출생신고 중 하나를 선택할 수 있다. / 그러나 2) 일본에서 출생한 경우에는 외국에서 출생한 외국인에 해당하므로, 한국인 생부는 인지신고를 하여야 하며 친생자 출생신고를 할 수는 없다(2018.6.19. 재외국민 가족관계등록사무소-436 질의회답).

④ **例規** 제412**호**[출생신고에 관한 사무처리지침]

제7조(혼인중의 여자가 다른 남자와의 사이에서 출생한 자녀에 대한 출생신고방법)

혼인중의 여자가 다른 남자와의 사이에서 출생한 자녀는 친자관계에 관한 재판을 거치지 않고 다른 남자의 자녀로 출생신고를 할 수 없다.

⑤ **例規** 제123**호**[가족관계등록이 되어 있지 않은 망부(亡父)를 상대로 한 인지판결이 확정된 경우의 처리지침]

1. 모의 혼인외 출생자로 가족관계등록부가 작성된 사람이 가족관계등록이 되어 있지 아니한 채 사망한 부를 상대(검사를 피고로 한다)로 인지재판을 청구하여 그 판결이 확정된 경우에는 피인지자의 가족관계등록부 일반등록사항란에 인지사유를 기록하고 부란에 부의 성명을 기록하여야 한다.

정답 　**06 ③**

인지신고

01 인지(신고)에 관한 다음 설명 중 가장 옳지 않은 것은?

▶ 2023 법무사

① 부가 혼인 외의 자녀에 대하여 친생자출생의 신고를 한 때에는 그 신고는 인지의 효력이 있다. 다만, 모가 특정됨에도 불구하고 부가 본문에 따른 신고를 함에 있어 모의 소재불명 또는 모가 정당한 사유 없이 출생신고에 필요한 서류 제출에 협조하지 아니하는 등의 장애가 있는 경우에는 부의 등록기준지 또는 주소지를 관할하는 가정법원의 확인을 받아 신고를 할 수 있다.

② 인지의 재판이 확정된 경우에 소를 제기한 사람은 재판의 확정일부터 1개월 이내에 재판서의 등본 및 확정증명서를 첨부하여 그 취지를 신고하여야 하고, 그 소의 상대방도 위 서류를 첨부하여 인지의 재판이 확정된 취지를 신고할 수 있다.

③ 혼인외 출생자와 그 부의 법률상의 친자관계는 부의 인지에 의하여서만 발생하는 것이므로 부가 사망한 경우에는 그 사망을 안 날로부터 2년 이내에 검사를 상대로 인지청구의 소를 제기하여야 하고, 생모가 혼인외 출생자를 상대로 혼인외 출생자와 사망한 부 사이의 친생자관계존재확인을 구하는 소는 허용될 수 없다.

④ 부가 혼인 외의 자녀에 대하여 친생자출생의 신고를 할 때, 모의 성명·등록기준지 및 주민등록번호의 전부 또는 일부를 알 수 없어 모를 특정할 수 없는 경우 또는 모가 공적 서류·증명서·장부 등에 의하여 특정될 수 없는 경우에는 부의 등록기준지 또는 주소지를 관할하는 가정법원의 확인을 받아 위 신고를 할 수 있다.

⑤ 부가 혼인외의 자에 대하여 친생자 출생신고를 한 때에는 그 신고는 인지의 효력이 있으므로, 이와 같은 신고로 인한 친자관계의 외관을 배제하는 때에는 인지에 대한 이의의 소 또는 인지무효의 소를 제기하여야 한다.

해설 ①.④ 법 제57조(친생자출생의 신고에 의한 인지)

① 부가 혼인 외의 자녀에 대하여 친생자출생의 신고를 한 때에는 그 신고는 인지의 효력이 있다. 다만, 모가 특정됨에도 불구하고 부가 본문에 따른 신고를 함에 있어 모의 소재불명 또는 모가 정당한 사유 없이 출생신고에 필요한 서류 제출에 협조하지 아니하는 등의 장애가 있는 경우에는 부의 등록기준지 또는 주소지를 관할하는 가정법원의 확인을 받아 신고를 할 수 있다.

② 모의 성명·등록기준지 및 주민등록번호의 전부 또는 일부를 알 수 없어 모를 특정할 수 없는 경우 또는 모가 공적 서류·증명서·장부 등에 의하여 특정될 수 없는 경우에는 부의 등록기준지 또는 주소지를 관할하는 가정법원의 확인을 받아 제1항에 따른 신고를 할 수 있다.

② 법 제58조(재판에 의한 인지)

① 인지의 재판이 확정된 경우에 소를 제기한 사람은 재판의 확정일부터 1개월 이내에 재판서의 등본 및 확정증명서를 첨부하여 그 취지를 신고하여야 한다. **(신고의무자)**

② 제1항의 신고서에는 재판확정일을 기재하여야 한다.

③ 제1항의 경우에는 그 소의 상대방도 재판서의 등본 및 확정증명서를 첨부하여 인지의 재판이 확정된 취지를 신고할 수 있다. 이 경우 제2항을 준용한다. **(신고적격자)**

③ **判例** 대판 2022.1.27, 2018므11273

혼인외 출생자의 경우에 모자관계는 인지를 요하지 아니하고 법률상 친자관계가 인정될 수 있지만, 부자관계는 부의 인지에 의하여서만 발생하는 것이므로, 부가 사망한 경우에는 그 사망을 안 날로부터 2년 이내에 검사를 상대로 인지청구의 소를 제기하여야 하고, 생모나 친족 등 이해관계인이 혼인외 출생자를 상대로 혼인외 출생자와 사망한 부 사이의 친생자관계존재확인을 구하는 소는 허용될 수 없다.

⑤ **判例** 대판 1993.7.27, 91므306

인지에 대한 이의의 소 또는 인지무효의 소는 민법 제855조 제1항, 호적법 제60조**(법 제55조)**의 규정에 의하여 생부 또는 생모가 인지신고를 함으로써 혼인외의 자를 인지한 경우에 그 효력을 다투기 위한 소송이며, 위 각 법조에 의한 인지신고에 의함이 없이 일반 출생신고에 의하여 호적부상 등재된 친자관계를 다투기 위하여는 위의 각 소송과는 별도로 민법 제865조가 규정하고 있는 친생자관계부존재확인의 소에 의하여야 할 것인바, 호적법 제62조**(법 제57조 제1항 본문)**에 부가 혼인외의 자에 대하여 친생자 출생신고를 한 때에는 그 신고는 인지의 효력이 있는 것으로 규정되어 있으나, 그 신고가 인지신고가 아니라 출생신고인 이상 그와 같은 신고로 인한 친자관계의 외관을 배제하고자 하는 때에도 인지에 관련된 소송이 아니라 친생자관계부존재확인의 소를 제기하여야 한다.

정답 ▶ **01** ⑤

입양신고, 친양자입양신고

혼인신고

01 혼인신고 및 혼인신고수리불가신고에 관한 다음 설명 중 가장 옳지 않은 것은?

▸ 2021 법무사

① 혼인신고인이 생존 중에 혼인신고서를 우송하였으나 그 혼인신고인 일방이 사망한 후에 혼인신고서가 도착한 경우라도 시(구)·읍·면의 장은 이를 수리하여야 한다.

② 혼인신고서와 혼인신고수리불가신고서의 접수일이 같고, 그 선·후의 판명을 할 수 없을 때에는 혼인신고서가 먼저 접수된 것으로 처리한다.

③ 한국에서 한국인 남자와 외국인 여자 사이에 혼인한 경우 혼인신고를 수리한 시(구)·읍·면의 장은 남편의 가족관계등록부 일반등록사항란에 혼인사유만을 기록하였다가 나중에 귀화통보가 있을 때에 처의 가족관계등록부를 작성한다.

④ 미성년자가 혼인하는 경우에는 부모의 동의를 받아야 하며, 부모 중 한쪽의 동의권을 행사할 수 없는 때에는 다른 한쪽의 동의를 받아야 한다. 부모가 모두 동의권을 행사할 수 없는 때에는 미성년후견인의 동의를 얻어야 한다.

⑤ 혼인신고수리불가신고서의 제출횟수는 제한이 없으며 6개월의 범위 내에서 취급기간을 정하여야 한다. 또한, 취급 상대방은 특정된 1인이어야 하며 불특정 다수를 상대로 한 수리불가신고서는 제출할 수 없다.

해설 ① 법 제41조(사망 후에 도달한 신고)

① 신고인의 생존 중에 우송한 신고서는 그 사망 후라도 시·읍·면의 장은 수리하여야 한다.

② 제1항에 따라 신고서가 수리된 때에는 신고인의 사망시에 신고한 것으로 본다.

②,⑤ **例規** 제626호[혼인신고수리불가신고서가 제출된 경우 등에 관한 사무처리지침]

1. 혼인신고수리불가신고를 하려는 자는 별지 제1호 서식에 의한 신고서[이하 "수리불가신고서"라 한다]를 신고인 본인이 신고인의 등록기준지, 주소지 또는 현재지의 시(구)·읍·면에 출석하여 제출하여야 하며, 신고서의 제출횟수에는 제한이 없다. (대리인×, 우편 제출×, 사자(使者) 제출×)

2. 혼인수리불가신고인은 6개월 이내의 범위(접수일부터 기산)에서 혼인신고수리불가 취급을 요하는 기간을 정하여 수리불가신고서를 제출할 수 있으며, 그 기간을 명확히 하여야 한다.

5. 혼인신고수리불가 취급 상대방은 특정된 1명 이어야 하며, 불특정 다수를 상대로 한 수리불가신고서는 제출할 수 없다.

8. 동일당사자에 대하여 수리불가신고서와 혼인신고수리불가기간내에 혼인신고서가 제출된 경우에는 다음 구분에 의하여 처리한다.

정답 01 ②

　　　다. 혼인신고서와 수리불가신고서의 접수일이 같은 경우

　　　　　접수 선·후를 비교하여 위 "가", "나"에서 정한 절차에 따라 처리하되, 그 선·후의 판명을 할 수 없을 때에는 수리불가신고서가 먼저 접수된 것으로 처리한다.

③ 例規 **제635호**[한국인과 외국인 사이의 국제혼인 사무처리지침]

　한국인과 외국인 사이에 혼인한 경우의 혼인신고 및 이에 관련된 가족관계등록사무는 아래와 같이 처리한다.

　1. 한국에서 혼인신고를 하는 경우

　　나. 혼인신고의 절차 및 기록방법

　　　(1) 한국인이 남자인 경우

　　　　외국인인 처의 위 1.가.의 증명서면을 첨부하여 「가족관계의 등록 등에 관한 법률」 제71조에 따라 혼인신고를 하면, 이를 수리한 시(구)·읍·면의 장은 처가 혼인신고에 의하여 한국의 국적을 취득하는 것이 아니므로 남편의 가족관계등록부 일반등록사항란에 혼인사유만을 기록하였다가 나중에 귀화통보가 있을 때에 처의 가족관계등록부를 작성한다.

④ 例規 **제417호**[미성년자 등의 혼인신고에 관한 사무처리지침]

　1. 동의가 필요한 혼인

　　가. 만 18세에 이른 미성년자가 혼인하는 경우에는 부모의 동의를 받아야 하며, 부모 중 한쪽이 동의권을 행사할 수 없는 때에는 다른 한쪽의 동의를 받아야 한다. 부모가 모두 동의권을 행사할 수 없는 때에는 미성년후견인의 동의를 얻어야 한다.

　　나. 피성년후견인은 부모나 성년후견인의 동의를 받아 혼인할 수 있다.

이혼신고

01 협의이혼의사확인신청 및 이혼신고 등에 관한 다음 설명 중 가장 옳지 않은 것은?

▶ 2025 법무사

① 확인기일, 보정명령, 불확인결과는 전화, 팩시밀리 등 간이한 방법으로 통지할 수 있다.
② 협의이혼의사확인서등본을 분실한 경우 당사자 쌍방은 언제든지 관할 가정법원에 다시 협의이혼의사확인신청을 할 수 있다.
③ 양육비부담조서의 집행문은 그 양육비부담조서가 작성된 협의이혼의사확인사건의 확인서에 따라 이혼신고를 하였음을 소명한 때에만 내어준다.
④ 부부 양쪽이 재외국민인 경우에는 두 사람이 함께 그 현재지를 관할하는 재외공관의 장에게 협의이혼의사확인신청을 할 수 있다.
⑤ 협의이혼의사확인을 받은 재외국민이 협의이혼의사를 철회하고자 하는 경우에는 이혼신고가 접수되기 전에 등록기준지 시·읍·면의 장 또는 가족관계등록관에게 협의이혼의사확인서등본을 첨부한 협의이혼의사철회서를 제출하여야 한다.

해설 ① 규칙 제73조(이혼의사확인신청)
⑥ 확인기일, 보정명령, 불확인결과는 전화, 팩시밀리 등 간이한 방법으로 통지할 수 있고, 이혼의사확인 절차에 필요한 송달료에 관하여는 송달료규칙을 준용한다.
② **例規** 제613호[협의이혼의 의사확인사무 및 가족관계등록사무 처리 지침]
제19조(협의이혼의사확인서등본 등의 분실)
① 협의이혼의사확인서등본을 분실한 경우 당사자 쌍방은 언제든지 관할 가정법원에 다시 협의이혼의사확인신청을 할 수 있다.
③ 규칙 제78조(확인서 등의 작성·교부)
⑤ 양육비부담소서의 집행문은 그 양육비부담조서가 작성된 협의이혼의사확인사건의 확인서에 따라 이혼신고를 하였음을 소명한 때에만 내어준다.
④ 규칙 제75조(재외국민의 이혼의사 확인신청의 특례)
① 부부 양쪽이 재외국민인 경우(서로 같은 국가에 거주하고 있는 경우)에는 두 사람이 함께 그 거주지를 관할하는 재외공관의 장에게 이혼의사확인신청을 할 수 있다. 다만, 그 지역을 관할하는 재외공관이 없는 때에는 인접하는 지역을 관할하는 재외공관의 장에게 이를 할 수 있다.
⑤ 규칙 제80조(이혼의사의 철회)
① 이혼의사의 확인을 받은 당사자가 이혼의사를 철회하고자 하는 경우에는 ⅰ) 이혼신고가 접수되기 전에 ⅱ) 자신의 등록기준지, 주소지 또는 현재지 시·읍·면의 장에게 ⅲ) 이혼의사확인서등본을 첨부한 이혼의사철회서를 제출하여야 한다. 다만, 재외국민의 경우 등록기준지 시·읍·면의 장 또는 가족관계등록관에게 제출하여야 한다.

정답 01 ⑤

친권에 관한 신고

01 친권 및 친권자 지정·변경 등에 관한 다음 설명 중 가장 옳은 것은? ▶ 2021 법무사

① 친권은 부모가 혼인 중인 때에는 부모가 공동으로 이를 행사하고, 부모의 일방이 친권을 행사할 수 없을 때에는 당사자의 청구에 의하여 가정법원이 이를 정한다.

② 친권자는 그 자를 보호 또는 교양하기 위하여 법원의 허가를 얻어 감화 또는 교정기관에 위탁할 수 있다.

③ 미성년자를 인지한 때 하는 친권자 지정신고의 경우에는 인지신고 또는 인지의 효력이 있는 출생신고가 수리되기 전에는 친권자 지정신고를 수리할 수 없다.

④ 협의이혼을 하는 부부에게 포태 중인 자가 있는 경우에는 시(구)·읍·면의 장은 그 자에 대한 친권자지정 신고를 협의이혼신고시 함께 수리하여야 한다.

⑤ 이혼 후 미성년인 자녀에 대한 양육권이 부모 중 어느 일방에, 친권이 다른 일방에 귀속되는 것으로 정하는 것은 미성년자인 자녀의 복리에 현저하게 부정적인 영향을 미치므로 허용되지 않는다.

해설 ① 「민법」 제909조(친권자)
  ② 친권은 부모가 혼인중인 때에는 부모가 공동으로 이를 행사한다. 그러나 부모의 의견이 일치하지 아니하는 경우에는 당사자의 청구에 의하여 가정법원이 이를 정한다.
  ③ 부모의 일방이 친권을 행사할 수 없을 때에는 다른 일방이 이를 행사한다.

② 「민법」 제915조(징계권) 〈본조 삭제 2021.1.26, 시행 2021.1.26.〉

③ **例規** 제374호[친권자의 지정 또는 변경에 관한 가족관계등록사무 처리지침]
  제5조(인지신고와 친권자 지정신고)
  ① 제1조 제1항 제3호 및 제4호의 경우에는 인지신고 또는 인지의 효력이 있는 출생신고가 수리되기 전에는 친권자 지정신고를 수리할 수 없다.
  ② 제3조 제3항의 규정은 제1항의 경우에 이를 준용한다.

④ **例規** 제613호[협의이혼의 의사확인사무 및 가족관계등록사무 처리지침]
  제23조(협의이혼신고의 수리)
  ③ 이혼하는 부부에게 미성년인 자녀(포태 중인 자 제외)가 있는 경우에는 시(구)·읍·면의 장은 친권자지정 신고를 함께 수리하여야 한다. 시(구)·읍·면의 장은 이 경우 이혼신고서와 가정법원의 확인서등본과 친권자결정에 관한 협의서등본 또는 가정법원의 심판정본 및 확정증명서의 일치여부를 확인하여야 한다.
  ④ 포태 중인 자에 대한 친권자지정 신고는 이혼신고 시 수리하지 않고, 포태 중인 자의 출생신고 시 수리한다. 이 경우 친권자결정에 관한 협의서등본 또는 가정법원의 심판정본 및 확정증명서를 확인하여야 한다. 포태 중인 자의 친권자지정 신고기간은 출생 시부터 기산한다.

⑤ 이혼 후 부모와 자녀의 관계에 있어서 친권과 양육권이 항상 같은 사람에게 돌아가야 하는 것은
   아니며, 이혼 후 자에 대한 양육권이 부모 중 어느 일방에, 친권이 다른 일방에 또는 부모에 공동
   으로 귀속되는 것으로 정하는 것은, 비록 신중한 판단이 필요하다고 하더라도, 일정한 기준을 충
   족하는 한 허용된다(대판 2012.4.13. 2011므4719).

미성년후견에 관한 신고

01 미성년후견인 및 미성년후견감독인에 관한 다음 설명 중 가장 옳은 것은? ▶ 2025 법무사

① 미성년후견인이 경질된 경우, 전임자는 경질일부터 1개월 이내에 그 취지를 신고하여야 한다.

② 미성년자가 성년이 되어 미성년후견감독이 종료된 경우, 미성년후견감독인이 1개월 이내에 그 종료신고를 하여야 한다.

③ 미성년후견에 관한 사항은 미성년자 및 미성년후견인의 가족관계등록부 일반등록사항란에 각 기록한다.

④ 신고하여야 할 사람이 미성년후견인인 경우에는 미성년자가 신고를 하여도 된다.

⑤ 미성년후견인이 개명한 경우에는 미성년자의 가족관계등록부 일반등록사항란에 기록되어 있는 미성년후견인의 성명을 정정할 필요가 없다.

해설 ① 법 제81조(미성년후견인 경질신고 등)

　① 미성년후견인이 경질된 경우에는 후임자는 취임일부터 1개월 이내에 그 취지를 신고하여야 한다.

② 법 제83조의5(미성년후견감독 종료신고)

　① 미성년후견감독 종료의 신고는 미성년후견감독인이 1개월 이내에 하여야 한다. 다만, 미성년자가 성년이 되어 미성년후견감독이 종료된 경우에는 그러하지 아니하다.

③ 규칙 제53조(친권 등에 관한 사항의 기록)

　친권·관리권 또는 미성년후견에 관한 사항은 미성년자의 등록부의 일반등록사항란에 각 기록한다. (법정대리인 등록부 기록×)

④ 미성년후견 개시의 경우에는 미성년후견인이(법 제80조), 미성년후견인이 경질된 경우에는 후임자가(법 제81조), 미성년후견 종료의 경우에는 미성년후견인이 신고하여야 한다(법 제83조). 미성년후견감독 개시의 경우에는 미성년후견감독인이(법 제83조의2), 미성년후견감독인이 경질된 경우에는 후임자가(법 제83조의3), 미성년후견감독 종료의 경우에는 미성년후견감독인이 신고하여야 한다(법 제83조의5).

　(註 법 제26조는 보고적 신고에서 신고를 하여야 할 사람이 미성년자인 경우에 적용되는 것이므로, 신고하여야 할 사람이 미성년후견인인 경우에는 법 제26조가 적용될 여지가 없다.)

⑤ 例規 제369호 [미성년후견인·후견감독인의 개명에 따른 미성년자의 일반등록사항란 정정여부]

　미성년후견인·후견감독인이 개명한 경우에는 미성년자의 가족관계등록부 일반등록사항란에 기록되어 있는 미성년후견인·후견감독인의 성명을 정정할 필요가 없다.

정답　**01 ⑤**

사망신고

01 다음 중 사망신고서에 진단서나 검안서를 첨부할 수 없는 부득이한 사유가 있는 때에 첨부할 수 있는 사망의 사실을 증명할 만한 서면에 해당하는 것을 모두 고른 것은? ▸2024 법무사

> ㄱ. 관공서의 사망증명서 또는 매장인허증
> ㄴ. 진실화해위원회의 진실규명결정문
> ㄷ. 정부기록보관소에 보존 중인 재무부 작성의 피수용자사망자연명부
> ㄹ. 외국 관공서 등에서 발행한 그 나라 방식에 의해 사망신고 한 사실을 증명하는 서면
> ㅁ. 군인이 전투 그 밖의 사변으로 사망한 경우에 부대장 등이 사망 사실을 확인하여 그 명의로 작성한 전사확인서
> ㅂ. 동(리)장 및 통장 또는 인우인 2명 이상의 증명서
> ㅅ. 6·25사변으로 인한 사망을 목격한 사람 또는 사망을 확인한 사람 2명 이상의 증명서

① ㄱ, ㄴ, ㄹ, ㅁ, ㅅ   ② ㄱ, ㄷ, ㄹ, ㅁ, ㅂ
③ ㄱ, ㄴ, ㄷ, ㄹ, ㅁ, ㅂ   ④ ㄱ, ㄴ, ㄷ, ㄹ, ㅂ, ㅅ
⑤ ㄱ, ㄴ, ㄷ, ㄹ, ㅁ, ㅂ, ㅅ

해설 ① **例規** 제611호[사망신고서에 첨부할 사망의 사실을 증명할 만한 서면에 관한 처리지침]
제2조(사망의 사실을 증명할 만한 서면)
① 「가족관계의 등록 등에 관한 규칙」 제38조의3 제1호의 국내 또는 외국의 권한 있는 기관에서 발행한 사망사실을 증명하는 서면의 예는 다음 각 호와 같다.
   1. 관공서의 사망증명서 또는 매장인허증
   2. 진실화해위원회의 진실규명결정문
   3. 정부기록보관소에 보존중인 재무부 작성의 피수용자사망자연명부
   4. 외국 관공서 등에서 발행한 그 나라 방식에 의해 사망신고 한 사실을 증명하는 서면
② 「가족관계의 등록 등에 관한 규칙」 제38조의3 제3호의 그 밖에 대법원예규로 정하는 사망의 사실을 증명할 만한 서면은 다음 각 호와 같고, 별지 양식에 의한다.
   1. 동(리)장 및 통장 또는 (신고인 외) 인우인 2명 이상의 증명서
   2. 6·25사변으로 인한 사망을 목격한 사람 또는 사망을 확인한 사람 2명 이상의 증명서

정답   **01** ⑤

02 다음은 가족관계의 등록 등에 관한 법률 제90조이다. 다음 괄호 안에 들어갈 내용으로 옳은 것은?

> **제90조(등록불명자 등의 사망)**
> ① 사망자에 대하여 등록이 되어 있는지 여부가 분명하지 아니하거나 사망자를 인식할 수 없는 때에는 경찰공무원은 검시조서를 작성·첨부하여 지체 없이 사망지의 시·읍·면의 장에게 사망의 통보를 하여야 한다.
> ② 사망자가 등록이 되어 있음이 판명되었거나 사망자의 신원을 알 수 있게 된 때에는 경찰공무원은 지체 없이 사망지의 시·읍·면의 장에게 그 취지를 통보하여야 한다.
> ③ 제1항의 통보가 있은 후에 제85조에서 정한 사람이 사망자의 신원을 안 때에는 그 날부터 (   ) 이내에 사망의 신고를 하여야 한다.

① 1개월   ② 20일   ③ 10일
④ 7일   ⑤ 5일

해설 ③ 법 제90조(등록불명자 등의 사망)
① 사망자에 대하여 등록이 되어 있는지 여부가 분명하지 아니하거나 사망자를 인식할 수 없는 때에는 경찰공무원은 검시조서를 작성·첨부하여 지체 없이 사망지의 시·읍·면의 장에게 사망의 통보를 하여야 한다.
② 사망자가 등록이 되어 있음이 판명되었거나 사망자의 신원을 알 수 있게 된 때에는 경찰공무원은 지체 없이 사망지의 시·읍·면의 장에게 그 취지를 통보하여야 한다.
③ 제1항의 통보가 있은 후에 제85조에서 정한 사람(**동거하는 친족**)이 사망자의 신원을 안 때에는 그 날부터 <u>10일</u> 이내에 사망의 신고를 하여야 한다.

정답 ▶ **02** ③

국적의 득상에 관한 신고(통보)

01 국적의 취득 및 상실, 국적취득자의 성과 본의 창설신고 등에 관한 다음 설명 중 가장 옳지
않은 것은?　　　　　　　　　　　　　　　　　　　　　　　　　　▸ 2021 법무사

① 한국인 남자와 외국인 여자 사이의 출생자가 혼인 외의 자인 경우 부의 출생신고만으로
는 가족관계등록부를 작성할 수 없다.

② 외국의 성을 쓰는 국적취득자가 그 성을 쓰지 아니하고 새로이 성·본을 정하고자 하는
경우에는 그 등록기준지·주소지 또는 등록기준지로 하고자 하는 곳을 관할하는 가정법
원의 허가를 받아야 한다.

③ 외국인의 자로서 대한민국의 민법상 미성년인 사람은 부 또는 모가 귀화허가를 신청하여
대한민국 국적을 취득하게 되면, 신청 없이도 함께 대한민국 국적을 취득하게 된다.

④ 법무부장관은 국적법에 따라 대한민국의 국적을 취득한 사람이 있는 경우 지체 없이 국
적을 취득한 사람이 정한 등록기준지의 시(구)·읍·면의 장에게 대법원규칙으로 정하
는 사항을 통보하여야 하며, 통보를 받은 시(구)·읍·면의 장은 국적을 취득한 사람의
등록부를 작성한다.

⑤ 대한민국의 국민이었던 외국인은 법무부장관의 국적회복허가를 받아 대한민국 국적을
취득할 수 있다.

> **해설** ① **例規** **제429호**[한국인과 외국인 사이에서 출생한 자녀에 대한 출생신고 처리방법]
> 한국인과 외국인 사이에서 출생한 자녀에 대한 출생신고는 아래 예에 따라 처리해야 한다.
> 1. **한국인 남자와 외국인 여자** 사이의 출생자
>   가. 혼인중의 자인 경우
>   부(父) 또는 기타 출생신고 의무자(국내에 거주하는 외국인 모를 포함한다)의 신고로써 가
>   족관계등록부를 작성한다(특정등록사항란에 부모의 성명을 기록하여야 한다).
>   나. 혼인외의 자인 경우
>   부(父)의 출생신고만으로 가족관계등록부를 작성할 수 없으며 따로 외국인(대한민국 국민
>   이 아닌 사람)에 대한 인지절차에 따라 부(父)가 인지신고를 한 다음 자녀가 국적법에 따라
>   법무부장관에게 신고함으로써 국적을 취득하거나(미성년인 경우) 법무부장관으로부터 귀
>   화허가를 받은 후(성년인 경우), 국적취득 또는 귀화허가통보가 된 때 가족관계등록부를
>   작성할 수 있다. 따라서 외국의 국적을 취득하지 않은 출생자에 대한 출생신고를 수리하여
>   특종신고서류편철장에 편철한 후 자녀가 우리나라 국적을 취득하여 그 가족관계등록부를
>   작성할 때 출생사유를 기록한다. 다만, 태아인지 신고된 피인지자는 그 부(父)의 출생신고
>   로써 가족관계등록부를 작성할 수 있다.

정답 ▶ **01** ③

② 법 제96조(국적취득자의 성과 본의 창설 신고)

① 외국의 성을 쓰는 국적취득자가 그 성을 쓰지 아니하고 새로이 성(姓)·본(本)을 정하고자 하는 경우에는 그 등록기준지·주소지 또는 등록기준지로 하고자 하는 곳을 관할하는 가정법원의 허가를 받고 그 등본을 받은 날부터 1개월 이내에 그 성과 본을 신고하여야 한다.

③ 「국적법」 제8조(수반 취득)

① 외국인의 자(子)로서 대한민국의 「민법」상 미성년인 자는 부 또는 모가 귀화허가를 신청할 때 함께 국적 취득을 신청할 수 있다.

② 제1항에 따라 국적 취득을 신청한 사람은 부 또는 모가 대한민국 국적을 취득한 때에 함께 대한민국 국적을 취득한다.

(⚡ 외국인의 자녀는 부 또는 모가 귀화허가를 신청할 때 함께 수반취득을 신청하지 않았다면, 부모가 한국국적을 취득할 때에 당연히 함께 취득하게 되는 것은 아니다.)

④ 법 제93조(인지 등에 따른 국적취득의 통보 등)

① 법무부장관은 「국적법」 제3조 제1항 또는 같은 법 제11조 제1항에 따라 대한민국의 국적을 취득한 사람이 있는 경우 지체 없이 국적을 취득한 사람이 정한 등록기준지의 시·읍·면의 장에게 대법원규칙으로 정하는 사항을 통보하여야 한다.

② 제1항의 통보를 받은 시·읍·면의 장은 국적을 취득한 사람의 등록부를 작성한다.

⑤ 「국적법」 제9조(국적회복에 의한 국적 취득)

① 대한민국의 국민이었던 외국인은 법무부장관의 국적회복허가(國籍回復許可)를 받아 대한민국 국적을 취득할 수 있다.

02 국적의 취득과 상실에 관한 가족관계등록사무 처리에 대한 다음 설명 중 가장 옳은 것은?

▶ 2022 법무사

① 대한민국 국민인 부 또는 모가 외국인을 인지한 경우에는 인지자 또는 피인지자의 국적취득신고에 따라 피인지자의 가족관계등록부를 작성한다.

② 국적상실의 신고는 배우자 또는 4촌 이내의 친족이 그 국적을 상실한 날부터 1개월 이내에 하여야 한다.

③ 대한민국의 국민으로서 자진하여 외국 국적을 취득한 자는 그 외국 국적을 취득한 때에 대한민국 국적을 상실하므로, 국적상실자 본인은 국적상실의 신고를 할 수 없다.

④ 한쪽 배우자에 대하여 국적취득과 그 상실의 신고가 있는 때에는 다른 배우자의 가족관계등록부에도 그 취지를 기록하여야 한다.

⑤ 국적상실로 가족관계등록부가 폐쇄된 경우에 폐쇄 전에 효력이 발생한 법률관계 또는 사실에 관하여 폐쇄 후에 신고적격자가 신고를 하면, 해당 가족관계등록부의 등록기준지의 시(구)·읍·면의 장이 감독법원의 허가를 받아 부활 없이 폐쇄등록부에 직권기록한다.

해설 ① **[例規] 제430호**[한국인이 외국인을 인지 또는 입양한 경우 등의 사무처리지침]

1. 외국인을 인지한 경우
대한민국 국민인 부 또는 모가 외국인을 인지하는 경우 피인지자는 인지신고에 의하여 대한민국의 국적을 취득하는 것이 아니므로 인지자의 일반등록사항란에 인지사유와 피인지자의 성명 및 출생연월일을 기록하여 두었다가 나중에 <u>국적취득통보(피인지자가 미성년자인 경우)</u> 또는 <u>귀화허가통보(피인지자가 성년자인 경우)</u>가 있을 때에 피인지자의 가족관계등록부를 작성하여야 한다.

②,③ 법 제97조(국적상실신고의 기재사항)

① 국적상실의 신고는 배우자 또는 4촌 이내의 친족이 그 사실을 안 날부터 1개월 이내에 하여야 한다.

④ 국적상실자 본인도 국적상실의 신고를 할 수 있다.

④ 규칙 제54조(배우자의 가족관계등록사항 등의 변동사유)

한쪽 배우자에 대하여 다음의 신고가 있는 때에는 다른 배우자의 등록부에도 그 취지를 (직권)기록하여야 한다.

1. 사망, 실종선고·부재선고 및 그 취소
2. 국적취득과 그 상실
3. 성명의 정정 또는 개명

⑤ 例規 제304호[폐쇄된 가족관계등록부 기록의 정정] ☆

제2조(직권기록)

① 사망, 국적상실 등으로 가족관계등록부가 폐쇄된 경우에 폐쇄 전에 효력이 발생한 법률관계 또는 사실에 관하여 폐쇄 후에 신고적격자가 신고를 하면, 그 신고를 접수한 가족관계등록관서가 부활 없이 폐쇄등록부에 간이직권기록한다.

② 신고적격자가 아닌 이해관계인이 소명자료를 제출하여 직권기록을 신청하면, 접수한 등록관서는 「가족관계의 등록 등에 관한 법률」 제38조와 제18조 제2항에 따라 접수한 등록관서의 감독법원의 허가를 받아 부활 없이 폐쇄등록부에 직권기록한다.

03 가족관계의 등록 등에 관한 법률 제96조에 따른 국적취득자의 성과 본의 창설신고에 관한 다음 설명 중 가장 옳지 않은 것은?

▶ 2023 법무사

① 외국의 성을 쓰는 국적취득자가 그 성을 쓰지 않고 새로이 성과 본을 정하고자 하는 경우에는 그 등록기준지·주소지 또는 등록기준지로 하고자 하는 곳을 관할하는 가정법원의 허가를 받고 그 등본을 받은 날부터 1개월 이내에 그 성과 본을 신고하여야 한다.

② 국적취득자의 성과 본의 창설신고서에는 종전의 성, 창설한 성·본, 허가의 연월일을 기재하여야 한다.

③ 가족관계등록 창설신고와 달리, 국적취득자의 성과 본의 창설신고는 가족관계의 등록 등에 관한 법률 제23조의2에 따라 전산정보처리조직을 이용하여 전자문서로 할 수 없다.

④ 시(구)·읍·면의 장은 한쪽 배우자에 대한 성과 본의 창설신고가 수리되면, 다른 배우자의 가족관계등록부 일반등록사항란에 그 취지를 직권으로 기록하여야 한다.

⑤ 시(구)·읍·면의 장은 국적취득자의 성과 본의 창설신고에 따라 부 또는 모의 성과 본이 변경된 경우, 그 부 또는 모의 성을 따르는 자녀의 성과 본을 직권으로 변경기록하고 그 사유를 자녀의 가족관계등록부 일반등록사항란에 기록하여야 한다.

정답 ▶ 02 ④ 03 ③

해설 ① 법 제96조(국적취득자의 성과 본의 창설 신고)

① 외국의 성을 쓰는 국적취득자가 그 성을 쓰지 아니하고 새로이 성(姓)·본(本)을 정하고자 하는 경우에는 그 등록기준지·주소지 또는 등록기준지로 하고자 하는 곳을 관할하는 가정법원의 허가를 받고 그 등본을 받은 날부터 1개월 이내에 그 성과 본을 신고하여야 한다.

② 국적취득자의 성과 본의 창설신고서에는 종전의 성, 창설한 성·본, 허가의 연월일 등을 기재하여야 한다(예규 제617호 양식 제33호).

③ **例規 제631호**[전자문서를 이용한 신고에 관한 사무처리지침]

제2조(전자신고의 종류) (기준지변경신고, 출생신고, 가족관계등록비송사건–취·개·창·정)

규칙 제36조의2에 따라 다음 각 호의 신고는 전자신고로 할 수 있다.

1. 법 제10조 제2항에 따른 등록기준지 변경신고

2. 법 제44조 제4항 본문 및 제46조 제1항, 제2항에 따른 부 또는 모의 출생신고

3. 법 제96조에 따른 국적취득자의 성과 본의 창설 신고

4. 법 제99조에 따른 개명 신고

5. 법 제101조에 따른 가족관계등록 창설 신고

6. 법 제104조 및 제105조에 따른 등록부정정 신청

④.⑤ 성·본창설신고가 있는 때에는 다른 배우자의 등록부에도 그 취지를 기록하여야 하고(규칙 제54조), 성·본창설자의 성(姓)을 따르는 자녀가 있는 경우 자녀의 성과 본을 직권으로 변경기록하고 그 사유를 등록부에 기록하여야 한다(규칙 제55조).

PART

03

국제등록사무

01　외국인 기록대상자에 관한 다음 설명 중 가장 옳지 않은 것은?　　▸ 2021 법무사

① 외국인인 배우자의 특정등록사항은 국민인 상대방 배우자의 가족관계증명서 및 혼인관계증명서에 기록하며, 외국인인 자녀의 특정등록사항은 국민이 인지, 입양, 친양자입양한 자녀인 경우에만 기록한다.

② 귀화에 의하여 대한민국 국적을 취득한 사람에 대하여 귀화통보를 하는 경우, 그 인명은 해당 외국의 원지음을 귀화통보서에 한글과 한자로 표기하여야 하고, 가족관계등록부에는 귀화통보서에 표기한 원지음대로 한글과 한자로 기록하여야 한다.

③ 가족관계등록신고서에 기재된 국호와 지명에 대한 해당 외국 원지음의 한글표기가 외래어 표기법에 맞지 아니하는 경우, 시(구)·읍·면의 장은 외래어 표기법에 맞는 표기를 부전지에 적어 그 가족관계등록신고서에 붙이고, 가족관계등록부에는 외래어 표기법에 맞추어 기록하여야 한다.

④ 한국인 부가 외국인인 자녀를 인지하는 경우 종전 성(姓) 계속 사용에 관한 부모의 협의가 없는 한, 인지의 효력으로 외국인 자녀의 성은 한국인 부의 성본으로 변경된다.

⑤ 국제가족관계등록사건에서 외국증서와 가족관계등록부에 각 기재된 당사자의 성명이 불일치하는 경우, 신고인은 원칙적으로 우리나라 또는 외국 관공서가 발행한 동일성을 증명하는 서면을 신고서류와 함께 제출하여야 한다. 다만, 신고서류만으로 동일인임이 명백하거나 사소한 착오나 유루가 있는 것에 불과한 때에는 동일성을 증명하는 서면 없이 신고서류를 수리할 수 있다.

해설　① 例規 **제618호**[기록대상자가 외국인인 경우의 기록방법에 관한 예규] ☆☆
제3조(외국인인 배우자)
외국인인 배우자의 특정등록사항은 국민인 상대방 배우자의 가족관계증명서 및 혼인관계증명서에 기록한다.
제4조(외국인인 자녀)
외국인인 자녀의 특정등록사항은 국민이 인지, 입양, 친양자입양한 자녀인 경우에만 기록한다.
②·③ 例規 **제621호**[외국의 국호, 지명 및 인명의 표기에 관한 사무처리지침]
제4조(귀화통보의 경우)
① 귀화에 의하여 대한민국 국적을 취득한 사람(이하 "귀화자"라 한다)에 대하여 귀화통보를 하는 경우, 그 인명은 해당 외국의 원지음(한자는 함께 기록할 수 없다)을 귀화통보서에 한글로 표기하여야 하고, 가족관계등록부에는 귀화통보서에 한글로 표기한 원지음대로 기록하여야 한다.
② 제1항에도 불구하고, 귀화자가 중국에서 발행한 공문서에 의하여 조선족임을 소명한 중국국적자인 경우에, 그 귀화자의 인명에 대하여는 제3조 제4항부터 제6항까지를 준용한다.

제11조(외국의 국호와 지명의 정정)

외국의 국호와 지명에 관한 가족관계등록부의 기록이 외래어 표기법에 맞지 아니하는 경우에, 이해관계인은 외래어 표기법에 맞는 한글표기를 기재하여 시(구)·읍·면의 장에게 직권정정을 신청할 수 있고, 시(구)·읍·면의 장은 규칙 제60조를 준용하여 간이직권정정절차에 의하여 이를 정정하여야 한다.

④ 例規 **제616호**[자녀의 성과 본에 관한 가족관계등록사무 처리지침]

제8조(혼인 외의 자가 인지된 경우)

① 혼인 외의 자가 인지된 경우에는 부의 성과 본을 따른다. 다만, 인지신고시 부모의 협의에 의하여 종전의 성과 본을 계속 사용하기로 하는 별지2양식의 협의서를 제출한 경우에는 종전의 성과 본을 그대로 사용할 수 있으며, 이 경우, 자녀의 가족관계등록부에는 종전 성과 본을 유지한다는 취지를 기록하여야 한다.

⑤ 先例 제201110-1호 [국제가족관계등록사건의 신고를 수리하는데 있어서 외국증서와 가족관계등록부에 각 기재된 당사자의 성명이 불일치하는 경우 그 동일성을 증명하는 서면의 첨부에 대한 구체적인 기준]

국제가족관계등록사건에서 외국증서와 가족관계등록부에 각 기재된 당사자의 성명이 불일치하는 경우, 신고인은 원칙적으로 우리나라 또는 외국 관공서가 발행한 동일성을 증명하는 서면을 신고서류와 함께 제출하여야 한다. 다만, 신고서류만으로 동일인임이 명백하거나(例 미국 시민권 증서 뒷면에 'name change' 확인내용이 기재되는 경우, 혼인으로 성이 변경된 때 가족관계증명서나 혼인관계증명서 등에 의하여 배우자의 성이 확인되는 경우 등) 사소한 착오나 유루가 있는 것에 불과한 때에는 동일성을 증명하는 서면 없이 신고서류를 수리할 수 있다. 동일성을 증명하는 서면의 예로는 우리나라 재외공관이 발행하는 동일인증명서, 한국주재 캐나다 재외공관이 발행하는 법정확인서(또는 캐나다 통계국이 발행하는 성명변경증명서), 한국주재 미국 재외공관이 공증한 사건본인의 선서서 등이 있다(2011.10.25. 가족관계등록과-3061 질의회답).

정답 ▶ **01** ②

02 국제가족관계등록사무의 처리에 관한 다음 설명 중 가장 옳지 않은 것은? ▸2023 법무사

① 외국에 거주하고 있는 한국인은 한국에 거주하고 있는 사람과 동일하게 보고적 신고사항에 대하여 가족관계의 등록 등에 관한 법률에 따른 가족관계등록신고의 의무를 지며, 보고적 신고대상인 신분변동사실에 대하여 거주지 나라의 법에 따라 그 나라 관공서 등에 신고를 한 경우에도 위 신고의무가 면제되는 것은 아니다.

② 증서의 등본 제출방식에 의하여 가족관계등록부에 기록을 할 수 있는 경우는 외국에 거주하고 있는 한국인이 그 거주지 나라 방식에 의하여 실체적인 창설적 신분행위(혼인, 입양, 인지, 이혼과 파양 등)를 하여 신분행위가 성립된 경우에만 가능하다.

③ 외국에 거주하고 있는 한국인이 출생, 사망 등과 같은 보고적 신고를 하는 경우에는, 가족관계등록신고서에 첨부하여야 할 출생증명서나 사망증명서 등을 갈음하여 그 거주지 나라의 방식에 의해 신고한 사실을 증명하는 서면을 첨부할 수 있다.

④ 대한민국 국적을 회복한 사람에 대하여 국적회복통보를 하는 경우에, 국적회복자가 종전에 우리나라에서 사용하던 성명(한자를 포함한다)을 국적회복통보서에 기재한 때에는 이를 수리하여야 한다. 이 경우 국적회복자가 종전에 우리나라에서 사용하던 성명을 등록사항별 증명서에 의하여 소명하여야 하며, 이때에도 인명용 한자의 제한을 받는다.

⑤ 외국인의 인명은 신고인이 가족관계등록신고서에 한글로 표기한 해당 외국의 원지음대로 가족관계등록부에 기록하여야 하며 이 경우 한자는 함께 기록할 수 없다. 다만, 중국에서 발행한 공문서에 의하여 조선족임을 소명한 중국 국적자에 대하여 가족관계등록신고를 하는 경우에, 신고인이 해당 중국국적자의 인명에 대하여 그에 대응하는 한국통용의 한자를 소명한 때에는 그 한국통용의 한자에 대한 한국식 발음의 한글을 그 원지음을 갈음하여 위 신고서에 표기할 수 있으나, 이 경우에도 한자는 함께 기록할 수 없다.

> **해설** ①,②,③ **例規** **제486호**[외국에 거주하고 있는 한국인의 가족관계등록신고절차 등에 관한 사무처리지침]
>
> 1. 가족관계등록신고의 의무 및 신고 가부
>
>   가. 외국에 거주하고 있는 한국인은 한국에 거주하고 있는 사람과 동일하게 보고적 신고사항에 대하여 「가족관계의 등록 등에 관한 법률」에 따른 가족관계등록신고의 의무를 진다.
>
>   나. 보고적 신고대상인 신분변동사실에 대하여 거주지 나라의 법에 따라 그 나라 관공서 등에 가족관계등록신고를 한 경우에도 동일한 신고사항에 대한 「가족관계의 등록 등에 관한 법률」상의 신고의무가 면제되는 것은 아니다.
>
> 2. 외국에 있는 한국인의 가족관계등록신고절차
>
>   나. 증서의 등본 제출방식에 의한 가족관계등록부의 기록절차
>
>   (1) 증서의 등본 제출방식에 의하여 가족관계등록부에 기록을 할 수 있는 경우는 외국에 거주하고 있는 한국인이 그 거주지 나라 방식에 의하여 실체적인 창설적 신분행위(혼인, 입양, 인지, 이혼과 파양 등)를 하여 신분행위가 성립된 경우에만 가능하다.
>
>   다. 외국에 거주하는 한국인이 거주지 방식으로 그 관공서 등에 신분변동사항에 관한 보고적 신고를 한 경우의 가족관계등록신고절차

(3) 외국에 거주하고 있는 한국인이 출생, 사망 등과 같은 보고적 신고(고유의 의미)를 하는 경우에는, 가족관계등록신고서에 첨부하여야 할 출생증명서나 사망증명서 등을 갈음하여 그 거주지 나라의 방식에 의해 신고한 사실을 증명하는 서면(예 수리증명서 등)을 첨부할 수 있다.

④, ⑤ [例規] 제621호 [외국의 국호, 지명 및 인명의 표기에 관한 사무처리지침]

제3조(시(구)·읍·면에서의 사무처리 등)

③ 외국인의 인명은 신고인(통보자를 포함한다. 다음부터 같다)이 가족관계등록신고서에 한글로 표기한 해당 외국의 원지음대로 가족관계등록부에 기록하여야 하며, 이 경우 한자는 함께 기록할 수 없다.

④ 제3항에도 불구하고, 중화인민공화국(이하 "중국"이라 한다)에서 발행한 공문서(예 거민신분증, 호구부 등. 이하 같다)에 의하여 조선족임을 소명한 중국 국적자에 대하여 가족관계등록신고(법무부장관의 국적관련통보를 포함한다. 다음부터 같다)를 하는 경우에, 신고인이 해당 중국국적자의 인명에 대하여 그에 대응하는 한국통용의 한자를 소명한 때에는, 그 한국통용의 한자에 대한 한국식 발음의 한글(한자는 함께 기록할 수 없다)을 그 원지음을 갈음하여 가족관계등록신고서에 표기할 수 있으며, 시(구)·읍·면의 장은 가족관계등록신고서에 표기된 한국식 발음의 한글을 그 원지음을 갈음하여 가족관계등록부에 기록하여야 하고, 한자는 함께 기록할 수 없다.

제8조(국적회복통보의 경우)

① 대한민국 국적을 회복한 사람(이하 "국적회복자"라 한다)에 대하여 국적회복통보를 하는 경우에, 국적회복자가 종전에 우리나라에서 사용하던 성명(한자를 포함한다)을 국적회복통보서에 기재한 때에는 이를 수리하여야 한다. 이 경우 국적회복자가 종전에 우리나라에서 사용하던 성명(한자를 포함한다)을 등록사항별 증명서에 의하여 소명하여야 하며, 이때에는 인명용 한자의 제한을 받지 아니한다.

정답 > 02 ④

국제등록사무등록부의 정정

국제등록사무등록부의 정정

01 가족관계등록부 또는 제적부의 정정에 관한 다음 설명 중 가장 옳은 것은? ▸ 2025 법무사

① 제적부를 정정할 때는 제적부를 부활한 후 정정한다.

② 혼인 등 신고로 인하여 효력이 발생하는 행위는 가족관계등록부에 기록한 후에 실체상의 흠결이 있음을 발견하여도 가족관계의 등록 등에 관한 법률 제18조 제2항에 따라 이를 정정할 수 없다.

③ 판결에 의해서만 할 수 있는 가족관계등록부의 정정을 가정법원의 허가를 받아 가족관계등록부를 정정한 경우에도 그 허가를 받은 이상 적법한 정정의 효력이 발생한다.

④ 가족관계등록부의 정정은 재판의 주문 및 이유에 나타난 사항에 한하여 허용된다.

⑤ 일반등록사항란의 기록을 정정하는 경우에는 정정할 부분에 하나의 선을 긋고, 해당 사항란에 정정내용과 그 사유를 기록한다.

해설 ① **例規** **제297호**[제적부 기재의 정정방법 예규]
　제3조(정정의 방법)
　① 제적부를 정정할 때는 제적부를 부활하지 않고 정정하며, 이에 따라 가족관계등록부를 정정해야 할 경우에는 등록부 폐쇄없이 해당사항을 정정한다.

② **例規** **제57호**[혼인 등 신고로 인하여 효력이 생기는 행위에 대한 실체상의 흠결을 이유로 하는 직권정정 여부]
　혼인 등 신고로 인하여 효력이 발생하는 행위는 가족관계등록부에 기록한 후에 실체상의 흠결이 있음을 발견하여도 「가족관계의 등록 등에 관한 법률」 제18조 제2항에 따라 이를 정정할 수 없다.

③ **例規** **제423호**[판결에 의한 가족관계등록부 정정과 법원의 허가에 의한 가족관계등록부 정정의 구별]
　3. 판결에 의해서만 할 수 있는 가족관계등록부 기록의 정정을 법원의 가족관계등록부의 정정 허가만으로 정정한 경우에는 위법한 것으로서 그 정정의 효력이 발생하지 않는다.

④ **例規** **제422호**[가정법원의 허가에 의한 가족관계등록부 정정에 관한 사무처리지침]
　4. 법원의 허가에 의한 가족관계등록부 정정의 허용범위
　　가족관계등록부정정은 재판의 주문에 나타난 사항에 한하여 허용된다.

⑤ 규칙 제66조(등록부의 정정방법)
　① 등록부의 기록사항을 정정하는 경우에는 정정할 부분에 새로운 사항을 기록하고, 정정내용과 사유를 가족관계등록부사항란이나 일반등록사항란에 기록한다.
　② 가족관계등록부사항란이나 일반등록사항란의 사건 자체를 말소하는 경우에는 그 기록사항 전체에 하나의 선을 긋고, 말소내용과 사유를 각 해당 사항란에 기록한다.

정답 ▸ **01** ②

국제등록사무 가족관계등록비송

국제등록사무가족관계등록비송
(국적취득자의 성·본창설허가, 개명허가, 가족관계등록창설허가, 등록기록정정허가)

01 다음에 열거한 비송사건 중에서 가족관계등록비송사건을 모두 고른 것은? ▸ 2022 법무사

> 가. 자의 복리를 위한 자의 성과 본의 변경 허가 사건
> 나. 등록이 되어 있지 아니한 사람에 대한 가족관계등록창설허가 사건
> 다. 개명허가 사건
> 라. 부모를 알 수 없는 사람에 대한 성과 본의 창설 허가 사건
> 마. 외국의 성을 쓰는 국적취득자의 성과 본의 창설 허가 사건
> 바. 미성년자의 입양에 대한 허가 사건
> 사. 위법한 가족관계 등록기록의 정정 허가 사건
> 아. 출생증명서 또는 서면을 첨부할 수 없는 경우의 가정법원의 확인 사건

① 나, 다, 라, 마   ② 가, 다, 라, 바
③ 나, 다, 라, 마, 사   ④ 나, 다, 마, 사, 아
⑤ 나, 다, 라, 마, 사, 아

해설 ④ 규칙 제87조(허가사건의 처리절차)
① 다음 각 호의 사건의 처리절차에 관하여는 비송사건절차법을 준용한다.
  1. 법 제96조에 따른 국적취득자의 성과 본의 창설 허가
  2. 법 제99조에 따른 개명허가
  3. 법 제101조에 따른 가족관계등록창설허가
  4. 법 제104조 및 제105조에 따른 등록기록정정허가

규칙 제87조의2(확인사건의 처리절차)
① 다음 각 호의 사건의 처리절차에 관하여는 비송사건절차법을 준용한다.
  1. 법 제44조의2 제1항에 따른 가정법원의 확인
     (출생신고에 필요한 서류 제출할 수 없는 경우 ⇒ 가정법원 확인 ⇒ 출생신고)
  2. 법 제57조제1항 단서 및 같은 조 제2항에 따른 가정법원의 확인
     (출생신고에 필요한 서류 제출할 수 없는 경우 ⇒ 가정법원 확인 ⇒ 부 혼외자 친생자 출생신고)

02 다음 중 주소지 관할 가정법원이 처리하는 경우가 있는 것끼리 연결된 것은(여기서 등록부의 정정허가는 가족관계의 등록 등에 관한 법률 제104조에 의함)? ▸2024 법무사

① 가족관계 등록 창설 허가 – 등록부의 정정 허가
② 개명 허가 – 귀화 허가
③ 국적취득자의 성과 본 창설 허가 – 등록부의 정정 허가
④ 협의상 이혼의 확인 – 개명 허가
⑤ 개명 허가 – 등록부의 정정 허가

해설 ① 법 제101조(가족관계 등록 창설신고)
① 등록이 되어 있지 아니한 사람은 등록을 하려는 곳을 관할하는 가정법원의 허가를 받고 그 등본을 받은 날부터 1개월 이내에 가족관계 등록 창설의 신고를 하여야 한다.
법 제104조(위법한 가족관계 등록기록의 정정)
① 등록부의 기록이 법률상 허가될 수 없는 것(**법률상 무효**) 또는 그 기재에 착오나 누락이 있다고 인정한 때에는 이해관계인은 사건 본인의 등록기준지를 관할하는 가정법원의 허가를 받아 등록부의 정정을 신청할 수 있다.
② 「국적법」 제4조(귀화에 의한 국적 취득)
① 대한민국 국적을 취득한 사실이 없는 외국인은 법무부장관의 귀화허가(歸化許可)를 받아 대한민국 국적을 취득할 수 있다.
③ 법 제96조(국적취득자의 성과 본의 창설 신고)
① 외국의 성을 쓰는 국적취득자가 그 성을 쓰지 아니하고 새로이 성(姓)·본(本)을 정하고자 하는 경우에는 그 등록기준지·주소지 또는 등록기준지로 하고자 하는 곳을 관할하는 가정법원의 허가를 받고 그 등본을 받은 날부터 1개월 이내에 그 성과 본을 신고하여야 한다.
④ 법 제75조(협의상 이혼의 확인)
① 협의상 이혼을 하고자 하는 사람은 등록기준지 또는 주소지를 관할하는 가정법원(시·군법원 O)의 확인을 받아 신고하여야 한다. 다만, 국내에 거주하지 아니하는 경우에 그 확인은 서울가정법원의 관할로 한다.
법 제99조(개명신고)
① 개명하고자 하는 사람은 주소지((주소지가 없는 사람이거나) 재외국민의 경우 등록기준지)를 관할하는 가정법원의 허가를 받고 그 허가서의 등본을 받은 날부터 1개월 이내에 신고를 하여야 한다.

정답 01 ④ 02 ④

03 가족관계등록비송사건에 관한 다음 설명 중 가장 옳지 않은 것은?

▶ 2021 법무사

① 국적취득자의 성본창설허가, 개명허가, 가족관계등록창설허가 및 등록기록정정허가는 비송사건절차법을 준용하므로 심문은 비공개가 원칙이고 직권에 의한 탐지와 증거조사가 인정된다.

② 가족관계등록공무원이 가족관계등록부의 정정허가결정에 의한 가족관계등록부의 정정신청을 수리하여 가족관계등록부에 기록을 한 후에는 그 허가결정을 한 법원은 비송사건절차법 제19조 제1항에 따라 재판의 취소 또는 변경을 할 수는 없다.

③ 비송사건절차법이 민사소송법 개별 규정을 준용하고 있고, 가족관계등록비송사건에는 비송사건절차법이 준용되므로 가족관계등록비송사건을 대상으로 하는 소송구조 신청은 적법하다.

④ 일반 민사비송사건이나 가사비송사건에 있어서는 공익의 대표자인 검사에게 청구인적격이 부여되는 경우가 있으나 가족관계등록비송사건에 관하여는 이러한 규정이 없다.

⑤ 가족관계등록비송사건의 신청서나 재판서에는 당사자에 준하여 사건본인을 기재할 필요가 있으므로 허가신청서에는 사건본인의 성명·출생연월일·등록기준지 및 주소를 기재하여야 한다.

해설 ① 처리절차에 관하여는 「비송사건절차법」을 준용한다(규칙 제87조). 따라서 심문은 비공개가 원칙이고, 직권에 의한 탐지와 증거조사가 인정된다(「비송사건절차법」 제11조, 제13조).

② **例規** **제422호**[가정법원의 허가에 의한 가족관계등록부 정정에 관한 사무처리지침]

　7. 법원의 가족관계등록부의 정정허가결정에 의하여 가족관계등록부에 기록을 한 후 동 허가결정의 취소 또는 변경 여부

　(법원은 재판을 한 후에 그 재판이 위법 또는 부당하다고 인정한 때에는 이를 취소 또는 변경할 수 있다(「비송사건절차법」 제19조 제1항). 그러나) 가족관계등록공무원이 가족관계등록부의 정정허가결정에 의한 가족관계등록부의 정정신청을 수리하여 가족관계등록부에 기록을 한 후에는 그 허가결정을 한 법원은 「비송사건절차법」 제19조 제1항에 따라 재판의 취소 또는 변경을 할 수는 없다.

③ **判例** 대결 2009.9.10. 2009스89

　비송사건절차법에서 민사소송법의 개별 규정을 준용하고 있으나 소송구조에 관한 규정은 준용하지 않고 있으므로(비송사건절차법 제8조, 제10조 참조), 비송사건절차법이 적용 또는 준용되는 비송사건은 소송구조의 대상이 되지 아니하고, 이러한 비송사건을 대상으로 하는 소송구조 신청은 부적법하다.

④ 일반 민사비송사건이나 가사비송사건과 달리 공익의 대표자인 검사의 청구권을 규정하고 있는 경우가 없으므로 당사자만이 신청인이 될 수 있다.

⑤ 비송사건의 신청서기재사항(「비송사건절차법」 제9조)에는 신청인 이외에 사건본인의 기재가 필요하지 않으므로 이를 규정하지 않고 있으나, 가족관계등록비송사건의 신청서나 재판서에는 당사자에 준하여 사건본인을 기재할 필요가 있음으로 이를 기재하도록 규정하고 있다(규칙 제87조 제3항). 허가신청서에는 사건본인의 성명·출생연월일·등록기준지 및 주소를 기재하여야 한다(규칙 제87조 제3항).

04 개명에 관한 다음 설명 중 가장 옳지 않은 것은?

▸ 2021 법무사

① 외국인과의 신분행위(예 외국인에게 입양된 경우 등) 등으로 그 외국인과 일정한 신분관계가 형성이 되어 그 외국의 법에 따라 개명을 한 경우라 하더라도, 가족관계의 등록 등에 관한 법률 제99조에 따라 한국법원에서 개명허가결정을 받은 경우가 아닌 한 그 외국에서 개명한 이름을 개명신고에 의해서 한국 가족관계등록부에 기록할 수 없다.

② 개명허가신청인의 개인적인 입장을 고려하여 개명을 허가할 만한 상당한 이유가 있고, 달리 개명신청권의 남용으로 볼 사정이 없는 한, 미성년자 시절 한 차례 개명허가결정을 받은 사실만으로는 개명신청권의 남용이라고 보기 어렵다.

③ 개명하고자 하는 사람은 주소지를 관할하는 가정법원의 허가를 받아야 하고, 주소지가 없는 사람은 등록기준지를 관할하는 가정법원에 개명허가신청을 할 수 있다.

④ 재외국민이 개명허가신청서를 재외공관에 제출할 때에는 신청서에 정해진 인지를 붙이거나 그 액면상당의 현지화를 재외공관장에게 납부하여도 된다.

⑤ 개명신청을 허가한 재판이 효력을 발생한 때에는 가정법원의 법원사무관등은 지체 없이 사건본인의 주소지의 시(구)·읍·면의 장에게 그 뜻을 통지하여야 하고, 통지를 받은 시(구)·읍·면의 장은 법정기간 내 신고의무자의 신고가 없으면 지체없이 가족관계의 등록 등에 관한 법률 제38조 제1항 및 제2항에 따라 신고의무자에게 신고할 것을 최고하여야 한다.

해설 ①,④ 例規 제619호[개명허가신청사건 사무처리지침]

제10조(재외공관에의 인지납부)

① 재외국민이 개명허가신청서를 재외공관에 제출할 때에는 신청서에 정해진 인지를 붙이거나 그 액면상당의 현지화를 재외공관장에게 납부하여도 된다.

제11조(외국에서 한 개명의 효력)

① 외국인과의 신분행위(예 외국인에게 입양된 경우 등) 등으로 그 외국인과 일정한 신분관계가 형성이 되어 그 외국의 법에 따라 개명을 한 경우라 하더라도, 「가족관계의 등록 등에 관한 법률」 제99조에 따라 한국법원에서 개명허가결정을 받은 경우가 아닌 한 그 외국에서 개명한 이름을 한국 가족관계등록부에 기록할 수 없다. (∵ 외국법원의 판결(결정)에 의한 개명은 할 수 없다.)

② 判例 대결 2009.8.13, 2009스65

[2] 신청인의 개인적인 입장을 고려하여 개명을 허가할 만한 상당한 이유가 있고, 달리 개명신청권의 남용으로 볼 사정이 없는 한, 미성년자 시절 한 차례 개명허가결정을 받은 사실만으로는 개명신청권의 남용이라고 보기 어렵다고 한 사례

③ 법 제99조(개명신고)

① 개명하고자 하는 사람은 주소지(주소지가 없는 사람이거나) 재외국민의 경우 등록기준지)를 관할하는 가정법원의 허가를 받고 그 허가서의 등본을 받은 날부터 1개월 이내에 신고를 하여야 한다.

③ 제2항의 신고서에는 허가서의 등본을 첨부하여야 한다.

정답 ▸ 03 ③ 04 ⑤

규칙 제87조(허가사건의 처리절차)

④ 주소지가 없는 사람은 법 제99조에 따른 개명허가 신청을 등록기준지를 관할하는 가정법원에 할 수 있다.

⑤ 例規 **제504호**[가족관계등록비송사건 및 가사사건 통지의 처리에 관한 업무지침]

제2조(가족관계등록비송사건 통지의 방법)

① 규칙 제87조 제1항 각 호의 신청을 허가한 재판이 효력을 발생한 때에는 가정법원의 법원사무관등은 지체없이 사건본인의 등록기준지의 시(구)·읍·면의 장에게 재판서의 등본을 첨부하여 별지 제1호 서식에 의하여 통지하여야 한다.

제3조(신고의 최고 및 기록)

① 전 조의 통지를 받은 시(구)·읍·면의 장은 법정기간 내에 신고의무자의 신고가 없으면 지체 없이 「가족관계의 등록 등에 관한 법률」(이하 "법"이라 한다) 제38조 제1항 및 제2항에 따라 신고의무자에게 신고할 것을 최고한다.

국제등록사무가족관계등록공무원의 처분에 대한 불복절차, 벌칙 · 과태료

01 가족관계의 등록 등에 관한 법률에 따른 과태료에 관한 다음 설명 중 가장 옳은 것은?

▸ 2021 법무사

① 국적상실의 신고는 본인 또는 4촌 이내의 친족이 그 사실을 안 날부터 1개월 이내에 하여야 하며, 그 신고를 게을리한 때에 가족관계의 등록 등에 관한 법률 제122조에 따라 과태료가 부과될 수 있다.

② 甲이 乙의 자로 출생신고되었다가 甲·乙간의 친생자관계부존재확인판결이 확정되어 甲의 가족관계등록부가 폐쇄됨으로 인하여 甲에 대한 출생신고의무자가 다시 출생신고를 하는 경우, 과태료 부과의 기산점인 출생신고기간은 친생자관계부존재확인의 판결이 확정된 때로부터 기산하여야 한다.

③ 과태료 처분에 불복하는 사람은 60일 이내에 과태료 처분한 시(구)·읍·면의 장에게 이의를 제기할 수 있다.

④ 시(구)·읍·면의 장으로부터 과태료 처분을 받은 사람이 이의를 제기한 때에는 당해 시(구)·읍·면의 장은 지체 없이 과태료 처분을 받은 사람의 주소 또는 거소를 관할하는 가정법원에 그 사실을 통보하여야 한다.

⑤ 재외국민 가족관계등록사무소의 가족관계등록관이 과태료 부과 대상이 있음을 안 때에는 신고의무자인 재외국민이 있는 지역을 관할하는 재외공관의 장에게 그 사실을 통지하고, 통지를 받은 재외공관의 장이 과태료를 부과·징수한다.

해설 ① 법 제97조(국적상실신고의 기재사항)

    ① 국적상실의 신고는 배우자 또는 4촌 이내의 친족이 그 사실을 안 날부터 1개월 이내에 하여야 한다. (신고의무자 ⇒ 신고해태 ⇒ 과태료 제재○)

    ④ 국적상실자 본인도 국적상실의 신고를 할 수 있다. (신고적격자⇒ 신고해태 ⇒ 과태료 제재×)

② **先例** 제2-470호[확정된 경우의 출생신고기간의 기산]

    甲이 乙의 자로 출생신고되었다가 甲·乙 간의 친생자관계부존재확인판결이 확정되어 甲의 호적이 말소됨으로 인하여 甲에 대한 출생신고의무자가 다시 출생신고를 하는 경우에도 출생신고기간은 친생자관계부존재확인의 판결이 확정된 때로부터 기산할 것이 아니고 출생시로부터 기산하여야 한다(91.11.5. 법정 제1621호).

③.④ 법 제124조 (과태료 부과·징수)

    ② 제1항에 따른 과태료 처분에 불복하는 사람은 30일 이내에 해당 시·읍·면의 장에게 이의를 제기할 수 있다.

    ③ 제1항에 따라 시·읍·면의 장으로부터 과태료 처분을 받은 사람이 제2항에 따라 이의를 제기한 때에는 당해 시·읍·면의 장은 지체 없이 과태료 처분을 받은 사람의 주소 또는 거소를 관할하는 가정법원에 그 사실을 통보하여야 하며, 그 통보를 받은 가정법원은 「비송사건절차법」에 따른 과태료 재판을 한다.

⑤ 법 제124조 (과태료 부과·징수)

　① 제121조 및 제122조에 따른 과태료는 대법원규칙으로 정하는 바에 따라 시·읍·면의 장(제21조 제2항에 해당하는 때에는 출생·사망의 신고를 받는 동의 관할 시장·구청장을 말한다. 이하 이 조에서 같다)이 부과·징수한다. 다만, 재외국민 가족관계등록사무소의 가족관계등록관이 과태료 부과 대상이 있음을 안 때에는 신고의무자의 <u>등록기준지 시·읍·면의 장</u>에게 그 사실을 통지하고, 통지를 받은 시·읍·면의 장이 과태료를 부과·징수한다.

02 가족관계의 등록 등에 관한 법률 또는 규칙상 불복절차 및 과태료에 관한 다음 설명 중 가장 옳은 것은?

▶ 2024 법무사

① 불복신청의 비용에 관하여는 민사소송법의 규정을 준용한다.

② 가정법원은 신청이 이유 없는 때에는 기각하고 이유 있는 때에는 시·읍·면의 장에게 상당한 처분을 명하여야 한다.

③ 위 ②항의 처분을 명하는 재판은 명령으로써 하고, 시·읍·면의 장 및 신청인에게 송달하여야 한다.

④ 과태료를 부과하는 경우에는 위반사실과 과태료금액을 명시한 과태료납부통지서를 과태료처분 대상자에게 송부하여야 한다. 그러나 신고서 제출과 동시에 자진하여 과태료를 납부하는 경우에는 그러하지 아니하다.

⑤ 과태료의 부과는 신고를 수리한 가족관계등록관이 한다.

해설 ① 법 제113조(불복신청의 비용)

　불복신청의 비용에 관하여는 「비송사건절차법」의 규정을 준용한다.

②,③ 법 제111조(불복신청에 대한 법원의 결정)

　① 가정법원은 신청이 이유 없는 때에는 <u>각하</u>하고 이유 있는 때에는 시·읍·면의 장에게 상당한 처분을 명하여야 한다.

　② 신청이 <u>각하</u> 또는 처분을 명하는 재판은 <u>결정(</u>**명령×**)으로써 하고, 시·읍·면의 장 및 신청인에게 송달하여야 한다.

④,⑤ 규칙 제50조(과태료의 부과)

　① 법 제124조 제1항에 따른 과태료의 부과는 신고 또는 신청을 수리하거나 이를 최고한 시·읍·면의 장이 한다. 다만, 가족관계등록관이 과태료 부과 대상이 있음을 통지한 경우에는 통지를 받은 시·읍·면의 장이 과태료를 부과한다.

　③ 과태료를 부과하는 경우에는 위반사실과 과태료금액을 명시한 <u>과태료납부통지서</u>를 과태료처분대상자에게 송부하여야 한다. 그러나 신고서 제출과 동시에 자진하여 과태료를 <u>납부</u>하는 경우에는 그러하지 아니하다.

정답 ▶ 01 ④　02 ④

박문각 법무사

박문각 법무사

2026 법무사
1차 | 5개년 전과목 기출문제집 1권

제1판 인쇄 2026. 4. 15. | **제1판 발행** 2026. 4. 20.

편저자 오상훈·하영태·이혁준·김지후·김경중·김기찬·이천교

발행인 박 용 | **발행처** (주)박문각출판 | **등록** 2015년 4월 29일 제2019-0000137호

주소 06654 서울시 서초구 효령로 283 서경 B/D 4층 | **팩스** (02)584-2927

전화 교재 문의 (02)6466-7202

저자와의
협의하에
인지생략

이 책의 무단 전재 또는 복제 행위를 금합니다.

정가 60,000원
ISBN 979-11-7519-909-5(1권)
ISBN 979-11-7519-908-8(세트)

MEMO